ALSACE
LORRAINE
Escapades en Forêt-Noire

Collection sous la responsabilité d'Anne Teffo

Ont contribué à l'élaboration de ce guide :

Édition	Anne Lagarde, Amaury de Valroger
Rédaction	Annabelle Lebarbé, Sophie Pothier, Julie Wood
Cartographie	Denis Rasse, Fabienne Renard, Michèle Cana
Informations pratiques	www.insee.fr (chiffres de population)
Conception graphique	Laurent Muller (couverture), agence Rampazzo (maquette intérieure)
Relecture	Juliette Dablanc
Régie publicitaire	michelin-cartesetguides-btob@fr.michelin.com
et partenariats	*Le contenu des pages de publicité insérées dans ce guide n'engage que la responsabilité des annonceurs.*
Remerciements	Équipe Guide Michelin, ville de Metz, Comité départemental du tourisme de Moselle.
Contacts	Michelin Cartes et Guides
	Le Guide Vert
	46, avenue de Breteuil 75324 Paris Cedex 07
	ℰ 01 45 66 12 34 – Fax : 01 45 66 13 75
	LeGuideVert@fr.michelin.com
	www.cartesetguides.michelin.fr
	www.viamichelin.com

Parution 2008

Le Guide Vert,

la culture en mouvement

Vous avez envie de bouger pendant vos vacances, le week-end ou simplement quelques heures pour changer d'air ? Le Guide Vert vous apporte des idées, des conseils et une connaissance récente, indispensable, de votre destination.

Tout d'abord, **sachez que tout change**. Toutes les informations pratiques du voyage évoluent rapidement : nouveaux hôtels et restaurants, nouveaux tarifs, nouveaux horaires d'ouverture… Le patrimoine aussi est en perpétuelle évolution, qu'il soit artistique, industriel ou artisanal… Des initiatives surgissent partout pour rénover, améliorer, surprendre, instruire, divertir. Même les lieux les plus connus innovent : nouveaux aménagements, nouvelles acquisitions ou animations, nouvelles découvertes enrichissent les circuits de visite.

Le Guide Vert **recense** et **présente ces changements** ; il réévalue en permanence le niveau d'intérêt de chaque curiosité afin de bien mesurer ce qui aujourd'hui vaut le voyage (distingué par ses fameuses 3 étoiles), mérite un détour (2 étoiles), est intéressant (1 étoile). Actualisation, sélection et appréciation sur le terrain sont les maîtres mots de la collection, afin que Le Guide Vert soit à chaque édition le reflet de la réalité touristique du moment.

Créé dès l'origine pour **faciliter et enrichir vos déplacements**, Le Guide Vert s'adresse encore aujourd'hui à tous ceux qui aiment connaître et comprendre ce qui fait l'identité d'une région. Simple, clair et facile à utiliser, il est aussi idéal pour voyager en famille. Le symbole 👥 signale tout ce qui est intéressant pour les enfants : zoos, parcs d'attractions, musées insolites, mais également animations pédagogiques pour découvrir les grands sites.

Ce guide vit pour vous et par vous. N'hésitez pas à nous faire part de vos remarques, suggestions ou découvertes ; elles viendront enrichir la prochaine édition de ce guide.

Anne Teffo
Responsable de la collection
Le Guide Vert Michelin

ORGANISER SON VOYAGE

COMPRENDRE LA RÉGION

VILLES ET SITES

À l'intérieur des rabats de couverture, la carte générale intitulée « Les plus beaux sites » donne :

une **vision synthétique** de tous les lieux traités ;

les **sites étoilés** visibles en un coup d'œil ;

Dans la partie **« Découvrir les sites »** :

les **destinations principales** sont classées par ordre alphabétique ;

les **destinations moins importantes** leur sont rattachées sous les rubriques « Aux alentours » ou « Circuits de découverte » ;

les **informations pratiques** sont présentées dans un encadré vert à la fin de chaque chapitre.

L'**index** permet de retrouver rapidement la description de chaque lieu.

SOMMAIRE

DÉCOUVRIR LES SITES

ESCAPADES EN FORÊT-NOIRE

*Crêtes des Hautes-Vosges
depuis le Schweisel.*

O. Frimat/MICHELIN

OÙ ET QUAND PARTIR

Entre le Rhin et les côtes de Meuse, c'est un territoire varié dans ses paysages, son patrimoine, son histoire et ses traditions qui est à découvrir. Nulle monotonie n'est à craindre ici ; plaine d'Alsace, forêts de Lorraine, massifs et lacs vosgiens… Les passionnés de nature n'auront que l'embarras du choix. Quant aux amateurs d'histoire et de culture, ils apprécieront l'éclectisme de ces terres frontalières, certes tristement marquées par de terribles conflits, mais aussi enrichies d'influences venues d'Allemagne ou d'Europe du Nord. Les villes se distinguent par leur patrimoine architectural et la richesse de leurs musées. Traditions et art de vivre sont, partout, entretenus et mis en valeur : architecture vernaculaire, festivités, sans oublier, bien sûr, les plaisirs de la table.

Selon vos affinités et le temps dont vous disposez, vous choisirez une région plutôt qu'une autre et un type de voyage (séjour fixe ou itinérant). Les **lieux de séjour** vous sont conseillés pour leurs possibilités d'accueil et l'agrément de leur site : on y passe facilement une semaine. Les **propositions d'itinéraires** décrivent des parcours de découverte de la région sur plusieurs jours. Enfin, les villes de Metz, Nancy, Strasbourg, Colmar et Mulhouse méritent d'être classées parmi les **idées de week-end**.

Nos conseils de lieux de séjour

Pour plus d'informations sur les types d'hébergement, les services de réservation, les adresses que nous avons retenues dans ce guide, reportez-vous au chapitre « S'y rendre et choisir ses adresses ».

LOISIRS ET DÉTENTE

Vacances en famille

C'est surtout dans les Vosges que se concentrent les lieux d'hébergement familiaux, avec, en tête, **Gérardmer** et sa région (**La Bresse** et **Xonrupt-Longemer**). Et l'on comprend pourquoi : dans un cadre somptueux, au cœur de montagnes couvertes de sapins et parsemées de lacs aux eaux bleues, ces stations touristiques proposent un large choix de loisirs. Équitation, tir-à-l'arc, escalade, VTT, sports nautiques et baignade en été ; ski de fond, luge et ski de piste en hiver. À prévoir également : une paire de chaussures de marche, si vous êtes tenté par un petit tour à pied. Au passage, visitez l'expo Faune lorraine, découvrez la glacière de Straiture ou l'étonnant champ de roches de Granges-sur-Vologne. Pour vous loger, tout est prévu : chambres d'hôte, camping, gîtes ou locations à la semaine.

Tout proche du **massif du Donon**, le pays des lacs de **Pierre-Percée** offre lui aussi des possibilités de villégiatures agrémentées par de nombreux loisirs (pôle Sports Nature). Ce sera peut-être l'occasion de découvrir le col du Donon et la vallée de la Bruche. Beaucoup plus à l'ouest, dans la partie occidentale du Parc naturel régional de Lorraine, le **lac de Madine**, proche de **St-Mihiel** offre le même type de séjour. Enfin, la **vallée du Rhin** est riche en campings et en bases de loisirs. Vous en trouverez en particulier aux environs d'**Erstein** et de **Neuf-Brisach**.

Ambiance thermale

Dans les villes d'eaux, chaque moment rime avec « prendre son temps ». En dehors des cures prescrites, chacune des stations propose son programme de remise en forme ouvert à tous. Chic et branchée, **Vittel** a le charme de la Belle Époque : vous profiterez des blanches façades de ses hôtels célèbres, des parcs fleuris et du complexe thermal et sportif, où le Club Med a pris ses quartiers. En saison, la cité thermale est animée par les concerts autour du kiosque à musique, les courses à l'hippodrome et le golf. En soirée, il ne vous reste plus qu'à vous habiller un peu pour aller au casino Art déco.

Sa voisine, **Contrexéville**, un peu moins mondaine, séduit par sa galerie néobyzantine et son lac (pédalo, pêche, promenades).

La plus familiale des stations thermales est sans conteste **Amnéville**, où le centre thermal et touristique se présente comme une vaste base de loisirs en plein air. Il y en a pour tous les âges et pour tous les goûts : piste de ski *indoor*, cinéma 3D, zoo, aquarium, bowling, patinoire, musées, golf, luge d'été, parc d'aventures d'arbre en arbre… Et pour une visite culturelle, Metz n'est qu'à 20 km. En Alsace, la station de **Niederbronn-les-Bains** se trouve au cœur du Parc naturel régional des Vosges du Nord. Au programme : balades dans la nature et visite des châteaux perchés sur leurs pitons rocheux.

NATURE ET RANDONNÉES

Les grands classiques

Le **Parc naturel régional des Ballons des Vosges** laisse libre court à votre amour des paysages vierges (ou presque). Au fil des saisons, les couleurs des arbres donnent aux lacs des reflets qui ne vous donnent envie que d'une seule chose : vous asseoir dans l'herbe et regarder en silence. L'automne prendrait presque des allures d'été indien. Marche, vélo, ski… chaque saison vous permet de partir à la découverte du coin. **Munster** constitue un excellent camp de base pour partir à l'ascension des Ballons vosgiens et suivre la route des Crêtes. Vous y trouverez tout aussi bien des campings que des gîtes ou des locations à la semaine. Nombreuses sont aussi les solutions d'hébergement le long de la vallée de la Thur, vers St-Ama-rin, Moosch ou Bussang. Les chambres d'hôte et les gîtes Panda abondent dans l'ensemble du Parc.

Loin des foules

Un peu moins prisées, mais tout aussi belles, certaines destinations vous offrent une nature encore plus sauvage. Dans les **Vosges du Nord**, vous aurez même parfois l'impression que vous allez croiser un preux chevalier ou une jolie damoiselle au détour d'un sentier. L'Association pour le développement des Vosges du Nord vous aide à y organiser de petites vacances tranquilles : brochure « Séjour découverte », « Faune et flore locales », bons plans de randonnées. Côté montagne, ce sera le pays des Trois Frontières, avec châteaux en ruine et vallées boisées. Côté plaine, souvenirs de 1870, villages du cru, artisanat et traditions populaires. Dans le **pays de Hanau**, ambiance souvenirs médiévaux et maisons troglodytiques. Et toujours la forêt en toile de fond. Pour vous loger, vous trouverez ce qu'il faut à **La Petite-Pierre**.

Un peu plus au sud, la région de Dabo-Wangenbourg est surnommée la Petite Suisse lorraine. À proximité, on trouvera la forêt de Saverne et le plan incliné de St-Louis Arzviller. Non loin, pour faire connaissance avec la faune locale, le parc animalier Ste-Croix.

À l'autre bout de l'Alsace, les collines du **Sundgau**, encore peu connues des touristes, offrent de splendides paysages à ceux qui osent s'aventurer hors des sentiers battus. Quelques chambres d'hôte ou pensions familiales installées à la campagne vous permettront de vous établir dans la région, à moins que vous ne préfériez la plus citadine **Altkirch**.

Village fleuri d'Eguisheim.

De son côté, la Lorraine a elle aussi su préserver de nombreux espaces rustiques. L'**Argonne**, haut lieu de mémoire de la guerre 1914-1918, enchante par ses paysages boisés et vallonés. Enfin, le **Parc naturel régional de Lorraine** propose de nombreux hébergements en gîtes Panda, en pleine nature.

GASTRONOMIE, CULTURE ET TRADITIONS

Pour combiner nature et patrimoine, loisirs et traditions, détente et gastronomie, établissez-vous entre le massif vosgien et la plaine d'Alsace, dans la région des collines sous-vosgiennes. Les propositions foisonnent le long de la **route des Vins** : entre **Sélestat** et **Thann**, rares sont les villages où vous ne trouverez pas un camping, un gîte ou une maison à louer. Parmi eux, il faut citer **Riquewihr**, **Ribeauvillé**, **Kaysersberg**. Ces villages typiques vous permettront à la fois de profiter du vignoble et d'offrir à vos enfants des loisirs adaptés (parcs animaliers à **Kintzheim**, écomusée d'Alsace et de l'autre côté de la frontière, en Allemagne, **Europa-Park**). Selon vos envies, vous pourrez choisir de vous rendre à **Colmar**, **Sélestat** et même **Mulhouse** ou **Strasbourg** pour une escapade culturelle, ou choisir de porter vos pas vers les espaces du massif vosgien.

Nos propositions d'itinéraires

Si vous êtes curieux et souhaitez visiter dans le détail un secteur limité mais marqué par une identité particulière, nous vous proposons ci-dessous **8 itinéraires** qui regroupent les principales curiosités de la région. Ces propositions peuvent vous servir de base pour composer votre propre itinéraire. N'oubliez pas de consulter également la **carte des plus**

beaux sites (dans les rabats de la couverture) qui vous invitera sans doute à faire tel ou tel crochet en fonction de vos propres goûts. Ces itinéraires peuvent évidemment être combinés entre eux. Le meilleur itinéraire sera le vôtre.

STATIONS THERMALES DES VOSGES

Que d'eaux, que d'eaux… Mais attention, pas le temps de profiter de leurs vertus réparatrices, à moins que vous n'ayez un mois devant vous. En suivant la route des stations thermales vosgiennes, vous constaterez que chacune possède un caractère propre et bien trempé (deux effets aquatiques).

Le pavillon des Sources à Contrexéville.

R. Mattes/MICHELIN

▶ Circuit de 3 jours au départ de Vittel (220 km)

1er jour – Ce petit périple « santé » commence à **Vittel**, qui allie sa réputation de traitement des maladies métaboliques à une région très agréable. Vous pourrez y déjeuner. Pour continuer dans les eaux minérales, le centre thermal de **Contrexéville** vaut le détour pour son architecture. Rhumatismes et voies respiratoires au programme de **Bourbonne-les-Bains**… Pour une promenade ou pour distraire des enfants, passez quelques heures au parc animalier de **la Bannie**, avant de passer la nuit dans la région.

2e jour – **Luxeuil-les-Bains** est thermal, mais aussi culturel : hôtels particuliers du 16e s., tennis ou casino, vous avez le choix de vos loisirs. Lors de votre passage à **Plombières-les-Bains**, ne résistez pas à la glace locale… Puis rejoignez Bains-les-Bains pour y dormir.

3e jour – Ici, le thermalisme se décline aussi au rythme des randonnées pédestres et du vélo. Ne passez pas à Bains-les-Bains sans aller vous promener dans la légendaire forêt de **Darney**. Petite

étape autour de l'artisanat régional, avec l'image d'**Épinal**. Et au bout de la route, revoilà Vittel.

ARTS DÉCORATIFS

Comme par contraste avec les destructions guerrières, la Lorraine se distingue depuis des siècles par son savoir-faire industriel et artistique. Que ce soit le verre, la faïence ou l'image cartonnée, vous découvrez la beauté de l'objet et de la matière.

▶ Circuit de 3 jours au départ de Nancy (245 km)

1er jour – Du 18e s. à l'aube du 20e s., **Nancy** est un trésor d'architecture, notamment, pour son « style » Art nouveau. Dans l'après-midi, gagnez **Lunéville**, ancienne manufacture royale, où la faïence de table est à l'honneur. Vous pourrez y passer la nuit.

2e jour – Après **St-Clément**, étape à **Baccarat** dont seul le nom évoque la prestigieuse cristallerie. Point de décor de cinéma pour un déjeuner et une balade dans **Épinal**… la ville de la célèbre image. Faites-y étape.

3e jour – Autre style, autre savoir-faire, **Mirecourt** se distingue par son art de la lutherie, au point d'avoir une école nationale : amateurs de musique, appréciez. Petit interlude historique, car vous ne pouvez manquer la maison où naquit notre Jeanne à **Domrémy-la-Pucelle**. Tradition artisanale encore à **Vannes-le-Châtel**, qui accueille le Centre européen de recherche et de formation aux arts verriers. Après toutes ces visites, vous aurez peut-être envie de retour à Nancy de vous mettre aux arts plastiques…

SOUVENIRS DE GUERRE

Nul besoin d'être ancien combattant pour faire ce circuit qui vous fait découvrir un des moments les plus noirs de l'histoire de France et rappelle l'absurdité de la guerre.

▶ Circuit de 3 jours au départ de Verdun (270 km)

1er jour – Partez de **Verdun**, ville aux multiples combats, dont les fortifications font parfois oublier la vieille ville… pacifique. Après avoir visité le Cimetière national où reposent les sept soldats inconnus, c'est à l'ossuaire de **Douaumont** que vous rendrez hommage aux soldats des deux camps. Le **fort de Douaumont** et la **tranchée des Baïonnettes** vous montrent la violence des combats durant la « der des ders ». Pour vous faire une idée de ce que put

oyota RAV 4.
e 4X4 qui ne fait pas toujours travailler ses 4 roues.

On n'a pas besoin de 4 roues motrices tous les jours. Équipé de la transmission intégrale intelligente, le RAV 4 passe automatiquement de 2 à 4 roues motrices en fonction du terrain et des conditions climatiques. Ainsi vous consommez moins (6,6 L/km en cycle mixte) en gardant 4 roues motrices disponibles à tout moment.

TODAY **TOMORROW** **TOYOTA**

Aujourd'hui, demain.

être la ligne Maginot, vous aurez le temps de faire un saut au **fort de Fermont** et son musée de Matériel militaire, avant de passer la nuit à **Longwy**.

2ᵉ jour – Vous pourrez commencer la journée par une visite des musées de **Longwy**, pour découvrir les émaux et la faïence produits ici. Partez ensuite en direction de Thionville et faites étape à **Aumetz**, où l'écomusée des Mines de fer vous familiarisera avec le passé industriel de la région. Un crochet vers l'**Immerhof**, l'**abri de Zeiterholz** ou le **fort de Guentrange** complétera votre découverte de la ligne Maginot. Mais votre visite des sites militaires ne serait pas complète sans l'impressionnant gros ouvrage de **Hackenberg**. Dormez à **Metz**.

3ᵉ jour – Consacrez une partie de la matinée à flâner dans la ville, pour profiter de la cathédrale et des vieilles rues, avant de finir votre périple en passant par **Briey**, où Le Corbusier éleva une de ses « cités radieuses », et **Étain**, entièrement reconstruit après la Première Guerre mondiale. Vous voici de retour à Verdun.

ENTRE MEUSE ET MOSELLE

Coincé entre les deux cours d'eau, vous passez d'une rivière à l'autre au gré des époques. Rythmez votre séjour à votre allure, avec petites étapes restauration, dégustation des crus des côtes de Moselle... Et si la voiture ne vous dit plus rien, louez donc une péniche pour découvrir la Moselle au fil de l'eau.

▶ Circuit de 4 jours au départ de Metz (260 km)

1ᵉʳ jour – Tout d'abord **Metz**, à la fois guerrière, culturelle et religieuse, c'est avant tout une ville à apprécier avec les yeux. À **Pont-à-Mousson**, l'ancienne abbaye des Prémontrés est du 18ᵉ s. ; la vieille ville fut traversée par l'infanterie américaine en 1944, chacun son combat. Vous pourrez prévoir de dormir à Nancy.

2ᵉ jour – À **Nancy**, vous êtes dans l'ancienne capitale des ducs de Lorraine ; riche en monuments, c'est aussi un centre intellectuel et artistique dans lequel on passe difficilement moins d'une journée. Ce sera l'occasion de tester restaurants ou brasseries aussi bons que beaux.

3ᵉ jour – L'histoire se poursuit à **Toul**, autrefois puissant évêché, et à **Vaucouleurs**, d'où partit notre Jeanne nationale. Petite étape gourmande pour une madeleine à **Commercy**... avant la visite du château Stanislas. Rendez-vous à Bar-le-Duc pour y dormir.

4ᵉ jour – La ville Renaissance de **Bar-le-Duc** : son église du 17ᵉ s. abritant le Transi de Ligier Richier et son musée méritent que l'on y consacre une matinée. Après le déjeuner, vous suivrez à nouveau les traces de Ligier Richier jusqu'à sa ville natale de **St-Mihiel**. Traversez ensuite le Parc naturel régional de Lorraine, où vous pourrez vous dégourdir les jambes à l'occasion d'une petite promenade, avant de revenir à Metz.

« EN PASSANT PAR LA LORRAINE... »

Les sabots ne sont pas une obligation pour ce circuit qui vous fait découvrir une région souvent délaissée au profit de sa grande sœur alsacienne.

▶ Circuit de 5 jours au départ de Sarreguemines (300 km)

1ᵉʳ jour – Histoire et tradition pour commencer la visite de la Lorraine, car **Sarreguemines** a su entretenir son savoir-faire faïencier et mettre en valeur son passé gallo-romain, au **parc archéologique** de Bliesbruck. La Lorraine c'est aussi de petits villages blottis au milieu des collines boisées, comme **Hombourg-Haut**. Marque du passé également à **St-Avold**, où l'ancienne église abbatiale côtoie le château-mairie de Henriette de Lorraine et le cimetière américain.

2ᵉ jour – La journée commence par une visite du musée Georges-de-La-Tour à **Vic-sur-Seille**, ville natale du peintre. À **Marsal**, ville du sel fortifiée par Vauban, on perce tous les secrets du minerai, si abondant dans la région. Vous voici au cœur de la partie orientale du **Parc naturel régional de Lorraine**, l'occasion de satisfaire les enfants avec une petite visite du **parc animalier Ste-Croix**. Passez ensuite la nuit à **Sarrebourg**.

3ᵉ jour – Ici, Chagall peignit un gigantesque vitrail consacré à la paix. Le peintre est également à l'honneur au musée du Pays de Sarrebourg. Peut-être moins connue que sa cousine de Baccarat, la cristallerie de **Vallerysthal** vous permet d'admirer des trésors d'artisanat industriel. Pour prendre l'air, un petit train au départ d'**Abreschviller** vous conduit à Grand-Soldat, à moins que vous ne préfériez les fortifications de **Phalsbourg**. Dormez à **La Petite-Pierre**.

4ᵉ jour – La ville, fortifiée par Vauban, est le siège de la Maison du **Parc naturel régional des Vosges du Nord**. C'est l'occasion d'emprunter un des nombreux sentiers balisés qui en partent. Et si le travail du verre vous passionne, n'hésitez pas à passer par la Maison du verre et du cristal de **Meisenthal**. Une escapade est alors possible parmi les châteaux de grès des Vosges du Nord : **Windstein** n'est pas loin. Avant de rejoindre **Bitche** pour y passer la nuit, profitez du soleil couchant depuis le haut de la tour du Grand Wintersberg, point culminant des Vosges du Nord.

5ᵉ jour – L'imposante citadelle de Vauban fait face au gros ouvrage de **Simserhof** fortifié pour une guerre plus récente. Encore des fortifications de la dernière guerre en passant à **Rohrbach-lès-Bitche,** avant de repartir sur Sarreguemines.

LA FORÊT VOSGIENNE

Chaussez-vous pour parcourir les bois et les cols des Vosges. C'est un enchantement tout autant pour le corps que pour les yeux… et toute la famille peut en profiter. Le parcours vous conduira jusqu'à la célèbre route des Crêtes et au sommet des plus fameux Ballons vosgiens.

▶ Circuit de 5 jours au départ de St-Dié (380 km)

1ᵉʳ jour – Tout d'abord **St-Dié**, patrie de Jules Ferry, pour la mise en bouche (cathédrale et cloître à voir). Pour poursuivre, vous découvrez, au milieu de montagnes boisées, l'ancienne « capitale » de la principauté de Salm, **Senones**. Vous entrez ensuite dans le massif du **Donon** qui fait la limite entre Alsace et Lorraine et vous donne de superbes vues sur les Vosges. Dormez à **Schirmeck**.

2ᵉ jour – Avant le déjeuner, la visite du **mémorial d'Alsace-Moselle**, à Schirmeck, constituera une bonne introduction à votre journée, qui vous conduira jusqu'à l'ancien camp de concentration du **Struthof**. Retour dans la nature, pour une vue du rocher de **Neuntelstein**, une balade autour du **Hohwald** ou une descente en ski sur les pistes du **Champ du Feu**. Autre option possible, pour le

plaisir des enfants, remonter la **vallée de la Bruche** sur les traces du pasteur Oberlin, jusqu'au musée qui lui est consacré à **Waldersbach**. Rejoignez en fin de journée Sainte-Marie-aux-Mines, pour vous y reposer, pourquoi pas dans un gîte.

3ᵉ jour – À **Sainte-Marie-aux-Mines**, berceau des amish de Pennsylvanie, vous pourriez vous intéresser aux minéraux ou aux patchworks, selon vos goûts. Impossible d'y passer sans visiter une mine d'argent. Et c'est de nouveau les routes de montagne pour aller au **col du Bonhomme**, puis la **route des Crêtes**, créée durant la Première Guerre mondiale, et le **col de la Schlucht**, où il fait bon skier. Vous auriez tort de ne pas vous arrêter à **Munster**, pour y passer la nuit… et déguster du fromage.

4ᵉ jour – Une halte à la Maison du Parc naturel régional des Ballons des Vosges, à Munster, puis partez pour le **Petit Ballon** et la station de ski du Markstein, et pour le **Grand Ballon**, point culminant des Vosges qui vaut une petite marche pour mieux apprécier le panorama. Redescendez sur **Thann** pour une promenade dans la vieille ville, et passez une nuit sur place.

5ᵉ jour – Ne perdez pas le rythme et entamez la journée par une ascension du **Ballon d'Alsace**. Plusieurs stations de sports d'hiver vous attendent autour de St-Maurice-sur-Moselle, à moins que vous ne préfériez celles près de **La Bresse**. Ski nocturne ou balades en pédalo, c'est le programme de **Gérardmer**. De la marche, du ski, de la nage… il est temps de rentrer à St-Dié.

PAYS RHÉNANS DU SUD

Histoire, loisirs ou nature, c'est la variété qui fait le charme de cette escapade franco-allemande le long du Rhin.

▶ Circuit de 6 jours au départ de Mulhouse (260 km)

1ᵉʳ jour – Quittant **Mulhouse**, autrefois république indépendante et porteuse d'une forte tradition industrielle, longez le Rhin pour découvrir l'étonnante église d'**Ottmarsheim**, et, dans un tout autre registre, son bief et ses écluses, puis les richesses naturelles de la **Petite Camargue alsacienne**, avant de faire étape à **St-Louis** ou **Huningue**.

2ᵉ jour – Traversez la frontière pour sillonner le Markgräflerland, en suivant la route badoise du Vin depuis **Weil am Rhein**. En parcourant les superbes villages d'**Efringen-Kirchen**, **Bad Bellingen**, **Müllheim**, **Sulzburg** et **Staufen**, ne manquez pas de visiter une

Grande Cascade de Tendon.

R. Mattes/MICHELIN

cave et de faire honneur à la gastronomie locale. Après avoir profité du panorama du **Schauinsland**, gagnez **Freiburg im Breisgau** pour y passer la nuit.

3e jour – Promenez-vous dans la vieille ville où vous trouverez aisément de quoi déjeuner, avant d'explorer les collines du **Kaiserstuhl**. Puis passez la douane (aujourd'hui virtuelle) pour parcourir les remparts de **Neuf-Brisach**, ancienne place forte de Vauban, dont les rues à angle droit lui donnent un aspect très sobre. Rejoignez ensuite **Colmar** pour profiter de l'atmosphère nocturne.

4e jour – Vous découvrirez là une ville typiquement alsacienne où il fait bon flâner dans les rues aussi bien que sur les canaux. Après le déjeuner, dites au revoir aux jolies maisons à colombages pour vous rendre à **Guebwiller**, petite ville riche en architecture d'où est originaire l'inventeur du bleu Deck.

5e jour – En revenant vers Mulhouse, initiez-vous au patrimoine rural et industriel local à l'**écomusée d'Alsace**, où l'on passe facilement toute la journée.

6e jour – De retour à **Mulhouse**, vous aurez tout le temps de visiter la Cité de l'Automobile ou de vous promener dans les rues de la « ville aux cent cheminées ».

L'ALSACE DES VIGNOBLES

▶ **Circuit de 6 jours au départ de Strasbourg (280 km)**

1er jour – Ce tour des vins commence à **Strasbourg**, tout à la fois métropole intellectuelle et économique, religieuse et culturelle. Elle vaut que vous vous y arrêtiez un peu. La ville a d'ailleurs tout ce qu'il faut pour vous retenir jusqu'à la nuit tombante.

2e jour – Même ambiance lors de votre passage par **Haguenau** qui a su garder les traces de son passé fortifié. Vous y visiterez son Musée historique. **Bouxwiller**, ancienne cité princière, semble blottie au pied du Batsberg, repaire de sorcières bien connu. Puis c'est **Saverne** qui vous invite à découvrir son château et son port de plaisance. Vous pourrez y dormir.

3e jour – Les premiers effluves de vins vous attendent à **Molsheim**, dont les coteaux avoisinants produisent le riesling. Après la visite d'**Obernai** et de ses maisons anciennes aux teintes dorées, rien ne vous empêche de vous promener dans les vignobles environnants et sur le **mont Ste-Odile**, dont la visite du couvent rivalise avec la vue sur la Forêt-Noire et le Mur païen. Pour la nuit, gîtes ruraux, chambres d'hôte ou hôtels sont pléthore dans le vignoble.

4e jour – La ville de **Barr** vous délecte de ses spécialités : le sylvaner et le gewurztraminer. Une étape à **Gertwiller**, célèbre pour ses pains d'épice et vous poursuivrez la route des vignobles, en vous arrêtant aux ruines de l'abbaye d'**Andlau** gardée par une ourse de pierre. Fortifications à **Sélestat**, nids de cigognes et château à **Ribeauvillé** sont au programme de la suite de votre périple.

5e jour – Première étape du jour, la perle du vignoble : **Riquewihr**, terre du riesling. Vous en conviendrez, le vin ne s'apprécie que si sa région d'origine vaut le coup ; il fallait donc bien un château et un village médiéval pour agrémenter les vignes entourant **Kaysersberg**, des vieilles maisons à balcons de bois à **Niedermorschwihr** et des tours massives pour protéger **Turckheim**. Du pur alsacien pour **Colmar**, capitale du vignoble dont ni la visite de la vieille ville, ni la Petite Venise ne vous laisseront indifférent.

6e jour – Le retour vers Strasbourg se fait par la **vallée du Rhin**, fleuve aux crues autrefois terribles, dont les eaux vous ramènent aujourd'hui doucement de cette « ivresse » touristique.

Nos idées de week-end

Voici des propositions pour aller à l'essentiel et profiter pleinement d'une ville le temps d'une escapade.

COLMAR

Une vrai plongée dans l'Alsace traditionnelle avec maisons à colombages et vignobles environnants. Vous pouvez commencer par une visite de la ville, question de vous mettre dans l'ambiance. Les vieux quartiers sont aussi bien curiosités historiques, avec **anciennes douanes**, **maison natale de Bartholdi** (le père de la statue de la Liberté) et églises, que balades… juste pour le plaisir. De mai à septembre, vous pouvez profiter des groupes folkloriques qui se produisent, tous les mardis, en soirée, place de l'Ancienne-Douane. Après cela, vins locaux et plats régionaux peaufineront l'ambiance. Gardez un petit bijou pour la fin du week-end… une **promenade en barque dans la Petite Venise**. À la belle saison, les fleurs lui donnent des allures de décor de contes de fées. À faire à deux ou en famille, pour finir ce week-end en douceur.

METZ

Pour une petite immersion en Lorraine, rien de tel que deux jours à Metz. Question d'en profiter un peu plus, vous pouvez y arriver dès le vendredi soir… certains hôtels de la ville participent à l'opération « Ville Pass'ion » et vous offrent la deuxième nuit *(renseignements à l'office de tourisme)*. Après avoir pris vos quartiers, partez à la découverte de cette ville commerçante qui fut surnommée « la Riche » au Moyen Âge. Amateurs d'églises ou non, faites un tour à la **cathédrale St-Étienne**, qui possède de superbes vitraux de Chagall. Le **quartier allemand** et celui de l'**esplanade** valent un petit coup d'œil. Pour le soir, vous avez le choix : brasserie et bar à bière, concert ou théâtre, Metz en offre pour tous les âges et tous les goûts. Le dimanche, faites plaisir à vos enfants en les emmenant au **Walygator Parc** : montagnes russes, manèges d'eau et spectacles au programme. Vous pouvez aussi flâner dans les rues animées le matin et visiter les **musées de la Cour d'Or** l'après-midi.

NANCY

Pour passer un week-end à Nancy, pas besoin de chercher bien longtemps des occupations. Faites d'abord connaissance avec le bon roi **Stanislas** en déambulant dans les rues du centre-ville, depuis l'incontournable place qui lui est dédiée… C'est un plaisir tant les bâtiments reflètent l'équilibre et l'harmonie (urbanisme du 18e s. oblige). Promenez-vous dans le **parc de la Pépinière** puis goûtez aux charmes de la vieille ville, autour de la **basilique St-Epvre**. Vous pourrez terminer l'après-midi par la visite du **musée des Beaux-Arts**. En juillet et en août, profitez des terrasses qui fleurissent un peu partout dans la ville, avec groupes musicaux en prime, le soir. Vous préférez la musique classique ? Pas de problème, des concerts gratuits sont organisés régulièrement à la cathédrale ou à l'église des Cordeliers. Mais vous pouvez aussi préférer passer une soirée à l'Opéra. Culture et balade ne doivent pas vous faire négliger les gourmandises locales… bergamotes et macarons vous attendent dans un des très beaux cafés début du 20e s. de la ville. Le lendemain, vous pourrez, selon vos goûts, découvrir le superbe patrimoine **Art nouveau** du début du 20e s. à travers les rues, et tout spécialement au **musée de l'École de Nancy**, ou profiter des alentours de la ville : vous avez le choix entre le **jardin botanique du Montet** ou le **parc de loisirs de la forêt de Haye**, parfait pour un pique-nique en famille, des jeux ou randonnées.

MULHOUSE

Vous entrez tout à la fois dans une ancienne république indépendante, un centre industriel et une ville de musées. Et vous aurez grandement de quoi occuper votre week-end… Pour vous y retrouver, les « sentiers » pédestres vous emmènent dans le **vieux Mulhouse** ou dans le **Nouveau Quartier**. Vous pourrez vous amuser à y chercher les murs peints qui évoquent l'histoire de la ville. Promenades également, mais dans la nature, avec les nombreux **parcs** et **jardins** qui ponctuent la ville. Le soir, les lieux de nuit de cette ville étudiante vous laissent le choix des armes : cuisine locale, bars à bière et à whiskies, salles de concerts ou discothèques. Pour terminer votre séjour dans la ville aux cent cheminées, visitez au moins l'un ou l'autre des musées industriels parmi la **Cité de l'Automobile**, la **Cité du Train**, le **musée EDF Électropolis**, le **musée de l'Impression sur étoffes** ou le **musée du Papier peint**.

STRASBOURG

Tout à Strasbourg est fait pour que vous vous y sentiez bien le temps d'un week-end sans souci. De Gutenberg à la Communauté européenne en passant par *La Marseillaise* (eh oui, elle est alsacienne), vous êtes ici au centre de l'histoire. Pour vous en imprégner : **musées** (Arts décoratifs, Art moderne et contemporain, Beaux-Arts, historique…), **cathédrale**, **églises** et **palais de l'Europe**. À la fin de l'année, Stras-

En terrasse à Colmar.

P. Thebault/MICHELIN

Noël à Strasbourg.

bourg, blotti dans le froid, s'illumine comme un conte de fées pour le **marché de Noël**. En été, vous goûterez volontiers la verdure dans l'un des nombreux **parcs** de la ville : l'Orangerie, la Citadelle, le Contade… Bien sûr, il y a aussi la gastronomie. Pour cela, faites confiance aux *winstubs* : vins et plats régionaux vous y attendent (choucroute, *flammekueche*…). Pour digérer : des **promenades sur l'Ill** vous font découvrir la ville autrement. Pour finir ces deux jours au rythme des promenades, la cité ancienne vous fait passer de pont en place pour finir à **la Petite France**, avec ses airs de village de poupées. Si vous voulez faire plaisir à vos enfants, vous pourrez les emmener au **Vaisseau**, qui fournit une bonne occasion d'apprendre la science en s'amusant, ou, étape gourmande, au **musée du Chocolat** à Geispolsheim.

Escapades à la frontière

L'Alsace a pour voisines l'Allemagne et la Suisse, tandis que la Lorraine est bordée au nord par la Belgique, le Luxembourg et l'Allemagne. Il serait dommage de ne pas profiter de votre visite dans l'une des régions décrites dans ce guide pour une excursion hors frontière qui pourrait constituer un intéressant prolongement de votre voyage. Pour vous y préparer sans rien oublier, consultez la rubrique « Pour les pays limitrophes » (p. 19).
Pour obtenir les renseignements hôteliers, consultez *Le Guide Michelin Benelux*, *Le Guide Michelin Deutschland* et *Le Guide Michelin Suisse* de l'année. Quant aux renseignements touristiques, vous les trouverez dans les guides de la collection : *Le Guide Vert Allemagne*, *Le Guide Vert Suisse* et *Le Guide Vert Belgique, Grand-Duché de Luxembourg*.
Voyez aussi, à la fin du guide, notre chapitre « **Escapades en Forêt-Noire** ».

Les atouts de la région au fil des saisons

Le climat lorrain est nettement continental : hiver long et rude, été souvent très chaud. Les précipitations sont nombreuses, pluies d'orage en été, neiges abondantes en hiver.

LES SAISONS

L'hiver

L'air froid envahit parfois les vallées alors obscurcies de nuages, cependant que les sommets sont baignés de soleil. Sur les Vosges, les chutes de neige peuvent rendre de nombreuses routes impraticables. Mais, transformant les stations estivales en centres de ski, elles font le bonheur des amateurs de sports d'hiver.

Le printemps

Le printemps alsacien est lumineux, léger et serein dès le mois d'avril. La blancheur attardée des hauts ballons domine les teintes délicates, tendres ou vives, des prés et des collines, des hêtres, des acacias et des châtaigniers.

L'été

Il faut s'attendre à de grosses chaleurs et à de forts orages dans la plaine. La brume noie les vallées et masque souvent les lointains. Mais en allant vers les hauteurs des massifs voisins, on retrouve la fraîcheur et un air léger.

L'automne

Il offre le chatoiement des vignobles dorés, des forêts aux teintes de feu contrastant avec la verdure des sapinières. Des nappes de brouillard très épais sont à craindre.

Quel temps pour demain ?

Les services téléphoniques de Météo France – Taper **3250** suivi de :
1 : toutes les météos départementales jusqu'à 7 jours (DOM-TOM compris).
2 : météo des villes.
4 : météo montagne.
6 : météo internationale.
Accès direct aux prévisions du département – ☎ 0 892 680 2 suivi du numéro du département (0,34 €/mn).
Prévisions pour l'aviation ultra-légère (vol libre et vol à voile) : ☎ 0 892 681 014 (0,34 €/mn).
Toutes ces informations sont également disponibles sur **www.meteo.fr**.

S'Y RENDRE ET CHOISIR SES ADRESSES

Où s'informer avant de partir

LES ADRESSES UTILES

Ceux qui aiment préparer leur voyage dans le détail peuvent rassembler la documentation nécessaire auprès des professionnels du tourisme de la région qui disposent de brochures sur l'hébergement, la restauration, les loisirs, etc.

♿ Outre les adresses indiquées ci-dessous, les coordonnées des offices de tourisme ou syndicats d'initiative des villes et sites décrits dans ce guide sont données systématiquement dans l'**encadré pratique** des villes et sites, sous la rubrique « Adresses utiles ».

Comités régionaux de tourisme

Alsace – 20^A r. Berthe-Molly - 68000 Colmar - ☏ 03 89 24 73 50 - www.tourisme-alsace.com.

Lorraine – Abbaye des Prémontrés - BP 97 - 54704 Pont-à-Mousson - ☏ 03 83 80 01 80 - www.tourisme-lorraine.fr.

Sur la route des Crêtes.

Comités départementaux de tourisme

Meurthe-et-Moselle – BP 10065 - 54062 Nancy Cedex - ☏ 03 83 94 51 90 - www.meurtheetmoselle.fr.

Meuse – Hôtel du département - 33 r. des Grangettes - 55000 Bar-le-Duc - ☏ 03 29 45 78 40 - www.tourisme-meuse.com.

Moselle – 2-4 r. du Pont-Moreau - 57003 Metz - ☏ 03 87 37 57 80 - www.moselle-tourisme.com.

Bas-Rhin – Agence de développement touristique du Bas-Rhin - 9 r. du Dôme - BP 53 - 67061 Strasbourg Cedex - ☏ 03 88 15 45 80 - www.tourisme67.com.

Haut-Rhin – Maison du tourisme de Haute-Alsace - 1 r. Schlumberger - BP 60337 - 68006 Colmar Cedex - ☏ 03 89 20 10 68 - www.tourisme68.com.

Vosges – Av. du Gén.-de-Gaulle - BP 80018 - 88001 Épinal Cedex - ☏ 03 29 22 15 21 - www. tourismevosges.fr.

Maisons de pays

Maison de l'Alsace – 39 av. des Champs-Elysées - 75008 Paris - ☏ 01 53 83 10 10 - www.maison-alsace.com. Elle regroupe la documentation sur l'Alsace et les Vosges et propose la découverte du patrimoine, des circuits, des séjours.

Espace Vosges – Maison du tourisme - aire de Lorraine-Sandaucourt-La Trelle - A 31 - 88170 Sandaucourt - ☏ 03 29 94 66 60.

Renseignements sur Internet

Voici d'autres adresses où vous trouverez de multiples informations :

www.massif-des-vosges.com – Pour préparer vos vacances dans le massif des Vosges.

www.musees-alsace.org – Recherche géographique, thématique et alphabétique sur tous les musées d'Alsace.

www.latitude-a.com – L'Alsace pour les jeunes de 15 à 25 ans.

TOURISME DES PERSONNES HANDICAPÉES

Un certain nombre de curiosités décrites dans ce guide sont accessibles aux personnes à **mobilité réduite**, et sont alors signalées par le symbole ♿. Le degré d'accessibilité et les conditions d'accueil variant toutefois d'un site à l'autre, il est recommandé d'appeler avant tout déplacement.

Accessibilité des infrastructures touristiques

Lancé en 2001, le label national **Tourisme et Handicap** est délivré en fonction de l'accessibilité des équipements touristiques et de loisirs au regard des quatre grands handicaps : auditif, mental, moteur ou visuel. À ce jour, plus de 2 000 sites labellisés (hébergement, restauration, musées, équipements

sportifs, salles de spectacles, etc.) ont été répertoriés en France. Vous pourrez en consulter la liste (recherche par type de handicap, région ou type d'activités) sur le site Internet de Maison de France à l'adresse suivante : http://fr.franceguide.com/voyageurs/tourisme-et-handicaps/sites-labellises.
Association Tourisme et Handicaps – 43 r. Max Dormoy - 75018 Paris - ℘ 01 44 11 10 41 - www.tourisme-handicaps.org.

Sites labellisés

♿ Sites « Tourisme et Handicap » en Alsace-Lorraine : le château du **Haut-Kœnigsbourg**, l'ensemble des musées de **Strasbourg**, le musée Unterlinden, le musée du Jouet et du Petit Train, la cathédrale St-Martin et l'église des Dominicains à **Colmar**, le musée de l'Impression sur étoffes, le musée EDF-Électropolis et la salle de la Filature à **Mulhouse**, le musée de l'Image à **Pfaffenhoffen**, la Maison rurale de l'Outre-Forêt à **Kutzenhausen**, le musée de l'Optique à **Biesheim**, le parc des eaux-vives à **Huningue**, l'église abbatiale d'**Ebermunster**, le **parc animalier Ste-Croix**, le plan incliné de **St-Louis-Arzviller**, l'Espace des métiers du bois et du patrimoine à **Labaroche**, la fromagerie « Graine de Lait » à **Lapoutroie**, l'arboretum de **St-Avold**, le centre de vacances de **Badonviller** et la Maison de la mirabelle à **Rozelieures**.

Association des Paralysés de France – Direction de la Communication - 17 bd Auguste Blanqui - 75013 Paris - www.apf.asso.fr. Le magazine *Faire Face* publie chaque année à l'intention des personnes en situation de handicap moteur un hors-série intitulé *Guide vacances*, disponible auprès de l'AFP, contenant près de 2 000 références.

Accessibilité des transports

Train – Disponible gratuitement dans les gares et boutiques SNCF ou sur le site www.voyages-sncf.com, le *Mémento du voyageur handicapé* donne des renseignements sur l'assistance à l'embarquement et au débarquement, la réservation de places spéciales, etc. Vous pourrez le recevoir à domicile en écrivant à Mission Voyageurs Handicapés - 209/211 r. de Bercy - 75585 Paris Cedex 12.
Numéro Vert **SNCF Accessibilité Service** : ℘ 0 800 154 753, 24h/24 et 7j/7.
Service Accès Plus : ℘ 0 890 640 650 (0,11 €/mn).

Avion – Air France propose aux personnes handicapées le service d'**assistance Saphir**, avec un numéro spécial : ℘ 0 820 012 424. Pour plus de détails, visitez le site www.airfrance.fr.

Pour les pays limitrophes

Adresses utiles

Allemagne – Office national allemand du tourisme - 21, r. Leblanc - 75015 Paris - www.allemagne-tourisme.com. Bureaux fermés au public ; renseignements uniquement par courrier. Renseignements intéressants sur le site de l'ambassade d'Allemagne, www.amb-allemagne.fr.
Forêt-Noire – Schwarzwald Tourismus GmbH - Ludwigstrasse 23 - D-79104 Freiburg - ℘ 00 49 (0) 761 29 62 27 1 - www.foretnoire.info.
Belgique – Office national belge du tourisme - 21 bd des Capucines - 75002 Paris - ℘ 01 47 42 41 18 - www.belgique-tourisme.net.
Luxembourg – Office de tourisme du Luxembourg - 28 r. Cambacérès 75008 Paris - ℘ 01 47 42 90 56 - www.ont.lu
Suisse – Office de tourisme suisse - 11 bis r. Scribe - 75009 Paris - www.myswitzerland.com. Bureaux fermés au public ; renseignements uniquement au ℘ 00 800 100 200 30 (appel gratuit).

Formalités d'entrée

Pièces d'identité – La carte nationale d'identité en cours de validité ou le passeport (même périmé depuis moins de cinq ans) sont valables pour les ressortissants des pays de l'Union européenne, d'Andorre, du Liechtenstein, de Monaco, de Suisse. Les mineurs voyageant seuls ont besoin d'un passeport en cours de validité. S'ils n'ont que la carte d'identité, il est demandé une autorisation parentale de sortie du territoire sous forme d'attestation délivrée par la mairie ou le commissariat de police.
Véhicules – Pour le conducteur : permis de conduire à trois volets ou permis international. Outre les papiers du véhicule, il est nécessaire de posséder la carte verte d'assurance. Normalement cette dernière vous aura fourni les marches à suivre depuis l'étranger en cas de nécessité. Vérifiez également que votre assurance est valable dans le pays étranger que vous vous proposez de traverser. Si nécessaire, demandez une extension de garantie à votre assureur. N'oubliez pas qu'à l'arrière du véhicule, la lettre signalant le pays d'origine est

obligatoire. Si vous louez une voiture à l'étranger, vérifiez que la garantie dommage est comprise dans le contrat de location.

Animaux domestiques – Pour les chats et les chiens, un certificat de vaccination antirabique de moins d'un an et un certificat de bonne santé sont exigés.

Chalets en Forêt-Noire.

R. Mattes/MICHELIN

Assurance maladie et accident – **Allemagne, Belgique, Luxembourg** : les ressortissants de l'Union européenne bénéficient de la gratuité des soins avec la **carte européenne d'assurance maladie**. Comptez un délai d'au moins deux semaines avant le départ (fabrication et envoi par la poste) pour obtenir la carte auprès de votre caisse d'assurance maladie. Nominative et individuelle, elle remplace le formulaire E 111 ; chaque membre d'une même famille doit en posséder une, y compris les enfants de moins de 16 ans. Conservez les ordonnances et les factures éventuelles.

Comme l'assurance maladie n'est pas obligatoire en Suisse, le voyageur suisse qui se déplace en France ou en Allemagne doit régler lui-même ses frais de maladie et d'accident. Les personnes ayant souscrit une assurance privée peuvent présenter la facture à leur assurance maladie. Les dépenses sont remboursées selon les dispositions en vigueur.

Suisse : les frais de consultation et les médicaments doivent être réglés sur place, en Suisse. Il est recommandé de souscrire une assurance maladie et accident de voyage.

Cartes de crédit

Les cartes de crédit les plus connues, telles American Express, Diners Club, Eurocard-Mastercard, Visa et Japan Card Bank, sont acceptées dans la plupart des magasins, hôtels, restaurants et stations-service.

Transports

Le train

Carte Inter-rail – Elle permet, quel que soit son âge, de circuler librement en 2nde classe dans 30 pays d'Europe. Son prix se calcule en fonction du nombre de zones (3 au maximum) dans lesquelles on désire se rendre.

Carte Eurodomino – Selon les mêmes principes que la carte Inter-rail, Eurodomino fonctionne avec des coupons à tarif réduit, valables 3, 5 ou 8 jours pour un pays. Pour les moins de 26 ans, le prix du coupon est réduit de 25 %.

Pass Evasion – Valable sam., dim. et jours fériés, ce forfait vous permet de circuler librement en Alsace. Deux formules sont proposées : le Pass Evasion pour 1 personne, au prix de 8,50 € pour un département ou 13,50 € pour les deux départements pour une journée.

La même formule existe également pour 2 à 5 personnes au prix de 15,50 € pour un département ou 26,50 € pour les deux.

Conduite automobile

Vitesse maximale – La vitesse maximale autorisée dans les agglomérations des quatre pays est de 50 km/h, sauf indication spéciale. Sur route, elle est de 80 km/h en Suisse, 90 km/h en Belgique et Luxembourg, et 100 km/h en Allemagne. La vitesse sur autoroute est limitée à 120 km/h en Suisse, Belgique et Luxembourg ; les autoroutes allemandes étant très chargées, il est recommandé de ne pas dépasser les 130 km/h.

« Coupez votre moteur ! » – En Suisse, à certains carrefours, lorsque l'attente au feu rouge est relativement longue, un panneau « Coupez votre moteur » *(Motor abstellen)* invite l'automobiliste à lutter contre la pollution.

Autoroutes – Gratuites en Allemagne, Belgique et Luxembourg. En Suisse, une vignette autoroutière annuelle (valable quatorze mois à compter du 1er décembre) est obligatoire : 45 FS, dans les bureaux de douane et de poste.

Carburant – En Suisse, se munir de billets de 10 FS et 20 FS pour s'approvisionner la nuit aux pompes automatiques, la plupart des stations étant alors fermées.

Horaires

Commerces – **Allemagne** : 9h30-20h, sam. 9h-16h ; dans les petites villes et les régions rurales, certains magasins sont fermés le mercredi après-midi. **Suisse** : lun.-vend. 8h30-12h, 14h-18h30, sam. fermeture vers 16h ou 17h. **Belgique** :

9h-18h. **Luxembourg** : 9h-12h, 14h-18h ; dans les grandes villes, fermeture le lun. matin.

Banques – Allemagne : lun.-vend. 8h30-13h, 14h30-16h (17h30 jeu.). **Suisse** : lun.-vend. 8h30-16h. **Belgique** : lun.-vend. 9h-12h30, 14h-15h30 (16h vend.). **Luxembourg** : lun.-vend. 8h30-12h30, 13h30-16h30.

Bureaux de poste – Allemagne : 8h-18h, sam. jusqu'à 12h ; certains bureaux de poste sont fermés entre 12h-14h30. **Suisse** : 8h30-12h, 13h30-18h30, sam. 7h30-11h. **Belgique** : lun.-vend. 9h-12h, 14h30-17h.

Téléphone

Indicatifs à ajouter devant le numéro de votre correspondant, à la place du premier « 0 » :

Allemagne : 00 49
Belgique : 00 32
France : 00 33
Luxembourg : 00 352
Suisse : 00 41

Transports

PAR LA ROUTE

Située au cœur de l'Europe, la région Alsace-Lorraine bénéficie d'une bonne liaison avec les réseaux routiers et autoroutiers nationaux et internationaux.

Les grands axes

L'autoroute de l'Est **A 4** Paris-Strasbourg dessert Verdun, Metz et Saverne avant de poursuivre par la **A 352** jusqu'à Obernai ; l'autoroute **A 31** Luxembourg-Dijon dessert Thionville, Metz, Pont-à-Mousson, Nancy, Toul, Vittel et les Vosges et poursuit par la **A 6** vers Lyon ; l'autoroute **A 35** relie Obernai, Colmar, Mulhouse et Bâle ; l'autoroute **A 36** relie Besançon à Mulhouse et remonte jusqu'à Karlsruhe.

Informations autoroutières

3 r. Edmond-Valentin - 75007 Paris - ☎ 0 892 681 077 - www.autoroutes.fr.

Les péages

Paris-Strasbourg : 32,80 €
Paris-Metz : 21,60 €
Lyon-Strasbourg : 25,80 €
Bordeaux-Strasbourg : 46,20 €
Nantes-Strasbourg : 64 €
Nancy-Strasbourg : 3,10 €

Les cartes Michelin

Les cartes **Départements** (1/150 000 ou au 1/175 000, avec index des localités et plans des préfectures) ont été conçues pour ceux qui aiment prendre le temps de découvrir une zone géographique réduite (un ou deux départements) lors de leurs déplacements en voiture. Pour ce guide, procurez-vous les cartes **Départements 307** (Meuse, Meurthe-et-Moselle, Moselle), **314** (Haute-Saône, Vosges) et **315** (Bas-Rhin, Haut-Rhin, Territoire de Belfort). La carte **Zoom 131** (Forêt-Noire, Alsace), au 1/200 000, présente la vallée du Rhin, à cheval sur la France et l'Allemagne. Vous pouvez également consulter la carte **Région 516** (Alsace, Lorraine), au 1/275 000, avec index des localités et plans des préfectures (Metz, Strasbourg), qui couvre le réseau routier secondaire. Enfin, n'oubliez pas, la **carte de France n° 721** qui offre une vue d'ensemble de la région au 1/1 000 000, avec ses grandes voies d'accès d'où que vous veniez.

Changement de numérotation routière !

Sur de nombreux tronçons, les routes nationales passent sous la direction des départements. Leur numérotation est en cours de modification.

La mise en place sur le terrain a commencé en 2006 mais devrait se poursuivre sur plusieurs années. De plus, certaines routes n'ont pas encore définitivement trouvé leur statut au moment où nous bouclons la rédaction de ce guide. Nous n'avons donc pas pu reporter systématiquement les changements de numéros sur l'ensemble de nos cartes et de nos textes.

👁 **Bon à savoir** – Dans la majorité des cas, on retrouve le n° de la nationale dans les derniers chiffres du n° de la départementale qui la remplace. Exemples : la N 16 devient D 1016, la N 51 devient D 951.

Les informations sur Internet

Le site **www.ViaMichelin.fr** offre une multitude de services et d'informations pratiques d'aide à la mobilité (calcul d'itinéraires, cartographie - cartes pays, plans de villes -, sélection des hôtels et restaurants du Guide Michelin France…) sur toute l'Europe.

EN TRAIN

Le TGV Est européen

Depuis le lancement du TGV Est européen, Paris est relié à Nancy en 1h30, Strasbourg en 2h20, Colmar et Mulhouse en 3h avec une dizaine de départs quotidiens. La gare Lorraine-TGV, située entre Metz et Nancy, assure une liaison

km	Bar-le-Duc	Épinal	Metz	Mulhouse	Nancy	Strasbourg
Bar-le-Duc	–	152	97	254	84	247
Caen	489	630	571	712	547	726
Dijon	208	195	267	219	213	333
Épinal	152	–	131	106	72	150
Lille	315	492	367	608	420	522
Limoges	531	623	670	618	641	732
Lyon	486	385	457	372	403	486
Marseille	709	696	768	689	714	803
Metz	97	131	–	232	57	163
Mulhouse	254	106	322	–	174	122
Nancy	84	72	57	174	–	154
Nantes	627	737	709	819	681	864
Paris	251	396	333	478	309	488
Strasbourg	247	150	163	122	154	–
Toulouse	816	864	936	860	882	974

directe avec Bordeaux, Nantes, Rennes, Lille et Francfort. Une navette permet de rejoindre facilement Metz et Nancy. Le TGV Méditerranée assure quant à lui une relation directe quotidienne entre Nice et Metz. Il existe également des trains de nuits directs.

La formule **train-auto** (juin-sept.) permet de retrouver sa voiture à la gare d'arrivée.

Informations et réservations

Ligne directe : ☎ 3635 (0,34 €/mn) – www.voyages-sncf.com.

Les Trains express régionaux

Les **TER** sillonnent toute la région au départ des villes principales. Durée indicative des trajets : de Strasbourg à Mulhouse, 1h ; à Metz, 1h20 ; à Wissembourg, 1h et à St-Dié, 1h30. Nancy-Metz-Luxembourg se fait en 1h40 environ et pour rejoindre Metz de Verdun, comptez 1h20.

Ces lignes ferroviaires sont renforcées, dans certains cas doublées, par des lignes d'**autocars** (TER). Un **guide TER** répertorie les horaires et les gares.

Les bons plans

Les tarifs de la SNCF varient selon les périodes : -50 % en période bleue, - 25 % en période blanche, plein tarif en période rouge (*calendriers disponibles dans les gares et boutiques SNCF*).

Les cartes de réduction

En vente dans les gares et boutiques SNCF, elles sont valables un an et vous garantissent, dans la limite des places disponibles, des réductions de 25 % à 60 %. Vous bénéficiez par ailleurs d'un système de cumul de points fidélité vous permettant de gagner des billets.

– **Carte Enfant+** : destinée aux enfants de moins de 12 ans et leurs accompagnateurs.

– **Carte 12-25** : pour les 12-25 ans.

– **Carte Senior** : à partir de 60 ans.

– **Carte Escapade** : permet aux 26-59 ans d'obtenir des réductions sur tout aller-retour de 200 km minimum effectué le samedi ou le dimanche, avec au choix l'aller-retour dans la même journée, ou la nuit du samedi au dimanche passée sur place et le retour effectué le dimanche.

À savoir

Dans chaque région existent des offres TER pour les déplacements occasionnels. En Lorraine, vous pouvez bénéficier de la formule **Saar-Lor-Lux Ticket**, du billet ou de la carte **Métrolor** et de l'offre **Lorraine Sarrebrück**. En Alsace vous sont proposés le **Pass Evasion** et le billet **Escapade en TER**.

👁 Pour connaître le détail de ces offres et pour réserver : ☎ 3635 (0,34 €/mn), ou www.ter-sncf.com.

Pierre (&) Vacances

se redécouvrir

Eguisheim
Résidence Pierre & Vacances

Village pittoresque, prestigieux vignobles et fleurs aux milles couleurs, c'est dans ce décor majestueux que Pierre & Vacances vous accueille dans sa nouvelle résidence d'Eguisheim à l'architecture empreinte des traditions locales. Vous adorerez sa splendide piscine couverte !

Passez un séjour en famille dans des appartements de standing à la décoration raffinée où chacun bénéficie d'un espace à soi. Spacieux, nos appartements sont propices à de vrais moments de bonheur partagé dans l'intimité d'un petit village alsacien niché à flanc de colline.

Alors laissez-vous séduire par le délice de se sentir chez soi…ailleurs !

information et réservation **0 891 701 102**[*]
(*0,225 €/min en France métropolitaine) **www.pierreetvacances.com**

Le tramway de Strasbourg.

Tarifs particuliers

Les familles ayant au minimum 3 enfants mineurs peuvent bénéficier d'une **Carte famille nombreuse** *(18 € pour le paiement des frais de dossier)* permettant une réduction individuelle de 30 à 75 % selon le nombre d'enfants (la réduction est toujours calculée sur le prix plein tarif de 2nde classe, même si la carte permet de voyager en 1re).

 Kit « Familles nombreuses » disponible sur www.voyages-sncf.com ou dans les points de vente SNCF.

Les réductions sans carte

Les usagers ne disposant d'aucune carte d'abonnement peuvent toutefois bénéficier de certaines réductions tarifaires :

– **Billets Prem's** : ni échangeables ni remboursables, ces billets s'achètent uniquement en ligne à des tarifs avantageux (aller simple en TGV à partir de 22 €), pourvu que vous réserviez jusqu'à 90 jours avant votre départ ou hors des périodes d'affluence.

 Découvrez sur www.voyages-sncf.com les offres spéciales et bons plans du Net, et demandez à créer une **Alerte résa** pour être informé par mail ou sms des places disponibles sur la destination de votre choix.

– **Offre Loisir :** valable pour tous, sans limite d'âge, cette nouvelle façon de concevoir le voyage récompense clairement l'anticipation de l'achat : plus l'usager réserve à l'avance, meilleurs seront les prix. En fonction de la date de réservation et du taux de remplissage du train, le billet pourra ainsi aller du plein tarif à une réduction de 70 %.

EN AVION

La région, dotée de plusieurs aéroports, (Strasbourg, Metz-Nancy-Lorraine, Bâle-Mulhouse et Épinal-Mirecourt) est reliée à de nombreuses villes françaises et européennes. Sur certains trajets, en particulier Paris-Mulhouse, il vous sera possible de trouver des vols à des prix intéressants (autour de 58 € pour un aller-retour dans la journée). Mais sans tarifs promotionnels, le voyage en avion reste cher (pas moins de 100 € pour un vol de Paris à Strasbourg).

Les compagnies aériennes

Air France – La compagnie assure des liaisons directes journalières entre l'aéroport de Strasbourg et Paris, Bordeaux, Clermont-Ferrand, Lille, Lyon, Nantes, Nice, Marseille, Rennes et Toulouse, mais également vers l'Europe : Londres, Amsterdam, Copenhague et Milan. Elle dessert Bâle-Mulhouse depuis Paris, Bordeaux et Lyon. Elle assure également les liaisons au départ de Metz-Nancy vers Clermont-Ferrand, Lyon, Nantes et Nice. Au delà, tout le réseau de la compagnie permet de relier l'Alsace-Lorraine grâce aux plateformes de correspondances de Paris ou de Lyon (au départ de Lyon, 24 villes domestiques françaises et 19 villes en Europe). Par ailleurs, Air France opère des lignes saisonnières vers la Corse au départ de Strasbourg - renseignements et réservations : 0 820 820 820 - www.airfrance.fr.

Swiss – La compagnie relie Nice à l'aéroport de Bâle-Mulhouse. Renseignements et réservations : 0 820 040 506 - www.swiss.com.

Les aéroports de la région

Aéroport Strasbourg International – 67960 Entzheim - 03 88 64 67 67 - www.strasbourg.aeroport.fr. Navette bus-tram entre l'aéroport et le centre-ville de Strasbourg toutes les 20 ou 40mn - 5,20 € A, 9,70 € AR.

Aéroport de Metz-Nancy-Lorraine – Rte de Vigny - 57420 Goin - 03 87 56 70 00 - Air France : 36 54 (0,34€/mn) - Twin jet : 0 892 707 737 - Myair : 0 800 970 179 (n° Vert) - Air Algérie : 03 87 66 22 13. Les navettes Métrolor assurent la liaison avec les gares SNCF de Metz (30mn) et de Nancy (40mn) - 4 € - renseignements 03 87 78 57 57.

Aéroport de Bâle-Mulhouse-Freibourg (EuroAirport) – 03 89 90 31 11 - www.euroairport.com. Navettes entre l'aéroport et la gare SNCF de Mulhouse (30mn) - 7,50 €.

Aéroport d'Épinal-Mirecourt (Aéropole Sud Lorraine) – 88500 Juvaincourt (40 km au nord ouest d'Épinal) - 03 29 37 01 99.

Les bons plans

N'hésitez pas à surfer sur le Net pour bénéficier des meilleures offres (promos, vols de dernière minute). Voici quelques sites donnant accès à ces billets à bas coût : www.lastminute.com ; www. opodo.fr ; www.anyway.com ; www. voyagermoinscher.com ; www.belvedair. com ; www.govoyages.fr ; www.easyjet. com ; www.voyages-sncf.com.

Budget

FORFAITS TOURISTIQUES

Pensez à les conserver sur vous pour pouvoir les présenter dans chaque site participant à l'opération.

Pass Musées

Ce passeport des musées du Rhin supérieur permet l'entrée libre et illimitée dans plus de 150 sites en France, Suisse et Allemagne. Le passeport de courte durée est valable un mois pendant quatre jours, au choix, au prix de 30 €. Disponible dans les musées participants ou au ✆ 03 89 33 96 29 (France), 061 205 00 40 (Suisse) et 0761 707 83 82 (Allemagne). www. museumspass.com.

Ambassadeur de Lorraine

Cette carte valable pour un couple et leurs enfants pendant un an donne accès à un grand nombre d'établissements touristiques à des conditions privilégiées. La carte gratuite personnalisée est à demander au Comité régional du tourisme de Lorraine : ✆ 03 83 80 01 80 ou crt@crt-lorraine.fr.

Zukunft Saarmoselle avenir

Ce Ticket touristique et culturel propose des réductions (et parfois même la gratuité) pour 123 sites et musées en Moselle, Sarre et dans le Palatinat occidental. Renseignements : Bureau de coopération - Stadtverband Saarbrücken - Schossplatz - 66119 Saarbrücken - ✆ 0049 681 506 61 62 - www.saarmoselle.org.

Week-end en Moselle

La brochure *Loisirs Accueil Moselle* recense des formules de week-end et de courts séjours. Informations et réservations : ✆ 03 87 37 57 63/69.

LES BONS PLANS

Les chèques vacances

Ce sont des titres de paiement permettant d'optimiser le budget vacances/loisirs des salariés grâce à une participation de l'employeur. Les salariés du privé peuvent se les procurer auprès de leur employeur ou de leur comité d'entreprise ; les fonctionnaires auprès des organismes sociaux dont ils dépendent.

On peut les utiliser pour régler toutes les dépenses liées à l'hébergement, à la restauration, aux transports ainsi qu'aux loisirs. Il existe aujourd'hui plus de 135 000 points d'accueil.

La carte famille nombreuse

On se la procure auprès de la SNCF *(voir p. 24)*. Elle ouvre droit, outre les billets de train à prix réduits, à des réductions très diverses auprès des musées nationaux, de certains sites privés, parcs d'attractions, loisirs et équipements sportifs, cinémas et même certaines boutiques. Mieux vaut l'avoir sur soi et demander systématiquement s'il existe un tarif préférentiel famille nombreuse.

Ville Pass'ion

Initié par la Fédération nationale des offices de tourisme, ce concept permet de promouvoir le tourisme dans certaines villes de la région. Metz, Nancy, Épinal, Sarreguemines et Mulhouse proposent l'opération Promo Passion : 2 nuits d'hôtel pour le prix d'une dans les principaux lieux d'hébergement ainsi que de nombreux avantages sur les activités culturelles. Nancy a mis en œuvre une autre opération, Passion Autrement, qui comprend une nuit en chambre double, 1 déjeuner du terroir et 1 city pass offrant des réductions à l'entrée de certains sites touristiques. Informations complémentaires et réservation en ligne sur www.tourisme. fr/villepassion/index.htm.

Bon à savoir

👁 Il existe des forfaits tarif réduit dans certaines villes, il vous suffit de vous renseigner auprès des offices de tourisme.

👁 Si d'aventure vous n'avez pu trouver votre bonheur parmi toutes nos adresses, vous pouvez toujours consulter ces différents sites : www. partirpascher.com, www.etaphotel. com, www.budget.fr.

NOS ADRESSES D'HÉBERGEMENT ET DE RESTAURATION

Au fil des pages, vous découvrirez nos **encadrés pratiques**, sur fond vert. Ils présentent une sélection d'établissements dans et à proximité des sites auxquels ils sont rattachés. Pour repérer facilement ces adresses sur nos plans, nous leur avons attribué des pastilles numérotées.

Nos catégories de prix

Pour vous aider dans votre choix, nous vous communiquons également une **fourchette de prix** : pour l'hébergement, les prix communiqués correspondent aux tarifs minimum et maximum d'une chambre double ; pour la restauration, ces prix indiquent les tarifs minimum et maximum des menus proposés.

Les prix que nous indiquons sont ceux de la **haute saison** ; hors saison, de nombreux établissements proposent des tarifs plus avantageux, renseignez-vous… Dans chaque encadré, les adresses sont classées en quatre catégories de prix *(voir le tableau)*.

Petit budget – Choisissez vos adresses parmi les ⊖ : vous trouverez des hôtels, des chambres d'hôte simples et conviviales et des tables souvent gourmandes, toujours honnêtes.

Budget moyen – Votre budget est un peu plus large. Piochez vos étapes dans la catégorie ⊖⊖. Dans cette catégorie, vous trouverez des maisons, souvent de charme, de meilleur confort et plus agréablement aménagées, animées par des passionnés, ravis de vous faire découvrir leur demeure et leur table. Là encore, chambres et tables d'hôte sont au rendez-vous, avec également des hôtels et des restaurants plus traditionnels, bien sûr.

Budgets confortable et haut de gamme – Vous souhaitez vous faire plaisir, le temps d'un repas ou d'une nuit, vous aimez voyager dans des conditions très confortables ? Les catégories ⊖⊖⊖ et ⊖⊖⊖⊖ sont pour vous… La vie de château dans de luxueuses chambres d'hôte ou dans les palaces et les grands hôtels : à vous de choisir ! Vous pouvez aussi profiter des décors de rêve de lieux mythiques à moindres frais, le temps d'un brunch ou d'une tasse de thé… À moins que vous ne préfériez casser votre tirelire pour un repas gastronomique dans un restaurant renommé. Sans oublier que la traditionnelle formule « tenue correcte exigée » est toujours d'actualité dans ces établissements !

Se loger

NOS CRITÈRES DE CHOIX

Les hôtels

Nous vous proposons, dans chaque encadré pratique, un choix très large en terme de confort. La location se fait à la nuit et le petit-déjeuner est facturé en supplément. Certains établissements assurent un service de restauration également accessible à la clientèle extérieure.

Pour un choix plus étoffé et actualisé, **Le Guide Michelin France** recommande des hôtels sur toute la France. Pour chaque établissement, le niveau de confort et de prix est indiqué, en plus de nombreux renseignements pratiques. Le symbole « Bib Hôtel » signale des hôtels pratiques et accueillants offrant une prestation de qualité à prix raisonnable, à moins de 72 € en province (88 € dans les grandes villes et stations).

Les chambres d'hôte

Vous êtes reçu directement par les habitants qui vous ouvrent leur demeure. L'atmosphère est plus conviviale qu'à l'hôtel, et l'envie de communiquer doit être réciproque : misanthropes, s'abstenir ! Les prix, mentionnés à la nuit, incluent le petit-déjeuner. Certains propriétaires proposent aussi une table d'hôte, en général le soir, et toujours réservée aux résidents de la maison. Il est très vivement conseillé de réserver votre étape, en raison du grand succès de ce type d'hébergement. Le label Gîte de France s'engage à une certaine qualité des services. Il existe une centrale de réservation par département, renseignements et possibilité de réservations sur www.gites-de-france.com.

NOS CATÉGORIES DE PRIX				
	Se restaurer (prix déjeuner)		Se loger (prix de la chambre double)	
	Province	Paris/Grandes villes et Stations	Province	Paris/Grandes villes et Stations
⊖	jusqu'à 14 €	jusqu'à 16 €	jusqu'à 45 €	jusqu'à 65 €
⊖⊖	plus de 14 € à 25 €	plus de 16 € à 30 €	plus de 45 € à 80 €	plus de 65 € à 100 €
⊖⊖⊖	plus de 25 € à 40 €	plus de 30 € à 50 €	plus de 80 € à 100 €	plus de 100 € à 160 €
⊖⊖⊖⊖	plus de 40 €	plus de 50 €	plus de 100 €	plus de 160 €

👁 **Bon à savoir** – Certains établissements ne peuvent pas recevoir vos compagnons à quatre pattes ou les accueillent moyennant un supplément, se renseigner lors de la réservation.

Le camping

Le **Guide Camping Michelin France** propose tous les ans une sélection de terrains visités régulièrement par nos inspecteurs. Renseignements pratiques, niveau de confort, prix, agrément, location de bungalows, de mobile homes ou de chalets y sont mentionnés.

LES BONS PLANS

Les services de réservation

Fédération nationale des services de réservation Loisirs-Accueil – 74/76 r. de Bercy - 75012 Paris - 📞 01 44 11 10 20 - www.loisirs-accueil.fr. La Fédération anime et fédère un réseau de 56 centrales de réservation : coordonnées des 56 services Loisirs-Accueil sur demande auprès de la FNLAF.

Fédération nationale Clévacances – 54 bd de l'Embouchure - BP 52166 - 31022 Toulouse Cedex - 📞 05 61 13 55 66 - www.clevacances.com. Cette fédération propose près de 23 500 locations de vacances (appartements, chalets, villas, demeures de caractère, pavillons en résidence) et 3 200 chambres réparties sur 87 départements en France et outre-mer, et publie un catalogue par département (passer commande auprès des représentants départementaux Clévacances).

Les locations de maison

La formule à la semaine, parfois au mois, s'avère économique au-delà de 3 personnes. Vous en trouverez, à des prix variables, sur de nombreux sites Internet : www.abritel.fr ; www.explorimmo.com ; www.1000gites.com ; www.homelidays.com ; www.a-gites.com ; www.pour-les-vacances.com ; www.bertrandvacances.com ; www.fr.lastminute.com ; www.terres-de-vacances.com.

L'hébergement rural

Fédération des Stations vertes de vacances et Villages de neige – BP 71698 - 21016 Dijon Cedex - 📞 03 80 54 10 50 - www.stationsvertes.com.

Bienvenue à la ferme – Le guide *Bienvenue à la ferme*, édité par l'assemblée permanente des chambres d'agriculture (service agriculture et tourisme - 9 av. George-V - 75008 Paris - 📞 01 53 57 11 44) est aussi en vente en librairie ou sur **www.bienvenue-a-la-ferme.com**. Il propose par région et par département

Enseigne de caveau à Eguisheim.

R. Mattes/MICHELIN

des fermes-auberges, campings à la ferme, fermes de séjour, mais aussi des loisirs variés : chasse, équitation, approches pédagogiques pour enfants, découverte de la gastronomie des terroirs en ferme-auberge, dégustation et vente de produits de la ferme.

Fermes-auberges

Guide des fermes-auberges de Haute-Alsace (11,30 €, soit 8,50 € + frais d'envoi), édité par l'Association des fermes-auberges du **Haut-Rhin** - 1 r. Schlumberger - 68007 Colmar - 📞 03 89 20 10 68 - www.tourisme68.com.

Guide Bienvenue à la ferme dans les Vosges, disponible gratuitement à la chambre d'agriculture des **Vosges** (Relais agriculture et tourisme - 17 r. André-Vitu - La Colombière - 88026 Épinal Cedex - 📞 03 29 29 23 55).

Un dépliant, édité par les offices du tourisme de **Gérardmer** et de **La Bresse**, regroupe un certain nombre d'auberges de montagne et de fermes-auberges dans la région vosgienne et alsacienne. « Fermes-auberges, les saveurs du terroir lorrain », disponible au comité régional du tourisme de Lorraine.

Maison des Gîtes de France et du Tourisme vert – 59 r. St-Lazare - 75009 Paris - 📞 01 49 70 75 75 - www.gites-de-france.com. Cet organisme donne les adresses des relais départementaux et publie des guides sur les possibilités d'hébergement en milieu rural (gîtes ruraux, chambres et tables d'hôte, gîtes d'étape, chambres d'hôte et gîtes de charme, gîtes de neige, gîtes de pêche, locations de chalets, locations de chalets et campings et séjours à la ferme).

L'hébergement pour randonneurs

Guide et site Internet – 74 r. Albert-Perdreaux - 78140 Vélizy - 📞 01 34 65 11 89. Les randonneurs peuvent consulter le site www.gites-refuges.com et le guide *Gîtes d'étape et Refuges*,

France et frontières de A. et S. Mouraret (01 34 65 11 89). Cet ouvrage et ce site sont principalement destinés aux amateurs de randonnée, d'alpinisme, d'escalade, de ski, de cyclotourisme et de canoë-kayak.

Les auberges de jeunesse

Fédération unie des auberges de jeunesse – Centre national - 27 r. Pajol - 75018 Paris - 01 44 89 87 27 - www.fuaj.org. La carte d'adhésion internationale est délivrée contre une cotisation annuelle de 11 € pour les moins de 26 ans, 16 € au-delà de cet âge, 23 € pour les familles et 46 € pour les groupes (10 pers.). Vous trouverez une auberge de jeunesse de la FUAJ dans les villes de Verdun, Saint-Mihiel, Thionville, Metz, Nancy, Phalsbourg, Saverne, Strasbourg, Colmar, Lautenbourg, Ventron, Saint-Dié-des-Vosges et Mulhouse.

Ligue française pour les auberges de jeunesse – 67 r. Vergniaud - bâtiment K - 75013 Paris - 01 44 16 78 78 - www.auberges-de-jeunesse.com. La carte LFAJ est délivrée en échange d'une cotisation annuelle de 10,70 € pour les moins de 26 ans et de 15,25 € au-delà de cet âge. Vous trouverez une auberge de jeunesse LFAJ dans les villes suivantes : Strasbourg, Xonrupt-Longemer et Werentzhouse (près d'Altkirch).

POUR DÉPANNER

Les chaînes hôtelières

L'hôtellerie dite « économique » peut éventuellement vous rendre service. Sachez que vous y trouverez un équipement complet (sanitaire privé et télévision), mais un confort très simple. Souvent à proximité de grands axes routiers, ces établissements n'assurent pas de restauration. Toutefois, leurs tarifs restent difficiles à concurrencer (moins de 42 € la chambre double). En dépannage, voici donc les centrales de réservation de quelques chaînes :

B & B – 0 892 782 929.

Etap Hôtel – 0 892 688 900.

Mister Bed – www.misterbed.fr.

Villages Hôtel – 03 80 60 92 70.

Enfin, les hôtels suivants, un peu plus chers (à partir de 58 € la chambre), offrent un meilleur confort et quelques services complémentaires :

Campanile – 0 825 003 003.

Kyriad – 0 825 003 003.

Ibis – 0 892 686 686.

Se restaurer

NOS CRITÈRES DE CHOIX

Pour répondre à toutes les envies, nous avons sélectionné des **restaurants** régionaux, bien sûr, mais aussi classiques, exotiques ou à thème… Et des lieux plus simples, où vous pourrez grignoter une salade composée, une tarte salée, une pâtisserie ou déguster des produits régionaux sur le pouce.

Quelques **fermes-auberges** vous permettront de découvrir les saveurs de la France profonde. Vous y goûterez des produits authentiques provenant de l'exploitation agricole, préparés dans la tradition et généralement servis en menu unique. Le service et l'ambiance sont bon enfant. Réservation obligatoire !

Enfin, n'oubliez pas que les restaurants d'hôtels peuvent vous accueillir.

Bretzels et bière.

LES SITES REMARQUABLES DU GOÛT

Quelques sites de la région (lieux de production, routes gastronomiques, foires ou manifestations), dont la richesse gastronomique s'appuie sur des produits de qualité liés à un environnement culturel et touristique intéressant, ont reçu le label « Site remarquable du goût ». Il s'agit pour la bière d'Alsace de la brasserie Kronenbourg, de la brasserie Schutzenberger et de la brasserie Météor. Cela concerne également la Fête du sucre au pays d'Erstein (dernier week-end d'août), la route de la Carpe frite dans le Sundgau, la route des Vins d'Alsace et la Foire aux andouilles du Val-d'Ajol (3e lundi de février). Pour plus d'informations : www.sitesremarquablesdugout.com.

LABEL

Le label **Meuse et Merveilles** regroupe des producteurs fermiers et artisans et garantit la qualité des produits ainsi référencés. Plusieurs auberges de la région utilisent ces produits labellisés.

Quant à l'association des **Cuisineries gourmandes**, médaillée d'or du Tourisme en 2005, elle rassemble des restaurateurs français soucieux de préparer une cuisine de qualité à partir de produits frais du terroir. Deux membres de cette association font profiter les visiteurs de la **Meuse** de leur talent. Pour en savoir plus, visitez le site www.cuisineries-gourmandes.com.

LES LIEUX TYPIQUES OÙ MANGER

En Alsace, on trouve deux types d'établissements traditionnels : les *winstubs* et les brasseries. Liées au commerce du vin sur la rivière l'Ill, les *winstubs* ont été créées par les viticulteurs strasbourgeois pour promouvoir leurs vins. Dans ces restaurants à l'ambiance chaleureuse, on s'attardera devant un pichet de vin d'Alsace en dégustant une choucroute, du cervelas en salade, du coq au riesling, une tourte vigneronne, un *presskopf* (hure de porc en gelée), une *flammekueche* ou des tartes aux fruits… Dans les brasseries, les amateurs de bière ne manqueront pas de déguster une bière fabriquée sur place accompagnée d'un plat régional.

Tradition des Hautes-Vosges, les fermes-auberges de Lorraine se sont constituées en association. Étapes de choix pour les randonneurs, mais souvent accessibles aux automobilistes, elles proposent des produits de la ferme et parfois même l'hébergement (gîte ou chambre d'hôte). Certaines fermes proposent un repas *marcaire* qui comprend en général une tourte de la vallée, de la viande de porc fumée garnie de *roïgabrageldi*, pommes de terre aux oignons et lardons, du munster et une tarte aux myrtilles.

LES GRANDS CHEFS DE LA RÉGION

L'Alsace et la Lorraine sont des régions gourmandes, on ne cesse de vous le répéter. La preuve ? Elle se trouve dans l'assiette de sept cuisiniers distingués que nous vous recommandons.

Dans le Bas-Rhin

Natif du Sundgau, **Émile Jung** est un Alsacien pur souche, établi à l'ombre de la cathédrale depuis les années 1970. Il sert dans son élégant restaurant « Au Crocodile », prisé des Strasbourgeois, une cuisine personnalisée aux touches régionales appuyées. Il figure depuis de longues années parmi les tout premiers chefs d'Alsace. C'est une personnalité incontournable de la restauration alsacienne qui se donne beaucoup pour la profession, s'implique dans les associations et défend avec fougue une certaine image de la cuisine française. De nombreux chefs aujourd'hui réputés ont fait leurs classes dans ses cuisines.

Au Crocodile, à Strasbourg, ☎ 03 88 32 13 02.

Issu d'une famille de restaurateurs, **Fernand Mischler** est l'héritier d'une tradition culinaire qu'il a su transmettre à de nombreux élèves et son dévouement pour la profession est reconnu à tous les niveaux. Longtemps président des Maîtres Cuisiniers de France, il est désormais secondé aux fourneaux par son fils Franck, qui ajoute au style classique du papa des créations plus au goût du jour. Son confortable restaurant, ancien relais de poste, sert d'écrin à la dégustation d'une belle cuisine mariant tradition alsacienne et novation.

Le Cheval Blanc, à Lembach, ☎ 03 88 94 41 86.

La famille de **Jean-Michel Husser** est implantée à Marlenheim depuis 1930. Inutile de dire son attachement à l'Alsace et à son terroir. Cela transparaît dans sa cuisine, où il a su adapter les recettes traditionnelles au goût d'aujourd'hui en les allégeant tout en conservant les saveurs. Il privilégie tout particulièrement la qualité des produits qu'il sélectionne parmi un réseau de nombreux petits producteurs locaux. Digne successeur de son père Michel, chef étoilé de longue date, Jean-Michel a gagné la 2e étoile en 1986, après avoir effectué son retour au berceau familial en 1981.

Le Cerf, à Marlenheim, ☎ 03 88 87 73 73.

Dans le Haut-Rhin

Chez les **Haeberlin**, la cuisine est une histoire de famille. Comment ne pas évoquer « L'Arbre Vert » créé par l'arrière-grand-mère puis la modeste auberge des bords de l'Ill, tenue par la grand-mère, où les pêcheurs venaient avant guerre se régaler de matelote. Puis, les talents conjugués de ses deux fils, Paul, le cuisinier, et Jean-Pierre, l'artiste peintre, ont fait monter cette affaire familiale au firmament de la cuisine alsacienne pour obtenir 3 étoiles en 1967. Enfin, depuis son arrivée en 1976, Marc propose une cuisine raffinée, élégante et goûteuse où les rappels au terroir alsacien n'empêchent pas les touches de modernité. Une telle continuité dans la réussite tient aux valeurs familiales, à l'amitié et à l'esprit d'équipe.

Auberge de l'Ill, à Illhaeusern, 📞 03 89 71 89 00.

En Moselle

Jean-Georges Klein propose une cuisine qui émerveille et surprend, aux saveurs magiques, dans une audacieuse variété de mets à la présentation éclatée. Son parcours est atypique : après avoir officié en salle pendant dix-huit ans, Jean-Georges Klein succéda en cuisine à sa maman en 1988 ! Presque autodidacte, doublé d'une trempe de créateur, il avoue avoir trouvé son style culinaire grâce à Pierre Gagnaire et Ferran Adria (célèbre chef espagnol). Fer de lance de la gastronomie en Lorraine, il lui semble indispensable de faire parler son cœur et associe volontiers ses équipes de cuisine et de salle dans sa réussite personnelle, aidé en cela par sa sœur Cathy.

L'Arnsbourg, à Baerenthal, 📞 03 87 06 50 85.

Lydia Egloff – la cuisinière – ne peut être que difficilement dissociée de sa sœur **Isabelle** – la sommelière – et le client habitué se rend plus souvent chez les sœurs Egloff qu'à la Bonne Auberge. Une… très bonne auberge même ! reprise en 1980, où Lydia Egloff sert une cuisine originale et créative qui révèle une personnalité hors du commun. Ayant commencé son métier comme maître d'hôtel, c'est grâce à Jacques Maximin, célèbre chef provençal, que se produisit le déclic de sa vocation de cuisinière. Lydia a choisi de rester au pays et a su imposer son style fait de recettes concoctées à « l'impulsion ». Depuis vingt-cinq ans, fidèle à ses fourneaux, elle régale les palais les plus exigeants en les surprenant par la hardiesse de ses recettes.

La Bonne Auberge, à Stiring-Wendel, 📞 03 87 87 52 78.

LES BONS VINS DE LA RÉGION

L'Alsace compte 7 cépages à Appellation d'origine contrôlée. Ils sont tous blancs sauf le pinot noir, rosé ou rouge. Les grands crus d'Alsace, au nombre de 50, sont issus de terroirs privilégiés. La route des Vins d'Alsace est balisée de Marlenheim à Thann ; elle relie bourgades et petites villes aux noms prestigieux

(voir la description détaillée de la route des Vins dans le chapitre « Découvrir les sites »). De nombreux producteurs proposent la visite de leurs caves, suivie, souvent, d'une dégustation. Quelques adresses où cueillir des informations sur le vin :

Maison des vins d'Alsace – 12 av. Foire-aux-Vins - 📞 03 89 20 16 20 - www.vinsalsace.com/fr - tlj sf w.-end et j. fériés mat. et apr.-midi - fermé 25 déc.-1er janv. Ce centre regroupe 5 importants organismes viticoles de la région : le Conseil interprofessionnel des vins d'Alsace, le service régional de l'Institut national des appellations d'origine, l'Asssociation des viticulteurs d'Alsace, le Centre interprofessionnel de dégustation et le Syndicat des producteurs de crémant d'Alsace. Le visiteur découvrira une carte en relief de 6 m de long, avec les villages et les grands crus, une évocation du travail du vigneron à l'aide de maquettes interactives, et un audiovisuel sur le vignoble. Documentation et information (guides, brochures, bibliothèque, affiches…).

Le vin mérite toute l'attention du vigneron.

Château de Kientzheim – 📞 03 89 78 21 36. Siège de la confrérie St-Étienne qui délivre un « sigille » de qualité aux meilleurs vins d'Alsace. Le château abrite également le musée du Vignoble et des Vins d'Alsace.

Espace Alsace Coopération – 68980 Beblenheim - 📞 03 89 47 91 33 - sur la route des Vins, il regroupe les seize caves coopératives d'Alsace, propose toute une sélection de vins d'Alsace et offre un aperçu des produits du terroir.

Centre de formation, lycée viticole – 8 Aux-Remparts - 68250 Rouffach - 📞 03 89 78 73 07. Janv.-mai : stages d'initiation à la dégustation des vins d'Alsace et à la connaissance des terroirs ; stages « les vins d'Alsace au travers de la gastronomie ».

À FAIRE ET À VOIR

Les activités et loisirs de A à Z

Les **comités départementaux** et **comités régionaux de tourisme** *(voir p. 18)* disposent de nombreuses documentations et répondront à vos demandes d'informations quant aux activités proposées dans leur secteur. Pour trouver d'autres adresses de prestataires, reportez-vous aux rubriques « Visite » et « Sports & Loisirs » dans l'encadré pratique des villes ou sites.

BRASSERIES

Visite technique et guidée des brasseries alsaciennes :

Heineken – 4 r. St-Charles - 67300 Schiltigheim - ☏ 03 88 19 57 55 - visite (2h) et dégustation gratuite tlj sf w.-end, sur demande uniquement.

Kronenbourg – 68 rte d'Oberhausbergen - 67200 Strasbourg - ☏ 03 88 27 41 59 - www.kronenbourg-fr.com - visite guidée sur demande uniquement - fév.-mai : mar.-sam. tte la journée ; mai-déc. : lun.-sam. tte la journée - fermé janv., j. fériés, Vend. saint et 26 déc. - 5 € (-18 ans 3 €).

Schutzenberger – 8 r. de la Patrie - BP 182 - 67304 Schiltigheim - ☏ 03 88 18 61 00 - visite sur demande - 5 €.

CYCLOTOURISME

Parc naturel régional des Ballons des Vosges – De nombreux circuits balisés pour le VTT existent sur le territoire. Une liste recensant circuits et structures est disponible sur demande.

Le guide *L'Alsace à bicyclette*, d'Alain Morley, aux éditions La Nuée Bleue (guide-poche DNA), propose une cinquantaine de circuits tous niveaux.

Le **Bas-Rhin** compte 700 km d'itinéraires cyclables, recensés sur une carte éditée par le conseil général. À consulter, la brochure « Le Bas-Rhin à bicyclette », avec 22 itinéraires.

Une carte, « Le Haut-Rhin à vélo », est disponible dans les offices de tourisme du Haut-Rhin.

Vous pouvez télécharger ces différentes brochures sur le site Internet du conseil général www.cg67.fr

Le Parc naturel régional de Lorraine publie une brochure recensant 23 balades à vélo sur son territoire ; chaque itinéraire fait l'objet d'une fiche séparée.

Des itinéraires réservés aux VTT ont été mis en place pour parcourir la Meuse, la Moselle, la Meurthe-et-Moselle ou les Vosges. Pour se procurer les circuits sur ces quatre départements, s'adresser aux comités départementaux du tourisme. Les listes des loueurs de cycles sont généralement fournies par les offices de tourisme et les syndicats d'initiative.

Fédération française de cyclotourisme – 12 r. Louis-Bertrand - 94207 Ivry-sur-Seine Cedex - ☏ 01 56 20 88 88 - www.ffct.org.

GOLF

Pour les passionnés de golf ou les amateurs qui veulent s'y initier.

Meurthe-et-Moselle – Golf de Nancy-Pulnoy - 10 r. du Golf - 54425 Pulnoy - ☏ 03 83 18 10 18.

Meuse – Golf de Combles - 38 r. Basse - 55000 Combles-en-Barrois - ☏ 03 29 45 16 03.

Golf de Madine - Lac de la Madine - 55210 Nonsard - ☏ 03 29 89 56 00.

Moselle – Golf d'Amnéville (18 trous) - Centre thermal et touristique - 57360 Amnéville - ☏ 03 87 71 30 13.

Golf de Bitche - R. des Prés - 57230 Bitche - ☏ 03 87 96 15 30.

Golf de Cherisey - 30 r. Principale - 57420 Cherisey - ☏ 03 87 52 70 18.

Golf de la Grange-aux-Ormes - R. de la Grange-aux-Ormes - 57155 Marly - ☏ 03 87 63 10 62 - www.grange-aux-ormes.com.

Golf de Metz-Technopole - 3 r. Félix-Savart - 57070 Metz - ☏ 03 87 78 71 04.

Vosges – Golf Municipal d'Épinal - R. du Merle-Blanc - 88000 Épinal - ☏ 03 29 34 65 97 - de mi-fév. à fin nov.

Golf de Vittel - 533 av. Haut de Fol - 88805 Vittel Cedex - ☏ 03 29 08 20 85.

Haut-Rhin – Golf du Rhin - R. Bac - 68490 Chalampé - ☏ 03 89 83 28 32.

Golf de la Largue - r. du Golf - 68580 Mooslargue - ☏ 03 89 07 67 67.

Golf public d'Ammerschwihr-Trois-Épis - Rte de Labaroche - 68770 Ammerschwihr - ☏ 03 89 47 17 30.

Bas-Rhin – Bas-Golf du Kempferhof - 351 r. du Moulin - 67115 Plobsheim - ☏ 03 88 98 72 72.

Golf Pass Lorraine – 18 parcours de golf à travers la Lorraine dont 4 golfs de 27 trous, 10 golfs de 18 trous et 4 golfs de 9 trous - rens. à la Ligue de golf de Lorraine - 6 pl. du Roi-George - BP 60552 - 57009 Metz Cedex 1 - ☏ 03 87 55 05 68.

NATURE

Parcs et jardins

Les « Jardins sans limites » – Cette opération vise à mettre en réseau un certain nombre de jardins en Moselle, en Sarre et au Luxembourg. Répondant à une charte très précise garantissant leur conception, leur originalité et les conditions d'accueil du public, ils évoquent différents thèmes : jardin des sens, jardin baroque, jardin gallo-romain, jardin pour la paix… Le réseau est constitué à ce jour de 11 jardins bénéficiant de conditions de visite propres. Renseignement auprès du Comité départemental du tourisme de la Moselle (voir p. 18).

En Moselle, nous vous conseillons trois jardins appartenant à ce réseau : le jardin pour la Paix, au pied de la citadelle de Bitche, le jardin de l'Éveil au château de Pange et le jardin des « Plantes de chez nous », devant la maison de Robert Schuman à Scy-Chazelles.

« Le Temps des jardins » – De mai à octobre, 120 jardins (privés ou publics) d'Alsace, de Lorraine et d'Allemagne vous ouvrent leurs portes pour une découverte de l'art des jardins et des jardiniers d'hier et d'aujourd'hui. Une brochure disponible chaque année à partir du 15 avril est à demander auprès du « Temps des jardins » - 8 quai du Canal - 67700 Saverne - ✆ 03 88 71 12 87 - letempsdesjardins@tourisme-alsace.info. Également dans les offices de tourisme.

« Visitez un jardin en Lorraine » – Manifestation organisée chaque année de mai à octobre par le conseil régional, la direction régionale des Affaires culturelles, la direction de l'Environnement et l'association PAJLOR (Parcs et jardins de Lorraine) pendant laquelle plus de 110 parcs et jardins de Lorraine sont ouverts au public. Certains sont le cadre de manifestations, fêtes de plantes en relation avec le thème retenu pour l'année en cours. Renseignements auprès des offices de tourisme et sur les sites Internet www.culture.gouv.fr/lorraine et www.cr-lorraine.fr.

Parcs naturels régionaux

Dans la région couverte par ce guide, ils sont au nombre de trois.

Maison du Parc naturel régional des Ballons des Vosges – 1 cour de l'Abbaye - 68140 Munster - ✆ 03 89 77 90 34 - www.parc-ballons-vosges.fr - de déb. juin à mi-sept. : tlj sf lun. mat. et apr.-midi ; reste de l'année : tlj sf w.-end apr.-midi - fermé 1re quinz. de janv.

Maison du Parc naturel régional de Lorraine – Maison du Parc - Logis abbatial - r. du Quai - BP 35 - 54702 Pont-à-Mousson - ✆ 03 83 81 67 67 - tlj sf w.-end tte la journée.

Maison du Parc naturel régional des Vosges du Nord – ✆ 03 88 01 49 59 - www.parc-vosges-nord.fr - mat. et apr.-midi (dernière entrée 45mn av. fermeture) - fermé janv., 24-25 et 31 déc. - 2,50 € (-12 ans gratuit).

Conservatoires régionaux d'espaces naturels

Ils ont pour but de préserver les sites naturels et de maintenir l'équilibre écologique. Des sorties « nature » sont généralement proposées.

Conservatoire des sites alsaciens – Maison des Espaces naturels - Écomusée - 68190 Ungersheim - ✆ 03 89 83 34 20 - http://csa.cren.free.fr.

Conservatoire des sites lorrains – 14 pl. de l'Église - 57930 Fénétrange - ✆ 03 87 03 00 90 - www.cren-lorraine.fr.

NAVIGATION DE PLAISANCE

Il existe 7 grands axes : canal de l'Est, boucles de la Moselle, canal des Houillères de la Sarre, canal de la Marne au Rhin, la Moselle canalisée, le Rhin et le grand canal d'Alsace de Bâle à Lauterbourg, et enfin le canal du Rhône au Rhin (versant nord).

Location de bateaux habitables

La location de « bateaux habitables » (house-boats) aménagés en général pour six à huit personnes permet une approche insolite des sites parcourus sur les canaux. Diverses formules existent : à la journée, au week-end ou à la semaine. Des bases de location de bateaux sans permis sont installées à Dun-sur-Meuse, Toul, Lagarde, Hesse, Lutzelbourg, Saverne, Schiltigheim, Mittersheim, Strasbourg. Voici les coordonnées des loueurs présents sur les axes fluviaux :

R. Mattes/MICHELIN

Un des bateaux touristiques strasbourgeois, sur l'Ill.

ViaMichelin

Clic je choisis, clic je réserve !

RÉSERVATION HÔTELIÈRE SUR

www.ViaMichelin.com

Préparez votre itinéraire sur le site ViaMichelin
pour optimiser tous vos déplacements. Vous pouvez
comparer différents parcours, sélectionner vos étapes
gourmandes, découvrir les sites à ne pas manquer…
Et pour plus de confort, réservez en ligne votre hôtel
en fonction de vos préférences (parking, restaurant...)
et des disponibilités en temps réel auprès de 60 000
hôtels en Europe (indépendants ou chaînes hôtelières).

- *Pas de frais de réservation*
- *Pas de frais d'annulation*
- *Pas de débit de la carte de crédit*
- *Les meilleurs prix du marché*
- *La possibilité de sélectionner et de filtrer
  les hôtels du Guide Michelin*

Crown Blue Line – Port du Canal - 57400 Hesse - ℰ 03 87 03 61 74 - www.crown-blueline.com - location de bateaux tout équipés, sans permis, pour une croisière sur le canal de la Marne au Rhin.

Locaboat Plaisance – Port-Amont - Chemin de Halage - BP 11 - 57820 Lutzelbourg - ℰ 03 87 25 70 15 - centrale de réservation : Port-au-Bois - BP 150 - 89303 Joigny Cedex - ℰ 03 86 91 72 72 - www.locaboat.com. Au départ de Lutzelbourg, vous pouvez naviguer sur la Moselle, le canal de la Marne au Rhin ou le canal des Houillères de la Sarre.

Nicols – 11 r. de l'Orangerie - 67700 Saverne - ℰ 03 88 91 34 80 - centrale de réservation : rte du Puy-St-Bonnet - 49300 Cholet - ℰ 02 41 56 46 56 ou n° Azur (tarif appel local) 0810 58 58 30 - www.nicols.com. Location de bateaux habitables, sans permis (2 à 12 pers.), pour naviguer, au dép. de Saverne, sur le canal de la Marne au Rhin.

Un **péage** est perçu sur les rivières et canaux gérés par Voies navigables de France en fonction de la surface du bateau et de la durée d'utilisation. Quatre formules sont possibles : forfait journée ; forfait vacances (16 jours consécutifs) ; forfait loisirs (30 jours non consécutifs) ; forfait annuel.

Directions interrégionales de VNF – 5 r. du Pont-au-Rhin - 67000 Strasbourg - ℰ 03 90 41 06 06 - 2 r. Victor - 54000 Nancy - ℰ 03 83 17 01 01.

Avant de partir, il est conseillé de se procurer les cartes nautiques et cartes-guides : **Éditions Grafocarte-Navicarte** - 125 r. Jean-Jacques-Rousseau - BP 40 - 92132 Issy-les-Moulineaux Cedex - ℰ 01 41 09 19 00.

Éditions du Plaisancier - 43 porte du Grand-Lyon - 01700 Neyron - ℰ 04 72 01 58 68.

Croisières organisées

Des compagnies fluviales proposent des promenades à l'heure, à la demi-journée ou à la journée. Pour tout renseignement, se procurer la brochure « Lorraine au fil de l'eau » au CRT de Lorraine.

CroisiEurope-Alsace Croisières –12 r. de la Div.-Leclerc - 67000 Strasbourg - ℰ 03 88 76 40 66 - www.croisieurope.com. Croisières fluviales de 1 à 13 jours sur le Rhin, la Moselle, la Sarre, le Neckar, le Main, le Danube, le Rhône, la Saône, la Seine, l'Elbe, le Pô (Italie), le Douro (Portugal), le Guadalquivir (Espagne), la Tisza et le delta du Danube.

Canaltour – 1 chemin de l'Écluse - 57820 Lutzelbourg - ℰ 03 88 62 54 98 - pro.wanadoo.fr/canaltour. Circuit (avec

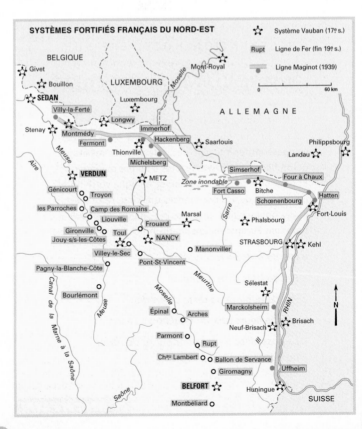

SYSTÈMES FORTIFIÉS FRANÇAIS DU NORD-EST

Système Vauban (17e s.)
Rupt — Ligne de Fer (fin 19e s.)
Ligne Maginot (1939)

0   60 km

BELGIQUE
Givet
Bouillon
LUXEMBOURG
Mont-Royal
SEDAN
Villy-la-Ferté
Luxembourg
ALLEMAGNE
Longwy
Stenay
Montmédy
Immerhof
Fermont
Hackenberg
Saarlouis
Philippsbourg
Thionville
Landau
Michelsberg
Simserhof
Zone inondable
VERDUN
METZ
Four à Chaux
Génicourt
Fort Casso
Bitche
Hatten
Troyon
Schœnenbourg
les Parroches
Camp des Romains
Fort-Louis
Liouville
Marsal
Gironville
Frouard
Phalsbourg
Toul
Jouy-s/s-les-Côtes
NANCY
STRASBOURG
Kehl
Villey-le-Sec
Manonviller
Pagny-la-Blanche-Côte
Pont-St-Vincent
Bourlémont
Sélestat
Épinal
Arches
Marckolsheim
Neuf-Brisach
Brisach
Parmont
Rupt
Châu Lambert
Ballon de Servance
Uffheim
Giromagny
BELFORT
Huningue
SUISSE
Montbéliard

repas) de 3h environ, au départ du tunnel d'Arzviller avec passage du plan incliné d'Arzviller.

Bateaux touristiques strasbourgeois – 15 bis r. de Nantes - 67100 Strasbourg - ☎ 03 88 84 10 01 - www.bateauxstrasbourgeois.com. Découverte de Strasbourg (2h30) en bateau-restaurant (déjeuner ou dîner) sur l'Ill et les canaux. Mars-déc. : embarcadère quai Finkwiller - embarcadère quai des Pêcheurs Promenades (1h15).

PATRIMOINE MILITAIRE

Terres de passage, mais aussi territoires stratégiques, l'Alsace et la Lorraine furent souvent ravagées par les guerres et les invasions, qui ont laissé de nombreuses empreintes.

La région garde les vestiges d'anciennes forteresses, enceintes, tours, portes construites au Moyen Âge. Citadelles, villes fortifiées, champs de bataille, casemates, abris, ouvrages évoquent le souvenir d'innombrables combats qui eurent lieu dans le nord-est de la France. On peut encore voir aujourd'hui quelques places fortifiées au 17e s. par Vauban (Neuf-Brisach, Longwy) ou remaniées par le célèbre architecte (Metz, Toul) et visiter les citadelles de Bitche, de Montmédy et de Verdun.

La guerre de 1914-1918 a laissé de nombreuses traces de combats comme en témoignent les Éparges, Bois-d'Ailly, Le Linge, Le Vieil-Armand, et surtout Verdun, qui fut l'enjeu d'une bataille héroïque sur les deux rives de la Meuse. Les nécropoles, les cimetières militaires et les mémoriaux américains sont autant de témoignages émouvants de la Grande Guerre : Romagne-sous-Montfaucon, Épinal, Montfaucon, butte de Montsec, St-Avold, St-Mihiel, Thiaucourt et l'ancien camp de concentration et nécropole de Struthof.

Construite à partir de 1930, afin de protéger la frontière nord-est de toute nouvelle invasion, la ligne Maginot, malgré son ampleur, n'a pas résisté à l'assaut. De nombreux musées consacrent une ou plusieurs salles aux souvenirs des différentes guerres : Freyming-Merlebach, Gravelotte, St-Amarin, St-Dié-des-Vosges, Thann, Wissembourg, Wœrth…

L'Association nationale du souvenir de la bataille de Verdun et de la sauvegarde de ses hauts lieux a créé douze sentiers pédestres de découverte du musée de plein air, situés de part et d'autre de la Meuse (départ en général d'un parking, durée moyenne 1h30). Sept de ces sentiers partent du **mémorial**

Plans d'eau	Superficie (en ha)	Baignade	Promenade sur le lac	Pêche
Alfeld	10	-		🎣
Lac Blanc	28	-		🎣
Blanchemer	9	-		🎣
Corbeaux	9	-		🎣
Folie	10	🏊	Oui	🎣
Gérardmer	115	🏊	Oui	🎣
Gondrexange	700	🏊	Oui	🎣
Hanau	8	🏊	Oui	-
Lauch	11	-	-	🎣
Longemer	76	🏊	Oui	🎣
Madine	1 100	🏊	Oui	🎣
Lac Vert	7	-	-	🎣
Lac Noir	14	-		
Pierre-Percée	304		Oui	🎣
La Plaine	32	🏊	Oui	🎣
Retournemer	5,5			🎣

de Verdun ou de ses environs. Documention à son point de vente : Mémorial de Verdun - 1 av. du Corps-Européen - 55100 Fleury-devant-Douaumont - ☎ 03 29 84 35 34.

PÊCHE

La région, riche en étangs, lacs, rivières et canaux, attire de nombreux pêcheurs. Quel que soit l'endroit choisi, il convient d'observer la réglementation nationale et locale, de s'affilier pour l'année en cours dans le département de son choix à une association de pêche et de pisciculture agréée, d'acquitter les taxes afférentes au mode de pêche pratiqué ou d'acheter une carte journalière.

Conseil supérieur de la pêche – Immeuble Le Péricentre - 16 av. Louison-Bobet - 94132 Fontenay-sous-Bois Cedex - ☎ 01 45 14 36 00.

Les fédérations départementales de pêche peuvent vous renseigner sur la pratique de la pêche et tiennent à votre disposition un dépliant et une carte piscicole.

RANDONNÉES ÉQUESTRES

Centres équestres

Les centres équestres sont nombreux : ils proposent des stages, des séjours, des promenades en forêt… Chaque comité régional ou départemental peut fournir la liste des centres de son département avec les différentes activités, les gîtes et relais, les randonnées de 2 à 8 jours.

Comité national de tourisme équestre – Parc équestre - 41600 Lamotte-Beuvron - ℘ 02 54 94 46 80 - www.ffe.com. Le comité édite une brochure annuelle, *Cheval nature, l'officiel du tourisme équestre*, répertoriant les possibilités en équitation de loisirs et les hébergements accueillant cavaliers et chevaux.

Délégation au tourisme équestre, région Alsace – 6 rte d'Ingersheim - 68000 Colmar - ℘ 03 89 24 43 18 - www.chevalsace.com - mat. sf w.-end et j. fériés - fermé 1er août au 3 sept. Brochure gratuite sur demande.

Comité départemental de tourisme équestre de la Meuse – François Sepulchre - Grande-Rue - 55290 Biencourt-sur-Orge - ℘/fax 03 29 75 94 26.

Comité départemental du tourisme équestre de Moselle – Yves Gellez - 113 Grand-Rue - 57970 Yütz - ℘ 03 82 86 00 63 ou 06 07 51 73 02.

Comité départemental du tourisme équestre du Haut-Rhin – Mêmes coordonnées que la délégation au tourisme équestre région Alsace.

Comité départemental du tourisme équestre du Bas-Rhin – 4 r. des Violettes - 67201 Eckbolsheim - ℘ 03 88 77 39 64 - www.chevalsace.com

Comité départemental de tourisme équestre des Vosges – 1 fg de Bouzey - 88170 Sandaucourt - ℘ 08 77 02 92 64.

Idées de randonnées

Jura alsacien ; vallons du Sundgau ; pays des étangs – Ferme équestre Zum Blaue - 5 r. Wolschwiller - 68480 Kiffis - ℘ 03 89 40 35 25. Promenades à cheval tous niveaux.

RANDONNÉES PÉDESTRES

La marche est une vieille tradition dans le massif vosgien. La diversité du relief permet d'admirer de beaux paysages, d'offrir une grande variété en matière de flore, de faune et de découvrir le patrimoine architectural.

Le Club vosgien – 16 r. Ste-Hélène - 67000 Strasbourg - ℘ 03 88 32 57 96 - www.club-vosgien.com

Les sentiers de Grande Randonnée – Nous signalons ci-dessous les différents sentiers de Grande Randonnée qui parcourent la région décrite dans ce guide. Certains de ces sentiers sont balisés par le Club vosgien (rectangle de couleur), tout en portant le balisage GR aux intersections.

Le **GR 5**, de la frontière du Luxembourg au Ballon d'Alsace, traverse le Parc naturel régional de Lorraine.

Le **GR 53**, de Wissembourg au col du Donon, traverse le Parc naturel des Vosges du Nord.

Le **GR 7** parcourt les Vosges du Ballon d'Alsace à Bourbonne-les-Bains et poursuit son itinéraire en Bourgogne.

Le **GR 714** va de Bar-le-Duc à Vittel, et relie le GR 14 au GR 7.

Le **GR 533** va de Sarrebourg au ballon d'Alsace.

Le **PR Meurthe-et-Moselle** propose 39 promenades et randonnées pour découvrir l'histoire et la géographie du département.

Fédération française de randonnée pédestre – 64 r. du Dessous-des-Berges - 75013 Paris - ℘ 01 44 89 93 90 - www.ffrandonnee.fr. La fédération donne le tracé détaillé des GR, GRP et PR à travers ses collections de topoguides ainsi que d'utiles conseils.

Les trois parcs naturels régionaux d'Alsace-Lorraine éditent un ensemble de plaquettes renfermant des dépliants de randonnées pédestres.

ROUTES THÉMATIQUES

Histoire

Pour découvrir le patrimoine architectural local, la **Fédération nationale des routes historiques** (www.routes-historiques.com) a élaboré 24 itinéraires à thème. Tracés et dépliants sont disponibles auprès des offices de tourisme ou à La Demeure historique (Hôtel de Nesmond - 57 quai de la Tournelle - 75005 Paris - ℘ 01 55 42 60 00 - www.demeure-historique.org).

La **route historique des Marches de Lorraine** sillonne la Moselle et déborde sur la Meuse et les Vosges englobant 19 lieux remarquables. Renseignements : Thierry de Lambel - Château de Fléville - 54710 Fléville-devant-Nancy - ℘ 03 83 25 64 71 - www.fleville.com.

Tourisme

Outre les parcours de découverte suggérés dans le guide aux environs des villes ou des sites sous la forme de circuits bouclés ou d'itinéraires, nous vous proposons de partir à la découverte de la région en suivant des routes touristiques, dont la formule repose sur un thème spécifique. Pour les routes à thème suivantes, se reporter au dépliant «Tourisme Alsace, itinéraires touristiques » ou s'adresser au CRT de Lorraine.

Route du Rhin, de Lauterbourg à St-Louis ;

Circuit des Vosges du Nord, à travers les Vosges moyennes ;

Route des Potiers, avec les ateliers de Soufflenheim et de Betschdorf ;

Route de l'Amitié, de Paris à Munich, qui fait connaître la Lorraine, les deux versants des Vosges, Strasbourg, la Forêt-Noire… ;

Route Verte, route franco-allemande reliant Domrémy en Lorraine à Donaueschingen en Forêt-Noire ;

Route du Cristal en Lorraine, avec la visite des principales cristalleries ;

Route de Stanislas, un circuit de 100 à 150 km (selon les options) autour de Nancy pour découvrir les lieux habités ou de séjour du duc ;

Route romane d'Alsace, un choix à opérer parmi 120 sites, des plus prestigieux aux plus secrets ;

Route Ligier Richier, pour parcourir la Meuse à travers les œuvres du plus grand sculpteur lorrain de la Renaissance.

Gastronomie
Route de la Choucroute ; route gourmande de la Vallée de la Sauer ; route de la Matelote ; route de la Truite ; route de la Carpe frite ; route du Fromage.

Musique
Route des Orgues en Moselle – Avec près de 600 orgues, la Moselle est le 2e département français en terme de richesse instrumentale. Une vingtaine de concerts est organisée à travers le département - ℘ 03 87 37 57 80 - www.moselle-tourisme.com.

Vins
Route des Vins d'Alsace ; vignoble toulois ; route de la Bière d'Alsace ; route lorraine de la Bière.

SKI

Le massif vosgien est le « massif du ski en douceur » dans un environnement de sapins, de paysages sereins s'étageant de 600 m à 1 400 m d'altitude : ski alpin, ski de fond, nouvelles glisses, biathlon, saut à skis, raquettes, balades en traîneau à chiens, luge ou tout simplement promenade à pied.

Le ski alpin se pratique sur de nombreux sites totalisant 90 remontées mécaniques, certaines équipées d'installations d'enneigement et d'éclairage pour la pratique du ski nocturne, notamment les stations de **Gérardmer** et de **La Bresse**. Pour les amateurs de ski de fond, plus de 300 km de pistes sont balisées et régulièrement entretenues.

L'**association Ski France** réunit les informations sur une centaine de stations hivernales françaises. Il décerne un label relatif à la qualité des équipements et des services proposés. Renseignements sur le site www.skifrance.fr.

Ski de fond au Champ du Feu.

STAGES DE CUISINE

Des séjours avec cours de cuisine sont organisés, principalement en hiver, par certains restaurateurs :

Hôtellerie du Pape – 10 Grand-Rue - 68420 Eguisheim - ℘ 03 89 41 41 21 - www.hostellerie-pape.com.

Ferme-auberge Mme Fuchs – 22 r. de l'École - 67670 Waltenheim-sur-Zorn - ℘ 03 88 51 64 57 - oct.-mars.

THERMALISME

Sources minérales et thermales
On sait comment naissent les sources ordinaires : les eaux d'infiltration, traversant les terrains perméables, finissent par rencontrer une couche imperméable dont elles suivent la pente. Elles sortent là où cette couche affleure à l'air libre.

L'appellation de « **source minérale** » désigne, dans la pratique, soit des sources d'eaux infiltrées, soit des sources issues des profondeurs de l'écorce terrestre, dont les eaux se sont chargées, au cours de leur trajet souterrain, de substances ou de gaz présentant des propriétés thérapeutiques. Le qualificatif « **thermal** » s'applique plus particulièrement aux eaux dont la température est d'au moins 35 °C à leur sortie du sol. Les sources thermales sont situées soit sur les failles du plateau lorrain, soit au voisinage des massifs cristallins.

Les eaux minérales et thermales sont pour la plupart très instables et s'altèrent sitôt sorties de terre. Il est donc indispensable pour en tirer un profit thérapeutique maximum d'en user sur place. C'est la principale raison de l'existence des stations thermales.

Les deux zones géographiques des Vosges, la « plaine » à l'ouest, la « montagne » à l'est et au sud-est, possèdent chacune leurs eaux bien caractéristiques.

Sources froides – La « plaine » des Vosges est le domaine des sources froides, eaux d'infiltration qui resurgissent en surface, chargées après leur parcours souterrain de calcium et de magnésium et, pour quelques-unes, de lithium et de sodium. La capitale thermale en est incontestablement **Vittel**, dont les eaux, connues des Romains, n'ont été retrouvées qu'en 1845 et exploitées à partir de 1854 sous l'impulsion de la famille Bouloumié. Vittel et sa voisine **Contrexéville** ont donné naissance à d'importantes usines d'embouteillage (les plus importantes du monde avec celle d'Évian).

Sources chaudes – À l'opposé de la plaine vosgienne, la « montagne » possède des sources d'origine volcanique caractérisées moins par leur minéralisation que par leur thermalité et leur teneur en principes radioactifs. Connues également des Romains, grands amateurs de sources chaudes, et même des Celtes et des Gaulois, ces sources ont un long et riche passé. Elles sont au nombre de 5 en Lorraine (**Plombières**, **Bains-les-Bains**, **Bourbonne-les-Bains**, que se disputent la Lorraine et la Champagne, **Luxeuil-les-Bains** et **Amnéville**, la dernière-née) et de 2 en Alsace (**Niederbronn-les-Bains** et la petite station de **Morsbronn-les-Bains**).

Les stations et leurs spécialités

Amnéville – Rhumatologie, séquelles de traumatismes, voies respiratoires. Saison : mars-déc.

Bains-les-Bains – Maladies cardio-artérielles, rhumatologie, séquelles de traumatismes. Saison : avr.-oct.

Bourbonne-les-Bains – Rhumatologie, voies respiratoires. Saison : avr.-nov.

Contrexéville – Surcharge pondérale, affections rhénales et urinaires. Saison : avr.-oct.

Luxeuil-les-Bains – Phlébologie, gynécologie. Saison : mars-nov.

Morsbronn-les-Bains – Rhumatologie, séquelles de traumatismes. Saison : mars-nov.

Niederbronn-les-Bains – Rhumatologie, séquelles de traumatismes, rééducation fonctionnelle. Saison : de mi-mars à mi-déc.

Plombières-les-Bains – Affections de l'appareil digestif et troubles de la nutrition, affections rhumatologiques et séquelles de traumatismes ostéo-articulaires. Saison : avr.-oct.

Vittel – Affections des reins et du foie, rhumatologie, séquelles de traumatismes, troubles de la nutrition. Saison : de mars à mi-déc.

Thermalisme et tourisme

Le versant lorrain des Vosges et la Lorraine tout entière sont particulièrement riches en stations thermales. À l'exception des eaux sulfureuses, toutes les catégories d'eaux minérales définies par les classifications en usage y sont représentées. Sur l'autre versant des Vosges, l'Alsace apporte sa contribution au thermalisme français.

Les vertus des eaux thermales ont été redécouvertes aux 18e et 19e s. À cette époque, « aller aux eaux » était l'apanage d'une clientèle riche et oisive. Aujourd'hui, de nombreuses cures thermales sont reconnues comme un traitement médical à part entière et peuvent être prises en charge par les différents organismes de sécurité sociale. Les soins n'occupant qu'une partie de la journée, les stations thermales offrent à leurs visiteurs des activités diverses : sports, spectacles… qui en font souvent des lieux de séjour très agréables, attirant autant les touristes que les malades. La beauté des sites qui les environnent et la possibilité de faire alentour de nombreuses excursions en font des lieux privilégiés pour une reprise de contact avec la nature.

Outre les cures traditionnelles, certaines stations proposent : remise en forme, forfait colonne vertébrale, cure antitabac, cure d'amincissement, cure antistress, relaxation…

L'**Association des stations thermales vosgiennes** a créé une brochure *Vosges thermales* concernant Bains-les-Bains, Contrexéville, Plombières et Vittel (75 r. Gaston-Thomson, 88140 Contrexéville, ✆ 03 29 82 49 93).

Union nationale des établissements thermaux – 1 r. Cels - 75014 Paris - ✆ 01 53 91 05 75 - www.france-thermale.org.

Chaîne thermale du soleil/Maison du thermalisme – 32 av. de l'Opéra - 75002 Paris - ✆ 01 44 71 37 00 ou 0 800 050 532 (appel gratuit) - www.sante-eau.com.

TRAINS TOURISTIQUES

Il est possible de parcourir la région à bord d'un des nombreux trains touristiques, qui, loin des routes et près de la nature, révèlent le cachet de sites autrement inaccessibles. Des trains à vapeur ou Diesel permettent une approche insolite du pays. Exemples : la vallée de la Doller de Cernay à Sentheim ; le chemin de fer forestier d'Abreschviller au Grand Soldat ; le long du Rhin entre le port rhénan de Neuf-Brisach et Baltzenheim, circuit ferré combiné avec une promenade en bateau. *Se reporter à l'index pour retrouver ces noms.*

Petit train du plan incliné St-Louis-Arzviller – À bord du petit train touristique *Le Teigelbach,* découvrez l'ancien canal de la Marne au Rhin. Vous longerez les trois écluses les plus rapprochées d'Europe. ℘ 03 87 25 30 69 - www.plan-incline.com - ne circule pas les jours de pluie - parcours : 7 km (45mn ; avec visite commentée 1h30) juil.-août : tlj mat. et apr.-midi ; mai-juin : dim. et j. fériés mat. et apr.-midi - 7 € (-15 ans 6 €).

Draisine – Autrefois moyen de locomotion utilisé par les ouvriers pour entretenir et surveiller les voies de chemin de fer, la draisine est devenue aujourd'hui un moyen de parcourir la vallée de la Mortagne en pédalant sur une ancienne voie de chemin de fer de 20 km, à partir de la gare de Magnières (13 km à l'ouest de Baccarat). ℘ 03 83 72 34 73 - mai-août : 9h-19h ; avril et sept. : 14h-18h. 10 €/h, 40 €/5h, 60 €/1 j.

Vélorail – En famille ou entre amis, partez à la découverte de la vallée de la Canner sur un vélorail. Parcours de 18 km de Vigy à Aboncourt qui traverse en partie la forêt de St-Hubert. ℘ 06 84 45 37 70 - réservation conseillée de déb. avr. à déb. oct. : tte la journée, sam. apr.-midi, dim. et j. fériés mat. - 14 €-18 € (pour 4 pers.) selon parcours.

VISITE GUIDÉE

La plupart des villes proposent des visites guidées. Elles sont organisées toute l'année dans les grandes villes ou seulement en saison dans les plus petites. Dans tous les cas, informez-vous du programme à l'office de tourisme et pensez à vous inscrire. En général, les visites ne sont pas assurées en deçà de quatre personnes et pendant la période estivale, les listes sont rapidement complètes.

Reportez-vous aux encadrés pratiques des villes, dans la partie « Découvrir les sites », où nous mentionnons les visites guidées qui ont retenu notre attention.

Villes et Pays d'art et d'histoire

Sous ce label décerné par le ministère de la Culture et de la Communication sont regroupés quelque 130 villes et pays qui œuvrent activement à la mise en valeur et à l'animation de leur architecture et de leur patrimoine. Dans ce réseau sont proposées des visites générales ou insolites, conduites par des guides-conférenciers et des animateurs du patrimoine agréés par le ministère. Renseignements auprès des offices de tourisme des villes.

Voir également le chapitre suivant, « La destination en famille ».

Les Villes et Pays d'art et d'histoire cités dans ce guide sont Bar-le-Duc, Épinal, Guebwiller, Metz, Nancy, Strasbourg et le val d'Argent.

VUE DU CIEL

Les amateurs de tourisme aérien ont l'embarras du choix pour survoler le pays par le moyen qu'ils préfèrent : avion, hélicoptère ou montgolfière. La région Alsace-Lorraine ne manque pas de clubs aéronautiques et les offices de tourisme se feront un plaisir de vous guider tant dans le choix d'un club que dans celui de multiples forfaits alliant tour en l'air, restauration, visite de sites et gastronomie locale.

Aéroclub du sud meusien – Aérodrome des « Hauts de Chée » (Condé-en-Barrois) - Thierry Schell - BP 10184 - 55005 Bar-le-Duc - ℘ 03 29 77 18 30 ou 06 81 19 03 54. Vols en avion, baptêmes de l'air, école de pilotage.

Biennale de l'aérostation à Chambley.

Aérovision – 4 r. de Hohrod - 68140 Munster - ℘ 03 89 77 22 81 - www.aerovision-montgolfiere.com. Vols en montgolfière : survols des sommets vosgiens, baptêmes de l'air au-dessus du vignoble ou de la plaine alsacienne, vols de nuit.

Pôle aérostatique Pilâtre de Rozier – 2 sites en Lorraine : 6 pl. du Temple - 57530 Courcelles-Chaussy - ℘ 03 87 64 08 08 - www.pilatre-de-rozier.com. Vols en montgolfière - Chambley Air Base à Chambley-Bussières 54890 - tour de contrôle. La biennale « Mondial Air Ballon » s'y déroule *(voir la rubrique « Événements »).*

Proteus Hélicoptères – Aéroport de Nancy-Essey - ℘ 03 83 29 80 60. Pour survoler en hélicoptère les abords de Nancy.

La destination en famille

Voici à leur intention le royaume des jeux, des glissades en toboggans, des crèmes glacées, des manèges et des bêtes à poil et à plume. Nombreux enclos à cigognes (Damvillers, Eguisheim, Ensisheim, Kaysersberg, Molsheim, Rouffach, Soultz, Turckheim, Ungersheim, La Wantzenau…)

Pour des visites plus « culturelles », nous avons sélectionné pour vous un certain nombre de sites qui intéresseront particulièrement votre progéniture. Il s'agit par exemple d'aquariums, de parcs animaliers ou de musées bien adaptés à ce type de public. Vous les repérerez dans la partie « Découvrir les sites » grâce au pictogramme 👥.

Le site www.sitespourenfants.com recense tout ce qui peut intéresser les moins de 12 ans : sorties, spectacles, animations spécifiques.

La brochure **Bibouille** répertorie toutes les activités à caractère ludique d'Alsace, des Vosges ou de la Moselle ainsi que le dépliant **En famille en Alsace** (Bas-Rhin), 📞 03 88 15 45 80 ou info@tourisme67.com.

Sachez également qu'il existe un **Pass'Famille** dans les Vosges du Nord, qui propose des réductions dans quatre parcs de loisirs. Enfin, le Parc naturel des Vosges du Nord met en place chaque été les **Amuse'musées**, une découverte ludique des musées du Parc.

LES LABELS

Villes et Pays d'art et d'histoire

Le réseau des Villes et Pays d'art et d'histoire propose des visites-découverte et des ateliers du patrimoine aux enfants, les mercredis, samedis et pendant les vacances scolaires. Munis de livrets-jeux et d'outils pédagogiques adaptés à leur âge, ces derniers s'initient à l'histoire et à l'architecture, et participent activement à la découverte de la ville. En atelier, ils s'expriment à partir de multiples supports (maquettes, gravures, vidéos) et au contact d'intervenants de tous horizons : architectes, tailleurs de pierre, conteurs, comédiens, etc.

👁 En juillet-août, dans le cadre de l'opération « L'Été des 6-12 ans », ces activités sont également proposées pendant la visite des adultes.

Les villes concernées sont Bar-le-Duc, Épinal, Metz, Nancy et Strasbourg.

Stations vertes

La Fédération des Stations vertes de vacances *(voir p. 27)* décerne chaque année un prix de l'accueil des enfants. Wasselone, dans le Bas-Rhin, a été primée en 2005 pour son invitation à la découverte ludique du patrimoine. En 2004, c'est La Bresse, dans les Vosges, qui était récompensée pour ses propositions de loisirs en famille.

Que rapporter

POUR LES GOURMANDS

Alcools

Vins – Ceux d'Alsace bien sûr (riesling, gewurztraminer, sylvaner, pinot blanc et pinot noir) mais aussi ceux de Lorraine (côtes-de-meuse, moselle, côtes-de-toul). On les trouve dans toutes les caves de villages vignerons comme dans les boutiques spécialisées des grandes villes. N'oubliez pas non plus les innombrables foires aux vins qui ont lieu en général de juillet à septembre.

Eaux-de-vie – Comment repartir de Lorraine sans avoir acheté une bouteille d'eau-de-vie de quetsche, mirabelle, cerise, framboise ? À consommer (avec modération) au coin du feu quand dehors il fait froid.

Douceurs

Vous aurez l'embarras du choix entre les madeleines de Commercy, les bergamotes et macarons de Nancy, les dragées de Verdun, les bonbons et le miel des Vosges, la confiture de groseilles de Bar-le-Duc, les fruits au sirop (mirabelles, quetsches, cerises, poires de Lorraine).

Produits fermiers

N'oubliez pas que l'Alsace est une des régions réputées pour la fabrication du foie gras, que vous pourrez acheter en bocaux. Pour le fromage, ne traînez pas en route, il supporte mal le transport (vous-même aurez sans doute du mal à supporter l'odeur du munster parfumant votre coffre…) ; un petit « truc » cependant si vous tenez absolument à rapporter du munster : emportez dans vos bagages une boîte en plastique hermétique, les odeurs les plus tenaces ne s'échapperont pas.

POUR LA MAISON

Cristal

Vous êtes en Lorraine, alors pensez aux cristalleries : un bon moyen de renouveler votre service en cristal. Outre les grandes marques comme Daum,

👪 SITES OU ACTIVITÉS À FAIRE EN FAMILLE			
Chapitres du guide	Nature	Musées	Loisirs
Amnéville	Parc zoologique Aquarium		Walygator Parc Base de loisirs (parc accro-branche, cinéma 3D, luge d'été, piste de ski indoor…)
Baccarat	Vélorail du val de Mortagne		Fraispertuis City à Jeanménil
Bains-les-Bains		Visite de la confiserie Delisvosges à Darney	La Ferme-Aventure à La Chapelle-aux-Bois
Bourbonne	Parc animalier de La Bannie		
Colmar	Promenade en barque	Musée animé des Jouets et des Petits Trains	
Massif du Donon	Observatoire à oiseaux au lac de Pierre-Percée		Petit train forestier d'Abreschviller Pôle Sports Nature aux lacs (La Plaine, Pierre-Percée)
Écomusée d'Alsace		Site	Eden Palladium
Ensisheim		Le Bioscope	
Épinal	Minizoo au parc du château	Ateliers de l'Imagerie	Spina Parc (d'arbre en arbre)
Gérardmer		Musée Faune Lorraine	Sports nautiques, VTT, escalade, équitation, ski
Guebwiller	Vivarium (Lautenbach-Zell)		
Haguenau			Nautiland Didi'Land à Morsbronn
Le Hohwald	Parc-aquarium Les Naïades à Ottrot	Musée du Pain d'épice à Gertwiller	Parc Alsace-Aventure à Breitenbach
Hunawihr	Centre de réintroduction des cigognes et des loutres Jardin des Papillons exotiques vivants		
PNR Lorraine	Parc animalier Ste-Croix		Base de loisirs du lac de Madine
Lunéville		La Maison de la mirabelle à Rozelieures	
Mulhouse	Parc zoologique et botanique	Cité de l'Automobile Cité du Train EDF Électropolis	Stade nautique
Nancy	Minizoo au parc de la Pépinière	Muséum-Aquarium	Parc de loisirs de la forêt de Haye
Val d'Orbey		Espace des métiers du bois et du patrimoine à Labaroche La Graine-au-lait à Lapoutroie	
Remiremont		Parc Alsace-Miniature à St-Amé	
Vallée du Rhin		« Il était une fois le Rhin » à Mothern Maison des énergies à Fessenheim Mémoire du Rhin et Mémoire du saumon à la Petite Camargue alsacienne	Parc des eaux vives à Huningue Bases de loisirs à Hoenheim, Offendorf, Plobsheim, Rhinau, Marckolsheim, Vogelgrun et Village-Neuf
Ribeauvillé		La Ferme de l'hirondelle	
St-Nicolas-de-Port	Enclos à cigognes	Musée du Cinéma, de la Photographie et des Arts audiovisuels	
Saverne			L'Océanide
Schirmeck		Musée Oberlin à Waldersbach	
Sélestat	La Volerie des aigles et la Montagne des singes à Kintzheim	La Maison du pain	Cigoland à Kintzheim
Soultz		La Nef des jouets	
Strasbourg	Minizoo au parc de l'Orangerie	Le Vaisseau Naviscope Musée du Chocolat à Geispolsheim	Natura Park à Ostwald
Vaucouleurs		Centre « Visages de Jeanne » à Domrémy	
PNR Vosges du Nord		Le P'tit Fleck au château de Fleckenstein	
Route badoise du Vin		Musée du Carnaval à Kenzingen	
Europa-Park			Parc d'attractions
Fribourg	Steinwasenpark (animaux et loisirs)		

Baccarat ou St-Louis, il existe des petits artisans produisant des œuvres tout aussi jolies, et que vous ne retrouverez pas sur une autre table. Dans ces cristalleries, vous trouverez aussi des lustres, des bibelots. Faites un tour du côté de Portieux, St-Louis-lès-Bitche, Vallerysthal ou Vannes-le-Châtel.

Poterie

Un *kougelhopf* confectionné dans un véritable moule en terre vernissée, c'est tout de même meilleur ! Faites le plein de plats, moules à gâteau, cruches et autres pots dans les villages potiers de Betschdorf et Soufflenheim. Ils sont si beaux avec leurs couleurs vives et leurs décors naïfs !

Faïence

Autre technique pour des productions tout aussi belles. On trouvera des faïences (plats, vases, cache-pots, objets) à Longwy (ville à retenir également pour ses émaux), Sarreguemines, St-Clément et Lunéville.

Linge de maison

On ne taira pas l'extrême qualité et robustesse des toiles des Vosges : torchons en lin et draps en coton vous dureront longtemps. Les nappes damassées ou jacquard de Gérardmer sont tout simplement irrésistibles.

POUR LES ENFANTS

Jouets en bois

L'Alsace a gardé de l'Allemagne la tradition des jouets en bois, qui vous rappelleront les jouets de vos parents ou grands-parents ; le bois est tellement plus de charme que le plastique ! On en trouve en particulier à Ingwiller et Éloyes, dans les Vosges du Nord.

LES MARCHÉS DE NOËL

Strasbourg est le plus ancien et le plus renommé des marchés de Noël (une tradition venue d'Allemagne) mais c'est Kaysersberg qui a relancé le goût de cette manifestation, il y a une quinzaine d'années. Depuis, il s'en crée sans cesse. Ainsi à Strasbourg, Kaysersberg, Ribeauvillé, Obernai, Munster ou Saverne, pour ne citer que les plus célèbres, vous trouverez décorations de Noël, pâtisseries traditionnelles et artisanat alsacien.

Décorations de Noël

Si vous venez dans la région en décembre, profitez-en pour repenser toute votre décoration de Noël. Faites les marchés de Noël et achetez – vos enfants adoreront

vous accompagner – boules, petits sujets en bois, guirlandes, couronnes de l'Avent, décoration de table, bougies, etc. Pour un sapin rouge et vert, bleu et blanc, ou or, argent, ou encore multicolore…

Événements

Pour être au courant des manifestations et festivités d'Alsace, consultez la brochure éditée par l'association Rondes des fêtes. ✆ 03 89 68 80 80 - www.ronde-des-fetes.asso.fr

Dernière semaine de janvier

Gérardmer – Fantastic'Arts : festival du film fantastique. ✆ 03 29 60 98 21.

Mardi gras

Strasbourg – Carnaval. ✆ 03 88 77 49 66.

Week-end suivant Mardi gras

Sélestat – Grande cavalcade. ✆ 03 88 58 85 75.

Samedi des Rameaux

Épinal – Fête des Champs Golot : les enfants traînent des bateaux illuminés sur un bassin.

Mi-avril

Gérardmer – Fête des jonquilles (années impaires, le w.-end). ✆ 03 29 63 12 89.

Avril-mai

Épinal – Floréal musical : festival de musique classique. ✆ 03 29 82 53 32.

Mai

Neuf-Brisach – Fête du muguet avec grand cortège historique (le 1er). ✆ 03 89 72 56 66.

Nancy – Passages, festival de théâtres de l'Europe (années impaires). ✆ 03 83 37 12 99.

Vandœuvre-lès-Nancy – Musique Action : festival de musique contemporaine. ✆ 03 83 56 15 00.

Azannes-et-Soumazannes – Fête des vieux métiers (les dim. du mois de mai). ✆ 03 29 85 60 62.

Domrémy-la-Pucelle – Fête de Jeanne d'Arc (pèlerinage), 2e w.-end, et Fête de l'arbre de mai (le w.-end suivant). ✆ 03 29 06 93 47.

NOUVELLES CARTES MICHELIN
Laissez-vous porter par votre imagination.

Avec les nouvelles cartes Michelin, voyager est toujours un plaisir :
- Nouveau : carte Départements à relief image satellite
- Nouveau : carte Régions en papier indéchirable
- Qualité des informations routières, mises à jour chaque année
- Richesse du contenu touristique : routes pittoresques et sites incontournables
- Maîtrise de l'itinéraire : votre route selon vos envies

www.cartesetguides.michelin.fr

MICHELIN
Une meilleure façon d'avancer

Ascension

La Bresse – Festival international de sculpture (toute la sem.). ℘ 03 29 25 40 21.

Nancy – Festival international de chant choral (années impaires). ℘ 03 83 27 56 56.

Ste-Marie-aux-Mines – Festival aux chandelles. ℘ 03 89 58 80 50.

Guebwiller – Foire aux vins (le jeu.) ℘ 03 89 76 10 63.

Ungersheim – Fête du cochon (toute la sem.). ℘ 03 89 48 11 28.

Juin

Ribeauvillé – Fête du *kougelhopf* (début juin).

Saverne – Fête des roses. ℘ 03 88 91 80 47.

Thann – Crémation des Trois Sapins pour la commémoration de la création de la ville (le 30). ℘ 03 89 37 96 20.

Fénétrange – Festival international de musique et d'art lyrique. ℘ 03 87 07 54 48.

Carnaval de Strasbourg.

Strasbourg – Festival international de musique. ℘ 03 88 32 43 10.

Bar-le-Duc – Festival Renaissances : musique ancienne, théâtre de rue et marché. ℘ 03 29 79 11 13.

De mi-juin à fin juillet

Verdun – « Des flammes… à la lumière » : son et lumière sur la bataille de Verdun. ℘ 03 29 84 50 00.

Juillet

Mont Ste-Odile – Fête de sainte Odile d'été (1er dim. de juillet). ℘ 03 88 95 80 53.

Mulhouse – Festival de l'automobile (grande parade, rallyes…). ℘ 03 89 42 47 73.

Colmar – Festival international de musique (1re quinzaine). ℘ 03 89 20 68 97.

Avioth – Pèlerinage à N.-D. d'Avioth (le 16 juillet). ℘ 03 29 88 90 96.

Seebach – Streisselhochzeit, fête des traditions (le w.-end après le 14). ℘ 03 88 94 74 06.

Ribeauvillé – Foire aux vins (w.-end. suivant le 14).

Guebwiller – Les Concerts du cloître (2e quinz.). ℘ 03 89 62 21 81.

Chambley – Biennale mondiale de l'aérostation (années impaires, fin juil.). ℘ 03 87 64 08 08.

Juillet-août

Steinseltz – Fête des géraniums (années impaires, fin juil.- déb. août). ℘ 03 88 94 01 51.

Senones – Relève de la garde (certains dim., à 11h15). ℘ 03 29 57 91 03.

Nancy – Nancyphonies - Festival de Nancy : musique classique (de mi-juil. à mi-août). ℘ 03 83 96 43 24.

Bussang – Représentations au Théâtre du Peuple. ℘ 03 29 61 50 48.

Phalsbourg – Festival de théâtre (fin juil.-déb. août). ℘ 03 87 24 42 42.

Rouffach – Musicalta, festival de musique (juil. - août). ℘ 03 89 47 59 93.

Août

Munchhouse – Fête de la carpe frite (1re quinzaine).

Sélestat – Corso fleuri (2e w.-end). ℘ 03 88 58 85 75.

Gérardmer – Spectacle pyrosymphonique sur le lac (le 14). ℘ 03 29 60 60 60.

Marlenheim – Fête du mariage de l'Ami Fritz, en costumes régionaux (les 14 et 15). ℘ 03 88 59 29 55.

N.-D.-de-Thierenbach – Pèlerinage. Procession aux flambeaux la veille (les 14 et 15). ℘ 03 89 76 85 66.

Oderen – Pèlerinage à N.-D.-du-Bon-Secours (le 15).

Dambach-la-Ville – Eurovin : rencontre de producteurs français (14 et 15). ℘ 03 88 92 42 57.

Erstein – Festival du sucre (dernier w.-end). ℘ 03 88 98 14 33.

Geispolsheim – Fête de la choucroute (dernier dim.). ℘ 03 90 29 72 72.

Eguisheim – Fête des vignerons (dernier w.-end). ℘ 03 89 41 21 78.

Haguenau – Festival du folklore mondial et Fête du houblon (dernière sem.). ℘ 03 88 73 30 41.

Mariage de l'Ami Fritz à Marlenheim.

Thionville – Biennale mondiale de l'aérostation, « Ballons de lumière » (années paires, fin août). ✆ 03 87 64 08 08.

Metz – Fête de la mirabelle avec corso fleuri, défilé de chars, feu d'artifice (dernière semaine). ✆ 03 87 55 53 76/78.

Fin août-début septembre

Ste-Marie-aux-Mines – Festival aux chandelles. ✆ 03 89 58 80 50.

Septembre

Ribeauvillé – Fête des ménétriers ou Pfifferdaj : grand cortège historique, dégustation gratuite à la fontaine du vin (1er w.-end).

Baccarat – Fête du pâté lorrain. ✆ 03 83 75 13 37.

Oderen – Pèlerinage à N.-D.-du-Bon-Secours (le 8).

Fénétrange – Festival international de musique et d'art lyrique. ✆ 03 87 07 54 48.

Guebwiller – Festival musical des grands crus d'Alsace (fin sept.). ✆ 03 89 62 21 81.

Storckensohn – Grande Fête du moulin (2e dim.). ✆ 03 89 82 19 01.

Fin septembre-début octobre

Strasbourg – Musica : festival international de musique d'aujourd'hui. ✆ 03 29 31 02 22.

Octobre

Saint-Dié-des-Vosges – Festival international de géographie (1er w.-end). ✆ 03 29 42 22 22.

Nancy – Nancy Jazz Pulsations. ✆ 03 83 35 40 86.

Novembre

Épinal – Festival international de l'image. ✆ 03 29 31 02 22.

Décembre

Kaysersberg – « Préludes de Noël à Kaysersberg » (les vend. et w.-ends de l'Avent). ✆ 03 89 78 27 44.

En Alsace et Lorraine – Fête de la St-Nicolas le 7 déc.

St-Nicolas-de-Port – Pèlerinage à la basilique (samedi le plus proche du 6). ✆ 03 83 46 81 50.

Mont Ste-Odile – Fête de sainte Odile : pèlerinage le plus fréquenté d'Alsace (le 13). ✆ 03 88 95 80 53.

Turckeim – Ronde du veilleur de nuit (le 31, à minuit).

Nos conseils de lecture

OUVRAGES GÉNÉRAUX, TOURISME

Vosges, J.-P. Germonville, La Renaissance du Livre, 1996.

Châteaux et seigneurs : histoire d'Alsace, Association Recherches médiévales, Coprur, 1997.

HISTOIRE, ETHNOGRAPHIE

Histoire de la Lorraine, M. Parisse, Ouest France, 2005.

Histoire de l'Alsace, P. Dollinger, Ouest France, 2001.

Les Grandes Heures de la Lorraine, M. Caffier, Éd. Perrin, 1993.

Noël d'Alsace, C. Desbordes, Édisud, 2002.

St-Louis, quatre siècles de cristallerie au pays de Bitche, M. Girault, Éd. Renaissance du Livre, 2007.

Hansi à travers ses cartes postales : 1895-1951, R. Candir, Éd. du Rhin, Mulhouse, 1996.

GASTRONOMIE

Promenades gourmandes et art de vivre en Moselle, F. Kochert, La Renaissance du Livre, 1997.

Les Meilleures Recettes lorraines, A. Scholtès, Ouest-France, 1998.

La Cuisine lorraine, J.-M. Cuny, Éd. JMC, 1996.

La Bière en Alsace, J.-D. Potel, Jehl, Éd. Coprur, 1990.

Vins d'Alsace, histoire d'un vignoble, C. Muller, Coprur, Strasbourg, 1999.

LITTÉRATURE

La Colline inspirée, Maurice Barrès, Éd. du Rocher, 2004.

La Lorraine dévastée, Maurice Barrès, coll. Rediviva, Éd. Lacour, 1997.

Les Oberlé, René Bazin, Siloe, 2002.

Pays-Haut ; Marie-Romaine, Anna-Marie Blanc, Éd. Serpenoise, Metz.

La Mémoire du perroquet, Michel Caffier, Éd. Grasset, 1993.

Le Hameau des mirabelliers, Michel Caffier, Pocket, 1999.

Les Roses de Verdun, Bernard Clavel, Pocket, 2003.

L'Ami Fritz ; L'Invasion, Erckmann-Chatrian, Éd. J. Do Bentzinger, Colmar.

Vacances du lundi, Théophile Gautier, Éd. Champ Vallon, 1994.

Le Haut-fer, José Giovanni, Folio Gallimard, 1998 (roman qui inspira le film *Les Grandes Gueules* de R. Enrico).

Le Rhin, Victor Hugo, Éd. La Nuée Bleue, Strasbourg, 1991.

Les Bourgeois de Witzheim, André Maurois (décrit la vie des bourgeois de Bischwiller), 1920.

Le Serment des quatre rivières, Violaine Vanoyeke, coll. Jeannine Balland, Éd. Presses de la Cité, 1995.

Le Passage du Climont, Jean-Yves Vincent, Éd. Pierron, Sarreguemines, 1994.

POUR LES ENFANTS ET ADOLESCENTS

Alsace, mon guide, Éd. Casterman, 1997.

L'Histoire de la Lorraine racontée aux enfants, R. Bastien, Éd. Serpenoise, Metz, 1995.

L'Histoire d'Alsace racontée aux enfants, Hansi, Herscher, 1991.

BD

La Cathédrale, J. Martin, Éd. Casterman, 1999.

L'Affaire Bugatti (Michel Vaillant), Jean Graton, 1991 (l'histoire a pour cadre la Cité de l'Automobile à Mulhouse).

H. Boll/Musée Hansi, Riquewihr

Ribambelle d'enfants, dessin tiré du livre « L'Alsace heureuse », par Hansi.

VIDÉO

Le Vignoble d'Alsace, La Route des Vins, coll. Visages d'Alsace, Mitria Production.

Sundgau, Mémoires d'une terre magique, coll. Terres magiques.

L'Alsace gourmande, Itinéraires des saveurs et traditions culinaires, coll. Visages d'Alsace, Mitria Production.

MÉDIAS

Quotidiens

L'Est républicain, Le Républicain lorrain, L'Alsace, Les Dernières Nouvelles d'Alsace.

Revues

L'Alsace, Découverte et passions (Éd. Freeway).

La Revue lorraine populaire (Éd. J.M.C., Nancy).

Radios

France Bleu Alsace – Altkirch, Colmar, Mulhouse, Sélestat (102.6) ; Haguenau, Obernai, Saverne, Schirmeck, Strasbourg (101.4) ; Orbey (101.5) ; Ste-Marie-aux-Mines (106.6) ; Wissembourg (94.6).

France Bleu Sud-Lorraine – Baccarat, Lunéville, Nancy, Raon-l'Étape, Toul (100.5) ; Épinal (100.0) ; Gérardmer (91.2) ; La Bresse (96.7) ; Remiremont (90.2) ; St-Dié-des-Vosges (92.1) ; Vittel (102.6).

France Bleu Lorraine-Nord – Metz (98.5) ; Forbach (98.8).

Régalez-vous
à petits prix!

Découvrez
les bonnes petites tables
du guide Michelin

Le village de Blienschwiller et
son vignoble.

NATURE

« Quel beau jardin ! » se serait exclamé Louis XIV en découvrant pour la première fois l'Alsace, qu'il se proposait d'annexer à son royaume. Comment, aujourd'hui encore, rester de marbre devant ces coteaux couverts de vigne et baignés de soleil, ces champs bariolés et ces villages fleuris à l'aspect riant, qui semblent comme la promesse d'un pays de bonne chère où la vie est agréable et l'humeur joyeuse ? Quant à la Lorraine, bien plus préservée que ne pourrait le laisser craindre son passé industriel, elle continue d'offrir généreusement ses vastes étendues à l'agriculture ou à la forêt. La grande industrie, concentrée dans un espace limité, a laissé intacts l'ondulation des collines, les lacs d'altitude, les fiers ballons des Vosges et les nombreux canaux, rivières et fleuves. Au voyageur, les paysages et les ressources d'Alsace et de Lorraine s'offrent dans toute leur diversité, sans qu'aucune monotonie ne puisse être redoutée.

R. Mattes/MICHELIN

Site du lac de Retournemer.

Paysages

D'ouest en est, le paysage de Lorraine et d'Alsace présente une alternance de reliefs : ce sont d'abord les côtes puis le plateau lorrain et enfin le massif vosgien, qui marque la limite orientale de la Lorraine et occupe tout l'ouest de l'Alsace. Si le relief monte doucement jusqu'aux sommets des Vosges du côté lorrain, il s'affaisse brutalement vers la plaine du Rhin, en Alsace, avec pour seule transition les collines sous-vosgiennes, propices à la viticulture.

LA LORRAINE DES CÔTES

Dans le relief de côtes, l'horizon est barré par un imposant talus couronné de forêts. Une certaine grandeur émane des paysages immenses et majestueux que l'on aperçoit du haut des collines dressées au-dessus de la plaine, comme celle de Sion-Vaudémont. Trois grandes côtes, de plus en plus anciennes et de plus en plus marquées dans la topographie, se succèdent parallèlement d'ouest en est : la **côte des Bars**, qui limite le Barrois au nord l'Argonne ; la **côte de Meuse**, qui domine la plaine de la Woëvre et à laquelle correspond la « butte-témoin » de Montsec, qui porte sur son revers Verdun et St-Mihiel, et enfin, la **côte de Moselle**, où sont installés Nancy et Metz.

Ce relief original appartient au vaste ensemble géologique du Bassin parisien. Il trouve son origine dans les épaisses couches de sédiments qui se sont déposées au fond des mers au cours des temps géologiques. Les grandes côtes lorraines appartiennent ainsi à des terrains qu'on retrouve en Normandie ou en Souabe (sud de l'Allemagne). Ils se sont formés au milieu de l'ère secondaire, il y a 205 à 135 millions d'années, pendant la période jurassique, avec une alternance de roches calcaires dures et d'argiles, plus tendres. Le Bassin parisien s'est lentement affaissé sous leur poids, formant une cuvette aux couches empilées en « assiettes », donc inclinées vers son centre. Le soulèvement des Vosges a accentué cette tendance. L'érosion a ensuite déblayé l'argile plus tendre, mettant en relief la couche de calcaire dure. Celle-ci, attaquée à son tour, recule, comme en témoignent ces collines qui, formées des mêmes roches, sont en avant du front de côte, les bien nommées « buttes-témoins ».

Au pied de la côte de Meuse, le lac de Madine, qui s'étend dans un beau paysage boisé au cœur du Parc naturel régional de Lorraine, est le plus vaste plan d'eau de l'est de la France.

Sur les versants calcaires exposés au sud ou à l'ouest, surtout répartis sur les côtes de Meuse et de Moselle, se trouvent des milieux rares : les **pelouses calcaires**. Ce sont des formations herbacées très sèches qui offrent une faune et une flore adaptées, comparables à celles que l'on trouve dans les régions méditerranéennes. Elles voient fleurir une douzaine d'orchidées sauvages dont l'ophrys bourdon et le rare ophrys araignée, ainsi que des plantes aromatiques comme l'origan, le thym ou la pimprenelle.

LE PLATEAU LORRAIN

Un vaste plateau doucement vallonné s'étend ensuite, à peine interrompu par quelques lignes de côtes qui se font encore discrètes : c'est le **plateau lorrain**, constellé d'étangs et de forêts. Champs et prairies se succèdent selon les possibilités du sol, argileux ou, parfois, recouvert de lœss. Rivières et canaux sont nombreux et leurs parcours variés. Reliés entre eux, comme le canal de la Marne au Rhin, ils traversent la région, à l'écart de l'agitation de la vie moderne.

C'est sur le plateau que l'on trouve le milieu le plus original de la Lorraine, le pays du sel et des étangs, avec ses mares salées à la végétation insolite où s'arrêtent de nombreux oiseaux migrateurs. Celles-ci sont essentiellement localisées le long de la vallée de la Seille. À l'origine de ces étonnantes mares, des couches de sel déposées à l'ère secondaire par l'évaporation de mers alors existantes, puis une remontée de la saumure en surface, permise par des fissures dans la roche mère calcaire. On y découvre une faune et une flore halophiles (qui aiment le sel) tout à fait exceptionnelles comme la salicorne, la renoncule de Baudot, l'aster maritime et la rare ruppie maritime.

HAUTS SOMMETS ET LACS DES VOSGES

Les Vosges ne sont qu'un petit fragment de l'immense chaîne hercynienne qui couvrait une grande partie de l'Europe il y a 300 millions d'années et dont les **granits** aux couleurs claires, qui culminent à 1 424 m au Grand Ballon, portent la trace. Détruite par l'érosion, elle fut peu à peu recouverte par la mer et ensevelie sous d'épaisses couches de sédiments à l'origine des célèbres **grès rouges ou roses** qui donnent leur couleur si frappante aux monuments alsaciens. Au moment de la formation des Alpes, il y a 30 millions d'années environ, un « rift », le futur fossé rhénan, s'est formé à la suite d'un lent affaissement de la croûte terrestre, tandis que ses bords se soulevaient symétriquement à près de 3 000 m d'altitude, formant les Vosges et la Forêt-Noire, sœurs jumelles issues du même socle granitique. Voilà pourquoi la montagne surplombe d'un seul coup

Terrains sédimentaires d'époque tertiaire (1ᵉ et 2ᵉ phase)

Argile et craie d'époque crétacée

Calcaire et marne d'époque jurassique

Grès (grains de sable fortement cimentés)

Socle primitif

MICHELIN

Schéma : formation du sol.

Les tourbières

Il s'agit d'îlots de végétation formés de tourbes, soit des fossiles végétaux d'origine glaciaire. On les rencontre sur le versant lorrain des Hautes-Vosges et dans les Vosges du Nord. Les tourbières se caractérisent par une végétation et une faune très rares sous nos latitudes. Il s'y développe notamment des sphaignes, mousses uniques en France, la violette des marais, l'utriculaire et la droséra, une plante carnivore.

👁 **Attention!** Il est dangereux de s'aventurer sur les tourbières car l'eau affleure sous les sphaignes, et il faut respecter ce milieu fragile.

la plaine d'Alsace alors qu'elle s'abaisse presque insensiblement du côté lorrain. Les collines dites « sous-vosgiennes » sont en fait d'énormes blocs faillés qui descendent en gradins jusqu'au fond du fossé.

À cause de leur différence d'altitude, les Hautes-Vosges cristallines se séparent nettement des Basses-Vosges gréseuses. Sur les premières, nettement plus élevées, l'érosion a mis à découvert cette fameuse surface hercynienne arasée que suit la célèbre route des Crêtes en reliant entre elles les croupes larges et plates des « **ballons** ». La rareté des cols en a fait une grande ligne de partage régionale, tandis que s'y épanouissent les hautes chaumes sans arbres, mais couvertes de fleurs en été quand les troupeaux montent aux pâtures.

L'impression d'être en haute montagne est renforcée par la puissante empreinte des glaciers de la préhistoire. C'est ainsi qu'à l'époque des chasseurs de rennes, ces glaciers ont raboté les sommets, élargi les vallées et accru la raideur des versants. Tout en haut, de petits lacs aux eaux froides et profondes, comme le lac Blanc ou le lac Noir, occupent d'anciens cirques glaciaires aux rives escarpées. Vers l'aval, ce sont les moraines, énormes blocs de terre et de caillasses abandonnés par la fonte des glaces, qui ont formé des barrages naturels à l'origine de ces lacs aux eaux très bleues qui, comme celui de Gérardmer, occupent les fonds de vallées.

LA FORÊT

Vue des crêtes, la forêt vosgienne forme un magnifique tapis d'un vert très dense qui s'estompe dans le moutonnement bleuté des lointains. La rudesse des hivers comme

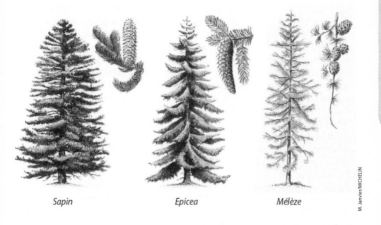

Sapin   Epicea   Mélèze

M. Janvier/MICHELIN

d'anciens défrichements ont découronné les plus hauts sommets, mais l'humidité très forte du climat a couvert d'un manteau quasi continu les pentes escarpées des vallées comme l'ensemble des Petites Vosges, ou Vosges gréseuses, qui s'étendent au nord jusqu'à la frontière allemande. Le hêtre au tronc lisse, gris clair et au feuillage vert tendre, y est omniprésent. À partir de 400 m du côté lorrain et 600 m du côté alsacien, il se mêle au feuillage vert clair du **sapin pectiné** (aux aiguilles en forme de peigne), le roi de cette forêt. Son écorce grise comme ses cônes dressés le distinguent de son cousin, l'**épicéa**, aux branches tombantes, au vert plus sombre et au tronc brun rougeâtre qui s'écaille avec l'âge. C'est notre arbre de Noël qui aime particulièrement les expositions froides. À partir de 1 000 m, pratiquement seuls des hêtres ou des alisiers aux formes torturées résistent au vent et au froid, avant de laisser leur place aux chaumes et aux tourbières.

Le **pin sylvestre**, au tronc très crevassé, préfère les endroits secs et ensoleillés. Mais ces différentes essences sont heureusement souvent mêlées. D'infinies nuances de vert composent autant de tableaux harmonieux et apaisants, plus contrastés à l'automne quand, au milieu d'une tonalité plutôt sombre, rougeoie le feuillage des hêtres. C'est en randonnée qu'on découvre la richesse de cette forêt silencieuse, aux odeurs vivifiantes de résine, où la faune, très abondante, reste discrète, à l'exception du brame des cerfs en automne.

LES COLLINES SOUS-VOSGIENNES

En lisière des Vosges, c'est la longue file continue des collines dites « sous-vosgiennes », surplombées par de romantiques ruines médiévales comme le château du Haut-Kœnigsbourg ou le couvent de Ste-Odile, la patronne de l'Alsace, placé en vigie au sommet de sa montagne.

De Thann aux abords de Wissembourg, une vraie civilisation de la vigne, implantée là dès l'époque romaine, s'étire sur près d'une centaine de kilomètres. Une mer de ceps, tout en courbes ondoyantes, dévale les pentes ensoleillées des collines sous-vosgiennes jusque dans la plaine. Cette forêt de piquets sagement alignés s'habille d'un vert intense au printemps, avant de prendre une flamboyante livrée or au moment des vendanges. Soleil, tonneaux, grappes de raisin et pressoir, partout les emblèmes arborés par les maisons à colombages, comme les enseignes des auberges, rappellent qu'ici le vin est roi. Une recherche constante de la qualité a pour résultat qu'aujourd'hui, les trois quarts des vins blancs que la France élève viennent d'Alsace. Cette région offre ainsi l'occasion unique de s'initier, dans une joyeuse ambiance, à des vins réputés qui portent traditionnellement le nom de leur cépage (sept pour le vignoble alsacien), c'est-à-dire de l'une des innombrables variétés de la vigne dont ils sont faits. Leur extraordinaire diversité est aussi due à la variété des qualités de sol, l'exposition au soleil et le microclimat propre à l'Alsace. Ils sont ainsi le résultat d'une alchimie complexe où entrent en compte, outre le cépage et les terroirs, le millésime, c'est-à-dire l'année et, bien sûr, le savoir-faire des vignerons.

LA PLAINE DU RHIN

Une grande luminosité, un climat sec : la plaine d'Alsace est une petite région à échelle humaine insérée par la géographie et par l'histoire au cœur de l'espace rhénan que se partagent la France, la Suisse et l'Allemagne. Adossée aux collines sous-vosgiennes, elle s'étend sur seulement 30 km de large, jusqu'au Rhin à l'est. Mais 170 km séparent la frontière allemande au nord, de Bâle et du Jura au sud. Un simple coup d'œil sur une carte fait comprendre qu'avec sa forme étroite et allongée, elle fait partie du fossé rhénan, cette partie affaissée de la croûte terrestre qui court entre Vosges et Forêt-Noire.

Tout au sud s'étendent, un peu à part, les collines doucement ondulées du Sundgau, qui s'adossent aux premières crêtes du Jura.

La plaine, loin d'être monotone, présente des facettes étonnamment variées. La multitude et l'ancienneté de ses villages et de ses petites villes indiquent assez la présence ancienne des hommes dans l'une des régions les plus densément peuplées de France. Depuis toujours, ceux-ci ont tenu compte de la variété des sols et ont ainsi créé des paysages que la vie moderne n'a modifiés que dans le détail.

On sera étonné de passer, sur quelques dizaines de kilomètres, de régions très agricoles à d'immenses forêts que la densité de population ne menace pas. C'est que les sols ne sont pas les mêmes. Partout les sédiments marneux et argileux apportés par des mers intérieures ou des lacs aujourd'hui disparus ont comblé le fossé rhénan au fur et à mesure de son enfoncement. On en trouve jusqu'à 1 500 m d'épaisseur, recelant au nord un peu de pétrole et au sud les mines de potasse entre Mulhouse et Guebwiller. Les cours d'eau qui se sont mis en place au cours du dernier million d'années, comme le Rhin et l'Ill, ont déposé de grosses masses de cailloutis et d'alluvions peu fertiles. Plus récemment, lors des dernières glaciations, à l'époque des chasseurs de rennes, le vent a apporté par endroits une couche épaisse et fertile de lœss, fine poussière issue des régions désertiques proches des glaciers. C'est devenu l'« Alsace bénie », qui commence au nord de Sélestat et s'épanouit dans le Kochersberg, l'arrière-pays de Strasbourg. C'est l'« ackerland », la riche campagne cultivée, avec ses champs de maïs, de colza ou de tournesols. On y fait aussi pousser le fameux chou à choucroute, les asperges et le houblon.

Au contraire, sur les cailloutis, les graviers et les sables, ont pu subsister de vastes forêts comme la Hardt, près de Mulhouse, au sol sec, ou celle de Haguenau, tout au nord, au sol plus humide.

Mais la partie la plus étonnante, la plus exotique sans doute de la plaine alsacienne, celle qui a malheureusement le plus reculé, est le « ried » marécageux qui s'étend sur les bords du Rhin, dans la partie de la plaine que ses crues inondaient avant qu'il ne soit canalisé. On peut y découvrir encore les derniers lambeaux, désormais protégés, de l'extraordinaire forêt rhénane avec sa végétation de lianes, de lierres et de clématites, qui évoque la forêt tropicale. L'Ill possède aussi son ried, entre Colmar et Benfeld, menacé par les drainages qui ont permis l'extension des cultures. Prairies humides, marais, roselières et bras de rivières nés des « trous de tonnerre », ces grosses résurgences infiltrées dans les graviers, ont une flore et une faune particulièrement riches.

Richesses naturelles

L'Alsace et la Lorraine doivent beaucoup à leur généreux sous-sol : si les terres sont fertiles, elles sont aussi riches en eau et en minerais de toute sorte.

L'OR DE LORRAINE

80 % de la production mondiale de la mirabelle se fait… en Lorraine. Le mirabellier, sans doute importé d'Asie Mineure, a connu un développement particulier à la fin du 19e s., lorsque le phylloxéra ravageait les vignobles. Il a trouvé en Lorraine des conditions optimales : un sol adéquat, lourd et argileux, un climat favorable, sans grands écarts de température, et un ensoleillement parcimonieux, car il ne s'épanouit qu'en-dessous de 25°C. Le mirabellier fructifie pour la première fois à 8 ans et peut assurer une récolte de 100 kg par arbre. La saison dure six semaines, de la mi-août à la fin septembre. Une production importante tuant le goût, les vergers ne dépassent jamais les 20 tonnes de mirabelles à l'hectare. Afin de mieux maîtriser la production, de conserver les variétés anciennes, les producteurs ont créé, dans les années 1980, l'Arefe, l'As-

La mirabelle de Lorraine.

sociation régionale d'expérimentation fruitière de l'est. Elle bénéficie du Label rouge depuis 1999 et d'une protection de son appellation au niveau européen depuis 1996.

DE L'EAU EN ABONDANCE

Les stations thermales, les cours d'eau, les sources de montagne et les trois fleuves qui traversent la région montrent clairement les ressources en eau, exceptionnelles, de l'Alsace et de la Lorraine.

Le **bassin Rhin-Meuse** se compose de trois unités hydrographiques parallèles : la plaine du Rhin est séparée des bassins de la Moselle et de la Meuse par le massif vosgien. Chaque bassin hydrographique est formé par les bassins versants, c'est-à-dire les zones géographiques délimitées par la ligne de partage des eaux qu'ils rassemblent. Les cours d'eau du bassin Rhin-Meuse, hors Rhin, écoulent un volume moyen de 12 milliards de m^3 par an. Quant au Rhin, lorsqu'il pénètre dans la plaine d'Alsace, il dispose d'un bassin versant de 37 000 km^2, situé dans la zone montagneuse des Alpes suisses. Son alimentation atteint alors 31 milliards de m^3 par an en moyenne.

Le bassin Rhin-Meuse, qui couvre 6 % du territoire national, est riche en eaux souterraines et 15 % des eaux minérales captées en France en sont issues. Il compte plusieurs nappes qui contiennent quelques centaines de milliards de m^3 d'eau. La nappe phréatique (d'origine alluviale) de la plaine d'Alsace est une des plus importantes d'Europe occidentale avec 35 milliards de m^3 d'eau.

LES MINES DE CHARBON

Le charbon est un combustible provenant des grandes forêts marécageuses de l'époque carbonifère (300 millions d'années). C'est encore une ressource énergétique indispensable au développement de certains secteurs économiques (verrerie, métallurgie).

On trouve des mentions de l'utilisation du charbon en Lorraine dès 1459, mais ce n'est qu'au milieu du 19e s. que commence l'exploitation proprement dite. À partir de 1847, des sondages sont entrepris sur un secteur allant de Forbach à Creutzwald. En 1854, le gisement houiller de Creutzwald est attesté avec une première couche repérée à une profondeur de 213,63 m et d'une épaisseur de 0,95 m. Puis c'est le tour de celui du Hochwald. La découverte d'une couche de 2 m d'épaisseur par 120 m de profon-

Le charbon en Lorraine

De cette exploitation du charbon, on retiendra quelques chiffres et dates :
- 58 puits de mine, 2 cokeries, 2 centrales électriques ;
- 0,8 milliard de tonnes extraites avec une production record de 15,6 millions de tonnes en 1964 ;
- en 1946, nationalisation des mines et adoption du « statut du mineur » ;
- effectif record en 1957 avec 46 748 personnes ;
- fin de l'extraction charbonnière en France, avec la fermeture du dernier puits de La Houve, en avril 2004.

deur sur le secteur de la Petite-Rosselle, en 1856, marque le début de l'aventure de l'exploitation du charbon en Lorraine. En 1858, Napoléon III annonce officiellement la découverte du bassin houiller de la Moselle.

Mais en Lorraine, l'exploitation est très contraignante car, loin d'affleurer comme du côté sarrois, le charbon n'est accessible que par puits verticaux. Il faut alors traverser des « morts-terrains » très aquifères et lutter contre l'invasion des eaux qui noie les installations.

MINETTE LORRAINE

Le minerai de fer a été exploité en Lorraine dès le 16e s., d'abord à ciel ouvert dans ses couches affleurantes, puis, au fur et à mesure de l'évolution des techniques, de plus en plus profondément, par mines à flanc de coteau et par puits d'extraction. Le bassin ferrifère (le plus important d'Europe) est situé dans le nord-est mosellan, le nord de la Meurthe-et-Moselle et une frange meusienne, et se prolonge au nord dans les territoires belges, luxembourgeois et allemands. Les gisements se présentent en couches alternées de minerais et de marne. Le minerai lorrain est dit « minette » en raison de sa teneur médiocre en fer, de l'ordre de 30 à 35 % en moyenne, et de sa teneur en phosphore (2 %).

Après une intense exploitation, jusque dans les années 1990, s'est posé le problème de la stabilisation des anciens terrains miniers et de l'équilibre de l'hydrosystème modifié par les techniques d'exploitation. Depuis la fermeture des mines, une restructuration globale de la gestion de l'eau dans l'ancien bassin minier est à l'étude.

LE BASSIN POTASSIQUE D'ALSACE

Autre richesse du sous-sol, la potasse. Le bassin potassique d'Alsace s'étend sur plus de 200 km² au nord de Mulhouse. Le minerai, découvert en 1904 à une profondeur de 625 m, doit beaucoup à la détermination d'une femme, Amélie Zürcher, et d'un sondeur spécialisé dans la prospection des richesses minérales, Joseph Vogt. La production démarre en 1910 mais sera interrompue pendant les deux guerres mondiales. Elle s'avère parfois difficile en raison de la température dégagée par le minerai : en Alsace, la température s'élève de 1 °C tous les 18 m de profondeur, ce qui entraîne à 700 m de fond des températures excédant les 50 °C. Reprise et modernisée en 1947, l'extraction, assurée par les Mines de potasse d'Alsace (MDPA), est définitivement arrêtée en 2004.

Le gisement se présente en deux couches séparées par 20 m de distance à des profondeurs variant entre 420 et 1 100 m. Le sel de potasse brut, appelé sylvinite, contient du chlorure de potasse et du chlorure de sodium (c'est-à-dire du sel gemme ou sel de cuisine). Après extraction, le traitement vise à séparer le sel de potasse des autres composants et de le concentrer afin d'obtenir un engrais potassique. La potasse fait en effet partie des éléments indispensables à la croissance des plantes.

Une faune étonnante

La diversité des paysages comme les fabuleuses réserves naturelles de la région expliquent la richesse des espèces animales rencontrées. Certaines d'entre elles, emblématiques de la région, ont fait l'objet d'un programme de protection ou de réintroduction.

LES CIGOGNES

Considérées depuis des siècles comme gage de prospérité et de bonheur pour les maisons sur lesquelles elles revenaient bâtir leur nid à chaque printemps, les cigognes font partie de l'identité régionale. C'est pourquoi leur déclin, à partir des années 1960, a provoqué un véritable désarroi. On a incriminé la vie moderne qui a perturbé leur environnement avec ses lignes électriques et l'assèchement des zones humides. On a accusé la chasse et les dangers de plus en plus nombreux que les cigognes

R. Mattes/MICHELIN

L'emblème de l'Alsace : la cigogne.

rencontrent sur leur route, lors de leur long périple vers l'Afrique de l'Ouest. Après trois décennies de gros efforts de protection et de réimplantation, grâce aussi à l'élevage de jeunes oiseaux en enclos, les cigognes traversent à nouveau aujourd'hui le ciel alsacien. On a compté deux cents couples ces dernières années dont certains, il est vrai, sont encouragés à rester sur place en hiver. Au printemps, le mâle revient au nid en premier et commence aussitôt à le rafistoler avec des branchages et des sarments de vigne consolidés avec de la terre. C'est une construction impressionnante de 1,50 à 2 m de diamètre sur une hauteur de 60 cm à 1 m, son poids pouvant dépasser les 500 kg. La femelle pond de trois à six œufs, qui sont couvés pendant trente-cinq jours. Une fois éclos, les cigogneaux doivent être sans arrêt nourris pour grandir rapidement. Leurs parents leur apportent tout ce qu'ils peuvent trouver, insectes, larves, lézards, grenouilles, souris, taupes ou serpents, en un ballet incessant. Au bout de quatre semaines, ils commencent à se mettre debout et à voleter autour du nid. À deux mois, ils sont prêts à prendre leur envol. Juchés avec leurs parents sur le grand nid au-dessus duquel ressort leur grand corps blanc, ils forment alors, avec leur bec rouge vif et leurs ailes noires, un magnifique spectacle, qui fait partie des couleurs de l'Alsace.

Observez-les au parc animalier de Ste-Croix à Rhodes (*voir p. 209*) et au parc de Cernay (*voir p. 149*).

LE LYNX

Autrefois, tous les massifs montagneux français étaient peuplés de lynx, qui, chassés à outrance, s'éteignirent progressivement. La disparition du lynx dans les Vosges date du 17e s. Dès 1972, on parle de sa réintroduction en France, et le groupe Lynx Alsace œuvre à ce projet. C'est en 1982 que l'autorisation de sa réintroduction est donnée par le ministère de l'Environnement. À partir de 1983, une vingtaine d'individus sont lâchés dans les Vosges avec plus ou moins de succès : certains, venus de captivité doivent, être repris, d'autres sont braconnés.

Le lynx vit exclusivement en forêt, jusqu'à une altitude de 2 500 m. Son aire de chasse varie selon les individus de 150 à 600 km. Le massif forestier vosgien couvrant environ 4 750 km^2, il a le potentiel d'accueillir de 20 à 40 lynx. Discret, l'animal n'est souvent décelable que par ses empreintes.

DANS LES RÉSERVES NATURELLES

Les milieux naturels spécifiques d'Alsace et de Lorraine permettent à certaines espèces rares de se développer. Ainsi, sur les 30 espèces de **chauves-souris** présentes en France, le Parc naturel régional de Lorraine en compte 17. Elles font l'objet de mesures de protection. Les pelouses calcaires des côtes de Lorraine offrent un écosystème de choix à la **vipère aspic**, aux **mantes religieuses** et à de très nombreuses espèces de **papillons**. Sur le plateau lorrain, le **crapaud sonneur** règne en maître sur le pays du sel et des étangs. On y trouve une grande diversité d'insectes et des

Le grand tétras en voie de disparition

Il ne reste plus que 100 à 130 coqs mâles sur l'ensemble du massif vosgien, trop peu pour pérenniser l'espèce. Celle-ci est en régression régulière depuis trente ans. Le grand tétras est un galliforme dont le milieu naturel est la forêt mixte et que l'on rencontre dans les Vosges entre 400 et 1 200 m. Les causes de sa disparition progressive sont la surfréquentation touristique du massif et la sylviculture. En 1985, le grand tétras est devenu espèce protégée et en 1991, la directive *Tétras* intègre la préservation de l'habitat du grand tétras aux aménagements forestiers. Dans les zones prioritaires, l'ONF a choisi de changer principalement le mode de traitement sylvicole et surtout d'aller vers un plus grand âge d'exploitabilité de la forêt (156 ans contre 131 auparavant). Ces mesures seront-elles suffisantes pour endiguer la disparition de l'oiseau ?

oiseaux rares et protégés, comme le **courlis cendré**, le **râle des genêts** et le **tarier des prés**. Dans les tourbières vosgiennes, la faune typique comprend notamment des **grenouilles rousses**, des **grands tétras** et des **libellules**.

L'Alsace n'est pas en reste : parmi les nombreuses réserves naturelles du Rhin, le Ried est le refuge de la seule harde de **daims** sauvages en France. On y croise également des **chevreuils** et des **castors**, réintroduits depuis 1973 ; les **canards** et autres oiseaux d'eau y prospèrent. Plus d'une centaine d'espèces d'oiseaux, dont un grand nombre d'oiseaux nicheurs, ont élu domicile au sein de la Petite Camargue alsacienne et du delta de la Sauer.

On ne saurait clore ce chapitre sans citer le **grand hamster d'Alsace**, également appelé « marmotte de Strasbourg ». Long de 25 cm, ce rongeur que l'on ne trouve pratiquement que dans le Bas-Rhin est un grand amateur de plantes cultivées. Longtemps chassé pour les dégâts causés aux cultures, il est aujourd'hui protégé.

Environnement

PROTECTION DES MILIEUX

La région Alsace-Lorraine ne compte pas moins de trois **parcs naturels** : le Parc naturel régional de Lorraine, créé en 1974, s'étend sur 210 000 ha ; le Parc naturel régional des Vosges du Nord (12 000 ha) et celui des Ballons des Vosges (300 000 ha) ont tous deux été fondés en 1975. De telles entités permettent à l'économie locale de se développer tout en préservant les paysages et les activités traditionnelles. On y découvre des sites exceptionnels, comme les immenses panoramas des grands ballons d'où la vue porte jusqu'au Mont-Blanc.

Le **Conservatoire des sites** alsaciens et son homologue lorrain sont deux associations de protection du patrimoine naturel ayant pour but de connaître, protéger et valoriser des milieux naturels sensibles. Le premier gère 186 sites représentant 5 000 ha, le second 180 sites, soit 4 000 ha, dont les zones les plus salées de la vallée de la Seille, milieu fragile.

La **forêt vosgienne** s'est remise de ce que l'on a appelé dans les années 1980 les « pluies acides », responsables d'un phénomène de jaunissement des feuilles. La pollution atmosphérique a été mise en cause puisque, depuis le

Natura 2000

Natura est un réseau écologique européen qui a pour objectif de contribuer à préserver la diversité biologique sur le territoire de l'Union européenne. Ce réseau est composé de sites constitués par des milieux naturels remarquables et désignés spécialement par chacun des États membres en application des directives européennes. C'est le Muséum national d'histoire naturelle qui, entre 1994 et 1995, a assuré l'évaluation scientifique des sites français. On en recense 37 en Alsace et 87 en Lorraine.

milieu du 19e s., les dépôts atmosphériques et polluants acides n'ont fait qu'augmenter. Aujourd'hui, la communauté scientifique s'accorde sur les raisons, en réalité beaucoup plus complexes, de l'acidification du massif des Vosges. Il s'avère qu'il est situé dans une zone naturellement sensible à l'acidification : les caractéristiques géologiques (grès et granit blanc), la forte pluviométrie et la présence de conifères sont les principaux facteurs de ce phénomène. De plus, il est admis que le massif des Vosges est soumis à des dépôts atmosphériques acides dont les émissions polluantes proviennent de régions éloignées. Si la forêt n'est plus en danger, on surveille maintenant de près les effets de l'acidification sur les cours d'eaux. À ce problème de fond s'est ajouté, en décembre 1999, ceux causés par la tempête qui a ravagé plus de 8 millions de m³ de bois, soit sept années d'exploitation. Les zones touchées sont en cours de reforestation. La **fédération du Club vosgien**, fondée en 1872, a beaucoup aidé à la connaissance et au respect du milieu forestier. Par le balisage et l'entretien des tout premiers sentiers de randonnée français, à l'origine de nos modernes « GR » créés après la Seconde Guerre mondiale, la fédération a toujours promu activement le développement d'un tourisme pédestre responsable. 16 500 km de sentiers permettent ainsi de découvrir les Vosges en toute sécurité.

ASSAINISSEMENT DES EAUX

La région connaît des programmes de grande ampleur comme celui notamment sur la **qualité des eaux du bassin Rhin-Meuse**. Il est confié à l'Agence de l'eau, dont la mission est d'aider financièrement et techniquement les opérations d'intérêt général au service de l'eau et de l'environnement du bassin. Elle s'inscrit dans la Directive cadre sur l'eau traduisant une nouvelle ambition de la politique de l'eau en Europe qui est de garantir à la fois un haut niveau de protection de l'environnement et une gestion durable des ressources en eau. Des actions et des travaux prioritaires ont été définis dans chaque territoire (cinq, ici) pour la reconquête des eaux du bassin Rhin-Meuse. Il s'agit de la lutte contre les sources de pollution de toutes origines (domestique, industrielle et agricole) et une aide à la dépollution des sites et des sols pollués. L'action s'avère fondamentale dans le bassin Rhin-Meuse, compte tenu d'une activité industrielle lourde. L'objectif est la reconquête du bon état écologique de toutes les eaux en 2015.

ÉOLIENNES EN LORRAINE

La Lorraine est une région historiquement productrice d'énergie. Après le bois et le charbon, c'est aujourd'hui l'électricité que la région souhaite exploiter, en s'engageant sur la voie de l'énergie éolienne, propre par excellence. Dans les projets d'implantations d'éoliennes, la Lorraine figure en bonne position après les zones côtières, pourtant beaucoup plus ventées, car les populations et les contraintes y sont moins nombreuses.

Le premier parc éolien de Lorraine a vu le jour sur la commune de Téterchen en Moselle avec la mise en service, en 2005, de 6 éoliennes d'une puissance totale de 9 MW. Le deuxième parc éolien, « Le Haut des Ailes » a été inauguré en septembre 2005. C'est actuellement le plus important en France. Situé à 60 km de Nancy, entre Lunéville et Sarrebourg, il est constitué de 3 parcs éoliens, de 16 aérogénérateurs d'une puissance totale de 32 MW. Il devrait alimenter 40 000 personnes en électricité et devrait également permettre d'éviter le rejet de 45 000 tonnes de CO_2 par an.

Ce projet est exemplaire à plus d'un titre. C'est le premier parc de France à avoir été financé en partie (10 %) par des particuliers, montrant ainsi l'attachement des habitants pour cette énergie renouvelable, et par la rapidité de sa réalisation (trente mois entre le lancement du projet et sa mise en service).

Si les projets actuellement à l'étude en Lorraine voient le jour, la production énergétique par éolienne pourrait s'y élever, dans un délai de deux ans, à 488 MW, fournissant ainsi 12 % de la production française totale actuelle.

HISTOIRE

Longtemps provinces partagées entre influences rivales, aux frontières avec l'Allemagne, la Suisse, la Belgique et le Luxembourg, la Lorraine et l'Alsace ont toujours été de grands axes d'échanges d'idées, de marchandises et d'hommes en Europe, parfois au cœur des plus terribles conflits.

Déplacement de troupes à Verdun en 1916.

Le duché de Lorraine

DES ROMAINS AUX FRANCS

Si l'occupation humaine a laissé de nombreuses traces en Lorraine pendant la préhistoire, il faut attendre Jules César pour que nous en apprenions les premiers événements historiques. Deux peuples celtes l'occupaient alors : les Leuques au sud, vers Toul, et les Médiomatriques au nord, autour de Metz. Deux cités distinctes ont ainsi été créées après la conquête romaine. Elles sont à l'origine, avec Verdun, des trois évêchés qui se constituent au moment de la christianisation, à la veille des invasions barbares.

Quand disparaît l'Empire romain au **5ᵉ s.,** un nouveau peuple venu de Germanie, les **Francs rhénans,** colonise la vallée de la Moselle jusqu'au nord de Metz. Une frontière linguistique va ainsi se fixer et séparer à cet endroit les parlers romans issus du latin des parlers germaniques. Toute la région, comme d'ailleurs le reste de la Gaule, passe alors sous la domination du roi franc Clovis et de ses successeurs, les Mérovingiens.

Mais ce sont les **Carolingiens,** famille originaire des pays d'entre Meuse et Rhin, qui sont à l'origine de la créa-

tion de la Lorraine. Celle-ci se trouve alors au cœur de l'empire de Charlemagne.

Quand, à la suite du **traité de Verdun** en 843, les petits-fils de Charlemagne se sont partagé son héritage, l'aîné, Lothaire, en a reçu la partie centrale. C'est le royaume de son fils, Lothaire II, qu'on va prendre l'habitude d'appeler Lotharingie. S'étendant jusqu'à la mer du Nord, elle a été ensuite partagée en deux duchés, la Basse-Lorraine au nord et la Haute-Lorraine qui, plus au sud, est seule restée fidèle à ce nom. Otton Iᵉʳ l'incorpore par la suite au Saint-Empire romain germanique fondé en 962.

DU MOYEN ÂGE À LA RENAISSANCE

Au cours des siècles suivants, le déclin de la puissance impériale va provoquer un éparpillement durable des pouvoirs. Ceux-ci se répartissent finalement entre le **duc de Lorraine,** dont la dynastie fondée en 1048 par Gérard d'Alsace va régner jusqu'en 1737, les puissants **comtes de Bar** à l'ouest (futurs ducs de Bar) et les **trois évêques** dont les villes, Metz surtout, finissent par s'émanciper et former de vraies petites républiques. L'imbrication des possessions des uns et des autres conduit à des conflits sans fin qui favorisent l'influence du roi de

France. Philippe le Bel réussit ainsi en 1301 à faire passer sous son contrôle la partie occidentale du Barrois. Cela explique que, pendant la guerre de Cent Ans, Jeanne d'Arc, « la bonne Lorraine », originaire de Domrémy, aux confins de la province, se soit sentie déjà française.

En **1477**, le duc de Bourgogne, Charles le Téméraire, qui avait tenté de rassembler sous son autorité l'ancienne Lotharingie, est tué par les troupes du duc René II devant Nancy, qu'il tentait d'assiéger. René II réalise la réunion définitive des duchés de Lorraine et de Bar (1480). La région connaît davantage de paix et participe activement au mouvement intellectuel et artistique de son temps comme le montre l'activité du « Gymnase » de St-Dié (*voir ce nom*).

RÉUNION DE LA LORRAINE À LA FRANCE

En **1552**, le roi de France Henri II, allié aux princes protestants en lutte contre Charles Quint, s'empare sans difficulté de Metz, Toul et Verdun. Désormais, la Lorraine ne fait plus officiellement partie du Saint-Empire. La **guerre de Trente Ans** (1618-1648) est une catastrophe pour l'Europe centrale : près de la moitié de la population lorraine disparaît. À l'issue de la guerre de Trente Ans, le traité de Munster (1648) reconnaît la souveraineté française sur les Trois-Évêchés.

En 1697, par le **traité de Ryswick**, Louis XIV établit une sorte de protectorat sur les terres ducales, qu'il occupe pendant de longues années. C'est ainsi que la vieille dynastie ducale s'en détourne

Le duc François III par François Eisen (1757), Musée historique lorrain, Nancy.

G. Magnin/Musée historique lorrain, Nancy

définitivement. En 1737, le dernier duc de Lorraine François III accepte d'abandonner son duché contre la Toscane ; il épouse l'archiduchesse Marie-Thérèse d'Autriche. Louis XV le remplace par un « duc de transition » qui lui est asservi et dont le rôle sera de préparer les Lorrains à se soumettre à l'autorité royale. **Stanislas Leszczyński**, roi déchu de Pologne et beau-père de Louis XV, semble parfait pour ce poste ; il vivra cependant bien plus longtemps que ne le prévoyait son gendre. Froidement accueilli par les Lorrains, car l'administration française pèse sur eux de plus en plus, avec l'enrôlement dans les milices obligatoires dès 1744 et une fiscalité plus lourde, Stanislas, en développant une politique de bienfaisance et de mécénat, gagne leur faveur au point d'apparaître comme l'archétype du bon prince. À sa mort, en 1766, la Lorraine devient entièrement française et, en 1790, naissent quatre départements français : la Meurthe, la Meuse, la Moselle et les Vosges.

Pour en savoir plus sur la personnalité et l'œuvre du roi Stanislas, reportez-vous à Nancy (p. 257).

L'Alsace

CELTES, ROMAINS ET BARBARES

En refoulant de l'autre côté du Rhin le Germain Arioviste, en **58 av. J.-C.**, Jules César a fixé pour cinq siècles la frontière sur le grand fleuve : d'un côté la romanité, de l'autre le monde barbare, le long d'un *limes* fortifié. L'Alsace était alors partagée entre des peuples celtes, les Rauraques au sud et les Triboques au centre, tandis qu'autour du camp de légion d'Argentorate naissait une ville à l'origine de Strasbourg.

À partir du **3ᵉ s.**, les incursions des Francs et des Alamans se multiplient. Ces derniers colonisent une partie de l'Alsace au **5ᵉ s.**, lorsque l'Empire romain disparaît. Battus à Tolbiac par Clovis, ils se soumettent au roi franc et à ses successeurs, les Mérovingiens.

DES DUCS AUX EMPEREURS

Le nom d'Alsace apparaît au **7ᵉ s.** avec le duc Étichon, le père de sainte Odile. Après lui, la coupure entre le nord et le sud, déjà visible entre les diocèses de Strasbourg et de Bâle fondés à l'époque romaine, se retrouve dans la division en deux comtés, le Nordgau et le Sundgau, lointaine préfiguration des départements actuels.

C'est à Strasbourg en **842** qu'a lieu le célèbre serment prêté par les soldats des petits-fils de Charlemagne, Charles le Chauve et Louis le Germanique. Écrit en langue romane et germanique, c'est l'un des plus anciens témoignages connus du français et de l'allemand.

À la suite des différents partages carolingiens qui ont suivi, l'Alsace s'est finalement retrouvée intégrée dans le royaume de Germanie, puis au Saint-Empire romain germanique. Au **12e s.**, les Hohenstaufen, représentés notamment par l'empereur **Frédéric Barberousse**, aiment venir résider à Haguenau, en Alsace, où ils ont de nombreuses possessions.

ÉMANCIPATION DES VILLES

Le déclin du pouvoir impérial conduit à un éparpillement progressif des pouvoirs. À partir du **14e s.**, seules les possessions des Habsbourg, au sud, émergent du puzzle des petites seigneuries indépendantes, ainsi que celles du puissant prince-évêque de Strasbourg qui réside à Saverne. Les villes, à commencer par Strasbourg, ont réussi à obtenir leur autonomie et forment autant de petites républiques prospères.

Dix d'entre elles (Wissembourg, Haguenau, Rosheim, Obernai, Sélestat, Turckheim, Munster, Kaysersberg, Colmar et Mulhouse) s'allient dans une ligue, la **Décapole**, pour pouvoir se défendre contre les princes. Maintenue jusqu'en 1679, elle est dissoute par Louis XIV.

À la fin du Moyen Âge et au début de la Renaissance, les villes connaissent une sorte d'âge d'or. Après des périodes sombres de la peste noire et de la guerre de Cent Ans, elles profitent pleinement du renouveau des échanges dans un monde rhénan ouvert sur l'extérieur. Strasbourg, où séjournent **Gutenberg**, puis **Érasme**, est alors l'un des centres du mouvement artistique et intellectuel incarné par l'humanisme, dont la diffusion est favorisée par l'imprimerie.

DES GUERRES SUCCESSIVES

Mais les graves événements du 16e s. annoncent une période plus difficile. C'est d'abord, en **1525**, la guerre des Paysans, ou révolte des Rustauds, qui s'étend sur une partie de l'Europe centrale, mais qui prend un caractère tragique en Alsace où la révolte est noyée dans le sang. C'est ensuite la **Réforme protestante**, luthérienne ou calviniste, qui s'impose surtout dans les villes. Cette division religieuse, alors que l'intolérance règne partout, conduit à des tensions

Le « simultaneum »

Dans le cadre de sa politique de reconquête catholique, Louis XIV impose que dans toute commune alsacienne où résident au moins sept familles catholiques, le chœur de l'église soit consacré au culte catholique tandis que la nef est réservée aux protestants. Particularité de l'histoire alsacienne, une cinquantaine d'églises simultanées existent encore de nos jours.

entre princes catholiques et protestants. C'est l'une des causes de la **guerre de Trente Ans** qui, née d'un conflit à Prague entre protestants et catholiques, s'est propagée dans toute l'Europe et a ravagé l'Alsace, lui faisant perdre la moitié de sa population. Bien que catholique, la France de Richelieu, puis de Mazarin, s'est alliée aux princes protestants pour affaiblir les Habsbourg et s'introduire dans les affaires de l'Alsace.

ENTRE FRANCE ET ALLEMAGNE

En **1648**, le traité de Westphalie reconnaît à la France la possession d'une partie de cette province que Louis XIV annexe ensuite par étapes jusqu'à la prise de Strasbourg en **1681**. Seuls Saarwerden et Mulhouse ne rejoindront la France qu'à la Révolution, qui jouera un rôle décisif dans l'intégration des Alsaciens à la nation française. Par le traité de Ryswick (1697), qui établissait un protectorat sur les terres ducales de Lorraine, le Rhin est reconnu comme frontière. Louis XIV poursuit une politique en faveur des catholiques et instaure le *simultaneum*.

Les idéaux de la Révolution sont favorablement accueillis par les Alsaciens. C'est chez le maire de Strasbourg que Rouget de Lisle compose son *Chant de guerre pour l'armée du Rhin,* la future *Marseillaise*. La Constituante substitue à l'Alsace les deux départements du Bas et du Haut-Rhin. Cependant, dès 1793, avec la radicalisation du régime, les Alsaciens prennent leur distance vis-à-vis de la cause révolutionnaire.

En **1794**, Saint-Just interdit l'usage du dialecte alsacien, suspecté d'être contre-révolutionnaire, et impose le français comme seule langue officielle. La mesure est très mal comprise par les Alsaciens, blessés dans leur identité.

Mais la **période napoléonienne** renforce le sentiment d'appartenance de l'Alsace à la France et nombre d'Alsaciens s'illustrent dans l'armée.

Survivance de cette période, le **Concordat** est toujours d'actualité en Alsace et en Moselle. Signé par Napoléon avec le Saint-Siège en 1801 (et complété par des articles organiques en 1802 pour les protestants et en 1803 pour les juifs), il confère aux Églises un statut officiel et assure la rémunération des ministres des cultes par l'État. Ce statut est abrogé en 1905 dans toute la France par la loi de séparation de l'Église et de l'État. Mais l'Alsace et la Moselle sont alors annexées et le problème du maintien de ce régime ne se pose qu'en 1918, lors de leur retour à la France. Les Alsaciens se montrent farouchement opposés à la disparition de ce qui leur apparaît comme une donnée essentielle du droit local.

D'une guerre à l'autre

Trois terribles guerres entre la France et l'Allemagne ont placé l'Alsace et la Lorraine au centre d'une tourmente exacerbée par le sentiment national. C'est l'annexion forcée de 1871 qui a provoqué une hostilité durable entre les deux pays.

1870

Le conflit de 1870 oppose le Second Empire de **Napoléon III** et les royaumes allemands unis derrière la Prusse et son chancelier **Bismarck**. La volonté de ce dernier de rassembler sous l'autorité du roi de Prusse l'ensemble de l'Allemagne, alors une fédération assez lâche d'États indépendants, est à l'origine de la tension franco-allemande. L'armée française, mal préparée, est bousculée dès les premiers jours du conflit, au début du mois d'août 1870. Le général Mac-Mahon est battu à Wissembourg, au nord de l'Alsace, malgré la charge restée célèbre et héroïque de ses cuirassiers. En Lorraine, l'armée de Bazaine doit se replier sur Metz qui, comme Strasbourg, avait été fortifiée autrefois par Vauban. Après plusieurs semaines de siège, ces deux villes capitulent, tandis que Paris est assiégée. La France finit par demander l'armistice en février 1871, tandis que l'Empire allemand est solennellement proclamé par le roi de Prusse et empereur Guillaume Ier dans la galerie des Glaces du château de Versailles. La Moselle et toute l'Alsace, sauf Belfort qui, défendu par Denfert-Rochereau, a tenu bon pendant toute la guerre, sont annexées.

Le **traité de Francfort (1871)** confirme les conditions de paix signées à Versailles. Outre la perte de son territoire

Les optants

Le traité donne le choix aux habitants d'opter pour l'un ou l'autre pays, avec l'obligation pour ceux qui choisissent la France de le faire avant le 30 septembre 1872. 160 000 Alsaciens et Lorrains quittent alors les provinces perdues pour s'installer sur le territoire français.

(la frontière recule du Rhin aux Vosges), la France doit verser une indemnité de 200 millions de francs. Il prévoit pour les habitants le choix de leur nationalité.

La défaite de Napoléon III, fait prisonnier à Sedan dès le début de la guerre, a eu pour conséquence l'instauration de la IIIe République, dont l'œuvre démocratique va être considérable. Mais l'amputation du territoire national reste une blessure inguérissable, constamment rappelée au cours des décennies suivantes par les journaux, l'école et les grands auteurs patriotiques, comme le Lorrain Maurice Barrès (*La Colline inspirée*). La ligne bleue des Vosges devient un but de pèlerinage patriotique.

Sur un plan plus strictement militaire, la France fortifie sa nouvelle frontière, dégarnie de ses forteresses alsaciennes construites par Vauban. Pour fermer cette « trouée de Lorraine » à toute invasion, le directeur du génie militaire, **Séré de Rivières**, organise alors sur les Hauts-de-Meuse, entre Toul et Verdun, un système de forts à demi enterrés tels ceux bientôt célèbres de Vaux et de Douaumont. Dès la fin du 19e s., pour faire face au progrès de la puissance de feu, il faut les renforcer par d'énormes épaisseurs de béton et de spectaculaires cuirassements en acier, sombre présage pour les guerres à venir.

1914-1918

La guerre éclate comme un coup de tonnerre au beau milieu de l'été 1914. Presque toute l'Europe s'y engouffre. Deux systèmes d'alliance hostiles s'affrontent. D'un côté, la France, la Grande-Bretagne et la Russie encerclent les puissances centrales, l'Allemagne et l'Autriche-Hongrie. Peu à peu, d'autres pays viennent s'agréger à chaque camp, tandis que les colonies sont mises à contribution. Les États-Unis interviennent à partir de 1917 aux côtés de la France, sur le sol de laquelle se joue le sort de cette Première Guerre mondiale. En effet, le plan de guerre allemand, le plan Schlieffen, a eu pour but de vaincre d'abord la France pour se retourner ensuite vers la Russie, plus lente à mobiliser ses troupes. Pour cela, le plan a choisi la surprise en envahissant la Belgique, qui était neutre, pour traverser, en un immense mouvement tournant, les plaines du nord, en direction de Paris. Pendant ce temps, l'armée française, qui pense que les combats se déroulent à l'est, s'est avancée en Alsace en libérant Mulhouse. Ce succès est sans lendemain car les Français doivent précipitamment transférer leurs forces vers Paris. Le centre de la guerre se déplace alors vers la Champagne et la Picardie. La bataille de la Marne ayant mis en échec le plan allemand, les deux armées s'enterrent dans des tranchées le long d'une ligne de front qui se déploie, telle une cicatrice, des côtes de la mer du nord à la frontière suisse. Cette guerre dite « de positions » dure quatre ans et engendre de terribles souffrances. Les grandes offensives tentées de part et d'autre, très meurtrières, sont à chaque fois vouées à l'échec. À partir du mois de février 1916, c'est à Verdun, devenu depuis un lieu de mémoire, que se déroule l'une des batailles les plus longues et les plus sanglantes de l'Histoire.

La **bataille de Verdun** s'engage dès le 21 février 1916 jusqu'en décembre 1916, soit 300 jours et 300 nuits de combats au cours desquels 26 millions d'obus vont être tirés par les artilleries, soit 6 obus

Borne du Faubourg-Pavé à Verdun.

au mètre carré. 700 000 hommes y sont morts, couchés dans la boue. Le paysage, terriblement marqué, permet d'imaginer la violence du conflit.

Dès le jour de l'armistice, le **11 novembre 1918**, l'Alsace et la Moselle redeviennent françaises dans l'enthousiasme général de la victoire, mais également dans le soulagement de la fin du conflit le plus meurtrier que la France ait connu. Pour empêcher toute possibilité d'invasion, le gouvernement français décide de construire, à partir de 1930, une ligne souterraine de défense, qui a pris le nom du ministre de la Guerre : Maginot. Très moderne pour l'époque, elle longe le Rhin, puis la frontière jusqu'à la Belgique, un dispositif étant prévu en cas d'attaque contre ce pays.

1939-1945
LA « DRÔLE DE GUERRE »

Le 1er septembre 1939, la guerre éclate à nouveau, cette fois-ci délibérément provoquée par le régime politique nazi, qui règne d'une poigne de fer sur l'Allemagne. Du côté français, c'est la « drôle de guerre ». On attend l'attaque ennemie sur la meilleure ligne de défense du monde après avoir évacué les populations frontalières.

En mai **1940**, l'Allemagne attaque la Belgique de façon foudroyante et imprévue du côté des Ardennes, et selon la tactique de la « guerre éclair » fondée sur les chars et l'aviation. L'invasion du nord de la France rend inutile la ligne Maginot prise à revers. La victoire allemande, totale en apparence, laisse alors la France comme effondrée. L'Allemagne réannexe de fait l'Alsace et la Moselle, qu'elle entreprend de « germaniser » définitivement.

La **résistance** se met en place très tôt en Alsace. L'aide aux prisonniers évadés s'organise, notamment par l'Orne lorraine, un affluent de la Moselle, à Jœuf. Des réseaux de passeurs en Suisse, de renseignements militaires et économiques se forment. Événement spectaculaire : l'évasion du général d'armée Henri Giraud de la forteresse de Kœnigstein en Saxe en avril 1942. Aidé par un guide lorrain, Giraud transitera par Strasbourg, Sélestat et Mulhouse, non sans péripéties, avant d'être caché à Liebsdorf par le curé Stamm, d'où il passera en Suisse, avant de regagner la France par Annemasse. Un coup de maître qui coûtera cependant cher en représailles.

En août **1942**, le *Gauleiter* Wagner, gouverneur régional de l'Alsace annexée au Grand Reich depuis juin 1940, déclare le service militaire obligatoire pour les Alsaciens. Le recrutement forcé des « malgré nous » dans la Wehrmacht ou dans la SS, comme l'existence du camp de concentration du Struthof dans les Vosges, suscitent dans la population un sentiment de rejet. Pour les populations, toujours prises en tenailles et suspectées (la traversée du Rhin est interdite aux Alsaciens), la vie est difficile.

À la fin de la guerre, sur 130 000 Alsaciens et Mosellans incorporés de force, 40 000 ont été tués ou portés disparus, 30 000 blessés et 10 000 évadés. Parmi ceux qui sont revenus, beaucoup ont dû supporter suspicions et accusations.

LA LIBÉRATION

En **1944**, les combats reprennent sur le sol français avec les débarquements alliés américains et anglais en Normandie le 6 juin, puis en Provence le 15 août. Après Paris à la fin du mois d'août, la Lorraine est libérée dès le mois de septembre, excepté Metz, où les Allemands tiennent jusqu'au 22 novembre. En s'approchant des frontières, l'avance alliée doit marquer un temps d'arrêt devant la détermination encore farouche de l'armée ennemie. La libération de l'Alsace comme l'entrée sur le sol allemand vont se révéler très difficiles.

Le rôle joué par la 1re armée française, commandée par le général de Lattre de Tassigny, va être décisif. Du 14 au 28 novembre, les Allemands sont encerclés en Haute-Alsace et Mulhouse est libéré. Au nord, dès le 22 novembre, Leclerc contrôle avec la 2e DB le col de Saverne. Il décide de foncer sur Strasbourg qu'il atteint dès le lendemain matin. La libération si rapide de la capitale alsacienne, encore très menacée, a une portée symbolique extraordinaire. Mais la meurtrière contre-offensive allemande dans les Ardennes à partir du 16 décembre montre que l'Allemagne nazie garde encore des ressources. En Alsace, les Allemands tiennent la « poche » de Colmar, qui empêche les Alliés de faire la jonction entre le nord et le sud. Pire encore, ils reprennent du terrain tout au nord, dans la région de Haguenau. Les Américains veulent alors se replier sur les Vosges. Mais pour le gouvernement français, il n'est

Le général Leclerc

Le 2 mars 1941, à Koufra, obscure oasis du Sahara central, mais première victoire de la France libre, le futur général Leclerc a fait le serment, avec ceux qui feront un peu plus tard partie de la 2e division blindée, de « ne déposer les armes que lorsque nos couleurs, nos belles couleurs, flotteront à nouveau sur la cathédrale de Strasbourg ». C'est le point de départ d'un parcours devenu légendaire.

pas question d'abandonner Strasbourg. De Gaulle doit intervenir en personne auprès du commandant en chef des forces alliées, le général Eisenhower. Très réticent, celui-ci accepte de revenir sur cette décision, à condition que la défense de la ville dépende entièrement de la 1re armée française. Jusqu'au 22 janvier les Allemands progressent, mais, à une dizaine de kilomètres de la ville, ils renoncent devant la résistance des Français. L'échec de l'offensive des Ardennes a désormais placé l'armée allemande sur la défensive. Il faut pourtant à de Lattre de Tassigny deux attaques acharnées et en tenaille pour réduire la « poche » de Colmar en quinze jours.

Le 2 février **1945**, Colmar est enfin libéré. Le 9 février, les Allemands finissent de repasser le Rhin par le seul pont encore sous leur contrôle, à Chalampé. Mais il faut attendre le 19 mars pour qu'avec Wissembourg, en ruine, tout le territoire français soit délivré.

Les grandes dates

58 av. J.-C. – Jules César établit le Rhin comme frontière de l'Empire romain.

4e s. – Fondation des trois évêchés Metz, Toul et Verdun.

842 – Serments de Strasbourg, premières traces de français et d'allemand.

843 – Traité de Verdun, partage de l'empire carolingien en trois royaumes.

1048 – Fondation de la dynastie des ducs de Lorraine par Gérard d'Alsace.

1525 – Guerre des Paysans.

16e s. – Réforme protestante.

1618-1648 – Guerre de Trente Ans.

1697 – Traité de Rijswick : la Lorraine passe sous protectorat français et le Rhin est établi comme frontière.

1766 – Mort de Stanislas Leszczyński. La Lorraine devient française.

1871 – Traité de Francfort, annexion de l'Alsace et la Moselle par l'Allemagne.

1916 – Bataille de Verdun.

11 novembre 1918 – Armistice ; retour des territoires annexés à la France.

17 août 1940 – Annexion de l'Alsace et de la Moselle au Reich.

1945 – Libération et retour à la France de l'Alsace et de la Moselle.

1949 – Fondation du Conseil de l'Europe à Strasbourg.

1979 – Élection du 1er Parlement européen installé à Strasbourg.

2004 – Fin de l'exploitation de charbon en Lorraine et de potasse en Alsace.

Un passé industrieux

MÉTIERS TRADITIONNELS DES VOSGES

Grâce à leurs ressources naturelles, les vallées vosgiennes ont, depuis le Moyen Âge, connu une intense activité artisanale. Forges, fonderies, verreries et cristalleries trouvaient dans le bois un combustible abondant que transformaient les charbonniers au cœur de la forêt. C'était aussi une matière première essentielle pour les charpentiers comme pour les ébénistes et, de façon très spécialisée, pour les luthiers de **Mirecourt** qui utilisent toujours l'érable sycomore et l'épicéa produits localement. Les images d'**Épinal**, dont la renommée fut extraordinaire, s'expliquent par la présence de papeteries alimentées sur place. Les torrents fournissaient de leur côté une énergie inépuisable qui, captée par les moulins à eau, servait à actionner soufflets, marteaux et scies comme à actionner des pompes. Enfin, le sous-sol livrait des minerais qui, avant de s'épuiser, ont fait la prospérité de **Ste-Marie-aux-Mines**. On y venait, à la Renaissance, de toute l'Europe centrale pour y extraire l'argent, le plomb ou le cuivre. Au 18e s., l'industrie textile, attirée par la puissance et par la pureté des cours d'eau, s'est mise à remonter dans les vallées à partir du versant alsacien. Soutenues par les capitaux mulhousiens, les cotonnades ont ainsi fait la célébrité de la toile des Vosges. Filatures, tissages et teintureries se sont développées pour passer de l'autre côté et redescendre les vallées lorraines, tandis que le tissage du lin s'implantait à **Gérardmer**.

Aujourd'hui encore, la forêt fournit, avec ses sapins et ses épicéas, un important marché de bois de sciage et de papeterie. Le hêtre, autrefois de faible valeur, est maintenant très utilisé en bois de placage. Si la descente des troncs coupés a perdu de son pittoresque depuis qu'elle ne s'effectue plus par **schlittage**, procédé qui consistait à faire glisser un traîneau, la schlitte, sur des rondins disposés comme les barreaux d'une échelle le long d'une forte pente, on utilise encore les chevaux sur les terrains inaccessibles aux machines. Scieries et papeteries se sont modernisées et concentrées, comme l'industrie textile qui, après de graves crises, a réussi à se maintenir par la qualité de sa production (linge de maison et habillement).

L'abondance des matières premières, argiles, sables alluviaux des rivières et réserves de bois pour alimenter les fours, permettent à de grandes cristalleries comme Baccarat ou Saint-Louis de voir le jour et d'acquérir une renommée internationale.

L'INDUSTRIE MULHOUSIENNE

Le passé industriel de la ville aux cent cheminées remonte au 18e s. Une première indiennerie (manufacture d'impression sur étoffe) est créée en 1746 par quatre Mulhousiens, marquant le départ de l'industrie textile dans la ville. Leur réussite fait des émules et, en 1798, on recense 15 manufactures ; une trentaine au début du 19e s. La chimie et la mécanique sont les moteurs du développement de la région. La population passe de 7 000 à 100 000 âmes en un siècle, faisant de Mulhouse une métropole industrielle. En 1826, un groupe d'industriels mulhousiens fonde une association de droit local, reconnue d'utilité publique en 1832 par ordonnance royale : la Société industrielle de Mulhouse. Dès l'origine, la SIM a pour but de propager l'industrie, mais aussi de constituer un lieu de recherche, d'activité et de diffusion d'ordre scientifique, économique, social, artistique et technique. Son patronat, protestant, influencé par l'humanisme, crée des organismes d'encadrement social (notamment une Société mulhousienne des cités ouvrières) et de formation de la classe ouvrière. Durant tout le 19e s., la Société industrielle de Mulhouse est le laboratoire d'idées où s'échafaude le « modèle mulhousien », une convergence entre l'industrie, la recherche et l'enseignement.

Ville allemande de 1871 à 1918, Mulhouse perd près de 20 % de sa population, qui opte pour la France. Pendant toute cette période, la SIM, (interdite de 1914 à 1918) reste le haut lieu de la culture française (ses bulletins seront toujours publiés en français). La métallurgie, la construction mécanique, la laine et la chimie relaient alors l'industrie du coton en déclin.

Le statut du mineur

En 1946, alors que les mines sont nationalisées, les mineurs obtiennent par décret un statut particulier. Il s'explique par l'intention de « compenser autant que possible la pénibilité, et la dangerosité, du métier par un certain nombre de contreparties sociales et matérielles ». Il s'agit essentiellement de la gratuité du logement, du charbon et du transport.

En 1903, la découverte de gisements de potasse ouvre de nouveaux horizons et l'extraction potassique connaît une forte expansion avec le retour de Mulhouse à la France en 1918.

LES MINES DE LORRAINE

C'est à la fin du 19e s. que l'aventure de la grande industrie commence en Lorraine. L'exploitation du fer et du charbon a donné naissance à la plus puissante industrie de l'acier que la France ait connue et a assuré la prospérité de la Lorraine pendant trois quarts de siècle. Une innovation technique renforça l'essor du bassin minier et de la sidérurgie ; il s'agit du procédé Thomas (découvert en 1878), qui permet d'éliminer le phosphore du métal au cours même de la transformation de la fonte en acier. Les Wendell, famille d'origine flamande installée en Lorraine depuis le début du 18e s., pressentent l'importance de cette découverte et acquièrent le monopole du procédé Thomas pour vingt ans, s'affirmant ainsi rapidement comme le premier groupe régional. Un paysage de métal et de cheminées géantes est né, chaotique, avec ses gares de marchandises, ses usines et ses cités ouvrières dispersées au long des vallées qui s'enfoncent à l'intérieur de la côte de Moselle. Depuis 1856, date du début de l'industrie minière qui fit la richesse de la région, 800 millions de tonnes de charbon ont été extraites en Moselle. 1962 est une année record avec 63 millions de tonnes de fer extrait, mais la crise touche l'industrie minière de Lorraine à partir des années 1970. Trop peu rentables, les mines ferment dans les années 1990 ; les hauts fourneaux des vallées de la Chiers et de la Fensch se taisent à jamais.

Le 23 avril **2004**, la dernière mine de France, celle de la Houve, à Creutzwald en Moselle, a fermé définitivement ses portes. Elle avait livré 100 millions de tonnes de charbon. Des ruines spectaculaires et rouillées hantent les « friches » industrielles qui n'ont pas encore été occupées par de nouvelles activités. Non sans douleur, la Lorraine a su tourner la page.

Pourtant, des usines géantes se dressent toujours dans le paysage lorrain car la grande industrie n'a pas disparu, mais elle génère désormais très peu d'emplois. À côté de la fonderie, qui fournit des produits très haut de gamme, se maintient une puissante industrie chimique. Elle s'est développée grâce au charbon que le pétrole remplace de plus en plus, mais aussi grâce au sel, la troisième grande ressource minière de la région. Exploité dès l'Antiquité dans le Saulnois, près de Nancy, il n'est extrait que dans quelques mines pour fabriquer de la soude.

Quelques personnalités

DU MONDE RELIGIEUX

C'est par **Jeanne d'Arc** (1412-1431) qu'il convient de commencer cette galerie de portraits. Née à Domrémy, elle entend des voix célestes qui lui commandent de prendre les armes pour « bouter les Anglois hors de France ». Une fois sa mission accomplie, elle est arrêtée par les Anglais et remise au tribunal de Rouen, puis condamnée au bûcher pour hérésie.

Grand théologien de la Réforme, né à Sélestat, **Martin Bucer** (1491-1551) joue un rôle déterminant dans l'organisation de la Nouvelle Église et, avec **Jacques Sturm** (1489-1553), diplomate, il contribue au rayonnement européen de Strasbourg au 16e s. Après la victoire de Charles Quint sur les protestants, le premier s'exile et meurt en Angleterre et le second tombe en disgrâce.

Autre homme d'église, l'**abbé Grégoire** (1750-1831) est né à Vého, près de Lunéville. Il étudie dans un collège jésuite à Nancy, devient le curé d'Emberménil, puis enseigne à l'école jésuite de Pont-à-Mousson. Il s'illustre en politique dès 1789 en représentant le clergé aux États généraux. Député à la Convention, il fait voter des lois décisives comme la reconnaissance des droits civils et politiques

Jeanne d'Arc (John Gilbery, Londres, Royal Society of painters in watercolour).

aux juifs et l'abolition de l'esclavage (1794). À sa mort, Napoléon Ier ampute une partie de son œuvre mais elle sera reprise et achevée par son fils spirituel **Victor Schœlcher**. Né à Paris mais fils d'un faïencier alsacien, Schœlcher (1804-1893) signa le décret d'abolition de l'esclavage en 1848. Lors du bicentenaire de la Révolution, les cendres de l'abbé Grégoire ont été transférées au Panthéon, où Schœlcher reposait depuis 1949.

DU MONDE MILITAIRE

L'épopée napoléonienne est l'occasion pour de grands militaires alsaciens de s'illustrer. Le Strasbourgeois **Jean-Baptiste Kléber** (1753-1800) est resté le soldat le plus populaire d'Alsace. Il gagna ses galons lors des guerres de la Révolution et se vit confier par Napoléon des missions importantes en Égypte, où il devint commandant en chef. Quant à **François Joseph Lefebvre** (1755-1820), né à Rouffach, ses faits d'armes lui valurent d'être fait duc de Dantzig, puis maréchal. Il est aussi l'époux de « Madame Sans-Gêne ».

Le capitaine **Alfred Dreyfus** (1859-1935), né à Mulhouse, eut le grand tort d'être juif. Injustement accusé de trahison, il est condamné à la déportation perpétuelle en Guyane en 1894. L'affaire Dreyfus allait profondément marquer la IIIe République, partagée entre les antidreyfusards et les défenseurs de Dreyfus, conduits par Émile Zola. Une première révision du procès maintient sa condamnation « avec des circonstances atténuantes » ; il faudra attendre 1906 pour que Dreyfus soit gracié et réintégré dans l'armée.

DU MONDE POLITIQUE

Né à Saint-Dié, dans les Vosges, **Jules Ferry** (1832-1893) fut tour à tour député républicain, maire de Paris, ambassadeur, ministre de l'Instruction publique et président du Conseil. On lui doit notamment la gratuité et la laïcité de l'enseignement ainsi que l'accès des filles aux lycées.

Avocat de formation, **Raymond Poincaré**, né à Bar-le-Duc en 1860, entre très jeune dans la carrière politique : député à 29 ans, ministre à 33, il est élu président de la République en 1913 et incarne pendant la guerre l'unité de la nation en appelant dès août 1914 tous les Français à « l'union sacrée ». En 1920, il quitte l'Élysée mais pas la vie politique : à deux reprises, il est rappelé à la présidence du Conseil. Enfin, son nom est associé à la réforme du franc de 1928. Membre de l'Académie française à partir de 1909, il meurt en 1934.

DU MONDE DES ARTS

Maître du clair-obscur, **Georges de La Tour** (1593-1652), originaire de Vic-sur-Seille, fut un des grands peintres du 17e s. Célèbre de son vivant, il fit toute sa carrière à Lunéville. Tombé dans l'oubli, il fut redécouvert au 19e s. **Gustave Doré** (1832-1873), lui, excelle dans le dessin. Né à Strasbourg, il quitte tôt sa région natale, qui devait cependant marquer son imaginaire. Le peintre sundgauvien **Jean-Jacques Henner** (1829-1905), grand prix de Rome en 1858, fut un portraitiste reconnu. Bien qu'installé à Paris, deux de ses toiles célèbrent particulièrement son Alsace natale, *Eugénie Henner*, sa nièce peinte en costume régional en 1870, et *Elle attend*, qui, réalisée en 1871, devint un symbole de la province perdue. Le créateur de la statue de la Liberté inaugurée à New York en 1886, **Frédéric Auguste Bartholdi**, est né à Colmar en 1834. Il quitte vite l'Alsace pour Paris mais y reviendra souvent, jusqu'à sa mort en 1904. Un musée lui est consacré dans sa maison natale à Colmar. **Gustave Stoskopf** (1869-1944), figure imposante du « réveil alsacien », est un intellectuel accompli. Peintre, il réalise des portraits d'Alsaciens d'un grand réalisme ; dramaturge, il laisse un chef d'œuvre en dialecte : *Herr Maire*.

Jean Hans Arp (1886-1966), né à Strasbourg, est un artiste majeur du 20e s. Poète, peintre et sculpteur, il est l'un des membres fondateurs du dadaïsme et participe avec sa femme, Sophie Taeuber, au surréalisme, avant de s'intéresser à l'art abstrait. Le musée d'Art moderne de Strasbourg possède une trentaine de ses œuvres. Dessinateur et satiriste récompensé par de nombreux prix, **Tomi Ungerer** est né en 1931. Enfant, il subit à Colmar l'endoctrinement nazi à l'école, qu'il relate dans *À la guerre comme à la guerre* (paru en 1991). Après des études de graphisme à Strasbourg, il s'embarque pour New York en 1957 et s'installe aux États-Unis. Mais, attaché à son Alsace natale, il lui consacre un album détonnant, *L'Alsace en torts et de travers*.

Le dessinateur provocateur et anarchisant **Reiser** (1941-1983) était originaire de Meurthe-et-Moselle. Il a mis au service de revues comme *Hara Kiri* ou *Charlie Hebdo* son humour décalé, tandis que son personnage du « Gros dégueulasse » est resté dans les annales…

DU MONDES DES LETTRES

Émile **Erckmann** (1822-1899) et Alexandre **Chatrian** (1826-1890) signent à quatre mains des romans qui rendront populaires un certaine image de l'Alsace notamment *L'Ami Fritz* et de nombreux contes. Les **frères Goncourt**, Jules (1830-1870) et Edmond (1822-1896), chroniquèrent dans leur *Journal* les évolutions littéraires et artistiques de leur temps. Si Jules est le « véritable écrivain », Edmond, féru de peinture et grand collectionneur, fut le découvreur de l'art japonais. C'est à lui également, par volonté testamentaire, que l'on doit la création du célèbre prix Goncourt.

Né à Charmes-sur-Moselle, l'écrivain **Maurice Barrès** (1862-1923) est d'abord député boulangiste de Nancy. Ses œuvres littéraires témoignent de ses convictions nationalistes, qui inspirèrent l'extrême-droite de l'entre-deux guerre. Il est élu à l'Académie française en 1906.

DU MONDE DES SCIENCES

Personnage atypique, **Albert Schweitzer** (1875-1965), surnommé le French Doctor, est né à Kaysersberg. Musicien, professeur de théologie protestante à la faculté de Strasbourg, il a mené en tant que médecin un combat exemplaire contre le sous-développement et la maladie en Afrique. Arrêté comme ressortissant allemand en 1917 par les autorités françaises, il retourne au Gabon en 1924. Jusqu'à sa mort, il se consacre à son hôpital de Lambaréné, où son « œuvre vivante » se poursuit toujours. Il reçoit le prix Nobel de la paix en 1952.

Prix Nobel de médecine en 1965, **François Jacob** est né à Nancy en 1920. En juin 1940, il interrompt ses études pour s'engager dans les Forces françaises libres. Grièvement blessé en 1944, il doit abandonner l'idée d'être chirurgien et se tourne alors vers la biologie avec succès. Nommé professeur de génétique cellulaire au Collège de France en 1964, il est élu à l'Académie des sciences en 1977 et à l'Académie française en 1996.

Le père de la fusée Ariane, **Hubert Curien** (1924-2005), est né à Cornimont dans les Vosges. Entré dans la Résistance à 20 ans, il intègre l'École normale supérieure après la guerre, puis se lance dans une carrière scientifique. Directeur du CNRS, il sera le premier président de

Albert Schweitzer avec un malade à l'hôpital de Lambaréné (1954).

© Archives Albert Schweitzer Gunsbach

l'Agence spatiale européenne puis ministre de la Recherche. Il est élu à l'Académie des sciences en novembre 1993.

DU MONDE DU SPECTACLE

Le mime **Marcel Marceau** (1923-2007) a passé son enfance à Strasbourg. Passionné de théâtre et de cinéma, impressionné par le muet, il crée en 1947 le célèbre Bip. Il est également le fondateur de l'École internationale de mimodrame ouverte à Paris en 1978. Il a été reçu à l'Académie française en 1991.

Également né à Strasbourg, **l'acteur Claude Rich** (1929) a tourné pour la première fois, dans *Les Grandes Manœuvres* de René Char, en 1955. Son rôle dans *Le Souper* d'Édouard Molinaro en 1992 lui vaut le césar du Meilleur Acteur.

Artiste nancéen aux talents multiples, **Charlélie Couture** (1956), le chanteur à la « carlingue froissée », enchante par sa poésie décalée. Le talent doit être de famille puisque son frère n'est autre que **Tom Novembre** (né en 1959).

Remarquée à 13 ans dans un club de Sarrebruck, la voix rauque et sensuelle de **Patricia Kaas** (1966) lui a valu, depuis, d'être adulée dans le monde entier, jusqu'au Japon, où elle est une vraie star.

DU MONDE DU SPORT

Le footballeur **Michel Platini** (1955), né à Jœuf (en Lorraine), a rendu célèbre le numéro 10 de l'équipe de France, avec 353 buts marqués.

ART ET CULTURE

Cathédrale de Strasbourg, retable d'Issenheim à Colmar, Cité de l'Automobile ou Cité du Train à Mulhouse, château du Haut-Kœnigsbourg, écomusée d'Alsace, sont autant de noms qui évoquent la foisonnante diversité du patrimoine alsacien. Mais la Lorraine voisine n'a pas à pâlir ; moins connue, elle n'en recèle pas moins de joyaux : sculptures de Ligier Richier, orgues, cathédrales de Metz et de Toul, basiliques d'Avioth et de Saint-Nicolas-de-Port, trésors d'architecture classique, au premier rang desquels il faut citer la place Stanislas à Nancy. La Lorraine étonne encore par son patrimoine Art nouveau et son savoir-faire dans l'art de l'émaillerie, de la cristallerie ou de l'imagerie populaire.

BRIDGEMAN/GIRAUDON

Le retable d'Issenheim, sans doute exécuté par Grünewald, et conservé à Colmar.

L'architecture religieuse

L'art religieux de la Lorraine et de l'Alsace témoigne d'influences multiples venues, selon les époques, d'Allemagne, de France ou d'Italie.

L'ART ROMAN

L'art roman trouve ses origines dans l'**art carolingien** qui, malheureusement, n'a laissé que très peu de traces. On sait seulement qu'il a correspondu à une période faste pour ces territoires situés au cœur de l'Empire. La capitale de Charlemagne, Aix-la-Chapelle, n'étant pas très loin, **Metz**, dont l'évêque était souvent choisi dans la famille impériale, fut particulièrement choyé, comptant une soixantaine d'églises à la fin du 9e s. Les abbayes fondées à cette époque sont aussi très nombreuses. On sait que cet art a exercé une forte influence sur l'art rhénan. C'est ainsi que la cathédrale de **Verdun** comprend, comme dans les églises carolingiennes, un deuxième chœur et un deuxième transept à l'ouest, symétriques de ceux orientés à l'est. De

même, la forme octogonale de la chapelle impériale d'Aix a été reprise dans l'église d'**Ottmarsheim** au 11e s.

Le roman rhénan s'est imposé alors, avant que les influences champenoises et bourguignonnes ne l'emportent, au moins en Lorraine, dès la fin du 11e s. De façon générale, les églises romanes de ces régions se caractérisent par une grande simplicité de forme et de décors. En Alsace, elles adoptent le plan en croix latine, la nef allongée représentant le grand bras de la croix, tandis que le transept, qui forme le petit bras, est peu saillant. En Lorraine, il disparaît même dans le plan de type basilical qui est le plus fréquent, comme à **St-Dié-des-Vosges**. Un chœur peu profond, sans déambulatoire ni chapelles rayonnantes, se termine par un chevet en abside semi-circulaire ou, plus rarement, par un chevet plat d'une sobriété saisissante, comme à **Murbach**. Une tour-lanterne ronde ou carrée se dresse souvent à la croisée du transept avec, parfois, des clochers sur les côtés ou sur la façade occidentale, comme à **Marmoutier**. Les murs ont très peu d'ouvertures mais leur solennelle nudité est ornée, comme souvent dans les pays rhénans, de bandes lombardes originaires d'Italie du Nord.

L'intérieur est lui aussi d'une grande simplicité avec des colonnes à chapiteaux cubiques très élémentaires. La sculpture se concentre sur le portail, mais seul celui de l'église d'**Andlau** est remarquable. L'art roman s'est prolongé tard dans le 12e s. C'est à cette époque seulement qu'on a pris l'habitude de remplacer le plafond en charpente par la voûte sur croisée d'ogives.

L'ART GOTHIQUE

Au 12e s., l'Île-de-France a déjà élaboré les nouvelles solutions architecturales qui ont fait le succès des grandes cathédrales gothiques. En Lorraine, les cathédrales de **Metz** et de **Toul** en sont de remarquables exemples. Jusqu'en plein 16e s. encore, on continuera à lui être fidèle, comme en témoigne la magnifique église de **St-Nicolas-de-Port**, de style gothique flamboyant.

Mais c'est en Alsace que le gothique connaît un vif succès au point de s'affirmer comme un art régional, doué de sa propre personnalité. À partir de 1230 environ, on greffe une nef gothique sur le chœur roman de la nouvelle cathédrale de **Strasbourg**, de style rayonnant, alors en plein essor en France. À la fin du 13e s., Erwin de Steinbach conçoit une nouvelle façade sous la forme d'un mur plein doublé d'une dentelle de pierre. La célèbre flèche ajourée, ajoutée au 15e s., fera, elle aussi, école. Par ailleurs, les franciscains et les dominicains diffusent le modèle de la grande église-halle adaptée à la prédication. Le gothique flamboyant s'y épanouit à la fin du Moyen Âge.

RENAISSANCE ET CLASSICISME

Le gothique tardif s'est poursuivi jusqu'au début du 17e s. À cette époque, c'est surtout la peinture et la sculpture qui expriment le mieux la sensibilité religieuse. La guerre de Trente Ans a ruiné l'Alsace et une partie de la Lorraine et il faut attendre le 18e s. pour qu'elles retrouvent une certaine prospérité. Le classicisme venu de France s'impose alors aux élites avec de belles réalisations, comme l'église de **Guebwiller**. Mais les goûts provinciaux se portent plus naturellement vers l'art baroque, comme en témoigne le décor somptueux de l'abbatiale d'**Ebersmunster**, non loin de Sélestat, ou, en Lorraine, la façade de l'église St-Sébastien à **Nancy**.

L'architecture civile

L'Alsace a conservé dans ses villes d'innombrables exemples d'architecture civile, publique et privée, de la Renaissance à l'âge classique. De cette dernière époque, on peut découvrir en Lorraine de splendides résidences princières, ainsi que quelques réalisations urbaines exceptionnelles.

LA RENAISSANCE

Contrairement à la Lorraine qui n'a laissé que peu de constructions de style Renaissance (parmi lesquelles il faut tout même citer la ville haute de **Bar-le-Duc**), l'Alsace connaît, comme l'ensemble des pays rhénans à cette époque, un véritable épanouissement architectural lié au développement des villes marchandes. Celles-ci avaient, dès la fin du Moyen Âge, acquis leur autonomie dans le cadre du Saint-Empire romain germanique. Elles formaient alors de petites républiques prospères dirigées par les familles les plus riches. Cet esprit d'indépendance s'est alors exprimé par la construction de nombreux hôtels de ville fastueusement décorés. Aujourd'hui encore éléments de prestige, ils marquent fortement l'identité d'une ville. C'est le cas, par exemple, à **Mulhouse**, qui est d'ailleurs restée indépendante jusqu'à la Révolution. Beaucoup de petites villes possèdent encore le leur. Les plus intéressants sont à **Guebwiller**, **Kaysersberg** ou **Obernai**.

Les riches maisons bourgeoises qui les entourent ont très souvent conservé leur style Renaissance, comme à **Colmar**, **Strasbourg** ou **Riquewihr**. Elles se caractérisent par leur toit pointu en partie caché par des pignons très travaillés, en gradins ou en volutes entremêlées de clochetons, par exemple sur la maison des Têtes à Colmar. Le style Renaissance aime multiplier les détails attachants et poétiques qui animent les façades. L'oriel, sorte de logette en saillie à l'étage, permettait de mieux observer le spectacle de la rue. Il permettait aussi un meilleur éclairage des pièces, toujours très sombres dans ces villes aux ruelles étroites. Les sculptures, les enseignes en fer forgé, les pans de bois sculptés ou peints, les tourelles en encorbellement entourées d'une galerie en bois ajoutent leur charme à cet ensemble. Éléments de prestige urbain, de nombreuses fontaines datent de cette époque. Elles sont souvent ornées d'une colonne en grès rouge qui porte un blason, un saint patron ou un héros lié à la ville.

L'ÂGE CLASSIQUE

À cause de la guerre de Trente Ans qui voit l'affrontement sanglant des princes catholiques et protestants, le 17e s. fut une période sombre pour l'Alsace et la Lorraine, comme pour l'ensemble des pays relevant du Saint-Empire. Les rois de France, tirant leur épingle du jeu, ont commencé à attirer ces deux provinces dans le royaume à la faveur de leur morcellement politique. De l'occupation des Trois-Évêchés en 1552 à celle de Strasbourg en 1681, ils ont peu à peu réussi à atteindre le Rhin. Certes la complexité des divisions politiques fait qu'il faudra attendre 1766 pour que tout le duché de Lorraine soit français, tandis que de petites parties de l'Alsace sont restées théoriquement hors du royaume jusqu'à la Révolution. Mais en fait, depuis Louis XIV, le roi est le seul maître de la situation. Si une certaine influence culturelle française n'était pas nouvelle, puisqu'elle avait commencé à s'exercer dès le 13e s. avec l'art gothique, elle va désormais être adoptée par les élites en étroit contact avec la cour de Versailles. C'est ainsi que le classicisme avec ses lignes droites et ses perspectives s'est imposé dans des régions où le goût penchait plus spontanément vers l'art baroque. Au début du 18e s., le duc de Lorraine, Léopold, fait appel à un élève de Jules Hardouin-Mansart, Germain Boffrand, pour bâtir le **château de Lunéville**, bientôt surnommé le « Versailles lorrain ». Le dernier duc de Lorraine, Stanislas Leszczyński, installé à **Nancy** grâce à son gendre Louis XV, décide d'embellir sa capitale. Avec l'architecte Emmanuel Héré, élève de Boffrand, il lance un programme d'urbanisme qui aboutit à la création de la **place Stanislas**. Conciliant équilibre, grandeur et harmonie des proportions, cette place représente l'esprit même du classicisme, que rehaussent encore les grilles en fer forgé d'or de Jean Lamour. Un arc de triomphe et la place de la Carrière complètent cet ensemble.

En Alsace, le classicisme est fastueusement représenté par les **palais des Rohan**, à **Saverne** et à **Strasbourg**. Il en arrive ainsi à influencer le style régional issu de la Renaissance. Il servira de référence à l'architecture officielle au 19e s. L'annexion allemande prônera, sous Guillaume II, un style plus « germanique » illustré par le quartier de l'**Orangerie** et de l'**Universtité** à **Strasbourg**. Édifié au nord-est de la ville ancienne d'après le projet d'Auguste Orth de 1880, il présente de grandes artères arborées et des bâtiments d'un éclectisme historicisant. Toutes les grandes institutions allemandes y étaient installées. Il est aujourd'hui l'un des rares exemples intacts d'architecture prussienne.

Marquant une rupture radicale, l'**architecture contemporaine** est présente à **Strasbourg** (quartier de l'Europe).

Villes d'eaux

Les cités thermales de Lorraine témoignent d'un patrimoine architectural et décoratif riche et varié, puisant à diverses sources d'inspiration. S'il ne reste des premiers établissements construits par les Gallo-Romains que des ruines, comme à Baden-Baden sous le Friedrichsbad, le décor antique a encore ses adeptes à Luxeuil-les-Bains et à Bains-les-Bains. Les pendules de Plombières-les-Bains se sont quant à elles arrêtées à l'heure du Second Empire ; les thermes Napoléon y rappellent ceux de Caracalla à Rome. Plus modernes, les stations de Contrexéville, de style néobyzantin, et de Vittel, avec son architecture Art déco et ses blanches façades, vous plongent dans l'ambiance Belle Époque du début du 20e s. Lieux de villégiature, elles sont dotées d'un casino, poumon économique de la station mais aussi lieu de représentation par excellence, de parcs paysagers et de plus en plus d'installations sportives.

Châteaux et places fortes

Le passé mouvementé de l'Alsace et de la Lorraine se lit dans les ouvrages défensifs érigés depuis le Moyen Âge : donjons médiévaux, places fortes de Vauban et, dernière grande innovation en la matière, la ligne Maginot.

CHÂTEAUX FORTS

Si les archéologues ont retrouvé les traces des sites fortifiés, ou *oppida*, dans lesquels se rassemblaient les peuples celtes, si la ville de Strasbourg a pour origine un camp de la légion qui défendait le *limes* romain qui suivait le Rhin face au monde barbare, il faut bien admettre qu'il n'en reste presque rien. En revanche, on peut s'étonner du nombre de châteaux médiévaux qui surplombent la plaine d'Alsace. D'autres, dressés sur leur piton de grès rouge dans les Vosges du Nord, ne se laissent découvrir qu'au fond d'une épaisse forêt. C'est l'émiettement des

L'imposante citadelle de Montmédy.

pouvoirs, dans le Saint-Empire romain germanique, qui est à l'origine de l'édification de ces orgueilleuses constructions destinées à signaler la puissance de leur propriétaire sur le voisinage. La concurrence était rude, entre les chevaliers-brigands, les villes, les princes et l'empereur. La même chose se retrouve en Lorraine mais, contrairement à sa voisine, elle n'a conservé que très peu de vestiges, en raison des destructions du 17ᵉ s., à l'exception de **Prény**, **Sierck** ou **Châtel-sur-Moselle**. En Alsace, on n'a que l'embarras du choix. On découvrira, dans le silence d'une promenade en montagne, les ruines d'une simple tour qui, fière encore, s'élance vers le ciel, simplement entourée de quelques pans de murs démantelés. Ou bien on préférera le spectacle de la superbe, quoique controversée, reconstitution du **Haut-Kœnigsbourg**. Bâti au cours du 12ᵉ s. par les Hohenstaufen et notamment par l'empereur Frédéric Barberousse, ce monument fut restauré par la volonté de Guillaume II au début du 20ᵉ s. Mais beaucoup d'autres méritent une visite, comme le surprenant **Fleckenstein**, dans le Parc naturel régional des Vosges du Nord, qui, en partie troglodytique, porte la couleur éclatante du grès rouge vosgien, la roche où il est édifié.

CITÉS FORTIFIÉES

Les villes alsaciennes n'ont, en général, conservé que de rares vestiges de leurs remparts du Moyen Âge. Dès le 16ᵉ s. naît un nouvel art des fortifications, contraint, par l'usage de l'artillerie, à développer d'immenses ouvrages bastionnés en forme de polygone. Au siècle suivant, Vauban, pour empêcher l'invasion du royaume, les a

systématisés aux « frontières », mot d'origine militaire qui apparaît justement à ce moment-là. L'Alsace et la Lorraine, qui viennent de passer sous la domination de Louis XIV, se retrouvent aux avant-postes du royaume du côté de l'est. Alors qu'à l'intérieur du pays on démantèle châteaux et murailles, des villes comme Metz et Strasbourg sont corsetées de défenses impressionnantes dont il ne reste aujourd'hui que des vestiges. Certaines ont été presque intégralement préservées comme celle de Neuf-Brisach, chef-d'œuvre de Vauban.

OUVRAGES DE DÉFENSE FORTIFIÉS

La question de la frontière mouvante entre la France et l'Allemagne va prendre une importance démesurée à partir de l'annexion de 1871. Avec la perte des villes fortifiées par Vauban en Alsace, la France décide de fermer ce qu'on appelle alors la « trouée de Lorraine » à toute invasion. Entre **Toul** et **Verdun**, le directeur du génie militaire, **Séré de Rivières**, organise la « ligne de fer », un système de forts à demi enterrés, assez proches les uns des autres pour former un « rideau » de feu. Parmi eux, ceux de **Vaux** et de **Douaumont** restent des témoins indispensables et poignants pour comprendre la bataille de Verdun. Après la Première Guerre mondiale, on entreprend de construire la **ligne Maginot**. Les installations accessibles à la visite, comme celles, colossales, du **Hackenberg**, près de Thionville, donnent la mesure de l'effort inutile qui fut entrepris. Mais ces couloirs souterrains immenses et désertés, d'où n'émergent que les cloches de tir et d'observation, laissent un souvenir marquant.

ABC d'architecture

Les dessins présentés dans les planches ci-dessous offrent un aperçu visuel de l'histoire de l'architecture dans la région et de ses particularités. Les définitions des termes d'art permettent de se familiariser avec un vocabulaire spécifique et de profiter au mieux des visites des monuments religieux, militaires ou civils.

Architecture religieuse

ST-DIÉ – Plan de l'église N-D-de-Galilée (12ᵉ s.)
Plan basilical : chœur à trois absides et absence de transept.

Travée : division transversale de la nef comprise entre deux piliers

Nef

Abside : extrémité généralement arrondie d'une église qui contient le chœur. Sa partie extérieure s'appelle le **chevet**.

Collatéral ou **bas-côté**

Clocher-porche. S'appuie sur le mur de l'église ; sa base forme l'entrée de l'église.

Chœur

Chapelle ou **absidiole orientée**

Pile faible : formée de quatre colonnes accolées figurant des quatrelobes

Pile forte : pilier (section carrée) flanqué de quatre colonnes

STRASBOURG – Coupe transversale de la cathédrale Notre-Dame (12ᵉ-15ᵉ s.)

Pinacle : couronnement d'un contrefort, plus ou moins orné.

Oculus : petite ouverture ronde

Voûte d'ogive

Fenêtre haute

Tribune

Arc-boutant

Culée d'arc-boutant

Contrefort étayant la base du mur

Bas-côté

Nef

ST-NICOLAS-DE-PORT – Voûtes de la basilique (fin 15ᵉ- début 16ᵉ s.)

Tierceron : subdivision d'une lierne

Clé de voûte

Ogive

Doubleau : arc séparant deux voûtes ou renforçant une voûte

Lierne : nervure auxiliaire d'une voûte d'ogive

Voûte barlongue : voûte ayant la forme d'un rectangle

Fenêtre haute

Lancette : arc brisé surhaussé ressemblant à une pointe de lance

Grande arcade

Écoinçon : surface comprise entre l'arc et son encadrement

R. Corbel/MICHELIN

STRASBOURG – Façade du portail central de la cathédrale Notre-Dame (12e-15e s.)

Toute la richesse du gothique rayonnant se concentre dans le portail central richement sculpté et couronné de gâbles ajourés.

Gâble : pignon décoratif surmontant certains portails et fenêtres, ici ajouré.

Grande rose ou rosace à remplage, formée de seize pétales géminés.

Voussures : arcs concentriques couvrant l'embrasure d'une baie

Pinacle

Archivolte : ensemble des voussures

Piédroits ou **jambages :** montants verticaux sur lesquels retombent les voussures

Vantaux en bronze

Trumeau

Registre : bande d'ornement sculptée

Tympan formé de quatre registres historiés

R. Corbel/MICHELIN

MARMOUTIER – Façade romane de l'église St-Étienne (vers 1140)

Oculus

Pinacle

Toit polygonal

Fenêtre bilobée : divisée en deux compartiments, par une colonnette médiane

Arcature aveugle

Arc en plein cintre

Colonne monolithe

Marmouset : figure grotesque décorant un culot ou un support

Pignon

Gargouille

Lésène ou bande lombarde : décoration enfaible saillie, faite de petites arcades aveugles reliant des bandes verticales.

Chapiteau cubique portant un gros tailloir (plateau de couronnement)

METZ – Cathédrale St-Étienne (13e-16e s.)

Flèche

Tourelle octogonale surmontée d'un lanternon

Tour-clocher

Pinacle

Abat-son : lames de bois placées obliquement dans les baies des clochers

Arc-boutant

Arcature aveugle

Fenêtres hautes

Chapelle latérale

Grand portail

Porche

Fenêtre dite "chartraine", formée de deux lancettes surmontées d'une rose.

R. Corbel/MICHELIN

THANN – Stalles de la collégiale St-Thiébaut (14ᵉ-début du 16ᵉ s.)

Stalles hautes

Dais ajouré

Accoudoir

Parclose : séparation en boiserie entre deux stalles. Parcloses, miséricordes, jouées sont souvent sculptées de petites figures à la verve réaliste, les **drôleries**.

Stalles basses

Jouée : cloison verticale fermant la rangée des stalles

Miséricorde : petite console permettant de prendre appui, une fois le siège relevé (per misericordiam, par compassion).

Architecture civile

SAVERNE – Maison Katz (1605-1668), n° 76, Grand'Rue

Toit en nez cassé (petite croupe au pignon)

Toit en réveillon : présentant une rupture de pente dans sa partie inférieure

Entrait : pièce de charpente horizontale

Colombage en forme de chaise curule ou de croix

Hourdis : matériau de remplissage, le plus ancien étant le torchis constitué d'un mélange d'argile, de paille et de poil animal.

Sablière : longue poutre horizontale de façade servant d'assise à d'autres pièces

Oriel à double étage de plan triangulaire

Cives : petites pièces de verre rondes servant de carreaux-vitres au Moyen Âge

Fenêtre à meneaux sculptés

Arc en anse de panier

R. Corbel/MICHELIN

LUNÉVILLE – Château (18e s.)

Surnommé le « Petit Versailles », ce château a été conçu par l'architecte Germain Boffrand.

Entablement :
ensemble constitué
par l'architrave, la
frise et la corniche.

Plate-forme avec
garde-corps ajouré

Haut comble
à pans coupés

Attique : petit étage
supplémentaire
couronnant une
construction

Comble

Fronton triangulaire

Arc en segment

Chapiteau composite :
synthèse des ordres
ionique et corinthien

Passage couvert

Imposte : partie
supérieure d'une baie
de porte ou de fenêtre

**Colonne d'ordre
colossal :** ordre
d'architecture
embrassant plusieurs
étages.

Architecture thermale

CONTREXÉVILLE – galerie et pavillon des sources (1909)

Expression d'un goût prononcé pour l'éclectisme architectural, typique des villes thermales.
Prépondérance du style néo-byzantin.

Tambour habillé de
briques dessinant des
motifs géométriques

Coupole à charpente
métallique percée d'un
oculus permettant
l'éclairage zénithal

Chapiteaux doriques

Péristyle concentrique

Galerie-portique

Colonnes cannelées
avec décor de
mosaïques

R. Corbel/MICHELIN

Architecture militaire

HAUT-KOENIGSBOURG – Château féodal reconstitué au début du 20ᵉ s.

Donjon

Courtine : pan de mur compris entre deux tours

Chemin de ronde couvert

Mâchicoulis : ouvertures en encorbellement pratiquées dans le chemin de ronde

Hourd : galerie en bois

Bretèche : logette rectangulaire couverte d'un toit en appentis et faisant saillie sur la façade

Enceinte extérieure

Poterne : petite porte de sortie située dans la muraille d'enceinte du château

NEUF-BRISACH – Place forte (1698-1703)

Le système bastionné polygonal naît au 16ᵉ s. avec les progrès de l'artillerie : le canon d'un ouvrage supprime l'angle mort de l'ouvrage voisin.

Fossé

Église de garnison

Porte

Place d'Armes

Glacis : talus d'un ouvrage fortifié

Casernements

Réduit de demi-lune

Tenaille : ouvrage bas placé devant la courtine, formé de deux faces en angle rentrant.

Courtine : pan de muraille compris entre deux bastions

Bastion : ouvrage de plan pentagonal faisant saillie sur une enceinte fortifiée

Demi-lune : ouvrage à deux faces formant un angle aigu placé au-devant de la courtine d'un front bastionné

R. Corbel/MICHELIN

Habitat traditionnel

PETITES VILLES ET VILLAGES D'ALSACE

Le charme de l'Alsace, ce sont d'abord ses petites villes et villages qu'on découvre au creux d'un vallon en musardant le long des petites routes. Ils invitent à la flânerie dans un cadre qui évoque les contes d'autrefois, avec leurs maisons à colombages sagement groupées autour de leur église. C'est une région où les fermes isolées sont rares. L'habitat traditionnel y est préservé et entretenu avec grand soin.

En se promenant au gré des rues, on est frappé par l'harmonie qui se dégage de ces maisons qui respectent le style régional. Si l'oeil ne s'en lasse pas, c'est qu'en réalité aucune d'entre elles n'est exactement semblable. Rarement mitoyennes, elles ont leur propre orientation, d'où le tracé parfois imprévu et sinueux de la rue. Leurs couleurs ressortent gaiement sur le colombage en bois sombre. Le crépi blanc ou gris d'autrefois se fait de nos jours bleu, vert, rouge ou ocre. Les toits à forte pente sont couverts de tuiles plates au bout arrondi en « queue de castor », ou *biwerschwang*. Parfois, un immense nid de cigogne est juché par-dessus. Les petits auvents qui protègent les murs des intempéries, les volets peints en vert, les fenêtres et les galeries en bois sculpté, partout fleuries de géraniums, donnent un air de fête aux façades. D'infinis détails individualisent chaque maison : les tuiles colorées dessinent des losanges, que répètent les poutres du colombage. Celles-ci reproduisent souvent d'autres symboles porte-bonheur ou de protection comme les croix de St-André ou les « arbres de vie », fréquents dans le Sundgau. Les sculptures des poteaux d'angle comme les panneaux peints des murs portent des emblèmes religieux ou de métiers ayant un lien avec l'identité du propriétaire de la maison. L'intérieur traditionnel comprend le grand poêle en faïence de la *stube* (pièce à vivre), qui s'alimente depuis la cuisine. Les assiettes décorées de couleurs vives se détachent sur de beaux meubles en bois massif et luisant.

DIVERSITÉ DE L'HABITAT

À l'**écomusée d'Alsace**, on apprend à distinguer les différents styles locaux, qui dépendaient des traditions et du mode de vie des habitants. Trois grands types de fermes existent : la maison-bloc qui, modeste, rassemble tout sous le même toit (logement, étable et grange), la grosse ferme à cour fermée dans laquelle, au contraire, chaque bâtiment est séparé et disposé autour d'une cour, enfin la petite maison de vigneron. Chaque petit pays peut se reconnaître grâce à son habitat.

Tout au nord, isolée par la forêt de Haguenau, l'**Outre-Forêt** a bien préservé ses traditions. Ses « maisons-blocs » ont des poutres peintes en noir qui tranchent sur le crépi blanc des murs en torchis. Des auvents protègent le mur-pignon au toit élancé. Tout au sud, la ferme du **Sundgau** reste modeste, elle aussi, avec son colombage et un crépi plus varié, bleu-vert ou gris souligné de traits blancs. Le toit, qui annonce le Jura proche, est déjà plus massif, avec sa croupe en triangle du côté du pignon. Dans les régions à lœss, comme le **Kochersberg**, on trouve des fermes beaucoup plus imposantes. C'est autour d'une vaste cour carrée que sont disposées l'habitation à plusieurs étages, avec en face l'écurie et l'étable et au fond l'immense grange. Cet espace est fermé du côté de la rue par un porche double dont le grès rose des Vosges souligne l'arcade. Un balcon en bois orne souvent l'habitation au dernier étage. Un peu plus au nord, dans le prospère **pays de Hanau**, la symétrie recherchée du poutrage, la multiplication des losanges et des moulures et les doubles balcons à balustrade sur le mur-pignon sont la marque des Schini, célèbre dynastie de charpentiers. Dans le **piémont vosgien**, les contraintes du vignoble ont imposé la maison de vigneron, dont seul l'étage, où se trouve l'habitation, est à colombages. On y accède par un escalier en bois qui part de la cour étroite qui donne sur la rue. Le rez-de-chaussée abrite le pressoir et la cave. Parfois à demi enterré, il est maçonné ou en pierre. Le décor souvent très élaboré multiplie les symboles et les maximes liés au monde du vin. Dans le **Ried** subsiste la rare maison de pêcheur traditionnelle, très archaïque avec son toit en chaume et ses murs de

---

Maisons rurales

Aux côtés de l'écomusée (p. 155), nombreux sont, en Alsace, les musées d'art et traditions populaires installés dans des maisons anciennes où chaque pièce a été reconstituée, avec ses meubles, ses ustensiles et sa décoration traditionnelle. *Voir Kutzenhausen (p. 435), Neuviller-la-Roche (p. 346), Villé (p. 401), Château-Lambert (p. 120), Marmoutier (p. 218), Oltingue (p. 382), Offwiller (p. 429)…*

R. Corbel/MICHELIN, source Ecomusée d'Alsace

Ferme à cour du Koscherberg.

remplissage en lits de galets disposés entre des poteaux et recouverts d'argile crue entassée entre des piquets verticaux. Enfin, les fermes de l'**Alsace « bossue »** annoncent la Lorraine avec leur toit moins pentu. Plus sobres, elles se signalent surtout par le grès rose qui encadre portes et fenêtres, tandis que les moellons de pierre et la maçonnerie remplacent le colombage. Un hangar en bois, le *schop*, s'avance en saillie en avant de l'étable.

L'HABITAT LORRAIN

Signalés au loin par la flèche ou le bulbe de leur clocher, les villages lorrains se nichent au creux d'un vallon ou accompagnent, de loin en loin, les méandres d'une rivière qui s'écoule paresseusement d'un bord à l'autre de sa large vallée. Rares sur les plateaux, ils se pressent au pied d'une côte pour bénéficier ainsi des avantages des différents terroirs : en bas, les étangs et les prairies humides de la plaine, au-dessus le versant ensoleillé du talus que les vergers et parfois la vigne recouvrent, en haut les forêts sur le rebord abrupt, puis les champs du plateau. Enfin, certains se sont perchés sur une butte ou au flanc d'une vallée escarpée. Avec leur toit à faible pente et leurs tuiles rondes à la romaine, ils ont un curieux air méridional.

En Lorraine comme en Alsace, c'est l'habitat groupé qui règne, héritage des vieilles pratiques collectives. Les maisons sont, le plus souvent, accolées les unes aux autres et forment le **« village-tas »** ou le **« village-rue »**. Le premier, comme son nom l'indique, n'a pas de plan régulier mais regroupe un enchevêtrement de petites rues. Le second est plus typiquement lorrain. De chaque côté de l'unique rue se déploient deux rangées de maisons mitoyennes. La rue paraît large car un vaste espace libre, souvent fleuri aujourd'hui, s'étend entre la chaussée et la rangée des maisons. C'était autrefois l'usoir. On y déposait son bois et son tas de fumier ; on y garait sa charrue, puis plus récemment son tracteur. Sauf dans la région de Bar-le-Duc, qui possède une belle pierre de taille de couleur ocre, les maisons ont une apparence plutôt grise, leurs murs étant le plus souvent recouverts d'un banal crépi. Sur la rue, leur façade n'est pas très large. On remarque surtout la grande porte charretière de la grange, beaucoup plus imposante que la porte d'entrée. En fait, ces fermes s'étendent en profondeur jusqu'au jardin, où l'écurie et l'étable font suite à la grange. Dans l'enfilade des pièces du logement, la cuisine, souvent sans fenêtre, est traditionnellement placée entre les deux chambres, l'une sur rue et l'autre sur jardin, pour mieux les chauffer. Enfin, une imposante charpente soutient le toit d'une maison plus vaste qu'elle n'en a l'air.

Les arts figuratifs

Située à la croisée de plusieurs influences, la création artistique, en Alsace comme en Lorraine, a connu des moments exceptionnels dans le passé. Elle reste toujours importante aujourd'hui.

SCULPTURE

Après l'époque gallo-romaine, qui atteste une active production locale, le début du Moyen Âge est surtout consacré au travail de l'ivoire et à l'orfèvrerie. Les ateliers des grands monastères carolingiens, à Metz notamment, ont laissé des œuvres remarquables. Il faut cependant attendre plusieurs siècles avant de voir renaître la statuaire proprement dite. Encore rare et maladroite à l'époque romane, elle s'épanouit à l'ère des grandes constructions gothiques. C'est à **Strasbourg**, au

Ligier Richier

Le fondateur de l'école samielloise est né à St-Mihiel à l'orée du 16ᵉ s. Son père était lui-même imagier, c'est-à-dire peintre et sculpteur. Ligier Richier crée un atelier qui, dès 1532, connaît une grande renommée. Il travaille le bois mais surtout le calcaire au grain fin et clair, exploité à St-Mihiel et à Sorcy. Il expérimente des techniques de polissage et parvient à donner à la pierre l'apparence du marbre. Ses grandes dramaturgies sont consacrées surtout à la Passion du Christ. Sa *Mise au tombeau*, visible à l'église St-Étienne de St-Mihiel, est constituée d'un groupe de treize statues plus grandes que nature. Parmi ses chefs-d'œuvre, le *Transi*, monument funéraire de René de Chalon à Bar-le-Duc, rompt avec la figuration repoussante de la mort. Avec le tombeau de Philippe de Gueldre, duchesse de Lorraine, l'artiste confirme sa maîtrise du portrait.

musée de l'Œuvre-Notre-Dame, qu'on peut voir les originaux des très grands chefs-d'œuvre de la cathédrale. Les statues allégoriques de l'Église et de la Synagogue, le bas-relief de la Mort de la Vierge ou le pilier des Anges expriment remarquablement l'esprit du 13ᵉ s., profondément religieux et humain à la fois. Au 14ᵉ s., les Vierges folles et les Vierges sages révèlent un art qui recherche davantage le charme, la grâce et la souplesse. Au portail de l'église de **Thann**, le gothique flamboyant est bien représenté par le foisonnement des personnages.

À la fin du Moyen Âge et à la Renaissance, Strasbourg connaît un âge d'or intellectuel et artistique qui, fortement marqué par l'humanisme, rayonne sur l'ensemble des pays rhénans. **Gutenberg** y séjourne et, très tôt, la ville devient un centre de l'imprimerie et par là, de la diffusion des livres et du savoir. Les plus grands artistes ont acquis leur talent dans ces ateliers de sculpture sur bois, tel **Nicolas de Haguenau**, auteur des statues du **retable d'Issenheim**. De très nombreux retables de cette époque nous ont laissé de véritables mises en scène peintes et sculptées des grands épisodes de la vie du Christ et des saints.

À partir du 16ᵉ s., la sculpture s'épanouit dans l'art des mausolées. Les tombeaux de Stanislas Leszczyński et de son épouse à Nancy, comme celui du maréchal de Saxe par Pigalle à Strasbourg, comptent parmi les grands chefs-d'œuvre du 18ᵉ s. Par ailleurs le décor baroque et rococo des églises fait un large appel aux sculpteurs sur bois comme sur pierre.

PEINTURE

À l'exception des miniatures des grands manuscrits carolingiens et des chefs-d'œuvre que sont les vitraux des cathédrales de Metz et de Strasbourg, il faut attendre le 15ᵉ s. pour que se multiplient les premières grandes œuvres picturales, comme la *Vierge au buisson de roses* de **Martin Schongauer**. La force d'expression du **retable d'Issenheim** peint par **Matthias Grünewald** défie les siècles par son intensité dramatique empreinte de mysticisme. Ces œuvres sont exposées à Colmar. Schongauer a aussi pratiqué l'art de la gravure, qui a inspiré **Albrecht Dürer**, de même que son élève, le peintre strasbourgeois **Hans Baldung Grien**.

Les 17ᵉ et 18ᵉ s. voient le triomphe de la peinture baroque en Alsace. En Lorraine, l'art est davantage tourné vers la France avec **Georges de La Tour**, le maître du clair-obscur, et **Claude Gellée** dit le Lorrain, l'un des grands paysagistes français. Les poignantes gravures de **Jacques Callot** exposées au musée des Beaux-Arts et au Musée lorrain de Nancy sont un témoignage unique sur les malheurs de la guerre de Trente Ans.

Paysagistes et portraitistes, comme **Jean-Jacques Henner** (1829-1905), ont laissé une œuvre intéressante au 19ᵉ s. Le

Jacques Callot

Né à Nancy en 1592, il est d'abord apprenti chez un orfèvre, puis part apprendre le métier de graveur en Italie. C'est à Rome, mais surtout à Florence, qu'il débute réellement sa carrière grâce à son mécène le duc Côme de Médicis. Là, il délaisse le burin pour l'eau-forte, une technique qu'il perfectionne en utilisant un vernis dur qui lui permet une plus grande maîtrise. Grâce à sa technique, Callot, graveur, peintre et dessinateur s'affirme comme l'un des plus grands artistes de son temps. À son retour à Nancy en 1623, il est anobli par le duc de Lorraine. Son œuvre, riche de quelque 1 400 estampes et 2 000 dessins, se partage entre sujets religieux, guerre et vie quotidienne. Le recueil des *Petites et Grandes Misères de la guerre* compte parmi ses chefs-d'œuvre. Il meurt en 1635.

peintre et graveur **Gustave Doré** (1832-1883) a fait sa carrière à Paris mais est resté, toute sa vie, marqué par son Alsace natale. C'est au très riche musée d'Art moderne et contemporain de Strasbourg qu'on peut avoir une idée de l'importance de la création contemporaine.

ARTS DÉCORATIFS

C'est une longue tradition qui a vu naître diverses productions, en particulier en Lorraine : **faïences de Lunéville** et de **Sarreguemines**, **émaux de Longwy**, **cristalleries de Baccarat et St-Louis**, « images » d'Épinal. En Alsace, la céramique **« vieux strasbourg »** fut produite pendant tout le 18e s., conjointement à Strasbourg et à Haguenau, d'où la terre provenait. À l'origine de cette production : la famille Hannong, qui veillera à la destinée de la manufacture pendant trois générations. Au début, le décor est à lambrequins bleus, mais très vite apparaît le décor caractéristique du vieux strasbourg : les fleurs. Il y en a deux sortes, les « fleurs des Indes » et les « fleurs naturelles » ou « fleurs de Strasbourg », qui feront le grand succès de la faïencerie de 1750 à 1780. Les pièces sont marquées du monogramme formé des initiales de Paul puis de Joseph Hannong. Strasbourg eut une influence très importante et suscita la création d'autres faïenceries dans l'est de la France, notamment celle de Lunéville. Les arts décoratifs sont également présents en Alsace par les villes de Betschdorf et de Soufflenheim, où la poterie culinaire est issue de la tradition populaire. La poterie de **Betschdorf** se caractérise par des pièces de grès vernies par projection de gros sel en fin de cuisson. De couleur grise, les grès portent un décor réalisé au bleu de cobalt. Quant au soufflenheim, il s'agit d'une céramique vernissée avec un décor stylisé de fleurs ou de motifs comme des cœurs. Enfin, durant la 2e moitié du 19e s., l'Alsace se distingue également par les céramiques du Guebwillois **Théodore Deck**.

L'école de Nancy

L'ART NOUVEAU

L'Art nouveau est né à partir des années 1880 de façon convergente dans plusieurs pays, où il porte des noms différents : « Liberty » ou « Modern Style » en Angleterre, « Jugendstil » en Autriche et en Allemagne, « Tiffany » aux États-Unis. Influencé à l'origine par le style néogothique et surtout l'art japonais en réaction contre l'austérité classique dominante, il a voulu rompre, par des créations originales, avec la répétition perpétuelle et ennuyeuse des styles dits « historiques ». Ce style si caractéristique a eu un tel succès qu'il a dominé, pendant plus de vingt ans, les arts décoratifs, au point de faire partie de la vie quotidienne de la Belle Époque par ses objets innombrables, ses architectures, ses affiches et ses intérieurs de cafés.

LE PRÉCURSEUR

En France, les premières œuvres apparaissent à Nancy avec **Émile Gallé** (1846-1904), qui fabrique des verres à décor inspiré de la nature. Maître verrier à la technique éblouissante, mais aussi chef d'entreprise dynamique, il est l'un des maîtres de l'Art nouveau. Grâce à son amour des fleurs, il parvient à donner le souffle de la vie végétale à une matière a priori rigide : des feuilles, des fleurs ou

Poterie traditionnelle de Soufflenheim.

R. Mattes/MICHELIN

d'autres motifs sont façonnés dans une pâte aux formes colorées et sinueuses extraordinaires. Une connaissance profonde de la chimie du verre et une imagination très poétique s'expriment dans les nuances de ses bleus, de ses verts et de ses bruns. Céramiste et ébéniste de grand talent, Émile Gallé fait passer ce souffle créateur dans des faïences et des meubles marquetés et sculptés. Il trouve une audience internationale en remportant de grands succès lors des Expositions universelles à Paris en 1878, 1889 et 1900.

L'ÉCOLE

C'est autour d'Émile Gallé que se regroupent peu à peu des verriers, des ébénistes, des céramistes, des graveurs, des joailliers, des sculpteurs et des architectes qui vont faire de Nancy une des capitales européennes de l'Art nouveau, tout comme Paris, Vienne, Bruxelles ou Prague. Ces artistes constituent en 1901 une association, l'Alliance provinciale des industries d'art, appelée aussi l'« école de Nancy ». Leurs œuvres revendiquent d'abord un enracinement, à l'écoute de « la douce langue de la forêt lorraine ». La nature est bien là, dans cette production où tous les matériaux, verre, fer, pierre ou bois abandonnent leur apparence rigide pour la douceur de la ligne courbe dans une profusion d'ornements inspirés par l'étude des animaux et des végétaux.

Ses fondateurs avaient l'immense ambition de changer le décor de la vie quotidienne, de lui donner une esthétique raffinée tout en le rendant accessible à tous. Ils voulaient, pour cela, créer un « art social » grâce à un rapprochement entre art et industrie. En 1900, lors d'une exposition de meubles qu'il avait conçus

et décorés, Gallé exprimait ce souci : « La trouvaille à faire, ce serait des formules plastiques très simples et d'une exécution rapide. » Outre la création, l'école se proposait d'encourager la formation des ouvriers et des artisans aux techniques de fabrication les plus modernes. Elle préfigure ainsi les conceptions qui ont triomphé au cours du 20e s.

LES ARTISTES

Les membres les plus marquants de cette école sont les **frères Daum**, verriers venus d'Alsace au moment de l'annexion de 1871, ainsi que **Jacques Gruber**, dont les vitraux aux couleurs chaudes s'ornent de motifs végétaux. En ébénisterie, **Louis Majorelle**, né à Toul en 1859, a conçu des meubles aux contours élancés, sculptés de nénuphars ou d'orchidées, et des décors en ferronnerie. **Eugène Vallin** a réalisé, dans un style semblable, des pièces entières d'appartement, salles à manger ou chambres à coucher. L'élégance des plafonds peints et des cuirs muraux s'ajoute au bois pour donner une ambiance unique à ces espaces. Le cuir à la texture chaleureuse a été un matériau de choix dans le mobilier comme dans la reliure, art illustré par **René Wiener**. Il faut enfin citer les objets, les affiches et les dessins de **Prouvé** pour avoir une idée de la richesse de ce mouvement, dont le **musée de l'École de Nancy** est la plus belle vitrine. Il faut compléter sa visite par la collection Daum au **musée des Beaux-Arts** et par un tour en ville pour admirer les façades et parfois l'intérieur des plus belles réalisations architecturales, bâtiments commerciaux, villas et cafés qui, comme la **brasserie Excelsior**, sont soigneusement entretenus.

Salle à manger de Masson (musée de l'École de Nancy).

Studio image Meni/Collection Musée de l'École de Nancy

LA DESTINATION AUJOURD'HUI

Dynamiques et attractives, l'Alsace et la Lorraine n'ont pas les mêmes défis à relever, mais elles ont su conjuguer tradition, art de vivre et modernité. Lancées dans un ample programme de reconversion industrielle, elles cherchent à le faire en ménageant équilibre humain et écologique ; ouvertes sur l'Europe, elles occupent une place centrale dans sa construction et profitent de leur position stratégique dans les échanges.

R. Mattes/MICHELIN

Le Parlement européen à Strasbourg.

Activités économiques

Si la grande industrie a disparu du paysage lorrain avec le terrible bilan social que l'on sait, la reconversion de la région vers le tertiaire et notamment en faveur du tourisme apporte aux visiteurs des raisons supplémentaires de découvrir cette destination. Sa voisine, l'Alsace, a toujours bénéficié d'une image plus souriante, qu'elle continue de cultiver pour notre plus grand plaisir.

L'ALSACE, UNE RÉGION PROSPÈRE

Avec une **population** de près de 1,8 million d'habitants répartis sur un territoire de 8 280 km², l'Alsace est une des régions les plus densément peuplées de France (219 habitants au km²). Sa démographie dynamique la place au 3e rang français, derrière l'Île-de-France et le Nord-Pas-de-Calais.

Située au cœur de l'ensemble européen qui regroupe les trois quarts du pouvoir d'achat de l'Union européenne, elle occupe le 3e rang des régions les plus riches de France. Elle reste néanmoins sujette au chômage, la reconversion des entreprises suite à la crise industrielle des années 2000 étant difficile. Avec un solde migratoire positif, la région se place derechef en 3e pour l'importance de sa population étrangère, qui représente 7,4 % de sa population totale. En raison de sa situation géographique, elle compte un grand nombre de travailleurs frontaliers (en 2006, 63 100 résidents travaillaient en Allemagne ou en Suisse). Cette position frontalière entraîne également une importante présence de groupes étrangers et place l'Alsace au 4e rang des régions françaises pour les exportations.

En Alsace, l'**agriculture** apporte une forte valeur ajoutée. Si la surface cultivée est très faible, en raison de l'importance des forêts et de l'urbanisation, le revenu agricole élevé s'explique par le poids de la viticulture et des cultures spécialisées comme le houblon ou le tabac.

La diversification de son **industrie** a permis à l'Alsace d'amortir les phases de restructuration. Toutefois, l'essentiel de ses grandes activités s'inscrit dans des logiques de croissance intensive avec réductions d'emploi : automobile (PSA est le premier employeur de la région), mécanique, chimie et banque en font les frais. Il est à noter que l'Alsace ne présente pas un territoire homogène et que certaines régions connaissent plus de difficultés que d'autres. L'Alsace du nord-ouest et les vallées vosgiennes se singularisent par le poids important qu'occupent encore dans leur économie les secteurs du bois, du textile, de l'habillement et de la mécanique. Ces industries sensibles ont connu de fortes pertes d'emplois depuis les années 1970. La situation est analogue dans la région de Mulhouse, qui connaît de grandes restructurations industrielles depuis le début des années 1980. En 2004, la fermeture des Mines de potasse d'Alsace (MDPA) a entraîné la disparition de 2 000 emplois, sans compter ceux liés à la sous-traitance ou aux activités marchandes de proximité.

Baccarat

Numéro un mondial de la cristallerie, Baccarat a su se transformer avec le temps pour se maintenir et prospérer. À côté des traditionnels arts de la table, elle a développé les bijoux, un secteur qui représente désormais 26 % du chiffre d'affaires, et s'est ouverte aux designers de renom. 1 100 pièces sont présentées aux visiteurs dans l'ancienne demeure des administrateurs, une visite qui mérite le détour.

L'économie alsacienne est cependant en voie de tertiarisation.
Dans ce secteur, le **tourisme** occupe une place de choix (5,1 % dans le PIB alsacien en 2006). On estime qu'il n'emploie pas moins de 5 % de la population active alsacienne. Avec ses richesses patrimoniales, culturelles, historiques et son terroir varié, l'Alsace est en effet une destination touristique de longue date. Sa capacité d'hébergement est importante, puisqu'elle compte près de 114 000 lits (hôtels ou résidences de tourisme), avec une nette progression des locations de type gîte, chambres d'hôte. Les types de séjour et de visite se sont diversifiés avec le cyclotourisme, les randonnées équestres ou pédestres, le tourisme vert ou encore le tourisme fluvial, mais la promenade et les visites de villes occupent une place prédominante en Alsace. Parmi les sites les plus visités, Strasbourg, le Haut-Kœnigsbourg, le parc zoologique et botanique de Mulhouse et l'écomusée d'Alsace. Des « must », donc, qui ne doivent pas faire oublier tout le reste…

RENOUVEAU EN LORRAINE

Industrie en reconversion

La Lorraine compte 2,3 millions d'habitants. Longtemps, elle est apparue comme le symbole des régions industrielles en crise. En effet, victime de sa trop forte spécialisation dans des secteurs voués à la disparition ou très menacés (houillères, mines de fer, sidérurgie et textile), la région a traversé de dures crises depuis la fin des années 1970. Avec la disparition de ses industries « historiques », ce sont 178 000 emplois que perd la région entre 1962 et 1999. Après des échecs, l'épisode des « usines tournevis » dans les années 1990 (fermeture des trois sites Daewoo notamment), les trois moteurs de la reconversion et de la diversification industrielles ont été l'automobile, l'électronique et la plasturgie. Alors que l'industrie automobile ne comptait que 5 000 emplois dans les années 1960, elle en comptait plus de 22 000 en 2004 et reste le deuxième secteur employeur de l'industrie.

Aujourd'hui, l'économie régionale est plus diversifiée grâce au développement d'industries comme Saint-Gobain ou de la chimie (Solvay, Rhône-Poulenc), même si cette économie repose encore sur des secteurs traditionnels tels que l'agriculture et la forêt (la filière du bois emploie plus de 20 000 personnes).

Parallèlement, la Lorraine a su maintenir de petits centres de productions traditionnelles, de qualité parfois mondialement reconnue. C'est le cas, par exemple, de la cristallerie de Baccarat ou de la lutherie de Mirecourt, ainsi que des faïenceries réputées de Longwy, Lunéville ou Sarreguemines.

Zones dynamiques

La situation géographique de la Lorraine apparaît comme un atout majeur. En 2005, 85 000 Lorrains travaillaient au Luxembourg, en Allemagne ou en Belgique. Comme en Alsace, le territoire lorrain n'est pas uniforme : le sud-ouest meurthe-et-mosellan bénéficie d'une dynamique propre. Metz et Nancy, pôles tertiaires et universitaires, stimulent la naissance d'industries de pointe. Ces deux villes forment une sorte de métropole très allongée axée sur la Moselle, qui se prolonge vers Longwy et le Luxembourg. Avec la reconversion des anciens bassins miniers et le développement du tourisme culturel, grâce à un remarquable patrimoine architectural et artistique, elles sont en train de bouleverser la physionomie de la Lorraine. Celle-ci offre en effet des découvertes

Le TGV Est européen

Petite révolution dans les transports alsaciens et lorrains : le TGV tant attendu a été inauguré en juin 2007. Destiné à relier la France à l'Allemagne, le TGV Est européen est considéré par les villes concernées comme un véritable levier de développement. Les retombées devraient être en effet économiques, mais aussi touristiques, avec notamment une hausse des courts séjours.

L'Alsace et la Lorraine se trouvent avec des temps de parcours réduits au carrefour de l'Europe. Entre modernisation des infrastructures et développement des capacités d'accueil, toutes les villes sur la ligne du TGV sont en effervescence !

insolites. Qui sait qu'elle détient plus de 1 000 orgues sur les 7 000 recensés en France, dont une soixantaine sont classés Monuments historiques ?

Tourisme au naturel

À côté du tourisme culturel, la Lorraine, prodigue en immenses espaces naturels bien préservés, développe désormais un tourisme de détente tourné vers les loisirs de plein air. À la fois terre d'accueil et terre sauvage, à cheval sur l'Alsace et la Lorraine, les Vosges ont beaucoup d'atouts pour satisfaire le goût de plus en plus grand du public pour les **randonnées** et les promenades, ainsi que pour des sports d'hiver et d'été de moyenne montagne. Les fermes d'estive ou marcairies ont, dès la fin du 19e s., pris l'habitude d'accueillir les promeneurs en leur proposant un repas simple de paysan fondé sur l'exceptionnelle qualité de leurs produits. Aujourd'hui, les plaisirs se sont multipliés avec le cheval et le vélo, les activités des bases nautiques au bord des lacs ou, plus récemment, les

sports aériens, parapente, deltaplane ou montgolfière. Grâce à l'humidité du climat, une neige abondante a très tôt permis le développement des sports d'hiver, par la pratique, vite devenue courante, du ski de fond. Avec plus de 1 000 km de pistes reliées entre elles, les Vosges s'en sont fait une spécialité. Le ski alpin y a aussi sa place dans des stations à taille humaine qui, très complètes, proposent tous les autres plaisirs de la neige.

Autre atout de la région, le **thermalisme**. Les curistes ont un large choix de stations dont les eaux aux vertus variées étaient déjà exploitées par les Romains. Situées au sud-ouest de la région, aux confins de la Champagne et de la Franche-Comté et non loin du massif des Vosges, les stations thermales proposent des activités très variées de relaxation et de détente.

Le **tourisme fluvial**, enfin, s'est développé avec 700 km de canaux navigables, qui relient la Lorraine à l'Allemagne, la Belgique, le Luxembourg, les Pays-Bas et le Sud de la France. Une autre façon de découvrir une région tout en glissant silencieusement sur les eaux, dans le seul bruissement des feuillages.

L'Europe

Après 1945, les dirigeants de l'Europe de l'Ouest ont pris conscience de la nécessité de construire une Europe unie, débarrassée des haines du passé. Un demi-siècle plus tard, ce projet commence à se réaliser et à changer le destin de l'Alsace et de la Lorraine.

L'ALSACE, BERCEAU DE L'EUROPE

« La contribution qu'une Europe organisée et vivante peut apporter à la civilisation est indispensable au main-

Robert Schuman

Mosellan, Robert Schuman (1886-1963) eut la nationalité allemande jusqu'en 1918. Riche d'une double culture, il défend, pendant l'entre-deux-guerres, le particularisme alsacien-mosellan ; pacifiste, il cherche à surmonter les vieux nationalismes, responsables des conflits entre la France et l'Allemagne. Ministre des Affaires étrangères de 1948 à 1952, il se fait l'artisan de la réconciliation franco-allemande et le bâtisseur de l'Europe.

© Harlingue/ROGER-VIOLLET

tien des relations pacifiques » déclare Robert Schuman en mai 1950. Et ce n'est pas tout à fait un hasard si deux des « pères fondateurs » de l'Europe, Robert Schuman donc, ministre français des Affaires étrangères, et Konrad Adenauer, premier chancelier de l'Allemagne d'après-guerre, étaient l'un mosellan et l'autre rhénan.

Fondé par dix pays en 1949, le **Conseil de l'Europe** est la plus ancienne des grandes institutions européennes d'après-guerre. Ce n'était au départ qu'un organisme consultatif qui devait inciter ses membres à harmoniser leur législation dans divers domaines.

Le choix de son siège s'est porté sans difficulté sur Strasbourg. La capitale de l'Alsace, par sa position de ville-frontière, par son histoire et sa culture, était toute désignée pour jouer un rôle européen dans le cadre de la réconciliation franco-allemande. C'était aussi le cas de l'ensemble de ces régions rhénanes dont l'Europe va peu à peu révéler que ce qui les rapproche est beaucoup plus important que ce qui a pu les séparer.

LES INSTITUTIONS À STRASBOURG

Le Conseil de l'Europe est, dès sa création, composé d'un Secrétariat général, d'un Conseil des ministres nommé par les gouvernements et d'une Assemblée parlementaire élue par les parlements de chaque pays membre. Mais c'est surtout par la **Convention européenne des droits de l'homme**, qu'il a pris une importance considérable. Ce traité élaboré en 1950 a fini par entrer réellement dans le droit des pays signataires quand ceux-ci ont accepté d'être poursuivis, y compris par un simple citoyen, pour non-respect de la Convention. Deux institutions jouent pour cela un rôle fondamental : la **Commission européenne des droits de l'homme** qui prépare le travail de la **Cour européenne**. C'est un tribunal qui peut condamner un État et l'obliger à changer de législation. Le Conseil de l'Europe a acquis un tel prestige qu'il comprend aujourd'hui quarante-sept pays. Né au lendemain de la barbarie nazie, il a su répondre aux besoins de repères moraux et juridiques des peuples et des pays qui sortent de la dictature, comme ceux de l'Europe de l'Est, dans les années 1990. L'imposant **palais de l'Europe**, comme le plus récent **palais des Droits de l'homme**, sont parmi les lieux les plus marquants du nouveau « quartier européen » de Strasbourg.

Beaucoup d'autres institutions sont venues par la suite s'installer dans la capitale alsacienne, comme la **Fondation européenne de la science** ou la chaîne de télévision franco-allemande **Arte**. Mais Strasbourg accueille surtout le **Parlement européen**.

Élu au suffrage universel depuis 1979, il représente les peuples des pays membres de l'Union européenne, qu'il ne faut pas confondre avec le Conseil de l'Europe. Celle-ci, par le traité de Maastricht signé en 1992, a pris la suite de la Communauté européenne créée en 1957 par le traité de Rome. Elle a pour but de réaliser l'intégration économique de ses pays membres (27 en 2007).

C'est à ce titre que douze de ces pays ont adopté l'euro le 1er janvier 2002. À plus longue échéance, l'Union européenne devrait réaliser une intégration politique qui reste encore très problématique, comme l'a montré, en 2005, la question de la ratification de la **Constitution européenne**.

Les deux autres principaux organes de l'Union européenne sont à Bruxelles avec la Commission européenne et à Luxembourg avec la Cour de justice. Le choix de Strasbourg comme siège du Parlement européen était surtout symbolique car il n'avait au départ qu'un rôle consultatif. Il a commencé à acquérir un vrai pouvoir de contrôle quand les progrès de l'intégration ont commencé à faire sentir leurs effets dans la vie quotidienne des citoyens. C'est en effet la seule institution européenne directement élue par le peuple, où l'on peut débattre publiquement de toutes les questions qui concernent l'Europe. Organe d'expression démocratique et de contrôle politique de l'Union européenne, il a obtenu le droit de voter le budget, puis d'accepter ou de refuser la nomination des membres de la Commission.

L'EUROPE À ÉCHELLE RÉGIONALE

À l'échelle régionale, la construction européenne commence à révéler l'existence d'un espace rhénan que les affrontements passés avaient fait oublier. Situées au cœur de l'Europe, des régions voisines commencent à renouer des liens économiques et culturels très naturels sans que cela remette en cause leur appartenance nationale.

C'est à Bâle, en Suisse, qu'est née dans les années 1960 l'idée de « Regio », ou région transfrontalière correspondant à son influence économique et aux besoins de son développement. Elle a trouvé une réponse positive auprès des chambres de commerce de Mulhouse, de Colmar et enfin de Fribourg en Allemagne. Il en a résulté par exemple la construction de l'aéroport de Bâle-Mulhouse, situé entre les deux villes, ainsi que des recherches communes en biotechnologie. Devant le succès de cette expérience, une commission intergouvernementale est créée entre les trois pays en 1975, puis, en 1998, un **Conseil rhénan** composé des élus locaux d'Alsace, du canton de Bâle et des deux länder de Bade-Wurtemberg et de Rhénanie-Palatinat.

La Lorraine, la Sarre et le Luxembourg ont créé, de leur côté, l'association Saarlorlux pour constituer un nouveau pôle européen de développement. Une telle coopération est devenue nécessaire à l'heure où l'importance des travailleurs frontaliers (représentant ponctuellement jusqu'à 40 % des actifs en Lorraine, voire jusqu'à 50 % dans certains cantons alsaciens) montre que l'aire d'influence de métropoles telles que Sarrebruck ou Bâle traverse les frontières.

Traditions et folklore

Parce qu'elle a été victime du pangermanisme et qu'elle n'a pas voulu se fondre complètement dans le moule jacobin, l'Alsace a cherché à préserver ses particularismes, ses symboles et ses traditions. Les Lorrains montrent par leurs efforts entrepris ces dernières années pour valoriser leur patrimoine qu'ils souhaitent aussi sauvegarder leurs propres traditions : saint Nicolas est toujours bien vivant.

LE DIALECTE

L'Alsace appartient, comme une partie de la Moselle, à l'aire linguistique germanique, qui est divisée en plusieurs grandes familles de dialectes. C'est ainsi que l'alémanique, qui coïncide avec les territoires des anciens Alamans du début du Moyen Âge, couvre une partie de la Suisse, le sud-ouest de l'Allemagne et la plus grande partie de l'Alsace.

Le dialecte en déclin

Si l'alsacien est la deuxième langue régionale parlée en France après le corse, son usage est, depuis la fin de la Seconde Guerre mondiale, en régression constante. Selon une étude de l'INSEE, on dénombrait encore 60 % de locuteurs dans les années 1990, pour 40 % en 2002, soit environ 500 000 adultes. En revanche, on constate que seulement 1 jeune sur 4 le pratique, et ceci de façon occasionnelle. Réservé aux relations familiales, ou de voisinage, le dialecte se renouvelle peu et se déprécie au regard du français, favorisé par l'école et la télévision. En revanche, l'enseignement de l'allemand, qui reste compris d'une partie de la population, se développe dans les classes franco-allemandes.

En revanche, les façons de parler de la région de Wissembourg et de Moselle correspondent au francique issu des Francs qui s'étaient installés dans la région du Rhin.

Mais rien n'est simple, car la division politique de ces régions, qui a duré jusqu'à leur rattachement à la France, a favorisé les particularismes et les façons locales de s'exprimer. D'autre part, la frontière linguistique qui s'est fixée un peu avant l'an 1000 n'a jamais correspondu aux frontières provinciales. Une partie des hautes vallées vosgiennes a toujours parlé un dialecte roman rattaché aux parlers lorrains et que leurs voisins appelaient le « welche ». Ce terme désignait tous ceux qui ne faisaient pas partie de l'aire des parlers germaniques.

Les événements politiques sont venus ensuite compliquer les choses. Le français et l'allemand sont entrés en concurrence à cause de la succession des annexions et des rattachements. Ces deux langues ont d'ailleurs joué chacune un rôle très différent au cours des trois derniers siècles.

Un vocabulaire français abondant, prononcé « à l'alsacienne », s'est intégré au dialecte. L'allemand correspondait davantage à l'expression écrite de la population qui le comprenait naturellement. Il a eu cependant très peu d'influence sur le dialecte, et la façon dont il fut imposé après 1871 n'a pu que créer un fort sentiment de rejet.

Pendant tout le 19e et une grande partie du 20e s., le dialecte devient un élément majeur de l'identité et de la culture régionales. Cette résistance fut symbolisée par Hansi, qui a laissé une image pittoresque de l'Alsace de cette époque, ainsi que par les sœurs de la Divine Providence, qui ont fait de leurs écoles des foyers de culture et d'esprit français.

En revanche, après 1918, des mesures très maladroites de francisation brutale ont nourri un mouvement régionaliste. Après la Seconde Guerre mondiale et la terrible occupation nazie, le bilinguisme français-alsacien est entré rapidement dans les faits.

👁 Pour en savoir plus ou pour vous familiariser avec le dialecte, consultez le site http://dialecte.alsacien.free.fr.

SAINT NICOLAS ET HANS TRAPP

Selon la légende, saint Nicolas aurait ressuscité trois enfants qu'un boucher avait découpés et mis au saloir. En réalité, cet évêque du 3e s., originaire

Saint Nicolas et Hans Trapp.

R. Mattes/MICHELIN

d'Asie Mineure, fut canonisé pour sa foi et sa grande générosité. Quoi qu'il en soit, la piété populaire a fait de lui le saint protecteur des enfants. La Lorraine, dont saint Nicolas est le patron, organise de nombreuses processions le 6 décembre, jour où le saint vient distribuer des jouets aux enfants sages… Une coutume qui se perpétue dans une grande partie de l'Europe du Nord.

Mais saint Nicolas a, depuis le 16ᵉ s., un triste compagnon : Hans Trapp, c'est-à-dire le Père Fouettard, qui vient, lui, punir les enfants désobéissants… D'origine alsacienne, ce personnage couvert de peaux de bêtes n'est autre que le seigneur Hans von Drodt, qui terrorisait la région de Wissembourg depuis sa forteresse du Berwartstein.

👁 À Wissembourg, Hans Trapp fait l'objet d'une tradition toujours vivante : un cortège défile chaque année dans les rues de la ville, le dernier dimanche avant Noël.

En Alsace, la fête des enfants s'est très tôt décalée vers Noël sous l'influence de Luther, qui préférait qu'elle soit placée plus justement sous le parrainage de l'Enfant Jésus.

Les boules de Noël

Autre symbole indissociable de la fête de Noël, les boules de verre seraient originaires de Meisenthal, berceau de la verrerie du pays de Bitche. Les habitants avaient l'habitude de suspendre aux branches de leurs sapins des noix et des pommes. Mais la mauvaise récolte de 1 858 invita les verriers de la ville à trouver d'autres décorations : ils eurent alors l'idée de souffler et de peindre des boules de verre.

♿ Le Centre international d'art verrier de Meisenthal fait revivre cette tradition chaque année, au mois de décembre. On peut assister à la fabrication des boules selon les techniques du 19ᵉ s.

NOËL EN ALSACE

L'ambiance exceptionnelle des fêtes de fin d'année mérite le déplacement. Dès la fin du mois de novembre, les Alsaciens commencent les préparatifs. Traditionnellement, les quatre dimanches de l'Avent, ils allument chacune des quatre bougies d'une couronne et décorent également un sapin des Vosges, arbre de

Noël dont l'Alsace s'enorgueillit d'être le berceau, comme en témoignent les livres de comptes de la ville de Sélestat datés de 1521.

Autre temps fort de cette période de l'année : le marché de St-Nicolas, devenu le marché « de l'Enfant Jésus », Christkindelmarkt ou encore marché de Noël. C'est une tradition qui vient d'Allemagne. Il prolonge sur plusieurs semaines, de fin novembre au 31 décembre, une ambiance euphorique au milieu des spectacles les plus variés, danses, concerts, crèches vivantes et expositions. Les plus connus, comme celui de Strasbourg, qui est aussi le plus ancien, attirent de plus en plus de monde. Certains en dénoncent la dérive commerciale. Mais la profusion des décorations et des accessoires, l'artisanat local, les grands produits du terroir, les jouets et les gâteaux traditionnels comme les *bredele*, qu'on offre aux enfants et aux amis, sans oublier le vin chaud que l'on boit pour se réchauffer, créent une atmosphère festive et bon enfant.

PÈLERINAGES ET FÊTES

En Alsace, les fêtes, joyeuses et colorées, sont un trait marquant de cette sociabilité qui fait partie du caractère régional. Elles sont aussi l'occasion de remettre à l'honneur les costumes traditionnels, comme la célèbre coiffe à rubans de la petite Alsacienne. Autrefois, c'étaient surtout les pèlerinages, les processions et les fêtes patronales qui rythmaient la vie des habitants. Le pèlerinage de sainte Odile, la patronne de l'Alsace, reste encore très fréquenté. D'autres fêtes d'origine médiévale rappellent un miracle légendaire à l'origine de la fondation d'une ville. À Thann, le 30 juin, on commémore le prodige des trois sapins. À Ribeauvillé, le *Pfifferdaj*, ou Fête des ménétriers, est prétexte à de belles reconstitutions historiques. Les fêtes patronales appelées *Kilbe* dans le Haut-Rhin et *Messti* dans le Bas-Rhin sont toujours très vivantes. Traditionnellement, on célèbre le carnaval avec une abondance de beignets et à Pâques, le lièvre vient « pondre » dans les jardins des œufs de toutes les couleurs. À la fête du village, aux mariages, sur le faîte des constructions neuves, mais aussi les jours d'élection, on plante un arbre de mai enrubanné. À cela se sont ajoutées par la suite les fêtes gastronomiques et les manifestations de toutes sortes comme, parmi tant d'autres, la Fête de la choucroute à Colmar ou la foire-kermesse de Wissembourg.

La gastronomie

L'Alsace et la Lorraine possèdent des plats caractéristiques qui sont les témoins d'une tradition de festins et de banquets. La choucroute et la quiche sont les messagères, pour chacune de ces deux vieilles provinces, d'une gastronomie très variée et chaleureusement conviviale.

DU SALÉ...

La qualité des produits tirés du sol, l'utilisation de fonds de cuisine telles la graisse d'oie ou celle de porc, le saindoux, donnent un goût onctueux aux plats lentement mijotés dont les origines sont souvent authentiquement paysannes.

Côté Alsace

La **charcuterie**, qui entre dans la composition de nombreux plats, a une réputation méritée. Les saucisses de Strasbourg sont connues, les jambons et pâtés innombrables. Le *presskopf* est un fromage de tête de porc. Mais c'est le foie gras qui est le grand seigneur de la gastronomie alsacienne. Le cuisinier Clause l'a porté à la perfection par l'invention de son pâté de foie au 18e s.

Y. Le Manour/COLORISE

Choucroute alsacienne.

Les **volailles** élevées en plein air, l'abondance du **gibier** et des **poissons** n'ont pu que stimuler la variété et la richesse des plats proposés. On n'a que l'embarras du choix entre le coq au riesling et la poularde aux morilles et à la crème, entre la truite des Vosges au bleu et la célèbre carpe frite du Sundgau. La matelote d'anguille, le saumon ou le brochet se trouvent aussi sur les bonnes tables comme, en automne ou en hiver, le civet de marcassin ou de cerf à la confiture d'airelles.

La **choucroute** reste cependant le plat le plus typiquement alsacien. Autrefois, c'était une façon de conserver un plat de légume qu'on pouvait ainsi consommer l'hiver. Son nom dérive de l'alsacien *sürkrut*, où *sür* veut dire « aigre » et *krut*, prononcé « *croute* », est une herbe comestible comme le chou, très populaire dans tous les pays d'Europe centrale. Sa fermentation au sel vient d'Allemagne et remonte à la fin du Moyen Âge. L'avantage est qu'on peut la cuisiner avec beaucoup d'autres choses qui suffisent à en faire un repas complet avec lequel on peut boire aussi bien de la bière que du vin. On la prépare le plus souvent avec de la charcuterie, lard salé, tranches de jambon fumé, saucisses, ainsi qu'avec des côtes de porc accompagnées de pommes de terre bouillies. On y ajoute parfois des « surprises » raffinées, pièces de perdreaux, écrevisses ou truffes par exemple. La choucroute de Strasbourg, préparée au riesling, est la plus réputée.

Symbole de l'Alsace, le *bäeckeoffe* est l'autre grand plat mijoté. C'est une potée dont le nom signifie littéralement « four du boulanger », c'est-à-dire l'endroit où les femmes, qui l'avaient préparée la veille, allaient la porter le lundi matin. Elles avaient ainsi le temps d'aller faire leur lessive au lavoir pendant la cuisson, qui durait plusieurs heures. C'est un mélange de viandes différentes, bœuf, porc, agneau ou cuisse d'oie qui marinent ensemble vingt-quatre heures dans un vin blanc sec, sylvaner ou riesling, accompagné d'oignon, d'ail et de bouquet garni. Le lendemain, on dispose les morceaux dans une cocotte en terre cuite, entre deux couches de pommes de terre et d'oignons coupés en rondelles.

Des plats venus de Pologne

Stanislas Leszczyński, le dernier duc de Lorraine, particulièrement réputé pour sa gourmandise, apporta avec lui des recettes de Pologne. Produit courant de la cuisine polonaise, la carpe fut introduite en Lorraine avec de nombreuses façons de l'accommoder. Autre emprunt, le baba. À l'origine, brioche aux fruits secs et confits, le duc « l'améliora » en l'arrosant de vin hongrois de Tokay. Aujourd'hui, ce dessert n'est plus imbibé de vin mais de rhum. Quant aux fameuses bouchées à la reine, elles doivent leur nom à la reine de France et fille de Stanislas, Marie Leszczińska.

Kougelhopf.

On mouille avec la marinade, puis on ferme avec un couvercle scellé par un colombin de pâte de farine et d'eau. La cuisson dure deux heures et demie.

Enfin, la *flammekueche*, tarte flambée, à base de pâte à pain, de crème, d'oignons et de lardons, était elle aussi un repas complet qu'on cuisait le matin avec les premières flammes du four à pain.

Côté Lorraine

La fameuse **quiche**, dont le nom vient du germanique *kuchen* qui veut dire « tarte » ou « gâteau », en est assez proche. Des lardons sont frits au beurre, puis mélangés à des œufs battus et de la crème : c'est la *migaine*, préparation qu'on répartit ensuite sur un fond de pâte feuilletée ou brisée.

La **potée**, en Lorraine, était le plat des paysans par excellence. C'est un pot-au-feu de lard fumé et de saucisses, accompagnés de chou blanc et de légumes de saison.

... AU SUCRÉ

Pour terminer le repas, on n'a que l'embarras du choix entre les nombreuses tartes aux pommes, aux quetsches ou aux myrtilles qui ont fait la réputation de la pâtisserie alsacienne. En Lorraine, c'est la mirabelle qu'on décline en tartes ou en délicieuse mousse glacée à l'eau-de-vie du même fruit. Le *kougelhopf* est la traditionnelle brioche alsacienne aux raisins secs et aux amandes qu'on prend plutôt au petit-déjeuner ou au goûter, comme les fameux pains d'épice au miel, à la tradition encore plus ancienne. La cannelle, le gingembre, l'anis et la noix de muscade assaisonnent le goût de ces gâteaux aux formes variées. À ces douceurs s'ajoutent quelques variantes au moment de Noël (*mannele*, *bredles*, *berawecka* et *stollen*) et de Pâques, où l'on prépare, dans des moules spéciaux, le fameux *Lammala*, ou « Agneau de Pâques ».

LES MARCAIRIES

Les Hautes-Vosges connaissent, dès la belle saison, le déplacement des troupeaux vers les pâturages d'altitude. Le marcaire, qui tire son nom du *melker*, le « trayeur de vache » en dialecte, monte avec ses bêtes sur les hautes chaumes de la St-Urbain à la St-Michel (25 mai-29 septembre). C'est là-haut qu'il va préparer le fromage, dans sa modeste ferme d'altitude, ou marcairie. Ce chalet ne comprenait autrefois que deux pièces, l'une pour le fromage, l'autre, très petite et presque sans mobilier, pour dormir. On lui a souvent adjoint par la suite une étable. Dès la fin du 19e s., les randonneurs ont pris l'habitude de s'y arrêter pour se restaurer. Depuis, ayant pris le nom de fermes-auberges, elles proposent en été le repas marcaire, que les amoureux de la montagne viennent savourer au milieu des senteurs de foins, de résines et de fleurs. Le menu propose toujours les spécialités que la ferme fait elle-même. On débute par un potage suivi d'une tourte de la vallée qui est un pâté chaud de viande de veau ou de porc. Le plat principal, solide et généreux, comprend une viande de porc fumée accompagnée de pommes de terre coupées en tranches qui ont cuit pendant plusieurs heures dans du beurre avec des oignons et du lard : ce sont les fameuses *roïgabrageldi*, qui nourrissent les paysans des Vosges depuis des générations. Un délicieux munster affiné sur place prélude au dessert. Celui-ci comprend les tartes aux fruits de saison, ainsi que le *siesskas*, qu'il

Où déguster des spécialités ?

Bar-le-Duc : confiture de groseilles
Commercy : madeleine
Gérardmer : géromé (fromage)
Gertwiller : pain d'épices
Liverdun : madeleine
Munster : fromage du même nom
Nancy : bergamote et macaron
Niederbronn : *keschtewurscht* (boudin aux châtaignes)
Plombières : glace du même nom
Vallée du Rhin : matelote
Rambervillers : tête de veau
Rozelieure : mirabelle
Saverne : rose de Saverne (bonbon)
Strasbourg : foie gras et chocolat
Sundgau : carpe frite
Le Val d'Ajol : andouille
Verdun : dragée

faut absolument essayer : moulé le matin même, c'est un fromage blanc du jour très frais, servi avec du kirsch et du sucre, et que le gewurztraminer accompagne divinement.

FROMAGES VOSGIENS

La ville alsacienne de Munster a donné son nom au fromage que la montagne vosgienne fabrique depuis plusieurs siècles. Le **munster**, qui a obtenu l'Appellation d'origine contrôlée en 1978, a ainsi sauvé une vache rustique, la vosgienne, dont le lait riche et aromatique lui est essentiel. Après un lent déclin, on la voit reprendre sa place naturelle sur les hautes chaumes. On la reconnaît à ses flancs noir moucheté et à la large bande blanche qui court le long de son échine. Fabriqué au lait cru, le munster est un fromage à pâte molle et à croûte lavée qu'on affine pendant 3 à 4 semaines. On lui ajoute parfois du cumin.

Le **géromé** a la même croûte fauve et l'intérieur crémeux, mais son lait n'est pas réchauffé et son affinage dure plus longtemps, jusqu'à quatre mois. On lui ajoute de même des graines d'anis, de fenouil ou de cumin. Depuis quelques années, pour se diversifier, les fermes proposent aussi des fromages « de garde », à pâte cuite, qui se conservent plus longtemps. C'est le cas du *bargkas*, littéralement « fromage de montagne », et du saint-grégoire, tous deux proches des tommes et des gruyères.

 Une visite de la fromagerie « Graine au Lait » à Lapoutroie pourrait compléter ce chapitre de façon très vivante.

Bières, vins et alcools

LA BIÈRE

En Alsace, vin et bière ne sont assurément pas incompatibles. La route des Vins n'est pas si loin des brasseries de

La bière pratique

Sur la route de la Bière **lorraine**, plusieurs musées sont consacrés à l'art de la brasserie. Vous pourrez visiter les musées de St-Nicolas-de-Port, Ville-sur-Illon ou Stenay.
En **Alsace**, il est possible de visiter quelques grandes brasseries, toujours bien vivantes, qui sont autant de sites remarquables du goût : Météor à Hochfelden, Schutzenberger à Schiltigheim ou Kronenbourg à Strasbourg.

L'étoile des brasseurs

Deux triangles emboîtés, l'étoile des brasseurs, souvent confondue avec l'étoile de David, symbolise les quatre éléments : la terre, le feu, l'eau et l'air, qui entrent dans le processus de fabrication de la bière. Ils interviennent en effet dans la pousse du grain et sa germination ; dans le brassage et dans la fermentation. Remontant au Moyen Âge, cette croix était considérée comme une amulette porte-bonheur, destinée notamment à éloigner des cuves les mauvaises bactéries ; elle devint ensuite l'enseigne des brasseries et *bierstubs*.

Strasbourg où l'on peut goûter à la bière fabriquée sur place, ce qui est une rareté en France. Les *bierstubs* (caves à bière), pendant des *winstubs*, ont une ambiance chaleureuse et intime, avec leurs fenêtres à petits carreaux, leurs boiseries aux murs et leurs banquettes. On aperçoit souvent un imposant poêle en faïence qui trône dans la pièce.

La fabrication de la bière nécessite essentiellement de l'eau et des céréales. Céréale de base, l'orge est trempée, puis se met à germer et devient malt en étant chauffé dans la touraille. Concassé et mélangé avec de l'eau, le malt est chauffé dans une chaudière. Le moût obtenu est additionné de houblon pour lui donner l'amertume et l'arôme. Après avoir été ensemencé de levure, le moût fermente dans des cuves réfrigérées. Enfin, la bière mûrit dans des cuves de garde avant d'être filtrée et mise en fûts et en bouteilles. Avec plus de la moitié de la production française, la brasserie alsacienne est devenue, depuis de nombreuses années, une grosse affaire, alors que beaucoup de brasseries lorraines ont vécu. La production lorraine ne survit que par quelques brasseries artisanales qui ont leurs connaisseurs. En Alsace, le succès impressionnant se traduit par l'existence de marques aujourd'hui très connues, qui s'exportent dans le monde entier. C'est au nord de Strasbourg, à Schiltigheim, ville brassicole, que sont implantées les plus grandes brasseries, bien que quelques-unes ferment leurs portes depuis une dizaine d'année (dont la fameuse brasserie Schutzenberger).

LES EAUX-DE-VIE

Les fruits des vergers et ceux qu'on ramasse dans la montagne ont stimulé la sagacité des habitants qui, depuis longtemps, ont appris à les distiller de toutes sortes de façons. L'Alsace et la Lorraine offrent ainsi un choix très riche et souvent inventif d'eaux-de-vie et de liqueurs, qui peuvent terminer un repas. Le kirsch, dont le nom évoque la cerise en alsacien, est le plus connu. Il parfume d'innombrables recettes gourmandes bien au-delà de sa région d'origine. Très répandues, la mirabelle et la quetsche donnent, avec des alcools plus secs mais toujours très fruités, d'excellents digestifs. Mais c'est la framboise, qu'on boit dans de très grands verres afin de mieux sentir la subtilité de son arôme, qui est la reine des eaux-de-vie blanches.

♿ Sachez qu'il existe un musée des Eaux-de vie à Lapoutroie.

LES CÉPAGES D'ALSACE

À l'exception de l'**edelzwicker**, qui désigne l'assemblage de plusieurs cépages *edel* (c'est-à-dire nobles), les vins d'Alsace proviennent en général d'un seul cépage. Sept se partagent principalement le vignoble. Le plus prestigieux est le **riesling**, qui est l'un des plus grands raisins blancs du monde. Son bouquet est subtil et d'une exceptionnelle finesse. D'une grande élégance, le **gewurztraminer** est un traminer, dit « épicé » (*gewurz*) à cause de son goût riche, aromatique et puissant. Le **sylvaner**, sec et léger, désaltère très agréablement. Quant au **pinot blanc**, il est sec, lui aussi, mais plus corsé. Plus fruité, le **muscat d'Alsace** a un goût de raisin frais. À ne pas confondre avec les vins de Hongrie avec lesquels il n'a pas de rapport, le **tokay d'Alsace** désigne le **pinot gris**, bien charpenté, rond et corsé. Enfin le célèbre **pinot noir**, originaire de Bourgogne, donne des rouges ou rosés dont le fruité évoque la cerise.

Quand l'étiquette porte l'appellation « **alsace grand cru** » avec, outre le cépage, l'année et le nom du terroir d'origine, il s'agit de vins particulièrement remarquables. La mention « **vendanges tardives** » désigne une deuxième récolte très avancée dans la saison, si l'automne suffisamment ensoleillé le permet. Elle n'a donc lieu que certaines années. Elle donne alors une qualité de raisin tout à fait exceptionnelle. Enfin, le **crémant d'Alsace** est un mousseux de bonne qualité.

L'ART DE LA DÉGUSTATION

Ce sont tous des AOC, vins à Appellation d'origine contrôlée. On peut les goûter au verre dans une *winstub*, spé-

cialement les « vendanges tardives », seuls ou avec du foie gras et certains desserts. On peut aussi les suivre tout au long d'un repas. Le crémant et le muscat servis en apéritif laisseront alors place à un sylvaner frais et léger pour les hors-d'œuvre, fruits de mer ou charcuterie fine. Le riesling et les pinots accompagnent avec noblesse le plat principal, choucroute, rôti, volaille ou poisson, tandis que le capiteux gewurztraminer s'associe aussi bien aux plats exotiques qu'aux fromages forts et à la pâtisserie, pain d'épice ou *kougelhopf*.

Grappe de raisin du vignoble alsacien.

R. Mattes/MICHELIN

ET LA LORRAINE ?

La Lorraine possède un vignoble qui s'étend sur les versants bien exposés des côtes de Meuse et de Moselle. Son histoire est, elle aussi, très ancienne, mais elle a failli prendre fin au début du siècle. Depuis, bien qu'encore modeste, la vigne progresse à nouveau. Un effort croissant sur la qualité a promu les **côtes-de-toul** en classement AOC avec un choix de vins gris et rouges issus de gamay et pinot noir et quelques blancs résultant de cépages auxerrois. Le plus caractéristique est le gris de Toul, un rosé dominé par des arômes de fruits rouges. En 2003, le Comité des vins de Lorraine (composé des propriétaires récoltants et des négociants) a décidé le regroupement des vignobles des côtes de Toul et des côtes de Meuse sous un seul et unique nom : « les vignobles de Lorraine ». Les **vins de Moselle** sont surtout des blancs produits près de Metz à partir d'auxerrois ou de mullerthurgau, avec quelques gris et rouges issus de pinot noir. Enfin, les **côtes de Meuse**, près d'Hattonchâtel, donnent de charmants petits vins de pays, rouges, blancs ou gris.

Vue sur le pont et la vieille ville de Metz.

R. Mattes/MICHELIN

Altkirch

5 526 ALTKIRCHOIS
CARTE GÉNÉRALE C3 – CARTE MICHELIN DÉPARTEMENTS 315 H11 – HAUT-RHIN (68)

Altkirch est célèbre pour ses tuiles mécaniques inventées par Gilardoni. La ville occupe une position clé au-dessus de la vallée de l'Ill, dans le Sundgau, région bien particulière avec son mobilier et ses costumes à part. La situation d'Altkirch est également idéale pour un plongeon au cœur d'une nature faite pour les promenades à cheval et les parties de pêche.

- **Se repérer** – Depuis Mulhouse, emprunter la D 432 sur 20 km vers le sud. Cette route suit notamment la rive droite du canal du Rhône au Rhin. Venant de Bâle, quitter la ville par l'ouest et prendre la D 419.
- **À ne pas manquer** – Le Musée sundgauvien.
- **Organiser son temps** – Une promenade dans la ville d'Altkirch sera la meilleure introduction à une excursion dans le Sundgau voisin.
- **Pour poursuivre la visite** – Voir aussi le Sundgau, Mulhouse.

Le saviez-vous ?

- Altkirch vient de l'allemand *alt* (vieille) et *kirch* (église). Le nom évoque apparemment l'antique église St-Christophe, construite sur les bords de l'Ill aux premiers temps du christianisme.
- Au 19e s., Altkirch foisonnait d'artisans. Certains cumulaient plusieurs activités, comme potier et paysan. Aujourd'hui ce sont davantage les activités liées à la cimenterie qui font vivre les habitants d'Altkirch.
- **Sutter**, imprimeur du 19e s., était installé à Rixheim et à Altkirch. De jolies images populaires distribuées en masse, les « souhaits de baptême », ont fait sa renommée à travers toute la Haute-Alsace.

Se promener

Église Notre-Dame

Visite sur demande à l'office de tourisme.

Construite en 1886, dans le style néoroman, elle présente, à l'intérieur, dans le transept gauche, les remarquables statues en pierre polychrome du *Mont des Oliviers* (14e s.), ainsi qu'une copie par Henner du *Christ* de Prud'hon. Dans le transept droit, un tableau d'Oster de Strasbourg rappelle la vie de saint Morand, reçu par le comte de Ferrette, tandis que son sarcophage est exposé dans la nef.

La rue du Château conduit à la place principale d'Altkirch.

Place de la République

Face à l'hôtel de ville, une fontaine octogonale abrite une statue de la Vierge, seul vestige de l'ancienne église transformée en manufacture de rubans de soie après la Révolution.

Hôtel de ville

Bâtiment du 18e s. orné d'un balcon en fer forgé, cette demeure était celle du bailli d'Altkirch.

Visiter

Musée sundgauvien

☏ 03 90 40 01 94 - tlj sf lun. apr.-midi - 2 € (-18 ans gratuit).

Installé dans un immeuble Renaissance adossé à l'hôtel de ville, il rassemble des collections régionales variées (costumes, mobilier), des peintures d'artistes locaux

« *Madeleine agenouillée* » de Jean-Jacques Henner.

(Henner, Lehmann) et des objets de fouilles archéologiques. Vous pourrez y observer de magnifiques *kunst,* poêles de faïence alsaciens autour desquels la famille se réunissait, dans la douce chaleur de la *stube* (salle de séjour).

Centre rhénan d'art contemporain

📞 03 89 08 82 59 - www.cracalsace.com - possibilité de visite guidée sur RV tlj tte la journée sf lun., w.-end apr.-midi - gratuit.

Aménagé dans les locaux d'un ancien lycée, ce centre expose des œuvres d'artistes contemporains (photos, vidéos, toiles ou œuvres plastiques) sur des thèmes régulièrement renouvelés.

Aux alentours

Luemschwiller

7 km au nord-est en direction de Mulhouse, puis une petite route à droite.

L'**église** possède un beau **retable** du 15e s., provenant probablement de St-Alban de Bâle, avec, à l'intérieur, les statues de la Vierge à l'Enfant, de sainte Barbe et sainte Catherine. Les peintures de la vie de Marie sont attribuées à Hans Baldung Grien. *L'église n'est ouverte que pendant les offices.*

Le cimetière israélite rappelle que ce village comprenait une importante communauté juive au 19e s.

Altkirch pratique

♿ Voir aussi l'encadré pratique du Sundgau.

Adresse utile

Office du tourisme d'Altkirch – *5 pl. Xavier-Jourdain - 📞 03 89 40 02 90 - www.ot-altkirch.com - juil.-août : mat. et apr.-midi, dim. mat. ; reste de l'année : tlj mat. et apr.-midi sf mar. et dim.*

Se loger

⛺ **Camping Municipal Les Lupins** – *68580 Seppois-le-Bas - 13 km au sud-ouest d'Altkirch par D 432, D 17 puis D 17fl - 📞 03 89 25 65 37 - leslupins@wanadoo.fr - déb. avr. à mi-sept. - réserv. conseillée - 158 empl. 18 €.* Installé sur le terrain de l'ancienne gare, ce camping est tenu par un couple sympathique. Les emplacements sont bien ombragés et, détail amusant, la pièce télé est installée dans le hall de la gare… Piscine et minigolf.

Se restaurer

🍽 **Restaurant de la Victoire** – *10 r. des Alliés - 📞 03 89 40 90 65 - fermé jeu. soir, sam. midi et merc. - 10/30 €.* Ne vous fiez pas à la façade un peu vieillotte de ce restaurant, car l'intérieur mérite vraiment le détour : décor typiquement régional agrémenté d'étonnantes collections de tire-bouchons et de figurines à l'effigie du cochon. Sur la table, menu du jour et *flammekueches* salées ou sucrées. Prix sages.

🍽 **Le Relais des Chevaliers** – *8 r. de Dannemarie - 6820 Heidwiller - 6 km au nord d'Altkirch par D 466 dir. A 36 et D 18 - 📞 03 89 25 51 64 - fermé dim. soir et lun. - réserv. conseillée - 11,50/30 €.* Cette ancienne grange restaurée située au cœur du village abrite plusieurs salles à manger.

La plus agréable, en mezzanine, possède une grande baie vitrée donnant sur la campagne. Plaisante terrasse pour les beaux jours. Plats traditionnels bien présentés.

🍽 **Wach** – *Près de l'hôtel de ville - 68210 Dannemarie - 10 km à l'ouest d'Altkirch par D 419 - 📞 03 89 25 00 01 - fermé 9-23 août, 24 déc.-10 janv., lun. et le soir - 12/35 €.* Accueil, séduisante carte des vins et cuisine du terroir sont les atouts majeurs de ce restaurant. Le décor des années 1950 semble par contre immuable, mais la maison est fort bien tenue.

🍽🍽 **Ferme-auberge Paradisvogel** – *6 r. Louis-Werner - 68210 Bernwiller - 14 km au nord-ouest d'Altkirch par D 466 dir. A 36 - 📞 03 89 25 31 07 - fermé 1re sem. de mai, 2 dernières sem. de sept., fêtes de fin d'année, lun. et mar. - réserv. conseillée - 15/37 €.* Cette ferme-auberge mérite qu'on s'y arrête. Légumes, pain, pâtes, fromages, yaourts, canards élevés dans une ferme voisine… ici, on ne connaît que les produits frais. Décor typiquement alsacien dans les deux salles à manger et ambiance sympathique.

🍽🍽 **Auberge de la Gloriette** – *9 r. Principale - 68130 Wahlbach - 📞 03 89 07 81 49 - la-gloriette2@wanadoo.fr - fermé 1er-15 août, 22 janv.-7 fév. - 15/62 € - 5 ch. 60/80 € - ☕ 14 €.* Plaisant décor mêlant l'ancien et le moderne dans cette ferme proposant une cuisine classique soignée. Chambres plus confortables (mobilier chiné) dans le bâtiment principal.

Sports & Loisirs

Golf de la Largue – *25 r. du Golf - 68580 Mooslargue - 📞 03 89 07 67 67 - www.golf-lalargue.com - 8h-19h - fermé déc.-mars.*

Événement

La Forêt enchantée – Mise en scène des légendes du Sungdau, en décembre.

Amnéville★

10 017 AMNÉVILLOIS
CARTE GÉNÉRALE B1 – CARTE MICHELIN DÉPARTEMENTS 307 H3 – MOSELLE (57)

Reconversion parfaitement réussie pour cet ancien foyer industriel ! Au cœur d'une forêt de 500 ha, un important centre de loisirs et de thermalisme s'est développé autour de la source St-Éloy. En hiver ou en été, que vous soyez curiste ou hôte de passage, vous n'aurez pour vous occuper que l'embarras du choix : patinoire, bowling, ski, luge d'été, parc d'aventures dans les arbres, cinéma 3D, casino, musées, aquarium et un zoo très réputé.

- ▶ **Se repérer** – Amnéville se situe entre Thionville, à 10mn, et Metz, à 15mn, accès par l'A 31, sortie 37 (Mondelange) ; elle se trouve à environ 5 km de l'A 4, sortie 35 (Sémécourt-Amnéville), par la N 53.

- 🅿 **Se garer** – Plusieurs parkings gratuits se trouvent à proximité et même au sein du centre thermal et touristique.

- 👁 **À ne pas manquer** – Le parc zoologique, le musée de la Moto et du Vélo. Pour les plus sportifs, la piste de ski *indoor*.

- 🕐 **Organiser son temps** – Si vous êtes de passage, prévoyez toutefois au moins une journée complète sur place.

- 👪 **Avec les enfants** – Quelques « must » : la baie des lions de mer au parc zoologique et le parc d'aventures dans les arbres pour les apprentis Tarzan. Un peu plus loin (en direction de Metz), Walygator Parc.

- 🚴 **Pour poursuivre la visite** – Voir aussi Thionville, Metz.

Séjourner

CENTRE THERMAL ET TOURISTIQUE

Au cœur d'une vaste forêt, le centre thermal et touristique est à la fois une base de loisirs et un pôle culturel. L'accès est libre et ouvert à tous, mais chaque activité est payante. *Pour les loisirs, reportez-vous à l'encadré pratique.*

Centre thermal

St-Éloy : ☎ 03 87 70 19 09 - fév.-déc. ; Thermapolis (av. de l'Europe) : ☎ 03 87 71 83 50 - tlj tte la journée - fermé en sept., 23-25 déc., 31 déc., 1ᵉʳ janv.

Trois façons d'exploiter l'eau thermale à Amnéville : cures médicalisées au centre St-Éloy et stages de remise en forme à la Villa Pompéi ou à Thermapolis.

Grâce à ses eaux ferrugineuses et très fortement minéralisées qui jaillissent à 41 °C et prennent au contact de l'air une coloration rouille, le **Centre thermal St-Éloy** s'est spécialisé dans la rhumatologie et le traitement des affections respiratoires.

À proximité, **Thermapolis**, la cité de l'eau, et la **Villa Pompéi** rendent les bienfaits de l'eau accessibles à tous en proposant, au milieu de décors travaillés, des stages de remise en forme grâce à leurs bains bouillonnants, leur rivière intérieure et extérieure en eau thermale à 35 °C, leur Jacuzzi, leur hammam et leurs marbres chauds.

Parc zoologique d'Amnéville★★

☎ 03 87 70 25 60 - www.zoo-amneville.com - &- tlj tte la journée - 22 € (enf. 17 €).

👪 Les 1 500 animaux de ce zoo (plus de 220 espèces) sont tous nés en captivité et évoluent dans de vastes enclos où sont recréés les milieux naturels propres à chaque espèce : vous passez ainsi dans la même journée de la plaine africaine peuplée d'éléphants, de girafes et de rhinocéros blancs à la luxuriante végétation de la jungle amazonienne avec ses orangs-outangs ou au vivarium tropical, avec ses impressionnants reptiles. Parmi les grands fauves : tigres de Sumatra, lions, jaguars, léopards, panthères noires, lynx. Vous pourrez observer de nombreuses espèces menacées de disparition, car le zoo s'est donné pour mission de les protéger, prêt à tenter des réintroductions en milieu naturel, si les conditions sont favorables. Des spectacles et des animations pédagogiques ponctuent la visite *(horaires affichés à l'entrée et en plusieurs endroits du parc),* vous permettant de faire plus ample connaissance avec les manchots, les loups blancs, les hippopotames et même les ours polaires. À voir absolument : Parrot's jungle, le spectacle des perroquets et la Baie des lions de mer, où les otaries vous font une belle démonstration de « surf ».

Aquarium

☎ 03 87 70 36 61 - www.aquarium-amneville.com - & - juil.-août : tte la journée ; reste de l'année : apr.-midi sf merc. et w.-end et j. fériés tte la journée - fermé 25 déc.-1ᵉʳ janv. - 10 € (enf. 7 €). 👪 Poissons de rivière, des fleuves australiens ou d'Amazonie nagent

Spectacle de la Baie des lions de mer au parc zoologique d'Amnéville.

en eau claire dans l'**aquarium Impérator**. Le grand aquarium récifal permet de voir évoluer des poissons bigarrés habitués des lagons, et le bac aux requins héberge diverses espèces qui cohabitent ici sans problème, du moins on l'espère. Traversez la serre tropicale où vous accueillent de magnifiques toucans pour rejoindre les fameux piranhas, représentés par dix espèces. Vous découvrirez que, malgré leur impressionnante dentition, leur réputation de poissons tueurs n'est pas si fondée qu'on le croit.

Musée de la Moto et du Vélo

📞 03 87 72 35 57 - ♿ - juil.-août. : mat. et apr.-midi ; reste de l'année : merc. et w.-end mat. et apr.-midi, mar., jeu., vend. et j. fériés apr.-midi - fermé 1ᵉʳ janv., Pâques et 25 déc. - 3 € (-12 ans gratuit).

👥 Draisiennes, vieux vélocipèdes et vielles motocyclettes ont été rassemblés ici en une collection de 250 modèles à 2 ou 3 roues, avec ou sans moteur, dont les plus anciens remontent au 19ᵉ s. De nombreuses pièces rares vous sont présentées : moto de parachutiste anglais (1943) pesant 43 kg, bicyclette équipée d'un moteur Diesel auxiliaire de 18 cm³ (1951), bicyclette à cadre en bois (1910), ou encore le 1ᵉʳ scooter ou patinette de l'histoire : le **Skootamota**.

Centre d'art contemporain Crid'Art

Centre thermal - 📞 03 87 17 22 22 - www.cridart.com - ♿ - tlj apr.-midi - 5 € (enf. gratuit).
Pour éveiller le goût de l'art contemporain chez le grand public, ce centre abrite des expositions temporaires (3 à 8 semaines) qui regroupent les œuvres de peintres, de sculpteurs, de photographes, de potiers célèbres ou méconnus autour d'un thème différent à chaque fois.

Aux alentours

Walygator Parc★

3 km au sud d'Amnéville. 📞 03 87 30 70 07 - www.walygatorparc.com - juil.-août : tte la journée (nocturne sam.) ; avr.-juin et sept.-oct. : w.-end tte la journée, sem. : se renseigner - 25 € (3-11 ans 20 €). Nombreuses boutiques et points de restauration sur place. Spectacles ou animations tout au long de la journée.

👥 Ce vaste parc de loisirs de 42 ha invite petits et grands à découvrir des spectacles et à tester toutes sortes d'attractions, parfois aquatiques, adaptées à l'âge de chacun.

En famille, essayez le **Tea Cup**, une valse enivrante dans des tasses à thé, ou le **Tang'or**, grand oiseau qui se balance d'avant en arrière. Besoin d'un peu de fraîcheur ? Tentez le **Rafting**, où vous dévalez des rapides sur une bouée. **The Terror House** (interdit au moins de 14 ans) attire les amateurs de frissons en retraçant des scènes de films d'épouvante. Enfin, si vous aimez les sensations fortes, restent à découvrir la tour du **Space Shot**, qui vous propulsera à 55 m du sol en moins de 3 secondes, et le **Comet Space**, montagne russe qui vous mettra la tête à l'envers. Parmi les spectacles, admirez la pyrotechnie d'**Indiana Vert**, parodie d'Indiana Jones. Quant aux plus petits, ils apprécieront les zones en structures gonflables ou la miniferme.

Archéosite celte

☎ 03 87 17 26 06 - tlj sf w.-end et j. fériés mat. et apr.-midi sur réservation - gratuit.

Sur les lieux mêmes où fut découverte une immense nécropole celte lors de la construction d'un lotissement, l'Archéosite présente et interprète le résultat des fouilles. Au sol, des vitrines placées sur quelques-unes des 100 tombes du site donnent un aperçu des céramiques, armes et bijoux mis au jour. Ne manquez pas d'admirer l'étonnante tombe à char qui servit de sépulture à une femme de haut rang. L'explication des différents rites funéraires permet d'en savoir plus sur les modes de vie de nos lointains ancêtres, entre 850 av. J.-C. et 30 apr. J.-C. Un film de 20mn complète la visite.

Amnéville pratique

Adresse utile

Office du tourisme d'Amnéville – *R. Sources - 57360 Amnéville -* ☎ *03 87 70 10 40 - www.amneville.com - tlj mat. et apr.-midi (juin-août : w.-end et j. fériés tte la journée).*

Se loger

⊖⊖ **Hôtel Orion** – *Au parc de loisirs du Bois de Coulange - 2,5 km au sud d'Amnéville -* ☎ *03 87 70 20 20 - http:// www.accueil-amneville.com/5-fr-orion. html - 44 ch. 57,20 € -* ⊡ *7 € - rest. 17/28 €.* Au cœur de la station thermale, cet établissement a récemment fait l'objet d'une rénovation complète et moderne. Chambres spacieuses et confortables. Certaines sont en rez-de-jardin. À table, formules buffets accompagnées de menus du terroir en hiver.

⊖⊖ **Hôtel Diane** – *Au parc de loisirs du Bois de Coulange -* ☎ *03 87 70 16 33 - www. accueil-amneville.com - fermé dim. 1er Nov.- 28 avr. - 47 ch. 69 € -* ⊡ *8 €.* En lisière de forêt, hôtel disposant de chambres spacieuses, parfois avec balcon, dotées d'un mobilier en rotin coloré. Salle des petits-déjeuners ouverte sur la nature.

Se restaurer

⊖⊖ **La Forêt** – *Au parc de loisirs du Bois de Coulange - 2,5 km au sud d'Amnéville -* ☎ *03 87 70 34 34 - www.restaurant-laforet. com - fermé 30 juil. -12 août, 24 déc.-7 janv., dim. soir et lun. - 19/42 €.* Dans le centre de loisirs du Bois de Coulange, ce restaurant entouré d'arbres marche fort : il faut dire que sa terrasse et sa salle, meublée de chaises en bambou et décorée de plantes vertes, sont agréables. Quant à sa cuisine, plutôt bien tournée, elle a ses adeptes…

En soirée

La Taverne du Brasseur – *R. du Bois-de-Coulange -* ☎ *03 87 70 11 77 - lun.-jeu. et dim. 10h-0h, vend.-sam. 10h-2h - fermé 1er janv. et 25 déc.* La bière d'Amnéville est brassée sur place, de manière artisanale. Vous pourrez la déguster dans un cadre convivial ou en terrasse, tout en savourant quelques spécialités régionales : choucroutes, jambonneaux, *flammekueches*, etc.

Sports & Loisirs

👁 **Bon à savoir** – Le centre thermal et touristique propose de nombreux loisirs : piscines avec toboggans aquatiques, bowling, patinoire, minigolf, casino, fitnessium et offre des possibilités de week-end. On y trouve en outre les activités suivantes :

Piste de ski indoor – *Centre thermal et touristique.* Grâce à un procédé maintenant la neige artificielle à une température appropriée, il est désormais possible de s'adonner aux joies de la glisse sans se rendre dans les stations de sports d'hiver. Vous retrouverez toutes les sensations du ski alpin sur cette piste faisant 90 m de dénivelé.

Base de loisirs du bois de Coulanges – *1 r. Tigre -* ☎ *03 87 70 25 60 - www.zoo-amneville.com - avr.-sept. : 9h30-19h30 (dim. et j. fériés 20h) ; oct.-mars : 10h à la tombée de la nuit - 18 € (enf. 13 €).* Elle comprend une piscine et une patinoire olympique, un golf 18 trous, un casino, un espace de spectacle, des luges monorail sur 290 m de dénivelé et un parc zoologique.

Amnéville-Aventures – 👫 - *Centre thermal et touristique -* ☎ *03 87 73 45 60 - www.amneville-aventures.com - pour les horaires d'ouverture se renseigner.* On dit que ce parc d'aventures est l'un des plus grands au monde en France. 132 ateliers répartis en 7 parcours allant de « graine de môme » (pour enfants) à « plus près du soleil », destiné aux plus aguerris. Également, un parcours de 10 tyroliennes, mur d'escalade et surf dans les arbres.

IMAX – *Centre thermal et touristique -* ☎ *03 37 70 89 89 - tlj pdt les vac. scol. ; reste de l'année : merc. et w.-end.* Un cinéma à la pointe de la technologie vous attend dans cet établissement qui possède le plus grand écran d'Europe. Projections de films en 2D ou 3D, à regarder avec des lunettes polarisantes pour mieux plonger au cœur du spectacle. Une salle équipée de sièges mobiles.

Golf – *Base de loisirs du Centre thermal et touristique -* ☎ *03 87 71 30 13 - www.golf-amneville.com - 8h30-19h, w.-end 7h30-20h - fermé 25 déc. et 1er janv. 18 trous.*

Andlau★

1 788 ANDLAVIENS
CARTE GÉNÉRALE C2 – CARTE MICHELIN DÉPARTEMENTS 315 I6 – SCHÉMA P. 417
BAS-RHIN (67)

Andlau, c'est d'abord deux clochers, celui de la célèbre abbatiale St-Pierre-et-St-Paul, et celui de l'église St-André, qui émergent au-dessus des toits et des forêts environnantes. C'est ensuite trois grands crus de riesling, le wiebelsberg, le moenchberg et le kastelberg, sur la route des Vins. Vous y verrez aussi des fleurs, des vieilles maisons, une belle fontaine Renaissance et, un peu plus haut, un château.

- **Se repérer** – À 4 km au sud de Barr par la route des Vins, ou au pied du Champ du Feu, en suivant la D 425.
- **À ne pas manquer** – Le magnifique portail de l'église.
- **Organiser son temps** – C'est à l'époque des vendanges que Andlau connaît la plus grande animation
- **Pour poursuivre la visite** – Voir aussi Le Hohwald, Obernai, la route des Vins, le mont Ste-Odile.

Le saviez-vous ?

- Andlau, un seul nom pour désigner la ville, la rivière qui dévale les sommets vosgiens, et la vallée qui abrite chevreuils et sangliers.
- Pour protéger leurs trois grands crus de riesling contre les parasites, les vignerons d'Andlau font appel à des guêpes microscopiques qui dévorent les œufs des vers.

Comprendre

Histoire d'ourse – L'abbaye d'Andlau est fondée en 880 par l'impératrice Richarde, épouse de Charles le Gros. Richarde a, un beau jour, une vision dans laquelle il lui est ordonné de construire son église là où elle rencontrerait une ourse préparant une tanière à ses petits. Elle aperçoit alors, dans la forêt, la bête annoncée. Elle passe la nuit en prières et fait construire un monastère à cet endroit très précis. D'autres variantes de la légende évoquent le lieu de l'enterrement par la maman ourse de son bébé mort… On raconte aussi qu'un ours vivant était élevé dans la cour de l'abbaye et que la cité se chargeait de subvenir aux besoins des montreurs d'ours qui passaient par Andlau. Bref, Andlau et les ours, c'est une vieille histoire d'amour… Vous en trouverez la trace sur certaines sculptures, comme celle qui orne la fontaine Ste-Richarde.

Visiter

Église St-Pierre-et-St-Paul★

☏ 03 88 08 93 38 - du 21 juin au 20 sept. : mat. et apr.-midi ; reste de l'année : se renseigner à la mairie ou auprès de l'office de tourisme - possibilité de visite guidée.

L'église est parfois appelée « abbatiale Ste-Richarde ». Un incendie a détruit le premier édifice en 1045. Reconstruit au 12e s., seules certaines parties subsistent à présent : le portail, la crypte et une frise historiée qui court en façade et sur le côté gauche.

Andlau et son vignoble, étapes réputées sur la route des Vins d'Alsace.

Sous le porche massif (clocher du 17e s.), le **portail★★** offre les plus remarquables sculptures romanes d'Alsace par son pourtour couvert de bas-reliefs. Des couples représentent vraisemblablement les bienfaiteurs de l'abbaye se superposent dans les arcatures. Sur le linteau, vous verrez des scènes de la Création et du Paradis terrestre.

À l'intérieur, le chœur, élevé au-dessus de la **crypte★** double et voûtée d'arêtes, est décoré de belles stalles du 15e s. Vous y verrez aussi le tombeau de sainte Richarde.

Dans la rue du Général-de-Gaulle, la maison Ste-Richarde est un bâtiment remarquable de 1623, remanié par le comte Hallez-Claparède vers 1840.

Aux alentours

Epfig
6 km au sud-est par les D 253 et D 335. Traverser le village pour prendre la D 603 vers Kogelheim.

Située à la sortie est du village, au milieu du cimetière, la **chapelle Ste-Marguerite** aurait servi de lieu de culte à des nonnes au 12e s. À l'intérieur, n'hésitez pas à mettre en marche le guide vocal qui vous renseignera sur la chapelle et son histoire. Ossuaire dont l'origine reste inconnue. Devant la chapelle, quatre carrés d'inspiration médiévale ont été plantés : on retrouve les fleurs, les aromates, les simples et le potager.

Château du Haut-Andlau *(voir Le Hohwald)*

Andlau pratique

Adresse utile

Office du tourisme d'Andlau – *5 r. du Gén.-de-Gaulle - 67140 Barr -* ☎ *03 88 08 22 57 - www.andlau.fr - tlj mat. sf w.-end et j. fériés.*

Se loger

⊜☺ **Hôtel Kastelberg** – *10 r. du Gén.-Koenig -* ☎ *03 88 08 97 83 - 29 ch. 61/70 € -* ☐ *10 € - rest. (dîner seulement) 19/43 €.* Pimpante façade d'allure alsacienne bordant les vignes. Chambres plaisantes, mansardées ou avec balcon, garnies d'un mobilier campagnard régional souvent peint. Meubles de style et tables joliment dressées dans la salle de restaurant.

⊜☺ **Zinckhotel** – *13 r. de la Marne -* ☎ *03 88 08 27 30 - 18 ch. 68/95 € -* ☐ *11 €.* Ancien moulin originalement décoré : chambres personnalisées (zen, pop, jazzy), couloirs semblables à des ponts de bateau, etc. L'annexe contemporaine donne sur le vignoble.

Se restaurer

⊖ **À la Couronne** – *4 r. du Mar.-Foch -* ☎ *03 88 08 93 24 - fermé 1 mois en hiver, lun. soir hors sais., merc. soir et jeu. - 8,20/27 €.* Dans ce petit restaurant familial on cultive l'art de faire simple et bon. Le menu alsacien et le menu terroir (avec son filet de sandre en matelote) sont servis sans chichis dans une salle à manger de caractère. Pour les amateurs : tartes flambées à savourer midi et soir.

⊜☺ **Au Bœuf Rouge** – *6 r. du Dr-Stoltz -* ☎ *03 88 08 96 26 - aubœufrouge@*

wanadoo.fr - fermé 15-24 fév., 20 juin-12 juil., merc. soir et jeu. sf de juil. à sept. - 15/30 €. Installé dans un relais de poste du 17e s., ce restaurant typiquement alsacien sert dans son élégante salle à manger lambrissée ou sur sa terrasse d'été de savoureuses recettes traditionnelles, et dans sa *winstub* une carte de spécialités régionales, dont les célèbres *flammekueches*.

Caveaux de dégustation

André Durrmann – *11 r. des Forgerons -* ☎ *03 88 08 26 42 - www.durrmann.fr.st - 9h-19h et sur RV.* Le domaine, spécialisé dans l'agriculture production biologique, assure une visite pédagogique et ludique.

Gérard Wohleber – *14A r. du Mar.-Foch -* ☎ *03 88 08 93 36 - www.alsace-chalet. com - 8h-12h, 13h-19h, dim. sur RV.* Les visiteurs sont reçus dans le superbe caveau de cette maison construite en 1549. Cheminée, tables rustiques, vaisselle alsacienne et objets de vignerons en font une salle de dégustation idéale. À découvrir, un riesling grand cru de Mœnchberg, un crémant d'Alsace (à base de riesling et de pinot blanc) et des vins de qualité dans les 7 cépages de la région.

Marcel Schlosser – *5-7 r. des Forgerons - domaine du Vieux Pressoir -* ☎ *03 88 08 03 26 - www.isasite.net/marcel-schlosser - 9h-12h, 13h30-18h, dim. et j. fériés sur RV - fermé Pâques et 25 déc.* Caveau de dégustation. Visite de caves. Vente au détail. Spécialités du domaine : riesling Wiebelsberg et gewurztraminer Mœnchberg. La maison propose également des gîtes à louer.

L'Argonne★

CARTE GÉNÉRALE A1 – CARTE MICHELIN DÉPARTEMENTS 307 B/C 3/4 – MEUSE (55)

Les belles forêts, les paysages vallonnés, les villages bien préservés de l'Argonne en font une région touristique agréable à parcourir. Et pourtant, le passé a marqué la région de son empreinte douloureuse ; difficile ici d'oublier le cauchemar de la Première Guerre mondiale.

- **Se repérer** – Ce massif, dont la plus grande largeur entre Clermont et Ste-Menéhould ne dépasse pas 12 km, atteint 308 m d'altitude au sud de Clermontil. Il représentait jadis un obstacle sérieux à la circulation.

- **À ne pas manquer** – Les sites de la Première Guerre mondiale et le musée de l'Argonne à Varennes-en-Argonne, pour comprendre l'arrestation de Louis XVI.

- **Organiser son temps** – Comptez une journée pour parcourir l'Argonne, en prévoyant de déjeuner à Varennes ou à Beaulieu (attention, un seul restaurant dans chacune de ces villes ; le pique-nique peut aussi être une bonne solution).

- **Avec les enfants** – Pour les plus grands, les mémoriaux et lieux de combats de 1914-1918 illustrent leurs cours d'histoire.

- **Pour poursuivre la visite** – Voir aussi Verdun.

Comprendre

Un territoire stratégique – Les vallonnements de l'Argonne constituent les voies de passage qui ont servi de couloirs d'invasion : défilés des Islettes, de Lachalade, de Grandpré, baptisés les « Thermopyles de France ». En 1792, Dumouriez arrêta les troupes prussiennes à la sortie de ces défilés. Puis, durant la guerre de 1914-1918, le front s'installa pendant quatre ans sur la ligne Four-de-Paris, Haute-Chevauchée, Vauquois, Avocourt, coupant l'Argonne en deux. Le souvenir demeure donc celui des milliers de soldats tombés sur le champ de bataille lors de différents affrontements.

Circuit de découverte

1 journée – 77 km.

Clermont-en-Argonne

Sur le flanc d'une colline boisée dont le sommet (308 m) est l'un des points culminants de l'Argonne, Clermont affiche un certain cachet au-dessus de la vallée de l'Aire. Ancienne capitale du comté du Clermontois, la ville était dominée par un château fort entouré de remparts. Elle fit successivement partie de l'Empire germanique, de l'évêché de Verdun, du comté de Bar, du duché de Lorraine, avant de passer à la France en 1632. Louis XIV l'attribua au Grand Condé. Le château fut rasé après la Fronde.

L'**église St-Didier**, datant du 16e s., possède deux portails Renaissance. Les voûtes du transept et du chœur, de style gothique flamboyant, sont particulièrement ouvragées. Remarquez également les vitraux modernes et un « miroir de la Mort », bas-relief du 15e s. Belle Mise au tombeau du 16e s., composée de six statues dont le groupe des trois Marie, de pierre peinte.

Prendre le chemin à droite de l'église et suivre une allée conduisant à l'extrémité du promontoire : vue sur la forêt d'Argonne et la vallée de l'Aire *(table d'orientation).*

Quittez Clermont-en-Argonne par la D 998, en direction de Neuvilly-en-Argonne. À Neuvilly, prenez la D 946. Sur la droite, à Boureuilles, la D 212 conduit à Vauquois. À l'entrée de Vauquois, prenez à gauche le chemin goudronné d'accès à la butte. Laissez la voiture et gravissez le sentier qui conduit au sommet de la butte.

Butte de Vauquois

Visite guidée (2h) 1er dim. du mois mat. ; 1er et 8 Mai : tte la journée - 3 € - ℘ 03 29 80 73 15. Les belligérants de la Première Guerre mondiale se disputèrent cette butte. Pour en témoigner, un monument marque l'emplacement de l'ancien village détruit. Un petit chemin, suivant la ligne de crêtes d'où vous verrez la forêt de Hesse, la butte de Montfaucon et la vallée de l'Aire, domine plusieurs cratères de mine profonds de 30 m. Le terrain est bouleversé aux alentours et on peut encore y voir les restes de barbelés et de chevaux de frise.

Traversez Vauquois par la D 212 et prenez la D 38 qui mène à Varennes-en-Argonne.

Varennes-en-Argonne

En s'y faisant arrêter, alors qu'ils tentaient de rejoindre les régiments qui leur étaient restés fidèles, Louis XVI et sa famille vécurent ici le début d'une longue série d'humiliations. Aucun doute, cet événement historique rendit célèbre cette petite ville qui, le reste du temps, vit tranquillement sur les bords de l'Aire.

Musée d'Argonne – ℘ 03 29 80 71 14 - juil.-août : apr.-midi, w.-end et j. fériés mat. et apr.-midi ; de fin avr. à fin juin et sept. : w.-end et j. fériés apr.-midi - 4,20 € (-12 ans 2 €). Dans un bâtiment moderne, le musée comprend, sur deux niveaux, une exposition Louis XVI présentant des documents relatifs au roi et à son arrestation, une galerie consacrée aux arts et traditions de l'Argonne (céramique sigillée de l'Argonne, faïences des Islettes et de Waly), une salle groupant des souvenirs des guerres de 1914-1918 et de 1939-1945 (combats souterrains de l'Argonne et intervention américaine).

Mémorial de Pennsylvanie – Grandiose monument aux morts américains commémorant les combats de 1918. Jolie vue sur l'Aire et sa campagne, au nord.

Poursuivez par la D 38, puis tournez à gauche dans la route de la Haute-Chevauchée.

Haute-Chevauchée

C'est un des hauts lieux de la guerre 1914-1918. De violents combats s'y déroulèrent. Aujourd'hui agréable promenade dans la forêt, cette route mène au **« Kaisertunnel »** et au cimetière militaire de la Forestière. Dans les sous-bois, de part et d'autre de la route, des tranchées et des boyaux sont encore visibles. ℘ 03 29 88 42 22 - visite guidée uniquement - dim. et j. fériés apr.-midi - fermé 1er janv. et 25 déc. - 3,50 € (-12 ans gratuit). *Revenez à la D 38, poursuivez jusqu'à Four-de-Paris, puis prenez la D 2 vers Lachalade.*

Lachalade

Le village est dominé par l'imposante silhouette d'une ancienne abbaye cistercienne. L'**église** du 14e s. ne comporte plus que deux travées, d'où ses curieuses proportions ; les trois premières ont été détruites lors d'un incendie au début du 17e s. Sur la façade ouest, la rose flamboyante provient de l'abbaye Ste-Vanne de Verdun.

Continuez sur la D 2 vers Les Islettes.

Les Islettes

Ce fut un bourg très actif connu pour ses tuileries, verreries et surtout faïenceries.

La D 2 traverse Futeau et entre dans la forêt de Beaulieu.

Ermitage de St-Rouin

Saint Roding (ou Rouin), moine irlandais du 7e s., retiré en Argonne, fonde un monastère auquel succède l'abbaye de Beaulieu. Une « cathédrale de verdure » a été aménagée dans un beau site forestier. Un bâtiment solitaire, l'abri des pèlerins, accueille le visiteur, puis, sous la voûte des arbres apparaît une chapelle moderne en béton conçue par le R. P. Rayssiguier, disciple dominicain de Le Corbusier. Les vitraux multicolores ont été créés par une jeune artiste japonaise.

Poursuivez sur la D 2, puis tournez à gauche vers Beaulieu-en-Argonne.

Beaulieu-en-Argonne

Ancien siège d'une importante abbaye bénédictine, ce village très fleuri s'allonge sur une butte d'où vous aurez de belles vues sur le massif forestier. De l'ancienne abbaye subsistent quelques murs, et surtout un **pressoir★** du 13e s. tout en chêne (la vis est en charme) dans lequel les moines pouvaient presser 3 000 kg de raisin, donnant 1 600 l de jus. Tte la journée. *De Beaulieu-en-Argonne prenez la route forestière qui longe le bâtiment du pressoir (sur la gauche), poursuivez jusqu'au carrefour des Trois-Pins ; continuez tout droit, puis prenez à droite la direction de Rarécourt.*

Rarécourt

Sur la route à droite après le pont sur l'Aire. Dans une maison forte du 17e s., le **musée de la Faïence** présente plus de 800 pièces de faïences et terres cuites régionales (Islettes, Lavoye, Waly, Rarécourt…) des 18e et 19e s. ℰ 03 83 56 95 40 - 🖘 - *de fin juin à fin août : mat. et apr.-midi - possibilité de visite guidée - 4 € (enf. 2,50 €).*

Rejoignez Clermont-en-Argonne par la D 998.

L'Argonne pratique

🦽 Voir aussi l'encadré pratique de Verdun.

Adresse utile

Office du tourisme de Clermont-en-Argonne – 6 pl. de la République - 55120 Clermont-en-Argonne - ℰ 03 29 88 42 22 - *juil.-août : mat. et apr. midi ; reste de l'année : mar.-sam. tte la journée, lun. apr.-midi - fermé 24 déc.-2 janv., dim. et j. fériés.*

Se loger

🛏 **Hostellerie de l'Abbaye** – 7 Grande-Rue - 55250 Beaulieu-en-Argonne - ℰ 03 29 70 72 81 - fermé 2 nov.-14 mars - 8 ch. 40/47 € - 🖂 5 €. Cette maison, qui borde la principale rue du bourg, abrite le café local, quelques chambres bien tenues et un restaurant tout simple. Ambiance familiale et sans chichis, jolie vue sur l'Argonne et les massifs forestiers environnants.

🛏 **Chambre d'hôte Le Four au Bois** – 20 r. de Bellefontaine - 55120 Futeau - ℰ 03 29 88 22 08 - www.lefouraubois. com - 🖄 - 4 ch. 50/60 € 🖂. Dans un calme petit hameau niché au cœur de la forêt d'Argonne, vous trouverez cette ravissante ferme entièrement restaurée. Les quatre chambres, dont une suite aménagée pour personne à mobilité réduite, répondent aux noms évocateurs de pays lointains : la Yéménite, l'Africaine, l'Indienne et la Provençale. Confortables et décorées avec goût, elles jouissent d'une belle vue sur le parc et les bois. Un havre de paix où vous pourrez apercevoir de très nombreux oiseaux et animaux sauvages.

🛏🍽 **Chambre d'hôte Château de Châtel** – 08250 Châtel-Chéhéry - 9 km au nord-ouest de Varennes-en-Argonne par D 946 puis D 42 - ℰ 03 24 30 78 54 - http://perso.wanadoo.fr/chateaudechatel/ - 🖄 - réserv. obligatoire - 3 ch. 80/85 € - 🖂 - repas 23 €. Ce château du 18e s., entouré d'un parc à flanc de coteau surplombant la vallée de l'Aire, ne manque pas de charme. Ensemble rénové rehaussé par quelques vieux meubles, des cheminées anciennes et un bel escalier d'époque. Piscine chauffée, terrain de jeux, vélos à disposition, étang de pêche…

Se restaurer

🍽🍽 **Bellevue** – 14 r. de la Libération - 55120 Clermont-en-Argonne - ℰ 03 29 87 41 02 - hotel.bellevuevpc@wanadoo.fr - fermé 23 déc.-10 janv. et dim. soir - 16/40 € - 7 ch. 50/54 € - 🖂 7,50 €. Salle à manger coiffée de lattes de bois formant une vague, salle de banquets « 1925 » et terrasse en surplomb du jardin. Chambres simples, un peu désuètes mais bien tenues.

🍽🍽 **À L'Orée du Bois** – À Courupt - 55120 Futeau - ℰ 03 29 88 28 41 - www. aloreedubois.fr - fermé 2-27 janv., 18 nov.-21 déc., lun. midi, mar. midi de Pâques à fin sept., dim. soir, lun. et mar. d'oct. à Pâques - 25/65 € - 14 ch. 82/150 € - 🖂 12 €. En lisière de la forêt d'Argonne, engageante auberge abritant deux salles à manger tournées vers la campagne. Chambres amples et confortables (réservez-en une récente).

Événement

Pèlerinage – Le dim. suivant le 17 sept., un important pèlerinage est organisé à l'ermitage de St-Rouin.

Basilique d'**Avioth**★★

CARTE GÉNÉRALE A1 – CARTE MICHELIN DÉPARTEMENTS 307 D1 – MEUSE (55)

Il faut vraiment faire le détour. Apparition insolite et tout à fait inattendue, dans un tout petit village, près de la frontière belge, d'une magnifique basilique gothique. Un monument unique l'accompagne, destiné à recevoir les offrandes des pèlerins, la Recevresse.

Se repérer – À l'écart des grands axes de circulation, le village est à 3 km, par la D 110, de la 43 qui relie Montmédy (5 km au sud) à Sedan (35 km au nord). Tourné historiquement vers le duché du Luxembourg, Avioth se trouve aussi à 5 km de la frontière et à 30 km d'Arlon, en Belgique.

À ne pas manquer – La Recevresse et la statue de la vierge d'Avioth.

Organiser son temps – La fête de N.-D. d'Avioth, le 16 juillet, marquée par l'afflux des pèlerins, contraste avec le calme du reste de l'année.

Pour poursuivre la visite – Voir aussi Montmédy, Stenay, Longwy.

Le saviez-vous ?

Deux anges auraient sculpté en une nuit une statue de la Vierge qui devint l'objet d'un pèlerinage au début du 12e s. L'afflux des pèlerins entraîna la construction d'une basilique en pierre dorée dès la 2e moitié du 13e s. Elle s'est poursuivie jusqu'au début du 15e s. dans le style gothique flamboyant. Viollet-le-Duc la restaura au 19e s.

La basilique est placée sous le signe du don. Les offrandes de jadis étaient déposées dans le curieux édicule de la Recevresse. C'était une « église de répit » où l'on venait prier pour les enfants mort-nés, espérant un miracle.

Visiter

03 29 88 90 96 - www.avioth.fr - possibilité de visite guidée sur demande (1 sem. av.) - tlj tte la journée - 3,20 €.

Extérieur

Le **portail ouest** a de belles proportions avec ses voussures ornées de 70 figures. Au-dessus du portail, près du gâble, une scène du Jugement dernier : parmi les statues placées dans les contreforts, des anges sonnent les trompettes. Le **portail sud** est consacré à la Vierge et à l'enfance du Christ. On reconnaît le style champenois dans les soubassements ornés de draperies sculptées. La **Recevresse**★, élégant petit édifice flamboyant, est à gauche du portail sud, attenant à la porte du cimetière.

H. Champollion/MICHELIN

Dentelles de pierre à la Recevresse, dans le style gothique flamboyant.

Intérieur

Très lumineux, il suit la disposition champenoise. Il comporte une coursière (très exceptionnelle dans la région) et un déambulatoire sur lequel donnent des chapelles peu profondes établies entre les contreforts.

La basilique a conservé plusieurs œuvres d'art d'une veine populaire savoureuse. Dans le **chœur**, maître-autel décoré des symboles des quatre évangélistes. À gauche de l'autel, posée sur un trône de pierre du 15e s. et tout de blanc vêtue, **Notre-Dame d'Avioth**, sculptée dans le tilleul vers 1100. Tout autour, 14 statues polychromes adossées en hauteur aux piliers du sanctuaire forment une curieuse cour silencieuse à la Vierge miraculeuse. À droite de l'autel, le tabernacle gothique du 15e s. possède un pinacle qui touche presque le sommet de l'arcade dans laquelle il s'inscrit. Des travaux ont fait apparaître sur la clôture et les voûtes du chœur des peintures et des fresques des 14e et 15e s. La gracieuse chaire de 1538, en pierre finement sculptée d'un décor Renaissance, porte aussi des traces de polychromie ; son panneau central représente le Couronnement de la Vierge. Tout à côté, l'*Ecce homo* est flanqué d'un Pilate en costume de cour du Saint-Empire.

Baccarat

4 746 BACHAMOIS
CARTE GÉNÉRALE B2 – CARTE MICHELIN DÉPARTEMENTS 307 L8
MEURTHE-ET-MOSELLE (54)

Le nom de Baccarat est connu dans le monde entier. Nom d'une ville, il désigne aussi cette luxueuse matière, d'une grande pureté, qui s'est imposée sur les tables les plus prestigieuses. Mais qu'est-ce qui distingue le cristal éclatant du verre commun ? Au départ, pas grand-chose si ce n'est l'adjonction d'oxyde de plomb, qui donne un poids parfois inattendu aux pièces ! Puis, tout est confié aux mains expertes des maîtres verriers et des maîtres tailleurs, qui garantissent la qualité de cette industrie de luxe.

▶ **Se repérer** – Bâtie de part et d'autre de la Meurthe, la ville se situe à mi-chemin (60 km) entre Nancy et Gérardmer, sur la N 59. Les installations de la cristallerie couvrent plus de 10 ha, sur l'une des rives de la rivière. Deneuve domine la ville au sud, depuis un éperon rocheux.

👁 **À ne pas manquer** – Le musée du Cristal bien sûr, les vitraux de l'église St-Remy et les sources d'Hercule à Deneuve.

🕐 **Organiser son temps** – Pour les bibliophiles, il fait bon flâner quelques heures dans les rues de Fontenoy-la-Joûte, véritable bouquinerie géante.

👪 **Avec les enfants** – Le parc d'attractions de Fraispertuis City.

🚶 **Pour poursuivre la visite** – Voir aussi Lunéville, Saint-Dié-des-Vosges, Épinal, le lac de Pierre-Percée *(voir massif du Donon)*.

Comprendre

Une cristallerie de prestige – Louis XV autorisa en 1764 Mgr de Montmorency-Laval, évêque de Metz, à créer la verrerie Ste-Anne à Baccarat. Transformée en cristallerie en 1817, elle servit les grands de ce monde au 19e s. et s'assura ainsi une grande prospérité. La visite de Charles X en Lorraine en 1828, immortalisée par une aiguière conservée au musée, fut suivie d'un grand engouement pour le cristal de Baccarat. Seule cristallerie au monde capable de fabriquer des pièces de taille exceptionnelle, la manufacture fournit au tsar Nicolas II un candélabre de 3,85 m de hauteur et produisit des meubles de cristal qui sont autant d'objets de collection. La cité ouvrière comprenait plusieurs bâtiments tout près de la cristallerie, pour que les verriers accourent dans la « halle » dès que la cloche sonnait pour annoncer la fusion du cristal. Avec son four à bassin qui affine le mélange en fusion continue, Baccarat est aujourd'hui à la pointe de la technique. 38 des tailleurs ou graveurs hautement qualifiés de la cristallerie ont été reconnus « meilleurs ouvriers de France ».

Visiter

Musée du Cristal

📞 03 83 76 61 37 - www.baccarat.fr - tlj mat. et apr.-midi - fermé 1er janv. et 25 déc. - 2,50 € (-10 ans gratuit).
Ce musée présente des pièces anciennes et contemporaines, dans le petit château qui fut la demeure du fondateur de la « verrerie Ste-Anne ». Voyez en particulier le candélabre de l'Exposition universelle de 1867, le vase des Trois Grâces (1909) et la collection de presse-papiers (sulfures, millefiori). Dans la dernière salle sont présentées les différentes techniques de fabrication : outillage, travail à chaud, taille, gravure, dorure.

Église St-Remy

Cette église moderne (1957) surprend par son clocher dressé en pyramide à 55 m de hauteur. Immense bas-relief en béton brut de décoffrage éclairé de **vitraux★** en cristal de Baccarat constitués de plus de cinquante teintes différentes ayant pour thème « la création du monde ». Le tabernacle et les fonts baptismaux symétriques par rapport au chœur sont éclairés de verrières représentant les douze apôtres.

Aux alentours

Deneuve

Village ancien où subsiste une église du 18e s. qui abrite un orgue remarquable de 1704. Des fouilles effectuées de 1974 à 1986 ont mis au jour un sanctuaire gallo-romain du milieu du 2e s., dédié à Hercule et restitué aujourd'hui dans un musée.

Les sources d'Hercule – ☎ 03 83 75 22 82- ♿ - mai-sept. : tlj mat. et apr.-midi ; mars-avr. et oct. : w.-end et j. fériés apr.-midi - fermé 1er janv. et 25 déc. - 3,50 € (-12 ans gratuit). Toutes les informations sur le mythe d'Hercule, les états antérieurs du sanctuaire et la découverte du site, enfin, des cartes, plans et maquettes pour expliquer l'histoire de Deneuvre sont ici rassemblés. Reconstitution du lieu d'ablution, avec ses trois bassins qui permettaient aux fidèles de puiser l'eau. Les dévots ayant obtenu ce qu'ils souhaitaient offraient un ex-voto, le plus souvent des stèles ou des autels qui formèrent au cours des siècles un cercle autour des sources.

Fontenoy-la-Joûte

6 km à l'ouest de Baccarat.

Dans ce village typiquement lorrain, d'anciennes fermes étroites et hautes ont été transformées en librairies pour former le **Village du livre** : des bouquinistes, un relieur d'art et une Maison de l'imprimerie et du papier où un artisan fabrique du papier sous vos yeux. Au nord du village, la chapelle St-Pierre, du 13e s., marque la séparation entre le Bassin parisien et le massif des Vosges. ☎ 03 83 71 53 25.

Rambervillers

15 km au sud-ouest de Baccarat par la D 935.

Entourée de collines et de forêts, Rambervillers est surtout remarquable pour son hôtel de ville du 16e s. à arcades (à l'intérieur, la tour contient un bel escalier en colimaçon) et pour son église de style gothique flamboyant. Édifiée au 15e s., elle est consacrée à sainte Libaire, la première martyre du diocèse, décapitée à Grand au 4e s., que l'on reconnaît sur le grand tableau adossé au tympan. Le **musée de la Terre** présente des faïences du 18e s., une collection de pots à pharmacie et des grès flammés dans un style école de Nancy. *1 r. de la Faïencerie.* ☎ 03 29 65 05 03 - juil.-août : tlj sf mar. apr.-midi ; reste de l'année : dernier dim. du mois apr.-midi - 3 € (-14 ans 1 €).

Baccarat pratique

Adresse utile

Office du tourisme de Baccarat – *2 r. Adrien-Michaut - 54120 Baccarat -* ☎ *03 83 75 13 37 - www.ville-baccarat.fr - juil.-août : tlj mat. et apr.-midi ; reste de l'année : tlj mat. et apr.-midi sf w.-end et j.fériés.*

Se loger

⊜⊛ **Hôtel La Renaissance** – *31 r. des Cristalleries -* ☎ *03 83 75 11 31 - www.hotel-la-renaissance.com - 16 ch. 51 € - ⊡ 10 € - rest. 18/37 €. Au pays des verriers, tout près du musée du Cristal, petite adresse pratique pour poser vos valises. Chambres fonctionnelles et bien insonorisées. Cuisine traditionnelle sans prétention servie dans une salle à manger rustique ou sur la miniterrasse fleurie.*

Se restaurer

⊜ **Le Wagon du Pré Fleury** – *14 r. de la Barre - 54129 Magnières - 15 km à l'ouest de Baccarat, dir. Bayon par D 22 -* ☎ *03 83 72 32 58 - http://wagonrestaurant.free.fr - fermé dim. soir et lun. - formule déj. 13 € - 14,90/30,60 €. Cadre insolite pour ce restaurant installé dans… un ancien wagon SNCF et sa gare ! Tenu par un ancien dessinateur industriel et bourrelier, il est agréablement aménagé dans un style un peu rétro. Cuisine régionale. Autour : pêche, balades en draisines…*

Que rapporter

Cristallerie de Baccarat – *2 r. des Cristalleries -* ☎ *03 83 76 60 01 -* www.baccarat.fr - *9h30-12h30, 13h30-19h, dim. et j. fériés 10h-12h30, 14h30-19h - fermé 1er janv. et 25 déc. Chaque article fabriqué à Baccarat reçoit une marque spécifique qui n'est disponible que chez certains dépositaires. Magasins de vente au détail, galeries d'exposition et musée.*

Sports & Loisirs

Fraispertuis City – ▲▲ *- 50 r. de la Colline-des-Eaux - 20 km au sud de Baccarat par D 935, D 435 et D 32 - 88700 Jeanménil -* ☎ *03 29 65 27 06 - www.fraispertuis-city.fr - juil.-août : 10h-18h30 ; avr.-juin, sept. : selon calendrier scol. 10h-18h - 13 € (gratuit pour les moins d' 1 m). Ce parc propose une vingtaine d'attractions sur le thème du Far West qui font la joie des petits et des grands : la rivière d'aventure, le Grand Canyon, le train Far West et, créé en 2007, les bisons rusés… Restauration sur place.*

Vélorail du Val de Mortagne – *Val de Mortagne, ancienne gare SNCF - 54129 Magnières -* ☎ *03 83 72 34 73 - avr. et sept. : 14h-18h ; mai-juin : 9h-12h, 14h-19h ; juil.-août : 9h-19h ; oct.-mars : sur réserv. - 10 €/h (4 pers.). Autrefois moyen de locomotion utilisé par les ouvriers pour entretenir et surveiller les voies de chemin de fer, la draisine constitue aujourd'hui un moyen de transport insolite pour parcourir la vallée de la Mortagne. Vous pédalerez sur une ancienne voie ferrée de 20 km, à partir de Magnières (13 km à l'ouest de Baccarat). Location à l'heure.*

Événement

Fête du pâté lorrain – *2e w.-end de sept. -* ☎ *03 83 75 13 37 - www.ot-baccarat.fr*

Bains-les-Bains

1 415 BALNÉENS
CARTE GÉNÉRALE B3 – CARTE MICHELIN DÉPARTEMENTS 314 F4 – VOSGES (88)

Station thermale spécialiste de l'antistress où forêts, verdure et air pur contribuent au bien-être des curistes venus soigner leur hypertension artérielle et autres maladies cardiovasculaires. Ce sont, bien sûr, les Romains qui ont découvert, comme toutes les autres sources de la région, ces eaux miraculeuses. Les chanoinesses de Remiremont ont ensuite pris en charge l'exploitation avant que les révolutionnaires ne confisquent les thermes pour les revendre quelques années plus tard.

▶ **Se repérer** – Au croisement des D 434 et D 164, à 38 km au sud-est de Contrexéville et à 29 km au sud-ouest d'Épinal. Le grand parc thermal se prolonge graduellement par la forêt vosgienne. Depuis la construction de la déviation automobile contournant la ville, le promeneur y trouve une grande quiétude.

👁 **À ne pas manquer** – Le bain romain ; la légendaire forêt de Darney, ses vestiges celtiques et son musée du Verre et des Activités anciennes de la forêt à Hennezel.

👪 **Avec les enfants** – Une visite dégustation à la confiserie Delisvosges à Darney ; la Ferme Aventure à La Chapelle-aux-Bois.

⏱ **Pour poursuivre la visite** – Voir aussi Plombières-les-Bains, Vittel, Contrexéville, Remiremont, Épinal, Luxeuil-les-Bains.

Le saviez-vous ?

👁 Dans l'Antiquité, l'endroit s'appelait *Balneum*, on voit bien pourquoi… Une stèle romaine placée aujourd'hui à la buvette du bain de la Promenade représente un buste de femme qui tient un récipient.

👁 En 1864, Napoléon III déclare les eaux de Bains d'intérêt public. Mlles Ivroy de Plombières, qui fournissaient l'impératrice Eugénie en broderies au tambour, ouvrent une succursale à Bains-les-Bains. La fortune de la station était assurée.

Séjourner

QUARTIER THERMAL

1 av. du Dr-Mathieu - 📞 *03 29 36 32 04 - de déb. avr. à déb. nov. : tlj. sf dim. mat. et apr.-midi.*

Les eaux débitées par onze sources, à une température variant de 25 à 51 °C, sont indiquées dans le traitement des affections rhumatismales, des maladies cardio-artérielles et des séquelles de traumatismes ostéo-articulaires. Elles alimentent deux établissements : le bain romain et celui de la Promenade.

Un décor à l'antique pour les piscines du bain romain.

J.-P. Clapham/MICHELIN

Le bain romain

Reconstruit en 1845, il occupe l'emplacement des sources captées par les Romains. Situé au cœur de la ville piétonnière, il est éclairé à l'intérieur par une verrière. Trois piscines en pierre sont entourées de deux niveaux de colonnades superposés.

Le bain de la Promenade

Il a été complété en 1880 par un hôtel et son casino, puis a connu de profondes transformations en 1928 qui en font un bel édifice Art déco. Il accueille la buvette des Thermes et se trouve doté aujourd'hui d'installations très confortables.

Aux alentours

Fontenoy-le-Château

7 km au sud-ouest par la D 434.

L'ancienne ville fortifiée était le siège d'une prévôté seigneuriale où les seigneurs étaient également comtes de Toul et avaient le droit de haute et basse justice. En 1635, un incendie dû aux troupes franco-suédoises dirigées pas Turenne fait disparaître le château et la ville. Néanmoins, le portail de l'église et une partie du château sont encore visibles. Fontenoy a vu naître le poète Gilbert (1730-1780) et Julie Victoire Daubié, première bachelière de France (1861).

Circuit de découverte

FORÊT DE DARNEY

74 km – 3h.

Le massif forestier de Darney totalise environ 15 000 ha, dont la moitié pour la seule forêt domaniale de Darney. Bien que le hêtre soit aujourd'hui devenu dominant dans les peuplements, ce massif prestigieux continue à fournir des chênes de grandes dimensions d'une exceptionnelle qualité. Peut-être les druides dont la présence est attestée dans la région y recueillaient-ils du gui ?

Quittez Bains-les-Bains par la D 164, puis prenez la D 40^D vers Vioménil.

Face au village de **Grandrupt-de-Bains**, un monument, en bordure de la route, rappelle le sacrifice de 117 maquisards morts en déportation.

Rejoignez ensuite la D 460, que vous suivez à droite jusqu'au virage précédant le Void-d'Escles. Dans ce coude, prenez à droite un chemin forestier suivant la vallée du Madon qui, au bout de 2 km, passe à proximité du vallon Druidique où se trouve le cuveau des Fées.

Cuveau des Fées

1h30 à pied AR. Laissez la voiture au départ du sentier grimpant (100 m), à la nouvelle chapelle St-Martin et à la grotte voisine du même nom (visite dangereuse).

De là, un autre sentier, escaladant sous bois le versant gauche du vallon, aboutit au cuveau des Fées, extraordinaire roche plate creusée de main d'homme en forme de bassin octogonal de plus de 2 m de diamètre.

Darney

La particularité de ce village est d'avoir été le siège, le 30 juin 1918, de la proclamation par le président Poincaré de l'indépendance de la Tchécoslovaquie, au nom des Alliés. Un petit **Musée tchécoslovaque** est installé dans l'ancien hôtel de ville, surnommé le château. *℘ 03 29 09 33 45 - juil.-août : mat. et apr.-midi, dim. et j. fériés apr.-midi ; reste de l'année : visite guidée uniquement (1h15) sur demande préalable 36 heures à l'avance - gratuit.*

Le **Centre d'animation de la préhistoire** met en évidence les découvertes archéologiques datant du Paléolithique inférieur au Néolithique. Des activités ludiques sont proposées aux enfants pour comprendre la vie des hommes préhistoriques.

℘ 03 29 09 80 66 - http://gerav.free.fr - mars-nov. : w.-end apr.-midi ; vac. scol zone A (sf Noël et hiver) : tlj sf merc. apr.-midi - 7,20 € (- 5 ans gratuit).

Poursuivez par la D 164 et prenez à droite la D 5.

La route traverse Attigny, puis serpente dans la vallée boisée de la Saône. Le parcours est très agréable.

À Claudon, tournez à gauche dans la D 5^E qui mène à Droiteval.

Droiteval

Il y avait là, en 1128, une abbaye de cisterciennes dont subsiste encore l'église.

Dans Droiteval, prenez à droite, à hauteur d'une belle propriété fleurie, admirablement située à l'extrémité d'un petit étang encadré par la forêt. Continuez par une petite route étroite et pittoresque, qui longe l'Ourche. Après la maison forestière de Senenne, le chemin tourne à gauche, puis à droite, et continue sur La Hutte et Thiétry pour atteindre Hennezel.

Hennezel

Petite localité au milieu de la forêt, où l'on dénombrait autrefois 19 verreries fondées au 15e s. par des verriers de Bohême et aujourd'hui disparues.

À 1,5 km au sud d'Hennezel, juste avant le hameau de Clairey, le petit **musée du Verre et des Activités anciennes de la forêt** rassemble divers souvenirs sur les anciens métiers de la forêt et les réseaux de Résistance locale en forêt. Une salle est consacrée à la vie et à la production du maître verrier François Théodore Legras. ✆ 03 29 07 00 80 - http://membres.lycos.fr/saonelorraineassocia/aucoeur.htm - de Pâques à fin oct. : apr.-midi (dernière entrée 17h30) - 3 € (enf. 2 €).

Revenez à Bains-les-Bains par la D 164.

Bains-les-Bains pratique

Adresses utiles

Office du tourisme de Bains-les-Bains – *3 av. André-Demazure - 88240 Bains-les-Bains -* ✆ *03 29 36 31 75 - www.ot-bains-les-bains.fr - tlj sf dim. mat. et apr.-midi, j. fériés mat. - fermé 1er janv. et 25 déc.*

Office du tourisme de Darney – *14 r. Stanislas - 88260 Darney -* ✆ *03 29 09 33 45 - tlj sf dim. mat. , lun. et merc. mat. et apr.-midi. Point d'information touristique au château de Darney - juil.-août : mat. et apr.-midi.*

Se loger

🛏 **Chambre d'hôte Les Grands Prés** – *9 Les Grands-Prés - 88240 La Chapelle-aux-Bois - 3,5 km au sud-est de Bains-les-Bains, dir. St-Loup et rte secondaire -* ✆ *03 29 36 31 00 -* ⊠ *- 3 ch. 40 €* ⊡ *- repas 15 €. En pleine campagne, cette grosse maison du 19e s. est tenue par un ancien agriculteur qui voulait changer de vie… C'est chose faite, puisqu'il reçoit maintenant des hôtes dans ses chambres ou ses gîtes et à sa table, autour des légumes du jardin et parfois de ses volailles…*

Se restaurer

🍴 **Auberge du Coney** – *3 pont du Coney - 88240 Hautmougey - 4 km au nord-ouest de Bains-les-Bains dir. Vittel -* ✆ *03 29 30 41 87 - auberge-du-coney@wanadoo.fr - fermé 22 déc.-5 janv., lun. sf j. fériés - 13/23 €.* Les plaisanciers du canal de l'Est pourront faire escale à l'écluse voisine de cette maison qui, autrefois, servait de relais aux chevaux tirant les péniches sur le chemin de halage. Aujourd'hui, elle est vouée à la cuisine italienne ; attablez-vous sous ses charpentes ou en terrasse. Quatre chambres.

Que rapporter

Fabrique de confiserie Delisvosges – *20 r. des Fabriques - 88260 Darney -* ✆ *03 29 09 82 40 - magasin : tlj sf dim. et lun. 10h-12h, 14h-18h ; visite fabrication : tlj sf dim. et lun. 14h30-17h30 - fermé 15 janv.-15 fév. et j. fériés.* Après avoir pris connaissance de l'histoire du sucre et de ses transformations, vous pourrez assister à la fabrication artisanale de bonbons des Vosges. À Noël et à Pâques, les chocolats sont à l'honneur. La visite se termine par une dégustation.

Fabrique de couverts – *7 r. des Rochottes - 88260 Darney -* ✆ *03 29 09 30 02 - tlj sf dim. 9h-12h, 13h30-17h, lun. 10h-12h, 13h30-17h (avr.-sept. 18h) - fermé j. fériés.* Cet orfèvre, spécialiste des couverts de table, est installé à Darney depuis 1862. Argent massif, orfèvrerie argentée ou acier inox : les articles produits bénéficient d'une finition proche de l'artisanat d'art.

Sports & Loisirs

La Ferme Aventure – *15 Côte de Hardémont - 88240 La Chapelle-aux-Bois -* ✆ *03 29 30 11 79 - www.la-ferme-aventure. com - vac. scol. et mars-sept - 5 €.* Cette vieille ferme vosgienne installée au milieu des champs abrite un parc de jeux insolites dédiés à la nature. Au programme, des labyrinthes géants, un sentier des senteurs, la miniferme et plein de petits jeux pour apprendre tout en s'amusant. Des activités originales à découvrir en famille.

Thermes – *1 av. du Dr-Mathieu -* ✆ *03 29 36 32 04 - www.chainethermale.fr - d'avr. à déb. nov. : tlj sf dim. 7h-12h, 14h-16h, sam. 7h-12h.* Les eaux de Bains-les-Bains soignent les maladies cardio-artérielles, rhumatologiques, les séquelles de traumatismes. Séjours de remise en forme.

Ballon d'Alsace★★★

CARTE GÉNÉRALE B3 – CARTE MICHELIN DÉPARTEMENTS 314 J6 ET 315 F10 – VOSGES (88),
HAUT-RHIN (68) ET TERRITOIRE DE BELFORT (90)

Le Ballon d'Alsace constitue l'extrémité sud de la chaîne des Vosges. On y rencontre de belles forêts de sapins et d'épicéas, de charmants sous-bois, des fonds de ravins très frais et, sur les hauteurs, de grands pâturages, émaillés de fleurs alpestres. Du point culminant (1 250 m), le panorama est superbe ; par temps favorable, les Alpes sont visibles.

Le Ballon d'Alsace.

● **Se repérer** – À cheval sur trois départements, le Ballon d'Alsace est le plus méridional des massifs vosgiens. Attention, le brouillard est fréquent et peut limiter l'intérêt du coup d'œil.

● **À ne pas manquer** – Le panorama au sommet du ballon d'Alsace, le lac d'Alfeld.

● **Organiser son temps** – Pour les amateurs de la nature, le chemin du Ballon d'Alsace, qui débute au sommet de celui-ci, permet en 3h de marche de parcourir l'ensemble des sites du Ballon.

● **Avec les enfants** – En hiver, les possibilités de pratiquer du ski de fond, mais surtout du ski alpin ou de la luge font le bonheur des enfants.

● **Pour poursuivre la visite** – Voir aussi Guebwiller, massif du Petit Ballon, Munster, route des Crêtes, Thann.

Circuit de découverte

LE MASSIF★★

Au départ de St-Maurice-sur-Moselle – 38 km – environ 2h – Schéma p. 118-119.
Cette route du col du Ballon d'Alsace, la plus ancienne du massif, a été construite sous le règne de Louis XV.

St-Maurice-sur-Moselle

À proximité des stations de ski du Rouge-Gazon et du Ballon-d'Alsace, c'est le point de départ pour des excursions au Ballon de Servance et dans la vallée des Charbonniers.
Au cours de la montée au col du Ballon, la D 465 offre de jolies vues sur la vallée de la Moselle, puis pénètre dans une superbe forêt de sapins et de hêtres.

Plain du Canon

15mn à pied par un sentier qui part de la D 465, en direction de la maison forestière. Descendez devant la maison, puis prenez le sentier qui monte en lacet à gauche.
Le nom de ce lieu-dit est dû à un petit canon dont se servait le garde forestier pour provoquer un écho. Jolie vue sur le vallon boisé de la Presles, dominé par le Ballon

d'Alsace. On reconnaît aussi le Ballon de Servance. Après le lieu-dit **La Jumenterie** qui perpétue le souvenir d'un établissement fondé en 1619 par les ducs de Lorraine pour l'élevage des chevaux, très belle vue à droite sur la vallée de la Moselle et sur le Ballon de Servance.
On atteint la région des hauts pâturages.

Monument à la mémoire des démineurs

Élevé en mémoire du dévouement et souvent du sacrifice de ceux qui ont accompli cette tâche éminemment périlleuse.

Le saviez-vous ?

👁 Le terme « ballon » qui désigne les sommets si caractéristiques des Vosges du Sud serait dérivé du nom du dieu Bel auquel les Celtes vouaient un culte.

👁 Les contrebandiers qui fréquentaient jadis les lieux ont laissé la place aux randonneurs qui viennent profiter des magnifiques paysages.

Col du Ballon

À l'extrémité du parking, un monument rappelle l'exploit sportif du coureur cycliste René Pottier. Belle vue sur le sommet du Ballon d'Alsace, et plus à droite, sur la trouée de Belfort, où brillent des étangs, et le Jura du Nord.

Ballon d'Alsace★★★

30mn à pied AR.

C'est le point culminant du Ballon d'Alsace (1 250 m) à l'extrémité sud de la chaîne des Vosges. Le sentier d'accès s'amorce sur la D 465, devant la ferme-restaurant du Ballon d'Alsace. Il se dirige à travers les pâturages, vers la statue de la Vierge : avant le retour de l'Alsace à la France, cette statue se trouvait exactement sur la frontière. Du balcon d'orientation, le **panorama★★** s'étend au nord jusqu'au Donon, à l'est sur la plaine d'Alsace et la Forêt-Noire, au sud jusqu'au Mont Blanc.

La descente vers le lac d'Alfeld est très belle. Elle permet de découvrir en avant le Grand Ballon, point culminant des Vosges (1 424 m), puis la **vallée de la Doller**, le Jura et les Alpes. Après un parcours en forêt, le lac apparaît au fond d'un cirque d'origine glaciaire.

Lac d'Alfeld★

Ce beau lac de 10 ha et d'une profondeur de 22 m est un très joli plan d'eau réservé à la pêche et entouré de hauteurs boisées où perce parfois la roche. Le barrage, un ouvrage de 337 m qui retient ses eaux, s'appuie sur une moraine laissée par les anciens glaciers.

Lac de Sewen

Petit lac peu à peu envahi par la tourbe. On trouve sur ses bords des plantes alpestres et nordiques.

En aval, la D 466 longe la Doller, qui coule entre de hautes pentes de prairies très vertes, coupées de bois de sapins et de hêtres.

La vallée est dominée par l'église romane de **Kirchberg**, perchée sur une moraine, et à l'entrée de **Niederbruck**, à gauche, par une Vierge à l'Enfant due au sculpteur Antoine Bourdelle.

Masevaux *(voir Thann)*

Sentheim

En face de l'église, la **Maison de la géologie** présente une belle collection de roches, de fossiles et de minéraux. *📞 06 07 10 97 77 - geologie.sentheim.free.fr - ♿ - possibilité de visite guidée - tlj apr.-midi - fermé sam., 1ᵉʳ janv., Ascension, 1ᵉʳ nov. et 25 déc. - 2 € (-16 ans gratuit) ; billet combiné avec sentier géologique 7 €.*

*Cette plongée dans la géologie peut être complétée par le **sentier géologique de Wolfloch** (sur la D 466 en direction du Ballon d'Alsace, tournez à droite après l'église. 5 km, 12 sites balisés – environ 2h. Rejoignez le départ du sentier en suivant le fléchage. Partez ensuite à gauche du panneau de présentation et suivez le balisage représentant un fossile).*

Le sentier longe des champs et franchit ensuite la « grande faille vosgienne ». Il permet de survoler ainsi la géologie des Vosges depuis l'ère primaire jusqu'à nos jours. *Pour suivre le sentier géologique, une brochure est disponible à la Maison de la géologie - possibilité de visite guidée (3h) sur réservation - 5 € (-16 ans gratuit) - réserv. au 📞 03 89 82 55 55.*

Le Ballon d'Alsace pratique

Voir aussi l'encadré pratique du Parc naturel régional des Ballons des Vosges.

Adresse utile

Office du tourisme de St-Maurice-sur-Moselle – 28 bis r. de Lorraine - 88560 St-Maurice-sur-Moselle - 03 29 25 12 34 - www.saintmaurice-vosges.com - tlj mat. et apr. midi (sf dim. hors vac. scol.)

Se loger et se restaurer

Grand Hôtel du Sommet – Au sommet du Ballon d'Alsace - 90200 Lepuix-Gy - 03 84 29 30 60 - www.hotelrestaurantdusommet.com - fermé lun. sf vac. scol. - 25 ch. 45/55 € - 6,50 € - rest. 15/28 €. Se réveiller sur les hauteurs… au grand air, entouré de prairies et de vaches, avec vue sur la vallée de Belfort, voire, par beau temps, sur les Alpes suisses. Repos assuré dans ces chambres simples mais confortables. Restauration classique.

Chambre d'hôte La Villa du Lac – 2 rte du Ballon - 68290 Sewen - 03 89 82 98 38 - www.villa-du-lac-alsace.com - fermé janv. - 6 ch. 48/58 € - repas 22 €. Cette villa de style 1930, sise au pied du Ballon d'Alsace et face au lac de Sewen, constitue un point de départ idéal pour les randonnées. Au retour, vous dégusterez un bon petit plat alsacien avant de vous reposer dans l'une des chambres avec vue sur le plan d'eau ou la forêt. Copieux petits-déjeuners maison.

Camping Lac de la Moselotte – 88290 Saulxures-sur-Moselotte - 03 29 24 56 56 - www.ville-saulxures-mtte.fr - réserv. conseillée - 75 empl. 18 €. Ce camping aménagé au bord du lac, à côté de la base de loisirs, propose trois solutions d'hébergement : un terrain herbeux doté d'un bloc sanitaire impeccable, des chalets tout confort avec accès direct au plan d'eau et un ensemble de petites huttes en bois.

Hôtel Le Rouge Gazon – 88560 St-Maurice-sur-Moselle - 03 29 25 12 80 - www.rouge-gazon.fr - fermé 2 sem. en mars et 2 sem. en nov. - 39 ch. 55/75 € - 7,90 € - rest. 13/30 €. Ce vaste établissement familial perché à 1 260 m d'altitude, dans un site classé, comprend un hôtel de 39 chambres et un restaurant travaillant à partir de produits locaux dont ceux de la ferme voisine. Parcours de randonnées en été, qui se transforment en piste de ski quand revient l'hiver.

Sports & Loisirs

École de ski – Chalet de l'ESF à la Gentiane - 90200 Ballon d'Alsace - 03 84 29 06 65 - 15 déc.-15 avr. : 9h-18h. Le ballon d'Alsace offre pendant l'hiver, une gamme de sports de glisse tout à fait respectable. Fier de ses 19 pistes de ski alpin, il reste avant tout un site de ski de fond : 8 pistes, 50 km.

Parc naturel régional
des **Ballons des Vosges**★★

CARTE GÉNÉRALE B/C3 – CARTE MICHELIN DÉPARTEMENTS 314 L/M 3/4 – HAUT-RHIN (68), VOSGES (88), HAUTE-SAÔNE (70) ET TERRITOIRE DE BELFORT (90)

La diversité des paysages fait la renommée du Parc naturel régional des Ballons des Vosges : pâturages d'altitude (hautes chaumes sur les ballons), plateau des Mille-Étangs, tourbières, cirques glaciaires, lacs, rivières et collines couvertes de résineux, tout contribue à l'appellation « ligne bleue des Vosges ». Ici vivent des chamois, des lynx, des écrevisses, des truites, des tritons, et poussent des lys martagon, des gentianes jaunes, des myrtilles… Vous l'aurez compris, les possibilités de découvertes et de plaisir y sont infinies.

- ▷ **Se repérer** – Le Parc s'étend sur près de la moitié sud du massif vosgien, de la vallée de Sainte-Marie-aux-Mines au nord jusqu'aux portes de Belfort et de Luxeuil-les-Bains au sud.
- 👁 **À ne pas manquer** – Le panorama au sommet du Bré-zouard ou du Ballon de Servance. Pour mieux profiter du Parc, faites un tour à la Maison du Parc, à Munster.
- 🕐 **Organiser son temps** – Choisissez votre randonnée en fonction du temps dont vous disposez (de 1/2 heure à 1/2 journée, voire à une journée complète). En été, évitez de marcher aux heures les plus chaudes (12h-16h). Pensez à prendre en compte les conditions météo.
- 👫 **Avec les enfants** – L'éventail des promenades est tel qu'il y a forcément une randonnée adaptée à l'âge de vos enfants.
- 🕯 **Pour poursuivre la visite** – Voir aussi le Ballon d'Alsace, le massif du Petit Ballon, la route des Crêtes, Munster, la vallée de la Thur, Gérardmer, Guebwiller, le val d'Orbey.

Le logo du Parc.

Parc naturel régional des Ballons des Vosges

Comprendre

Les objectifs du Parc – Créé en 1989, le Parc naturel régional des Ballons des Vosges s'est donné trois objectifs : protéger et valoriser son patrimoine naturel, favoriser un développement économique compatible avec l'environnement et assurer la promotion du territoire. Le chamois a été réintroduit avec succès en 1956 et des castors sont revenus dans la vallée de la Doller. Quant au grand tétras et au faucon pèlerin, ces oiseaux sont désormais protégés.

Frontière naturelle – Après la défaite de 1871, la crête des Vosges était devenue la frontière entre la France et l'Empire allemand. Les contrebandiers de tabac, alcool et allumettes avaient alors pris le contrôle de la montagne.

Circuits de découverte

LE VAL D'ARGENT 8

Circuit au départ de Ste-Marie-aux-Mines – 65 km – environ 1h30. Quittez Ste-Marie à l'ouest par la N 59.

Argent, cuivre et autres métaux des Vosges ont été exploités depuis le Moyen Âge. À leur apogée aux 16e et 17e s., les mines déclinèrent au milieu du 19e s. Depuis, plusieurs sites sont protégés et réaménagés, pour un public curieux de patrimoine minier.

Col de Ste-Marie

Alt. 772 m. Du col, belle vue d'un côté sur le vallon de la Cude, de l'autre sur le bassin de la Liepvrette, la plaine d'Alsace et le château du Haut-Kœnigsbourg.

Roc du Haut de Faite

🥾 *30mn à pied à partir du col de Ste-Marie. Prenez au nord un sentier à droite d'une pierre tombale.* Du sommet, **beau panorama** sur la crête des Vosges et les versants alsacien et lorrain.

Revenez sur la N 59. En direction de St-Dié-des-Vosges, au Giron, tournez à gauche et prenez la D 23.

Circuit minier de la Croix-aux-Mines

🥾 *Au lieu-dit Le Chipal. 5,6 km – environ 2h45.* Au niveau de la chapelle du Chipal, suivez ce chemin balisé par des panneaux, cercle noir sur fond jaune avec l'emblème

PARC NATUREL RÉGIONAL DES BALLONS DES VOSGES

Légende

- 🛈 Centre d'information
- **M** Musée ou exposition
- ◑ Circuit historique
- ◨ Centre d'initiation à l'environnement
- 🚶 Sentier de découverte
- 🧗 Site d'escalade
- 🚵 Circuit VTT
- ⛷ Ski alpin
- 🎿 Ski de fond

N

0   5 km

NANCY

ST-DIÉ-DES-VOSGES

D 46

D 420

D 44

Bruyères
601
Mont-Avison

Champ-le-Duc

D 60

ÉPINAL ★

N 57

D 11

D 42

D 11

Vologne

D 30

Faucompierre

Granges-s-Vologne

Barbey-Serot

★ Champs de Roches

Archettes

Cheniménil

Arches

D 434

Éloyes

Tête des Cuveaux ★
783

Grde cascade de Tendon ★

D 11

le Tholy

GÉRARDM

D 417

★ Lac de Gérardmer

BAINS-LES-BAINS

N 57

D 42

St-Amé

D 417

Vagney

la Bress

GR 7

Remiremont

757
la Beuille

N 66

D 63

Moselotte

D 43

Saulxures-s-Moselotte

Cornimont

Vent

PLOMBIÈRES-LES-BAINS

★ Cascade du Géhard

D 57

M

N 57

Le Val d'Ajol 🛈

D 136

Rupt-s-Moselle

VESOUL

D 83

620
Col du Mont de Fourche

D 5

GR 7

Moselle

Ermitage d
Frère Josep

D 496

le Thillot

4

Bussang

Fougerolles

M

St-Bresson

D 6

Col des Croix
679
D 16

N 66

St-Maurice-s-Mos

1   3

Raddon

Château-Lambert

le Haut-du-Them

2

Plain du Canon

Vée des
la Jumen

Breuchin

Faucogney-et-la-Mer

2 ➡

Servance

D 486

★★ Ballon de Servance

1216

1

1178

Col du Ballon

1

D 6

Saut de l'Ognon

★★★ BALLON D'ALSACE

D 73

Ognon

Plancher-les-Mines
1148

Planche des Belles Filles

Lepuix

D 465

GR

Mélisey

D 486

GR 59

Auxelles-Haut

Giromag

▼ RONCHAMP   ▼ RONCHAMP   SERMAMAGNY

du sentier : un marteau et un pic. Sur ce site, des mineurs extrayaient autrefois le sulfure de plomb argentifère, communément appelé galène, pour en retirer l'argent.

Poursuivez sur la D 23 et à Fraize, prenez à gauche la D 415 puis après 3 km la D 148.

Col du Bonhomme *(voir val d'Orbey)*
Au col, prenez la D 148 à gauche puis après environ 5 km la D 415 à droite.

Le Bonhomme *(voir val d'Orbey)*
Prenez la D 148 pour rejoindre Le Brézouard.

Le Brézouard★★
45mn à pied AR. Laissez votre véhicule sur l'aire de stationnement près du refuge des Amis de la nature. La plus grande partie de l'excursion du Brézouard peut être effectuée en voiture depuis le **col des Bagenelles** *(4 km)*, d'où la vue est très belle sur la vallée de la Liepvrette. Au sommet du Brézouard, le **panorama★★** est très étendu. Au nord, on découvre le Champ du Feu, le Climont et au loin le Donon. Au nord-est, Strasbourg est visible. Au sud, vous verrez le Hohneck et le Grand Ballon. Le Mont Blanc se révèle dans le lointain par temps clair.

Le Brézouard et la région environnante furent de hauts lieux de la guerre 1914-1918 (tranchées et abris).

Revenez vers Ste-Marie-aux-Mines par la D 48. Après quelques kilomètres dans la forêt, la route sinueuse rejoint la vallée de la Liepvrette où les vergers succèdent aux pâturages d'altitude.

Vallée de la Liepvrette★
Le Rombach, qui jaillit de la terre au-dessus de La Hingrie, vient y alimenter la Liepvrette, charmant ruisseau courant entre les deux routes avant de traverser Ste-Croix-aux-Mines.

Sentier patrimoine de Neuenberg
À Échery, deux circuits sont possibles : court (2h30) ou long (4h).

Au cours de la promenade, on aperçoit notamment la tour des Mineurs et la maison du Receveur des dîmes caractéristique de la Renaissance avec sa tourelle, ainsi qu'une galerie de recherche de la mine Énigme.

Dans Échery, prenez à droite.

St-Pierre-sur-l'Hâte
Ce hameau joliment situé dans un espace boisé accueillait jadis un prieuré bénédictin. Il possède encore une **église** œcuménique dite « des mineurs ».

Revenez à Ste-Marie-aux-Mines par la D 48.

BALLON D'ALSACE★★ [1] *(voir ce nom)*

BALLON DE SERVANCE★★ [2]
Itinéraire au départ de Servance – 20 km – environ 1h.

Situé quelques kilomètres à l'ouest du Ballon d'Alsace, le Ballon de Servance culmine à 1 216 m et donne naissance à l'Ognon, dont le cours prend un départ tumultueux. Pour différencier les deux Ballons, observez les sommets : le Ballon d'Alsace est surmonté d'une Vierge et celui de Servance, d'un fort militaire.

Servance
Autrefois on exploitait les carrières de syénite (belle roche rouge) dans lesquelles on tailla les colonnes de l'Opéra de Paris.

À la sortie du bourg, à droite, un sentier (15mn AR) mène au **saut de l'Ognon**, cascade pittoresque s'échappant d'une étroite gorge rocheuse.

Col des Croix
Alt. 679 m. Dominé par le fort de Château-Lambert, il marque la frontière entre la Lorraine et la Franche-Comté, ainsi que la limite de partage des eaux entre la mer du Nord et la Méditerranée.

Château-Lambert
1 km après le col des Croix, on découvre ce charmant village qui accueille le **musée de la Montagne**, où l'on visite la maison du paysan mineur, un moulin, une forge, un pressoir du 17ᵉ s., une scierie, différents métiers de la forêt, une ancienne salle de classe… *Avr.-sept. : tlj sf mar. mat. et apr. midi (dernière entrée 30mn av. fermeture) ; oct.-mars : tlj sf mar. apr. midi - fermé vac. Noël, 1ᵉʳ Mai, 1ᵉʳ et 11 Nov. - 4 € - ☎ 03 84 20 43 09.*

Revenez au col des Croix. Prenez à gauche la D 16, ancienne route stratégique qui s'élève en corniche, offrant de jolies vues sur la vallée de l'Ognon avant de sinuer en forêt.

Panorama du Ballon de Servance★★

Laissez la voiture au départ de la route militaire (interdite) du fort de Servance et prenez, à droite, le sentier jalonné qui conduit (15mn à pied AR) au sommet du Ballon (alt. 1 216 m).

On découvre un magnifique panorama : à l'ouest, sur la vallée de l'Ognon, le plateau glaciaire d'Esmoulières, semé d'étangs, et le plateau de Langres ; au nord-ouest, les monts Faucilles ; plus à droite, la vallée de la Moselle ; au nord-est, du Hohneck au Gresson en passant par le Grand Ballon, très lointain, se silhouette la chaîne des Vosges ; à l'est s'arrondit la croupe, toute proche, du Ballon d'Alsace ; au sud-est et au sud, vue sur les contreforts vosgiens.

VALLÉE DES CHARBONNIERS ③

Itinéraire de 12 km au départ de St-Maurice-sur-Moselle – environ 30mn.

St-Maurice-sur-Moselle *(voir Ballon d'Alsace)*

À l'est de St-Maurice-sur-Moselle, prenez la route qui longe le ruisseau des Charbonniers.

Les habitants de cette vallée descendraient d'une colonie suédoise et allemande embauchée au 18e s. par les ducs de Lorraine pour l'exploitation de la forêt et le charbonnage.

Au village des Charbonniers, tournez à gauche vers la **Tête du Rouge Gazon**. Vues en direction du Ballon de Servance.

AUX SOURCES DE LA MOSELLE ④

Itinéraire de 25 km au départ du Thillot – environ 1h30.

Le Thillot

Cette localité active à proximité des Hautes-Vosges a su depuis longtemps trouver les ressources nécessaires à sa reconversion. En effet, aujourd'hui ses anciennes mines de cuivre lui permette d'exploiter un nouveau filon : l'insatiable curiosité de touristes qui veulent toujours en savoir plus.

Les mines de cuivre des ducs de Lorraine – *03 29 25 03 33 - visite guidée (1h45 à 2h30 selon circuit) - avr.-sept. : tte la journée ; oct.-mars : tlj pdt vac. scol. (merc., sam. et dim. hors vac. scol.) apr. midi (dernier dép. 16h15)- prévoir de bonnes chaussures - fermé 1er janv. et 25 déc. - 5 € ou 7 € selon circuit choisi (6-16 ans 2,50 € ou 4 €).*

Vous remonterez le temps en descendant aux fins fonds des galeries… du 16e s. jusqu'au 18e s., où puits et pompes d'autrefois dévoilent leurs atours. La descente dans les mines serait incomplète sans un passage à la **Maison des Hautes-Mynes**.

St-Maurice-sur-Moselle *(voir Ballon d'Alsace)*

Bussang

Joli site dans la vallée de la Moselle naissante, villégiature estivale, c'est aussi un centre de sports d'hiver. Le **Théâtre du Peuple**, fondé en 1895 par Maurice Pottecher, propose chaque année une programmation très diversifiée, interprétée en majorité par des acteurs amateurs : pièces folkloriques écrites par son fondateur, mais aussi œuvres de Shakespeare, Molière, Labiche, Beaumarchais, Goldoni, etc.

Classé Monument historique, ce grand vaisseau de bois, dont le fond de scène s'ouvre sur la forêt, rend les acteurs très proches du public.

03 29 61 50 48 - www.theatredupeuple.fr - de mi-juil. à fin août.

Petit Drumont★★

15mn à pied AR. La route forestière d'accès s'embranche sur la D 89 à proximité du col de Bussang et à 100 m à peine de la source de la Moselle. Prudence recommandée. Quittez la voiture près de l'auberge et prenez le sentier qui s'élève à travers les chaumes.

Table d'orientation au sommet (1 200 m). Le **panorama★★** s'étend du Hohneck au Ballon d'Alsace.

Col de Bussang

Alt. 727 m. Au col se trouve le monument de la source de la Moselle. Le petit ruisseau encombré de mousses deviendra grand et arrosera bientôt Épinal, Metz, Trèves. Mais, ici, il se grossit du superflu des sources minérales de Bussang. Le torrent ne devient rivière qu'aux environs de Rupt-sur-Moselle. Son cours assagi décrit de beaux méandres entre des collines boisées, puis coule tranquillement vers Remiremont et Épinal.

Le Parc pratique

♿ Voir aussi l'encadré pratique de la route des Crêtes.

Adresses utiles

La maison du Parc – *1 cour de l'Abbaye - 68140 Munster -* ☎ *03 89 77 90 34 - www. parc-ballons-vosges.fr - de déb. juin à mi-sept. : tlj sf lun. mat. et apr.-midi ; reste de l'année : tlj sf w.-end apr.-midi - fermé 1re quinz. de janv.* Incontournable, la Maison du Parc propose plus de 600 m² d'expositions permanentes ou temporaires sur la montagne vosgienne destinées au grand public et aux enfants, tout en restant bien sûr un service d'accueil et d'information.

Le Parc compte une quarantaine d'offices de tourisme et de syndicats d'initiative.

Office du tourisme de Bussang – *8 r. d'Alsace - 88540 Bussang -* ☎ *03 29 61 50 37 - www.bussang.com - tlj mat. et apr.-midi, dim. mat.*

Préserver la nature

Respect de l'environnement – Le territoire du Parc est un milieu rare et fragile. Il est demandé aux promeneurs de ne pas s'écarter des sentiers, de rester discrets et silencieux, de modérer les cueillettes, de respecter les arbres, de laisser les minéraux en place, de refermer les barrières et de ne pas laisser de déchets dans la nature.

Consignes de sécurité – Pour les sorties hivernales en particulier, il est impératif de se renseigner sur le temps *(Météo France* ☎ *32 50)*, de prévoir un matériel adapté et de connaître l'usage d'une carte et d'une boussole.

Se loger et se restaurer

👁 **Bon à savoir** – Au cœur des Ballons des Vosges, un grand choix de gîtes panda agréés par les Gîtes de France s'offrent à vous. Ces hébergements sont contrôlés et classés par le WWF et sélectionnés par les parcs naturels régionaux. Ils répondent à des critères précis de préservation de la nature et sont situés dans des parcs naturels régionaux ou nationaux. Ils sont très souvent situés à proximité des circuits de randonnée. Chaque gîte panda dispose d'une malle de découverte contenant toutes les informations nécessaires à l'exploration des environs. Nous avons sélectionné quelques adresses : *La Gasse* à Lapoutroie (☎ *03 89 47 55 27)*, *La Petite Pierre* à La Petite-Pierre (☎ *03 88 89 81 67)*, *Le Rucher* à Wingen-Près-Lembach (☎ *03 88 94 47 49)*, *Les Hirondelles* à La Chapelle (☎ *03 89 47 22 71)*, *Spaltersgut* à Breitenbach (☎ *03 89 77 40 33)*.

🛏 **Hôtel de la Poste** – *Au village - 68650 Le Bonhomme -* ☎ *03 89 47 51 10 - contact@hotel-la-poste.com - fermé 3 sem. en nov. et 22-26 déc. - 31 ch. 55/75 € -* ☕ *8 € - rest. 10/45 €.* Imposante bâtisse régionale bordant un axe animé. Les chambres, sobres et fonctionnelles, sont plus calmes côté jardin. Sympathique petit bar alsacien. Lambris, mobilier rustique et cuivres donnent du cachet au restaurant tourné vers le ruisseau et la colline.

Sports et Loisirs

Randonnées – Suivez les sentiers de découverte ou l'un des nombreux circuits historiques balisés. Un petit guide payant (Maison du Parc) donne plus d'informations pour certains d'entre eux. Un calendrier des animations (été ou hiver) est diffusé par le Parc ; il présente différentes sorties (nature et patrimoine) organisées par les associations locales, les expositions dans les musées ainsi qu'un agenda de manifestations traditionnelles et de rendez-vous culturels.

Autres activités – Les plus téméraires pourront pratiquer le parapente ou l'escalade, mais on peut aussi faire du VTT. Une consigne : ne pas oublier que la nature est fragile.

Bar-le-Duc ★

16 944 BARISIENS
CARTE GÉNÉRALE A2 – CARTE MICHELIN DÉPARTEMENTS 307 B6 – MEUSE (55)

Alfred Hitchcock exigeait de la confiture de Bar-le-Duc pour chacun des ses petits déjeuners. Pourquoi ? Parce que ici chaque groseille est épépinée à la plume d'oie. Ville d'art et d'histoire, Bar-le-Duc est surtout remarquable pour l'unité de sa ville haute, juchée sur son promontoire. Les blondes façades de ce quartier aristocratique sont décorées de statues, de trophées ou de gargouilles (16e-18e s.) Point de départ de la célèbre « Voie sacrée » menant à Verdun, la ville recèle encore d'autres trésors, comme le fameux Transi de Ligier Richier.

- **Se repérer** – Bar-le-Duc est situé à mi-chemin entre Paris et Strasbourg. De l'A 4, sortie 28 (St-Étienne-au-Temple, Châlons-en-Champagne) puis D 994 (70 km) ou sortie 30 (Verdun) puis D 1916 (40 km).
- **À ne pas manquer** – Le quartier Renaissance, le château ducal et le *Transi*, dans l'église St-Étienne.
- **Organiser son temps** – Le matin, promenez-vous dans la ville haute, avant de partir à la découverte du sud meusien. Finissez l'après-midi par la visite du Musée barrois et une dégustation de confiture.
- **Avec les enfants** – Les reconstitutions costumées des manœuvres d'une légion romaine, devant le site de Nasium, le 4e dimanche du mois.
- **Pour poursuivre la visite** – Voir aussi Commercy, Vaucouleurs.

> **Célébrités**
>
> Bar-le-Duc a vu naître plusieurs militaires et hommes d'État, dont le **maréchal Oudinot** (1767-1845), au n° 18 de l'actuelle rue Oudinot, le **maréchal Exelmans** (1775-1852), au 39 r. Bar-la-Ville, et le président de la République **Raymond Poincaré** (1860-1934), au 35 r. du Dr-Nève, qui repose au cimetière de Nubécourt.

Comprendre

Aux origines – *Caturiges* apparaît au 1er s. apr. J.-C. et se développe au bord de l'Ornain, puis prend le nom de *Barivilla*. Au 10e s., pour défendre la ville des incursions champenoises, Frédéric, duc de Haute-Lorraine, dote la ville d'un château à côté duquel s'implantera, dès le 13e s., tout un quartier riche et fortifié qui ne cessera de se développer de façon très homogène jusqu'à la fin de la Renaissance. À la suite d'une défaite du comte de Bar Henri II, le traité de Bruges (1301) place toute la partie ouest du Barrois sous la suzeraineté du roi de France. Au 14e s., la ville devient la capitale d'un duché en plein essor. Rattaché à la Lorraine par le mariage de René d'Anjou avec Isabelle de Lorraine, celui-ci devient français à la mort du roi Stanislas (1766).

Le « caviar de Bar » – Voilà plus de six siècles que les épépineuses de Bar-le-Duc manient la plume d'oie avec dextérité pour produire la fameuse confiture de groseilles, produit de luxe qui fut introduit à la cour de Versailles avec grand succès. Appréciée

Le cours de l'Ornain où se reflète le vieux quartier de la ville mérovingienne.

R. Mattes/MICHELIN

de Victor Hugo, la confiture est aujourd'hui exportée à New York et à Tokyo. Le travail, trop minutieux pour une machine, demande beaucoup de patience : il faut trois heures pour épépiner un kilo de groseilles. L'une des championnes du monde d'épépinage a sa plaque, rue du Tribel.

Voie sacrée – En 1916, Verdun fait face à de douloureux combats. La route qui relie Bar-le-Duc à Verdun est élargie et complétée par une voie ferrée (le Meusien) pour faciliter l'acheminement d'hommes, de vivres et d'armement (deux tiers de l'armée française transiteront par là). C'est Maurice Barrès qui lui donnera le nom de « Voie sacrée » dès avril 1916. Une borne marque son point de départ rue de St-Mihiel.

Se promener

LA VILLE HAUTE★

Ce bel ensemble architectural des 16e, 17e et 18e s. était le quartier aristocratique de Bar. Derrière les façades ornées des hôtels, les demeures sont souvent composées d'un logis seigneurial, d'une cour et d'un autre bâtiment pour les serviteurs.

Place St-Pierre (A2)

Jolie place dominée par l'élégante façade de l'église St-Étienne et bordée de maisons de différentes époques. Au **n° 25**, maison médiévale, à colombages, avec son étage en encorbellement. Au **n° 21**, l'hôtel de Florainville, actuel palais de justice avec une façade Renaissance (la ferronnerie est du 18e s.). Enfin au **n° 29**, la façade du début du 17e s. est ornée d'un décor très classique et caractéristique de l'architecture barisienne : colonnes, fenêtres et frontons à volutes.

Église St-Étienne (A2)

C'est une ancienne collégiale gothique de la fin du 14e s. dont la façade est en partie Renaissance. Elle renferme, dans le croisillon droit, la fameuse sculpture de Ligier Richier, le **Transi★★**. Érigée à la mémoire de René de Chalon, prince d'Orange, tué au siège de St-Dizier en 1544 à l'âge de 25 ans, cette sculpture représente un homme trois ans après sa mort. Loin des représentations morbides, ce squelette exprime au contraire une foi en la résurrection de la chair.

Autre œuvre du sculpteur, le **Calvaire**, représentant le Christ et les deux larrons, se dresse derrière le maître-autel. Dans le transept gauche, la **statue de N.-D.-du-Guet** (14e s.) et le vitrail au-dessus de celle-ci (19e s.) représentent la même légende. On raconte que, lors du siège de 1440, les ennemis entendirent crier la statue de la Vierge située sur l'une des portes de la ville : « Au guet, au guet, la ville est prise. » Un soldat furieux jeta une pierre sur la statue qui l'attrapa, tandis que le soldat tombait raide mort. En face, tableau anonyme montrant une **Crucifixion** où Jérusalem est remplacée, à gauche, par la ville haute de Bar au 17e s. et par la butte de Mousson (ruines de l'ancien château), à droite.

Place de la Halle (A2)

À travers la porte cochère du **n° 3** (façade de style baroque malheureusement endommagée), on aperçoit les vestiges des arcades murées des anciennes halles construites au 13e s. et incendiées en 1788.

Continuez tout droit par la rue Chavée, puis prenez à droite la rue des Grangettes.

Belvédère des Grangettes (A2)

Vue splendide sur la ville basse, depuis les quartiers industriels de Marbot jusqu'aux coteaux qui courent le long de l'Ornain.

Reprenez la rue Chavée. Vous aboutissez place de la fontaine. Continuez rue de l'Armurier puis à gauche rue de l'Horloge.

La **tour de l'Horloge** (A2), du 12e s., est un vestige de l'ancien château ducal. Elle a été sauvée de la destruction ordonnée par le roi de France en 1670 grâce à son caractère d'utilité publique. Le cadran a été restauré en 1994, à l'identique de celui du 14e s.

Par la rue de l'Horloge, à gauche, on gagne l'avenue du Château, que l'on prend à gauche. Au passage, profiter de la vue sur la porte romane et les vestiges de fortification.

Collège Gilles-de-Trèves (A1)

« Que cette demeure reste debout jusqu'à ce que la fourmi ait bu les flots de la mer et que la tortue ait fait le tour du globe » pouvait-on lire sur le porche de ce collège, fondé en 1571 par Gilles de Trèves, doyen de la collégiale St-Maxe. Il voulait donner à Bar un collège d'enseignement supérieur pour éviter aux jeunes nobles de s'expatrier vers des universités où soufflaient de plus en plus l'esprit de la Réforme. Il en paya lui-même la construction. Dans la cour, les balustrades de pierre au dessin complexe pourraient être d'origine flamande.

BAR-LE-DUC

0   300 m

Poursuivez par la rue du Baile.

Rue des Ducs-de-Bar (A2)

Ancienne « Grande-Rue » de la ville haute, c'est un ensemble homogène de belles maisons où les aristocrates construisent dès le 16e s. leurs demeures dans le style Renaissance. Au **n° 41**, deux vives ornées d'attributs militaires du 16e s. Au **n° 47**, l'une des rares maisons à avoir conservé ses gargouilles ; Bernanos y a écrit *Sous le soleil de Satan*. Au **n° 53**, la porte d'entrée est encadrée d'une arcade à décor sculpté. Au **n° 73**, la façade est décorée de ravissantes appliques représentant, entre autres, des instruments de musique. Au **n° 75**, un pressoir du 15e s. est installé dans une grange au fond de la cour ; la masse de bois devait être manœuvrée par 5 ou 6 hommes. Enfin, la façade de l'hôtel de Salm ferme la perspective de la rue.

LA VILLE BASSE

Château de Marbeaumont (B1)

Ancienne propriété des banquiers Varin-Bernier, cet exubérant château du tout début du 20e s. servit de QG au général Pétain au cours de la Première Guerre mondiale. Transformé en médiathèque, il se trouve au cœur d'un grand parc équipé d'installations sportives et d'un camping.

Rue du Bourg (A1)

Le bourg dans la ville basse était le quartier des hommes d'affaires de Bar. Sa grande rue fut à partir du 16e s. l'une des plus élégantes de Bar-le-Duc, comme en témoignent les riches façades que vous pouvez y admirer (**nos 42, 46, 49** et **51**).

La maison des Deux-Barbeaux (1618), au **n° 26**, présente des fenêtres décorées de bustes de femmes et de sirènes. À l'angle de la rue Maginot, un monument **(A1)** représente un enfant et une bicyclette. Il rend hommage aux Barisiens **Pierre Michaux** et Ernest Michaux, son fils, inventeurs du vélocipède à pédales en mars 1861.

Visiter

Musée barrois (A2)
R. François-de-Guise - 📞 *03 29 76 14 67 - www.barleduc.fr -* 📞 *03 29 76 14 67 - www.barleduc.fr - visite guidée : se renseigner - tlj sf lun. et mar. apr.-midi - fermé j. fériés - 2 €.*

Dans les beaux bâtiments de l'ancienne cour des comptes (1523) et du château neuf (1567), le musée présente une collection très variée : archéologie (résultat des fouilles de Nasium), histoire locale, armes et armures des 16e et 17e s., art non-occidental. La **salle du Trésor des Chartes★** abrite sous des ogives gothiques une collection d'œuvres lorraines du Moyen Âge et de la Renaissance (Pierre de Milan, Gérard Richier). Vous pourrez voir aussi diverses peintures françaises et flamandes (Hendrick De Clerck, David II Teniers, Jan Steen), ainsi que des sculptures contemporaines (Ipousteguy). Expositions temporaires liées aux collections du musée deux à trois fois par an.

Église Notre-Dame (A1)
Église romane à l'origine, elle a été restaurée après un incendie au 17e s. (son clocher est du 18e s.). Dans la nef, Christ en croix de Ligier Richier. Dans la chapelle du transept sud, un bas-relief de la fin du 15e s. représente l'Immaculée Conception : au-dessous du Père éternel, la Vierge en prière est entourée des emblèmes-symboles de sa pureté.

Aux alentours

Rembercourt-aux-Pots
18 km. Quittez Bar par le nord (D 116) en direction de Vavincourt.

Belle **église** du 15e s., dont la magnifique **façade★** allie le style gothique flamboyant à celui de la Renaissance. Éléments décoratifs où les niches en coquille se mêlent aux sujets païens de la frise Renaissance. Ses deux tours sont inachevées.

Parc du château de la Grange-aux-Champs
20 km. Prenez la D 994 jusqu'à Nettancourt.

R. du Plaisir à Nettancourt - 📞 *03 29 75 14 04 - visite libre des jardins de mi-juil. à déb. sept. : tlj apr. midi ; visite guidée dim. 15h - 3 €.*

Une allée centrale bordée d'arbres rares (hêtre pourpre, érable du japon, sycomore bronze) ouvre sur un beau parc à l'anglaise de 22 ha aménagé à la fin du 19e s. Le charme du jardin réside dans son décor romantique : un cours d'eau, des bassins où voguent des cygnes, un petit pont et une grotte. Remarquez les statues de Neptune et d'Amphitrite, œuvres du sculpteur Louis Humbert (fin du 18e s.).

Circuit de découverte

VALLÉES DE LA SAULX ET DE L'ORNAIN
50 km. Quittez Bar-le-Duc au sud-ouest par la D 1916. Après Brillon-en-Barrois, prenez la D 4 jusqu'à Haironville.

Château de la Varenne
📞 *03 29 70 21 45 ou 06 07 60 02 20 - visite libre du parc juil.-août : mat. et apr.-midi - 2 € - visite guidée du château de déb. août à mi-août : 15h - 4 € billet parc et château.*

Au cœur du joli village d'Haironville (pont de pierre à douze arches du 17e s.), ce château Renaissance fut construit en 1506 par Pierre Merlin, président de la cour des comptes de Bar. Dans le vestibule, beau plafond à caissons. Le parc paysager, aménagé au 19e s., est ponctué de bosquets où poussent gingko, cyprès, tulipier de Virginie. *Continuez sur la D 997 jusqu'à Stainville, puis empruntez la D 9 en direction de Montiers-sur-Saulx. Peu avant Ménil-sur-Saulx, après le silo, tournez à droite sur la D 129^A.*

Abbaye de Jovilliers
📞 *03 29 78 65 81 - visite guidée : se renseigner - 3 €.*

De l'abbaye des Prémontrés qui s'élevait ici ne subsistent que les deux tours carrées de l'église, de style grec Renaissance. Reconstruite au 18e s. par l'abbé Claude Collin, d'après les plans du 12e s., l'abbaye servit de carrière de pierres après la Révolution. Aujourd'hui sauvegardée, elle se trouve au centre d'une exploitation agricole. *Revenez vers Ménil-sur-Saulx, puis rejoignez la D 9 en direction de Montiers-sur-Saulx. Écurey se trouve sur votre droite.*

Maison du patrimoine
📞 *03 29 75 97 40 - visite guidée : se renseigner - 3,50 € (-14 ans gratuit).*

C'est d'abord une abbaye cistercienne qui est fondée à Écurey en 1144. À la Révolution, les frères Vivaux installent dans les bâtiments une exploitation agricole puis un haut-fourneau. À la fin du 19e s., la famille Salin agrandit la fonderie et se spécialise dans la fonte d'art et d'ornement. Toute une cité ouvrière se développe. Dans l'atelier de modelage, vous pourrez apercevoir des modèles de statues.

Remontez vers Dammarie-sur-Saulx par la D 5 que l'on poursuit à droite vers Villers-le-Sec. Puis, tournez à gauche sur la D 966.

Ligny-en-Barrois

15 km au sud-est par la N 135. Entre l'Ornain et le canal de la Marne au Rhin, la ville fut luxembourgeoise pendant six siècles, de 1240, date où Marguerite de Bar épousa Henri de Luxembourg, jusqu'en 1719, où Ligny fut vendue au duc de Lorraine. Si le château est antérieur à la présence des comtes de Luxembourg, c'est à l'un d'eux que l'on doit le nom de la **tour Valéran** (℘ 03 29 78 06 15 - *visite guidée dép. à l'office de tourisme juil.-août : merc. et sam. 15h ; reste de l'année sur RV - 3 € (-12 ans gratuit).* La tour servit à la défense de la ville, puis fit office de prison au 18e s. À voir aussi : le chemin des Canons, qui court le long des anciens remparts.

La cité des Leuques

De Nasium, la capitale des Leuques, ne demeurent que peu de vestiges visibles. Le site revit pourtant grâce au travail d'une équipe de passionnés qui, au cours de randonnées commentées entre oppidum celte et cité gallo-romaine, vous aident à imaginer ce que put être la vie des 15 000 habitants de la ville à son apogée, aux 1er et 2e s. Le quatrième dimanche de chaque mois, la 22e légion manœuvre en public devant les vestiges du temple gaulois.

Mairie - ℘ *03 29 75 44 93 - www.nasium.net - de déb. juin à fin sept. : dim. apr.-midi (visite guidée : 15h, dép. mairie de Naix-aux-Forges) - gratuit.*

Bar-le-Duc pratique

Adresses utiles

Office du tourisme de Bar-le-Duc – *5 r. Jeanne-d'Arc - 55000 Bar-le-Duc -* ℘ *03 29 79 11 13 - www.barleduc.fr - tlj mat. et apr.-midi ; fermé dim. apr.-midi (mai-juin-sept.), dim. (reste de l'année), 1er janv. et 25 déc.*

Office du tourisme de Ligny-en-Barrois – *7 r. de l'Asile - 55000 Ligny-en-Barrois -* ℘ *03 29 78 06 15 - juil.-août : mat. et apr.-midi, dim. et j. fériés mat. ; reste de l'année : tlj sf dim. mat. et apr.-midi.*

Se loger

⊖ **Hôtel Bertrand** – *19 r. de l'Étoile -* ℘ *03 29 79 02 97 - www.hotel-bertrand.com -* ▣ *- 40 ch. 43 € -* ⊡ *6 € - rest. 10/12 €.* Ne vous laissez pas influencer par l'aspect un peu vieillot de cet hôtel. Son annexe propose des chambres de conception récente à prix très doux. L'établissement dispose en outre d'une salle de balnéothérapie équipée de matériel professionnel. Une bonne adresse à deux pas du centre-ville.

⊖⊖ **Hôtel de la Gare** – *2 pl. de la République -* ℘ *03 29 79 01 45 - www.barleduchotel.com - fermé dim. soir -* ▣ *- 25 ch. 52/60 € -* ⊡ *10 € - rest. 15/35 €.* Même si l'aspect dépouillé de la décoration confère au hall d'accueil un caractère un peu froid, on appréciera le confort sobre et moderne des chambres, entièrement refaites pour répondre aux attentes des voyageurs. Bar de style rustique agrémenté de poutres apparentes.

Se restaurer

⊝⊝ **La Meuse Gourmande** – *1 r. François-de-Guise, ville haute -* ℘ *03 29 79 28 40 - fermé vac. de fév., 19-31 août, dim. soir, merc. et soirs fériés - 24/47 €.* Cette belle demeure bourgeoise du 18e s. se dresse sur les anciennes fondations du château des ducs de Bar. Salle à manger au décor soigné ; les tables près des fenêtres profitent d'une superbe vue. Cuisine au goût du jour et mention spéciale pour les desserts maison.

Que rapporter

Ets Dutriez « À la Lorraine » – *35 r. de l'Étoile -* ℘ *03 29 79 06 81 - www.groseille.com - tlj sf dim. 10h-12h, 14h30-18h, sam. 10h-12h, lun. 14h30-18h - fermé j. fériés.* Fondée en 1879, la maison Dutriez est aujourd'hui la dernière à produire la confiture de groseilles épépinées à la plume d'oie, considérée comme un produit de grand luxe depuis fort longtemps. Elle fut introduite à la cour de Versailles avec le plus grand succès.

Sports & Loisirs

Golf de Combles – *38 r. Basse - 55000 Combles-en-Barrois -* ℘ *03 29 45 16 03 - hte sais. : 9h-19h, dim. et j. de compétition 8h-19h - fermé 15 déc.-15 janv.*

Événements

Festival renaissanceS – ℘ *03 29 79 32 65 - www.festivalrenaissances.com - déb. juil.*

Les Automnales – Au château de Gilles de Trèves, une soixantaine d'horticulteurs et paysagistes exposent, vendent et conseillent les visiteurs. *1er w.-end d'oct.*

Bitche★

5 674 BITCHOIS
CARTE GÉNÉRALE C1 – CARTE MICHELIN DÉPARTEMENTS 307 P4 – MOSELLE (57)

Trop longtemps collée à l'image de ville de garnison, Bitche a aujourd'hui changé de vocation et de visage. Entourée de magnifiques forêts alentours, c'est désormais le tourisme vert qui est valorisé : un golf dans un paysage splendide, un village de vacances au bord d'un étang. Reste, admirable pour son architecture, la citadelle en grès rose de Vauban, posée sur un énorme socle rocheux autour duquel la ville s'est construite.

Les remparts de la citadelle, imposante sentinelle de pierre sur le passage des Vosges.

◗ **Se repérer** – Bitche est située à 21 km de la frontière allemande. Les voies de circulation les plus importantes sont la D 35^A en direction de l'Allemagne et à l'ouest la D 662 qui conduit à Sarreguemines. Dans la direction opposée (Strasbourg à environ 80 km), Haguenau se trouve à 50 km par la D 662.

◉ **À ne pas manquer** – La citadelle Vauban et le jardin de la Paix.

◷ **Organiser son temps** – Pour ceux que les ouvrages militaires intéressent, sachez que la visite guidée de la citadelle de Vauban dure 2h.

⚎ **Avec les enfants** – Le moulin d'Eschviller à Volmunster.

◔ **Pour poursuivre la visite** – Voir aussi le Parc régional des Vosges du Nord, Sarreguemines, la ligne Maginot.

Comprendre

Le siège de Bitche – 17 Juillet 1870. Dans l'euphorie générale, « d'un cœur léger », la France répond à une provocation de Bismarck (dépêche d'Ems) en déclarant la guerre à la Prusse. La désillusion est aussi brutale que rapide. Les Prussiens, rejoints par les États allemands, infligent de lourdes défaites aux troupes françaises mal préparées et souvent mal commandées. Le 6 août, la terrible bataille de cavalerie à Reischoffen montre les limites de l'héroïsme face à une armée supérieure en nombre et très organisée. La garnison de Bitche qui vient d'être confiée au **colonel Teyssier** avec un bataillon du 86e d'Infanterie de ligne voit arriver des soldats de nombreuses unités en déroute. Ce sont ainsi quelque 2 400 hommes, avec seulement 17 canons en état, qui vont tenir plusieurs mois de siège avec l'aide de la population.

D'intenses bombardements, dont un de plus de 10 jours et 10 nuits, vont détruire les bâtiments du fort, à l'exception de la chapelle, avant de toucher la ville. La détermination du colonel Teyssier est sans faille malgré les demandes de redditions répétées. La défaite de Sedan avec la capture de Napoléon III le 2 septembre, la capitulation de Paris et même l'armistice du 28 janvier 1871 ne le font pas renoncer. Il attend un ordre écrit du gouvernement français et ce n'est que le 25 mars que les défenseurs quittent finalement la ville en héros, au terme d'un interminable siège. La signature du traité de Francfort le 10 mai 1871 confirme l'annexion ; Bitche devient allemande.

Visiter

Citadelle★★

📞 03 87 96 18 82 ou 03 87 06 16 16 (office de tourisme) - tlj tte la journée - possibilité de visite audio guidée (1h15) - 5 à 9 € selon période (enf. 7 €). Audioguide.

La citadelle est construite par Vauban en 1681 au sommet d'un rocher qui surplombe la ville. Reconstruite par Cormontaigne, la forteresse réputée imprenable est caractéristique de l'architecture militaire du 18e s. Après avoir gravi la rampe et franchi la porte monumentale, on atteint le tertre central, d'où la **vue★** est remarquable : à l'ouest se détachent les cloches cuirassées du Simserhof et au sud le Parc naturel régional des Vosges. Cette vue circulaire sur la région a fait de Bitche un point militaire stratégique. Seul vestige du château construit sous Vauban, la chapelle semble résister aux épreuves du temps, notamment les bombardements de 1945. Restaurée conformément aux plans du 18e s., elle abrite un plan-relief de la ville de 1794. Prenez une bouffée d'air frais avant de pénétrer au cœur de la citadelle et de son vaste complexe souterrain *(la température est fraîche, prévoyez un pull)*.

Un parcours audiovisuel permet de comprendre le long et difficile siège de Bitche : revivez, des dortoirs aux cuisines, l'histoire quotidienne de ces hommes et leurs doutes face aux horreurs de la guerre.

Au pied de la citadelle, le **jardin pour la Paix** est conçu comme un élément supplémentaire de réconciliation du Pays de Bitche avec son histoire. Il propose une approche végétale du thème « Guerre et Paix » à travers les rapports harmonieux et conflictuels entre les plantes. Cet espace permet par ailleurs de prendre du recul et d'avoir des perspectives nouvelles sur la forteresse.

Aux alentours

Reyersviller

5 km à l'ouest par la D 662.

Après le village, sur la droite de la route, le **chêne des Suédois**, impressionnant par son âge (450 ans) et sa taille, aurait servi de potence aux Suédois pour pendre les paysans du village disparu de Kirscheid pendant la guerre de Trente Ans.

Le Simserhof★ *(voir Ligne Maginot)*

Ossuaire de Schorbach

6 km au nord-ouest par les D 962 et D 162B à gauche.

Près de l'église reconstruite en 1774 et dédiée à saint Remi, un petit bâtiment percé d'arcatures romanes s'ouvre sur un ossuaire né de l'exiguïté du cimetière.

Volmunster

11 km au nord-ouest par les D 35A et D 34.

L'**église St-Pierre**, détruite lors de la dernière guerre, a été reconstruite en 1957. Une mosaïque de 70 m² représentant saint Pierre en marin-pêcheur figure au « tympan » du portail. Vous n'êtes pas loin du **moulin d'Eschviller** *(à 4 km, suivre les indications)*. Le cadre est bucolique, une auberge permet de faire une pause.

Bitche pratique

Adresse utile

Office du tourisme de Bitche – *4 Glacis du Château - 57232 Bitche - 📞 03 87 06 16 16 - www.pays-de-bitche.com - tlj sf dim. mat. et apr.-midi (mi-nov.-mi-mars sam. mat).*

Se loger

🛏️🛏️ **Hôtel Le Strasbourg** – *24 r. Col.-Teyssier - 📞 03 87 96 00 44 - fermé 12-27 fév. - 10 ch. 65/85 € - ⚏ 8 € - rest. 22/53 €.* Ce restaurant propose une cuisine au goût du jour dans une spacieuse salle à manger rustique. Chambres bien rénovées et personnalisées : Afrique, Asie, Provence, etc.

Se restaurer

🍽️🍽️ **Auberge de la Tour** – *3 r. de la Gare - 📞 03 87 96 29 25 - fermé 26 fév.-12 mars, mar. soir et lun. - 16/52 €.* Le style Belle Époque des salles à manger donne un charme certain à ce restaurant installé dans une maison flanquée d'une tourelle. Sur le fourneau mijote une cuisine traditionnelle enrichie de quelques plats régionaux.

Sports & Loisirs

Golf de Bitche – *R. des Prés - 📞 03 87 96 15 30 - golf.bitche@wanadoo.fr - hiver : 9h-17h; été : 8h30-18h - fermé 22 déc.-5 janv.* Situé au cœur du Parc naturel régional des Vosges du Nord, ce parcours 27 trous offre de beaux panoramas.

Bourbonne-les-Bains

2 390 BOURBONNAIS
CARTE GÉNÉRALE A3 – CARTE MICHELIN DÉPARTEMENTS 314 C5 – HAUTE-MARNE (52)

La station qui domine la vallée de l'Apance était déjà connue des Gallo-Romains qui s'adressaient au dieu gaulois des eaux thermales, Borvo. Bourbonne-les-Bains fut très prisée entre le 16ᵉ et le 18ᵉ s. Ses eaux chaudes radioactives et légèrement chlorurées inspirèrent Louis XV, qui créa ici un hôpital militaire thermal, toujours debout, pour ses soldats atteints d'arquebusade. Bourbonne est la station de « l'eau qui guérit les os » et qui a l'habitude de recevoir des personnalités : Auguste Renoir, Paul Guth, Raimu, Claude Autant-Lara, ainsi que Michel Platini, qui se libéra de ses béquilles à la fin de la cure.

- **Se repérer** – 37 km au sud de Contréxeville. L'église est au sommet d'une butte, l'établissement thermal au bas ; à mi-pente, la Grande-Rue commerçante.
- **À ne pas manquer** – Le musée du Thermalisme.
- **Avec les enfants** – Le parc animalier de la Bannie.
- **Pour poursuivre la visite** – Voir aussi Bains-les-Bains, Contréxeville, Vittel et Plombières-les-Bains.

Séjourner

Quartier thermal

03 25 90 07 20 - www.valvital.fr - mars-nov.

Trois sources chaudes (66 °C) coulent en permanence : la source St-Antoine, ou puisard romain (thermes actuels), la source Matrelle (petit temple sur la place des Thermes) et la source Patrice dans l'ancien hôpital militaire.

Grâce à leur composition minérale proche du sérum humain, les eaux de Bourbonne favorisent la fixation du calcium sur les os et permettent le traitement des rhumatismes, la consolidation des fractures (en particulier pour les sportifs) et la prévention de l'ostéoporose. Les eaux contiennent également des gaz rares indiqués pour soigner les pathologies liées à l'ORL. L'établissement thermal, restructuré et agrandi en 1997, propose des bains avec hydromassage, des applications de boue chaude, un hammam avec cabines individuelles, une piscine, des douches au jet.

Ancien hôpital militaire thermal – Le premier hôpital thermal militaire, construit en France dès 1732, abrite aujourd'hui le centre Borvo, un hôtel et un centre d'animations (conférences, spectacles, activités diverses…), surnommé le « clocheton ».

Parcs – Les parcs **des Thermes**, **des Sources** et **d'Orfeuil** forment l'écrin indispensable au repos et à la détente.

La Ville Haute

Elle occupe le sommet de la colline. De l'ancien château féodal du début du 16ᵉ s. subsiste la porterie qui marque l'entrée du **parc du Château**.

Musée du Thermalisme – *03 25 90 69 47 - www.bourbonne.com - &. - mar., merc., vend. apr.-midi, sam. tte la journée - fermé lun., jeu., dim. et j. fériés - gratuit.*

Installé dans les anciens communs, il présente des vestiges gallo-romains et des peintures du 19ᵉ s. de René Xavier Prinet (1861-1946), Georges Freset (1894-1975) et Horace Vernet *(Prise de Constantine)*, et en été des expositions temporaires.

Château – Belle demeure construite à l'emplacement de l'ancien château fort, il a été légué à la ville par un curiste reconnaissant, Chevandier de Valdrome. La mairie s'y est installée depuis 1912. Vue agréable sur la ville basse et la vallée de l'Apance.

Église N.-D. de l'Assomption – Du début du 13ᵉ s., elle marque la transition entre le roman et le gothique. À l'intérieur, Vierge en marbre du 14ᵉ s. pleine de finesse.

Arboretum de Montmorency – Conçu à l'anglaise, il compte 250 essences différentes dont 90 sortes de résineux et 95 espèces de feuillus.

Aux alentours

Abbaye de Morimond

16 km au nord-ouest.

Cette abbaye cistercienne est la 4ᵉ fille majeure de Cîteaux, fondée en 1115. Favorisée par sa position géographique aux confins de la Champagne et de la Lorraine, elle fut la « tête de pont » du développement de l'ordre cistercien vers les pays germaniques (213 abbayes dépendaient de Morimond au 13ᵉ s.).

Il ne reste, dans un vallon sauvage, que quelques vestiges de la porterie et la chapelle Ste-Ursule, ancienne chapelle des étrangers, remaniée au 17e s. et récemment restaurée. Allez jusqu'à l'étang, le site est chargé de mystère.

Châtillon-sur-Saône

11,5 km à l'est par la D 417. Construite sur une éminence dominant la Saône, cette grosse bourgade fortifiée a conservé une partie de ses murailles, en particulier une tour du 14e s. et toute une série de petits hôtels Renaissance.

Parc animalier de la Bannie

2,5 km au sud par la D 139. ℘ *03 25 90 14 77 - www.bourbonne.com -* &. *- de mars à mi-oct. : merc.-sam. et j. fériés apr.-midi, dim. tte la journée ; de mi-oct. à fév. : merc. et sam. apr.-midi - gratuit.*

Dans un parc de plus de 100 ha évoluent cerfs, daims, biches, sangliers, lapins et chèvres au sein de vastes enclos. Au cours de votre promenade, vous apercevrez aussi des paons, des canards et des pigeons en volières.

Bourbonne-les-Bains pratique

Adresse utile

Office du tourisme de Bourbonne-les-Bains – *Pl. des Bains - 52400 Bourbonne-les-Bains -* ℘ *03 25 90 01 71 - www.bourbonne.com/otsi - mars-nov. : tlj mat. et apr.-midi ; déc.-fév. : tlj sf w.-end et j. fériés - fermé du 25 déc. au 1er janv.*

Se loger et se restaurer

Chambre d'hôte Ferme Adrien – *Rte du Val-de-la-Maljoie - 52400 Coiffy-le-Haut - 10 km au sud-ouest de Bourbonne-les-Bains par D 26 -* ℘ *03 25 90 06 76 - francoise.pelletier@neuf.fr -* ⊡ *- 5 ch. 45 € - repas 15 €.* Quel bonheur de se retrouver dans cette ferme de 1845 entourée de vallons, de prés et de forêts ! Sa cheminée monumentale dans la salle à manger, ses meubles anciens, mais aussi son petit musée paysan vous charmeront.

Hôtel des Sources – *Pl. des Bains -* ℘ *03 25 87 86 00 - www.hotel-dessources. com - fermé déc.-mars - 23 ch. 53 € -* ⊡ *7 € - rest. 13/30 €.* Dans cet hôtel proche des thermes, tout est fait pour votre bien-être. Couleurs douces dans les chambres et dans la salle à manger ouvrant sur un patio bien aménagé. Petits plats gourmets pour égayer le quotidien des curistes.

Hôtel Orfeuil – *29 r. Orfeuil -* ℘ *03 25 90 05 71 - hotel-orfeuil@wanadoo. fr - ouvert 23 mars-25 nov. -* P *- 45 ch. 55 € -* ⊡ *7 € - rest. 12/22 €.* Dans la maison principale, salon bourgeois et chambres de bon confort régulièrement rénovées. À l'annexe, hébergement assez sobre, récent et spacieux. Mobilier « sixties » et plantes vertes dans une salle à manger lumineuse et miniterrasse bien fleurie en été.

En soirée

Casino de Bourbonne-les-Bains – *1 pl. des Bains -* ℘ *03 25 90 90 90 - commercial. bourbonne@groupe-emeraude.com.* Lieu incontournable de la station, avec ses machines à sous, sa roulette anglaise, ses tables de boule ou de black-jack, le casino programme par ailleurs un riche éventail d'animations tout au long de l'année : dîner spectacle ou musical, thé dansant, restauration à thème (avec gibier au menu, en saison).

Que rapporter

SCEA Les Côteaux de Coiffy – *R. Bourgeois - 52400 Coiffy-le-Haut -* ℘ *03 25 84 80 12 - renautlaurent@aol.com - 14h30-18h30.* Caveau de dégustation de vins de pays blancs, rouges, rosés issus des 15 ha de vignoble plantés autour de Coiffy-le-Haut. Certaines cuvées ont obtenu des médailles au Concours général agricole de Paris.

Sports & Loisirs

Bon à savoir – Un casino a ouvert ses portes en 2006.

Parcours de santé – À Serqueux (4 km de Bourbonne), un sentier très vallonné serpente à travers la forêt de feuillus et de sapins. Aire de pique-nique et point de vue sur la vallée de l'Apance.

Établissement thermal – ℘ *03 25 90 07 20 - www.valvital.fr - tlj sf sam. apr.-midi et dim. - fermé déc.-fév.* Les eaux thermales sont indiquées pour la rhumatologie et les voies respiratoires. Des séjours de remise en forme (bien-être, détente) sont également proposés.

Circuits de randonnée – 3 circuits de 6 à 11 km au départ de Bourbonne-les-Bains, 3 circuits de 25 à 32 km au départ de Coiffy-le-Haut : se renseigner à l'office de tourisme. ℘ *03 25 90 01 71 - www.tourisme-hautemarne.fr (fiches gratuites à l'OT et téléchargeables sur le site).*

Bouxwiller

3 935 BOUXWILLEROIS
CARTE GÉNÉRALE C2 – CARTE MICHELIN DÉPARTEMENTS 315 I4 – BAS-RHIN (67)

Réfugié au pied d'un repaire de sorcières, le Bastberg, Bouxwiller s'est fait une spécialité du bretzel, mais on y trouve aussi, bel inventaire à la Prévert, des orchidées et des fossiles étudiés par Cuvier. Le château des Lichtenberg n'a pas résisté à la Révolution, mais il reste de nombreuses maisons des 16e et 17e s., à pans de bois et torchis, qui s'imbriquent les unes dans les autres.

- **Se repérer** – Bouxwiller se situe à 15 km au nord-est de Saverne par la D 16 et la D 6 et à 25 km à l'est d'Haguenau par la D 919 et la D 24. Le bourg est blotti au pied du Bastberg.
- **À ne pas manquer** – Le centre historique avec ses maisons à pans de bois, la vue sur la ville depuis le sommet du Bastberg.
- **Organiser son temps** – Un marché de Noël a lieu le 2e week-end de décembre. En mai et juin, allez contempler les orchidées qui bordent le sentier géologique du Bastberg.
- **Pour poursuivre la visite** – Voir aussi le Parc naturel régional des Vosges du Nord, Pfaffenhoffen, La Petite-Pierre, Neuwiller-lès-Saverne, Haguenau et Saverne.

Comprendre

Un « Petit Versailles » – Après la guerre de Trente Ans, Caroline de Hesse, la Grande Landgravine, est venue s'installer à Bouxwiller. Elle a fait aménager de beaux jardins qui ont valu à Bouxwiller le surnom de « Petit Versailles ». Surnom aussi ronflant qu'éphémère puisque tout disparut à la Révolution. Bouxwiller était par ailleurs connu pour son bleu de Prusse, vendu comme colorant aux usines textiles de Mulhouse. Les usines chimiques de Bouxwiller le produisaient à partir du lignite trouvé dans le sous-sol de la cité. Enfin, c'est ici qu'est née la fameuse coiffe alsacienne au grand nœud noir, portée sur les cheveux nattés et relevés

Se promener

CIRCUIT HISTORIQUE

Livret-guide à la mairie. Il parcourt les rues typiques du centre, bordées de « cours nobles » ou de maisons de style Renaissance allemande. Les pans de bois des maisons de Bouxwiller sont ornés de motifs qui sont autant de recommandations pour leurs habitants. Ici une forme d'œil rappelle à la vigilance ; associé à un bec, il protège du mal ; ailleurs, la croix de St-André veille à la fécondité…

Hôtel de ville

C'est l'ancienne chancellerie du comté de Hanau-Lichtenberg dont le portail arrière s'orne des armoiries comtales.
Allez vers la place du Marché-aux-Grains, à droite en sortant.

Place du Marché-aux-Grains

Les façades à colombages de ses maisons du 17e s. sont parfois en léger encorbellement. Beau bâtiment de l'ancienne balance publique. La déclivité de la jolie place est rattrapée par des petits perrons de pierre devant chaque habitation.
Prenez la rue des Seigneurs, puis la rue de l'Église.

Église protestante

Juil.-août : vend. apr. midi, sam. mat. et apr. midi, dim. mat. et apr. midi.
Cette église fut transformée en temple protestant en 1614 ; sa **chaire★** est en pierre sculptée et en bois peint, elle possède un orgue Silbermann et une loge seigneuriale au décor délicat de stucs.

Maisons à pans de bois et torchis.

Visiter

Musée du Pays de Hanau

✆ 03 88 70 90 15 - tlj sf lun. apr.-midi - fermé janv., Vend. saint, 1er et 8 Mai, 25 déc. - 2 € (-16 ans gratuit).

Il présente un bel ensemble de **meubles polychromes★**, un intérieur paysan, ainsi qu'une salle de séjour bourgeoise, des costumes et des objets traditionnels.

Musée judéo-alsacien

✆ 03 88 70 97 17 - www.sdv.fr/judaisme - ♿ - avr.-sept. : tlj sf lun. et sam. apr.-midi ; reste de l'année : pour les groupes sur RV, se renseigner à l'office de tourisme - ✆ 03 88 89 23 45 - 6 € (-10 ans 3 €).

Situé dans l'ancienne synagogue (1842), lieu de culte abandonné en 1963 et sauvé de la démolition, il retrace l'histoire et la culture des juifs d'Alsace selon un parcours aménagé de rampes et de plateaux où la scénographie est très soignée (mannequins, maquettes en céramique…).

Randonnée

Sentier géologique du Bastberg

☜ Document disponible à la mairie, au Point information touristique.

Première réalisation de ce genre en Alsace, ce sentier suit un parcours de 6 km pour mettre en évidence son histoire géologique. Il conduit au sommet du Bastberg, également appelé « colline des Sorcières », d'où l'on domine la ville *(tables d'orientation)*. En mai et juin, de petites orchidées, qui ne doivent surtout pas être cueillies, poussent sur ce sol calcaire. Les nombreux fossiles que l'on trouve le long du sentier géologique contribuent à la renommée internationale du site de Bouxwiller, qui fut étudié par le grand paléontologue Georges Cuvier (1769-1832).

On peut aussi accéder au sommet du Bastberg en voiture par la D 6. Depuis Bouxwiller, tournez à droite juste avant Imbsheim.

Bouxwiller pratique

Adresse utile

Office du tourisme de Bouxwiller – *89 r. du Gén.-de-Gaulle - 67340 Ingwiller - ✆ 03 88 89 23 45 - www.ot-pays-de-hanau. com/fr/- 1er juil.-15 sept. : tlj mat. et apr.-midi, dim. et j. fériés mat. ; reste de l'année : lun.-vend. mat. et apr.-midi, sam. mat.*

Se loger et se restaurer

⊜⊜ **Hôtel Aux Comtes de Hanau –** *139 r. du Gén.-de-Gaulle - 67340 Ingwiller - ✆ 03 88 89 42 27 - aux-comtes-de-hanau. com -* 🅿 *- 11 ch. 59/71,50 € -* ⌓ *7 € - rest. 11/48 €. Cette maison alsacienne du 19e s. abrite un hôtel très correct en dépit de son mobilier quelque peu vieillot. La moitié des chambres dispose d'une terrasse ouvrant sur la campagne alentour. Cuisine traditionnelle servie dans la salle à manger rustique ou plat du jour proposé à la brasserie.*

⊜⊜ **Hôtel La Cour du Tonnelier –** *84a Grand'rue - ✆ 03 88 70 72 57 - www. courdutonnelier.com - fermé 9-31 août, dim. soir et lun. -* 🅿 *- 16 ch. 77 € -* ⌓ *- rest. 12/28 €. Cette maison traditionnelle proche du centre-ville abrite un petit hôtel parfaitement entretenu. Ses chambres ont été rénovées : couleurs chaudes, belles moquettes, mobilier en bois cérusé et salles de bain à la fois modernes et fonctionnelles. Bar et agréable petit jardin avec piscine.*

En soirée

Le Royal Palace – *20 r. Hochfelden - 4 km à l'est de Bouxwiller - 67330 Kirrwiller - ✆ 03 88 70 71 81 - www.royal-palace.com - horaires variables selon les spectacles - fermé de mi-juil. à fin août, lun. et mar. - 18 à 36 €. Cabaret avec revue de danseuses et danseurs en strass, paillettes et « trucs en plumes ». Une soirée inattendue dans ce music-hall, le troisième de France, qui attire de nombreux spectateurs français et des pays voisins.*

Que rapporter

Marché de Noël – *Le 2e w.-end de décembre, ne le manquez pas ; il sera pour vous l'occasion de compléter les décorations de votre sapin, de trouver vos cadeaux, de boire une bonne tasse de vin chaud et d'assister à divers spectacles et animations.*

Brasserie Météor – *6 r. du Gén.-Lebocq - 14 km au sud-est de Bouxwiller - 67270 Hochfelden - ✆ 03 88 02 22 22 - www.brasserie-meteor.fr - juil. : lun.-jeu. 10h et 14h ; août : lun.-jeu. 14h. Pour découvrir les différentes étapes de fabrication de la bière. En fin de visite, dégustation (toujours avec modération !) des diverses boissons élaborées dans cette brasserie réputée.*

Briey

5 137 BRIOTINS
CARTE GÉNÉRALE A1 – CARTE MICHELIN DÉPARTEMENTS 307 G3
MEURTHE-ET-MOSELLE (54)

Ici se trouve la troisième Cité radieuse de Le Corbusier, après celles de Marseille et de Nantes. C'est dire si dans les années 1950 Briey s'était déjà tournée vers l'avenir… Aujourd'hui, retour à la nature avec des activités nautiques sur le plan d'eau de la Sangsue et des balades en forêt.

- **Se repérer** – À 26 km au nord-ouest de Metz, Briey constitue le point urbain ultime de la zone qui se développe de Thionville à Metz, le long de l'Orne. Elle est située à l'intersection de la D 643 et de la D 906. Côté nord, elle est cernée par la belle forêt de Moyeuvre.
- **À ne pas manquer** – La Cité radieuse bien sûr et, dans un tout autre style, le calvaire de l'église St-Gengoult, attribué à Ligier Richier.
- **Organiser son temps** – Pourquoi ne pas coupler la visite de Briey avec un déjeuner à la ferme-auberge Ste-Mathilde ?
- **Pour poursuivre la visite** – Voir aussi Metz, Thionville.

Se promener

Cité radieuse

Le Corbusier et André Wogenscky choisirent le site boisé de Briey-la-Forêt pour intégrer architecture et nature. Ici, le programme destiné à environ 2 000 habitants comprend 60 logements individuels et surtout une « unité d'habitation » de 17 étages et 350 logements. On peut descendre à pied au plan d'eau, par le sentier qui se trouve à l'arrière de la Cité.

Église St-Gengoult

Visite sur demande au presbytère (03 82 46 07 31).

Une crypte romane du 11e s. située sous l'allée collatérale gauche, entre les 3e et 4e piliers, a été mise au jour en 1982, mais elle a dû être recouverte. Le bâtiment visible est plus composite, et son joli clocher date de 1743. Les fenêtres du chœur, murées, mettent en valeur le poignant **calvaire★**, groupe de six personnages de taille humaine, sculptés dans le bois vers 1530, attribué à l'école de Ligier Richier sinon au maître lui-même.

Belvédère

Sur le côté gauche de l'église, un petit jardin offre une vue dominante sur le **plan d'eau de la Sangsue**, créé par une retenue du Woigot. Il est le point de départ de plusieurs promenades pédestres en forêt et accueille des activités nautiques.

Le saviez-vous ?

Briey viendrait du mot celte *briga*, « forteresse ». À son origine, avant la conquête romaine, la ville occupait une butte et défendait la vallée du Woigot.

André Wogenscky a travaillé pendant vingt ans avec Le Corbusier, notamment pour le projet de Briey. Il a été l'un des premiers à laisser apparents les réseaux techniques, notion officialisée à Beaubourg. Il a également réalisé la maison de la culture de Grenoble, théâtre en rond à scène mobile.

Briey pratique

Adresse utile

Office du tourisme de Briey – 1 pl. Thiers - 54150 Briey - 03 82 46 33 22 - www.cc-paysdebriey.fr - mar.-sam. mat. et apr.-midi, lun. apr.-midi ; fermé j. fériés.

Se restaurer

Ferme-auberge Ste-Mathilde – 9 r. du Pâle - 54640 Tucquegnieux - 10 km au nord-ouest de Briey par D 346, D 146 puis D 145A - 03 82 21 29 04 - www.chez.com/aubergemathilde - ouv. sam. soir et dim. midi - réserv. conseillée - 20/30 €. Si vous le pouvez, ne manquez pas la potée lorraine de la patronne, servie le deuxième dimanche de chaque mois d'hiver. Sinon, rattrapez-vous avec les cochons, bœufs, volailles, fromages (en vente également sur place), crème et pain maison, sans oublier les nouveaux plats proposés chaque dimanche… Cette belle ferme du 16e s. est un piège à gourmands !

Colmar★★★

65 300 COLMARIENS
CARTE GÉNÉRALE B3 – CARTE MICHELIN DÉPARTEMENTS 315 I8 – HAUT-RHIN (68)

Qu'on visite la ville à pied ou en barque sur les canaux de la « Petite Venise », ses fontaines, ses cigognes, ses maisons à colombages, ses géraniums aux balcons disent tout de son appartenance à l'Alsace… Ni les guerres ni le temps ne se lisent sur son visage. Si le patrimoine culturel est inépuisable, les plaisirs de la table le sont tout autant. Excellent point de départ pour découvrir la route des Vins, c'est aussi le lieu idéal pour mieux connaître l'Alsace gastronomique.

- **Se repérer** – En voiture, à mi-chemin entre Strasbourg et Bâle, la ville est reliée aux deux cités par l'A 35. Grâce au TGV-Est, Colmar se trouve à moins de 3h de Paris.

- **Se garer** – En raison d'une forte circulation, la ville s'est dotée de plusieurs parkings, au long des avenues conduisant au centre-ville (en partie piétonnier).

- **À ne pas manquer** – Le retable d'Issenheim au musée d'Unterlinden, la Petite Venise, les belles maisons historiques, le musée Bartholdi…

- **Organiser son temps** – Il serait dommage de ne pas s'arrêter au moins une nuit à Colmar, pour profiter notamment d'une des bonnes tables de la ville, mais aussi de la visite guidée nocturne (en saison) ou des différents spectacles.

- **Avec les enfants** – Le musée animé du Jouet et des Petits Trains, une promenade en barque.

- **Pour poursuivre la visite** – Voir aussi Eguisheim, Kaysersberg, Riquewihr, la route des Vins, Turckheim.

Petite Venise arrosée par la Lauch.

Comprendre

Un pigeonnier – Louis le Pieux, le premier, en 823, mentionne *Columbarium* (« le pigeonnier »), qui deviendra une étape de villégiature dans les déplacements des rois carolingiens, dont Charlemagne. Le domaine des Colombes s'est transformé en *Columbra*, puis en Colmar.

Un maire pas assez noble – Colmar est en lutte ouverte contre l'évêque de Strasbourg qui aimerait bien mettre la main sur la petite ville très convoitée. Mais c'est **Roesselmann**, le fils d'un tanneur, qui y exerce les plus hautes responsabilités, au grand dépit des nobles de la région. En 1261, ceux-ci prêtent main-forte à l'évêque pour se débarrasser de leur ennemi commun. Roesselmann ne se résigne pas et se réfugie chez Rodolphe de Habsbourg, futur empereur, dont l'aide lui permet de réoccuper les lieux. Mais un matin, une troupe aux couleurs de Rodolphe entre dans la ville : ce sont les soldats de l'évêque déguisés. Roesselmann réussit à repousser l'ennemi, mais y laisse la vie.

La Décapole alsacienne – Au 14ᵉ s., les Habsbourg, ambitieux, voulaient soumettre l'Alsace. Colmar se dote alors d'une charte communale en 1354 et la ville entre dans la Décapole alsacienne. Cette ligue avait pour objet de défendre le patrimoine des dix villes les plus dynamiques d'Alsace. Colmar renforce sa position grâce au soutien des villes alliées et garantit la paix à sa population pendant près de deux siècles.

Un tyran – Dès le 15ᵉ s., le tyran **Hagenbach**, installé en Alsace par l'empereur germanique Sigismond, a tenté de s'imposer sans y réussir et y a laissé sa tête. Le glaive qui a décapité le tyran Hagenbach est conservé au musée d'Unterlinden.

Une ville d'artistes – Des artistes illustres sont nés à Colmar. **Martin Schongauer** (1445-1491) y a exécuté presque toute son œuvre peinte (retables) et ses nombreuses gravures ont été admirées autant par Dürer que par les artistes vénitiens de la Renaissance. Au 16ᵉ s., c'est un certain **Matthias Grünewald** qui laisse à la ville le fameux retable d'Issenheim. Plus tard, **Auguste Bartholdi** (1834-1904), le célèbre sculpteur de la statue de la Liberté, a reçu plusieurs commandes de sa ville natale. Né à Colmar, l'écrivain et aquarelliste Jean-Jacques Waltz, dit **Hansi** (1872-1951), avait aussi un grand talent de caricaturiste. Son crayon, vengeur à l'égard de l'occupant militaire allemand dont il appuie les allures grotesques, se fait tendre, amusé et poète devant le petit peuple alsacien, représenté, plus vrai que nature, coloré, patriote et malicieux.

Découvrir

MUSÉE D'UNTERLINDEN★★★ (A1)

1 r. d'Unterlinden - ☎ 03 89 20 15 50 - www.musee-unterlinden.com - &- possibilité de visite guidée sur demande préalable - mai-oct. : tlj tte la journée ; janv.-avr. : tlj sf mar. mat. et apr.-midi - fermé 1ᵉʳ janv., 1ᵉʳ Mai, 1ᵉʳ Nov. et 25 déc. - 7 € (-17 ans 5 €).

La place d'Unterlinden, c'est-à-dire « sous les tilleuls », est traversée par le Logelbach (canal des Moulins). Le bâtiment du musée occupe un ancien couvent de moniales fondé au 13ᵉ s. et célèbre pour son mysticisme et son austérité. Fermé à la Révolution, devenu musée en 1849, il connaît aujourd'hui la célébrité grâce aux œuvres de Grünewald, Schongauer et Isenmann.

Rez-de-chaussée

Le **cloître★** a été construit au 13ᵉ s. dans le style gothique. Au milieu de la galerie ouest, une arcade plus haute et ornée surmonte la cuve de l'ancien lavabo. Puits Renaissance dans un angle.

Les salles autour du cloître sont consacrées à l'**art rhénan** : peintures et sculptures, provenant parfois d'édifices religieux de la région, bronzes, vitraux, ivoires, tapisseries, datant de la fin du Moyen Âge ou de la Renaissance. Les primitifs rhénans sont représentés par Holbein l'Ancien, Cranach l'Ancien, Gaspard Isenmann et les gravures sur cuivre de Martin Schongauer.

Retable d'Issenheim★★★ – Conservé dans la chapelle, avec des œuvres de Schongauer et de son entourage (**retable de la Passion★★** en 24 panneaux). Le retable *(voir p. 70)* a été exécuté vers 1500-1515 par **Grünewald** pour l'église du couvent des Antonites d'Issenheim, ordre spécialisé dans le traitement du « mal des ardents » ou « feu de saint Antoine » (empoisonnement au seigle ergoté). Il était exposé dans l'église, ouvert de différentes façons selon les jours. Les statues du compartiment central n'étaient visibles qu'à la fête de saint Antoine.

Pour mieux percevoir le côté exceptionnel du retable d'Issenheim, voir d'abord les salles 1, 3 et 4. La vue depuis la tribune du 1ᵉʳ étage aide à saisir l'organisation des multiples tableaux. Fixées au mur, des maquettes reconstituent l'ensemble du retable.

Le réalisme des détails chargés d'une symbolique (carafe en verre, poignée de coffre, baquet) le dispute à l'invention, à la poésie (ange aux plumes vertes) et même à l'humour des décors et des personnages (soldat renversé, son casque sur le nez). La virtuosité du maître excelle dans le traité des mains. Dans la Crucifixion, la douleur physique émane du corps raidi et déchiré d'égratignures où les mains semblent souligner le caractère de la détresse surhumaine du Crucifié.

Le mystère Grünewald

Morcelé à la Révolution, le retable n'est reconstitué qu'en 1930, le temps de retrouver l'ordre, tissé de significations cachées, de chaque panneau. Aucune certitude sur la naissance du peintre, sa vie, sa mort ni même son nom (Grünewald est employé par commodité, on l'appelle aussi Maître Mathis). Mais on reconnaît de loin ses peintures, par leur style expressionniste, leurs couleurs audacieuses, l'art de leurs éclairages tour à tour crépusculaire, ardent, surnaturel, et leur mysticisme halluciné, violent et passionné.

1er étage

Il est consacré à l'histoire de la ville et des objets alsaciens : costumes, meubles, armes, étains, orfèvrerie, ferronnerie, porcelaines, faïences de Strasbourg (18e s.). Intérieurs reconstitués : chambre gothique aux murs et plafond lambrissés ; salon, dit « des demoiselles anglaises » (18e s.), au magnifique plafond peint en trompe-l'œil dans le goût baroque. La cave du vigneron (pressoir à cabestan du 17e s.) est accessible depuis le cloître. Une partie du cloître est consacrée à l'histoire des bâtiments qui abritent le musée ainsi qu'aux acquisitions des collections.

Caves du couvent

Deux nefs admirablement conservées accueillent des collections allant de la préhistoire à l'époque mérovingienne. Le sous-sol comprend aussi une salle gallo-romaine (fragments de la mosaïque de Bergheim, 3e s.). La peinture du 20e s. n'est pas oubliée avec des œuvres de Renoir, Rouault, Picasso, Vieira da Silva, Nicolas de Staël ou Poliakoff.

Se promener

LA VILLE ANCIENNE★★ 1

Circuit au départ de la place d'Unterlinden (proche de l'office de tourisme).

Suivez la rue des Clefs.

On passe devant l'hôtel de ville du 18e s., aux beaux chaînages de grès rose, qui appartenait à l'abbaye de Pairis, fondation cistercienne aujourd'hui détruite, qui se trouvait dans le val d'Orbey.

Place Jeanne-d'Arc, tournez à droite dans la Grand'Rue.

Temple protestant St-Matthieu (C)

Déb. mai à mi-juin et de fin juil. à mi-oct. : mat. et apr.-midi (sf dim. mat. et j. de concert)

Ancienne église des Franciscains (13e-14e s.), il a retrouvé sa beauté et son har-

La fontaine Schwendi de Bartholdi.

monie premières après plusieurs années de restauration : jubé, vitraux du 13e et 15e s. Le plus remarquable est, en haut du collatéral droit, le **vitrail de la Grande Crucifixion★**, attribué à Pierre d'Andlau (15e s.).

Tournez à gauche vers la place du 2-Février pour voir l'**Ancien Hôpital (C)** du 18e s., coiffé d'une haute toiture percée de lucarnes.

De retour dans la Grand'rue, on croise la **maison des Arcades★ (C)** de style Renaissance flanquée aux angles de deux tourelles octogonales, puis la **fontaine Schwendi (C)**. Sculptée par Bartholdi, cette fontaine porte le nom de celui qui, selon une légende tenace, aurait introduit le cépage tokay en Alsace. Produit à partir du pinot gris, il diffère de son homonyme hongrois.

On arrive sur la place de l'Ancienne-Douane.

Dépassez la **maison du Pèlerin (C)** (1571).

Place de l'Ancienne-Douane (C)

C'est l'une des plus pittoresques de Colmar : nombreuses maisons à pans de bois, dont la **maison au Fer rouge (C)**.

Ancienne Douane★ (ou Koifhus) (C)

N'hésitez pas à prendre du recul pour admirer cet imposant bâtiment couvert de tuiles vernissées. Au rez-de-chaussée du corps de logis principal (1480) on entreposait les marchandises soumises à l'impôt communal, et à l'étage siégeaient les représentants des dix villes libres de la Décapole. Dans la partie arrière (ajoutée à la fin du 16e s.), la tourelle d'escalier à pans coupés coiffée d'un clocheton conduit à une jolie galerie de bois.

Continuez par la rue des Marchands.

COLMAR
plan I

COLMAR
plan II

Maison Pfister★★ (C)

Petit bijou de l'architecture locale, elle a été construite en 1537 pour un chapelier de Besançon. Façade peinte, oriel d'angle vitré au premier étage et habilement intégré à la galerie du second étage, sculptée et soutenue par de belles consoles ouvragées.

Dans cette rue, voir la **maison Schongauer (C)** ou **de la Viole**, qui appartint à la famille de ce peintre (15ᵉ s.) et la **maison au Cygne (C)**, où il aurait vécu ; au nº 9, un marchand sculpté dans le bois (1609).

*Un passage sous arcades en face du musée Bartholdi (voir description dans « Visiter »)
permet de rejoindre la place de la Cathédrale.*

C'est ici que s'élève la plus ancienne maison de Colmar : la **maison Adolphe** (1350), ainsi que l'**ancien corps de garde★ (C)** de la ville (1575). Il possède une magnifique loggia d'où le magistrat prêtait serment et annonçait les condamnations infamantes.

Collégiale St-Martin★ (C)

Ici, on l'appelle couramment « cathédrale ». Elle est construite en grès rouge et le portail principal est encadré de deux tours. La tour sud porte un cadran solaire. Le **portail St-Nicolas**, signé « Maistre Humbret », est orné de la légende de saint Nicolas. À l'intérieur, mobilier de qualité (buffet d'orgues dû au facteur Silbermann 18e s.). Dans la chapelle absidiale, **Crucifixion**★ sculptée du 14e s.

Quittez la place de la Cathédrale par la rue des Serruriers.

Église des Dominicains (A1)

Avr.-déc. : mat. et apr.-midi - 1,50 € (enf. 0,50 €).

Remarquable et surprenant vaisseau élancé, aux longs piliers sans chapiteau

La maison Pfister et son oriel à deux étages.

avec des **vitraux**★ des 14e e. et 15e s. et, devant le chœur, une œuvre majeure de Schongauer (1473), la **Vierge au buisson de roses**★★. La Vierge et l'Enfant se détachent sur un fond d'or couvert de rosiers blancs et rouges, habité de toutes sortes d'oiseaux. Ce tableau admirablement conservé est d'une rare élégance.

Prenez ensuite la rue des Boulangers et tournez à droite dans la rue des Têtes.

Le nom de la rue et celui de la **maison des Têtes**★ (A1), au n° 19, vient des nombreuses sculptures qui figurent en façade de cette demeure qui a pignon sur rue.

Poursuivez jusqu'à la place d'Unterlinden.

LA PETITE VENISE★ ② (A2)

Au départ de la place de l'Ancienne-Douane, rejoignez la rue des Tanneurs, longée par un petit canal.

Quartier des Tanneurs (C)

Bien que restauré dans les années 1970, il est resté typique de l'activité qui y régna jusqu'au 19e s. Les maisons à pans de bois y sont étroites et hautes, car elles comportaient un grenier pour le séchage des peaux. *Franchissez le pont sur la Lauch.*

On entre dans le **quartier de la Krutenau**★ (A2), jadis peuplé de maraîchers qui circulaient sur les cours d'eau en barques à fond plat.

Suivez, à droite, le quai de la Poissonnerie.

Le **quai de la Poissonnerie**★ (A2) et ses maisons de pêcheurs à colombages toutes colorées aboutissent à la rue de Turenne, l'ancienne « Krutenau », jadis marché aux légumes.

Prenez à gauche la rue de la Herse, puis à droite la ruelle conduisant à la Lauch.

Promenade aménagée le long de la berge qui mène au **pont St-Pierre** (A2), d'où partent les promenades en barque *(voir l'encadré pratique)*. Remarquable **point de vue**★ sur la Petite Venise et le vieux Colmar.

À droite, la rue du Manège aboutit à la place des Six-Montagnes-Noires. La **fontaine Roesselmann** (A2) de Bartholdi célèbre le héros colmarien.

À droite de la place, sur le pont, on retrouve la rivière qui baigne les vieilles maisons.

Rejoignez en face la rue St-Jean.

À gauche, la **maison des Chevaliers de St-Jean** (C) évoque un palazzo vénitien. La façade ornée de deux galeries superposées datées de 1608 observe une rigoureuse symétrie.

La place du Marché-aux-Fruits est bordée par la maison Renaissance **Kern** (C) et par la jolie façade classique en grès rose du **tribunal civil**★ (C), sur la gauche. L'Ancienne Douane est en face.

Rejoignez la place de l'Ancienne-Douane par la rue des Tanneurs.

Visiter

Musée Bartholdi (C)

30 r. des Marchands - ☏ 03 89 41 90 60 - www.musee-bartholdi.com - mars-déc. : tlj sf mar. mat. et apr.-midi - fermé janv.-fév., 1er Mai, 1er nov. et 25 déc. - 4,50 € (enf. 2,90 €).

La partie basse de la maison natale du sculpteur Auguste Bartholdi (1834-1904) a été transformée en musée d'Histoire locale (archives, sceaux, gravures). Les appartements au 1er étage, meublés comme au temps de l'artiste, évoquent sa vie et ses œuvres, du Lion de Belfort au Vercingétorix de Clermont-Ferrand. Le 2e étage est tout entier consacré à la célébrissime « Lady Liberty », la statue de la Liberté du port de New York. Une collection d'art juif est aussi présentée dans l'une des salles.

Bartholdi dans la rue

Rares sont les rues et les places de Colmar qui n'ont pas hérité d'une œuvre du sculpteur : la **statue** du **général Rapp** place Rapp, le **monument de l'amiral Bruat** place du Champ-de-Mars, la **fontaine Roesselmann** place des Six-Montagnes-Noires, la **fontaine Schwendi** place de l'Ancienne-Douane, la **fontaine du Vigneron**, à l'angle des rues des Écoles et du Vigneron et la réplique de la **statue de la Liberté** au rond-point nord sur la route de Strasbourg.

Musée animé du Jouet et des Petits Trains (B1)

40 r. Vauban - ☏ 03 89 41 93 10 - www.museejouet.com - ♿ - juil.-août et déc. : tlj tte la journée (dernière entrée 30mn av. fermeture) ; reste de l'année : tlj mat. et apr.-midi sf. mar. d'oct.-juin - fermé 1er janv., 1er Mai, 1er nov. et 25 déc. - 4,50 € (- 8 ans gratuit).

👪 Installé dans un ancien cinéma, un coin de paradis pour petits et grands enfants : poupées, chevaux, avions, machines à coudre, sans oublier wagons et locomotives de la collection Trincot (circuit de plus de 1 000 m où circulent une vingtaine de trains de marques et d'écartements variés). Amusantes vitrines animées sur le thème de la fête foraine et du cirque, théâtre de marionnettes.

Muséum d'Histoire naturelle et d'Ethnographie (B2)

11 r. Turenne - ☏ 03 89 23 84 15 - www.museumcolmar.org - lun. et du merc. au sam. mat. et apr.-midi, dim. apr.-midi, j. fériés tte la journée - fermé 24 déc. au 20 janv., 1er Mai et 1er nov. - 2 € (-7 ans gratuit).

Mammifères, oiseaux et poissons d'Alsace naturalisés sagement rangés dans une maison du 17e s. La salle de géologie explique la diversité des paysages de la région et une collection d'égyptologie complète une section d'ethnologie et de minéralogie.

Colmar pratique

Adresse utile

Office du tourisme de Colmar – *4 r. d'Unterlinden - 68000 Colmar - ☏ 03 89 20 68 92 - www.ot-colmar.fr - avr.-oct. et marchés de Noël : tte la journée ; nov. janv.-mars : mat. et apr.-midi sf dim. et j. fériés mat.*

Visites

Visites guidées – Des visites guidées de la vieille ville et de ses quartiers sont organisées de juil. à sept. ainsi que des visites thématiques toute l'année - *4 € - s'adresser à l'office de tourisme pour avoir les dates et les horaires.*

Visite guidée nocturne – Les plus beaux bâtiments de la ville sont inondés de lumière par un procédé dynamique réellement spectaculaire. La féerie des lumières, tte l'année vend. et sam. soir. *De fin nov. à fin déc. : dép. de l'office de tourisme - durée 1h15 - 4 €.*

Train touristique – *Pâques-Toussaint : visite commentée, dép. toutes les 30mn quai de la Sinn (face au musée Unterlinden) mat.*

et apr.-midi - 6 € (2-12 ans 3,50 €) - ☏ 03 89 24 19 82 - www.artifrance.fr/petit-train/fr.

Promenade en barque – Dans la « Petite Venise » : embarquement au bas du pont St-Pierre. *Pont Saint-Pierre - ☏ 03 89 41 01 94 - www.sweetnarcisse.com - promenade accompagnée - avr.-oct. : tlj mat. et apr.-midi ; mars : w.-end et j. fériés mat. et apr.-midi - 5,50 € (-10 ans gratuit).*

Se loger

⌂ **Chambre d'hôte Les Framboises** – *128 r. des Trois-Épis - 68230 Katzenthal - ☏ 03 89 27 48 85 ou 06 82 21 76 31 - www.gites-amrein.com - 5 ch. 39/50 € ⬚.* Quittez donc Colmar pour venir vous mettre au vert dans ce village entouré de vignes. L'hôte-propriétaire, qui par ailleurs distille le marc de gewurztraminer, propose sous les toits de sa maison quelques chambres lambrissées. Le matin, ne manquez pas le spectacle de marionnettes…

⌂⌂ **Hôtel Turenne** – *10 rte de Bâle - ☏ 03 89 21 58 58 - www.turenne.com - 83 ch. 61/71 € - ⬚ 8 €.* En périphérie de la vieille ville, hôtel logé dans une grande maison avenante à la façade rose et jaune. Ses chambres rénovées sont bien insonorisées et agréablement aménagées. Quelques « singles », petites mais proprettes et peu chères.

La salle des petits-déjeuners est sympathique avec son décor typiquement alsacien.

⊖ **Inter Hôtel Le Colbert** – *2 r. des Trois-Épis - ℘ 03 89 41 31 05 - www.le-colbert.fr - 50 ch. 65 € - �4 7 €.* Cet hôtel fonctionnel, situé près de la gare, est une étape commode pour ceux qui voyagent en train. Ses chambres bénéficient de bons équipements : literie neuve, insonorisation efficace, climatisation et parfois balcon. Bar et discothèque pour les noctambules.

⊖⊖ **Hôtel Au Moulin** – *Rte d'Herrlisheim - 68127 Ste-Croix-en-Plaine - ℘ 03 89 49 31 20 - www.aumoulin.net - fermé 5 nov.-31 mars - ⊡ - 17 ch. 58/70 € - ⊐ 8 € - rest. 24/37 €.* Cette ancienne minoterie (1880) constitue, avec sa cour fleurie et les maisons à colombages qui l'entourent, un véritable havre de paix. Certaines des chambres, assez amples et sobrement aménagées, s'ouvrent sur les Vosges, d'autres sur la plaine. Toutes sont au grand calme. Restauration d'appoint et minimusée alsacien.

⊖⊖⊜⊜ **Hôtel Le Colombier** – *7 r. de Turenne - 6 km au sud de Colmar par la D 13 puis la D 45 - ℘ 03 89 23 96 00 - www.hotel-le-colombier.fr - fermé vac. de Noël - 27 ch. 185 € - ⊐ 11 €.* Dans le vieux Colmar, belle maison du 15e s. mariant vieilles pierres et décor contemporain. Mobilier créé par un designer italien, tableaux modernes, superbe escalier Renaissance et paisible patio comptent parmi ses trésors. Chambres soignées.

Se restaurer

👁 **Bon à savoir** – La visite de la ville vous mènera sûrement du côté de la place de l'Ancienne-Douane où officient plusieurs restaurants traditionnels tels le *Schwendi Bier und Wistub* et le *Koïfhus*. Au menu, choucroute, coq au riesling ou tartes flambées. Vous pourrez vous laisser tenter par le charme latin des pizzerias et bars à tapas.

⊖ **Winstub La Krutenau** – *1 r. de la Poissonnerie - ℘ 03 89 41 18 80 - fermé du 25 déc. à fin janv., dim. soir et lun. hors sais. - 6/7 €.* Au menu de cette winstub au bord de la Lauch : promenades en barque dans la Petite Venise et tartes flambées sur la terrasse fleurie le long du canal en été… Une façon très ludique - et facultative, bien sûr - de découvrir ce ravissant quartier de Colmar… À faire !

⊖ **Schwendi Bier-U-Wistub** – *23-25 Grand'Rue - ℘ 03 89 23 66 26 - fermé 24 déc.-1er janv. - 8/18 €.* D'entrée, on éprouve de la sympathie pour cette charmante winstub idéalement située au cœur du vieux Colmar. Le décor, où domine le bois, est sobre, la cuisine, copieuse et de qualité, célèbrent l'Alsace. Vaste terrasse pour la belle saison.

⊖ **Le Caveau St-Pierre** – *24 r. de la Herse (Petite Venise) - ℘ 03 89 41 99 33 - www. lecaveausaintpierre-colmar.com - fermé 15 janv.-10 fév. et 2 sem. en nov. - réserv. conseillée - 13,50/24,90 €.* Un petit coin de paradis que cette maison du 17e s. à laquelle on accède par une jolie passerelle en bois enjambant la Lauch. Décor rustique fidèle à la tradition alsacienne et terrasse les pieds dans l'eau. Plats du terroir.

⊖ **La Maison Rouge** – *9 r. des Écoles - ℘ 03 89 23 53 22 - fermé dim. - formule déj. 9,20 € - 17,30/35,50 €.* La façade peut paraître anodine mais l'intérieur rustique de ce restaurant vous séduira : poutres, boiseries, mobilier alsacien, objets décoratifs liés au monde de la vigne… Cuisine régionale et plats maison comme le jambon à l'os braisé à la broche ou la fondue vigneronne.

⊖⊖ **Wistub Flory** – *1 r. Mangold - ℘ 03 89 41 78 80 - fermé mar. et merc. sf juil.-août et déc. - formule déj. 15 € - 21,50/23 €.* Le Stammtisch, vous connaissez ? Cette table réservée à tout dégustateur de vin blanc est dotée en son centre d'une clochette. Le hic, c'est que nombre de clients s'amusent à toucher celle-ci, et que le moindre tintement signifie… une tournée générale ! Cuisine régionale sans reproche et fresque murale valant le détour.

⊖⊖ **Bartholdi** – *2 r. des Boulangers - ℘ 03 89 41 07 74 - restaurant.bartholdi@wanadoo.fr - fermé 4-18 juin, 12-20 nov., dim. soir et lun. - 22/49 €.* Tout ici rappelle que l'on est en Alsace : l'enseigne évoquant l'enfant du pays, le décor et le mobilier façon winstub, l'atmosphère conviviale et la cuisine régionale (foie gras frais, choucroute garnie, tarte à l'oignon, truite au riesling). Terrasse dressée dans une cour pavée jouxtant la fameuse maison des Têtes.

⊖⊖ **Wistub Brenner** – *1 r. de Turenne - ℘ 03 89 41 42 33 - www.wistub-brenner.fr - fermé 6-23 fév., 20-29 juin., 15-24 nov., 24 déc.-2 janv., mar. et merc. - 25/37 €.* Au bord de la Lauch, dans la Petite Venise, sa terrasse est prise d'assaut aux beaux jours. Il faut dire que son emplacement est idéal et que la cuisine, certes simple, y est copieusement servie. Le Tout-Colmar s'y encanaille avec un plaisir manifeste !

⊖⊖ **Chez Bacchus** – *2 Grand'Rue - 68230 Katzenthal - 5 km au nord-ouest de Colmar dir. Kaysersberg puis D 10 - ℘ 03 89 27 32 25 - bacchus-katzenthal@wanadoo.fr - fermé 7-31 janv., 1 sem. en juil. et nov., ouv. du jeu. au dim. soir du 1er oct. au 14 juil., dim. et du 15 juil. au 30 sept. tous les soirs sf mar. - réserv. conseillée le w.-end - 15/24,50 €.* Belle ambiance conviviale dans cette maison de 1789 installée dans un village de vignerons ! Sous les poutres massives de cette winstub, la cuisine alsacienne servie ici comblera les plus affamés. Et pour les enfants, des marionnettes automatisées s'animent avec entrain.

Café et sa terrasse.

En soirée

👁 **Bon à savoir** – Les spectacles programmés en ville figurent sur la brochure diffusée tous les mois par les services municipaux et disponible à la mairie ou à l'office de tourisme. La presse locale relaie l'information chaque semaine dans son programme des festivités.

Atelier du Rhin – *6 rte d'Ingersheim - ✆ 03 89 24 31 78 - www.atelierdurhin.com - tlj sf w.-end 9h-12h30, 13h30-18h30 - 18 €.* Spectacles de théâtre contemporain, de musique et de danse.

Soirées folkloriques – *Pl. de l'Ancienne-Douane - ✆ 03 89 20 68 97 - www.ot-colmar.fr - de mi mai à mi sept. : mar. à 20h30.*

Théâtre municipal – *3 r. Unterlinden - ✆ 03 89 20 29 01 - theatre@ville-colmar. com - 8h-12h, 14h-18h30 - fermé août.* Propose des pièces classiques, des comédies et des opéras.

Que rapporter

Coco LM – *14 pl. de la Cathédrale - ✆ 03 89 24 50 21 - www.coco-lm.com - avr.-déc. : 9h-19h ; janv.-mars : 10h-18h.* Chez Coco LM, on déguste avant d'acheter ! De toute façon, tout est bon… 40 variétés de bredalas, le kouglof traditionnel, le berawecka à base de dattes, de figues, de poires, d'abricots, etc., les bretzels et les pains d'épice assurent le succès de cette maison spécialisée dans les pâtisseries régionales.

Fortwenger – *32 r. des Marchands - ✆ 03 89 41 06 93 - www.fortwenger.fr - 9h30-12h30, 13h30-19h, sam. 9h30-12h30, 13h30-18h30, dim. 10h-12h30, 13h30-18h - fermé 25-26 déc. et 1er janv.* C'est à Gertwiller que Charles Fortwenger fonda en 1768 sa fabrique de pain d'épices mais c'est dans le magasin de Colmar que vous trouverez un large choix de savoureux produits accommodés de multiples façons : chocolat, miel, sucre glace, anis, cannelle, etc. Également, spécialités régionales et souvenirs.

Domaine Viticole de la Ville de Colmar – *2 r. du Stauffen - ✆ 03 89 79 11 87 - www.domaineviticolecolmar.fr - tlj sf dim. 8h-12h, 14h-18h, sam. 9h-12h.* Ce domaine fondé en 1895 (environ 25 ha) cultive les 7 cépages alsaciens et propose des vins de sélection, des cuvées spéciales, des grands crus et des vendanges tardives. Les crémants d'Alsace, les vins des Hospices de Colmar et le grand cru Pfersigberg (gewurztraminer) méritent bien des éloges, au même titre que les bouteilles primées dont les diplômes couvrent les murs du caveau de vente.

Maison des Vins d'Alsace - Civa – *12 av. de la Foire-aux-Vins - ✆ 03 89 20 16 20 - www.vinsalsace.com - tlj sf w.-end 9h-12h, 14h-17h - fermé 25 déc.-1er janv. et j. fériés.* Cet important centre dédié à la « dive bouteille » regroupe 5 organismes viticoles régionaux. Carte en relief situant villages et grands crus, expositions, films montrant le travail du vigneron et les vins d'Alsace, brochures, affiches, objets publicitaires… Tout, tout, tout, vous saurez tout sur les vins alsaciens !

Caveau Robert-Karcher – *11 r. de l'Ours - ✆ 03 89 41 14 42 - www.vins-karcher.com - tlj sf dim. apr.-midi 8h-12h, 13h30-19h - fermé 1er janv., Vend. saint, Pâques, 25 et 26 déc.* Le domaine viticole Karcher occupe une ancienne ferme (1602) située en plein cœur du vieux Colmar. Les crus que l'on y vend proviennent exclusivement du vignoble appelé « Harth de Colmar » (à 6 km du centre) : vins des 7 cépages d'Alsace, souvent récompensés. Caveau de dégustation et visite possible de la propriété.

Sports & Loisirs

👁 **Bon à savoir** – La visite en barque du quartier de la Petite Venise, au fil de la Lauch, ou celle, plus thématique, que propose l'Association des bateliers dans « le sillage des maraîchers d'autrefois » sont autant d'occasions de découvrir la ville sous son jour le plus intime. Sweet Narcisse - 10 r. de la Herse - ✆ 03 89 41 01 94 - avr.-sept. : tlj visite commentée de 30mn. Association des bateliers de la Lauch - ✆ 03 89 23 59 31 - avr.-sept. : visite commentée de 30mn. Vous pourrez aussi vous laisser tenter par une croisière-repas sur le canal de Colmar à la découverte du Ried alsacien (journée ou demi-journée), en traversant des paysages typiques de la vallée rhénane. Aqua-découverte - port de plaisance - ✆ 06 30 70 51 30 - www.aqua-decouverte.com.

Événements

Noël à Colmar – Marché, patinoire de plein air et tremplin de saut à ski sur la place Rapp (*de fin-nov. à fin déc.*) - ✆ 03 89 20 68 92 - www.noel-colmar.com.

Foire aux vins d'Alsace – Foire aux vins d'Alsace (*1re quinz. août*).

Festival international de Colmar – Parmi les premiers festivals européens de musique classique, il a lieu chaque année début juillet. À cette occasion, la ville est illuminée (900 points). www.festival-colmar.com.

Commercy

6 324 COMMERCIENS
CARTE GÉNÉRALE A2 – CARTE MICHELIN DÉPARTEMENTS 307 E6 – MEUSE (55)

C'est à Stanislas, le roi de Pologne déchu, que l'on doit la fameuse madeleine. Ce dernier aimait séjourner au château de Commercy, présent de son gendre Louis XV, dont il fit une demeure d'agrément : l'ambiance de fête et de bonne chère plaisait à Voltaire qui fréquentait assidûment sa cour. Aujourd'hui encore, on peut déguster la petite madeleine dans la ville où elle est née.

- **Se repérer** – Commercy se trouve à environ 50 km à l'ouest de Nancy, en empruntant les voies express de circulation. La ville est installée le long de la Meuse, qui coule du sud vers le nord.
- **À ne pas manquer** – Le château Stanislas.
- **Organiser son temps** – La visite de Commercy peut être couplée avec une promenade dans le Parc naturel régional de Lorraine voisin.
- **Avec les enfants** – La visite d'une biscuiterie pour savoir comment sont faites les fameuses madeleines !
- **Pour poursuivre la visite** – Voir aussi Saint-Mihiel, Bar-le-Duc et Toul.

R. Mattes/MICHELIN

Le château Stanislas.

Comprendre

Une célèbre Madeleine – On doit le gâteau à l'une des soubrettes du roi de Pologne Stanislas. Elle lui sauva la face un jour où le chef cuisinier royal ayant disparu dans la nature, elle improvisa pour le roi et ses invités un dessert à base de beurre, farine et œufs, le tout parfumé avec du citron. Le roi et ses convives furent tellement contents qu'ils donnèrent au gâteau le nom de la jeune fille, Madeleine.

Visiter

Château Stanislas

✆ 03 29 91 02 18 - ♿ - *ouvert lors des expositions en juil.-août : tlj sf mar. apr.-midi - gratuit.*
Précédé d'une esplanade en fer à cheval tout à fait majestueuse, le château forme une très belle perspective en bout de la rue Stanislas et de l'allée des Tilleuls. Elles se poursuivent, à l'opposé, jusqu'à la forêt de Commercy. Bâti à partir de 1708 sur les plans de Boffrand et d'Orbay pour le prince de Vaudémont, il échut comme résidence de chasse aux ducs de Lorraine, puis en 1744 à Stanislas Leszczyński. Détruit par un incendie en 1944, seul le grand salon a été restauré à l'identique.

Musée de la Céramique et de l'Ivoire

℘ 03 29 92 04 77 - ♿ - juil.-août : tlj sf mar. apr.-midi ; mai-juin et sept. : w.-end et j. fériés apr.-midi - ℘ 03 29 91 33 16 - 3 € (-10 ans gratuit).

Les anciens bains-douches municipaux construits dans les années 1930 abritent une très belle collection d'ivoires européens et asiatiques ainsi que des céramiques allant des porcelaines chinoises aux faïences italiennes de la Renaissance.

Aux alentours

Euville

3 km au sud-est en suivant la Meuse.

Ce petit bourg fut célèbre au 19ᵉ s. pour ses carrières de pierres qui alimentèrent d'illustres chantiers comme l'Opéra de Paris, la gare du Nord, la Sorbonne ou le pont Alexandre-III. Sa **mairie** reste tout un symbole. C'est le seul édifice public revendiqué par l'école de Nancy. Construit par E. Gutton et E. Vallin, élevé à la gloire des carrières qui apportèrent la prospérité au village, il est de style Art nouveau. Majorelle, Janin, Gruber et Brant ont participé à sa décoration. *℘ 03 29 91 09 77 - mai-sept. : lun.-vend. apr.-midi ; oct.-avr. : mer., w.-end et j. fériés - possibilité de visite guidée sur demande (1 sem. av.) - fermé déc.-janv. - 3 €.*

Commercy pratique

Adresse utile

Office du tourisme de Commercy – *Château Stanislas - 55200 Commercy - ℘ 03 29 91 33 16 - www.commercy.org - tlj sf j. fériés mat. et apr.-midi.*

Se loger

⊜⊜ **Hôtel de la Madeleine** – *La Louvière (rte de Nancy) - ℘ 03 29 91 51 25 - 26 ch. 56/69 € - � 6 € - rest. 12/32 €.* Au pays de la célèbre madeleine, bâtiment moderne proposant aux voyageurs des chambres actuelles, insonorisées et équipées d'un mobilier mariant bois et fer forgé. Sobre salle à manger éclairée par de larges baies.

Se restaurer

⊜ **Les Tanneurs** – *9 r. Foch - ℘ 03 29 92 03 03 - www.les-tanneurs.com - fermé de déb. à mi-janv. et dernière sem. de juil. - 13 € déj. - 16/34 €.* Le four à pizza (au feu de bois) de ce restaurant proche du centre-ville fonctionne le soir. Salle aux tons pastel avec espace dédié à l'exposition de peintures et sculptures d'artistes locaux. Côté cuisine, la truffe du pays parfume subtilement certains plats.

⊜⊜ **Côté Jardin** – *40 r. St-Mihiel - ℘ 03 29 92 09 09 - 19/48 €.* Côté rue, une façade joliment rénovée ; côté jardin, une confortable salle de restaurant largement ouverte sur la terrasse et la verdure. Cuisine composée selon la saison.

Que rapporter

La Boîte à Madeleines – *ZAE La Louvière - ℘ 03 29 91 40 86 - madeleines-zins@ wanadoo.fr - 8h-12h, 14h-19h - fermé 1 sem. en janv., 1ᵉʳ janv. et 25 déc.* Dès l'entrée, de délicieuses odeurs titillent les narines. Devant vous, derrière la vitre, la salle de fabrication où s'élaborent les succulents gâteaux dorés à point que vous dégusterez ensuite accompagnés d'un café. Enfin, à la boutique, vous ferez provision de madeleines au beurre, à la mirabelle ou au chocolat.

Contrexéville

3 507 CONTREXÉVILLOIS
CARTE GÉNÉRALE A3 – CARTE MICHELIN DÉPARTEMENTS 314 D3 – VOSGES (88)

Si on vous dit « Contrex », vous pensez à quoi ? À une eau minérale, synonyme de régime, de minceur, de cure, de remise en forme… Contrexéville est une station hydrothermale, en concurrence, d'ailleurs, avec sa voisine Vittel (même si elles appartiennent toutes les deux au même groupe industriel…). On peut également venir pour visiter la station thermale ou pour profiter de l'air pur des Vosges, des balades au milieu des étangs, des forêts et des fleurs.

- **Se repérer** – Contrexéville est située sur la D 164 à une trentaine de kilomètres à l'est de Neufchâteau et juste au sud de Vittel. La ville est traversée par le Vair, que longe la rue de la Division-Leclerc, qui coupe la ville en deux.
- **À ne pas manquer** – Un verre d'eau au pavillon des sources.
- **Organiser son temps** – En fonction de la météo, vous choisirez des visites nature dans les villes d'eau voisines ou dans la forêt de Darney toute proche ou des visites plus culturelles à Bulgnéville ou Neufchâteau.
- **Avec les enfants** – Le lac de la Folie pour sa piscine et ses pédalos.
- **Pour poursuivre la visite** – Voir aussi Vittel, Neufchâteau, Bourbonne.

Comprendre

Les débuts du thermalisme – Les Contrexévillois doivent une fière chandelle au docteur Bagard, premier médecin du dernier duc de Lorraine, Stanislas Leszczyński. C'est vers 1750 qu'il publia ses *Mémoires sur les eaux minérales de Contrexéville*, attestant de spectaculaires résultats sur les malades traités avec l'eau de cette source. Après que le médecin de Louis XVI eut confirmé le prodige, celui-ci ordonna la construction du premier établissement thermal, en 1774.

Beau monde – À la Belle Époque, le gotha était contrexévillois une bonne partie de l'année. Les VIP se retrouvaient ici, pensant, grâce aux vertus de l'eau miraculeuse, traiter les excès de fêtes trop arrosées. Le shah de Perse, le roi de Serbie, la grande-duchesse Wladimir de Russie et de nombreux diplomates y installaient leurs quartiers d'été. À l'époque on appelait cela « prendre les eaux ».

Séjourner

Centre thermal

Galeries thermales - ☎ *03 29 08 03 24 - thermes-contrexeville. com - avr.-oct. - fermé dim. apr.-midi - plusieurs formules, programmes minceur (7 à 14 jours) ou courts séjours.*

Les eaux des cinq sources minérales naturelles jaillissant à 11 °C sont prescrites dans le traitement de l'obésité, des affections des reins, des infections urinaires et biliaires, de la goutte. Le centre thermal actuel a été construit dans le style néobyzantin en 1912 par l'architecte Mewes, un habitué de la station. Il a été entièrement rénové en 1995. La galerie qui longe le parc et le **pavillon des Sources**, où l'eau

Le pavillon des Sources, édifice circulaire d'inspiration néobyzantine.

sort des griffons, sont recouverts de mosaïque bleu et rose. Dans le parc, en face de la **chapelle anglicane** (1891), la petite **chapelle orthodoxe** fut construite en 1910, à la demande de la duchesse Wladimir de Russie, qui y repose aujourd'hui avec son fils, le duc Boris.

Des fontaines modernes, en lave émaillée et marbre de Carrare, décorent deux places de la ville. Elles sont l'œuvre, parfois discutée, de N. Normier et J.-M. Hennin.

Aux alentours

Bulgnéville

7,5 km à l'ouest par la D 164.

Bulgnéville est construit à la lisière de la forêt autour de quatre fontaines, dont celle des Curtilles, de 1750.

De l'ancienne **église**, reconstruite au 18e s., subsiste une chapelle du 15e s. qui renferme une Mise au tombeau de la même époque et un magnifique haut-relief du 16e s. représentant la lignée de sainte Anne : la sainte, ses trois filles dont la Vierge, ses trois gendres et ses sept petits-enfants dont Jésus. Boiseries et chaire du 18e s.

Contrexéville pratique

Adresse utile

Office du tourisme de Contrexéville – *116 r. du Shah-de-Perse - 88140 Contrexéville - ℘ 03 29 08 08 68 - www. contrex-minceur.com - tlj mat. et apr.-midi.*

Se loger

Souveraine Hôtel – *Parc Thermal - ℘ 03 29 08 09 59 - www.souveraine-hotel. com -* 🅿 *- 31 ch. 70 € -* ⊡ *9 €. Charme d'antan dans l'ancienne résidence de la grande-duchesse Wladimir, tante de Nicolas II : hauts plafonds, moulures, lits en cuivre. Chambres plus calmes côté parc.*

Chambre d'hôte Le Château – *3 r. de Barbazan - 88140 Vaudoncourt - 10 km au nord-ouest de Contrexeville par D 164 et D 18 - ℘ 03 29 09 23 60 - daniel.pellerin@tiscali.fr - fermé nov.-mars -* 🍴 *- 4 ch. 65/75 € ⊡. Cette demeure du 19e s. nichée dans un joli parc arboré abrite 3 suites familiales et 1 chambre alliant confort moderne et mobilier traditionnel. Les jours de grand beau temps, on pourra prendre le petit-déjeuner sous la pergola, avant de visiter le domaine à dos de cheval ou de faire un tour dans la chèvrerie.*

Chambre d'hôte M. Breton Benoît – *74 r. des Récollets - 88140 Bulgnéville - 7,5 km à l'ouest de Contrexeville par D 164 - ℘ 03 29 09 21 72 - benoitbreton.chambresdhotes@ wanadoo.fr - fermé en janv. -* 🍴 *- réserv. obligatoire en hiver - 4 ch. 68 € ⊡. Cette belle maison de maître qui date de 1720 est très bien mise en valeur… Et pour cause : c'est un antiquaire qui y vit. Il accueille ses hôtes dans de superbes chambres modernes mais joliment meublées à l'ancienne, bien sûr ! Agréable jardin derrière.*

Se restaurer

Brasserie du Casino – *Parc Thermal - ℘ 03 29 08 51 56 - formule déj. 12,50 € - 19,20/21,70 €. Si les machines à sous vous* ont creusé l'appétit, vous serez ravi d'apprendre que le casino dispose d'un restaurant. Dans son cadre « terrasse brasserie », vous dégusterez grillades et salades à prix doux. Bien sûr, si vous avez fait sauter la banque, l'addition vous importera peu…

En soirée

Casino de Contrexéville – *R. du Gén.-Hirschauer - parc thermal - ℘ 03 29 08 01 14 - www.partouche.fr - 11h-3h, sam. 11h-4h. Principal centre de loisirs de la station, le casino propose de nombreuses activités : machines à sous et boule, cinéma et restaurant. Des soirées y sont organisées.*

Que rapporter

La Ruche Vosgienne – *3 r. du Château - 88170 Sandaucourt - ℘ 03 29 94 59 99 - avr.-oct. : tlj sf dim. 14h-18h ; nov.-mars : mar.-vend. 14h-18h - fermé 3 dernières sem. de janv. et j. fériés. Cette ferme ressemble à un petit musée de l'apiculture avec sa collection de ruches vitrées vivantes et sa salle d'extraction des miels. La visite se termine par la dégustation de miels et confiseries. Vente de produits dérivés : pollen, bonbons, pain d'épice, gelée royale, propolis…*

Sports & Loisirs

Bon à savoir – *Tout au long de la saison : concerts et spectacles musicaux, en salle ou en plein air, concours hippique, open de tennis, feux d'artifice.*

Lac de la Folie – *1,5 km au nord-ouest de Contrexéville. Le Lac de la Folie offre une base de loisirs qui ravira les amoureux de la pêche et des sports nautiques. Sur place, aires de pique-nique, location de pédalos, arboretum et sentier pédestre.*

Route des **Crêtes**★★★

CARTE GÉNÉRALE B/C3 – CARTE MICHELIN DÉPARTEMENTS 315 G8/10
HAUT-RHIN (68), VOSGES (88)

80 km enivrants de grands espaces, de liberté, dont la moitié au travers de forêts. Des cols, des ballons, des lacs, des rochers, des pâturages… presque à l'infini. À l'automne, vous vous barbouillerez de myrtilles. En été, gentianes jaunes et pensées des Vosges seront l'occasion d'une formidable leçon de botanique. En hiver, les champs de neige vous offriront des kilomètres de randonnées à skis. Et le printemps ? Ce sera l'époque où les vaches sortiront timidement de leur étable pour gagner les chaumes. Tracée en forêt sur la moitié de son parcours, la route des Crêtes révèle un paysage différent au fils des saisons.

- ▶ **Se repérer** – L'itinéraire commence à 30 km à l'ouest de Colmar et descend vers le sud jusqu'à Thann, en passant par les hauteurs du Hohneck et du Grand Ballon. Accès au col du Bonhomme depuis Colmar par la D 415, après Kaysersberg.
- 👁 **À ne pas manquer** – Les panoramas du Grand Ballon et du Hohneck.
- 🕐 **Organiser son temps** – En été, profitez de la navette des Crêtes, qui dessert 15 stations tout au long de l'itinéraire. Attention, en hiver, la route des Crêtes est fermée et transformée en piste de ski de fond entre la Schlucht et le Grand Ballon. Dates de fermeture communiquées par l'office du tourisme de Thann.
- 👪 **Avec les enfants** – Le train à vapeur qui relie Cernay à Sentheim.
- 👣 **Pour poursuivre la visite** – Voir aussi le Ballon d'Alsace, Gérardmer, Kaysersberg, Munster, le Parc naturel régional des Ballons des Vosges.

Comprendre

Le nom – Le but des généraux français de 1914-1918 était d'assurer par ce tracé de la ligne des crêtes la communication du nord au sud entre les différentes vallées du front des Vosges. C'est aujourd'hui un itinéraire touristique exceptionnel.

Le symbole – Sentiers balisés, verts pâturages, fleurs sauvages, chants d'oiseaux, murmures de ruisseaux, sapins, hêtres et épicéas entremêlés… une nature émouvante et fragile à préserver avant tout. Il n'est pas impossible de rencontrer des troupeaux de chamois et des oiseaux rares, comme le pipit sponcielle ou le tarier des prés.

Circuit de découverte

DU COL DU BONHOMME À THANN

83 km – environ une demi-journée.

Col du Bonhomme *(voir val d'Orbey)*

Au départ du col, belles échappées à gauche sur la vallée de la Béhine dominée par la Tête des Faux et le Brézouard. Du col du Louchbach, belle vue au sud sur la vallée de la Meurthe.
Au col du Calvaire, tournez à droite.

Gazon du Faing★

🚶 *45mn à pied AR.*

Montez, en passant par le sommet du Gazon du Faing (1 303 m), jusqu'à un gros rocher. De cet endroit, la **vue** est superbe. Au fond du cirque de Lenzwasen, le petit étang des Truites a été transformé en réservoir par un barrage. Au-delà, on distingue de gauche à droite

Les chaumes alsaciens, domaine estival des troupeaux.

R. Mattes/MICHELIN

le Linge, le Schratzmaennele, le Barrenkopf ; plus à droite, au-delà de la vallée de la Fecht, on devine Munster ; à droite de celui-ci, à l'horizon, la silhouette du Grand Ballon (1 424 m) ; plus à droite encore, on aperçoit le Petit Hohneck (1 288 m) et le Hohneck (1 362 m).

Lac Vert

À hauteur de la borne km 5 *(5 km de la Schlucht)*, un sentier conduit au lac Vert, appelé également lac de Soultzeren. Des lichens en suspension donnent leur teinte aux eaux du lac, qui est donc vert, comme son nom l'indique.

Col de la Schlucht

Situé à 1 135 m d'altitude, il fait communiquer la vallée de la Meurthe, qui prend sa source à 1 km de là, avec celle de la Fecht. Au croisement de la route des Crêtes et de la route de Gérardmer, c'est l'un des passages les plus fréquentés des Vosges.

Jardin d'altitude du Haut-Chitelet

À 2 km du col de la Schlucht, vers le Markstein, sur le côté droit de la D 430. 03 29 63 31 46 - juil.-août : tte la journée ; juin et sept. : mat. et apr.-midi - 2,30 € (enf. 1,50 €).
À 1 228 m d'altitude, sur 11 ha, ce jardin conserve une belle hêtraie et une tourbière en réserve intégrale. Des rocailles sur plus de 1 ha présentent 2 700 espèces de plantes originaires des principaux massifs montagneux du monde.
Plus loin, jolie **vue**★ sur la vallée de la Vologne au fond de laquelle dorment les lacs de Longemer et de Retournemer (belvédère aménagé).

Le Hohneck★★★

Le chemin d'accès en forte montée s'embranche sur la route des Crêtes à 4 km de la Schlucht (ne prenez pas le chemin privé qui précède – à 3 km – en mauvais état). Attention au vent glacial dans les derniers mètres qui mènent au sommet.
Ce sommet, l'un des plus célèbres des Vosges, et l'un des plus élevés (1 362 m), est le point culminant de la crête qui constituait, avant la guerre de 1914-1918, la frontière franco-allemande. **Panorama**★★★ exceptionnel *(table d'orientation)* sur les Vosges, du Donon au Grand Ballon, sur la plaine d'Alsace et la Forêt-Noire. Par temps clair, on aperçoit les sommets des Alpes.
La route parcourt les **chaumes**. Domaine estival des troupeaux, les chaumes alsaciens sont de vastes prairies aux herbes courtes, situées au-dessus de la limite des forêts. Sur la droite, le lac de Blanchemer, dans un très beau site boisé. Plus loin, vue magnifique sur la grande vallée de la Fecht.

Le Markstein

Station de sports d'hiver et d'été : des promenades à pied ou en poney permettent de mieux connaître les environs, à travers hêtraies et sapinières.
De la route, en corniche, vues sur la vallée de la Thur et le Ballon d'Alsace, et sur la vallée de la Lauch et le Petit Ballon. Au fond d'un entonnoir boisé : le petit **lac du Ballon**.

Grand Ballon★★★

Quittez la voiture à hauteur de l'hôtel et empruntez le sentier à gauche (30mn à pied AR). Le voilà, le point culminant des Vosges (1 424 m) ! le Grand Ballon ou Ballon de Guebwiller. Le **panorama**★★★ est prodigieux sur les Vosges méridionales, la Forêt-Noire et, par temps clair, le Jura et les Alpes. N'oubliez pas vos jumelles ! Vous trouverez sur place un **point d'accueil** offrant des informations et de la documentation sur l'ensemble du parc naturel. Un peu en contrebas du sommet s'élève le monument des « Diables bleus », à la mémoire des bataillons de chasseurs. En descendant du Grand Ballon, on passe près des ruines du château de Freundstein.

Vieil-Armand★★ *(voir ce nom)*

Cernay

Cette ville industrielle située au pied de Vieil-Armand conserve encore des restes de son enceinte fortifiée du Moyen Âge, dont la porte de Thann. *Face à l'église, prenez la rue Poincaré et suivez les panneaux « espace Grun ».*

Panorama des Vosges et de ses ballons depuis le Hohneck.

Un **parc de réintroduction des cigognes** ouvert librement a vu le jour en 1978. Les cigognes sont en liberté et nourries tous les jours *(9h30 et 15h, w-end 10h et 15h)*. Certaines restent toute l'année tandis que d'autres migrent de mi-août à mi-février. Si vous assistez au repas, n'hésitez pas à poser des questions à leur nourricier qui connaît ses oiseaux et vous montrera les petits. De retour chez vous, vous pourrez continuer à observer les nids grâce à une *webcam (www.cernay.net/otcernay/engine/)*. *Prenez la D 35 à l'ouest.*

Thann★ *(voir ce nom)*

La route des Crêtes pratique

Voir aussi les encadrés pratiques du Parc naturel régional des Ballons des Vosges et de Thann.

Adresse utile

Office du tourisme de Cernay et de la région du Vieil-Armand – *1 r. Latouche - 68700 Cernay - 03 89 75 50 35 - www. cernay.net - tlj mat. et apr.-midi, dim. et j. fériés mat.*

Visites

Navette des Crêtes – En été, le Parc des Ballons des Vosges met en service la « navette des Crêtes » qui sillonne la route s'arrêtant à 15 stations. *Se renseigner à la Maison du Parc, 03 89 77 90 34.*

Trains à vapeur – De St-André, au sud de Cernay, part le chemin de fer à vapeur de la vallée de la Doller, qui mène, en 14 km, à Sentheim *(voir Ballon d'Alsace). 03 89 82 88 48 - www.train-doller.org - (au dép. de Cernay St-André) - juin-sept. : dim. et j. fériés 11h et 15h30 | juil.-août : merc. 10h et 14h - 10 € (enf. 8,50 €).*

Se loger

Wolf Hôtel-Restaurant – *Rte des Crêtes - 68610 Le Markstein - 03 89 82 64 36 - www.hotelwolf.info - fermé nov. - P - 27 ch. 40/60,70 € - 8,10 € - rest. 13,50/29,30 €.* Cet hôtel-restaurant ne s'encombre pas de fantaisies. On appréciera donc la simplicité de sa cuisine servie dans la grande salle à manger ou, l'été, sur la terrasse. Côté hébergement, 22 chambres ont été rénovées en 2006.

Hôtel Les Quatre Saisons – *R. Frentz - 68820 Kruth - 3 km à l'ouest de Kruth par D 13⁸¹ - 03 89 82 28 61 - www. hotel4saisons.com - fermé 30 mars-13 juil., 24-25 déc. - P - 9 ch. 45/70 € - 8 € - rest. 18/36 €.* Cet hôtel-restaurant qui fut jadis une ferme a conservé le charme rustique de son activité d'origine. Les chambres, agréablement meublées et décorées, offrent une vue magnifique sur les montagnes alentour et la vallée de la Thur. La bonne cuisine du terroir est servie dans de la vaisselle traditionnelle.

Hôtel Le Collet – *Col de la Schlucht - 88400 Xonrupt-Longemer - 03 29 60 09 57 - www.chalethotel-lecollet.com - fermé 4 nov.-4 déc. - 25 ch. 75/95 € - 12 € - rest. 17/28 €.* La façade de ce chalet-hôtel entouré d'une forêt de sapins dissimule l'essentiel : un coquet décor montagnard, une délicieuse cuisine du terroir et un état d'esprit, car on cultive ici l'art de recevoir. Mille détails font ainsi la différence : les brioches et confitures maison du petit-déjeuner, les spectacles de magie pour les enfants… Une très bonne adresse sur la route des Crêtes.

Se restaurer

Bon à savoir – Votre périple sur la route des Crêtes vous fera sûrement passer devant l'une des fermes-auberges qui proposent, de juin à octobre, outre le menu « marcaire », une sélection de plats régionaux à base de produits de la ferme. On a particulièrement aimé la maison *Schafert* pour sa cuisine et son décor. Réservation conseillée les dimanches et jours de fête. Pour éviter l'affluence (et les cars de touristes) ne venez pas en été.

Ferme-auberge du Treh – *Rte des Crêtes - 68700 Wattwiller - 4 km au sud de Vieil-Armand par D 431, puis rte secondaire - 03 89 81 17 66 - fermé 15 nov.-30 janv. sf vac. scol. et lun. sf fériés - réserv. obligatoire - 12,50/16,50 €.* Dans un site fantastique, au-dessus de la route des Crêtes, cette ferme construite en 1926 domine Vieil-Armand et la plaine d'Alsace. Sur sa terrasse avec vue ou dans une salle chaleureuse, vous dégusterez plats « marcaires », à base de pommes de terre et d'oignons, et fromages d'ici.

Auberge La Chaume de Schmargult – *Rte des Crêtes - 88250 La Bresse - 1 km au sud du pied du Hohneck par rte secondaire - 03 29 63 11 49 - www. auberge-schmargult.com - fermé avr., nov., lun. soir et mar. - 14/21 € - 8 ch. 43 € - 6 €.* Séjour nature garanti dans cette maison montagnarde de La Bresse. Au programme : ski en hiver, dégustation de munster et visite de la marcairerie où se fabriquaient les fromages.

Sports et loisirs

Sports de glisse – Certaines stations proposent ski alpin, ski de fond, balades en raquettes ou luge. Certaines sont équipées pour le ski nocturne.

Domaine skiable du Markstein – Alt. 1 030-1 267 m, 11 pistes de ski alpin, 9 remontées mécaniques, 72 km de pistes de ski de fond et sorties en raquettes. *03 89 82 13 90 - www.ot-saint-amarin. com.*

Massif du **Donon**★★

CARTE GÉNÉRALE B/C2 – CARTE MICHELIN DÉPARTEMENTS 315 G5 – MOSELLE (57), MEURTHE-ET-MOSELLE (54), VOSGES (88), BAS-RHIN (67)

Quel que soit le côté par lequel on arrive, on reconnaît sa silhouette : un sommet à deux gradins qui marque la limite entre l'Alsace et la Lorraine. Il est la source de nombreux ruisseaux, s'attirant la jalousie, du haut de ses 1 009 m, de bien des châteaux d'eau… C'est sans doute sa situation plus près du ciel qui en a fait une montagne sacrée. Le sommet porte en effet les traces de rites religieux datant des époques celtique et gallo-romaine. Nous sommes en plein royaume du fameux sapin des Vosges et de son cousin l'épicéa, et par conséquent des scieries et des maisons forestières.

- **Se repérer** – Entre St-Dié-des-Vosges et Saverne, marquant la limite entre l'Alsace et la Lorraine, le massif du Donon occupe la partie sud des Vosges gréseuses.
- **À ne pas manquer** – Le col du Donon, le sentier des passeurs *(voir l'encadré pratique)*.
- **Organiser son temps** – Chacun des deux circuits proposés occupe environ 2h. Mais si vous souhaitez profiter des loisirs proposés sur place (petit train ou base de loisirs), réservez une journée complète.
- **Avec les enfants** – La base de loisirs du lac de la Plaine ; le petit train forestier d'Abreschviller à Grand Soldat.
- **Pour poursuivre la visite** – Voir aussi Baccarat, St-Dié-des-Vosges.

Comprendre

Un axe de communication ancestral – Le col du Donon est le carrefour d'un trafic soutenu de pèlerins, de voyageurs, puis de touristes, depuis des millénaires. Les Celtes, les premiers, y bâtirent un temple au dieu Cerf. Des traces de culte gallo-romain ont aussi été découvertes : nos ancêtres honoraient à Donon Mercure, le dieu des voyages. Le fruit des découvertes faites sur le site du col du Donon se trouve aux musées archéologiques de Strasbourg et d'Épinal.

Circuits de découverte

VALLÉES DE LA SARRE ROUGE ET DE LA SARRE BLANCHE
55 km – environ 2h.

Col du Donon
1h30 à pied AR environ. Parking en face de la maison forestière du Haut-Donon.
Du sommet du Donon *(alt. 718 m)*, **panorama**★★ sur la chaîne des Vosges, le plateau lorrain, la plaine d'Alsace et la Forêt-Noire. Entre les deux tables d'orientation s'élève un petit temple à l'antique, datant de Napoléon III, tandis que des vestiges gallo-romains subsistent sur les pentes. À 50 m en contrebas du sommet, un relais de télévision : nous sommes bien sur une montagne sacrée.

Le trajet, en descendant du col du Donon, suit d'abord la belle **vallée de la Sarre rouge**, ou vallée de St-Quirin, puis passe sur le plateau lorrain.

Après une légère montée sur la D 993, laissez à gauche la route de Cirey-sur-Vezouze. Aussitôt commence une très agréable descente entre les arbres vers la vallée de St-Quirin. La route, très encaissée, suit les sinuosités de la Sarre rouge, un ruisseau plutôt modeste.

Grand Soldat
Hameau qui vit naître Alexandre Chatrian, moitié d'Erckmann-Chatrian, écrivain à quatre mains du 19e s. Émile Erckmann est lui-même natif de Phalsbourg.

Petit temple du sommet du Donon.

R. Mattes/MICHELIN

J.-P. Kayser/CDT Meurthe et Moselle

Le lac de Pierre-Percée.

Abreschviller

Un **petit train forestier** à vapeur ou Diesel conduit à Grand Soldat (6 km) à travers les richesses naturelles de la Sarre rouge. ℰ 03 87 03 71 45 - www.train-abreschviller. fr - ♿ - juil.-août : mat. et apr.-midi, dim. et j. fériés tte la journée ; avr.-mai : sam. apr.-midi, dim. et j. fériés tte la journée ; reste de l'année : se renseigner - fermé nov.-déc. - 8,50 €. *3 km plus loin, tournez à gauche dans la D 96^F vers St-Quirin.*

Vasperviller

Sur les premiers contreforts du Donon, ce village doit à l'architecte Litzenburger une remarquable petite **église** moderne, Ste-Thérèse (1968). Du sommet du campanile, accessible par un original escalier-chemin de croix de 75 marches, point de vue sur l'agglomération et le vallon que borde la route de St-Quirin. L'intérieur de l'église Ste-Thérèse est éclairé par de jolis vitraux illustrant l'« arbre généalogique du Christ ».

St-Quirin

Cet agréable petit village doit beaucoup à son bel **ensemble prioral★** immédiatement repérable grâce à l'étonnante silhouette de l'**église** (1722). De style baroque, elle est en effet surmontée de deux tours et d'un clocheton coiffés de bulbes superposés. À l'intérieur, admirez l'orgue rénové de Silbermann (1746) et le mobilier style Louis XIV et Louis XV. Un peu plus bas, au pied de la statue de saint Quirin, une source dite miraculeuse guérirait les maladies de la peau.

Prenez le chemin face à l'église pour atteindre la chapelle haute. Elle est située à l'emplacement d'un ancien sanctuaire celte. La **vue★** sur la forêt de St-Quirin y est très belle. Les promeneurs ne seront pas déçus grâce aux nombreuses randonnées balisées dans le secteur.

Quittez St-Quirin par la D 96, à l'ouest, et, 2 km plus loin, prenez à gauche la D 993.

La **vallée de la Sarre blanche**, que longe la D 993, traverse de belles forêts. Peu peuplée, seules quelques scieries ou maisons forestières en bordure de route, mais très beau paysage.

En fin de parcours, on repasse en Alsace et, laissant à gauche la route d'Abreschviller, on regagne le col du Donon par la D 993.

VALLÉE DE LA PLAINE

60 km – environ 2h30.

La descente commence à travers une magnifique futaie de sapins, puis on entrevoit, en avant et à droite, sur la vallée de la Plaine, les villages jumeaux de Raon-sur-Plaine et de Raon-lès-Leau. À droite, à l'intérieur du virage, **mémorial** des évadés de guerre et des passeurs : un certain nombre de soldats français et allemands sont venus mourir sur les pentes du Petit Donon en 1914. Leurs noms sont gravés sur un rocher.

Raon-sur-Plaine

Localité située dans un beau bassin de prairies d'où l'on découvre des vues sur le Donon. Une petite route conduit en 4 km dans la montagne, à proximité d'une **voie romaine**, très bien conservée, courant sous bois sur environ 500 m.

Vallée de la Plaine ou vallée de Celles

Les maisons ont des toits rouges, les prairies sont vert tendre, les sapins vert foncé.

Lac de la Maix

1h à pied AR, en prenant à Vexaincourt, à gauche, une route forestière étroite. Un sentier fait le tour de ce petit lac, aux eaux d'un vert profond, que domine une chapelle.

À **Celles-sur-Plaine**, profitez des deux lacs pour vous accorder un peu de détente. Le **lac de la Plaine** (36 ha) a été aménagé en base de loisirs et de plein air à vocation nautique *(baignade surveillée en juil.-août, voile, aviron, kayak…).*

Prenez la route de Badonviller (D 182ᴬ) à droite après le barrage du lac de la Plaine.

Le parcours au milieu de forêts de sapins offre de belles vues dans la première partie de la montée. La **route★** permet d'accéder au minuscule village de **Pierre-Percée**. Passant devant le monument aux morts du 363ᵉ RI dû au sculpteur Sartorio, la route grimpe au pied des ruines d'un château fort des comtes de Salm *(parc de stationnement)*, dont subsiste un donjon du 12ᵉ s. De là, **vues★** étendues sur le lac, les collines et les forêts.

Lac de Pierre-Percée

Parc de stationnement à hauteur du barrage du Vieux-Pré. Faites quelques pas vers le belvédère où des panneaux expliquent la construction de l'ouvrage.

Pour découvrir le milieu forestier, suivez le sentier botanique de la Roche aux Corbeaux et arrêtez-vous à l'**observatoire à oiseaux** *(accès par la ceinture verte).*

Revenez sur la D 182 pour gagner Badonviller.

Badonviller

Cette petite localité industrielle a eu le privilège d'être une des premières villes libérées par la 2ᵉ DB lors de la bataille d'Alsace déclenchée au début de novembre 1944. On y découvre une église de 1788.

Revenez au col du Donon par la D 992, puis la D 392, en passant par le col de la Chapelotte, Vexaincourt et Raon-sur-Plaine.

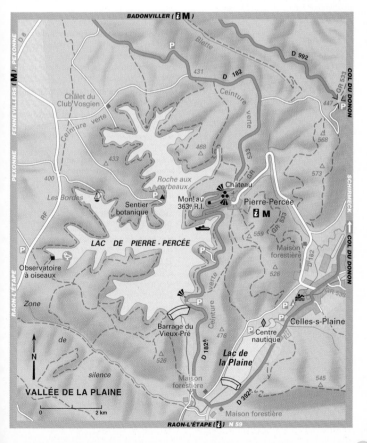

Le massif du Donon pratique

♾ Voir aussi l'encadré pratique de Schirmeck.

Adresses utiles

Office de tourisme du pays des lacs de Pierre-Percée – *Base de loisirs Lac de la Plaine - 88110 Celles-sur-Plaine -* ℹ *03 29 41 19 25 - www.sma-lacs-pierre-percee.fr - avr.-sept. : tte la journée.*

Office du tourisme de Raon-l'Étape – *R. Jules-Ferry - 88110 Raon-l'Étape -* ℹ *03 29 41 28 65 - www.ot-raon.fr - de mi-juin à mi-sept. : tlj mat. et apr.-midi ; reste de l'année : tlj mat. et apr.-midi, sam. mat. - fermé dim. et j. fériés.*

Randonnées

Sentier des passeurs – Aujourd'hui balisé à partir de la maison forestière de Salm jusqu'à Moussey, ce sentier fut emprunté de 1941 à 1944 par nombre d'habitants de l'Alsace annexée désireux de fuir le régime nazi et de rejoindre la France. Ceux-ci étaient accompagnés par de courageux passeurs, fin connaisseurs de la montagne. *Des randonnées guidées sont organisées en été. S'adresser à l'office du tourisme de la Haute-Vallée de la Bruche, 114 Grand'Rue - 67130 Schirmeck -* ℹ *03 88 47 18 51 - www.hautebruche.com.*

Se loger

⚄ **Chambre d'hôte Le P'tit Bonheur** – *21 « Les Noires Colas » - 54540 Bionville -* ℹ *03 29 41 12 17 - www.vosgespetitbonheur.fr -* ⛽ *- 6 ch. 45 € -* 🛌 *- repas 19 €.* Vous serez toujours les bienvenus dans cette grande ferme bercée par le murmure d'un ruisseau. Confort douillet dans les chambres baptisées du nom de danses folkloriques. Après le dîner, vous aurez peut-être la chance de voir la maison s'animer au rythme d'instruments traditionnels.

⚄ **Chambre d'hôte Monique et Daniel Bouvery** – *18 r. du Val - 54480 Cirey-sur-Vezouze -* ℹ *03 83 42 58 38 - www.chambres-haute-vezouze.com -* ⛽ *- 5 ch. 55 €* 🛌 *- repas 18 €.* Cette maison de maître posée au pied des Vosges dispose de 5 chambres équipées d'une salle de bains et de WC. Agréables moments de détente en perspective auprès de la cheminée du salon ou autour du jeu de billard. Petits-déjeuners complets avec charcuterie et fromage ; cuisine régionale à la table d'hôte.

⚄ **Camping Les Lacs** – *88110 Celles-sur-Plaine -* ℹ *03 29 41 28 00 - www.sma-lacs-pierre-percee.fr - ouv. avr.-sept. - réserv. obligatoire - 135 empl. 22 € - restauration.* Situé sur une rive du lac de la Plaine et au bord du ruisseau portant le même nom, cet agréable camping dispose d'emplacements bien entretenus. Blocs sanitaires très corrects et superbe piscine. La variété d'activités proposées animera comme il se doit un séjour estival dans ce cadre verdoyant.

⚄⚄ **Hôtel des Lacs** – *2 pl. de l'Église - 88110 Celles-sur-Plaine -* ℹ *03 29 41 17 06 - hotel.des.lacs@netcourrier.com - fermé 22 déc.-26 janv., mar. d'oct. à fin avr. et dim. sf juil.-août -* 🕱 *- 15 ch. 49 € -* 🛌 *7,10 € - rest. 15,80/35,80 €.* Entre lacs et forêts, cette imposante bâtisse vosgienne des années 1940, peinte en vieux rose, a été intégralement rénovée. Ici, depuis quatre générations, on se met en quatre pour vous satisfaire. Chambres au confort contemporain. Au restaurant, vous sera servi une cuisine alliant avec brio gastronomie locale et traditionnelle. Parmi les spécialités : feuilleté d'escargots aux cèpes et poêlée de grenouilles provençale.

Se restaurer

⚄⚄ **Auberge de la Forêt** – *À Lettenbach - 57560 Abreschviller -* ℹ *03 87 03 71 78 - www.aubergedelaforet57.com - fermé 31 déc.-18 janv., mar. soir et lun. - 23/38 €.* Pimpante auberge de village abritant de coquettes salles à manger ; la plus récente présente un cadre contemporain. Cuisine traditionnelle et spécialités régionales.

⚄⚄ **Hostellerie du Prieuré** – *163 r. du Gén.-de-Gaulle - 57560 St-Quirin -* ℹ *03 87 08 66 52 - www.saintquirin.com - fermé vac. scol. de fév., vac. de Toussaint, sam. midi, mar. soir et merc. - 23/68 € - 8 ch. 45 € -* 🛌 *6,50 €.* Face à la mairie, deux maisons de village entièrement réhabilitées. Jolis meubles d'ébénisterie dans les chambres. Salle à manger colorée et appétissants plats de tradition.

Sports & Loisirs

👁 **Bon à savoir** – Parce que l'aventure est plus belle dans un environnement un peu sauvage, le Pôle Sports Nature (ℹ *03 29 41 13 04, mars-juin et sept.-nov. : w.-end et j. fériés 13h-18h ; juil.-août : tlj 10h-19h)* a conçu un ensemble d'activités variées tout autour du lac de Pierre-Percée. Promenades en bateau, parcours VTT et, pour les plus intrépides, tyrolienne ou saut à l'élastique (Aventure Parc).

Écomusée d'Alsace★★

CARTE GÉNÉRALE C3 – CARTE MICHELIN DÉPARTEMENTS 315 H9 – HAUT-RHIN (68)

Souhaitant réagir à la logique destructive d'un certain modernisme, les promoteurs de ce village, résumé de l'Alsace traditionnelle, ont sauvé une partie du patrimoine rural voué à disparaître. Les maisons, minutieusement démontées, méticuleusement remontées, pièce par pièce, poutre par poutre, tuile par tuile, ont servi à créer depuis 1980 un musée de l'Alsace en plein air. La visite fait découvrir, à travers 70 maisons paysannes regroupées selon leur région d'origine, l'organisation sociale aux 19e et 20e s. Tous les sens sont sollicités : on goûte les saveurs autour du pressoir et du four à pain, on touche la chaleur moite du cheval de labour et la glaise froide du potier, on découvre les savoir-faire et les façons de vivre.

▸ **Se repérer** – L'écomusée se trouve en zone rurale. Il est desservi par l'A 35, sortie Ensisheim, distante de 9 km au nord-est, ou bien par l'A 36, sortie Bourtzwiller, direction Guebwiller par la D 83, sortie Écomusée. La route serpente jusqu'au vaste parking, à l'entrée de l'écomusée.

👁 **À ne pas manquer** – Les maisons colorées du Sundgau.

🕓 **Organiser son temps** – La visite est conçue comme une promenade en plein air sur près de 20 ha. Une journée semble un temps minimum (les billets sont valables deux jours non nécessairement consécutifs).

👫 **Avec les enfants** – L'Eden-Palladium.

👣 **Pour poursuivre la visite** – Voir aussi le Bioscope à Ensisheim (billet couplé valable toute la saison), Guebwiller, Mulhouse.

Visiter

Des évocations thématiques jalonnent la visite, sous forme d'expositions ou de spectacles. Variant au fil des saisons, elles sont animées par de nombreux bénévoles passionnés qui font revivre les vieux corps de métiers (forgeron, sabotier, charron, potier, maréchal-ferrant) et redécouvrir les techniques traditionnelles des maçons, charpentiers, artisans d'une Alsace ancestrale. Les dimanches de décembre et pendant les vacances scolaires, on ne manquera pas de rencontrer saint Nicolas et Hans Trapp. On trouve aussi sur place une boutique de souvenirs, d'artisanat et de gastronomie locale, ainsi qu'une boulangerie où le pain traditionnel au levain cuit dans un four à bois.

Village

Toute l'Alsace rurale s'étend devant vous en sept pays, du Sundgau à l'Outre-Forêt. Les différences de plan, de techniques de construction, d'aménagement intérieur selon que la maison était en plaine, dans le vignoble ou en montagne sont mises en évidence. Ces belles constructions à colombages ont pourtant en commun leur salle de séjour appelée *stube*, au milieu de laquelle trône immanquablement le poêle de faïence, objet typique et imposant du mobilier alsacien. La plus grande partie de la vie familiale et sociale s'y déroulait. On s'y retrouvait pour manger, recevoir le dimanche, organiser les veillées. Elle était aussi parfois la chambre à coucher du maître de maison. Dans la région de Soufflenheim, les potiers y avaient leur atelier. Le travail de ces potiers est visible dans la maison reconstruite, près du plan d'eau.

Espace naturel

L'espace naturel est aussi très valorisé avec le verger-conservatoire de pommiers, les champs où l'on fait pousser des variétés anciennes selon des techniques traditionnelles, un rucher, une basse-cour… De sympathiques cigognes viendront vous rappeler qu'elles sont ici chez elles et qu'elles font partie du paysage domestique. On a prévu pour elles des supports de nids dont elles font le meilleur usage, constituant ainsi une petite colonie féconde.

Fête foraine

👫 Entrez dans l'univers enchanteur de l'**Eden-Palladium**. C'est un carrousel-salon entièrement reconstitué avec ses glaces miroitantes, ses tables bistrot, la musique du limonaire et le splendide manège de chevaux frémissants. Si les enfants sont bien sûr les premiers à vouloir y monter, sachez qu'il faut d'abord prendre un ticket, et qu'au début du siècle, lorsqu'elle fut créée, cette attraction était destinée aux adultes. Autour du carrousel, d'autres attractions parfont l'ambiance festive : un manège voltigeur de 1914, un chapiteau d'auto-skooter (1937), un manège d'automobiles Peugeot des années 1960, un cinéma forain, un stand de tir, une piste de quilles et même un théâtre de marionnettes.

Écomusée d'Alsace pratique

Adresse utile

Écomusée d'Alsace : ☎ *03 89 74 44 74 - www.ecomusee-alsace.com - avr.-nov. : tte la journée ; reste de l'année : se renseigner - tarifs variables selon la période et la formule. Billet combiné avec le Bioscope valable tte la saison : adulte 18 €, 24 € (juil.-août), enf. 12 €, 16,50 € (juil.-août).*

Se loger

⊖⊜ **Hôtel Les Loges de l'Écomusée** – *À l'Écomusée - 68190 Ungersheim - ☎ 03 89 74 44 95 - www.ecomusee-alsace.fr - fermé 3 janv.-20 fév. -* 🅿 *- 40 ch. 60 € -* ☕ *7 €.* Aux portes de l'Écomusée, cet hôtel aménagé dans des petites maisons de style alsacien sont agencées comme un village. Les chambres, parfois aménagées en duplex, offrent un confort moderne de qualité. Possibilité de louer des studios.

Se restaurer

👁 **Bon à savoir** – Si la visite du parc vous a ouvert l'appétit, faites un tour du côté de la boulangerie, qui propose des sandwichs variés et des tartes flambées. Pour un repas plus consistant, choisissez plutôt la *Terrasse de l'Écomusée* ou l'*Auberge St-Joseph.*

⊖⊜ **La Taverne** – *À l'Écomusée - 68190 Ungersheim - ☎ 03 89 74 44 49 - www. ecomusee-alsace.fr - 19,80/35 €.* Décor de vieille taverne alsacienne avec poutres et charpentes pour une cuisine revigorante à base de cochonnailles, choucroutes et autres plats régionaux typiques… Parfait pour continuer la découverte des traditions entamée à l'Écomusée, ambiance en plus !

Vivacité des couleurs alsaciennes.

R. Mattes/MICHELIN

Festival international de la maison

Saisonnier. Architectes (débutants et confirmés) et artisans compagnons de toute l'Europe y expriment des idées nouvelles sur la maison et l'architecture. Les constructions et les jardins sont renouvelés tous les ans.

Eguisheim ★

1 541 EGUISHIENS
CARTE GÉNÉRALE C3 – CARTE MICHELIN DÉPARTEMENTS 315 H8 – SCHÉMA P. 425
HAUT-RHIN (68)

Inoubliable, l'arôme des deux grands crus d'Eguisheim ! Inoubliable, également, la forme de ce village ! Tout rond, entouré de vignes. Il y a matière à une leçon de géométrie à Eguisheim. Le village s'est développé en cercles concentriques à partir du château octogonal du 13e s. Si les trois fameuses tours, qui servaient de cadran solaire aux travailleurs de la plaine, sont définitivement en ruine, les ruelles et les vieilles maisons de la ville semblent n'avoir pas vu passer les quatre derniers siècles. Vous voici plongés en pleine Renaissance.

Se repérer – À 7 km au sud de Colmar, 41 km au nord de Mulhouse. Accès par la D 83 ou la E 225-A 35 Colmar-Mulhouse.

À ne pas manquer – Le circuit des remparts et la route des Cinq Châteaux.

Organiser son temps – Après avoir parcouru les vieilles rues de la ville, prévoyez des chaussures de marche pour partir à la découverte des cinq châteaux environnants (le circuit s'effectue en voiture, mais l'accès aux châteaux n'est possible qu'à pied).

Avec les enfants – Le château du Hohlandsbourg et ses animations chevaleresques (en été).

Pour poursuivre la visite – Voir aussi Colmar, Munster, Turckheim.

Comprendre

Une histoire de noms – Le plus célèbre enfant de la ville est Bruno d'Eguisheim, né en 1002. Il fut plus connu sous le nom de Léon IX, le « pape voyageur », unique pape alsacien. Il ne doit pas faire oublier les comtes d'Eguisheim qui, au 13e s., ont fait construire le château.

Se promener

Grand'Rue
Maisons anciennes à grands portails armoriés et datés, ainsi que deux jolies fontaines Renaissance.

Circuit des remparts★
Suivre le circuit fléché pour emprunter l'ancien chemin de ronde. Les rues étroites et pavées sont bordées de vieilles maisons très riches architecturalement (balcons, oriels, pans de bois, pignons pointus).

Église
À l'intérieur de l'église moderne, à droite en entrant, une chapelle s'ouvre sous le clocher. Au tympan (12e s.) de l'ancien portail, un Christ entre saint Pierre et saint Paul ; le linteau représente la parabole des vierges sages et des vierges folles. De superbes vitraux modernes représentent des scènes de la vie de Léon IX. Bel orgue Callinet du 19e s.

L'originalité d'Eguisheim réside dans le tracé concentrique de ses vieilles rues pavées.

R. Mattes/MICHELIN

Sentier viticole

C'est à Eguisheim, dit-on, que les premières vignes furent plantées en Alsace par les Romains au 4ᵉ s. Eguisheim compte 300 ha de vignobles cultivés et deux grands crus, l'eichberg et le pfersigberg.

🍃 Le meilleur moyen de découvrir le vignoble d'Eguisheim : le sentier viticole avec visite guidée et dégustation *(1h30 à 2h). De mi-juin à mi-sept. : sam. 15h30 (août : mar. et sam. 15h30) ; reste de l'année : sur demande auprès des viticulteurs (liste disponible à l'office de tourisme).*

Circuit de découverte

ROUTE DES CINQ CHÂTEAUX★

20 km – plus 2h à pied AR environ.
Gagnez Husseren (voir route des Vins) par la D 14. À la sortie du bourg, empruntez, à droite, la route forestière « des Cinq Châteaux ». À 1 km, laissez la voiture (parc de stationnement) et montez les « trois châteaux » d'Eguisheim à pied (15mn).

Donjons d'Eguisheim

Weckmund, Wahlenbourg, Dagsbourg, tels sont les noms de ces trois donjons de grès rouge, carrés et massifs qui s'élèvent sur le sommet de la colline. Ils appartenaient à la puissante famille d'Eguisheim. Après son extinction, les trois châteaux devinrent, en 1230, la propriété des évêques de Strasbourg. Ils furent brûlés lors de la guerre dite « des Six Oboles » (1466), conflit ayant opposé les bourgeois de Mulhouse à la noblesse des environs.

> **La devise de Schwendi**
> « Bien perdu, rien perdu
> Courage perdu, beaucoup perdu
> Honneur perdu, tout perdu ».

🍃 *Vous pouvez rejoindre à pied (1h) le château de Hohlandsbourg.*
Ayant repris la voiture, poursuivez la route des Cinq Châteaux.
Ne vous privez pas des très beaux points de vue qui jalonnent le parcours.

Château du Hohlandsbourg★

Laissez la voiture sur le parking, en contre-bas, pour poursuivre la montée à pied (10mn).
☏ *03 89 30 10 20 - www.chateau-hohlandsbourg@wanadoo.fr - possibilité de visite guidée - juil.-août : tte la journée ; de mi-mars à fin juin et de sept. à mi-nov. : w.-end et j. fériés apr.-midi - 2,70 €, (-8 ans gratuit).*

À 6 km environ des donjons d'Eguisheim se dresse l'imposant château du Hohlandsbourg, jadis chef-lieu d'une seigneurie des Habsbourg, construit à partir de 1279. Alors que ses voisins sont en grès, il est de granit comme le piton sur lequel il est ancré. Acquis et restauré en 1563 par Lazare de Schwendi, conseiller de l'empereur Maximilien II, il fut modernisé et adapté à l'artillerie, comme en témoigne encore la présence du bastion et de nombreuses bouches à feu. Mais c'est sans difficulté que le château fut pris en 1633 pendant la guerre de Trente Ans, puis démantelé par les Français dès 1637. De l'Oberschloss, cœur fortifié du château, il ne reste que des ruines.

Ce qui impressionne au premier abord, c'est la majestueuse enceinte rectangulaire du 13ᵉ s. qui encadre le château. Elle est surmontée d'un chemin de ronde depuis lequel se dégage une **vue**★★ magnifique à 360° : à l'ouest, on aperçoit le donjon de Pflixbourg et le sommet du Hohneck, au nord, le Haut-Kœnigsbourg, à l'est, Colmar et la plaine d'Alsace. La cour du château, avec ses logis du 17ᵉ s. et ses dépendances, ressemble à une place de village.

Les collectivités locales ont décidé de faire du Hohlandsbourg un « pôle historique et culturel » en lui redonnant une certaine jeunesse : outre une importante restauration en 2000, le château a été doté d'un jardin médiéval et d'une auberge. De nombreuses animations chevaleresques s'y déroulent en été.

Donjon de Pflixbourg

🍃 *Accessible par un sentier situé 2 km plus loin, sur la gauche.*
La famille des Ribeaupierre reçut en fief au 15ᵉ s. cette forteresse qui était l'ancienne résidence du représentant de l'empereur en Alsace. Une citerne voûtée jouxte le donjon. Belle vue sur la vallée de la Fecht à l'ouest et la plaine d'Alsace à l'est.
La route rejoint la D 417 en direction de Colmar. À la sortie de Wintzenheim (voir route des Vins), tournez à droite dans la D 83, puis de nouveau à droite dans la D 1bis pour regagner Eguisheim.

Eguisheim pratique

Adresse utile

Office de tourisme d'Eguisheim – *22a Grand'Rue - 68420 Eguisheim - ℰ 03 89 23 40 33 - www.ot-eguisheim.fr - tlj sf dim. et j. fériés mat. et apr.-midi.*

Se loger

Auberge des Trois Châteaux – *26 Grand'Rue - ℰ 03 89 23 11 22 - 12 ch. 53/65 € - ⊡ 8 € - rest. 16/31 €.* Maison du 17ᵉ s. joliment fleurie en saison, située au cœur du bourg. Toutes les chambres sont récentes et fonctionnelles ; les plus lumineuses donnent sur la rue. Restaurant à la fois simple et sympathique où l'on propose des petits plats du terroir.

Auberge des Comtes – *1 pl. Charles-de-Gaulle - ℰ 03 89 41 16 99 - fermé 1ᵉʳ janv.-15 mars - 14 ch. 54/68 € - ⊡ 9 € - rest. 16/35 €.* Auberge familiale proposant des chambres bien tenues et sans prétention ; certaines bénéficient d'une petite terrasse. Cuisine traditionnelle servie dans une salle à manger rustique ou en plein air lorsque le temps s'y prête.

Hostellerie du Château – *2 r. du Château - ℰ 03 89 23 72 00 - www.hostellerieduchateau.com - fermé 2 janv.-10 fév. - 11 ch. 69/114 € - ⊡ 11 €.* Sur la place centrale du pittoresque bourg, maison ancienne entièrement rénovée par le patron, architecte de formation. Les chambres, contemporaines et personnalisées, s'intègrent bien au cadre ancien et leurs salles de bains sont vraiment chouettes…

Se restaurer

La Grangelière – *59 r. du Rempart-Sud - ℰ 03 89 23 00 30 - www.lagrangeliere.com - fermé de mi-fév. à mi-mars, dim. soir de nov. à avr. et jeu. - 22/65 €.* Avant de tenir ces fourneaux-là, Alain Finkbeiner a appris le métier au sein de prestigieuses maisons. Il propose ici deux formules pour satisfaire au mieux ses clients : la brasserie sert des plats régionaux dans un cadre simple, et le restaurant se consacre à une cuisine plus élaborée et personnalisée.

Le Caveau d'Eguisheim – *3 pl. du Château-St-Léon - ℰ 03 89 41 08 89 - fermé de fin janv. à fin fév., lun. et mar. - 29/59 €.* Authentique maison vigneronne située sur la place principale du village. Un beau pressoir à vis de 1721 trône dans la salle du rez-de-chaussée, rustique et chaleureuse (ambiance et cadre plus feutrés à l'étage). Goûteuse cuisine traditionnelle complétée de plats mettant le cochon en vedette.

Que rapporter

Maison Léon Beyer – *8 pl. du Château - ℰ 03 89 23 16 16 - www.leonbeyer.fr - tlj sf merc. 10h-12h, 14h-18h - fermé janv.-fév.* Cette maison, l'une des plus vieilles d'Alsace (elle remonterait à 1580) est réputée en particulier pour ses vins blancs secs recherchés par bon nombre d'excellents restaurateurs à travers l'Europe et jusqu'aux États-Unis. Les plus prisés sont les réserves maison et surtout les grandes cuvées Comtes d'Eguisheim.

Domaine Charles Baur – *29 Grand'Rue - ℰ 03 89 41 32 49 - www.vinscharlesbaur.fr - 8h-12h, 13h-19h, dim. 9h-12h (dim. apr.-midi sur RV) - fermé 25 déc.* La famille Baur élabore une gamme complète de vins d'Alsace, dont les fameux grands crus Eichberg et Pfersigberg, des « vendanges tardives » issues du cépage gewurztraminer, le crémant d'Alsace et des eaux-de-vie. L'ensemble de sa production a obtenu de nombreuses médailles dans les concours nationaux. Visite de la cave, dégustation et vente.

Événement

Fête des vignerons – *Dernier w.-end d'août. ℰ 03 89 23 40 33 - www.ot-eguisheim.fr.*

Ensisheim

6 640 ENSISHEIMOIS
CARTE GÉNÉRALE C3 – CARTE MICHELIN DÉPARTEMENTS 315 J9
SCHÉMA P. 417 – HAUT-RHIN (68)

Une ville qui fait l'unanimité, visiblement. Déjà nos ancêtres du Néolithique semblent avoir apprécié le lieu. Puis, les Habsbourg, à leur tour, jugèrent plaisant le climat d'Ensisheim et y installèrent la capitale de leurs possessions en Alsace. Jusqu'en 1648, elle sera même la capitale de l'Autriche antérieure. Les très belles maisons du gothique à la Renaissance, dont le palais de la Régence, témoignent de ces heures de gloire. Fait marquant pour l'histoire de l'astronomie, la ville vit tomber du ciel, dans un épouvantable fracas, la première météorite dont l'histoire ait enregistré la chute, le 7 novembre 1492, un mois à peine après la découverte de l'Amérique par Christophe Colomb.

- **Se repérer** – Sur la D 201 à peu près à mi-chemin entre Colmar et Mulhouse.
- **À ne pas manquer** – La météorite, au musée, et le Bioscope.
- **Pour poursuivre la visite** – Voir aussi l'Écomusée d'Alsace, Mulhouse.

Visiter

Palais de la Régence

Place de l'Église. Le bâtiment a été bâti vers 1532 sur un plan gothique, mais décoré Renaissance. Au rez-de-chaussée, les belles voûtes des arcades sont garnies d'écussons aux armes de plusieurs villes d'Alsace. Sur la façade, du côté de l'église, une tourelle octogonale renferme l'escalier. Le **musée de la Régence** est installé au rez-de-chaussée. La fameuse **météorite**, exposée dans la 1re salle, pesait 127 kg après sa chute au 15e s., contre 55 aujourd'hui, à la suite des prélèvements effectués au cours des âges. Exposition du produit des plus récentes découvertes archéologiques : céramiques, outils, sépulture d'enfant remontant au Néolithique ancien, objets de l'âge du bronze et de l'époque gallo-romaine. *03 89 26 49 54 - tlj apr.-midi sf mar. et j. fériés - 2 €.*

Hôtel de la Couronne

Face au palais, ce très beau bâtiment (1609) est décoré de pignons à volutes et d'un oriel sculpté à deux étages. Turenne y logea en 1675 avant la bataille de Turckheim.

Aux alentours

Le Bioscope★

5 km à l'est par la D 4 bis. 0 826 301 068 (0,15 €/mn) - www.lebioscope.com - pour horaires et tarifs, se renseigner. Billet combiné avec l'Écomusée d'Alsace : adulte 18 €, 24 € (enf. 12 €, 16,50 €).

L'objectif de ce parc, implanté non loin de l'impact de la météorite, est de sensibiliser le public à la protection de la planète en expliquant comment agir à son échelle. Un labyrinthe, constitué de détritus domestiques, permet de comprendre pourquoi il faut préserver l'environnement. Perdez-vous dans les dédales de déchets pour les identifier et estimer leur durée de vie. La biodiversité est quant à elle abordée par le biais d'une enquête à mener en famille : à vous de retrouver la race d'un animal en voie de disparition à travers ses empreintes, son cri ou son pelage ! Les énergies renouvelables sont mises à l'honneur au **Biovolt** : ressentez les effets de chacune par le biais d'un souffle de vent, d'une effluve d'humus ou d'un courant d'air chaud. Tout au long du parc, des questions sous des « arbres à palabres » vous permettront d'établir votre **Bioprofil★** et de prendre, à la fin du parcours, un engagement pour sauvegarder la planète. Trois spectacles viennent compléter la visite : un film en 3D sur la vie des dinosaures, un spectacle d'artificiers et un Bioquizz interactif.

Ensisheim pratique

Se restaurer

Caveau de Thaler – *47 r. de la 1re - Armée-Française - 03 89 26 43 26 - www.hotel-lacouronne.fr - 15/18 € - 13 ch. 60/75 € - 9 €. Ce caveau se situe au sous-sol de l'hôtel-restaurant La Couronne, très réputé dans la région. On y déguste une cuisine simple mais de qualité, dans une salle décorée d'ustensiles d'artisanat.*

Événement

Bourse aux météorites – Chaque année, des conférences, expositions et ventes sont organisées autour de ces corps célestes tombés sur Terre (*3e w.-end du mois de juin*).

Épinal ★

35 100 SPINALIENS
CARTE GÉNÉRALE B3 – CARTE MICHELIN DÉPARTEMENTS 314 G3 – VOSGES (88)

Tout est affaire d'image à Épinal : image papier, mais également image de marque… Paradoxe en milieu urbain, c'est la ville la plus boisée de France et elle accumule les récompenses nationales de fleurissement. Des fleurs à tous les coins de rues, des cactus et des palmiers place Clemenceau, les roses blanches de la maison romaine, des géraniums, des pétunias, des bidens et des héliotropes sur les berges de la Moselle et le long du canal. On retiendra aussi d'Épinal un effort important en matière d'art contemporain.

- **Se repérer** – Desservie par la N 57, Épinal se situe au débouché de la partie vosgienne de la vallée de la Moselle.
- **À ne pas manquer** – La Cité de l'image, les jardins médiévaux du parc du château, la basilique St-Maurice et la brasserie-écomusée La Vosgienne.
- **Organiser son temps** – La visite de la Cité de l'image s'effectue en deux temps indépendants : le musée de l'Image est en visite libre, mais les visites guidées de l'atelier de l'imagerie sont à heures fixes (9h30, 10h30, 15h et 16h30).
- **Avec les enfants** – La visite des ateliers de l'Imagerie d'Épinal, avec ses démonstrations, s'adapte à toutes les tranches d'âge.
- **Pour poursuivre la visite** – Voir aussi Gérardmer, Remiremont, Plombières-les-Bains, Bains-les-Bains, Vittel, Mirecourt, Rambervillers (Baccarat).

Comprendre

Une épine – À la fin du 10ᵉ s., Thierry de Hamelant, évêque de Metz, crée un monastère et un marché sur le site de Spinal, dernière « épine » du massif vosgien, là où dès le Haut Moyen Âge, un château sans doute de bois défendait la vallée de la Moselle.

La lithographie – Inventé en 1796 par Alois Senefelder, ce procédé est employé à l'Imagerie d'Épinal depuis le milieu du 19ᵉ s. Sur une pierre préalablement poncée, on dessine le motif désiré à l'aide d'un corps gras et foncé qui pénètre dans la pierre et que l'on fixe chimiquement. L'impression nécessite ensuite trois étapes. Pour les comprendre, il faut connaître une loi chimique de base : le gras repousse l'eau et vice versa. On commence par mouiller la pierre : l'eau n'occupe que les espaces blancs. Puis on enduit la pierre d'une encre grasse, à l'aide d'un rouleau. Attirée par le gras, cette encre se superpose au motif de départ et ne macule pas les blancs. Il ne reste alors qu'à presser contre la pierre les feuilles à imprimer et le motif s'y trouve reporté. Seule contrainte pour le dessinateur : il doit savoir écrire à l'envers.

L'imagerie – Fondée en 1796, l'Imagerie d'Épinal connut pendant près de deux siècles un énorme succès. L'image est gravée sur bois et imprimée au moyen d'une presse à bras Gutenberg. Puis les couleurs sont appliquées une à une, à l'aide de pochoirs. Le fondateur, Jean-Charles Pellerin (1756-1836), était le fils d'un fabricant de cartes à jouer. Il se mit à réaliser des cadrans d'horloge de papier, puis les fameuses images d'Épinal. En introduisant dans ses sujets de nombreux thèmes profanes – chansons, devinettes, fables –, il se démarquait du répertoire religieux. À la fin du 19ᵉ s., l'entreprise, dirigée ensuite par son fils, s'intéressa à la publicité et s'ouvrit aux talents de Caran d'Ache, O'Galop, Job, Benjamin Rabier. Les deux guerres mondiales et les nouvelles techniques ont provoqué le déclin de cette activité, mais non sa disparition.

Découvrir

Cité de l'Image ★ (A1)

42bis quai de Dogneville - ☏ 03 29 31 28 88 - www.imagerie-epinal.com - ♿ - tte l'année mat. et apr.-midi - fermé dim. et j. fériés mat. - visite guidée (1h) - 4,70 € (6-16 ans 1 €).

Dans les ateliers de l'**Imagerie d'Épinal**, découvrez les techniques de fabrication, avec démonstration sur certaines machines (machine à colorier de 1898). La xylographie, la stéréotypie, le coloris au pochoir et la lithographie n'auront plus de secret pour vous. À la fin de la visite, flânez dans la galerie Pinot, le seul et unique point de vente des images d'Épinal (rééditions ou créations d'images contemporaines).

En face, le **musée de l'Image** présente l'histoire, les procédés de fabrication et les fonctions des images. Trouvez la réponse à toutes vos questions dans les vitrines thématiques où sont exposées plus de 23 000 images et bois gravés venant d'Épinal, mais aussi de grandes villes françaises ou de l'étranger.

Se promener

LA VIEILLE VILLE★

Parc du château★ (B2)

℘ 03 29 68 50 61 - www.epinal.fr - tte la journée - gratuit.

Ce très beau parc forestier de 26 ha a été tracé à l'emplacement de l'ancien château d'Épinal. Il occupe le sommet de la colline gréseuse qui s'avance jusqu'au milieu de la ville. Autour des ruines, remarquables jardins médiévaux.

🚼 Dans le parc du château, un minizoo, un terrain de jeux et un avion !

Basilique St-Maurice★ (B2)

Consacré en 1051 par le pape Léon IX en personne, cet édifice est le fruit de diverses influences régionales. La façade principale, avec son avant-corps massif formant beffroi, procède de la tradition mosane. L'entrée principale se trouve sur le flanc gauche de l'édifice. Très « champenois », le portail des Bourgeois (15ᵉ s.), détérioré par les révolutionnaires, est précédé d'un porche profond.

Bourguignonne dans son élévation à trois étages, la nef se prolonge au-delà du transept par le lumineux « chœur des Chanoinesses », réalisé au 14ᵉ s. et agrémenté de grandes verrières qui adoucissent l'ensemble. Mise au tombeau polychrome (15ᵉ s.) dans le croisillon droit et Vierge à la rose (14ᵉ s.) dans la chapelle voisine.

Prenez à droite de la basilique.

Rue Claude Gelée (B2)

Plusieurs maisons de chanoinesses des 17ᵉ et 18ᵉ s. On peut accéder à l'enceinte médiévale, dont les bases des tours et les murs de grès rouge ont été dégagés.
Repassez devant St-Maurice.

Place des Vosges (B2)

C'est l'ancienne place du Marché qui a conservé ses maisons à arcades pour protéger produits, marchands et badauds. À côté d'un café, la maison dite « du Bailli », de 1604, possède une très belle loggia. Il s'agit en fait de la maison d'un riche papetier, A. Geninet.
Rejoignez la Moselle et prenez le quai Jules-Ferry jusqu'à la place Foch.

Parc du Cours (A2)

Ce grand parc public en bordure de la Moselle est également un essai de plantation de beaux arbres exotiques, parfois séculaires, mêlés aux essences vosgiennes.

La basilique St-Maurice.

R. Mattes/MICHELIN

Visiter

Musée départemental d'Art ancien et contemporain★ (A2)

1 pl. Lagarde - ☏ 03 29 82 20 33 - &. - possibilté de visite guidée sur demande - tlj sf mar. mat. et apr.-midi - fermé 1ᵉʳ janv., 1ᵉʳ Mai, 1ᵉʳ nov. et 25 déc. - 4,60 € (-16 ans gratuit).

Situé à la pointe amont de l'île sur la Moselle, le bâtiment est une reconstruction contemporaine autour des vestiges (17ᵉ s.) de l'ancien hôpital St-Lazare. Collections d'archéologie (sites gallo-romains de Grand, de Soulosse et du Donon, nécropole mérovingienne de Sauville, monnaies celtiques), de peintures françaises et écoles du Nord (Le Lorrain, La Hyre, La Tour et son *Job raillé par sa femme*, Bruegel, Van Goyen, Van Cleeve, Rembrandt et sa *Mater dolorosa*). La collection de Paul Oulmont est composée quant à elle de dessins et d'aquarelles du 18ᵉ s. La section d'art contemporain est l'une des premières de France. Œuvres minimalistes (Carl André, Donald Judd), arte povera (Mario Merz, Gilbert Zorio) et pop art (Andy Warhol, Edward Rusha).

Église Notre-Dame (A1)

Reconstruite de 1956 à 1958, son portail présente des panneaux d'émail cloisonné sur cuivre rouge. Autour d'une croix sont représentés les symboles des quatre évangélistes et ceux des sept planètes. Dans le chœur, immense vitrail à la gloire de la Vierge.

Aux alentours

Fort d'Uxegney

6 km à l'ouest par la D 36, direction Darnieulles. ☏ 03 29 38 32 09 - http://perso.orange. fr/fort-uxegney/- visite guidée - juil.-août : apr.-midi ; de déb. mai à fin juin et de déb. sept. à mi-sept. : dim. apr.-midi - fermé de mi-sept. à fin avr. et j. fériés - 5 €.

Construit après 1870, c'est un exemple de fortification « Séré de Rivières », entre le bastion « Vauban », car il était à l'origine en pierre, et celle enterrée de la ligne Maginot. Modernisé en 1914, le fort est resté intact car il n'a subi aucune attaque. Vous découvrirez la tourelle de 155R, remise en état de fonctionnement, celle de 75, des tourelles mitrailleuses et des casemates de Bourges armées de canons de 75. Du « dessus » du fort, on découvre les dômes des tourelles et un large paysage.

Cimetière et mémorial américains

7 km au sud par la D 157, en suivant la rive gauche de la Moselle. 1 800 m après Dinozé, prenez à droite le chemin menant au cimetière.

Situé sur un plateau dominant la rivière, ce vaste terrain aligne sur des pelouses impeccables ses croix et ses stèles juives, de marbre blanc. Derrière, une chapelle et un mémorial gardent le souvenir des soldats américains tombés en 1944-1945, dont 5 255 demeurent enterrés ici.

Arches

18 km au sud-est. Son renom est dû à une célèbre papeterie. Un moulin à papier y tournait déjà en 1469. Beaumarchais l'acheta en 1779 pour y fabriquer le papier nécessaire à l'édition des œuvres de Voltaire. Comme celles-ci étaient censurées en France, il installa une imprimerie à Kehl, en territoire étranger. C'est de là que sortirent les deux éditions dites de Kehl, recherchées des bibliophiles.

Châtel-sur-Moselle

18 km au nord-ouest par N 57.

Ici, on visitera avant tout la **forteresse★**. Bâti autour d'un donjon carré, le premier château des 11e et 12e s. a connu une grande extension au 15e s., sous l'influence des sires de Neufchâtel, vassaux du duc de Bourgogne. Des adaptations à l'artillerie ont suivi. Des fossés de 57 m de largeur, deux enceintes fortifiées, 21 tours de guet protégeaient le site, alors que trois étages de galeries souterraines en faisaient communiquer les différentes parties. Démantelés en 1671 pendant le règne de Louis XIV, les bâtiments de l'enceinte et du château ont servi de base au couvent Notre-Dame qui s'installa en 1710. Il est aujourd'hui transformé en **musée**, où l'on peut découvrir l'ancêtre du fusil, le bâton à feu, des systèmes de fermeture de porte appelés crapaudines et même des jeux de quilles qui témoignent de jours plus tranquilles. ✆ 03 29 67 14 18 - http://assoc. wanadoo.fr/chatel-medieval - visite guidée - 5 € (-12 ans 1 €).

Construite aussi à la fin du 15e s., l'**église St-Laurent** est d'une unité remarquable. Le chœur à cinq pans est voûté à sept branches. Dans le bas-côté sud, Pietà du 16e s.

Épinal pratique

Adresse utile

Office du tourisme d'Épinal – 6 pl. St-Goëry - 88008 Épinal - ✆ 03 29 82 53 32 - www.office-tourisme-epinal.com - juil.-août : tte la journée ; reste de l'année : mat. et apr.-midi - fermé 25 déc. et 1er janv.

Visites

Visites guidées – Épinal propose des visites-découverte animées par des guides-conférenciers - de mi-juin à fin août : jeu. et sam. 20h30, mar. 15h - renseignements à l'office de tourisme.

Se loger

☞ **Azur Hôtel** – 54 quai des Bons-Enfants - ✆ 03 29 64 05 25 - www.contacthotel.com - 20 ch. 35/51 € - ☐ 5,50 €. En centre ville, à deux pas du musée d'Art ancien et contemporain, cet hôtel des années 1950 a été rajeuni. Ses grandes chambres sont impeccablement tenues. Celles côté rue offrent une vue sur un canal de la Moselle transformé en parcours de canoë-kayak. Ambiance conviviale et familiale.

☞ **Camping Lac de Bouzey** – 88390 Sanchey - à 6 km à l'ouest d'Épinal par D460 - ✆ 03 29 82 49 41 - www.camping-lac-de-bouzey.com - réserv. conseillée - 160 empl. 30 € - restauration. Cet hébergement de plein air jouxtant le lac de Bouzey comprend un camping, une aire de service pour camping-car et des mobile homes. À l'entrée, un grand bâtiment abrite la réception, l'épicerie-journaux, un bar-restaurant et une discothèque. Beaux terrains de tir à l'arc, pétanque et volley.

☞☞ **Hôtel La Fayette** – Parc économique Le Saut-Le-Cerf - ✆ 03 29 81 15 15 - www. bestwestern-lafayette-epinal.com - **P** - 58 ch. 80/95 € - ☐ 12 € - rest. 19/42 €.

Complexe hôtelier bâti dans une zone voisine d'un golf. Chambres spacieuses, fonctionnelles et insonorisées ; les dernières-nées, modernes, sont plus agréables. Cuisine classique proposée dans un décor contemporain.

Se restaurer

☞ **Le Bagatelle** – 12 r. des Petites-Boucheries - ✆ 03 29 35 05 22 - www.le-bagatelle.com - fermé 2e quinz. de juil. et dim. (sf sur réserv.) - 10,90/35 €. Sur la petite île d'Épinal, coincée entre deux bras de la Moselle, cette maison pimpante des années 1940 est aux premières loges pour regarder les compétitions de canoë-kayak… en savourant une cuisine inspirée dans sa salle lumineuse, décorée de meubles modernes.

☞ **La Cornouaille** – 17 pl. des Vosges - ✆ 03 29 34 27 76 - fermé mar. soir, dim. et lun. d'oct. à mai - 10 € déj. - 12,50/23 €. En plein cœur de la cité vosgienne, ce restaurant défend hardiment les couleurs de la gastronomie… bretonne, comme le suggère l'enseigne. Depuis la salle à manger, dont la discrète décoration évoque paysages et ambiances d'Armorique, vous pourrez suivre la préparation de votre galette de sarrasin ou de votre crêpe de froment, puisque la cuisine est ouverte et centrale. À moins que vous ne préfériez vous installer sur la terrasse dressée sur la place. Dans tous les cas, vous ne manquerez pas d'arroser votre plat d'une bonne bolée de cidre.

☞☞ **Le Petit Robinson** – 24 r. Raymond-Poincaré - ✆ 03 29 34 23 51 - www. lepetitrobinson.fr - fermé 15 juil.-15 août, 23 déc.-1er janv., sam., dim. et j. fériés - 20/36 €. La façade colorée de ce restaurant familial situé entre vieille ville et Moselle abrite une salle à manger un brin désuète. Registre culinaire traditionnel.

⊜⊜ **Ferme-auberge des 7 Pêcheurs** – *28-32 r. de la Division-Leclerc, à Méloménil - 88220 Méloménil-Uzemain - 15 km au sud-ouest d'Épinal par D 51 (par Chantraine) - ℘ 03 29 30 70 79 - fermé janv. et merc. hors sais. - 19/21,50 € - 4 ch. 42 € - ⊐ 6 €.* Ici, on s'attable dans la forge du 18ᵉ s., qui a gardé une belle authenticité avec ses vieilles poutres, ses murs en pierres apparentes et sa cheminée.
Des chambres et un grand gîte simples pour ceux qui veulent profiter du calme de cette ancienne ferme… Étang à proximité.

⊜⊜ **Le Calmosien** – *37 r. d'Épinal - 88390 Chaumousey - 10 km à l'ouest d'Épinal par D 36 et D 460 - ℘ 03 29 66 80 77 - www.calmosien.com - fermé 17 juil.-2 août, dim. soir et lun. - 21/61 €.* Au cœur du village, cette maison 1900 ressemble à une école avec sa façade blanche, ses fenêtres bordées de briques rouges et son toit pentu… Décor rétro et jardin-terrasse servent de cadre à une cuisine au goût du jour servie en menus ou à la carte.

Faire une pause

Daval – *44 r. Léopold-Bourg - ℘ 03 29 35 60 60 - www.chocolats-daval@tiscali.fr - 7h30-19h, dim. 9h-12h30, lun. 14h-19h - fermé 1ᵉʳ Mai, lun. de Pâques et lun. de Pentecôte.* Cette pâtisserie-salon de thé située en plein centre-ville est une halte idéale pour qui recherche un peu de quiétude. Vous pourrez y déguster à toute heure de la journée des petits plats chauds ou froids ainsi que d'excellentes gourmandises maison comme le Dakar, délicieusement chocolaté, la mousse au nougat et aux fruits de la passion ou l'entremets parfumé à la rose et au citron.

Pâtisserie du Musée – *2 quai du Musée - ℘ 03 29 82 10 73 - tlj sf lun. 7h30-19h, w.-end 7h30-12h30, 14h30-19h.* Située à proximité du musée, dans un écrin de verdure, cette pâtisserie-salon de thé est sans doute l'une des plus agréables de la ville. À moins d'être un monomaniaque en matière de sucreries, il vous sera difficile de ne pas barguigner entre le désir des Îles, le délice à la mirabelle ou à l'edelweiss, le pain d'anis maison, et les fameuses « charbonnettes des Vosges » (spécialité de chocolat praliné).

Que rapporter

Cristalleries de Portieux – *35 r. des Arts, La Verrerie-de-Portieux - 4 km de Portieux par D 32 - ℘ 03 29 67 42 22 - 10h-12h, 14h-17h30, w.-end et lun. 14h30-17h30 ; visite guidée sur RV.* Cette cristallerie créée en 1705 a conservé les mêmes procédés de fabrication au fil des siècles. La visite des ateliers vous fera découvrir le travail du verrier et les différentes étapes de l'élaboration d'un objet à partir de ce noble matériau. Vente de pièces en cristal dans le magasin d'usine.

Sports & Loisirs

👁 **Bon à savoir** – Disponible à l'office de tourisme, le mensuel *Vivre à Épinal* vous informera sur les activités culturelles et sportives de la ville. Vous pourrez y dénicher quelques lieux branchés !

Espaces verts – La ville d'Épinal est dotée de nombreux parcs : parc du Cours, parc du Château, parc du plateau de la Justice, Espace du port, la Roseraie. Des parcours de santé ont aussi été aménagés à moins de 2 km du centre-ville (parc du Mont-Carmel et à la fontaine Guéry).

Club Vosgien – *5 r. François-Blaudez - ℘ 03 29 35 45 44 - www.clubvosgienepinal. com - mar. 15h-18h, merc. 10h-12h, sam. 10h-12h, 15h-17h - fermé j. fériés.* Il accompagne de nombreuses randonnées pédestres dans le massif forestier des alentours d'Épinal.

Spina Parc – *R. de la 40ᵉ-Semaine - ℘ 03 29 82 03 67 - juil.-août : 10h-20h ; fév., Pâques-juin, de sept. à déb. nov. : merc., w.-end, vac. scol. et j. fériés.* Le parcours acrobatique forestier étant le loisir à la mode, il faudra laisser votre vertige aux vestiaires pour avoir l'air « dans le coup ». Votre courage sera notamment mis à rude épreuve par la tyrolienne de 160 m de long, que l'on dévale dans le vide.

Golf d'Épinal – *R. du Merle-Blanc - ℘ 03 29 34 65 97 - www.epinal.fr - mai-oct. : 8h-20h, w.-end 7h-20h ; nov.-avr. : 9h30-17h - fermé déc.-janv. - green fee 24 € ; green fee/w.-end 35 €.*

Événements

Fêtes de la Saint-Nicolas – Saint Nicolas et le père Fouettard visitent les écoles maternelles et distribuent pain d'épice et oranges. En ville, des chars décorés défilent dans les rues, un grand feu d'artifice conclut cette journée dédiée aux enfants (*1ᵉʳ sam. de déc. à partir de 17h*).

Fête des Champs Golot – Elle marque la fin de l'hiver, le dégel des ruisseaux et des champs. Un bassin rue du Gén.-Leclerc est rempli d'eau et les enfants y traînent des bateaux illuminés, qu'ils ont fabriqués eux-mêmes (*samedi 18 mars*).

Fête des images – Portes ouvertes de l'Imagerie, costumes d'époque et parade (*w.-end de Pâques*).

Festival Rues et Compagnie – Théâtre de rue (*1ᵉʳ w.-end de juin*) - *www.epinal.fr.*

Festival Les larmes du Rire – Théâtre burlesque (*du 4 au 14 oct.*).

Festival international de l'image – *En sept. - ℘ 03 29 31 02 22 - http://diapimages. free.fr.*

Imaginales – Rencontre d'auteurs de livres fantastiques et expositions sur le thème de l'imaginaire (*en mai*).

Floréal musical – Festival de musique classique et lyrique (*de mi-avr. à fin mai*) - *réserv. florealepinal@wanadoo.fr.*

Gérardmer★

8 845 GÉROMOIS
CARTE GÉNÉRALE B3 – CARTE MICHELIN DÉPARTEMENTS 314 J4 – VOSGES (88)

Est-ce parce que le site est fantastique ? En tout cas, Gérardmer a bel et bien enlevé à Avoriaz l'organisation, chaque année, du Festival du film fantastique. Son office de tourisme a été le premier créé en France, en 1875, preuve s'il en fallait de la volonté touristique de cette station de sports d'hiver, reconvertie l'été en station climatique autour de son très beau lac. Même Charlemagne aurait, paraît-il, apprécié son charme et serait venu y séjourner…

- ▶ **Se repérer** – À 53 km à l'ouest de Colmar, Gérardmer se situe du côté lorrain du massif des Vosges.

- 👁 **À ne pas manquer** – Le tour du lac de Gérardmer, une randonnée dans les vallées avoisinantes pour contempler les chutes du saut des Cuves ou celles de Tendon, ou bien encore la coulée morainique de Granges-sur-Vologne.

- 🕐 **Organiser son temps** – Lieu de séjour, Gérardmer est aussi le point de départ de circuits que vous pourrez parcourir en 2 ou 3h.

- 👫 **Avec les enfants** – Les loisirs ne manquent pas aux abords du lac : sports nautiques, ski, parcs d'aventures. Et pour tout savoir sur les animaux de la région, rendez-vous au musée Faune Lorraine.

- ♨ **Pour poursuivre la visite** – Voir aussi Épinal, Remiremont, la route des Crêtes.

Séjourner

LES LACS

Lac de Gérardmer★

C'est le plus grand lac des Vosges. Sa longueur est de 2,2 km et sa largeur de 750 m. Il est assez profond (38 m) et on peut y pratiquer la pêche et, bien sûr, s'y baigner ou faire de l'aviron, du canoë-kayak, de la voile… Le **tour du lac★** peut être effectué à pied ou en voiture *(6,5 km)*. Il offre de belles vues variées, selon que l'on se trouve plus ou moins près de la rive. Essayez les vedettes, canots électriques, barques, pédalos…
Tour du lac commenté (20mn) en vedette ; balades en canot électrique ou en pédalo 4 places et 2 places - tarif : suivant les bateliers.

Lac de Longemer★

5 km à l'est par D 417 et D 67.
Long de 2 km, large de 550 m, profond de 30 m, on trouve autour du lac des espaces verts, une plage et des campings.

Lac de Retournemer★

12 km à l'est par D 417 et D 67.
Alimenté par les cascades de la Vologne, ce petit lac privé est remarquable par la pureté et le bleu profond de ses eaux qui reposent au creux d'une conque.

LES STATIONS DE SKI

Gérardmer-La Mauselaine

☎ 03 29 27 27 27 - www.gerardmer.net - Navettes gratuites en hiver, w.-end et vac. scol. depuis le centre-ville de Gérardmer jusqu'au domaine alpin de la Mauselaine. Sinon, un vaste parking est à disposition au pied des pistes. 40 km de pistes de ski dont la plus longue des Vosges (4 km) sont balisées sur les hauteurs de Gérardmer. De tous niveaux, certaines sont équipées de canons à neige, d'autres peuvent ouvrir en nocturne jusqu'à 22h.
Le premier espace nordique du massif des Vosges, le « domaine des Bas-Rupts », n'est qu'à 2,5 km du centre-ville de Gérardmer. Les 100 km de pistes tracées forment des circuits de tous niveaux sur les communes de Gérardmer, La Bresse et Xonrupt, et s'enfoncent à travers la forêt. Entre 800 et 1 100 m d'alt., les pistes de fond sont complétées par des itinéraires à emprunter en raquettes.

La Bresse-Hohneck

C'est le plus grand domaine skiable vosgien, équipé de 282 canons à neige, 37 pistes sur 3 sites principaux, autour du Hohneck en descendant sur La Bresse, près du lac de Retournemer et aux environs du col de la Schlucht. La Bresse est ainsi passée de la taille d'une station familiale à celle d'une véritable station sportive.

Circuits de découverte

VALLÉE DE LA MEURTHE ET DE LA PETITE MEURTHE★ [1]

55 km – environ 2h. Quittez Gérardmer par la D 417.

Saut des Cuves★

Laissez la voiture à proximité de l'hôtel-restaurant du Pont des Fées. Prenez à droite, en amont du pont, le sentier qui mène à la Vologne, que franchissent deux passerelles permettant de faire un petit circuit.

Le torrent tombe en cascade parmi de gros blocs de granit. La plus importante des chutes se nomme le saut des Cuves.

Musée Faune Lorraine

Sur la D 417 à 500 m du carrefour du Saut-des-Cuves. 627 rte de Colmar - ℘ 03 29 63 39 50 - vac. scol. été et hiver : mat. et apr.-midi, dim. apr.-midi ; reste de l'année : apr.-midi - fermé 25 déc. - 5 € (-15 ans 3,50 €).

Un esprit naturaliste règne ici. Fondée par un taxidermiste, cette exposition présente plusieurs facettes de la nature vosgienne : beaux dioramas, véritables mises en scène dignes d'un « musée Grévin » animalier et quatre aquariums qui plongent le visiteur dans le monde subaquatique des eaux douces des torrents et lacs environnants.

Après 1 km, prenez à gauche la D 23.

Après un parcours en forêt, on atteint près du Valtin la **haute vallée de la Meurthe★**, dont les versants sont couverts de pâturages et de sous-bois. En aval de Rudlin, la vallée s'étrangle et la Meurthe, rapide et claire, vient alimenter plusieurs scieries.

À Plainfaing, prenez à gauche la D 415, puis la D 73 encore à gauche.

Le retour s'effectue par la **vallée de la Petite Meurthe**, qui, large et cultivée, se resserre. La route pénètre dans le défilé de Straiture aux parois couvertes de sapins.

Glacière de Straiture

À 0,7 km au-delà d'une petite route à droite, un sentier franchit la rivière et permet d'atteindre la glacière. C'est un amas de rocs entre lesquels se conservait la neige transformée en glace.

À l'extrémité du défilé, la route franchit la Petite Meurthe et rejoint le col de Surceneux, d'où l'on regagne Gérardmer.

LA BRESSE, LE HOHNECK ET LA SCHLUCHT★★★ [2]

54 km – environ 2h30. Quittez Gérardmer par la D 486.

La Bresse

La fondation de ce gros bourg remonte au 7e s. Très tôt, ses habitants furent régis par un droit coutumier propre, si bien que la ville demeura jusqu'en 1 790 une petite république presque autonome vivant des fromages et du tissage. À peu près détruite durant l'automne 1944,

Fonte des glaces

La région de Gérardmer a subi l'empreinte des glaciers qui recouvraient les Vosges. L'un d'eux, partant du Hohneck, emplissait la vallée et rejoignait près de Remiremont les glaciers de la Moselotte et de la Moselle. En disparaissant, le glacier laissa, en souvenir, les lacs de Retournemer, de Longemer, de Gérardmer et quelques moraines qui arrêtèrent les eaux de la Vologne. En aval du lac de Longemer, la rivière a cherché une issue par la vallée de Granges et a rejoint la Moselle. Les eaux du lac de Gérardmer, elles, ont formé la rivière de la Jamagne, affluent de la Vologne.

La Bresse a été reconstruite à neuf. Son habitat typique de la montagne vosgienne est dispersé dans la vallée. L'**église St-Laurent** du 18e s. possède un chœur gothique éclairé de **vitraux** modernes en verre éclaté. Quatre verrières racontent les destructions de La Bresse par les troupes allemandes en repli.

Musée du Textile

Par D 43 à 1,5 km de Ventron en direction du col d'Oderen. ℘ 03 29 24 23 06 - http://museeetextile.online.fr - tlj sf lun. - avr.-sept. : mat. et apr.-midi ; oct.-mars : apr.-midi - fermé mi-nov. à mi-déc. ; vac. scol. (ttes zones) mat. et apr.-midi - 4 € (-10 ans gratuit).

Ce musée retrace l'histoire d'un des plus importants pans de l'industrie vosgienne, qui a pris son essor grâce à l'esprit d'entreprise de paysans audacieux. Vous connaîtrez tout de la fabrication traditionnelle des toiles de lin à la filature industrielle du coton. Évolution des métiers à tisser du 18e s. à nos jours, démonstrations, etc.

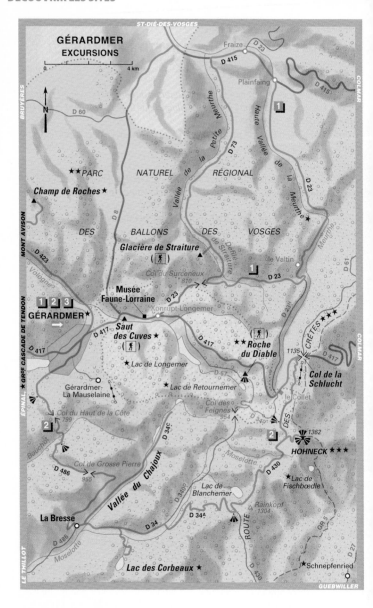

Vallée du Chajoux

Au nord-est de La Bresse, elle longe un torrent à truites au pied de versants boisés. Chutes et retenues d'eau.

Lac des Corbeaux★

À hauteur de l'hôtel du Lac, vous verrez à droite une route bordée de très beaux arbres ; elle conduit au lac.

Sa situation est particulière, au milieu d'un cirque abrupt couvert d'épaisses forêts.
🥾 Un sentier permet d'en faire le tour (30mn à pied). Pêche autorisée.

Après La Bresse, on remonte le cours de la Moselotte que l'on franchit, laissant à gauche la D 34ᴰ vers le col des Feignes. Deux kilomètres plus loin, laissez la route de Bramont et empruntez la D 34ᴬ, sinueuse, appelée « route des Américains ».

On atteint alors les pâturages et on découvre une belle vue à droite sur la haute vallée de la Thur, Wildenstein et le barrage de Kruth-Wildenstein.

Prenez à gauche la route des Crêtes (D 430) qui contourne le Rainkopf.

À gauche, en contrebas, **lac de Blanchemer** entouré de prairies. Puis on atteint les chaumes du Hohneck.

Le Hohneck★★★ *(voir Route des Crêtes)*

Peu après, au loin à gauche, apparaît le lac de Longemer dans la vallée de la Vologne. La **vue★** devient superbe sur ce lac et celui de Retournemer.

Col de la Schlucht *(voir Route des Crêtes)*

Roche du Diable★★

15mn à pied AR. Laissez la voiture près du tunnel et prenez un sentier très raide par lequel on arrive aussitôt au belvédère.

On a une large **vue★★** sur la vallée de la Vologne, les prairies qui la tapissent, les lacs de Retournemer et Longemer et les versants alentour.

Saut des Cuves★ *(voir plus haut)*

VALLÉES DU TENDON ET DE LA VOLOGNE ③

61 km – environ 2h. Quittez Gérardmer par la D 417. À l'entrée du Tholy, prenez à droite la D 11. Parcourez 5 km 200 m avant l'hôtel Grande Cascade, prenez la route qui descend à gauche. Elle conduit à la cascade (800 m).

Grande Cascade de Tendon★

Près du col de Bonne Fontaine, cette double chute dévale joliment en plusieurs paliers successifs, à travers les sapins de la forêt de Fossard.

Devant Faucompierre, tournez à droite et, par la D 30 et la D 44, gagnez Bruyères ; en prenant la route de Belmont à gauche du cimetière, on arrive au pied du mont Avison. Laissez la voiture.

Tour-belvédère du mont Avison

45mn AR à pied. Élevée sur le sommet (601 m) d'une des collines entourant **Bruyères**, cette tour de 15 m de haut (affublée d'un pylône peu esthétique) domine le carrefour des vallées où la ville a pris place. **Panorama★** depuis la table d'orientation *(82 marches)* jusqu'aux sommets vosgiens de la Tête des Cuveaux, du Hohneck, du Donon. Remarquez au passage les maisons bourgeoises en grès jaune et rose.

Champ-le-Duc

La vieille **église** (12ᵉ s.) en grès rouge a survécu au raid des Suédois en 1635. La nef avec son alternance de piles fortes et faibles, la voûte avec ses boudins épais et l'abside en cul de four percée de trois petites fenêtres sont typiques de l'art roman primitif rhénan. Un chapiteau sculpté à la croisée du transept représente deux cavaliers affrontés (la tradition populaire y voit une entrevue entre Charlemagne et son fils Charles). Le village fut incendié par les Allemands en 1944, beaucoup d'hommes furent déportés. C'est à la hâte que le village fut reconstruit à la fin de la guerre.

Champ de roches de Granges-sur-Vologne★

Dans Granges-sur-Vologne, bourg industriel lié au textile, prenez la D 31 à gauche. À Barbey-Seroux, empruntez la route forestière à droite (à la deuxième intersection) et traversez la forêt de Vologne. À 2,4 km, à une bifurcation près de laquelle se trouve une maison, prenez à gauche et laissez la voiture à environ 150 m.

Depuis la roche du Diable, la vue embrasse toute la vallée de la Vologne.

🐾 C'est une extraordinaire coulée morainique, longue d'environ 500 m et qui scinde la forêt en ligne droite comme un fleuve de pierre figée. La surface de cet amoncellement est constituée de blocs serrés les uns contre les autres.

Revenez à Barbey-Seroux et à Granges, puis, par la D 423, rejoignez Gérardmer.

Gérardmer pratique

Adresses utiles

Office du tourisme de Gérardmer – *4 pl. des Déportés - 88400 Gérardmer -* 🕾 *03 29 27 27 27 ou 03 29 27 23 25 - www.gerardmer. net - tlj sf dim. tte la journée, dim. et j. fériés mat.*

Office du tourisme de La Bresse – *2a r. des Proyes - 88250 La Bresse -* 🕾 *03 29 25 41 29 - www.labresse.net - tlj sf dim. mat. et apr.-midi ; vac. scol. tlj mat. et apr.-midi, dim. et j. fériés - fermé 11 Nov.*

Visite

Usines textiles – *Visite des Ets Garnier-Thiébaut. Tte l'année (sf août) - au minimum 10 pers. sur réservation 15 j. av. -* 🕾 *03 29 60 30 59.*

Se loger

🛏 **Camping municipal le Haut des Bluches** – *88520 La Bresse - 3,2 km à l'est par D 34, rte du col de la Schlucht et à dr. chemin des Planches (au bord de la Moselotte) -* 🕾 *03 29 25 64 80 - www. labresse.net - réserv. conseillée - 150 empl. 23 € - restauration.* Outre sa relative proximité des différentes activités proposées dans la région, ce camping bénéficie d'un bel aménagement en paliers de rochers et de verdure. L'hiver, on séjournera plus volontiers dans l'une des confortables chambres du chalet, au contact des pistes de ski.

🛏🍽 **Viry-L'Aubergade Hôtel** – *Pl. des Déportés -* 🕾 *03 29 63 02 41 - www. hotelviry.com - 17 ch. 52/60 € -* 🖵 *9 € - rest. 13,50/39 €.* Des fresques de style tyrolien agrémentent la façade et les chambres, sobres et bien tenues, de cet hôtel familial agrémenté de balcons au 1er étage. Plaisant petit salon-cheminée. Le restaurant et sa chaleureuse ambiance campagnarde évoquent l'Autriche. Recettes traditionnelles et saveurs du terroir.

🛏🍽 **Hôtel Les Vallées** – *31 r. Paul-Claudel - 88520 La Bresse - 14 km au sud de Gérardmer par D 486 -* 🕾 *03 29 25 41 39 - www.lebellemontagne.com -* 🅿 *- 54 ch. 58/90 € -* 🖵 *10 € - rest. 17/43 €.* Dans cet hôtel, au centre de la station, vous pourrez lézarder dans d'agréables chambres modernes et profiter de la piscine couverte. Piste des chamois en été, ski en hiver, vos journées seront bien remplies à La Bresse…

🛏🍽 **Auberge du Haut Jardin** – *43 bis le Village - 88640 Rehaupal -* 🕾 *03 29 66 37 06 - www.hautjardin.com - fermé lun. soir et merc. soir hors vac. scol. - 7 ch. + 1 gîte 49/60 € -* 🖵 *7,40 € - repas 14,90/30 €.*

Charmante petite auberge imprégnée du calme des alentours. Vous serez ravi, après une belle balade, de passer à table pour y faire le plein de saveurs locales. Côté hébergement, on pourrait s'imaginer séjourner en maison d'hôte tant les lieux ont du caractère… Seulement 7 chambres, alors sachez garder le secret.

🛏🛏 **Chambre d'hôte « Au Pied des Chaumes »** – *6 rte du Frère-Joseph - 88310 Ventron -* 🕾 *03 29 24 46 03 - www.couette. com -* 🖵 *- 5 ch. 65 € - - repas 18 €.* Calme et détente vous attendent dans cette grande bâtisse de style vosgien abritant cinq chambres agréablement décorées et équipées de WC et salle de bains. Petits-déjeuners assortis de confitures et pâtisseries maison, et possibilité de table d'hôte (cuisine traditionnelle et du terroir). Accueil convivial.

Se restaurer

🍽 **La Chaume** – *23c bd Kelsch -* 🕾 *03 29 63 27 55 - lachaume2@wanadoo.fr - fermé dim. soir et lun. sf vac. scol. et j. fériés - 12/15 €.* Cette petite adresse dispose de nombreux atouts qui en font un lieu très prisé : cadre rustique à souhait, cuisine inventive (millefeuille de canard et lentilles au raifort, filet mignon pané au miel de sapin, etc.), agréable service assuré par la patronne et prix tout doux. Pensez à réserver !

🍽 **Le Bistrot de la Perle** – *32 r. Charles-de-Gaulle -* 🕾 *03 29 60 86 24 - fermé 1 sem. en juin, 1 sem. en oct. mar. soir et merc. - 10,30 € déj. - 16/22,50 €.* Cette perle de bistrot a conservé la jolie devanture « rétro » de la boucherie charcuterie dans laquelle il s'est installé, mais l'intérieur, complètement réaménagé, s'avère actuel et chaleureux. Aux beaux jours s'y ajoute une agréable terrasse. Côté cuisine, la spécialité de la maison est la moule-frites escortée d'un vaste choix de petits plats « bistrotiers » à prix doux.

🍽🍽 **Auberge de Liézey** – *9 rte de Saucefaing - 88400 Liézey - 9,5 km à l'ouest de Gérardmer par D 417 et D 50 -* 🕾 *03 29 63 09 51 - www.liezey.com - fermé mar. et merc. sf vac. scol. - 14,80/29,80 € - 7 ch. 70/120 € -* 🖵 *5 €.* Sous la neige ou au milieu des sapins selon les saisons, cette ancienne ferme devenue auberge et dont les fondations de 1799 vous accueille pour un repas revigorant, préparé avec des produits issus des villages vosgiens. Chambres rénovées, simplement aménagées et bien tenues.

🍽🍽 **Cap Sud** – *144 rte de la Bresse - 88400 Bas-Rupts - 4 km au sud de Gérardmer par D 486 -* 🕾 *03 29 63 06 83 - fermé lun. sf j. fériés - 15/35 €.* Pour prendre le large, c'est ici qu'il faut aller ! Dans un décor de bois sombre éclairé de hublots, les saveurs de la mer sont à l'honneur dans ce restaurant, niché dans les montagnes vosgiennes. Grandes baies vitrées ouvrant sur la nature.

En soirée

Casino du Lac – *3 av. de la Ville-de-Vichy - ℰ 03 29 60 05 05 - 13h-2h, w.-end 13h-3h - fermé janv.* Ce centre de loisirs comprend des machines à sous et des jeux traditionnels (boule, roulette, black jack), un cinéma-théâtre et un restaurant saisonnier dont la terrasse donne sur le lac.

Les Rives du Lac – *1 av. de la Ville-de-Vichy - ℰ 03 29 63 04 29 - www.rivesdulac. com - à partir de 9h - fermé 4-30 janv. et nov.-20 déc.* C'est l'un des cafés les plus agréables de la ville, ce dont vous conviendrez aisément une fois installé à sa terrasse, bercé par le clapotis des vagues, face à l'onde bleutée du lac et aux montagnes environnantes.

Que rapporter

Marché artisanal – *Pl. du Vieux-Gérardmer - juil.-août : jeu. et sam. 9h-13h.* Rendez-vous bi-hebdomadaire des artisans et producteurs régionaux.

Maison de la Montagne – *5 pl. du Vieux-Gérardmer - ℰ 03 29 63 21 93 - merc.-sam. 10h-12h, 14h30-18h30 - fermé 11 Nov.-6 déc., mar. mat. lun. sf vac. scol. et j. fériés apr.-midi.* Cette association installée dans une belle bâtisse de 1789 réunit 20 producteurs du département des Vosges et commercialise plus de 200 produits : confiseries, miel de sapin, terrines lorraines, munster fermier, charcuteries, confitures, vins, alcools divers, eaux-de-vie à la mirabelle…

Les Petits Crus Vosgiens – *10 chemin de la Scierie - Le Beillard - venant de Gérardmer par la D 417, prendre la 1re rte à gauche après le croisement avec la D 50 - ℰ 03 29 63 11 70 - petitscrusvosgiensvillaume@wanadoo.fr - tlj sf lun. 10h30-12h30, 14h-19h - fermé sept.* Daniel Villaume, maître des lieux (en l'occurrence une ancienne scierie), vous fera découvrir les produits de sa fabrication et déguster ses boissons fermentées à base de groseilles, cassis, rhubarbe, cerises, fleurs de pissenlit et de sureau. Ces boissons de fruits ou de fleurs, très réputées dans les Vosges, se boivent en apéritif ou au dessert.

Linvosges – *6 pl. de la Gare - ℰ 03 29 60 11 00 - www.linvosges.com - tlj sf dim. (sf vac. scol.) 9h-12h, 14h-19h.* Cette entreprise fondée en 1922 perpétue la tradition du beau linge vosgien pour le lit, la table, la cuisine ou la salle de bains. Vente des produits à prix d'usine.

Le lac de Gérardmer.

R. Mattes/MICHELIN

M. Perrin - Production de laine mohair, élevage de chèvres Angora – *9 imp. des Chaies-Gleys - ℰ 03 29 63 00 54 - visite de l'élevage : juin-sept. : 17h30 (durée 1h30) ; boutique : 10h-17h30 - 3 €.* Élevage de chèvres angora. Vente de laine mohair, fils à tricoter, pulls, écharpes, couvertures, etc. Visite-diaporama commentée.

Le Jacquard Français – *35 r. Charles-de-Gaulle - ℰ 03 29 60 82 50 - www.le-jacquard-francais.com - 10h-12h, 14h-19h - fermé 1er janv., 1er Mai et 25 déc.* Linge de table, de toilette et de plage.

La Saboterie des Lacs – *25 bd de la Jamagne - ℰ 03 29 63 06 06 - juil.-août : tlj sf dim. ; reste de l'année : tlj sf w.-end 10h-12h, 14h-17h - fermé vac. de Toussaint.* Saboterie artisanale où vous assisterez à la fabrication complète d'une paire de sabots, démonstration accompagnée des commentaires de l'artisan. Vous pourrez également en acheter sous de multiples formes, en frêne ou en érable : utilitaire, décoratif, en porte-clés, etc.

Association des artisans du village de Liezey – *17 rte de Saucéfaing - 7 km au nord-est de Gérardmer par D 50 - 88400 Liézey - ℰ 03 29 63 16 50 - vac. scol. : 14h30-18h30 ; avr.-nov. : dim. 14h30-18h30 - fermé nov.-Pâques.* Dans cette ancienne ferme, plus de 50 artisans et producteurs régionaux exposent et vendent leurs produits : jouets en bois, émaux, broderies, dentelles, miel, confitures, confiseries, eaux-de-vie, crus vosgiens, artisanat de pierre, cuir, bois…

Événements

Fête des Jonquilles – Une trentaine de chars pour lesquels des millions de fleurs sont nécessaires. Fanfares, majorettes et groupes folkloriques animent le cortège annonciateur du printemps. Le défilé est exceptionnel *(tous les deux ans, mi-avr.).*

Fantastic'Arts – Festival du film fantastique *(fin janv.), ℰ 03 29 63 49 49 - www.gerardmer-fantasticart.com.*

Gorze

1 392 GORZIENS
CARTE GÉNÉRALE A1 – CARTE MICHELIN DÉPARTEMENTS 307 H4 – MOSELLE (57)

Gorze s'est formé autour d'une abbaye bénédictine fondée au 8e s. par saint Chrodegang, évêque de Metz et conseiller de Pépin le Bref. L'emprise spirituelle de ses moines chanteurs très cultivés s'est étendue au cours des siècles et le village a conservé de cette période religieuse et prestigieuse d'anciennes demeures Renaissance, 17e et 18e s. et un palais abbatial. Aujourd'hui, Gorze appartient au Parc naturel régional de Lorraine où des sentiers balisés vous entraînent vers les roches de la Pucelle, la chapelle St-Clément (1603) et le rocher de la Vierge.

- **Se repérer** – Gorze se trouve à 12 km au sud-ouest de Metz. Sortez de Metz par Montigny-lès-Metz, puis rejoignez la rive gauche de la Moselle et la D 6. À Ancy-sur-Moselle, prenez la petite route à droite en direction de Gorze (D 6 bis).
- **À ne pas manquer** – L'église St-Étienne et l'aqueduc romain.
- **Pour poursuivre la visite** – Voir aussi Metz, Briey, Pont-à-Mousson et le Parc naturel régional de Lorraine.

Comprendre

Origines et traditions – Gorze est blotti au creux du vallon de la Gorzia. Qui a pris le nom de l'autre ? A priori le village, car la forêt alentour le porte aussi, tout comme la « Terre de Gorze », qui désigne le territoire ancestral et autonome situé autour de l'abbaye. Les Gorziens sont les héritiers d'une longue tradition du chant. Metz eut dès le 8e s. une école de plain-chant réputée, à l'origine du chant grégorien. Le plain-chant avait été développé par les moines de l'abbaye de Gorze.

Visiter

Maison de l'histoire de la « Terre de Gorze »
03 87 52 04 57 - mars-oct. - apr.-midi - 2 € (-12 ans 1,50 €).
Des témoignages rappellent la prospérité de Gorze depuis l'époque du captage des sources par les Romains au 1er s., la construction du pont-aqueduc illustrée par une maquette, jusqu'à la fondation de l'abbaye.

Église St-Étienne
Le contraste est frappant entre l'extérieur, roman (sans arcs-boutants), et l'intérieur gothique (fin 12e s.), qui témoigne d'une influence rhénane. Le clocher central monumental est du 13e s. Au tympan du porche nord, vous verrez une belle représentation de la Vierge (13e s.) entre deux orants ; au revers, suspendu au-dessus de l'entrée, le grand Christ en bois est attribué à Ligier Richier. Au tympan de la petite porte à côté, curieuse figuration du Jugement dernier, de la fin du 12e s. Dans le chœur, belles boiseries renfermant des peintures bibliques du 18e s.

Vestiges de l'aqueduc romain du début du 2e s. à Jouy-aux-Arches.

Ancien palais abbatial

Bâti en 1696, il est inclus dans l'actuelle maison de retraite. On y voit encore de belles fontaines ornées de bas-reliefs, une chapelle baroque et deux élégants escaliers.

Aux alentours

Aqueduc romain de Gorze à Metz

8,5 km à l'est en direction de Metz.

La qualité des eaux de Gorze avait été repérée par les Romains qui captèrent la source des Bouillons pour alimenter Metz. Des canalisations longues de 22 km reliaient Gorze jusqu'aux thermes et fontaines de Metz. L'aqueduc enjambait la Moselle. Sept arches subsistent en bordure de la D 6, au sud d'**Ars-sur-Moselle**, sur la rive gauche. Des fouilles ont mis au jour des éléments de canalisations et de maçonnerie. À **Jouy-aux-Arches**, sur la rive droite, un long tronçon de 16 arches surplombe la D 657.

Gravelotte

8,5 km au nord, par la D 103 bis et la D 903.

Ce village entra dans l'histoire lors des combats indécis mais furieux qui s'y déroulèrent les 16 et 18 août 1870. Leur caractère meurtrier est resté proverbial. « Il pleut comme à Gravelotte » est devenu une expression familière, en référence aux obus qui s'abattaient sur la ville.

Gorze pratique

Adresse utile

Office du tourisme de Gorze – *22 r. de l'Église - 57680 Gorze -* ℰ *03 87 52 04 57 - http://bienvenueagorze.free.fr - avr.-oct. : mat. et apr.-midi, w.-end et j. fériés apr.-midi ; mars et nov. : tlj sf w.-end et j. fériés apr.-midi - fermé déc.-fév.*

Visite

Visites guidées – « Découverte de la Maison de l'histoire de la «Terre de Gorze » (2,50 €) ; « Visite du patrimoine monumental » (3,50 €). *Renseignements à l'office de tourisme.*

Se loger et se restaurer

⬭⬭⬭ **Hostellerie du Lion d'Or** – *105 r. du Commerce -* ℰ *03 87 52 00 90 - h.r.liondor@wanadoo.fr - fermé dim. soir et lun. - 28/40 € - 15 ch. 55/60 € -* ⬜ *8 €. De son passé de relais de poste, cette maison de 1864 a conservé la tradition du gîte et du couvert assurés aux voyageurs. Préférez les chambres dans l'aile la plus récente, elles sont de meilleur confort. Au restaurant, cheminée et carte traditionnelle vous attendent.*

Grand

509 GRANDÉSINIENS
CARTE GÉNÉRALE A2 – CARTE MICHELIN DÉPARTEMENTS 314 A2 – VOSGES (88)

Les ruines romaines de Grand sont grandioses ! Les Romains étaient venus sur ce plateau calcaire, loin des routes, au milieu des forêts, pour construire un immense amphithéâtre, des thermes, un rempart… une vraie grande ville. Des kilomètres de canalisations alimentaient un bassin sacré autour duquel se pressaient les pèlerins. Les visiteurs d'aujourd'hui peuvent découvrir les vestiges de ces ouvrages et investir, pacifiquement, le camp romain.

- ◗ **Se repérer** – Grand se situe à 23 km à l'ouest de Neufchâteau par la D 674, la D 427 et la D 71, 47 km au nord-est de Chaumont par la D 674, la D 25, la D 225 et la D 19.
- ◔ **Organiser son temps** – Comptez deux heures pour la visite des deux sites (amphithéâtre et mosaïque).
- ◖ **Pour poursuivre la visite** – Voir aussi Neufchâteau, Domrémy-la-Pucelle *(voir Vaucouleurs)*.

Comprendre

Au temps des Romains – C'est sous son premier nom d'*Andesina* que Grand a été, à l'époque romaine, un sanctuaire des eaux dédié à l'Apollon gaulois, Apollon Grannus, qui, comme son homologue l'Apollon romain, avait le pouvoir de guérir. Grannus s'est tout naturellement abrégé en Grand. Des textes antiques attestent que le site s'honora d'hôtes illustres comme l'empereur Caracalla, vers 213, ou l'empereur Constantin, dont on dit qu'il aurait ici reçu en 309 une prédiction, celle de vivre « trente années de bonheur » ! Avec le retour de la persécution des chrétiens sous le règne de Julien l'Apostat, Grand fut, en 362, le théâtre de la décapitation de sainte Libaire, la première martyre de Lorraine.

Redécouverte du site – Les premières fouilles effectuées au niveau de l'amphithéâtre, retrouvé au 18e s., débutèrent dans les années 1820 mais ce n'est qu'en 1963 que les vestiges furent entièrement mis au jour. La mosaïque fut dégagée dès 1883. Quant au marbre, on a retrouvé à Grand une soixantaine de variétés provenant de multiples parties de l'Empire romain, témoignage de la magnificence de ses aménagements.

La mosaïque de Grand.

Visiter

Amphithéâtre

Construit vers l'an 80 apr. J.-C., il dessine un demi-ovale, forme adaptée ici au terrain, mais également particulière à la Gaule. D'une dimension imposante, il pouvait accueillir 17 000 spectateurs qui assistaient à des combats de gladiateurs et à des chasses. Abandonné à la fin du 4e s., il a conservé une partie de ses murs-enveloppes et quelques arcades de son grand corridor axial. Une restauration récente lui a redonné des gradins en bois exotique résistant aux intempéries permettant au monument de retrouver sa vocation première d'édifice de spectacle.

Mosaïque★

Datée de la première moitié du 3e s., cette mosaïque est la plus vaste qui ait été dégagée en France et l'une des mieux conservées du monde romain : 224 m^2 d'un seul tenant. Elle pavait le sol d'une basilique, édifice public à vocation administrative. Le tableau central, ou *emblema*, a subi une importante mutilation ; on y distingue deux personnages, souvent interprétés comme un pèlerin et un prêtre d'Apollon Grannus. Aux angles figurent des animaux bondissants : ours ou chien, tigre, panthère, sanglier. Enfin, l'abside est décorée de motifs géométriques en *pelta* (petit bouclier).

Rempart

De 1 760 m de périmètre, il était doté de 22 tours circulaires et de portes, dont une monumentale, tous les 80 m. Il délimitait un espace sacré, réservé aux divinités du sanctuaire. Seules trois tours, arasées, ont pu être dégagées.

Grand pratique

Site archéologique gallo-romain de Grand – *4 r. de la Mosaïque - 88350 Grand -* ℘ *03 29 06 77 37 - www.vosges. fr - tlj mat. et apr.-midi - fermé 25 déc.- 20 janv. et mar. d'oct. à mars - billet combiné amphithéâtre et/ou mosaïque et/ou site de Domrémy 3 € (-6 ans gratuit).*

Guebwiller★

11 525 GUEBWILLEROIS
CARTE GÉNÉRALE C3 – CARTE MICHELIN DÉPARTEMENTS 315 H9
SCHÉMAS P.122-123 ET P. 425 – HAUT-RHIN (68)

Ville vigneronne ou industrielle ? La principale ressource de la ville depuis le Moyen Âge est le vin ! Dans cette nouvelle étape de la route des Vins, découvrez donc des méthodes d'exploitation modernes du vignoble et dégustez quatre grands crus : le kitterlé, le kessler, la saering et le spiegel !

- **Se repérer** – Guebwiller se situe à 25 km de Colmar et de Mulhouse entre vignobles et coteaux boisés. Son centre-ville, semi-piétonnier, est préservé des flux automobiles puisqu'il faut traverser la Lauch pour entrer dans la ville basse.
- **À ne pas manquer** – L'église Notre-Dame et, au musée Florival, la collection de céramiques de Théodore Deck.
- **Organiser son temps** – Guebwiller commande l'entrée du Florival, il serait dommage d'y passer sans prévoir une petite randonnée.
- **Avec les enfants** – Le vivarium de Lautenbach-Zell.
- **Pour poursuivre la visite** – Voir aussi l'église de Murbach, le Parc naturel régional des Ballons des Vosges, le massif du Petit Ballon.

Le saviez-vous ?

Fondée en 728 par saint Pirmin, l'abbaye de Murbach étend sa domination sur une grande partie de la vallée du Florival. La villa *Gebunvillare* est mentionnée en 774 comme choix de capitale administrative des états de l'abbaye.

Au 13e s., les Guebwillerois avaient entouré leur cité de remparts. Le 14 février 1445, les Armagnacs franchissent les fossés gelés. Mais une femme aperçoit leurs manœuvres et donne l'alerte en allumant une botte de paille au point le plus menacé du rempart, puis elle se met à hurler si fort que les Armagnacs détalent sans demander leur reste, en abandonnant leurs échelles. Celles-ci sont conservées dans l'église St-Léger.

Se promener

Église Notre-Dame★

Le centre de la place est occupé par la belle église néoclassique élevée de 1760 à 1785 par le dernier prince-abbé de Murbach. La façade de grès rouge est décorée de statues représentant les vertus théologales et cardinales. À l'**intérieur★★**, les deux bras du transept s'achèvent par des absides semi-circulaires qui forment avec celle du chœur un jeu trinitaire d'esprit baroque. À voir également l'exceptionnelle composition en haut relief du **maître-autel★★** (1783) sur le thème de l'Assomption, où le sculpteur Fidèle Sporrer, aidé par sa fille Hélène, a laissé libre cours à ses dons de metteur en scène. On lui doit aussi les stalles et le buffet d'orgues.

Place Jeanne-d'Arc

D'autres constructions réalisées pour les princes-abbés de Murbach au 18e s. sont rassemblées autour de l'église : l'ancien doyenné (musée du Florival), quelques maisons canoniales et l'ancien château de la Neuenbourg, résidence du prince-abbé.
Empruntez la rue de la République.
À droite, la place de la Liberté et sa fontaine de 1536.

Hôtel de ville★

Bâti en 1514 pour un riche drapier. Remarquables, les fenêtres à meneaux et le bel oriel à cinq pans de style gothique flamboyant. À droite dans une niche d'angle, une Vierge du 16e s. Un **espace roman** à vocation pédagogique est aménagé au rez-de-chaussée.
Une maison Art nouveau, à gauche de l'hôtel de ville, 69 rue de la République, témoigne de la prospérité de la ville à la fin du 19e s.
Poursuivez jusqu'à l'église St-Léger.

Église St-Léger★

C'est un très bel édifice dans le style roman rhénan tardif. La **façade ouest★★** encadrée de deux hautes tours comporte un porche ouvert sur trois côtés. Les bandes

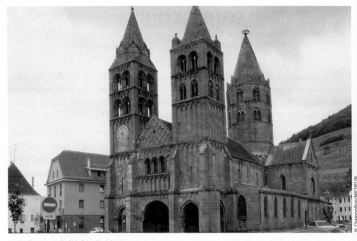

Façade ouest de l'église St-Léger.

d'arcatures dénotent quant à elles une influence lombarde. Le transept dépourvu d'absidioles est surmonté d'une tour de croisée octogonale ; il date, comme la nef, la façade et les bas-côtés, des 12e et 13e s.

Contournez l'église.

L'**ancien tribunal de bailliage** est situé dans une belle maison de 1583 *(n° 2 de la rue des Blés)*. Ensuite, une très belle **cave dîmière** et enfin l'**ancien hôtel de ville** qui date lui aussi du 16e s.

Visiter

Musée du Florival★

☏ 03 89 74 22 89 - www.ville-guebwiller.fr/musee-florival/ - ♿ - possibilité de visite guidée sur demande (1 sem. av.) - tlj sf mar. apr.-midi, w.-end et j. fériés mat. et apr.-midi - fermé 1er janv., 1er Mai et 25 déc. - 4 € (12-18 ans 2 €).

Sur cinq niveaux d'une ancienne maison canoniale du 18e s. sont présentées des collections de minéraux, d'objets illustrant l'histoire viticole, artisanale et industrielle de la ville. Mais surtout, pour le régal des yeux, une très importante collection d'œuvres de Théodore Deck (1823-1891) : vases « bleu Deck », plats à fond d'or, salle de bains et véranda reconstituées avec leurs carreaux de faïence au dessin d'un infini détail. Considéré comme le « Bernard Palissy du 19e s. », **Théodore Deck** (1823-1891), céramiste et administrateur de la Manufacture nationale de Sèvres, est guebwillerois. Il a retrouvé, entre autres, la formule du bleu turquoise utilisé en Perse, couleur à laquelle on a donné son nom.

Ancien couvent des Dominicains

☏ 03 89 62 21 82 - www.les-dominicains.com - tlj sf w.-end et j. fériés mat. et apr.-midi ; mai-sept. : apr.-midi - gratuit.

Fondé en 1294. Les bâtiments ont été vendus à la Révolution et sont devenus tour à tour dépôt d'usines, hôpital, avant d'être rachetés par le conseil général du Haut-Rhin pour y installer le **Centre polymusical des dominicains de Haute-Alsace**.

Église St-Pierre-et-St-Paul

Construite entre 1312 et 1340, cette église gothique, qui appartenait au couvent des Dominicains, possède un jubé et de belles fresques des 14e et 16e s. Son acoustique est excellente et on y programme un large répertoire, notamment classique.

Circuit de découverte

VALLÉE DE GUEBWILLER★★

De Guebwiller au Markstein – 30 km – environ 2h. Schéma p. 118.

Quittez Guebwiller par la D 430 en direction de la route des Crêtes et le Markstein.

Paradis des randonneurs, le **Florival,** appelé aussi vallée de la Lauch ou de Guebwiller, au fond plat, est couvert de prairies et de fleurs, comme son nom l'indique. C'est une **zone de tranquillité**, interdite aux voitures de part et d'autre de la D 430. À Buhl débouche le vallon de Murbach.

Église de Murbach★★ *(voir ce nom)*
Continuez sur la D 430.

Lautenbach★
C'est un petit bourg constitué de deux centres, dont l'un s'est développé à partir d'une abbaye bénédictine fondée selon la tradition par des moines irlandais. Le porche roman de l'**église St-Michel★** est l'un des plus beaux et des plus anciens d'Alsace. Il est divisé en trois vaisseaux voûtés d'ogives. À l'intérieur, les stalles du 15e s. sont historiées et surmontées d'un dais du 18e s.

Au **vivarium du moulin de Lautenbach-Zell** cohabitent fourmis-parasol, mantes-orchidée, mygales matoutou et autres insectes étonnants.

03 89 74 02 48 - www.vivariumdumoulin.org - juil.-août : tte la journée ; reste de l'année : tlj sf lun. apr.-midi - fermé déc. et 1er janv. - 6 € (-16 ans 3 €).

Peu après Linthal, la vallée de la Lauch, qui était jusqu'ici large et industrielle, devient très étroite et sauvage, au cœur du Parc naturel régional des Ballons des Vosges.
Continuez sur la D 430 en direction de Markstein.

Lac de la Lauch★
On le découvre au détour de la route sinueuse qui monte vers Le Markstein. Un barrage retient ses eaux tranquilles où l'on peut pêcher. Navigation et baignade interdites. La route réserve alors quelques échappées dans la forêt sur la vallée et le Grand Ballon.

Le Markstein *(voir Route des Crêtes)*

Guebwiller pratique

Adresse utile

Office du tourisme de Guebwiller – *73 r. de la République - 68500 Guebwiller - 03 89 76 10 63 - www.tourisme. guebwiller-soultz.com - juil.-août : tlj tte la journée, dim. et j. fériés mat. et apr.-midi ; nov.-mars : tlj sf dim. et j. fériés tte la journée ; reste de l'année : tlj sf dim. et f. fériés mat. et apr.-midi.*

Visite

Visite guidée de la ville – *Juil.-août : mar. 16h, dép. de l'office de tourisme - 4,50 €.*

Se loger et se restaurer

Hôtel L'Aigle d'Or – *5 r. Principale - 68500 Rimbach-près-Guebwiller - 11 km à l'ouest de Guebwiller par la D 40 - 03 89 76 89 90 - www.hotelaigledor.com - fermé de mi-fév. à mi-mars - 9,50/33 € - 18 ch. 42/49 € - 6,50 €.* Auberge familiale toute simple idéale pour retrouver quiétude et authenticité. Petits plats aux accents régionaux servis près de la cheminée. Ravissant jardin.

Hôtel L'Ange – *4 r. de la Gare - 03 89 76 22 11 - 36 ch. 65 € - 8 € - rest. 9,50/30 €.* L'enseigne – sauf coïncidence – et un élévateur en guise d'ascenseur témoignent que l'hôtel fut autrefois une maternité. Chambres fonctionnelles autour d'un puits de lumière. Recettes italo-alsaciennes au restaurant ; optez plutôt pour la jolie terrasse ombragée.

Chambre d'hôte Le Schaeferhof – *6 r. de Guebwiller– 03 89 74 98 98 - 4 ch. 117/130 € - repas 40/80 €.* La restauration de cette métairie du 18e s. est une vraie réussite : chaque détail de la décoration a été soigneusement pensé et les chambres, de belle qualité, possèdent toutes un petit coin salon. Cuisine alsacienne mise au goût du jour.

Que rapporter

Foire aux vins – Chaque jeudi de l'Ascension, on peut déguster sylvaner, pinot blanc, muscat d'Alsace, riesling, tokay d'Alsace, gewurztraminer, pinot noir et crémant d'Alsace issus des Syndicats viticoles et caves de l'arrondissement de Guebwiller.

Pâtisserie-chocolaterie Helfter Claude – *8 pl. de l'Hôtel-de-Ville - 03 89 74 27 44 - www.helfter.fr - tlj sf lun. 7h30-19h.* Pâtissier-chocolatier-salon de thé. Délicieuses tartes aux fruits.

Haguenau ★

35 000 HAGUENOVIENS
CARTE GÉNÉRALE C2 – CARTE MICHELIN DÉPARTEMENTS 315 K4 – BAS-RHIN (67)

Avec ses beaux musées, son théâtre néoclassique en grès rose, sa halle aux houblons, Haguenau est installé dans une clairière au milieu d'un immense massif forestier. La localité a bénéficié, dès l'origine, des libéralités accordées par Frédéric Ier Barberousse, qui avait édifié son château dans les alentours. Pour les promeneurs, des chemins balisés mènent au milieu des fougères, des myrtilles, des frênes, des hêtres, des charmes, des pins, des aulnes, jusqu'au chêne d'Arbogast, planté, selon la légende, à l'emplacement d'un ermitage du 5e s., ce qui valut à la forêt le nom de « Forêt sainte ».

- ▷ **Se repérer** – La ville est à 25 km au nord de Strasbourg par l'A 4. Au nord, la forêt d'Haguenau est sillonnée de nombreux chemins et pistes cyclables. Le Rhin et l'Allemagne sont à environ 20 km.

- 👁 **À ne pas manquer** – Le Musée historique et les deux villages de potiers : Soufflenheim et Betschdorf.

- 🕑 **Organiser son temps** – Consacrez 1/2 journée à vous promener dans la ville, puis visitez l'un des musées avant de parcourir les alentours.

- 👫 **Avec les enfants** – En été, le Nautiland et, à Morsbronn-les-Bains, Didi'Land.

- 🐾 **Pour poursuivre la visite** – Voir aussi Niederbronn-les-Bains, Pfaffenhoffen, les Vosges du Nord, l'abri de Hatten (Ligne Maginot).

Se promener

Centre-ville

Dans la rue du Château, vous apercevez deux bâtiments de style Louis XV (18e s.) : l'**hôtel du Bailli Hoffmann** et l'**hôtel Barth**, dont les visages sculptés sont très individualisés. L'**hôtel de ville**, bâtiment massif construit en 1908, fut à l'origine un tribunal. L'imposante **halle aux houblons**, inaugurée en 1867, était trois mois par an, à l'automne, exclusivement réservée à la vente du houblon (un marché s'y tient chaque mardi et vendredi matin). Dans la rue de la Moder, les vestiges d'un **moulin**, avec ses roues crantées et sa meule, ont été restaurés. En face du Musée historique (voir « Visiter »), temple néogothique du 19e s. À voir également, de la même période, le **théâtre municipal**, en grès rouge.

Visiter

Musée historique ★

🖉 03 88 93 79 22 - www.ville-haguenau.fr - tlj mat. et apr.-midi sf lun. et w-end apr.-midi - fermé mar. 1er janv., Pâques, 1er Mai, 1er Nov. et 25 déc. - 3,20 € (-14 ans gratuit).
Prenez du recul pour contempler cet imposant **bâtiment ★** de style néo-Renaissance (1905). Vainqueurs d'un concours lancé en 1899 par le maire Nessel pour la construction d'un ensemble destiné à recevoir sa collection privée, ainsi que la bibliothèque et les archives municipales, Kuder et Müller proposent un édifice de style Renaissance allemande, proche de l'Art nouveau. Remarquez le campanile (48 m), orné d'une horloge, la céramique de Charles Bastian sous le porche d'entrée et la sculpture représentant l'empereur Frédéric Barberousse, en tenue de croisé, à l'angle. Ce dernier tient dans la main droite la charte des franchises (1164), qui marque l'autonomie de la ville. La décoration est tout aussi riche à l'intérieur (vitrail de Schnug). Au sous-sol du musée, les objets provenant de fouilles dans la forêt d'Haguenau et sur le site de Seltz sont nombreux : bijoux, armes, céramiques de l'âge du bronze ou de l'âge du fer. Au rez-de-chaussée, les monnaies et les médailles frappées sur place, de même que les ouvrages imprimés à Haguenau aux 15e et 16e s., racontent l'histoire de la ville. Au 1er étage, collection de céramique. Les Hannong, célèbres faïenciers du 18e s., avaient une fabrique à Strasbourg et l'autre à Haguenau.

Église St-Georges

Du 12e et 13e s., elle allie les styles roman et gothique. Les deux cloches de St-Georges sont les plus anciennes datées de France (1268). Quant aux rainures qu'on peut voir sur le contrefort du transept sud, ce sont les étalons de mesures de longueur utilisées pour la construction. La nef ample, à l'ambiance encore romane, est séparée des bas-côtés par de puissantes piles reliées entre elles par des arcs en plein cintre. Le chœur, de style gothique, a été réalisé par des sculpteurs de l'Œuvre Notre-Dame de Strasbourg. Il renferme une **custode** (gothique flamboyant), pour contenir les hosties, qui s'élève jusqu'à la voûte. Voyez la chaire, sculptée dans la pierre en 1500, le grand Christ en bois de 1487, ou le **retable★** du Jugement dernier.

Église St-Nicolas

Elle a été fondée par l'empereur Frédéric Barberousse, qui s'était fait édifier une résidence impériale prestigieuse à Haguenau. De la construction primitive de 1189, il ne reste que la tour ; la nef et le chœur gothiques ont été construits vers 1300. Remarquables **boiseries★** du 18ᵉ s. pour la chaire, le buffet d'orgues et les stalles du chœur. Elles proviennent de l'ancienne abbaye de Neubourg, et ont été transportées ici après la Révolution. Quatre statues de bois, à l'entrée du chœur, sont de tradition baroque et représentent saint Augustin, saint Ambroise, saint Grégoire et saint Jérôme.

Musée alsacien

℘ 03 88 73 30 41 - tlj mat. et apr.-midi sf mar. w.-end et j. fériés apr.-midi - fermé 25 déc. - 2,40 € (-14 ans gratuit).

Il est aménagé dans l'ancienne chancellerie de la ville, bâtiment restauré qui date du 15ᵉ s. La collection de peintures sous verre et de *canivets* (dentelles de papier réalisées par des religieuses au 19ᵉ s.) est très intéressante. On y voit aussi quelques costumes alsaciens traditionnels, un atelier de potier reconstitué et un intérieur paysan avec sa cuisine et sa *stube* (salle à manger).

Aux alentours

Gros Chêne

6 km à l'est de Haguenau. Empruntez la D 1063, puis, après 5 km, tournez à gauche dans la route forestière.

Près d'une modeste chapelle dédiée à saint Arbogast, envoyé au 6ᵉ s. par le roi des Francs évangéliser les Alamans, le Gros Chêne, dont il ne reste plus qu'une partie du tronc, est plus un repère dans cette forêt très prisée par les ermites à l'époque médiévale. Sentier botanique, parcours de santé, promenades balisées en forêt et aire de jeux pour enfants.

Surbourg

10 km au nord par la D 263.

C'est ici que fut fondé par saint Arbogast au 6ᵉ s. le premier couvent d'Alsace. L'abbaye, bénédictine depuis le 8ᵉ s., devint un chapitre collégial au 11ᵉ s. La superbe église de style romano-byzantin qui sub-

La façade du Musée alsacien.

siste aujourd'hui fut alors construite pour abriter les reliques du saint. À l'intérieur de l'édifice, remarquable par ses proportions, les piliers ronds alternent avec les colonnes carrées.

Walbourg

10 km. À la lisière nord-ouest de la forêt, sortez de Haguenau par la D 27.

Le paisible village doit son nom à la fondation par des moines bavarois d'une abbaye bénédictine dédiée à sainte Walburge, en 1074. Il en reste une abbatiale du 15ᵉ s. à nef plafonnée. Le chœur voûté d'ogives ramifiées est éclairé de cinq verrières du 15ᵉ s.

Morsbronn-les-Bains

11 km au nord par la D 27.

Dans cette petite station thermale, les eaux chlorurées sodiques jaillissent à 41,5 °C. Là furent massacrés par l'armée prussienne la plupart des cuirassiers survivants de la charge dite de Reichshoffen (6 août 1870).

Soufflenheim

14 km à l'est par la D 1063.

Ce petit bourg, illustre pour ses **ateliers** de poteries et de céramiques vernissées et colorées typiquement alsaciennes, doit beaucoup, comme son voisin Betschdorf, à la forêt de Haguenau qui l'entoure. On y trouve des terrines ovales pour la potée, des

Enseigne de potier à Soufflenheim, connue pour ses céramiques vernissées et colorées.

moules à gâteau *(kougelhopf)* et autres plats. En 1837, la localité comptait 55 ateliers employant 600 personnes. Aujourd'hui, la confrérie des artisans potiers garantit l'origine de fabrication selon une tradition séculaire. *Visite d'ateliers tlj mat. et apr.-midi - s'adresser à l'office de tourisme, ☏ 03 88 86 74 90, ou à M. Streissel (confrérie des potiers), ☏ 03 88 86 64 69.*

Vous pourrez admirer l'un des chefs-d'œuvre des potiers dans l'ancien **cimetière** fortifié de l'Œlberg : la *Cène*, composition d'après le tableau de Léonard de Vinci, protégée par un auvent. Les personnages grandeur nature ont été façonnés dans l'argile par le céramiste Léon Elchinger en collaboration avec Charles Burger (1871-1942).

Betschdorf
16,5 km au nord-est par la D 263 puis la D 243.

Dans ce village aux jolies maisons à colombages, un **musée** présente dans une ancienne ferme une collection de grès au sel, caractéristique de la production locale. Cruches, pots ou vases en grès gris à décor bleu sont tournés à la main et, après séchage, décorés au pinceau avec du bleu de cobalt. À la fin de la cuisson à 1 250 °C, ils sont vernis au sel. On y voit aussi des tessons de poteries du Moyen Âge et des productions actuelles, utilitaires ou œuvres d'art. Dans l'ancienne grange, reconstitution d'un atelier de poterie. *☏ 03 88 54 48 07 - www.betschdorf.fr/tourisme - avr.-oct. : tlj mat. et apr.-midi sf dim. et j. fériés apr.-midi ; reste de l'année : sur RV - 3,50 € (-10 ans gratuit).*

Hatten
22 km au nord-est par la D 263 puis la D 28.

Le **musée de l'Abri et de la Casemate d'infanterie Esch** se trouve dans la localité. La **casemate**, quant à elle, est à 1 km après la sortie sur la route de Seltz, sur la gauche *(voir Ligne Maginot).*

Sessenheim
21 km à l'est de Haguenau.

Sessenheim garde le souvenir des amours de Goethe et Frédérique, fille cadette du pasteur Brion chez qui le jeune poète avait accompagné un ami en visite. On suivra donc Goethe à la trace dans l'**église protestante** où les amoureux écoutaient le prêche et à l'**auberge Au Bœuf** où sont rassemblés des gravures, lettres et portraits se rapportant à Goethe et à Frédérique. *☏ 03 88 86 97 14 - www.auberge-au-bœuf. com - & - possibilité de visite guidée - merc.-sam. mat. et apr.-midi, dim. et j. fériés tte la journée - fermé 1er janv. et 1er Mai - 1 € (-15 ans gratuit).*

Enfin, on ira se recueillir devant le **mémorial Goethe** *(à côté du presbytère).*

Haguenau pratique

Adresses utiles

Office du tourisme d'Haguenau – *Pl. de la Gare - 67500 Haguenau - ℘ 03 88 93 70 00 - www.tourisme.fr/office-de-tourisme/ haguenau.htm - mat. et apr.-midi - fermé dim. et j. fériés.*

Office du tourisme de Soufflenheim – *20b Grand'Rue - 67620 Soufflenheim - ℘ 03 88 86 74 90 - www.ot-soufflenheim. fr - tlj sf dim. et j. fériés mat. et apr.-midi.*

Office du tourisme de Betschdorf – *2 r. Kuhlendorf - 67660 Betschdorf - ℘ 03 88 54 49 70 - www.betschdorf.com.*

Visite

Visite guidée de la ville – De mi-juin à mi-sept. : merc. 10h sur demande à l'office de tourisme - gratuit en sais.; hors sais. : se renseigner.

Se loger

⊖ **Chambre d'hôte Krumeich** – *23 r. des Potiers - 67660 Betschdorf - 15 km au nord-est d'Haguenau, dir. Wissembourg par D 263, puis D 243 - ℘ 03 88 54 40 56 - ⊀ - 3 ch. 48/53 € ⊑.* Dans cette maison de Betschdorf, vous pourrez vous initier à la poterie de grès au sel avec le propriétaire, digne héritier d'une vieille famille de potiers… Ou tout simplement dormir dans une de ses jolies chambres, meublées à l'ancienne, et profiter de son jardin.

⊖⊖ **Hôtel Les Pins** – *112 rte de Strasbourg - ℘ 03 88 93 68 40 - www. hotelrestaurantlespinshaguenau.com - ℗ - 23 ch. 48/70 € - ⊑ 9 € - rest. 24/50 €.* Hôtel proche de la nationale. Petites chambres au calme, diversement meublées, logées dans une bâtisse colorée de bleu et de blanc. Au restaurant, habillé de boiseries claires, plats traditionnels et bon choix de vins régionaux.

Se restaurer

⊖ **Au Bœuf** – *48 Grand'Rue - 67620 Soufflenheim - 15 km à l'est d'Haguenau par la D 1063 - ℘ 03 88 86 72 79 - www.bœuf-soufflenheim.com - 11,50/25 €.* Au cœur de ce village réputé dans la région pour ses potiers, cette maison typique avec balcon et terrasse fleuris a aussi sa petite renommée locale. On y mange du bon bœuf, des plats alsaciens et des tartes flambées le soir.

⊖ **Auberge au Cheval Blanc** – *46 r. du Gén.-de-Gaulle - 67590 Schweighouse-sur-Moder - ℘ 03 88 72 30 99 - aubergechevalblanc@orange.fr - fermé 1 sem. vac. de fév., sam. midi, dim. soir et lun. soir - 13 € déj. - 25/29 €.* Sympathique auberge située dans un village proche de Haguenau. Chaleureux intérieur, à la fois rustique et chic, et terrasse dressée dans le jardin. La cuisine met en valeur les produits du terroir : foie gras, filet d'oie fumé, brochet à la vapeur et sa sauce matelote à l'estragon, civet de marcassin.

Que rapporter

👁 **Bon à savoir** – Le marché de Noël est ouvert tous les jours pendant l'Avent.

Marché du terroir – Cette véritable « ferme dans la ville » se tient le 1er dimanche de juillet : folklore, produits locaux, artisanat, matériel agricole, etc.

Brasserie d'Uberach – *30 Grand-Rue - 67350 Uberach - ℘ 03 88 07 07 77 - www. brasserie-uberach.com - tlj sf w.-end 8h30-12h, 13h30-18h - visite jeu.-vend. 10h30 et 16h30 de juil. à sept. - fermé 25 déc.-1er janv.* Passionné passionnant, le Bourguignon Éric Trossat a découvert l'Alsace il y a quelques années et a décidé d'y monter sa propre microbrasserie. Il produit aujourd'hui 2 000 hl de bière par an sans filtration ni pasteurisation.

Atelier de poterie Michel-Dupuy – *13 r. du Moulin-Neuf - prendre dir. Parc des sports - ℘ 03 88 93 28 18 - www.michel-dupuy. com - visite guidée sur demande préalable : tlj sf sam. apr.-midi et dim. 10h-12h30, 14h-19h - fermé de mi-janv. à mi-fév.* Maisons miniatures d'Alsace en terre cuite.

Sports & Loisirs

👁 **Bon à savoir** – Haguenau abrite l'un des complexes de loisirs les plus importants d'Alsace : 8 salles de cinéma, un bowling de 16 pistes, plusieurs salles de jeux vidéo, un espace restauration et enfin le Douggy club, réservé aux enfants.

Didi'Land – *1 r. de Gunstett - 67360 Morsbronn-les-Bains - ℘ 03 88 09 46 46 - www.didiland.fr - se renseigner pour les horaires - 13,50 € (enf. 12,50 €).* Parc d'attractions proposant manèges de clowns, radeaux, train de mines, bateau pirate… et spectacles vivants (en été).

Nautiland – *8 r. des Dominicains - ℘ 03 88 90 56 56 - www.nautiland.net - lun.-mar. et jeu.-vend. 12h-21h, merc. 9h30-21h, sam. 10h-22h, dim. et j. fériés 9h-19h - fermé 10 j. en mars, 10 j. en sept., 1er janv., 24, 25 et 31 déc.* Ensemble aquatique équipé de toboggans, cascades et bassins bouillonnants permettant de s'amuser en famille, et de saunas, solarium, aquagym, etc. avec lesquels entretenir sa forme physique… Vous pourrez aussi juste nager !

Établissement thermal de Morsbronn – *12 rte d'Haguenau - 67360 Morsbronn-les-Bains - ℘ 03 88 09 83 93 - mars-nov. : tlj sf dim. 8h-12h, 13h30-17h - fermé déc.-fév.* Les eaux thermales sont recommandées dans le traitement des rhumatismes et des séquelles de traumatismes. Au choix : cure thermale classique ou forfaits personnalisés.

Événements

Fête du Houblon et Festival du folklore mondial – *Du 19 au 24 août - ℘ 03 88 73 30 41 - www.ville-haguenau.fr.*

Humour de Notes – *Fin avr.-déb. mai - ℘ 03 88 73 30 54 - www.humour-des-notes. com.*

Château de **Haroué** ★

457 HABITANTS
CARTE GÉNÉRALE B2 – CARTE MICHELIN DÉPARTEMENTS 307 I8
MEURTHE-ET-MOSELLE (54)

Le château de Haroué mérite bien son surnom de « Chambord lorrain ». Cet ensemble majestueux est un très bel exemple d'architecture du Siècle des lumières en Lorraine. Tous les critères sont réunis pour plaire : quatre tours rondes, des douves en eau, un magnifique parc à la française, un jardin à l'anglaise, une cour d'honneur, des grilles, des statues…

- **Se repérer** – Au sud de Nancy, sous la protection de N.-D.-de-Sion toute proche, Haroué est desservi par la D 570 et la D 9.
- **À ne pas manquer** – Les tapisseries illustrant les batailles d'Alexandre le Grand, le salon doré et le salon chinois.
- **Organiser son temps** – Attention, de novembre à mars, seuls les groupes peuvent visiter le château.
- **Pour poursuivre la visite** – Voir aussi la colline de Sion-Vaudémont.

La pasteurisation

Difficile de le soupçonner, c'est à Tantonville, petite commune à 5 km de Vézelise que Pasteur découvrit en 1872 le fameux procédé de la pasteurisation. Pourquoi ici ? Parce que c'est au sein de la brasserie Tourtel qui occupa la ville jusqu'en 1944 qu'il effectua ses recherches sur la bière, boisson désaltérante des ouvriers par excellence, que l'on avait des difficultés à conserver. Pasteur s'aperçut qu'en chauffant la bière autour de 70 °C, il tuait les bactéries et inactivait les levures responsables de la fermentation sans altérer les qualités nutritionnelles de la boisson.

Visiter

Le château

📞 03 83 52 40 14 - http//www.chateaudeharoue.com - visite guidée - juil.-août : tlj mat. et apr.-midi ; avr.-juin : dim. et j. fériés apr.-midi - fermé nov.-déc. et 1er janv. - 8 € (-16 ans 4 €).

Le château de Haroué est situé à l'emplacement d'une ancienne citadelle et d'un château Renaissance. En 1720, Marc de Beauvau-Craon passe commande auprès de Germain Boffran. L'architecte conçoit l'édifice tel un calendrier : 365 fenêtres, 52 cheminées, 12 tours (dont 4 de l'ancien château) et 4 ponts.

Le prestigieux château de Haroué, une demeure princière en Lorraine.

R. Mattes/MICHELIN

La cour d'honneur est fermée par des grilles qui ont été réalisées par Jean Lamour ; elle est également ornée de statues de Guibal. Ces deux artistes ont d'ailleurs travaillé la ferronnerie et la statuaire de la place Stanislas à Nancy. Au rez-de-chaussée, le vestibule ouvre sur le salon orné de douze **tapisseries★** (17e s.) retraçant les batailles d'Alexandre le Grand et tissées dans les manufactures ducales de la Malgrange, près de Nancy. La **Chambre d'apparat**, réservée au roi Stanislas lors de ses fréquents séjours au château, est meublée d'un lit du 17e s. ayant appartenu aux Médicis. La tour d'angle abrite un **salon chinois,** peint par Pillement en

Haroué pratique

Se restaurer

⊖ **La Commanderie** – 1 r. Pasteur - 54116 Tantonville - 4 km à l'ouest d'Haroué par D 9 - ℘ 03 83 52 49 83 - fermé 5-11 janv., 25 août-14 sept., dim. soir, lun. et mar. - 13,50/46 €. Le restaurant de ce paisible village constitue une bonne surprise. Couleurs et tentures aux accents provençaux sont venus réveiller cette bâtisse ancienne jadis vouée au négoce de la bière. Jolie terrasse pavée agrémentée d'une fontaine. Menus et carte alléchants.

1747, témoin de l'engouement pour la Chine au 18e s. En empruntant l'escalier, dont la rampe est de Lamour, remarquez l'arbre généalogique de la famille de Beauvau-Craon. Le **Salon doré** a été exécuté par le peintre Hébert en 1858-1859 pour la visite de Napoléon III à Haroué. Il est aménagé avec un mobilier signé Bellanger que le roi Louis XVIII offrit à la comtesse du Cayla, ancêtre de la propriétaire, pour orner le château de St-Ouen. Deux salons non achevés lors de la construction du château ont été aménagés et meublés en 2001 dans un style Louis XVIII avec la collaboration des élèves de l'école Boulle. La visite se termine par une promenade dans le parc à la française ou le jardin à l'anglaise.

Aux alentours

Vézelise

8,5 km à l'ouest par la D 9.

Vézelise fut longtemps connu pour sa brasserie fondée en 1863 par Antoni Moreau et qui ferma ses portes en 1972.

Les belles **halles** en bois datant de 1599 sont parmi les plus anciennes de France. Elles témoignent de l'importance de l'activité commerciale de cet ancien chef-lieu de bailliage. L'**église St-Côme-et-St-Damien** (15e-16e s.) présente une belle porte fermée par des vantaux Renaissance sculptés des effigies des saints Côme et Damien en habit de médecin. À l'intérieur, beaux vitraux du 16e s. dans le chœur et le transept.

Château du **Haut-Barr**★

CARTE GÉNÉRALE C2 – CARTE MICHELIN DÉPARTEMENTS 315 I4 – BAS-RHIN (67)

Une forteresse rouge qu'on dirait pétrifiée dans la roche qui l'enserre de part et d'autre, tel est l'émouvant visage que nous présente le Haut-Barr. Un lieu plein de mystère et de magie, alimentant l'imagination de tous. Parmi eux, l'évêque Manderscheidt qui s'y réfugia et en profita pour fonder la « confrérie de la Corne », dont le rituel consistait à vider d'un trait une énorme corne d'aurochs remplie de bon vin d'Alsace !

◐ **Se repérer** – À 5 km au sud de Saverne. On accède au château depuis Saverne par la D 171, qui sinue entre les sapins. Près de l'entrée du château, parking.

◉ **À ne pas manquer** – La vue depuis le troisième rocher.

◔ **Organiser son temps** – Comptez une heure pour la visite du château.

♿ **Pour poursuivre la visite** – Voir aussi Saverne.

Visiter

Château

L'« Œil de l'Alsace » ! Tel est le surnom donné à l'endroit. Celui-ci vaut pour la vue, bien sûr exceptionnelle, puisque, par temps clair, il est possible d'apercevoir la flèche de la cathédrale de Strasbourg. Bâti sur trois gros rochers de grès, le château domine la vallée de la Zorn et la plaine d'Alsace. Construit au 12e s., il fut entièrement transformé par l'évêque Manderscheidt, de Strasbourg. Du portail d'entrée, une rampe pavée conduit à une porte derrière laquelle se trouvent à droite une chapelle romane restaurée et à gauche le restaurant du Haut-Barr. Au-delà de la chapelle, on accède à une plate-forme *(table d'orientation)*, d'où la **vue★** s'étend sur Saverne, les coteaux du Kochersberg et, au loin, sur la Forêt-Noire. Par un escalier métallique *(64 marches)*, appliqué contre la paroi de grès, on peut atteindre un premier rocher. On revient devant le restaurant et, aussitôt après, on monte un escalier de 81 marches, cette fois pour atteindre un deuxième rocher relié par une passerelle, le « pont du Diable », à un troisième rocher. Là, la **vue★★** est encore plus incroyable.

Télégraphe Claude-Chappe

À 200 m du château, au sud.

Il s'agit de la reconstitution d'une tour-relais du fameux télégraphe optique inventé en 1794 par le Sarthois Claude Chappe. C'est grâce à son procédé de « sémaphore mécanique » que les informations ont circulé entre Paris et Strasbourg de 1798 à 1852. Un petit **musée** y est installé. *Près du Château du Haut-Barr - ℰ 03 88 52 98 99 - www.shpta.com - possibilité de visite guidée - de déb. juin à mi-sept. : tlj apr.-midi sf lun.et mar.- 1,50 €..*

Le Haut-Barr pratique

♿ Voir aussi l'encadré pratique de Saverne.

Se restaurer

⊖ **Au Bain** – *7 r. du Mar.-Leclerc - 67700 Haegen - 6 km au sud du château du Haut-Barr par D 10 et D 102 - ℰ 03 88 71 02 29 - fermé 3 sem. en fév. et 3 sem. en août, mar. soir et lun. - 7,50 € déj. - 12/27,50 €.* Les enfants des propriétaires ont transformé ce vieux bistrot de village en restaurant. Deux salles à manger sobrement mais impeccablement aménagées ; celle de l'étage est climatisée. Carte classique et menu du terroir. Accueil chaleureux.

Château du **Haut-Kœnigsbourg**★★

CARTE GÉNÉRALE C2 – CARTE MICHELIN DÉPARTEMENTS 315 I7 – SCHÉMA P. 425
BAS-RHIN (67)

Forteresse de 270 m de long perchée à près de 800 m de haut, ce n'est ni un mirage, ni une « Grande Illusion », pour faire référence au film que Jean Renoir y tourna en 1937. L'éperon de grès sur lequel le château est accroché surveille toutes les routes menant vers la Lorraine ou traversant l'Alsace, celles du vin, du blé et du sel.

- **Se repérer** – À l'est de Sélestat. La route d'accès (2 km) s'embranche à l'intersection de la D 159 et de la 1^{B1}, à hauteur de l'hôtel du Haut-Kœnigsbourg. À 1 km, prendre à droite la route à sens unique qui contourne le château, route à gauche de laquelle on peut laisser la voiture.
- **À ne pas manquer** – Le panorama depuis le grand bastion.
- **Avec les enfants** – Des visites ludiques sont organisées pendant les vacances scolaires (du lundi au vendredi à 15h), ainsi qu'en juillet et en août (tous les jours à 11h, 13h30, 14h45 et 16h). La manifestation « Monument jeu d'enfant » (en octobre) anime le château le temps d'un week-end (jeux, ateliers, spectacles…).
- **Pour poursuivre la visite** – Voir aussi les parcs animaliers de Kintzheim (Sélestat), le Parc naturel régional des Ballons des Vosges, Ribeauvillé, la route des Vins.

Comprendre

De main en main – Témoin de l'importance stratégique de la région au Moyen Âge, ce « burg » fut construit par les Hohenstaufen au 12e s. Après un passage aux mains de chevaliers brigands qui en avaient fait leur quartier général, le château est récupéré par les Habsbourg au 15e s. Quelques siècles d'abandon plus tard, il est offert en 1899 par la ville de Sélestat à l'empereur Guillaume II, grand amateur de châteaux.

Remise à neuf – Guillaume II a confié la restauration du château à l'architecte berlinois Bodo Ebhardt, spécialiste de la fortification médiévale. L'initiative germanique fut pourfendue par Hansi, qui déclarait à propos du Berlinois : « Son œuvre achevée, il tenta même l'impossible : donner une patine à ces murs, à ces pierres, à ces toits neufs. On vit alors des ouvriers martelant à grands coups les chéneaux de cuivres pour leur enlever la régularité du neuf, et arroser de couleur les murs et même les toits. » Mais Bodo Ebhardt n'a rien laissé au hasard dans cette tentative de reconstruction exceptionnelle malgré les exigences de son impérial client. Les travaux se sont terminés en 1908. Dix ans après son inauguration, le château redevenait français !

Visiter

☎ 03 88 82 50 60 - www.haut-koenigsbourg.fr - ♿ - *possibilité de visite guidée - mars-oct. : tte la journée ; nov.-fév. : mat. et apr.-midi - fermé 1er janv., 1er Mai et 25 déc. - 7,50 € (-18 ans gratuit), gratuit 1er dim. du mois (nov.-mars).*

Le château du Haut-Kœnigsbourg, sur son promontoire dominant la plaine d'Alsace (700 m).

H. Champollion/MICHELIN

Après la porte et le massif de la herse, on atteint la basse-cour, où se trouvent les bâtiments d'intendance, nécessaires à l'autonomie du château en cas de siège : hostellerie (restaurant, boutique, librairie), écuries, forge et moulin. On accède par une rampe bordée de meurtrières au portail des Lions **(1)** et au fossé séparant le logis du reste du château. Un puits **(2)** fortifié, profond de 62 m, est construit en bordure de l'éperon rocheux sur lequel s'élève le logis. Au rez-de-chaussée de ce dernier, magnifique reconstitution médiévale, se trouvent le cellier **(3)** côté ouest, les cuisines **(4)** côté nord.

Depuis la cour intérieure, deux escaliers en colimaçon desservent les étages. Côté sud, deux balcons décorés des représentations des Neuf Preux.

Les appartements (chambre de séjour, chambre à coucher) occupent les côtés sud et nord. À l'ouest se trouvent les grandes salles : la salle des fêtes, suivie de la Chambre lorraine, enfin, la salle d'armes. Dans la salle des fêtes, ou salle du Kaiser, une des fresques de Léo Schnug, expert en perspective, représente le siège du château en 1462. À l'est, le donjon restauré dans ses niveaux supérieurs. Le mobilier et les armes (15e-17e s.) ont été acquis au début du 20e s. pour mettre en scène l'ambiance, que l'on imaginait alors, d'un château fort.

Après la traversée du Haut-Jardin, depuis le grand bastion, **panorama★★** au nord sur les ruines des châteaux de Franckenbourg, de Ramstein, de l'Ortenbourg ; à l'est, de l'autre côté du Rhin, les hauteurs de Kaiserstuhl, en avant de la Forêt-Noire ; au sud, le Hohneck, et, à l'horizon, le Grand Ballon et la route des Vins ; à 200 m environ à l'ouest, ruine de l'Œdenbourg ou du Petit-Kœnigsbourg.

Au pied des remparts un **jardin médiéval** a été aménagé.

Le Haut-Kœnigsbourg pratique

♿ Voir aussi l'encadré pratique de Sélestat.

Se loger et se restaurer

🍴 **Hôtel Au Fief du Château** – 20 Grand-Rue - 67600 Orschwiller - ℘ 03 88 82 56 25 - www.fief-chateau.com - fermé 3-9 mars, 25 juin-1er juil., 4-11 nov. et merc. - 🅿 - 8 ch. 45 € - 🍽 7 € - rest. 18/32 €. Cet hôtel à la façade agréablement fleurie propose des chambres confortables et bien tenues. Au restaurant, outre les plats régionaux, on appréciera particulièrement le pavé de bœuf maison servi avec une escalope de foie gras et petits légumes. Prix raisonnables.

🍴🛏 **Auberge La Meunière** – 30 r. Ste-Anne - 68590 Thannenkirch - 5 km au sud-ouest du château par D 159 puis D 42 - ℘ 03 89 73 10 47 - www.aubergelameuniere.com - fermé 23 déc.-24 mars - 🅿 - 25 ch. 52 € - 🍽 7 € - rest. 17/36 €. Cette maison en brique et bois est au cœur du village… et pourtant certaines de ses chambres, les plus belles, ouvrent leurs fenêtres côté campagne avec, au loin, les tours du château du Haut-Kœnigsbourg. Vous profiterez aussi de cette magnifique vue depuis la terrasse du restaurant.

Événement

Soirées médiévales – De mai à déc. et soirées médiévales musicales et théâtrales sur demande toute l'année - ℘ 03 88 82 37 80.

Le Hohwald★★

386 HOHWALDOIS
CARTE GÉNÉRALE C2 – CARTE MICHELIN DÉPARTEMENTS 315 H6 – BAS-RHIN (67)

Un seul et même nom pour un village et sa région. Le village est l'une des plus anciennes stations de villégiature d'Alsace, lieu de cure et de détente très à la mode au début du siècle, qui a vu défiler Sarah Bernhardt, le maréchal Joffre, le général de Gaulle, le chancelier Adenauer ou encore la reine Wilhelmine des Pays-Bas. C'est aujourd'hui un point de départ d'excursions vers l'oxygène, été comme hiver. Alentour, beaucoup de châteaux et de monastères, la forêt qui abrite framboisiers et airelles et qui ne s'éclaircit que pour faire place à la vigne, au tabac et aux houblonnières, confirmant ainsi le surnom « d'Alsace bénie ».

○ **Se repérer** – La région du Hohwald s'étend sur le pays de Barr et du Bernstein. Le village du Hohwald se trouve à 20 km au sud-ouest d'Obernai et à 26 km au nord-ouest de Sélestat. On y accède par la D 425 ou par la D 426.

👁 **À ne pas manquer** – Le Champ du Feu et, pour le devoir de mémoire, le Struthof.

🕐 **Organiser son temps** – Les circuits proposés peuvent occuper une demi-heure (le « Champ du Feu ») à une journée complète (« Au nord du Hohwald »).

👫 **Avec les enfants** – Le parc-aquarium Les Naïades à Ottrot.

👣 **Pour poursuivre la visite** – Voir aussi le mont Ste-Odile, Andlau, Barr (route des Vins).

Circuits de découverte

AU NORD DU HOHWALD★★ 1

91 km – environ une journée.
Quittez Le Hohwald par la D 425 qui suit la rivière d'Andlau en sous-bois.
Sur une crête, à gauche, les ruines du château de Spesbourg et du Haut-Andlau.

Andlau★ *(voir ce nom)*

Mittelbergheim

Les maisons de ce joli bourg sont accrochées aux flancs d'un coteau. La place de l'Hôtel-de-Ville est bordée de belles maisons Renaissance. Leurs ouvertures sont en grès des Vosges et la vigne y est cultivée, dit-on, depuis l'époque romaine.

Barr *(voir Route des Vins)*

Gertwiller

Au début du siècle, ce petit village viticole comptait neuf fabricants de pains d'épice, dont deux sont encore en activité aujourd'hui : Fortwenger, à l'entrée du village, et Lips, installé dans l'ancienne grange dîmière. Cette dernière, dont la façade peinte semble sortir tout droit du conte d'Hansel et Gretel, abrite dans son grenier un **musée du Pain d'épice et de l'Art populaire alsacien**. Mobilier alsacien, poêles

R. Mattes/MICHELIN

Le Champ du Feu sans la neige mais couvert de lupins, au-dessus du Hohwald.

en fonte, collection de moules et d'images de décoration pour pains d'épice y ont été patiemment amassés. L'été, visite de la fabrique tous les jours de la semaine. ℘ *03 88 08 93 52 - www.paindepices-lips.com - mai-sept. : mar.-vend. mat. et apr.-midi, lun. apr.-midi ; de mi-mars à fin juin et de mi-sept. à fin déc. : dim. apr.-midi (déc. : tlj mat. et apr.-midi) - fermé reste de l'année - 2,70 € (-12 ans gratuit).*

On distingue ensuite, sur les premières pentes des Vosges, le château de Landsberg ; plus à droite, le couvent de Ste-Odile et plus bas, les ruines des châteaux d'Ottrott.

Obernai★★ *(voir ce nom)*

Ottrott

Au pied du mont Ste-Odile, Ottrott est célèbre pour son vin, le « rouge d'Ottrott », fruité et agréablement corsé. Ottrott est également fier de ses deux châteaux : le Lutzelbourg, du 12ᵉ s., avec son bâtiment carré et sa tour ronde, et le Rathsamhausen, du 13ᵉ s., plus vaste et plus orné.

Plus loin, sur la route de Klingenthal, aménagé sur le site d'une ancienne filature, le grand aquarium **Les Naïades** rassemble 3 000 poissons provenant de toutes les mers de la planète : requins, piranhas et autres gymnotes (anguilles électriques) évoluent dans des bassins qui reconstituent au mieux leur milieu naturel. Le parc abrite également une ferme pédagogique. ℘ *03 88 95 90 32 - www.parclesnaiades. com -* &. *- fév.-sept. : tte la journée ; oct.-janv. : apr.-midi, dim. et j. fériés tte la journée - 10 € (-10 ans 8 €).*

Klingenthal

Son nom signifie « vallée des lames », rappelant la Manufacture royale d'armes blanches qui y fut fondée en 1776.

Prenez la D 204, tracée en forêt. À l'hôtel-restaurant de Fischhütte, laissez la voiture.

À 150 m, à droite, un sentier *(6 km à pied AR)* mène aux ruines du **château fort de Guirbaden** (11ᵉ s.), dont subsistent le donjon et les murs du corps de logis.

Signal de Grendelbruch★

15mn à pied AR. Le **panorama★** est large sur la plaine d'Alsace et la Forêt-Noire, jusqu'à la vallée de la Bruche et la chaîne des Vosges avec le temple du Donon. La route se poursuit vers la vallée pittoresque de la Bruche.

Schirmeck et le Struthof★★ *(voir description p. 345)*

Depuis le Struthof, la route court sur le plateau, pénètre en forêt et descend vers la Rothlach. À 1,5 km, laissez la voiture et prenez à gauche un sentier vers le rocher de Neuntelstein.

Rocher de Neuntelstein★★

30mn à pied AR. La **vue★★** est très belle sur Ste-Odile, l'Ungersberg, le Haut-Kœnigsbourg et le Champ du Feu.

Poursuivez sur la D 130, qui rejoint la D 426 à un carrefour d'où le mont Ste-Odile est accessible. En prenant à droite, vous revenez au Hohwald.

CHAMP DU FEU★★ ②

11 km – environ 30mn. Quittez Le Hohwald à l'ouest par la D 425.

Col du Kreuzweg
À 768 m d'alt., il ouvre sur les vallées de Breitenbach et du Giessen et sur les monts qui les encadrent.
La D 57 monte ensuite vers le col de la Charbonnière, et on aperçoit les châteaux du Haut-Kœnigsbourg et de Frankenbourg sur des promontoires qui dominent la plaine.

Col de la Charbonnière
Au-delà des hauteurs du val de Villé, on distingue la plaine d'Alsace et, à l'horizon, la Forêt-Noire.
Au col, tournez à droite dans la D 214, qui contourne la tour du Champ du Feu.

Champ du Feu★★
Du haut de ses 1 100 m, le point culminant du Bas-Rhin est un terrain idéal pour les randonnées d'été et les sports d'hiver. Du haut de la tour d'observation *(actuellement fermée)*, immense **panorama★★** sur les Vosges, la plaine d'Alsace, la Forêt-Noire et par temps clair, les Alpes bernoises. Depuis la tour, on peut rejoindre le stade de neige. À 1 km, la D 414 conduit au chalet-refuge et aux pistes de la Serva, ouvertes en hiver.

Randonnées

Châteaux du Haut-Andlau et de Spesbourg★
🚶 *1h30 à pied AR. De Barr, prenez la D 854, puis 1 500 m après Holzplatz, un chemin goudronné à gauche qui mène à la maison forestière d'Hungerplatz. Laissez la voiture et suivez le chemin tracé sur la crête de la montagne jusqu'aux ruines.*
Le **château du Haut-Andlau★**, bâti au 14ᵉ s. et restauré au 16ᵉ s., était encore habité en 1806. Il présente entre deux grosses tours des murs en ruine percés de fenêtres gothiques. De la terrasse, vue sur le vignoble, la plaine d'Alsace et, au loin, la Forêt-Noire. Du **château de Spesbourg★**, on découvre vers le sud une jolie vue sur la vallée d'Andlau et l'Ungersberg. Un donjon carré domine les hauts murs du corps de logis aux belles fenêtres géminées.

Grande Bellevue★
🚶 *1h30 à pied AR. Du Hohwald, prenez la route qui fait face au café-restaurant d'Alsace et qui traverse la rivière.*
Belle vue sur le site du Hohwald. À 1 km, à hauteur de l'ancienne pension *Belle-Vue*, prendre un sentier à gauche. Il monte sur 3 km en forêt et atteint les pâturages. **Vue★** à droite sur le Climont, en avant sur le val de Villé et le Haut-Kœnigsbourg.

Le Hohwald pratique

Adresses utiles

Office du tourisme du Hohwald – *Square Kuntz - 67140 Barr - ☏ 03 88 08 33 92 - www.pays-de-barr.com - juil.-août : tlj mat. et apr.-midi sf dim. et j. fériés apr.-midi ; avr.-juin et sept.-oct. : tlj mat. et apr.-midi, sam. mat., fermé dim. et j. fériés ; reste de l'année : se renseigner.*

Office du tourisme d'Ottrot – *46 r. Principale - 67530 Ottrott - ☏ 03 88 95 83 84 - www.ottrott.fr - mar.-sam. apr.-midi.*

Se loger

⌖ **Chambre d'hôte La Couronne** – *15 rte de Schirmeck - 67190 Grendelbruch - ☏ 03 88 97 40 94 - am.metzger@club-internet.fr - ⊠ - 6 ch. 39 € ⊑ - repas 17 €.* Cette grande bâtisse perchée sur les hauteurs du village ménage une belle vue sur la vallée. Les chambres, situées dans

l'habitation des propriétaires, disposent toutes de sanitaires privatifs. Succulente cuisine régionale proposée à la table d'hôte.

⌖ **Chambre d'hôte Famille Maurer** – *11 rte d'Obernai, Rœdel - 67530 Ottrott - sur la rte du Mont-St-Odile à 3 km d'Obernai - ☏ 03 88 95 80 12 - dominiquemaurer@ tele2.fr - fermé janv. et fév. - ⊠ - 5 ch. 45/51 € ⊑.* Cette ferme bâtie en 1846 aux portes du village a conservé son caractère d'origine. Les chambres d'hôte et la salle à manger sont respectivement aménagées dans la grange et les écuries. Si vous venez en fin d'année, vous aurez peut-être la chance de déguster les fameux *bredeles* de Noël et autres pâtisseries maison.

⌖⌖ **Hôtel Petite Auberge** – *6 r. Principale - ☏ 03 88 08 33 05 - www. lapetiteauberge-hohwald.com - fermé 6 janv.-9 fév. et 25 juin-6 juil. - Ⓟ - 7 ch. 62 € - ⊑ 8 € - rest. 15/28 €.* Cette construction revêtue de bois propose des chambres bien équipées, toutes aménagées en duplex et dotées de terrassettes. Petit-déjeuner à base de produits régionaux.

⊖⊜ **Chambre d'hôte Tilly's Inn** – *28 r. Principale* - 🕾 *03 88 08 30 17* -🙁- *réserv. obligatoire - 3 ch. 50/60 € -* 🖾 *8 €*. Laissez-vous tenter comme nous par la façade rouge décorée de dessins naïfs, vous ne serez pas déçu ! Chambres originales et surprise du matin : un cheval de bois dans un cadre amusant, où s'entassent objets anciens et bibelots, assiste au petit-déjeuner. Deux appartements.

⊖⊜ **Domaine Le Moulin** – *Rte Klingenthal - 1 km au nord-ouest par D 426 - 67530 Ottrot -* 🕾 *03 88 95 87 33 - www. domaine-le-moulin.com - fermé 20 déc.-15 janv. -* 🅿 *- 23 ch. 70 € -* 🖾 *13 € - rest. 30/55 €*. La route des vins passe par cet hôtel derrière lequel s'étend un parc boisé de 40 ha avec rivière et étang. Spacieuses chambres fonctionnelles, appartements de grand confort. Restaurant au décor « printanier ». Terrasse face à la forêt. Carte régionale.

⊖⊜ **Hôtel A l'Ami Fritz** – *Ottrott-le-Haut - 67530 Ottrot -* 🕾 *03 88 95 80 81 - www.amifritz.com - fermé 16-31 janv. -* 🅿 *- 21 ch. 73/123 € -* 🖾 *12 € – rest. 22/60 €*. Maison régionale aux chambres confortables et personnalisées. L'enseigne, clin d'œil au roman d'Erckmann-Chatrian, porte aussi le nom des propriétaires. Restaurant décoré avec goût ; plats régionaux arrosés avec le rouge d'Ottrott de la cuvée familiale.

Se restaurer

⊖ **Ferme-auberge Lindenhof** – *11 rte du Kreuzweg - 2 km à l'ouest du Hohwald par D 425 -* 🕾 *03 88 08 31 98 - fermé 16 déc.-6 janv., merc. soir en oct.-juin et jeu. -*🙁*- réserv. conseillée - 12,99/14,48 €*. Entre campagne et forêt, cette bâtisse plutôt anodine sert une cuisine préparée à partir des produits de la ferme sous une grande véranda : fromage blanc, munster, gruyère et beurre, en plus des volailles et lapins. Cuisine alsacienne sur commande.

⊖⊜ **Des Vosges** – *2 r. Ackermann -* 🕾 *03 87 25 30 09 - www.hotelvosges.com - fermé dim. soir et merc. - 19/32 € - 10 ch. 55 € -* 🖾 *7,50 €*. En été, le va-et-vient des bateaux sur le canal de la Marne au Rhin distrait les gourmands attablés à la terrasse de cet établissement voisin d'un insolite « ascenseur à péniches ». On s'y régale de la truite au bleu et aussi des nombreuses spécialités régionales telles que la terrine de chevreuil aux quetsches ou la choucroute. Chambres simples bien tenues.

Que rapporter

Jean-Charles Vonville et Fils – *4 pl. des Tilleuls - 67530 Ottrott -* 🕾 *03 88 95 80 25 - www.vins-vonville.com - 9h-12h, 13h30-19h (dim. 18h) - fermé 1er janv. et 25 déc.* Jean-Charles Vonville, devenu l'un des plus importants producteurs de vin alsaciens, propose à la dégustation ses fameux rouges d'Ottrott élevés au pied du mont Ste-Odile (7 ha de pinot noir cultivés en agriculture raisonnée). À découvrir absolument : son excellente cuvée « tradition » vieillie deux ans en fûts de chêne.

Lips - musée du Pain d'épice et de l'Art populaire alsacien – *Pl. de la Mairie - 67140 Gertwiller -* 🕾 *03 88 08 93 52 - magasin : 8h-12h, 13h30-19h, dim. 10h-12h, 14h-18h ; musée : de déb. juil. à mi-sept. : lun. merc. et vend. 14h-18h, mar. et jeu. 9h-12h, 14h-18 ; le reste de l'année : dim. 14h-18h ; en déc. : tlj sf le 25 - fermé de déb. janv. à mi-janv. (magasin), janv.-fév. (musée).* Au début du siècle, Gertwiller, petit village viticole situé près de Barr, comptait neuf fabricants de pains d'épice. L'ancienne grange dîmière abrite désormais le musée du Pain d'épice et de l'art Populaire alsacien. De mi-juillet à mi-septembre, visite-dégustation tous les jours de la semaine.

Sports & Loisirs

Parc Alsace Aventure – *Col du Kreuzweg - 67220 Breitenbach -* 🕾 *03 88 08 32 08 - www.parc-alsace-aventure.com - pour les horaires d'ouverture : se renseigner - ouv. Pâques-1er Nov.* La forêt de Breitenbach propose un circuit de tyroliennes long de 3 000 m, considéré comme l'un des plus complets de la région. Des cabanes construites dans les arbres permettent de reprendre son souffle. En été, parcours nocturne avec éclairage trappeur.

École de parapente Grand Vol – *Ferme Niedermatten - dir. Villé par D 425 - 67220 Breitenbach -* 🕾 *03 88 57 11 42 - www.grandvol.com - avr.-nov. : w.-end ; le site de parapente est accessible tte l'année.* Ici, des moniteurs diplômés assurent votre formation et vous suivent dans votre progression. Forfait débutant. Le parapente, le vol biplace et vol découverte peut se pratiquer dès l'âge de 14 ans.

Stage de neige du Champ du Feu – *Champ du Feu - 67130 Belmont -* 🕾 *03 88 97 35 05*. Au cœur des Vosges moyennes, il est situé entre 900 et 1 100 m d'altitude. C'est un vaste plateau propice au ski de fond, ou aux balades en raquette, mais la station possède aussi 17 remontées mécaniques. École de ski français.

Hombourg-Haut

9 486 HOMBOURGEOIS
CARTE GÉNÉRALE B1 – CARTE MICHELIN DÉPARTEMENTS 307 L4 – MOSELLE (57)

Du haut de son éperon rocheux, le village veille sur la vallée de la Rosselle. On voit de loin la collégiale St-Étienne au pied de laquelle le bourg s'est développé. Ne cherchez pas le château fort que Jacques de Lorraine, l'évêque de Metz, se fit construire ici au milieu du 13e s., il a totalement disparu, détruit pendant la guerre de Trente Ans sur l'ordre de Richelieu. Il reste cependant quelques vestiges des remparts et une vieille porte.

Se repérer – Entre St-Avold et Freyming-Merlebach sur la D 603.

Pour poursuivre la visite – Voir aussi St-Avold, Sarreguemines.

Se promener

LE VIEUX HOMBOURG

Collégiale St-Étienne

Cette église massive et trapue de style gothique fut construite entre le 13e et le 14e s. pour le chapitre de chanoines fondé en 1254 par Jacques de Lorraine. Dans le chœur à gauche, beau crucifix en grès, malheureusement mutilé (fin 15e-début 16e s.). La chapelle St-Nicolas, partie la plus ancienne de l'église, est voûtée d'ogives massives dont les clés de voûte sont ornées de figures humaines. La tribune d'orgues, majestueuse, date de 1847.

En sortant de l'église, à droite, on aperçoit le portail baroque de l'ancien couvent des Récollets (aujourd'hui presbytère) orné d'une statue de saint François (1769).

Les « saints auxiliaires »

On peut découvrir dans la rue Ste-Catherine une série de statues en grès représentant 13 saints dits « auxiliaires ». Seraient-ils moins importants que les autres saints ? En tout cas, ils sont tous martyrs, sauf saint Gilles.

Au cimetière, prenez le chemin à gauche qui mène à la chapelle Ste-Catherine.

Chapelle Ste-Catherine

Ancienne chapelle du château de Jacques de Lorraine à l'extrémité du promontoire. Elle a été renforcée au 19e s. par d'épais contreforts sur le côté nord.

Hombourg-Haut pratique

Office du tourisme de Hombourg-haut – 1 r. de la Gare - 57470 Hombourg-Haut - 𝄞 03 87 90 53 53 - www.cc-freyming-merlebach.fr - tlj sf sam. apr.-midi, dim. et j. fériés.

Hunawihr

591 HABITANTS
CARTE GÉNÉRALE C2/3 – CARTE MICHELIN DÉPARTEMENTS 315 H7 – SCHÉMA P. 417
HAUT-RHIN (68)

La route des Vins ne pouvait pas ne pas passer à Hunawihr, il y a des vignes tout autour. Ici, c'est le riesling qui profite du soleil. Mais Hunawihr, outre son église et son cimetière, compte deux curiosités vraiment étonnantes : le parc des Cigognes et la serre aux Papillons. Ces rendez-vous animaliers donneront des ailes aux enfants… entre deux visites de monuments.

- ▶ **Se repérer** – À 15 km au nord de Colmar, entre Riquewihr et Ribeauvillé ; à 2 km des deux villages.

- 🕐 **Organiser son temps** – Les spectacles d'animaux pêcheurs ont lieu l'après-midi.

- 👫 **Avec les enfants** – Le Centre de réintroduction des cigognes et des loutres, les jardins des Papillons exotiques vivants.

- ♿ **Pour poursuivre la visite** – Voir aussi le Parc naturel régional des Ballons des Vosges, Riquewihr et Ribeauvillé.

Le saviez-vous ?

Hunawihr est le pays de la réintroduction de la cigogne, oiseau emblématique de l'Alsace. L'espèce, longtemps menacée d'extinction, semble sauvée, avec plus de 150 couples nicheurs.

Visiter

Centre de réintroduction des cigognes et des loutres

☎ *03 89 73 72 62 - www.cigogne-loutre.com -* ♿ *- de fin mars à déb. juin et de fin août au 11 Nov. : mat. et apr.-midi ; début juin-fin août : tte la journée - 8 € (-12 ans 5,50 €).*

👫 Pas d'Alsace sans cigogne, ce pourrait être un slogan. Depuis 1976, les responsables du centre s'attachent à supprimer l'instinct migratoire des cigognes alsaciennes qui étaient en voie de disparition, pour un certain nombre de raisons : chasse, lignes électriques, sécheresse en Afrique, etc. On peut faire perdre à une cigogne cet instinct en l'enfermant pendant trois ans, mais la nature est plus forte et les jeunes n'ont qu'une idée en tête : partir quand l'été s'achève. Seul un petit nombre parviendra à revenir au nid. On pourra découvrir la nidification, plusieurs couples évoluant librement, et voir les nouveau-nés du printemps à différents stades de croissance. Plus de 200 cigognes sont élevées au centre.

En 1991 a été adjoint au site un **centre de reproduction de la loutre**, disparue des rivières françaises. La loutre fait ainsi son retour dans la région, après le castor et le saumon. Chaque après-midi ont lieu plusieurs **spectacles d'animaux pêcheurs** : le bassin vitré permet d'apprécier les techniques de pêche et de nage des cormorans,

Symbole vivant de l'Alsace, la cigogne blanche.

manchots, otaries et des fameuses loutres. *Spectacle (35mn) : apr.-midi - se renseigner pour les horaires -* 📞 *03 89 73 72 62.*

Jardins des Papillons exotiques vivants

📞 *03 89 73 33 33 - www.jardinsdespapillons.fr -* ♿ *- de Pâques à Toussaint : tte la journée - 7 € (-5 ans gratuit).*

👫 Plus de 150 espèces de papillons, de toutes tailles, aux couleurs chatoyantes, évoluent en liberté dans une vaste serre climatisée parmi une végétation luxuriante (orchidées, fleurs de la passion). Ces beautés éphémères, qui vivent une quinzaine de jours en moyenne, viennent d'Afrique, d'Asie et d'Amérique. Grâce à l'écloisoir, on peut observer leur cycle de vie complet.

Église

Gagnez le centre du village et, avant la fontaine située près de la mairie, prenez à gauche la rue de l'Église puis gravissez un raidillon.

Son lourd clocher carré tient plus du donjon. Elle est entourée d'une enceinte hexagonale datant du 14e s. dont l'unique entrée était défendue par une tour. En faisant le tour de l'édifice, entre les tombes du cimetière catholique, on découvre les six bastions qui flanquaient l'enceinte.

L'église est fortifiée et sert à la fois aux cultes catholique et protestant (à tour de rôle). Le chœur est réservé aux catholiques depuis Louis XIV. Dans la chapelle à gauche du chœur, des fresques des 15e et 16e s. aux tons ocre-rouge, bleus et jaunes racontent la vie et les miracles de saint Nicolas et la canonisation de sainte Hune.

Hunawihr pratique

♿ Voir aussi les encadrés pratiques de Ribeauvillé et de Riquewihr.

Se loger

🛏 **Chambre d'hôte Mme Seiler** – *3 r. du Nord -* 📞 *03 89 73 70 19 - www.le-clos-seiler. com -* 🍴 *- 5 ch. 43/55 €* 🛏. Parce que la propriétaire a créé sa maison d'hôte par passion, elle réserve toujours un accueil souriant et chaleureux à ses visiteurs. Les chambres, décorées avec goût et bien tenues, bénéficient d'une appréciable indépendance. Participez à la cueillette du raisin, des figues ou des noix, selon la saison.

Que rapporter

Distillerie Marcel Windholtz – *31 av. du Gén.-de-Gaulle - 68150 Ribeauvillé -* 📞 *03 89 73 66 64 - mwindholtz@terre-net. fr - tlj sf dim. 9h-12h, 14h-18h - fermé j. fériés.* Monsieur Windholtz fait des eaux-de-vie en pensant avant tout à ceux qui les boivent. Distillées selon des méthodes vraiment artisanales, elle acquièrent typicité et authenticité. Une mention spéciale est à décerner aux réserves particulières de quetsche, mirabelle, poire Williams et kirsch d'Alsace.

Kaysersberg★★

2 676 KAYSERSBERGEOIS
CARTE GÉNÉRALE C3 – CARTE MICHELIN DÉPARTEMENTS 315 H8 – HAUT-RHIN (68)

« Il est minuit, docteur Schweitzer ! » Rien n'a beaucoup changé dans la petite ville où vous êtes né. Elle a toujours son aspect médiéval, ses vieilles maisons, les ruines de son château, le très beau retable de l'église Ste-Croix, le puits Renaissance avec son inscription amusante, le pont fortifié… Quoi de neuf ? Eh bien, en 1975, le schlossberg a été le premier vin à bénéficier de l'appellation grand cru d'Alsace, le marché de Noël de Kaysersberg est devenu un des plus célèbres d'Alsace, et surtout, un musée portant votre nom vous est consacré tout près de votre maison natale.

- ▶ **Se repérer** – Kaysersberg se trouve à 12 km au nord-ouest de Colmar.
- 🅿 **Se garer** – La ville est entièrement piétonne ; parkings à l'ouest, au sud et à l'est de Kaysersberg.
- 👁 **À ne pas manquer** – Le retable de l'église Ste-Croix, le pont fortifié, les vestiges du château et la vue qu'ils offrent sur la ville et la vallée de la Weiss. Pendant l'avent, le marché de Noël.
- 🕐 **Organiser son temps** – Une halte à Kaysersberg marie forcément découverte culturelle et découverte gourmande avec, au choix, un repas dans l'un de ses restaurants, une dégustation de vins locaux ou d'une bonne pâtisserie.
- 👶 **Pour poursuivre la visite** – Voir aussi le Parc naturel régional des Ballons des Vosges, Ribeauvillé, Riquewihr, la route des Vins, Turkheim.

Se promener

Partez de l'hôtel de ville, à droite de l'office du tourisme (rue du Gén.-de-Gaulle).

Hôtel de ville★

Construit dans le style de la Renaissance rhénane, il offre une jolie façade, une cour tranquille et une galerie de bois ouvragée et fleurie.
Passez sous le porche, à droite de l'hôtel de ville. Un sentier monte par marches (10-15mn) jusqu'aux ruines du château.

Château

Deux possibilités pour bénéficier d'une jolie **vue**★ sur la ville : grimper en haut de la tour ou poursuivre un peu l'ascension par le sentier qui monte. Dans ce cas, la tour ajoute encore du charme au paysage tapissé de vignes.
Faites le tour du château pour redescendre côté ouest. En parvenant rue des Forgerons, tournez à gauche, passez sous l'arche et poursuivez jusqu'à la rue du Gén.-de-Gaulle.

Hostellerie du Pont

Elle se trouve à droite, à l'angle de la rue des Forgerons. À la fois robuste et élégante, c'était l'ancienne maison des bains.

Maison Renaissance

Face au pont fortifié, belle maison du forgeron Michel Herzer (de 1592) à colombages peints. Une gargouille colorée semble surgir de la plus haute lucarne.

Pont fortifié★

Il possède un parapet crénelé et porte même un oratoire. Dès que vous l'aurez traversé, vous admirerez la **maison Brief**★, appelée aussi « maison du Gourmet », remarquable par ses pans de bois richement sculptés et peints, et sa galerie couverte.
Revenez sur vos pas pour tourner à droite dans la rue du Gén.-de-Gaulle.

Ancienne boucherie

Aussitôt à l'angle, elle date de 1616. Le canal des Moulins coule en dessous.

Place du 1er-R.C.A.

Entrez dans la cour du Musée communal *(voir « Visiter »)* pour admirer deux maisons patriciennes aux pignons jumelés. De l'autre côté de la rue, bel ensemble de façades à pans de bois des 17e et 18e s. À l'angle de la rue du Collège, passez l'imposant portail de la maison Volz pour trouver le **puits Renaissance** de 1618, sur lequel figure une inscription qui ne manque pas d'humour : « Si tu te gorges d'eau à table, cela te glacera l'estomac ; je te conseille de boire du bon vin vieux et laisse-moi mon eau ! » Un peu plus loin, place Jean-Ittel, maison Lœwert (boulangerie) avec oriel d'angle.
Tournez à gauche dans l'impasse du Père-Staub.

Kaysersberg et son donjon depuis le pont fortifié.

Maison Bohn
Sur le coin de cette maison de 1601, un étrange personnage vous dévisage.
Revenez vers l'église.

Église Ste-Croix★
Sur son parvis, jolie fontaine de 1521, restaurée au 18ᵉ s. Elle représente l'empereur Constantin. Certains chapiteaux du portail roman sont décorés de pélicans et sirènes à deux queues, motif d'inspiration lombarde. Groupe en bois sculpté polychrome dans la nef, belle verrière (15ᵉ s.) de Pierre d'Andlau représentant le Christ en croix entre les deux larrons. Dans le chœur, un large triptyque constitué d'un panneau central entouré de douze panneaux sculptés : le **retable★★** du maître Jean Bongartz de Colmar (1518) représente la Crucifixion et des scènes de la Passion. Au revers, les peintures (17ᵉ s.) figurent la Découverte et l'Exaltation de la sainte Croix. Le bas-côté nord abrite un saint-sépulcre de 1514. Remarquez le groupe des saintes femmes, de Jacques Wirt. Détail que l'on retrouve dans plusieurs églises d'Alsace : la poitrine du Christ est percée d'une entaille destinée à recevoir les hosties pendant la Semaine sainte.

Cimetière
Des fragments archéologiques donnent à ce cimetière le caractère d'un musée lapidaire. Une galerie de bois du 16ᵉ s. abrite une croix dite « de la peste » de 1511. Un mémorial et une série de croix blanches rendent hommage aux victimes de la Seconde Guerre mondiale.

Chapelle St-Michel
C'était l'ancienne chapelle du cimetière. Elle date de 1463, et comporte deux étages. La salle inférieure, transformée en ossuaire, est assez saisissante (bénitier avec une tête de mort à la base). Dans la chapelle supérieure, fresque de 1464 et à droite, dans le chœur, curieux crucifix du 14ᵉ s.
Revenez rue du Gén.-de-Gaulle pour emprunter, en face, la rue de la Commanderie.

Rues de la Commanderie et de l'Ancien-Hôpital
On y admire des maisons très colorées, comme celle du bourgmestre Jean Vollrath. Un peu plus loin, sur la gauche, ancien manoir d'Étienne de Bavière.

Visiter

Musée communal
📞 03 89 47 38 38 - Juil.-août : tlj sf mar. mat. et apr.-midi - 2 €.
Dans une maison Renaissance avec tourelle à escalier, objets d'art religieux (rare Vierge ouvrante du 14ᵉ s., Christ des Rameaux du 15ᵉ s.), d'art populaire et d'archéologie.

Musée Albert-Schweitzer
📞 03 89 47 36 55 - ♿ - du 1ᵉʳ avr. au 11 Nov. : mat. et apr.-midi - fermé jan.-mars - 2 €.
Situé à côté de la maison où il vit le jour en 1875, le musée présente des documents, photos et objets personnels retraçant sa vie (*voir p. 69*).
👣 On peut également visiter la maison de son enfance à Gunsbach (*voir Munster*).

Kaysersberg pratique

Adresse utile

Office du tourisme de Kaysersberg – *39 r. du Gén.-de-Gaulle - 68240 Kaysersberg -* ☎ *03 89 71 30 11 - www. kaysersberg.com - 15 juin-15 sept. : mat. et apr.-midi, dim. et j. fériés mat. ; reste de l'année : tlj sf dim. mat. et apr.-midi, w.-end du Marché de Noël mat. et apr.-midi - fermé 1er janv., 1er et 8 mai, 1er et 11 Nov., 24 (apr.-midi), 25, 26 et 31 (apr.-midi) déc.*

Se loger

☂ **Chambre d'hôte Les Cèdres** – *104 rte de Lapoutroie -* ☎ *03 89 47 15 14 - www.les-cedres.org -* ☂*- 5 ch. 45/68 € -* ☂. Cette maison entourée d'un parc dispose de chambres confortables baptisées de noms de fleurs. Mobilier agréable et literie d'excellente qualité. Une adresse intéressante de par son rapport qualité-prix et sa situation pratique au cœur de ce charmant village touristique.

☂☂ **Hôtel Les Remparts** – *4 r. Flieh -* ☎ *03 89 47 12 12 - www.lesremparts.com - fermé 2-28 fév. -* Ⓝ *- 26 ch. 65/78 € -* ☂ *7 €.* Cet hôtel profite de la tranquillité d'un quartier résidentiel situé à deux minutes de marche du vieux Kayserberg. Les chambres sont toutes dotées de belles terrasses ; celles de l'annexe sont plus modernes.

☂☂ **Hostellerie Schwendi** – *2 pl. Schwendi - 68240 Kientzheim -* ☎ *03 89 47 30 50 - www.hotel-schwendi.com - fermé 20 déc. au 15 mars -* Ⓝ *- 25 ch. 78/98 € -* ☂ *11 € - rest. 22/59 €.* Un vieux puits, autour duquel on dresse la terrasse en été, précède la façade jaune pâle à colombages de cette hostellerie du 17e s. Vous logerez dans des chambres rénovées ayant conservé leurs poutres d'origine. À table, plats régionaux plaisamment arrosés de crus de la propriété familiale.

Se restaurer

☂ **À La Porte Haute** – *118 r. du Gén.-de-Gaulle -* ☎ *03 89 78 21 49 - porte.haute@wanadoo.fr - fermé 3 sem. de mi-janv. à mi-fév., 2 sem. en juin, 2 sem. en nov., mar. soir et merc. - formule déj. 9 € - 10/20 €.* Un séjour en Alsace passe obligatoirement par une dégustation de choucroute, alors offrez-vous le grand jeu avec une Royale aux 7 garnitures… à moins que vous ne préfériez vous laisser tenter par un coq au riesling ou une tarte flambée. Agréable salle à manger, service souriant et prix raisonnables.

☂☂ **Au Lion d'Or** – *66 r. du Gén.-de-Gaulle -* ☎ *03 89 47 11 16 - www.auliondor.fr - fermé janv., vac. de fév., 1er-10 juil., mar.*

sf le midi mai-oct. et merc. - 16/35 €. Cette jolie maison fut construite en 1521, et depuis 1724 la famille Ancel y accueille les voyageurs avec une passion constante transmise de père en fils. Autant dire qu'ici recettes régionales et plats traditionnels confirment l'adage : « c'est dans les vieux pots que l'on fait les meilleures soupes ! »

☂☂ **Winstub du Château** – *38 r. du Gén.-de-Gaulle -* ☎ *03 89 78 24 33 - fermé 17 janv.-4 fév., 20-29 juin, 7-16 nov., merc. soir et jeu. - 17,50/32 €.* Le restaurant de la famille Kohler attire beaucoup de monde, notamment en fin d'année car le marché de Noël de Kaysersberg est devenu un des plus célèbres d'Alsace. On y déguste une honorable cuisine régionale : escargots à l'alsacienne, choucroute royale, filet de truite fumée à la sauce au raifort…

☂☂ **La Vieille Forge** – *1 r. des Écoles -* ☎ *03 89 47 17 51 - fermé vac. de fév., 1er-21 juil., lun., mar. et jeu. sf le soir en sept.-oct. et merc. - 19/33 €.* Dans la coquette salle à manger de la Vieille Forge, dégustez une goûteuse cuisine du terroir. Un court extrait de la carte ? Terrine de gibier, filet de sandre au riesling, choucroute, tournedos au pinot noir, munster, kouglof glacé aux griottes et quetsches chaudes, etc.

Que rapporter

Pâtisserie Lœcken – *46 r. du Gén.-de-Gaulle -* ☎ *03 89 47 34 35 - tlj sf lun. 8h-18h30 (19h en été) - fermé 2 sem. en janv. et 25 déc.* Cette superbe bâtisse à pans de bois du 16e s. abrite une pâtisserie. Chocolats maison, carte de thés provenant du monde entier et cafés torréfiés sur place. On propose également d'autres bons produits alsaciens : foies gras, eaux-de-vie et confitures artisanales.

Caveau des vignerons de Kientzeim-Kaysersberg – *20 r. du Gén.-de-Gaulle -* ☎ *03 89 47 18 43 - de pâques à mi-nov. et fêtes de Noël : tlj sf mar. 10h-12h, 14h-19h - fermé janv.* Dégustation et vente de vins et crémant d'Alsace.

Verrerie d'Art de Kaysersberg – *30 r. du Gén.-de-Gaulle -* ☎ *03 89 47 14 97 - boutique : 10h-12h30, 14h-18h, dim., lun. et j. fériés 14h-18h ; atelier : tlj sf jeu. apr.-midi et dim. 10h-12h15, 14h-18h - fermé janv.* Située dans le centre historique de Kaysersberg, cette verrerie d'art ouvre au public les portes de son atelier de fabrication artisanale. Les maîtres verriers font découvrir les différentes opérations de leur travail : cueillage, soufflage et façonnage à la main. Exposition et vente des objets à la boutique située en face de l'atelier.

Kientzheim

779 KIENTZHEIMOIS
CARTE GÉNÉRALE C3 – CARTE MICHELIN DÉPARTEMENTS 315 H8 – SCHÉMA P. 417
HAUT-RHIN (68)

L'entrée dans Kientzheim nous met au parfum : sur la porte du Lalli, le roi des tireurs de langue d'Alsace. Ici, le charme du Moyen Âge habite encore les rues au détour desquelles on rencontre des maisons à colombages, de vieux puits, des cadrans solaires…

- **Se repérer** – À 3 km à l'est de Kaysersberg et à 10 km à l'ouest de Colmar.
- **À ne pas manquer** – La porte du Lalli, l'église et sa fresque macabre.
- **Organiser son temps** – Une visite à Kientzheim est une bonne occasion d'approfondir ses connaissances du vin ; entre le musée du Vignoble et les caves de dégustation…
- **Pour poursuivre la visite** – Voir aussi Colmar, Kaysersberg, la route des Vins.

Fresque représentant une Danse macabre ; l'église de Kientzheim.

R. Mattes/MICHELIN

Se promener

Ancien château

Remontant au Moyen Âge mais transformé au 16e s., l'ancien château est aujourd'hui le siège de la confrérie St-Étienne, qui contrôle la qualité des vins alsaciens. Un **musée du Vignoble et des Vins d'Alsace** rassemble sur trois étages une importante vinothèque. Les collections comprennent notamment un monumental pressoir ancien et de nombreux instruments devenus rares, comme ce curieux arracheur de ceps. ☎ 03 89 78 21 36 - www.musee-du-vignoble-alsace.fr - juin-oct. : tlj mat. et apr.-midi ; mai : sam., dim. et j. fériés mat. et apr.-midi - fermé nov.-avr. - 3 € (-18 ans 2 €).

Église

Elle a une tour gothique très restaurée. Sur le mur nord, à l'angle d'une ruelle, étrange fresque représentant une inquiétante *Danse macabre*.
À l'intérieur, sur l'autel latéral gauche, Vierge du 14e s. et, à côté, **pierres tombales★** de Lazare de Schwendi. Dans la sacristie, ancien ossuaire, fresques du 14e s. et statues de la Vierge des 14e et 17e s.

Chapelle Sts-Félix-et-Régule

À l'intérieur, curieux ex-voto, peintures naïves sur toile et sur bois, de 1667 à 1865.

Porte Basse

Dite du « Lalli », elle est surmontée d'une tête sculptée qui tire la langue aux passants. Cette tête narguait l'assaillant qui avait franchi la première enceinte, mais l'effrayait-elle vraiment ?

Kientzheim pratique

🛈 Voir aussi l'encadré pratique de Kaysersberg.

Se loger

😑😑 **Hostellerie de l'Abbaye d'Alspach** – *2 r. du Mar.-Foch - 𝄐 03 89 47 16 00 - www.abbayealspach.com - fermé 8 janv.-15 mars - 🅿 - 28 ch. 68/105 € - ⌾ 10 €.* Cet hôtel occupe une aile d'un ancien couvent (13ᵉ s.) situé au cœur de Kientzheim. Ses chambres, calmes et de bonne ampleur, sont décorées de meubles rustiques massifs. Cinq suites offrent un excellent confort. Accueil aimable.

Que rapporter

André Blanck et Fils – *Ancienne Cour des Chevaliers de Malte - 𝄐 03 89 78 24 72 - charles.blanck@free.fr - tlj sf dim. 8h-12h, 13h-18h.* Visite de la cave et découverte des grands crus cultivés sur le coteau du Schlossberg et du Furstentum.

Cave vinicole de Kientzheim – *10 r. des Vieux-Moulins - 𝄐 03 89 47 13 19 - www. vinsalsace-kaysersberg.com - 9h-12h, 14h-18h, w.-end et j. fériés à partir de 10h.* Grâce à des méthodes de vinification rigoureuses et des contrôles stricts de la qualité, les vins de cette coopérative possèdent des propriétés remarquables, reconnues par les spécialistes. Les grands crus Schlossberg et Furstentum et les cuvées du lieu-dit Altenburg figurent parmi les chantres de l'Alsace viticole.

Domaine Paul Blanck – *29 Grand'Rue - 𝄐 03 89 78 23 56 - www.blanck.com - tlj sf dim. 9h-12h, 13h30-18h - fermé j. fériés.* On ne compte plus les récompenses dans la famille Blanck, vignerons de père en fils depuis… 1610 ! Cultivant les 7 cépages alsaciens, Philippe et Frédéric entretiennent la réputation des vins locaux avec leurs grands crus Schlossberg et Furstentum et leurs crus Patergarten et Altenburg.

Ligne Maginot ★

CARTES MICHELIN DÉPARTEMENTS 307 A/R 1/5, 315 G/M 1/3 – MEUSE (55), MEURTHE-ET-MOSELLE (54), MOSELLE (57), BAS-RHIN (67)

« Vous n'aurez plus l'Alsace et la Lorraine… on a une bonne idée. » C'est ce qu'auraient pu chanter nos ministres de la Guerre après la victoire de 1918 et après avoir récupéré les deux provinces. La géniale idée de départ des ministres Painlevé et Maginot, c'était une ligne continue de fortifications allant de la mer du Nord à la Méditerranée ! Le projet fut revu à la baisse. On connaît la suite : la « cuirasse du nord-est » n'a pas tenu ses promesses…

◗ **Se repérer** – Les ouvrages ouverts au public, indépendants les uns des autres, forment une suite discontinue s'étirant sur plusieurs centaines de kilomètres, plus ou moins près des frontières avec la Belgique, le Luxembourg et l'Allemagne.

👁 **À ne pas manquer** – Les gros ouvrages du Hackenberg et du Simserhof.

👥 **Avec les enfants** – Une édifiante illustration des cours d'histoire.

🕐 **Pour poursuivre la visite** – Voir aussi Bitche, Haguenau, Longwy, Metz, les Vosges du Nord, Thionville, Verdun.

Ligne Maginot pratique

🛈 Voir les encadrés pratiques de **Stenay** *(p. 359)*, **Montmédy** *(p. 239)*, **Longwy** *(p. 206)*, **Thionville** *(p. 388)*, **Sierck-les-Bains** *(p. 352)*, **Saint-Avold** *(p. 320)*, **Sarreguemines** *(p. 338)*, **Bitche** *(p. 128)*, **Niederbronn-les-Bains** *(p. 277)*, **Wissembourg** *(p. 441)*.

Comprendre

Nouvelle stratégie – Les leçons de la Grande Guerre obligent la France à se doter d'une « muraille » infranchissable au nord du pays. Mais l'évolution des armes rend inefficaces les places fortes isolées et le réseau de tranchées à découvert. Le concept de régions et de secteurs fortifiés offrant des fronts continus de 20 à plus de 60 km s'impose, en même temps que celui de fortification permanente enterrée, adaptée au combat moderne. Gros ouvrages mixtes, petits ouvrages d'infanterie ou d'artillerie, abris, chapelets de casemates, cuvettes inondables, blockhaus, champs de mines, réseaux de rails ou fossés antichars, tel est le concept défensif des années 1920. Les différents blocs, équipés de tourelles et de créneaux de tir, interdiront tout passage à l'ennemi par des tirs croisés. Dans les intervalles entre ces ensembles fortifiés manœuvreront les troupes de soutien.

Les grands travaux – Les travaux débutent en 1930. En moins de dix ans, 58 ouvrages sont édifiés sur la frontière du nord et du nord-est dont 22 gros ouvrages, 50 dans les Alpes, dispositif complété par 410 casemates et abris pour l'infanterie. 152 tourelles à éclipse, 1 536 cloches fixes hérissent les superstructures en béton armé, les « dessus » qui seuls s'exposent au regard. À cela s'ajoutent 339 pièces d'artillerie et plus de 100 km de galeries souterraines. Pourtant, le nombre des constructions est nettement diminué et très souvent des armes d'infanterie remplacent les organisations d'artillerie initialement prévues. La dispersion de

C'est du rata !

Les menus proposés par les cuisiniers de l'intendance désignent, comme incontestable vainqueur sur la Ligne Maginot, la conserve de bœuf, stockée en quantités astronomiques dans les réserves souterraines des ouvrages.

l'effort achève de dénaturer les choix originels. Les blocs de surface sont en béton armé ; l'épaisseur des murs arrière se révélera notoirement insuffisante lorsque l'ennemi prendra certains ouvrages à revers en 1940. Les parties souterraines, au-delà de 20 m de profondeur, sont construites en maçonnerie de pierre de taille, moins coûteuse.

Les hommes – Les gros ouvrages étaient reliés à des dépôts de munitions par des voies ferrées électrifiées, empruntées aujourd'hui par les visiteurs pour parcourir de longues distances en galerie. L'importance de la garnison, qu'on appelait « équipage », était fonction de celle de l'élément fortifié : ne dépassant pas une quinzaine d'hommes dans la petite casemate de Dambach-Neunhoffen, elle en comptait près de onze cents au Hackenberg ou à Guentrange. Ces soldats appartenaient à des unités d'élite créées à partir de 1933, les troupes de forteresse.

Dans la tourmente – En 1939 la Ligne, qui avait vieilli, ne prévoyait rien contre les parachutistes ou les armes antichars ; les armes antiaériennes modernes étaient trop rares. La « cuirasse du nord-est » n'a pas, on le sait, rempli sa mission.

Contre l'oubli – Un coup de chapeau aux militaires, bénévoles, retraités et associations qui raniment ces vestiges rouillés et abandonnés, les remettent en état et les entretiennent encore, innovant chaque année pour inciter de plus en plus de touristes du monde entier à venir les voir et, ainsi, à ne pas oublier !

Visiter

La température à l'intérieur des galeries souterraines est fraîche (13 °C en moyenne) : se munir d'un bon pull. Prévoir aussi des chaussures confortables.

Petit ouvrage de Villy-la-Ferté

18 km au nord-ouest de Montmédy par la D 643 et la D 44. ✆ *03 24 22 61 49 - juil.-août : visite guidée (1h30) tlj sf lun. apr. midi ; du dimanche des Rameaux (1 sem. av. Pâques) à fin juin et sept.-oct. : dim. et j. fériés apr.-midi - 4 € (enf. 2 €).*

Il fait partie des ouvrages « nouveaux fronts », construits à partir de 1935 avec des améliorations techniques que la visite permettra de découvrir : entrée en chicane, créneaux de tir à rotule plus protecteurs, cloches d'armes mixtes associant mitrailleuses et canon antichars…

Villy devait être le « pilier ouest » de la ligne Maginot sur la vallée de la Chiers. Mais l'ouvrage se réduisit finalement à deux blocs d'infanterie, réunis par une galerie creusée à plus de 30 m de profondeur et flanqués de deux casemates d'artillerie (l'une d'elles borde la route en face du chemin d'accès).

Le 18 mai 1940, le fort, qui n'était plus défendu par les troupes d'intervalle, fut « couronné » par les sapeurs allemands. La totalité de l'équipage (plus de 100 hommes), réfugiée dans la galerie souterraine mal ventilée, périt asphyxiée. À l'extérieur, adossé au champ de rails antichars, un monument rappelle ce sacrifice. Sur les « dessus », les dégâts aux cloches, la tourelle basculée par une charge explosive témoignent des épreuves subies.

Gros ouvrage de Fermont

13 km au sud-ouest de Longwy par la D 18. À la sortie de Cutry, prenez la D 17ᴬ, puis à gauche la D 174. ✆ *03 82 39 35 34 - visite guidée de déb. juil. à mi-sept. : apr.-midi ; avr. et de mi-sept. à fin oct. : déb. d'apr.-midi ; mai-juin : 15h, w.-end et j. fériés 14h et 15h30 - se munir d'un vêtement chaud et prévoir des chaussures de marche - 6 € (7-12 ans 4 €), sous réserve de modification.*

Le plus occidental des gros ouvrages de la ligne Maginot comporte deux blocs d'entrée et sept blocs de combat, dont trois à armement d'artillerie. Devant le fort, monument dédié aux troupes de forteresse et, sous un hangar, musée du Matériel lourd exposant des écorchés de tourelles et divers types d'observatoires de campagne affectés aux troupes d'intervalle. Resté pratiquement dans l'état de 1940, l'ouvrage de Fermont forme un ensemble complet avec cuisines, boulangerie, chambre froide, infirmerie, dortoirs, chambres de sous-officiers et officiers, foyer du soldat, etc.

On gagne en monte-charge à munitions et en petit train électrique le bloc 4, imposante casemate d'artillerie couverte d'une dalle de béton épaisse de 3,50 m (protection maximum sur la ligne Maginot) et équipée de canons obusiers de 75 mm. Celle des « dessus » présente les principaux types de superstructures : tourelles à éclipse, cloches GFM (guetteur-fusil-mitrailleur) à vision périscopique, cloches lance-grenades, casemates. Les dégâts causés par les combats de 1940 sont bien visibles : soumis à d'intenses bombardements, puis cible de troupes d'assaut à partir du 21 juin, Fermont, invaincu, dut se livrer six jours plus tard sur ordre supérieur.

Fort de Guentrange

2 km au nord-ouest de Thionville. Quittez la ville par l'allée de la Libération, puis tournez à droite vers Guentrange. Chemin du fort - ℘ 03 82 88 12 15 - www.fort-guentrange. com - visite guidée sur demande (1 sem. av.) - mai-sept. : apr.-midi - 2,50 €.

Ancienne *Feste* (groupe fortifié) allemande construite de 1899 à 1906, occupée par l'armée française en 1918, le fort de Guentrange fut incorporé à la Ligne comme ouvrage de soutien du secteur fortifié de Thionville en 1939-1940. Certaines des solutions techniques dont il avait bénéficié se retrouveront sur la ligne Maginot : machinerie électrique, transmissions téléphoniques, etc. Outre la centrale électrique et ses huit moteurs Diesel en état de marche, l'élément spectaculaire est le casernement central de 140 m de long, réparti sur quatre niveaux, en mesure d'accueillir 1 100 hommes. Particularité de l'armement : les tourelles pour canons de 105 mm sont pivotantes mais non escamotables. Plusieurs salles présentent une documentation sur le fort.

Abri du Zeiterholz

14 km au nord de Thionville. Prenez la direction de Longwy, puis tournez à droite sur la D 57. Traversez Entrange ; panneaux indicateurs à partir de la chapelle. ℘ 03 82 34 54 51 - visite guidée mai-sept. : 1er et 3e dim. du mois apr. midi - 3 € (-14 ans 2 €).

Le Zeiterholz, construit en béton armé sur deux niveaux, est un abri de surface, à distinguer de l'abri-caverne hébergeant les hommes dans des locaux souterrains. Ses occupants avaient la garde des blockhaus égrenés entre les ouvrages et casemates.

Bien conservés, les locaux du casernement sont progressivement rééquipés et animés de scènes reconstituées avec des mannequins.

Petit ouvrage de l'Immerhof

À partir du Zeiterholz, gagnez Hettange-Grande par Entrange-Cité. La D 15 prise à gauche (panneau indicateur) conduit au Immerhof. 🌀 *03 82 53 09 61 - visite guidée uniquement (1h30) avr.-sept. : 2ᵉ et 4ᵉ dim. du mois et j. fériés apr. midi - 3,50 €.*

C'est l'un des deux ouvrages de la ligne Maginot – et le seul visitable – qui furent construits à ciel ouvert, à cause de la configuration du terrain, et entièrement bétonnés. Chambres, infirmerie, lavabos, etc. sont en très bon état car l'Immerhof a longtemps compté parmi les postes de commandement de l'Otan. La tourelle à éclipse du bloc d'artillerie, pour mortiers de 81 mm, est actionnée devant les visiteurs, qui verront aussi une tourelle lance-grenades et des tourelles pour jumelages de mitrailleuses. Au cours de la visite des « dessus », remarquez une fausse cloche servant de leurre.

Ouvrage du Galgenberg

De Thionville, empruntez la D 1 vers Mondorf-les-Bains. Au niveau de Cattenom, tournez à gauche dans la D 56, puis à droite peu après l'usine EDF. 🌀 *03 82 55 34 69 - www.forticat. com - visite guidée (45mn-1h30) avr.-oct : 2ᵉ et 4ᵉ dim. du mois sur RV - 4 € (enf. gratuit).*

Au cœur du bois de Cattenom, l'ouvrage fut surnommé le « gardien de la Moselle ». Défendu par deux tourelles d'artillerie et les ouvrages voisins, le Galgenberg ne subit aucune attaque massive. On visite les galeries (1 400 m), dont les pierres de taille n'ont – chose rare – pas été enduites, qui conduisent de bloc en bloc jusqu'à l'abri du bois de Cattenom. À voir également : l'usine électrique remise en état de fonctionnement, le central téléphonique, les cuisines, la monumentale porte parasouffle. Un sentier fléché dans les bois invite à parcourir l'ensemble du site.

Gros ouvrage du Hackenberg★

20 km à l'est de Thionville. Quittez la ville par la D 918. Panneaux indicateurs à partir de Metzervisse. 61 bis r. Grand'rue - 57920 Veckring - 🌀 *03 82 82 30 08 - http://maginot-hackenberg.com -* ♿ *- visite guidée uniquement - de mi- juin à mi- sept. : tlj apr.-midi ; déb. avr. à mi-juin et de mi-sept. au 11 nov. : merc., w.-end et j. fériés apr.-midi ; reste de l'année : sam. apr.-midi - fermé 25 au 29 août, 1ᵉʳ janv., Pâques, lun. de Pâques, 25 déc. - 7 € (-16 ans 4 €).*

Dessin tourelle à éclipse.

À proximité du village de Veckring, sous 160 ha de forêts, est tapi le plus gros des ouvrages de la Ligne, avec ses 2 blocs d'entrée et ses 17 blocs de combat. Ses installations pouvaient abriter 1 200 hommes, sa centrale électrique était capable d'alimenter en courant une ville de 10 000 habitants et son artillerie de tirer plus de 4 t d'obus à la minute ! Le 4 juillet 1940, l'équipage de l'ouvrage dut se rendre, sur ordre apporté par l'officier de liaison du Gouvernement replié à Bordeaux.

Tout ici est colossal, ce qui tend à faire du Hackenberg un cas particulier. L'écrasante porte « parasouffle », la gare centrale avec ses hautes voûtes, les kilomètres de galeries vides, la monumentale usine électrique évoquent une métropolis vaine et délaissée. Après un parcours en petit train électrique et en monte-charge, on découvre le bloc d'artillerie n° 9, équipé de canons lance-bombes de 135 mm.

L'animation qui régnait dans les cuisines, dans l'infirmerie ou dans le PC de tir est reconstituée avec des mannequins. Le **musée** expose toutes sortes d'armes, dont une riche collection de mitrailleuses et fusils-mitrailleurs des deux guerres mondiales, et des uniformes d'unités alignées dans la bataille de France.

Pour comprendre la valeur stratégique du fort, dont les éléments de défense regardaient à la fois la vallée de la Nied et celle de la Moselle, montez en voiture *(ou à pied par beau temps)* jusqu'à la chapelle du Hackenberg, entourée de pierres tombales anciennes *(2,5 km par la route débutant au fond du parking ; devant l'entrée des hommes, prenez à gauche le chemin revêtu de macadam)*. De ce site très calme de la forêt de Sierck émergent les cloches de tir ou pour périscopes d'artillerie des deux observatoires du Hackenberg. Derrière la chapelle, un sentier conduit à un escarpement maçonné de 700 m de long, dispositif unique défendu par cinq blocs de combat.

Gros ouvrage du Michelsberg

22 km à l'est de Thionville par la D 918 (accès à partir du village de Dalstein). Du Hackenberg, dirigez-vous vers Dalstein par la D 60, la D 60^B, puis la D 118^N. ℘ 03 82 34 66 67 - http://perso.orange.fr/michelsberg/- visite guidée (1h30) avr.-sept. : dim. apr.-midi - prévoir des vêtements chauds - fermé 1er janv. et 25 déc. - 3,80 € (enf. 2 €).

Attaqué le 22 juin 1940, le Michelsberg résista grâce à la puissance de son feu et au tir croisé des forts voisins, notamment le Hackenberg, distant de 6 km. L'équipage ne quittera le « Michel » que le 4 juillet, sur ordre du haut commandement français et en recevant les honneurs militaires. Ouvrage de taille intermédiaire, le Michelsberg se décompose en un bloc d'entrée, deux blocs d'infanterie et trois blocs d'artillerie.

Le bloc d'artillerie n° 6 abrite la fameuse tourelle de 135 mm qui brisa l'assaut allemand du 22 juin 1940 ; demeurée en bon état, cette pièce d'un poids de 163,5 t représente le plus gros modèle de canon en service de la ligne Maginot.

Petit ouvrage du Bambesch

9 km à l'ouest de St-Avold par la D 603. ☎ 03 87 90 31 95 - avr.-sept. : visite guidée uniquement (1h30) 2ᵉ et 4ᵉ dim. du mois 14h30, 15h30 et 16h30 - prévoir des vêtements chauds - 5 € (-6 ans gratuit).

Il fournit un bon exemple d'ouvrage que les restrictions de crédits ont progressivement dénaturé : diminution du nombre de blocs, suppression des organisations d'artillerie… Ainsi réduit à trois blocs d'infanterie, le fort est attaqué sur ses arrières à l'arme lourde le 20 juin 1940 ; les cloches sont percées ou descellées. L'équipage, instruit du drame de Villy-la-Ferté, préféra se rendre. Le niveau des galeries, à 30 m sous terre, est atteint par un escalier. On visite le petit casernement et les blocs de combat. Le bloc 2 porte les pathétiques marques de l'assaut de juin 1940.

Zone inondable de la trouée de la Sarre

Placé entre les deux grandes régions fortifiées de la ligne Maginot, celle de Metz et celle de la Lauter, le domaine qui s'étend de Barst à Wittring, couvert au nord par le territoire de la Sarre administré par la France, n'était pas défendu par des ouvrages, mais par une zone inondable à partir d'un système d'étangs-réservoirs endigués. Lorsque la Sarre redevint allemande en 1935, ce système fut renforcé par un réseau serré de blockhaus et obstacles antichars.

Quittez St-Avold par la D 656. À Barst (8 km), prenez à droite après l'église et deux fois à gauche, dans la rue de la Croix, puis dans le premier chemin.

Celui-ci est bordé d'une douzaine de blockhaus représentatifs, dans leur diversité, du type de fortification en faveur après 1935.

G. Klopp/Ed. Rohmer

Sas blindé et chemin de fer du bloc 9 dans le gros ouvrage du Hackenberg.

Sortez du chemin et tournez dans le suivant à droite ; garez votre voiture.

À 50 m en contrebas de l'étang, le wagon bétonné est le dernier en place des obstacles antichars de la trouée de la Sarre.

Quittez Barst en direction de l'est.

De la sortie de Cappel à Puttelange-aux-Lacs, la route domine quelques-uns de ces étangs-réservoirs qui servirent à inonder la zone.

Gros ouvrage du Simserhof★

4 km à l'ouest de Bitche par la D 35, puis la route militaire en face de l'ancien casernement du Légeret. Stationnez ici et empruntez une navette conduisant au site, ou marchez (10mn). ☎ 03 87 96 39 40 - www.simserhof.fr - ♿ - visite guidée de mi-mars à mi-nov. : tlj mat. et apr.-midi - fermé lun. sf juil.-août - prévoir des vêtements chauds - 12 € (enf. 8 €).

De l'extérieur, on ne voit que le bloc d'accès des munitions (et les aménagements touristiques), orienté au sud, avec sa porte blindée de 7 t, ses créneaux de flanquement précédés de fossés « Diamant ». Les cloches de tir ou d'observation qui surmontent les blocs de combat sont disséminées dans un espace de plusieurs kilomètres de façon à dominer la plaine en contrebas *(on voit quelques-unes de ces émergences depuis la D 35ᴬ, route de Hottwiller, 1 km au départ de la D 35)*.

La partie enterrée du fort se compose de deux secteurs : l'un « arrière », de service, l'autre « avant », de combat, distribués sur un même niveau et reliés par 5 000 m de galeries dont 1 700 m de réseau ferré.

La visite débute par la projection d'un film d'archives qui retrace l'histoire de la ligne Maginot. Elle se poursuit dans un véhicule automatisé par un passionnant voyage à 30 m sous terre. Le récit d'un sous-officier imaginaire reprenant plusieurs témoigna-

Visite du gros ouvrage du Simserhof en petit train.

ges très émouvants d'anciens combattants de la ligne Maginot accompagne les visiteurs qui revivent à l'aide d'une scénographie bien adaptée l'ambiance de la drôle de guerre, celle des combats et de la défaite à laquelle les équipages des forteresses ont dû se plier : des moments historiques trop vite oubliés après 1945. Du 10 mai au 30 juin 1940, le Simserhof s'est illustré par une résistance héroïque mais devenue inutile.

Vous terminerez à pied pour visiter les casernements (chambres, cuisine, infirmerie,...), l'occasion d'apercevoir les fresques murales peintes en 1939 qui reprennent le dessin animé *Blanche-Neige et les sept nains* sorti dans les salles en 1937.

Fort Casso

À Rohrbach-lès-Bitche, 18 km à l'est de Sarreguemines par la D 662. 1 km avant Rohrbach, prenez à gauche la D 84 - ℘ 03 87 02 70 41 - http://casso.shorturl.com - visite guidée uniquement - de mi-juin à mi-sept. : tlj mat. et apr.-midi ; de mi-mars à mi-juin et de mi-sept. à mi-nov. : tlj apr.-midi - prévoir des vêtements chauds - 5 € (-14 ans 3 €).

Après le Simserhof, une visite s'impose dans cette forteresse plus « intime » présentant des particularités intéressantes : locaux crépis, dortoirs à hamacs, tourelle pour armes mixtes et tourelle pour mitrailleuses en état de fonctionnement. Bien conservés, les locaux sont progressivement rééquipés : PC de tir, central téléphonique, etc. Fort Casso fut attaqué le 20 juin 1940 mais, couvert par les canons de l'ouvrage du Simserhof, il ne subit pas le sort de Villy-la-Ferté et dut à un ordre supérieur de se rendre.

Casemate de Dambach-Neunhoffen

Entre Neunhoffen et Dambach, 20 km à l'est de Bitche par la D 35, la D 87 et la D 853. ℘ 03 88 09 21 46 - mai-sept. : dim. apr.-midi - visite guidée : se renseigner - 2 €.

Cette casemate du modèle le plus élémentaire, un petit bloc bétonné à un seul niveau, gardait l'un des 12 barrages du système d'inondation de la vallée de la Schwarzbach. Ce type de fortification ne disposant pas de l'électricité, le système de ventilation fonctionnait… à bras (ou à pédales !).

Le Four à Chaux de Lembach

15 km à l'ouest de Wissembourg par la D 3, puis la D 27 à la sortie de Lembach. ℘ 03 88 94 48 62 - www.lignemaginot.fr - www.ot-lembach.com - visite guidée - du 3 janv. à mi-mars : w.-end et j. fériés mat. et apr.-midi ; de mi-mars au 2 nov. : tlj mat. et apr.-midi - 5 € (6-12 ans 2,20 €).

Le bombardement massif du Four à Chaux et du petit ouvrage de Lembach, le 19 juin 1940 par 27 Stuka, aboutit au cessez-le-feu le 25 juin. Les troupes se rendirent le 1ᵉʳ juillet, l'armistice étant signé. Cet ouvrage d'artillerie de taille intermédiaire (6 blocs de combat et 2 entrées, effectif théorique de 580 hommes) a conservé des locaux en bon état, équipés de leur matériel d'origine : casernement, poste de commandement, central téléphonique, usine électrique, système de chauffage central et d'alimentation en eau chaude, puits artésien, cuisines, dortoir… Originalité : un plan incliné muni d'une crémaillère relie l'entrée des munitions, construite en contrebas, au reste de l'ouvrage. Il servait au transit des wagonnets. À l'extérieur, un fragment de réseau de rails antichars est resté en place. Un musée est installé dans l'ancienne gare de triage de l'entrée des munitions : vestiges de la dernière guerre.

Ouvrage d'artillerie de Schœnenbourg

12 km au sud de Wissembourg par la D 263. Suivez les panneaux indicateurs. ℘ 03 88 80 96 19 - mai-sept. : 14h-16h, dim. 9h30-11h, 14h-16h ; avr. et oct. : sam. 14h-16h, dim. 9h30-11h, 14h-16h (se renseigner pour vac. scol. Pâques) - 6 €.

Élément important du secteur fortifié de Haguenau, cet ouvrage de la ligne Maginot fut conçu en tenant compte des enseignements acquis à Verdun de 1916 à 1918. À l'époque de l'achèvement du Schœnenbourg en 1935, on considérait qu'aucune arme connue ne pouvait venir à bout d'un tel fort. Après avoir repoussé le 20 juin 1940 l'assaut d'une division allemande, le Schœnenbourg fut pilonné par les bombardiers et les mortiers lourds. Aucun autre ouvrage ne sera soumis à un tel déluge de feu, mais la qualité de ses protections permettra à celui-ci de tenir jusqu'à l'armistice.

La visite fait découvrir une bonne partie des installations souterraines : galeries de liaison (plus de 3 km au total, de 18 à 30 m sous la surface du sol), cuisine, usine électrique, centrale de filtrage de l'air, casernement et poste de commandement. On peut voir aussi un des trois blocs d'artillerie avec sa tourelle à éclipse.

Abri de Hatten

22 km au nord-est d'Haguenau par la D 263 et la D 28. Depuis le Schœnenbourg (14 km), allez jusqu'à Soultz-sous-Forêts (D 263), puis prenez la D 28. ℘ 03 88 80 14 90 - www.maginot-hatten.com - de mi-juin à mi-sept. : tte la journée ; de déb. mars à mi-juin et de mi-sept. au 11 Nov. : jeu. et vend. mat. et apr. midi, w.-end et j. fériés tte la journée - 5 €.

L'**abri semi-enterré** hébergeait les troupes d'intervalle de la ligne Maginot. Il est resté dans sa configuration d'origine : chambre des hommes de troupes et d'officiers, salle des réserves alimentaires, cuisine ou centrale de filtrage de l'air. Le **musée de l'Abri** retrace quant à lui l'histoire de la Seconde Guerre mondiale. Le grand hall est consacré au souvenir de la bataille de Hatten-Rittershoffen, qui se déroula du 9 au 20 janvier 1945. La salle des « Malgré-Nous » évoque le sort des incorporés de force et une reconstitution des différents check-point à l'intérieur de Berlin permet d'aborder le thème de la guerre froide. En plein air sont exposés des engins, dont un char russe T34, un char d'appui américain Sherman, des Jeep et des camions. Dans la salle des maquettes, la ligne Maginot apparaît sous vos yeux en modèle réduit.

Casemate d'infanterie Esch

1 km à l'est de Hatten. ℘ 03 88 80 05 07 - www.lignemaginot.com - mai-sept. : dim. mat. et apr.-midi - 2 € (-18 ans 1 €).

Elle se trouva, en janvier 1945, au cœur de la bataille de chars qui opposa Allemands et Américains, dévastant Hatten et les villages alentour. La reconstitution d'une chambre de troupe et d'une chambre de tir, l'aménagement des deux autres salles et un petit musée (uniformes, armes, équipements divers…) constituent une évocation très parlante du monde défensif de la Ligne. Une maquette d'un bloc d'artillerie avec tourelle à éclipse permet de comprendre l'économie des grands ouvrages souterrains.

Mémorial-musée de la Ligne Maginot du Rhin

À Marckolsheim, 15 km au sud-est de Sélestat par la D 424 ; sortez de Marckolsheim par la D 10. ℘ 03 88 92 70 20 - ♿ - visite guidée - de mi-juin à mi-sept. : mat. et apr.-midi ; reste de l'année : dim. et j. fériés mat. et apr.-midi - fermé de mi-nov. à mi-mars - 2 €.

Un canon soviétique, un char Sherman, une automitrailleuse et un half-track sont exposés sur l'esplanade. À l'intérieur des huit compartiments *(attention aux seuils métalliques)* de la casemate, armes et objets se rapportant à la lutte du 15 au 17 juin 1940 : la casemate fut défendue par 30 hommes pendant trois jours. Hitler la visita après la bataille.

Casemate de l'Aschenbach

3 km au sud-ouest de Sierentz à Uffheim. Traversez le village d'Uffheim. ℘ 06 07 65 21 18 - www.maginot68.com - possibilité de visite guidée - de déb. mai à fin sept. : dim. et j. fériés - 2 € (-12 ans 1 €).

Cette petite casemate d'infanterie est la seule du Haut-Rhin a avoir été réhabilitée et ouverte à la visite ; l'armement et l'ambiance de 1940 ont été reconstitués. Comme les 32 autres ouvrages du secteur fortifié d'Altkirch, elle était destinée à écarter tout risque d'invasion par le territoire suisse. Dotée de deux mitrailleuses et de deux canons antichars, elle est couverte d'une cloche d'observation de 17 tonnes. Une noria permettait d'y monter les munitions. Une telle casemate n'abritait pas plus de 20 hommes. À l'extérieur, on peut voir un char allemand de la fin de la guerre type Hetzer. Les rails verticaux dressés devant la casemate servaient à arrêter les chars.

Longwy

14 521 LONGOVICIENS
CARTE GÉNÉRALE A1 – CARTE MICHELIN DÉPARTEMENTS 307 F1
MEURTHE-ET-MOSELLE (54)

De l'ancienne « cité du fer », il ne reste qu'une exposition de fers… à repasser. Longwy est aujourd'hui surtout célèbre pour ses faïenceries et ses émaux bleu turquoise, peints à la main, avec leur craquelé et leur relief à décor bordé de noir. Depuis 1987, date de l'arrêt des hauts-fourneaux, la ville se tourne en effet résolument vers d'autres activités et une autre qualité de vie. À Longwy-Bas, des administrations ont pris la place des usines désaffectées. Le quartier de Longwy-Haut, au nord-ouest, a quant à lui conservé ses fortifications de Vauban.

- **Se repérer** – Depuis Metz et Thionville, l'A 30 se prolonge par une voie express jusqu'aux abords immédiats de la ville. Au nord, l'A 28 conduit rapidement vers Bruxelles et Liège, ou vers le Luxembourg.
- **À ne pas manquer** – Le musée municipal des Émaux.
- **Avec les enfants** – Les musées des Mines de fer de Lorraine à Aumetz et à Neuf-chef.
- **Pour poursuivre la visite** – Voir aussi le gros ouvrage de Fermont (Ligne Maginot), Thionville.

Visiter

Fortifications

La transformation de Longwy en place forte fut entreprise au 17e s., sous le règne de Louis XIV. Les fortifications construites selon les plans de Vauban dessinaient la forme d'une étoile à six branches. Témoins de l'époque, la porte de France, la Boulangerie militaire, l'église St-Dagobert, l'hôtel de ville et le puits de Siège.

Musée municipal des Émaux

R. de la Manutention - ✆ 03 82 23 85 19 - mai-oct. : mat. et apr.-midi ; nov.-avr. : mar.-vend. apr.-midi, w.-end et j. fériés mat. et apr.-midi - fermé lun., 1er janv. et 25 déc. - 2,50 € (-15 ans 1 €).

Installé près de la porte de France, au premier étage de la Boulangerie militaire (dont on peut encore voir les grands fours), le musée présente, entre autres collections, celle des faïences et des émaux produits à Longwy, ainsi que plus de 4 000 **fers à repasser★** en verre, en pierre, en terre cuite, en bronze, en cuivre… et en fer.

Château de la faïencerie St-Jean-l'Aigle

À Herserange, accès par Longwy-Bas. R. de la Chiers - ✆ 03 82 24 58 20 - emaux-de-longwy.com - visite guidée sur demande (10 j. av.) uniquement - 5 janv.-24 déc. : tlj sf w.-end mat. et apr.-midi - fermé août et j. fériés - 8 € (-16 ans gratuit).

Il abrite une des dernières faïenceries artisanales et un agréable petit musée qui présente majoliques, barbotines, émaux sur paillon d'or et émaux ombrants typiques de Longwy. Remarquez le majestueux « cacatoès » daté des environs de 1900 et signé de Schuller. Un grand four à bois a été reconstitué.

Aux alentours

Vitraux Majorelle

Depuis Longwy-Haut, prendre la direction d'Arlon (Belgique). À la sortie de Long-la-Ville, tournez à droite au 1er rond-point, continuez tout droit au 2e puis prenez à gauche au stop. Suivre l'indication « Espace Jean-Monnet ». La Maison de la formation est un grand bâtiment rose au toit d'ardoises. Accès libre. Espace Jean Monnet - ✆ 03 82 25 24 00 - http://ot-longwy.monsite.wanadoo.fr - tlj sf w.-end tte la journée - gratuit.

En leur heure de gloire, fin 19e s. - début 20e s., les vitraux ornaient aussi bien les bâtiments religieux que les bâtiments civils. C'est pour les Grands Bureaux des Acieries de Longwy que Majorelle créa, en 1928, trois remarquables séries de vitraux représentant des ouvriers sidérurgistes au travail. La verrière qui orne l'escalier de l'actuelle Maison de la formation s'étend sur trois étages *(voir surtout les 2e et 3e étages).*

Cons-la-Grandville

7 km au sud-ouest. Quittez Longwy par la D 618. À 4 km, prendre à gauche la D 172.

Cette bourgade, dans une cuvette entourée d'une boucle de la Chiers, est connue pour son **château** aux belles **façades★** Renaissance. Il a été construit au 16e s. sur l'emplacement d'un ancien château fort dont il ne reste qu'une tour ronde. Ne manquez pas de jeter un œil aux oubliettes dans le soubassement médiéval et à la monumentale cheminée du 16ᵉ s. dans la salle d'honneur. *03 82 44 90 41 - www.conslagrandville.com - de mi-juil. à fin août : dim. et j. fériés apr.-midi - 5 € (-12 ans 3 €).*

Face au château, prieuré St-Michel, reconstruit au 18ᵉ s. À la sortie nord de la localité, le haut-fourneau, sur le côté gauche de la route, date de 1865.

Crusnes

17 km au sud-est de Longwy que l'on quitte par la D 26 pour traverser le bois de Selomont. À Villerupt, prenez à droite la D 27.

L'église dédiée à sainte Barbe, patronne des mineurs, est entièrement réalisée en fer. Lorsqu'elle fut construite, en 1939, on pensait reproduire ce prototype dans les colonies françaises. L'église est décorée de peintures d'Untersteller et d'un chemin de croix taillé dans des blocs de minerai.

Vase oriental d'après Owen Jones

LONGWY 01/ Faïencerie de St-Jean-l'Aigle, Longwy

Musées des Mines de fer de Lorraine – Deux sites se complètent sur ce propos : **Aumetz**, sur la N 521, à égale distance de Longwy et Thionville, et **Neufchef**, au sud-ouest de Thionville par la D 57 *(voir Thionville).*

Espace archéologique d'Audun-le-Tiche

*1 r. de l'Alzette - * 03 82 52 13 03 - juin-oct. : dim. et j. fériés apr.-midi - 3 € (-14 ans gratuit).*

Fondé à la suite de la découverte d'une nécropole mérovingienne, l'espace présente également des témoignages des époques préhistorique, gallo-romaine, médiévale et contemporaine.

Longwy pratique

Adresse utile

Office du tourisme de Longwy – *Pl. Darche - 54400 Longwy - * 03 82 24 94 54 - www.ot-paysdelongwy.com - lun.-vend. mat. et apr.-midi, sam. apr.-midi (dim. mat. de mai-oct.) - fermé j. fériés.*

Se loger et se restaurer

⌂⌂ **Hôtel du Nord** – *14 r. Gambetta - * 03 82 23 40 81 - www. hoteldunordlongwy.fr - ▯ - 20 ch. 50 € - ⌑ 7 €. Situé dans la ville haute, au cœur du centre-ville, cette adresse simple à prix doux propose des chambres fonctionnelles et bien tenues.*

⌂⌂ **Hôtel Ibis** – *R. du Château-d'Eau - 54135 Méxy - * 03 82 23 14 19 - www. accorhotels.com - fermé sam. midi - ▯ - 62 ch. 52/61 € - ⌑ 7 € - rest. 15/25 €. Établissement situé à proximité d'un axe passant. Les installations sont spacieuses, l'équipement complet et le mobilier contemporain. Chambres de style actuel. Assiettes gourmandes et formule buffet à découvrir dans un sobre décor ou en terrasse.*

Que rapporter

◉ **Bon à savoir** – Cinq faïenceries perpétuent à Longwy la tradition des émaux. Chacune d'elle propose ses créations, des plus traditionnelles aux plus modernes, que l'on peut acquérir à tous les prix : *Faïencerie Émaux de Longwy - 3 r. des Émaux - * 03 82 23 30 94 ; Faïencerie Émaux de Saintignon - 6 av. de Saintignon - * 03 82 24 47 78 ; Faïencerie Émaux des Récollets (voir ci-dessous) ; Faïencerie St-Jean-l'Aigle (voir description dans « Visiter »).*

Émaux des Récollets – *2 pl. Giraud - 54400 Longwy-Bas - * 03 82 23 26 50 - visite libre tlj sf dim. 9h-17h, sam. 14h-17h - gratuit. Les décoratrices y travaillent avec les mêmes gestes qu'autrefois, dans le style traditionnel de Longwy, ou pour des créations contemporaines*

Événement

Festival du film italien de Villerupt – Chaque année, à l'automne, une semaine de projections. Le festival doit son origine au passé sidérurgique de la région : une nombreuse main-d'œuvre italienne fut appelée en renfort de 1880 à 1960.

Parc naturel régional de **Lorraine**

60 000 HABITANTS SUR LA ZONE RURALE DU PARC
CARTE GÉNÉRALE A1/2 – CARTE MICHELIN DÉPARTEMENTS 307 E/H 5/6 ET K/N 6
MEURTHE-ET-MOSELLE (54), MEUSE (55), MOSELLE (57)

L'aménagement du Parc amène le promeneur sur les sentiers de découverte en rendant visite aux animaux du parc de Ste-Croix ou au télescope Newton de l'observatoire des Côtes de Meuse. Les haltes gastronomiques pour déguster les mirabelles et le vin satisferont les gourmands. Et pour ceux qui préfèrent le sport, le lac Madine se montre très accueillant pour la baignade et les activités nautiques.

▶ **Se repérer** – Le Parc naturel régional de Lorraine couvre une superficie de 210 000 ha et regroupe en tout 188 communes des 3 départements concernés. Il s'étend sur deux zones géographiques distinctes, de part et d'autre de la vallée de la Moselle. La **partie ouest** s'inscrit dans un cadre fermé par Verdun, Metz, Commercy et Toul. La **partie orientale** a une forme très irrégulière sur une carte. Elle va de Château-Salins à Fénétrange et Sarrebourg.

👁 **À ne pas manquer** – Les sentiers thématiques du Parc, le village de Hattonchâtel (beau retable), le panorama et le mémorial de la butte de Montsec.

🕐 **Organiser son temps** – On peut y séjourner 24h, un week-end ou une semaine : il y a largement de quoi varier les plaisirs et les activités en toute saison.

👥 **Avec les enfants** – Le parc animalier de Ste-Croix (surtout en juillet-août).

🕐 **Pour poursuivre la visite** – Voir aussi Commercy, Pont-à-Mousson, St-Mihiel, Toul, Marsal, Sarrebourg.

Comprendre

Richesses naturelles – À l'ouest, c'est la région des côtes, côtes de Meuse et côtes de Moselle, plantée de vergers et de vignobles, et dont les plateaux sont entaillés de belles vallées. La plaine de la Woëvre, plus humide, est un milieu de haute valeur biologique ; elle est parsemée d'étangs et de prairies. Le lac de Madine est au centre de cette zone. La partie est est limitée à l'ouest par la vallée de la Seille (pays du sel) et à l'est par les premiers contreforts du massif vosgien : c'est le pays des mares salées et des étangs (le Lindre), refuges pour de nombreux oiseaux nicheurs ou migrateurs, parfois très rares.

Le logo du Parc.

Rôle du Parc – Le Parc naturel régional de Lorraine a été créé en 1974. Sa vocation est de « faire de son territoire un milieu rural vivant, attractif et tourné vers l'avenir ». Il constitue une réserve de verdure indispensable à l'équilibre des habitants des grandes villes que sont Metz et Nancy. Pour logo, le Parc a choisi le chardon, surmonté de l'éclat de l'étoile qui marque l'appartenance à la grande famille des parcs naturels régionaux de France.

Protection de la nature – 👁 Le territoire du Parc est un milieu rare et fragile qu'il faut respecter : ne pas s'écarter des sentiers, ne pas cueillir de plantes rares, ne pas laisser de déchets…

Découvrir

Sentiers de découverte

🐾 Ils sont thématiques et complétés par des bornes ou des panneaux explicatifs : sentiers de la maison forestière de **Boucq**, des grands arbres à **Royaumeix**, de **Mulcey**, de **Ranzières**, de l'arboretum de **Réchicourt-le-Château** ou de **Villecey-sur-Mad**, des pelouses calcaires à **Génicourt-sur-Meuse** ou à **Jézainville**, des mares salées à **Marsal**, de l'étang de **Lindre**, de l'étang des **Essarts**, du patrimoine à **Vic-sur-Seille**, sentier viticole de **Lucey**, de l'éco-village à **Ville-sur-Yron**. Dans la région de Toul, les *roises* sont les anciens trous d'eau utilisés pour faire rouir le chanvre, c'est-à-dire le faire pourrir pour séparer les fibres de la matière qui les collent entre elles. Le sentier des *roises* de Lucey permet au promeneur de comprendre le travail du chanvre.

Observatoires ornithologiques

Ils sont installés près des étangs de Lachaussée, de Lindre et du Neuf Étang.

Observatoire des Côtes de Meuse

8 pl. de Verdun - 55210 Viéville-sous-les-Côtes - ℘ 03 29 89 58 64 - visite guidée sur demande (se renseigner) - 16 € (-16 ans 12 €). Il contient l'un des plus puissants télescopes européens qui soient ouverts au public (télescope Newton de 83 cm de diamètre).

PARTIE OUEST

Maison des arts et traditions rurales

Zone occidentale du Parc - Hannonville-sous-les-Côtes - ℘ 03 29 87 32 94 - ecomusee-hannonville.com - ♿ - possibilité de visite guidée sur demande (15 j. av.) - de mi-avr. à mi-sept. : tte la journée, w.-end et j. fériés apr.-midi ; de mi-sept. à mi-déc. : merc.-vend. tte la journée, w.-end et j. fériés apr.-midi - fermé vac. scol. Noël, Pâques et lun. de Pâques - 2 €.

Reconstitution de l'intérieur vigneron de Sophie et Paul Champlon, qui vivaient là vers 1850. On visite aussi le jardin. Des expositions présentent la culture de la vigne et du chanvre, la tonnellerie et l'implantation du village au pied de la côte.

Lac de Madine

À 23 km à l'ouest de Pont-à-Mousson. Pour rejoindre Nonsard, sur la rive nord-est du lac, prenez la D 958 jusqu'à Flirey, puis la D 904 à droite sur 7 km jusqu'à Pannes ; Nonsard est à 3 km, par la D 133 à gauche.

Ce lac d'une vaste superficie (1 100 ha), entouré d'une très belle forêt de 250 ha, est une base de loisirs nautiques (école de voile). Cadre de verdure idéal pour la détente en famille ou entre amis, on peut y pratiquer baignade, voile, bateau électrique, canoë, comme des sports plus « terrestres » : équitation, tennis, vélo… Une promenade de 20 km a été aménagée autour du lac.

PARTIE EST

Maison du pays des étangs

Zone orientale du Parc - presqu'île de Tarquimpol - ℘ 03 87 86 88 10 - juil.-août : apr.-midi ; visite uniquement sur réservation avr.-sept. : merc., w.-end et j. fériés : apr.-midi - gratuit.

Situé sur l'étang de Lindre où l'on peut répertorier plus de 270 espèces d'oiseaux, cette langue de terre garde aussi mémoire du village gallo-romain de *Decempagi* aujourd'hui disparu. Maquettes, montages audiovisuels et jeux interactifs informent de manière scientifique et technique pour découvrir le site archéologique et naturel.

Parc animalier de Ste-Croix★

À 15 km à l'ouest de Sarrebourg, près de l'étang de Stock, à Rhodes. ℘ 03 87 03 92 05 - www.parcsaintecroix.com - ♿ - possibilité de visite guidée - de mi-mars à mi-nov. : tte la journée - 14 € (3-12 ans 9,50 €). Location de jumelles 3, 80 €.

C'est pour mieux faire connaître les animaux de Lorraine et d'Europe qu'en 1980 un agriculteur passionné de nature et de pédagogie a converti ses 120 ha de terres en parc animalier. Aujourd'hui, 1 200 animaux y vivent en semi-liberté ou dans des enclos.

Deux **sentiers de promenade** vous permettront d'apercevoir 80 espèces : loups d'Europe, animaux du Grand Nord, chats sauvages, renards, lynx, vautours, marmottes, ours, amphibiens. Dans les étangs, pélicans, cormorans et cistudes (tortues aquatiques locales) côtoient le castor, dont la hutte est équipée d'une caméra. Le raton-laveur est la vedette des animaux importés, parmi lesquels on recense aussi aurochs, porcs-épics, bisons et cerfs.

Et ce n'est pas tout… La zone préférée des petits est sans conteste la **ferme**, où ils peuvent caresser les animaux et leur donner à manger. On y conserve des espèces en voie de disparition (mouton à quatre cornes, âne du Poitou, chèvre de Lorraine) et de nombreuses variétés de poules. Les animaux domestiques n'ont pas été oubliés : vous pourrez les observer dans le premier bâtiment

Loup d'Europe.

V. Munier/(www.vincentmunier.com)

Logigrouille, situé à l'entrée du parc. Dans le **pavillon Moselle**, un diorama de 20mn permet de suivre les aventures de Bubo le hibou, une occasion de découvrir par la légende et les chansons des secrets de la nature.

Tout ici est à la portée des enfants qui s'instruisent en s'amusant : questionnaire ludique, pancartes à soulever qui éveillent leur curiosité, guides présents devant certains enclos et nombreuses animations (en été). Vous pourrez assister au repas des animaux pendant les vacances scolaires et les mercredis, samedis, dimanches et jours fériés, ou vous attendrir devant les nouveaux-nés (*renseignements à l'entrée du parc*). Si la fatigue se fait sentir, empruntez le petit train qui sillonne le parc. Les plus petits peuvent aussi se laisser tirer dans les chariots qu'on loue à la journée (5 €), bien utiles aussi pour les sacs-à-dos. À l'occasion d'une matinée d'affût, vous pourrez entendre le brame du cerf *(octobre)* ou, en soirée, le hurlement du loup à la pleine lune.

Circuit de découverte

LES CÔTES DE MEUSE★

Entre Verdun et St-Mihiel *83 km - environ 2h30*

Quittez Verdun par la D 903, en direction de Metz et Nancy. Peu après Verdun, jolie vue à droite sur la vallée de la Meuse, aux amples vallonnements boisés. À 7 km de l'embranchement D 903-D 964, prenez à droite la DST 31, signalée Les Éparges, Hattonchâtel, puis à droite la D 154.

Les Éparges

Cet éperon domine la plaine de la Woëvre. Haut lieu de combats, il a constitué un observatoire convoité lors de la Première Guerre mondiale.

Entourés de conifères, des sentiers balisés permettent la découverte du site de combats, à partir du Cimetière national du Trottoir. Sur la gauche s'élève un monument à la « gloire du génie », puis on arrive au « point X », sur la crête. Le sol est encore complètement bouleversé par les mines qui ont laissé de nombreux entonnoirs de plusieurs dizaines de mètres de diamètre. C'est là qu'on a retrouvé en 1991 le corps du sous-lieutenant Henri Fournier, dit **Alain-Fournier**, tué le 22 septembre 1914. L'auteur du *Grand Meaulnes*, quête nostalgique de souvenirs et d'absolu, est enterré à St-Remy-la-Calonne.

Faites demi-tour et gagnez la D 908 par St-Remy-la-Calonne et Combres-sous-les-Côtes. À St-Maurice-sous-les-Côtes, prenez la D 101 à droite, puis le chemin stratégique à gauche, assez étroit, pour gagner Hattonchâtel.

Hattonchâtel★

Construit sur une butte et jadis fortifié, le village tire son nom de Hatton, 29e évêque de Verdun. Les chanoines de la collégiale ont rebâti l'**église** et édifié la chapelle et le cloître vers 1350. Magnifique **retable** de 1523, attribué à Ligier Richier : trois scènes séparées par des pilastres Renaissance représentent, à gauche, le Portement de croix et sainte Véronique, au centre, la Crucifixion et la Pâmoison de la Vierge, à droite, l'Ensevelissement du Christ. Vitraux modernes de Gruber.

Dans la mairie reconstruite dans le style roman, le **musée Louise-Cottin** présente une centaine de toiles de l'artiste (1907-1974), qui fut grand prix de Rome en 1934. Elle était excellente dans les portraits, les natures mortes et les scènes de genre. ℘ 03 29 89 30 73 ou 03 29 89 39 85 - juil.-août : vend.-w.-end et j. fériés mat. et apr.-midi - 2 €.

Au bout du promontoire, l'ancien **château**, démantelé en 1634 sur l'ordre de Richelieu, a été restauré dans le style du 15e s. De là, la vue sur la Woëvre s'étend jusqu'à Nancy. ℘ 03 29 89 57 74 - visite guidée avr.-sept. : tlj sf mar. mat. et apr.-midi - 4,50 € (-11 ans 2,50 €).

Prenez la D 908 vers le sud. À Woinville, tournez à gauche (D 119) vers Montsec.

Butte de Montsec★★

Du haut de cette colline isolée (375 m), vous contemplerez un **panorama**★★ très étendu, à l'ouest, sur la Woëvre et les côtes de Meuse, au nord-est sur le lac de Madine et la retenue de Nonsard-Pannes. Au sommet, les Américains ont élevé un **monument**★ pour commémorer l'offensive du 12 au 16 septembre 1918 qui leur permit de réduire le saillant de St-Mihiel et de faire 15 000 prisonniers. Les colonnes de l'édifice forment une rotonde dont le couronnement porte les noms des unités américaines ayant combattu dans ce secteur. On y accède par un escalier monumental.

Faites demi-tour et reprenez la D 119 vers St-Mihiel.

Le Parc pratique

Adresse utile

La Maison du Parc – *R. du Quai - 54702 Pont-à-Mousson - ℰ 03 83 81 67 67 - www. pnr-lorraine.com - tlj sf w.-end mat. et apr.-midi.*

Se loger

👁 **Bon à savoir** – En plus de divers gîtes de France, quelques gîtes Panda labellisés par le WWF sont installés en Lorraine : *Desseling La Tonton, réservation ℰ 03 87 37 57 69.* Mise à disposition d'une mallette pédagogique avec guides de la faune et la flore locales, matériel d'observation (jumelle et boussole) et cartes d'état-major. Location auprès du propriétaire, ou service de réservation Loisirs-Accueil de Moselle (*ℰ 03 87 37 57 69*).

🛏 **Chambre d'hôte Mme Battavoine** – *2 rte Woël - 55210 St-Maurice-sous-les-Côtes - ℰ 03 29 89 33 19 - ⊟ - 3 ch. 45 € ⊡ - repas 15/18 €.* Même si le mobilier de famille date un peu dans cette maison toute neuve, on sera séduit par la conception moderne de l'ensemble : chambres lumineuses, chauffage géothermique et douches à jet. Côté cuisine, on revendique l'héritage ancestral et le « fait maison »… Un mélange des genres réussi.

🛏 **Camping Centre de loisirs de la Mutche** – *57340 Morhange - ℰ 03 87 86 21 58 - www.morhange.fr - avr.-oct. - 110 empl. 11,50 €.* Ce très beau site qui borde l'étang de la Mutche comprend un camping, des huttes et des chalets disponibles à la location, ainsi qu'une base nautique proposant un éventail complet d'activités et de loisirs. En été : piscine, jardin aquatique et animations.

🛏🍴 **Domaine piscicole de loisirs** – *Rte de Seuzey - 2 km à l'est de Lacroix-sur-Meuse par D 109 - 55300 Lacroix-sur-Meuse - ℰ 03 29 90 15 08 - www. aubergedelapechealatruite.com - fermé 12 nov.-12 déc. - 7 ch. 46 € ⊡ - rest. 16/33 €.* On a l'occasion d'apprécier la truite sous toutes ses formes dans ce vaste domaine. En terrine, friture ou grillade au restaurant ; en rêve, pourquoi pas, si l'on passe la nuit dans l'une des confortables chambres… mais on sera plus heureux de les savoir en liberté dans leur milieu naturel.

🛏🍴 **Hôtel Lac de Madine** – *55300 St-Mihiel - ℰ 03 29 89 34 80 - www.hotel-lac-madine.com - 🅿 - 44 ch. 52/88 € - ⊡ 9,50 € - rest. 23/53 €.* Près d'un lac, maison ancienne rénovée vous logeant dans des chambres fraîches et actuelles. Dix ont une baignoire « balnéo » et celles de l'annexe, de plain-pied, un jardin. Restaurant néorustique dont la jolie charpente ménage un puits de lumière.

🛏🍴 **Chambre d'hôte Château d'Alteville** – *57260 Tarquimpol - ℰ 03 87 05 46 63 - chateau.alteville@caramail.com - fermé 15 oct.-15 avr. - ⊟ - réserv. conseillée - 6 ch. 77 € - ⊡ 7 € - repas 30 €.* Offrez-vous la vie de château au cœur d'un vaste domaine agricole et forestier. La partie centrale, dans laquelle se trouvent la salle à manger, le superbe salon et le billard, est flanquée de six chambres garnies de meubles de famille. Table d'hôte très raffinée avec service en argent, cristal et faïence de Lorraine.

Se restaurer

🍴🍴 **Le Domaine de Saturnin** – *5 r. de la Source - 54470 Bernecourt - ℰ 03 83 23 04 41 - http://ledomainedesaturnin.com - ouv. vend. et w.-end tte l'année ; ouv. tlj en juil.-août - réserv. conseillée - 19/22 €.* Ici, dans cette authentique ferme du 15e s. rénovée, on élève des volailles en plein air et au grain. Vous retrouverez à l'auberge aménagée dans les anciennes écuries tous les produits du domaine, ou d'autres, régionaux. Catherine, maîtresse des lieux et cordon bleu, vous mitonnera de délicieux plats accompagnés des légumes et fruits de l'exploitation. Boutique.

Que rapporter

Michel Goujot – *51 en Chvérue - 54200 Lucey - ℰ 03 83 63 82 26 - michel.goujot@ cooperation.net - tlj (téléphoner avant visite).* Cette exploitation ayant fait le choix du « bio » depuis 1980 cultive des mirabelles, des pommes, des poires, des quetsches, des cassis, des groseilles et des vignes. Elle élabore de savoureux produits : vin des côtes de Toul, vin pétillant, jus de pomme ou de raisin, eau-de-vie de quetsche, mirabelle de Lorraine, etc.

Sports & Loisirs

👁 **Bon à savoir** – Dans le Parc naturel régional de Lorraine, nombreuses sont les possibilités de randonnées pédestres et les bases de loisirs (Bonzee, Gondrexange, Mittersheim, Sommedieue)

Lac de Madine - Maison de Madine – *55210 Nonsard - ℰ 03 29 89 32 50 - www. lacmadine.com.* Les installations d'accueil et d'hébergement sont essentiellement concentrées sur la rive nord-est du lac.

Madine 1 – *Camping de Nonsard - 55210 Nonsard - ℰ 03 29 89 56 76 - www. lacmadine.com - w.-end en mai-juin et sept. ; tlj en juil.-août.* Port de plaisance, restaurant, plage, golf et location de vélos, bateaux pédaliers et électriques.

Madine 2-3 – *55210 Nonsard.* Village de gîtes, plage, école de voile, tennis couverts, centre équestre, aire de jeux et salle polyvalente.

Événement

Biennale mondiale de l'aérostation – « Ballons de Lumière » : festival de montgolfières à Chambley (*dernier w.-end août, années paires*) ; « Lorraine Mondial Air Ballons » (*dernier w.-end juil.-1er w.-end août*) - ℰ 03 87 64 08 08 - www.pilatre-de-rozier.com.

Lunéville★

19 400 LUNÉVILLOIS
CARTE GÉNÉRALE B2 – CARTE MICHELIN DÉPARTEMENTS 307 J7
MEURTHE-ET-MOSELLE (54)

Le majestueux château qui trône au cœur de la ville valut à Lunéville le surnom de « Versailles lorrain ». Foyer d'une cour brillante et galante au 18e s., le château est resté, malgré un terrible incendie survenu en janvier 2003, la fierté des Lunévillois et sa cour d'honneur constitue le centre des manifestations de la ville. La progressive restauration du centre-ville insuffle à la ville une seconde jeunesse, tandis que, dans la droite ligne des traditions locales, des artisans redonnent vie aux arts de la broderie et de la faïence.

- **Se repérer** – Lunéville est situé à 30 km à l'est de Nancy par la D 400.
- **À ne pas manquer** – Un passage par la cour d'honneur du château et le parc des Bosquets, le Conservatoire de la broderie perlée.
- **Avec les enfants** – La Maison de la mirabelle à Rozelieures.
- **Pour poursuivre la visite** – Voir aussi Baccarat, Marsal, Nancy, le Parc naturel régional de Lorraine.

Découvrir

LE CHÂTEAU★

De 1702 à 1729, Lunéville est le séjour favori de Léopold, duc de Lorraine. Grand admirateur du Roi-Soleil, il fait appel à Germain Boffrand, élève de Mansart, pour se faire construire à Lunéville une « réplique » modeste de Versailles. On y organise de la danse, des jeux, du théâtre, de la chasse, et c'est le succès. Toute la noblesse lorraine se précipite. Plus tard, Stanislas, beau-père de Louis XV, embellit Nancy, bien sûr, mais c'est à Lunéville qu'il établit ses quartiers, pour ménager les Nancéiens méfiants devant l'avancée du pouvoir royal. Le roi polonais reçoit au château scientifiques, musiciens et hommes de lettres (Voltaire, Montesquieu, Saint-Lambert, Helvétius). Le nain du roi Stanislas, « Bébé », contribua par ses incartades à animer la cour.

Tout un pan de l'histoire artistique de Lunéville est malheureusement parti en flammes lors de l'incendie qui a ravagé l'aile sud du château en janvier 2003. La chapelle et le musée ont été entièrement détruits. Le sinistre, loin d'être le premier à endommager les lieux, a suscité une importante mobilisation de la part des Lunévillois, soucieux de leur patrimoine. Les dons spontanés et les collectes ne seront pas de trop pour financer les quelque cent millions d'euros nécessaires à la restauration, considérée comme le plus grand chantier patrimonial d'Europe. La fin des travaux est prévue pour 2016.

Cour d'honneur

Au centre de la cour qui ouvre à l'ouest le château sur la ville se dresse la statue équestre du général Lasalle, natif de Metz, tué à Wagram en 1809. Le large corps central est flanqué de deux petites ailes et comprend deux escaliers monumentaux. Un portique de trois arches en plein cintre équilibre la construction et ouvre la perspective des jardins.

Conservatoire des broderies de Lunéville

Cour des Communs, aile nord du château - ℰ *03 83 73 56 86 - www.broderie-luneville.com - tlj sf mar. apr.-midi - fermé 1er janv. et 25 déc. - gratuit.*

La broderie au « point de Lunéville » connut une réputation considérable jusqu'en 1950, date de la disparition des dernières « Lunévilleuses » sur tulle. Aujourd'hui, seuls quelques établissements techniques font perdurer la tradition en enseignant la broderie de Lunéville : des stages sont proposés par ce conservatoire-musée qui rassemble des pièces de collection de 1850 à nos jours, de la broderie blanche à la broderie perlée.

« Bébé », le nain du roi Stanislas (faïence de Lunéville).

H. Chamollion/MICHELIN

Parc des Bosquets★

Tracé à partir de 1711 par Yves Des Hours et complété par Louis de Nesles pour Léopold, il a été embelli par Héré pour Stanislas. À la mort du roi, les pavillons et chalets qui s'y trouvaient ont disparu, les nombreux automates et les statues de plomb ont été vendus, la plupart des bassins comblés. Après 1944 et de nouveaux dommages, la restauration des jardins à la française avec bosquets, parterres, statues et pièces d'eau a été entreprise. La terrasse a été dégagée.

Le saviez-vous ?

👁 Le « lunéville » est un point de broderie ; c'est aussi le nom que l'on donne à la faïence fabriquée à Lunéville. Manufacture royale, la faïencerie lunévilloise est née en 1718. Héritière de ce glorieux passé, la manufacture de St-Clément perpétue la tradition (voir l'encadré pratique).

👁 Le chroniqueur gastronomique Jean-Pierre Coffe est né ici.

Se promener

En sortant de l'office du tourisme, tournez à gauche dans la rue du Pont-Rouge qui longe le château, puis à droite dans la rue du Château. Après avoir dépassé le tribunal, on aperçoit la maison du Marchand, qui fait l'angle avec la rue de Lorraine.

Maison du Marchand

Cette belle maison du 18e s. en grès rouge, restaurée en 2005, fut sans doute celle d'un riche marchand d'épices, si l'on en croit les sculptures qui ornent le pilastre d'angle : on y distingue des tonneaux, une proue de bateau, une tête d'Indien coiffée de plumes.

Empruntez la rue Demangeot pour rejoindre la place St-Rémy.

Église St-Jacques★

Cette ancienne abbatiale a été construite de 1730 à 1747 dans le style baroque. Commencée par Boffrand, c'est Héré, l'architecte préféré de Stanislas, qui l'a terminée. Encadrant la **façade★★**, les deux tours élancées supportent l'une, la statue de saint Michel, l'autre, celle de saint Jean Népomucène. Les **boiseries★** du tambour d'entrée, les stalles du chœur et de la chaire sont Régence. Les couleurs chatoyantes de l'intérieur renforcent l'atmosphère baroque. On y trouve une Pietà du 15e s. et de belles œuvres de Girardet (voir en particulier la fresque du baptême de Clovis). Admirez l'orgue dont le buffet a été conçu en 1751 pour dissimuler les tuyaux, sur un dessin de Héré. Dans cette église ont été conservées les entrailles du roi Stanislas.

Longez les bâtiments abbatiaux par la rue des Templiers, tournez à droite dans la rue Banaudon puis à gauche dans la rue Castara, qui prolonge la rue de la République.

Synagogue

Construite en 1785 avec l'autorisation de Louis XVI, cet édifice est surprenant de par son architecture de style à la fois grec classique et baroque. À une époque où le culte était simplement toléré, cette synagogue, la première en France depuis le 13e s., fut bâtie en retrait de la rue, cachée derrière deux maisons incendiées par la suite en 1914. Sur la façade en grès rose, deux pampres de vigne surmontent l'oculus.

Revenez à la rue Banaudon, vers la droite. Tournez à gauche dans la rue Thiers puis traversez la place St-Jacques à droite. On rejoint la place de la Comédie par la rue Vieille-Muraille, sur la gauche.

Théâtre

Reconstruit en 1910 sur l'emplacement du premier théâtre de Lunéville, édifié en 1733 puis incendié en 1908, l'actuel théâtre est orné de décors inspirés du 18e s.

Aux alentours

Gerbéviller

11 km au sud par la D 914.

Situé au cœur de la vallée de la Mortagne, le château de Gerbéviller, fortement endommagé en 1914, a été reconstruit sur un seul niveau. Il possède un très beau **parc paysager romantique** réaménagé en 1816 au sein duquel s'élèvent divers édifices, un « Pavillon rouge » du 17e s., des grottes et leur nymphée de la même époque. À l'orée du parc : jardin de senteurs, potager à l'ancienne (en chambre) et jardin 1900. En face, une chapelle palatine semble résister aux épreuves du temps.
📞 03 83 42 71 57 - http://chateau.gerbeviller.free.fr - mi-mai à sept. : w.-end et j. fériés apr.-midi - 4 € (enf. 2,50 €).

Moyen

18 km au sud sur la D 914.

Ce village lorrain typique possède une **forteresse épiscopale** du 15e s. qui a fait parler d'elle dans l'histoire de la Lorraine ; son nom : « Qui qu'en grogne ». Même si ce château des évêques de Metz a été démantelé par Richelieu en 1639, à la suite d'un siège de six semaines, l'amateur de ruines pourra se faire une idée de sa magnificence. *☎ 03 83 42 75 50 - juil.-août : w.-end et j. fériés apr.-midi ; mai-juin et de déb. sept. à mi-oct. : dim. et j. fériés apr.-midi - expositions estivales : se renseigner - 3,50 € (-16 ans gratuit).*

Rozelieures

20 km au sud de Lunéville. Prenez la D 914. À Magnières, prenez à droite la D 22.

Au cœur de la Lorraine, ce petit village entouré de vergers possède le trésor de la région : la mirabelle. Les Lorrains peuvent être fiers de ce fruit aux belles couleurs ambrées car 70 % de sa production mondiale provient de la région. Hommage est rendu à cette « belle à voir » dans un temple qui lui est consacré. La **Maison de la mirabelle** retrace l'histoire de l'arbre et du fruit à travers les saisons : sa culture, la récolte, les dérivés et sa commercialisation. *☎ 03 83 72 32 26 - www.maisondelamirabelle.com - & - visite guidée - mai-sept. : mat. et apr.-midi, dim. et j. fériés apr.-midi ; oct.-avr. : mat. et apr.-midi sf w.-end et j. fériés - gratuit.*

Emberménil

17 km au nord-est de Lunéville. Sortez par la D 400. À Marainviller, continuez sur la D 161.

La **maison de l'abbé Grégoire** présente l'œuvre et la vie de l'abbé Grégoire (1750-1831) à travers 13 vitraux. Le curé d'Emberménil fut un ardent défenseur de l'abolition de l'esclavage. *☎ 03 83 71 20 56 - visite guidée de mi-mars à fin oct. : dim. et j. fériés apr.-midi ; reste de l'année sur RV - 2,50 € (-10 ans gratuit).*

Le traité de Lunéville

Signé le 9 février 1801 par Joseph Bonaparte, frère de Napoléon, et le comte autrichien de Cobentzel, ce traité attribua la rive gauche du Rhin à la France, à la suite de la victoire des français à Hœnlinden. C'est à la demande de l'Autriche que Lunéville fut choisie comme lieu des négociations. Une telle décision suscita dans la ville un véritable branle-bas de combat : de nombreux travaux furent nécessaires pour assurer un accueil digne de ce nom aux plénipotentiaires. Vous pourrez apercevoir la maison dite « du Traité » au no 61 de la rue de Lorraine.

Lunéville pratique

Adresse utile

Office du tourisme de Lunéville – *Aile sud du château - 54300 Lunéville - ☎ 03 83 74 06 55 - www.ot-lunevillois.com - mat. et apr.-midi - fermé 25 déc. et 1er janv.* L'office de tourisme propose un Pass Familles avec des offres intéressantes sur de nombreuses curiosités de Lunéville et de sa région.

Se loger

⊖⊜ **Hôtel des Pages** – *5 quai des Petits-Bosquets - ☎ 03 83 74 11 42 -* 🄿 *- 37 ch. 63/95 € - � 8,50 €.* Importants corps de bâtiments faisant face au château. Une majorité de chambres ont été rénovées dans un style contemporain ; elles ont notre préférence. Pour vous restaurer, n'hésitez pas à vous attabler au Petit Comptoir pour goûter sa cuisine bistrot.

Se restaurer

⊖⊜ **Le Floréal** – *1 pl. Léopold - ☎ 03 83 73 39 80 - rest.floreal@wanadoo.fr - fermé dim. soir et lun. - 14,50/37 €.* La devanture de ce restaurant est assez discrète. La salle à manger située à l'étage bénéficie d'une vue sur la place. Décor actuel, frais et coloré ; plats classiques.

Que rapporter

👁 **Bon à savoir** – Même si la broderie perlée et pailletée n'est plus pratiquée à échelle industrielle, il existe encore quelques passionnés de cette technique, dont Mme Fabre, qui en perpétue le savoir-faire et propose des stages d'initiation. Créations exposées à l'office de tourisme et au magasin *Ciboulette*.

Établissements Ciepielewski – *74 r. de Viller - prévenir av. visite - ☎ 03 83 73 26 61.* Gravure sur cristal, démonstration, audiovisuel et vente.

Manufacture de faïences de Lunéville-St-Clément – *1 r. Keller-et-Guérin - ☎ 03 83 74 07 58 - tlj sf dim. et lun. mat. 10h-12h, 14h-18h30 - fermé j. fériés.* Magasin d'usine et exposition de pièces anciennes.

Luxeuil-les-Bains ★

8 445 LUXOVIENS
CARTE GÉNÉRALE B3 – CARTE MICHELIN DÉPARTEMENTS 314 G6 – HAUTE-SAÔNE (70)

Station thermale réputée, Luxeuil doit beaucoup à la puissante abbaye fondée au 6ᵉ s. par un moine irlandais, saint Colomban. Comment ne pas être surpris, en traversant la ville, par la richesse décorative de ses belles maisons et hôtels de grès rouge ? Après des années de déclin, elle se refait une santé en développant ses loisirs autour du thermalisme. Enfin, on ne saurait évoquer Luxeuil sans parler de sa fameuse dentelle, à laquelle les plus habiles pourront même s'initier.

- **Se repérer** – Malgré sa position excentrée au pied des Vosges, Luxeuil est desservi par la N 57 qui contourne la ville.
- **À ne pas manquer** – L'ensemble des monuments des 14ᵉ, 15ᵉ et 16ᵉ s., tous concentrés dans le même quartier, non loin de St-Colomban.
- **Organiser son temps** – Une demi-journée à Luxeuil vous permettra d'avoir un bon aperçu du quartier thermal et de la vieille ville. Pour l'écomusée du Pays de lacerise, comptez 1h30 de visite.
- **Pour poursuivre la visite** – Voir aussi Bains-les-Bains, le Parc naturel régional des Ballons des Vosges, Plombières-les-Bains.

Se promener

QUARTIER THERMAL

Établissement thermal

Chaîne thermale du Soleil - 3 r. des Thermes - ℘ 03 84 40 44 22 - mars-nov.

L'établissement thermal, reconstruit au 18ᵉ s. en grès rouge, est entouré d'un beau parc ombragé. Il se trouve à l'emplacement même des anciens bains gallo-romains. Le clocheton que l'on aperçoit a été ajouté au 19ᵉ s.

Les eaux de Luxeuil sont utilisées pour les traitements en gynécologie et en phlébologie. En plus des équipements traditionnels, l'établissement abrite un centre d'aquathérapie très moderne ouvert à tous. Il propose bien sûr des séjours de remise en forme.

SE LOGER ET SE RESTAURER
Hôtel de France-Restaurant l'Épicurien...............①
Résidence des Sources......................................④

VIEILLE VILLE

Hôtel du cardinal Jouffroy★

Le cardinal Jouffroy, abbé de Luxeuil, puis archevêque d'Albi, fut jusqu'à sa mort le favori de Louis XI. Sa maison (15e s.), la plus belle de Luxeuil, ajoute au gothique flamboyant de ses fenêtres et de sa galerie quelques éléments Renaissance dont, sur l'un des côtés, une curieuse tourelle (16e s.) coiffée d'un lanternon et construite en encorbellement. Sous le balcon, la 3e clé de voûte à partir de la gauche représente trois lapins. Le sculpteur n'a représenté que trois oreilles en tout, mais le groupe est disposé de telle sorte que chaque lapin paraît avoir deux oreilles.

Mme de Sévigné, Augustin Thierry, Lamartine, André Theuriet ont habité cette maison.

Tour des Échevins★

L'hôtel des Échevins est un édifice important du 15e s. aux murs crénelés. La décoration extérieure et la fine loggia de style gothique flamboyant contrastent avec l'allure générale de la construction. Du sommet de la tour *(146 marches)*, **vue** sur la ville et, au loin, sur les Vosges, le Jura et les Alpes.

Musée – De remarquables monuments funéraires de pierre proviennent de la ville gallo-romaine *(Luxovium)* : **stèles★** votives, inscriptions, ex-voto d'époque gauloise, etc. sont disposés au rez-de-chaussée et au 1er étage. Le 2e et le 3e étage abritent le **musée Adler**, qui rassemble des peintures de J. Adler, Vuillard et Pointelin. *℘ 03 84 40 00 07 - avr.-oct. : merc., vend. w.-end apr. midi - fermé le reste de l'année - 2,10 € (-12 ans gratuit).*

Maison François-Ier★

Son nom ne perpétue pas le souvenir du roi de France mais celui d'un abbé luxovien. Elle est de style Renaissance.

Ancienne abbaye St-Colomban★

℘ 03 84 40 13 38 - visite guidée (45mn) sur demande préalable auprès du directeur de l'abbaye - gratuit.

Succédant à une église du 11e s. dont il reste quelques traces, la **basilique** actuelle remonte aux 13e et 14e s. Des trois tours d'origine subsiste seulement le clocher occidental, reconstruit en 1527, dont le couronnement date du 18e s. L'abside a été refaite en 1860 par Viollet-le-Duc. Sur la place St-Pierre s'élève une statue moderne de saint Colomban. Un portail classique à fronton donne accès à l'intérieur, de style gothique bourguignon.

On ne peut manquer le superbe **buffet d'orgues★** soutenu par un atlante posé sur le sol et décoré de médaillons sculptés. La chaire, au fin décor Empire, tranche avec l'architecture de l'église ; elle provient de Notre-Dame de Paris. Dans le transept à droite se trouve la châsse de saint Colomban.

Le **cloître** garde trois de ses quatre galeries de grès rouge : une travée comportant trois baies surmontées d'un oculus remonte au 13e s., les autres ont été refaites aux 15e et 16e s. Le cloître abrite aujourd'hui le Conservatoire de la dentelle.

Les **bâtiments conventuels** comprennent au sud de l'église le « bâtiment des moines » des 17e et 18e s. et sur la place St-Pierre le palais abbatial (16e-18e s.), aujourd'hui hôtel de ville.

Conservatoire de la dentelle

Pl. de l'Abbaye - ℘ 03 84 93 61 11 - mar. et vend. apr. midi.

La dentelle de Luxeuil eut son heure de gloire au 19e s. Progressivement tombée dans l'oubli au cours du 20e s., elle renaît depuis quelques années grâce à ce conservatoire qui maintient savoir-faire et tradition. Vous pourrez y voir des dentellières au travail et quelques

« Bâtarde » conservée à St-Colomban.

exemples de « bâtarde ». Cet étrange nom donné à la dentelle de Luxeuil vient de l'emprunt de différentes techniques italiennes (Venise, Milan) et de l'ajout d'un lacet mécanique. Le conservatoire propose des stages d'initiation ou de perfectionnement toute l'année.

Maison du Bailli

Elle date de 1473. La cour est dominée par un balcon de pierre flamboyant et par une tour polygonale surmontée de créneaux.

Aux alentours

Fougerolles

9 km au nord.

La culture des cerises à Fougerolles ne date pas d'hier : on y fabriquait déjà du kirsch à la fin du 16e s. Installé dans les bâtiments de l'une des premières distilleries industrielles de la région, l'**écomusée du Pays de la cerise** présente les procédés, les instruments et les fruits nécessaires à la distillation de l'eau-de-vie de cerise. On peut y découvrir une belle collection d'alambics et un verger conservatoire. *℘ 03 84 49 52 50 - juil.-août : tte la journée, dim. apr. midi ; avr. -juin et sept.-oct. : tlj sf mar. apr. midi - 5 € (-6 ans gratuit, 6-16 ans 3 €).*

Luxeuil-les-Bains pratique

Adresse utile

Office du tourisme de Luxeuil-les-Bains – *R. Victor-Genoux - 70300 Luxeuil-les-Bains - ℘ 03 84 40 06 41 - tlj sf dim. mat. et apr. midi, sam. mat.*

Se loger et se restaurer

👁 **Bon à savoir** – Hormis les hôtels de luxe situés autour du parc thermal et du casino, on trouve dans les proches environs un choix varié en formules d'hébergement. Ces établissements suivent tous une cure… de rajeunissement pour accueillir leur clientèle dans les meilleures conditions. Renseignements à la centrale de réservation.

🛏🛏 **Hôtel de France - Restaurant l'Épicurien** – *6 r. Georges-Clemenceau - ℘ 03 84 40 13 90 - www.hoteldefrance-luxeuil.com - fermé vac. de la Toussaint et vac. de Noël -* 🅿 *- 18 ch. 46 € -* 🍽 *7 € - rest. 19,50/29,90 €.* Ce grand bâtiment blanc, à l'architecture ancienne, a fait l'objet d'une rénovation récente. La salle de restaurant et une partie des chambres donnent sur le parc des thermes, verdoyant et arboré. Parmi les spécialités de la maison, on notera le sandre gratiné au vin du Jura et l'incontournable fondant au chocolat.

🛏🛏 **Résidence des Sources** – *2 av. Jean-Moulin - ℘ 03 84 93 70 04 - www.70lessources.fr - 41 studios 71/88 € -* 🍽 *8 €.* Installée à proximité immédiate du parc thermal, cette résidence regroupe sur 4 étages (avec ascenseur) 41 studios entièrement équipés, dont 3 avec terrasse. Chacun dispose d'une salle de séjour pourvue d'un coin cuisine et d'une belle salle d'eau avec douche à l'italienne. Agréable terrasse commune, espace bar et salon.

Faire une pause

Éric Rubichon – *31 r. Victor-Genoux - ℘ 03 84 40 02 62 - eric.rubichon@wanadoo.fr - lun., merc. jeu., vend. 9h-12h30, 14h-19h, sam. 8h30-13h, 14h-19h, dim. 8h30-13h,15h-18h - fermé 2 sem. en fév.* Selon les saisons, cette pâtisserie propose jusqu'à 50 gâteaux, 40 sortes de chocolats, 14 glaces et des macarons déclinés en 6 parfums. Découvrez les spécialités maison que sont les Arlequins ou le Diablotin.

En soirée

SAS Casino de Luxeuil – *16 av. des Thermes - ℘ 03 84 93 90 90 - casino.luxeuil@moliflor.com - 10h-3h, w.-end et veilles de j. fériés : 10h-4h.* Pour finir votre soirée, roulette, black-jack, stud-poker, machines à sous, un restaurant et un bar d'ambiance vous attendent à deux pas des thermes. Un hôtel de 21 chambres complète l'offre.

Que rapporter

Spécialités – Le traditionnel **jambon** de Luxeuil légèrement fumé bénéficie d'un label régional. La proximité de Fougerolles explique les nombreux produits à base de **cerises** comme le kirsch.

Conservatoire de la dentelle – *Pl. de l'Abbaye - ℘ 03 84 93 61 11 - www.dentelledeluxeuil.com - mar. et vend. 14h-17h30 - fermé 25 déc.-1er janv.* La dentelle de Luxeuil eut son heure de gloire au 19e s. Progressivement tombée dans l'oubli au cours du 20e s., elle renaît depuis quelques années grâce à ce conservatoire qui maintient savoir-faire et tradition. Stages d'initiation ou de perfectionnement (de mai à septembre).

Marmoutier★

2 436 MAURIMONASTÉRIENS
CARTE GÉNÉRALE C2 – CARTE MICHELIN DÉPARTEMENTS 315 I4 – BAS-RHIN (67)

Sur la route de Saverne, l'église abbatiale de Marmoutier est un véritable joyau de l'art roman. Pour le plus grand bonheur des mélomanes, elle détient un prestigieux orgue Silbermann, sur lequel Albert Schweitzer aimait à venir s'entraîner. Si l'on sait par ailleurs que l'Alsace est la région de France qui conserve le plus d'orgues, on comprend alors sans mal la raison de l'implantation du Centre européen de l'orgue à Marmoutier, dans la vaste salle de l'ancienne grange dîmière du monastère.

- ▶ **Se repérer** – À 6 km au sud de Saverne par la D 1004. Accès par la A 4-E 25 Paris-Metz-Strasbourg : sortie à Saverne. Des abords du Sindelsberg (1,5 km au nord-ouest par l'ancienne route de Saverne, puis une petite route goudronnée, à gauche), jolie vue plongeante sur Marmoutier.

- 👁 **À ne pas manquer** – Vous l'aurez compris, l'église abbatiale de Marmoutier.

- 🕐 **Organiser son temps** – Pour faire les choses dans l'ordre, visitez d'abord l'église, avant de percer les secrets de l'orgue, puis faites un tour au musée d'Arts et Traditions populaires.

- 👪 **Avec les enfants** – Le Centre européen de l'orgue.

- 🚶 **Pour poursuivre la visite** – Voir aussi Saverne.

Arcatures aveugles et culs-de-lampe sculptés sur la façade de l'église de Marmoutier.

Visiter

Église★★

📞 03 88 71 46 84 - mat. et apr. midi - possiblité de visite guidée : s'adresser à l'office de tourisme.

La **façade occidentale★★** est construite en grès rouge des Vosges. Le clocher est carré et les deux tours d'angle octogonales. Le porche comporte une voûte d'ogives centrale, entre deux voûtes en berceau.

Le narthex, surmonté de coupoles, est la seule partie intérieure romane. Dans les bras du transept, monuments funéraires élevés en 1621 et très abîmés pendant la Révolution. De belles boiseries dans le chœur : stalles Louis XV et quatre dais surmontés de feuillages et de branches d'arbres ; au couronnement des stalles, petits anges charmants. Les **orgues** authentiques de Silbermann, construites en 1710, comptent parmi les plus belles d'Alsace.

Des vestiges d'une **église précarolingienne** ont été découverts sous le transept *(accès par la crypte ; entrée dans le bras sud du transept)*.

Musée d'Arts et Traditions populaires

℘ 03 88 71 46 84 - www.marmoutier.net - visite guidée uniquement (sur demande 4 à 8 j. av.) - mai-oct. : dim. et j. fériés mat. et apr.-midi - 4 € (-12 ans 2 €).

Il est installé dans une maison à colombages de style Renaissance. Le musée propose des reconstitutions de la vie rurale alsacienne d'autrefois : pièces aménagées (*stube*, cuisine…), ateliers d'artisans (forgeron, tonnelier, tailleur de pierre…). Importante collection de moules à pâtisserie en terre cuite. Nombreux témoins de la communauté juive alsacienne : objets du culte synagogal et domestique, ainsi que le bain rituel du 18e s.

Le saviez-vous ?

Au 14e s., les abbés de Marmoutier imposent sur la région une influence considérable, tant spirituelle que temporelle. Nombre d'artisans et d'agriculteurs gravitent autour de l'abbaye. Une communauté juive s'installe, chargée, par les abbés, du négoce. En 1792, la Révolution disperse tout ce petit monde.

Centre européen de l'orgue

℘ 03 88 03 21 34 - http://perso.orange.fr/ceorgue/ - visite guidée uniquement - avr.-sept. : apr.-midi ; janv.-mars et oct.-déc. : w.-end apr.-midi - fermé 1er nov. et 25 déc. - 4 € (12-18 ans 2 €).

Pédaliers et tuyaux Silbermann, table de jeux, orgue de Barbarie et orgue électropneumatique illustrent l'histoire du vénérable instrument, ainsi que celle de ses plus célèbres facteurs. Le centre présente aussi un pianoforte « organisé » des années 1820 dont il ne reste que trois exemplaires au monde. Plusieurs mannequins d'orgue (dont deux ont été offerts par l'École de facture d'orgue d'Eschau, unique en France), des bornes vidéo et quelques manipulations à portée des enfants permettent de comprendre le fonctionnement d'un orgue, des touches aux tuyaux en passant par le sommier et les registres. Dans la cave du bâtiment, l'exposition « **Flûtes du monde** » a été réalisée grâce à la collection de Charles Tripp, chercheur de flûtes sur les cinq continents. Traversières, de pan, à bec, à encoche : plusieurs centaines de flûtes sont présentées.

Aux alentours

Couvent de Reinacker

2 km à l'est de Marmoutier, au sud de Reutenbourg.

Lieu de pèlerinage marial depuis le Moyen Âge, le sanctuaire de Reinacker est aujourd'hui tenu par des religieuses franciscaines. L'église gothique de grès rose reconstruite au début du 15e s. sur des vestiges plus anciens se reconnaît de loin grâce à son clocher (fin 17e s.) couvert de tuiles vertes vernissées et à la Vierge monumentale qui orne sa façade depuis 1827. En faisant le tour de l'église par le jardin, on peut apercevoir de curieuses gargouilles, dont un diable prêt à lancer une pierre. À l'intérieur, voyez les sculptures qui décorent les niches du chœur (soleil et lune à tête humaine, rosace sculptée, scène de chasse) et la console supportée par un atlante. L'autel latéral de droite abrite une Vierge miraculeuse de la fin du 15e s. Sur celui de gauche, la Pietà de bois est datée de 1443.

Marmoutier pratique

Adresse utile

Office du tourisme de Marmoutier – 1 r. Gén.-Leclerc - 67440 Marmoutier - *℘ 03 88 71 46 84 - www.paysdemarmoutier.com* - mar.-sam., dim. en sais. et j. fériés : mat. et apr.-midi - fermé dim. hors sais., lun., 1er janv., Pâques, 1er Mai, 1er et 11 Nov., 25 déc.

Se loger et se restaurer

⌂ **Hôtel Aux Deux Clefs** – 30 r. du Gén.-Leclerc - *℘ 03 88 70 61 08 - aux.deux.cles@wanadoo.fr* - fermé oct. ou nov. : se renseigner - 15 ch. 43/45 € - ⌧ 7 € - rest. 16/28 €. Cet établissement du centre-ville propose un hébergement très correct, chaque chambre étant équipée d'une bonne literie et d'une petite salle d'eau. Au restaurant, on a affaire à un chef qui aime son métier : entre le baeckeoffe traditionnel, le foie gras et la charcuterie fumée, tout est fait maison.

⌂ **Ferme-auberge du Tannenwald** – 1 r. de Hengwiller - 67440 Dimbsthal - *℘ 03 88 70 60 34* - ⌧ - 5 ch. 40/52,50 € - ⌧ - repas 8,50/26 €. Cette exploitation agricole met à votre disposition des chambres simples et bien tenues, toutes équipées de douche et WC. Table d'hôte (sur réservation) et auberge en fin de semaine pour déguster une bonne cuisine préparée avec les produits de la ferme. Accueil chaleureux.

Marsal

286 HABITANTS
CARTE GÉNÉRALE B2 – CARTE MICHELIN DÉPARTEMENTS 307 K6 – MOSELLE (57)

Ici, inutile de préciser qu'on est au pays du sel : Marsal, Château-Salins, Saulnois, tous ces noms évoquent l'activité salicole de la région. Des vestiges gallo-romains témoignent du fait que dès l'Antiquité, le sel si précieux attirait déjà les colons. Plus tard, Vauban, nommé par Louis XIV commissaire général des Fortifications (1678) chargé de couvrir les frontières, est passé par là. Cette fois, rien à voir avec le sel ; il a fait de Marsal une place forte dont il reste une partie de l'enceinte fortifiée et en particulier la porte de France.

- **Se repérer** – À 11 km au sud-est de Château-Salins sur la D 38 ; 60 km au sudest de Metz par la D 955 ; 33 km au nord-est de Nancy par la D 674.

- **À ne pas manquer** – *Saint Jean-Baptiste dans le désert* de Georges de La Tour au musée qui lui est consacré.

- **Pour poursuivre la visite** – Voir aussi le Parc naturel régional de Lorraine, Lunéville.

Marsal pratique

Office du tourisme de Vic-sur-Seille – *16 pl. du Palais - 57630 Vic-sur-Seille - 03 87 01 16 26 - otvicsurseilleetmarsal. fr - tlj sf dim. et lun. mat. et apr.-midi - fermé 22 déc.-15 janv. et lun. de Pâques.*

Visiter

Musée départemental du Sel

Porte de France - 03 87 35 01 50 - www.cg57.fr - tlj sf lun. mat. et apr.-midi - fermé 23 déc.-7 janv. et 1er Mai - 4 € (-16 ans gratuit) ; billet combiné avec le musée départemental Georges-de-La Tour 5 €.

Installé dans la porte de France, le musée retrace l'histoire de cette substance précieuse recueillie depuis dans les anciennes salines du Saulnois, terrains salifères de la vallée de la Seille. Le musée décrit les enjeux économiques et politiques liés au sel, comme la gabelle, qui représentait au 16e s.la moitié des recettes du duché de Lorraine. Les fouilles ont montré que, dès la préhistoire, l'extraction se faisait de manière quasi-industrielle grâce au « briquetage ». L'eau provenant des sources ou des mares salées, recueillie dans des gobelets en terre cuite, était chauffée jusqu'à évaporation pour récupérer le sel. Les bâtonnets d'argile et d'herbe qui servaient à caler les gobelets ont formé des millions de m^3 de déchets. Les villes du Saulnois se sont donc construites, au milieu des marais, sur ces « briquettes ».

Ancienne collégiale

Plan basilical sans transept, nef romane et chœur gothique, en quelques mots, l'ancienne collégiale du 12e s.

Aux alentours

Vic-sur-Seille

7 km à l'ouest par la D 38 qui passe sous la porte de France de Marsal.

Au cœur du pays du vin gris, Vic-sur-Seille a conservé ses rues anciennes bordées de belles habitations. Quelques vestiges de son château fort subsistent encore, dont la porte des Évêques. Vic-sur-Seille a eu ses heures de prospérité aux 15e et 16e s. grâce à ses gisements salins. Le village est aussi bien connu des amateurs de peinture pour avoir donné naissance à **Georges de La Tour** (1593-1652).

Sur la place du Palais, remarquez la **maison de la Monnaie★**, ancien couvent des Carmes. Les décors du premier étage et de la façade sont du 15e s. Le balcon et les ornementations des ouvertures du rez-de-chaussée ont été ajoutés au début du 20e s. Sur le côté gauche de l'**église** (15e-16e s.), le linteau du portail évoque la légende de l'ermite saint Marien.

Musée départemental Georges-de-La Tour – *03 87 78 05 30 - www.cg57.fr - - 8 janv.-22 déc. : tlj sf lun. mat. et apr.-midi - fermé 23 déc.-7 janv., 1er Mai, lun. de Pâques, de Pentecôte et 14 Juil. - 4 € (-16 ans gratuit) ; billet combiné avec le musée départemental du Sel 5 €.*

Baptisé du nom de l'artiste né à Vic-sur-Seille, ce musée est doté d'une œuvre exceptionnelle du peintre : *Saint Jean-Baptiste dans le désert★*. Il abrite également un échantillon de peinture française du 17e au 19e s.

Metz★★★

127 500 MESSINS
CARTE GÉNÉRALE B1 – CARTE MICHELIN DÉPARTEMENTS 307 I4 – MOSELLE (57)

De jour comme de nuit, partez à la découverte des jeux de lumières dans Metz : les vitraux de la cathédrale bien sûr, mais aussi les multiples éclairages nocturnes dans le centre-ville et sur les bords de la Moselle. Romaine, médiévale, classique, allemande, Metz garde de manière bien visible les traces de ses 3 000 ans d'histoire et a su les mettre en valeur. Prenez le temps de vous promener dans les ruelles du centre historique, de boire un verre place St-Jacques ou de flâner sur les quais. Metz est aussi une ville très verte, alors n'hésitez pas à profiter de ses nombreux parcs et squares !

▷ **Se repérer** – Situé à 1h30 de Paris grâce au TGV, Metz est un nœud très important de routes, autoroutes, et de navigation sur la Moselle, canalisée vers l'Allemagne, dont la frontière est à moins de 50 km. L'aéroport Metz-Nancy-Lorraine est situé à 25 km au sud de la ville. Metz est organisé autour de deux axes romains est-ouest et nord-sud qui font de la ville un lieu d'échange depuis des siècles.

▣ **Se garer** – Une dizaine de parkings facilitent le stationnement au cœur de Metz. Les rues piétonnes, nombreuses dans le centre historique, vous permettront de découvrir la ville en marchant.

👁 **À ne pas manquer** – S'il ne fallait voir qu'un seul monument, ce serait la cathédrale St-Étienne ; un deuxième, ce serait la Cour d'Or et ses musées.

🕐 **Organiser son temps** – Réservez à Metz vos nuits : un très original programme de mise en valeur par la lumière du patrimoine architectural a été mis sur pied par la ville avec la régie municipale d'électricité. Et pourquoi pas un concert à l'Arsenal ?

👫 **Avec les enfants** – Walygator Parc, le petit train de la vallée de la Canner.

👣 **Pour poursuivre la visite** – Voir aussi Amnéville, Pont-à-Mousson, Thionville.

Comprendre

Le Graoully – Saint Clément, le premier évêque de Metz (280), est resté célèbre grâce à une légende messine. On raconte qu'un animal mi-dragon mi-serpent dévastait la ville à l'époque de la construction de la cathédrale. Clément libéra la cité en passant son étole autour du cou de la bête, puis en la noyant dans la Seille. Reconnaissante, la ville entra dans la foi chrétienne. Au Moyen Âge, une procession menée par une réplique du dragon fêtait cette victoire. Rabelais évoque non sans ironie cette fête de « la ridicule statue appelée Manduce » dans son *Quart Livre*. Le Graoully apparaît dans divers tableaux du musée de la Cour d'Or et dans la cathédrale (statue au portail de la Vierge, effigie dans la crypte).

L'esplanade de la cathédrale St-Étienne.

H. Champollion/MICHELIN

La Cour d'Or – Après qu'au 5e s. Metz eut été pillée par les Huns, la cité devint la brillante résidence des rois d'Austrasie. Le palais médiéval a disparu mais son nom laisse à penser qu'il était fastueux. Charlemagne lui-même s'y plaisait et l'empereur choisit l'abbaye de St-Arnoult (à l'emplacement de l'actuel Cercle des officiers) pour recevoir la dépouille de sa femme Hildegarde et de ses enfants morts en bas âge.

La république messine – Au 12e s., Metz se constitue en ville libre, avec à sa tête un maître échevin appelé sire. Il est choisi parmi les Paraiges, association des familles patriciennes si puissantes et si riches qu'elles prêtent couramment de grosses sommes aux ducs de Lorraine, aux comtes de Bar et même aux rois de France et à l'empereur. Le siège de 1552 qu'impose Charles Quint à la ville met fin à ses franchises.

Les girons français puis allemand – La monarchie française s'affirme à Metz aux 17e et 18e s. La construction des places de la Comédie et d'Armes embellit la ville. Mais le 27 octobre 1870, le général Bazaine livre la ville à l'assaillant et Metz est annexée par l'Empire allemand. Une ceinture de forts en fait l'une des plus puissantes forteresses du monde et le quartier de la gare affirme la puissance impériale. La ville ne redeviendra française qu'en 1918.

Découvrir

CATHÉDRALE ST-ÉTIENNE★★★ (A/B1)

Place d'Armes. ☎ *03 87 75 54 61 - possibilité de visite guidée (1h30) sur demande à l'Association de l'Œuvre de la cathédrale - 2 pl. de Chambre ou à l'intérieur de la cathédrale.*

Histoire d'une construction

Un sanctuaire dédié à saint Étienne se trouvait au cœur de la ville ; au 10e s., l'évêque Thierry Ier décide de le reconstruire et, en 1220, son successeur entreprend l'édification d'une cathédrale de style gothique. L'église N.-D.-la-Ronde qui se trouvait devant le terrain de la future cathédrale est englobée dans le projet : il y a donc deux églises en une. Au 18e s., les travaux du maréchal de Belle-Isle, gouverneur des Trois-Evêchés, ne sont pas sans conséquence pour la cathédrale : il fait démolir le cloître et les trois églises attenantes, reconstruire le grand portail et aménager la place d'Armes par Blondel. En 1877, un feu d'artifice tiré depuis le toit de la cathédrale provoque un incendie qui détruit la charpente de bois et la couverture en ardoise. La toiture est remplacée cinq ans plus tard par une construction métallique plus haute que l'ancienne. À la même époque, les Allemands détruisent le grand portail du 18e s., reconstruit par la suite dans un style néogothique par Tornow.

Extérieur

La cathédrale St-Étienne s'impose par l'harmonie de ses élévations, encore que la surélévation de sa toiture ait été préjudiciable à l'envol des tours. Bâtie en pierre de Jaumont, la cathédrale a subi diverses influences lors de sa construction. Le portail nord de N.-D.-la-Ronde (2e travée du flanc sud) est orné de draperies sculptées d'inspiration champenoise et de petits bas-reliefs du 13e s. Des figures d'animaux fantastiques, des scènes de la vie du roi David, de sainte Marguerite et de saint Étienne l'animent. La surface des verrières est caractéristique du style gothique d'Île-de-France. Les tourelles qui encadrent le chevet sont d'inspiration rhénane.

Depuis la place d'Armes, bien dégagée, belle vue sur la façade latérale de la cathédrale. L'entrée de la cathédrale se fait par le **portail de la Vierge**, place d'Armes.

> ## Trois saints
>
> **Saint Livier**, noble messin, après avoir combattu les Huns et les avoir poursuivis dans leur camp, se transforma en apôtre. Attila, insensible à sa parole, le fit décapiter. Imperturbable, saint Livier récupéra sa tête, la prit dans ses mains et gravit la montagne au sommet de laquelle il fut enterré. Quant à **saint Arnoult**, qui vécut au 7e s., il était ministre, marié et père de deux enfants quand la population de Metz le supplia de devenir évêque. Il accepta et sa femme prit le voile. Enfin, **saint Clément** sauva la ville de la menace du Graoully.

La tour de Mutte

Comme sa voisine, la tour du Chapitre, elle date du 13e s. C'est la fameuse cloche « dame Mutte » qui lui donna son nom : il vient du mot « ameuter », c'est-à-dire « convoquer ». Il n'est pas possible de monter à la tour, mais sachez que c'est le plus haut des points de vue sur la ville de Metz !

Intérieur

Ce qui frappe le plus à l'intérieur de la cathédrale est la hauteur de la nef (41,77 m) et la surface occupée par les vitraux (6 496 m^2). Cet élan est rendu plus saisissant encore par l'abaissement volontaire des collatéraux. C'est le plus haut vaisseau de France, après le chœur de Beauvais et la nef d'Amiens. Une frise garnie de draperies et de feuillages, à l'imitation des décorations habituelles des jours de fêtes, court tout autour, sous les fenêtres hautes. Dans le bas-côté gauche, près du Grand Portail, se trouve l'imposante baignoire en porphyre provenant des thermes et qui servait de fonts baptismaux. Un petit orgue de chœur (1) Renaissance en nid d'hirondelle, conçu en 1537, est suspendu sur le côté droit de la nef, au point de rencontre avec le transept. Cet emplacement inhabituel lui confère des performances acoustiques remarquables. Dans le chœur, le trône épiscopal de saint Clément (8) a été taillé à même le fût en marbre d'une colonne romaine.

Verrières★★★

Faites le tour de la cathédrale en ne regardant que les vitraux.

Les verrières forment un ensemble somptueux (sur une surface totale de plus de 6 496 m^2) qui a valu à la cathédrale le surnom de « lanterne de Dieu ». Œuvres de maîtres verriers illustres ou anonymes, elles sont de types très variés (13e s.-20e s.). La façade est percée d'une magnifique rosace du 14e s., œuvre d'**Hermann de Munster**, amputée de sa partie inférieure par la construction du grand portail en 1766, réalisé en souvenir de la guérison de Louis XV. À l'entrée dans le bas-côté gauche, vitrail du 13e s. (2) et quelques travées plus loin, œuvres modernes de Pierre Gaudin, Jacques Villon, Roger Bissière (5). Dans le transept (6), un vitrail de **Marc Chagall** représente le Paradis terrestre et le péché originel. En face, le vitrail présentant des bouquets floraux et des animaux fantastiques est le plus récent (1970). À côté, dans la partie la plus ajourée du bâtiment qui fut reconstruite vers 1600, la verrière de gauche de **Théobald de Lyxheim** est ornée de trois roses (3). Dans le déambulatoire, deux vitraux de Marc Chagall (7) : sur le premier, on reconnaît le sacrifice d'Abraham, la lutte de Jacob avec l'ange, le songe de Jacob, Moïse devant le buisson ardent ; sur le second figurent Moïse recevant les tables de la Loi, David jouant de la harpe et le prophète Jérémie. Le transept droit abrite les vitraux les plus anciens de la cathédrale (13e s. – 9), qui représentent des scènes de la vie de saint Paul. À ses côtés, vitraux dus au Strasbourgeois **Valentin Bousch** (4), qui a également réalisé ceux du chœur. Dans la chapelle du Saint-Sacrement, les vitraux de Jacques Villon exécutés en 1957 représentent au centre la crucifixion, à gauche la Cène et à droite les noces de Cana.

Crypte

📞 03 87 75 54 61 - mat. et apr.-midi, dim. apr.-midi - fermé janv. - 2 € (-6 ans 1 €).

Du 15ᵉ s., elle présente des éléments de la crypte romane du 10ᵉ s. On y trouve le tympan mutilé du portail de la Vierge du 13ᵉ s., des objets de fouilles et de culte soustraits au trésor ou encore une mise au tombeau du 16ᵉ s. provenant de Xivry-Circourt (environ 50 km au nord-ouest de Metz). Pour comprendre l'agencement de la cathédrale avant les travaux du maréchal de Belle-Isle, observez la maquette qui représente le quartier de la cathédrale en 1754. Avant de partir, jetez un coup d'œil au fameux « Graoully » suspendu au plafond.

Trésor

Mêmes conditions de visite que la crypte.

Il renferme l'anneau épiscopal en or de saint Arnoult, un reliquaire en émail limousin du 12ᵉ s., la mule du pape Pie VI, des objets cultuels, etc. Le « Gueulard », tête en bois sculptée du 15ᵉ s., provient des grandes orgues et ouvrait la bouche quand elles jouaient la note la plus grave.

MUSÉES DE LA COUR D'OR★★ (B1)

Visite : 2h environ - 2 r. du Haut Poirier - 📞 03 87 68 25 00 - tlj sf mar. tte la journée - fermé j. fériés sf Pâques et Pentecôte - 4,60 € (-18 ans gratuit), gratuit 1ᵉʳ dim. du mois.

Le musée occupe les bâtiments de l'ancien couvent (17ᵉ s.) des Petits Carmes, le grenier de Chèvremont (15ᵉ s.) et plusieurs salles qui relient ou prolongent cet ensemble monumental. Dans les sous-sols sont conservés, *in situ*, des vestiges de thermes antiques gallo-romains. Agrandi en 1980, le musée a fait l'objet d'une muséographie labyrinthique, notamment pour la période qui couvre l'Antiquité et le Haut Moyen âge.

Archéologie★★★

Les objets témoignent de l'importance de la ville, gauloise par son origine, grand carrefour de routes gallo-romaines et foyer de renouveau culturel sous les Carolingiens. La vie sociale est évoquée par les vestiges des grands thermes du nord, ceux des remparts de la ville et du grand collecteur d'égout. La vie quotidienne à l'**époque gallo-romaine**, repas, vêtements, parure, commerce, médecine, est très bien évoquée, de même que ce qui concerne les techniques du fer, du bronze, de la céramique et du verre, et la navigation. Le grand **autel à Mithra** en provenance de Sarrebourg est l'un des mieux conservés de l'époque : Mithra égorge un taureau, dont le sang répandu sur le sol favorise la fécondité de la terre. L'époque mérovingienne occupe une place de choix dans le musée : tombes en silo, emblèmes chrétiens, bijoux, vaisselle et techniques du métal (damasquinure). L'époque paléochrétienne est représentée par le chancel de St-Pierre-aux-Nonnains, une balustrade liturgique en pierre composée de 34 panneaux sculptés. L'époque carolingienne est illustrée par trois pièces majeures, parmi lesquelles l'un des plus beaux plats de reliure en ivoire de l'art européen médiéval, représentant une Crucifixion minutieusement travaillée.

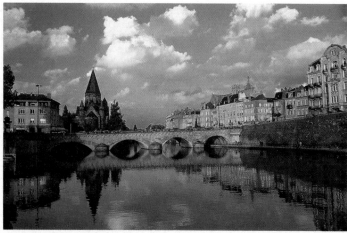

Le Moyen-Pont sur la Moselle.

R. Mattes/MICHELIN

Époque médiévale

Par leur présentation centrée sur une pièce majeure, les œuvres évoquent la vie quotidienne, l'art de bâtir et les arts décoratifs. De magnifiques plafonds peints à la détrempe au 13e s. provenant de l'hôtel du Voué présentent des médaillons alternativement ronds et carrés au décor fantastique.

Grenier de Chèvremont★ – Daté de 1457, il servait à engranger le produit de la dîme prélevée sur les céréales. Parmi les sculptures lorraines : Pietà, Vierge couchée, statues de saint Roch et saint Blaise du 15e s.

L'architecture

Vestiges de l'architecture civile et religieuse. On peut voir des façades reconstituées (« maison des Têtes » avec quatre bustes visible rue En-Fournirue) et plusieurs maisons patriciennes ou populaires reconstruites autour de la cour des musées. Bel escalier du 17e s. autrefois à l'abbaye des Petits Carmes.

Beaux-arts

1er et 2e étages. Tableaux des écoles française (surtout 19e s. avec Corot, Delacroix, Moreau), flamande et italienne. L'**école de Metz** (1834-1870) est représentée par son chef de file, Laurent Charles Maréchal, peintre, pastelliste et maître verrier, et Auguste Migette. La galerie d'art moderne rassemble des œuvres de Bazaine, Alechinsky, Dufy, Debré, Dubuffet.

Se promener

LA VILLE ANCIENNE 1

Ce circuit part de la place d'Armes. Comptez 1h.

Place d'Armes (A/B1)

Elle est constituée de trois côtés principaux : l'hôtel de ville avec une sobre façade Louis XV, l'ancien corps de garde qui abrite l'office de tourisme dont le fronton est orné de trophées et l'ancien parlement transformé en maison d'habitation. Au centre se dresse la statue du maréchal Fabert (1599-1662), fils d'un riche bourgeois messin. Enfin, vous pouvez voir dans la crypte de la cathédrale (*voir « Découvrir »*) une maquette de la place avant les destructions opérées en 1754.

Prenez la rue En-Fournirue qui longe le côté droit de l'hôtel de ville, puis tournez à gauche dans la rue Taison.

Levez les yeux vers le Graoully suspendu dans les airs. Continuez tout droit pour atteindre la place Ste-Croix, point culminant de la ville (189 m). Remarquez l'**hôtel de la Bulette** de style gothique, qui a conservé ses créneaux, deux échauguettes et ses fenêtres d'époque.

Prenez la rue de l'Abbé- Risse à votre droite.

L'ancien couvent des Récollets (B1)

Il abrite aujourd'hui le Centre européen d'écologie, dirigé par le Messin Jean-Marie Pelt, et les archives municipales. Son cloître du 15e s. a été restauré.

Descendez les marches et traversez le jardin des Tanneurs.

Le **jardin des Tanneurs** est constitué de balcons successifs desquels vous aurez une belle vue sur la ville.

Prenez à droite la rue des Tanneurs et, après la place des Paraiges, la rue des Allemands.

Église St-Eucaire (B1)

Son beau clocher carré date du 12e s. et sa façade du 13e s. La petite nef du 14e s., assise sur d'énormes piliers, paraît disproportionnée. Chapelles dans les bas-côtés voûtées d'ogives (15e s.) retombant sur des culs-de-lampe. Les ruptures de symétrie donnent à l'ensemble un aspect original.

Continuez dans la rue des Allemands.

Porte des Allemands★ (B1)

Vestige de l'ancienne enceinte dont la silhouette massive enjambe la Seille. Son nom vient d'un ordre Teutonique de frères hospitaliers établi dans le voisinage au 13e s. Côté ville : deux tours arrondies coiffées d'un toit d'ardoise en poivrière de cette époque ; côté campagne : deux grosses tours crénelées du milieu du 15e s. Une galerie réunit l'ensemble qui fut remanié au 19e s.

Prenez à droite l'avenue Maginot puis de nouveau à droite la rue de la Baue et passez sous les arcs-boutants de la nef de St-Maximin.

Église St-Maximin★ (B2)

Des vitraux de **Jean Cocteau** ornent le beau chœur à pans ; ceux de la nef de tonalité bleue sont dus à un de ses disciples. La chapelle des Gournay (maîtres échevins de Metz) des 14e et 15e s. communique avec le bras droit du transept par deux arcs en anse de panier.

En sortant de St-Maximin, prenez à droite la rue Mazelle et tournez à gauche. Traversez les trois places en enfilade (places des Charrons, du Pont-à-Seille et du Quarteau). Tournez à gauche rue de la Fontaine et, enfin, à droite rue Lasalle.

Église St-Martin-aux-Champs (B2)

Son soubassement est constitué par le mur gallo-romain, visible des deux côtés de l'entrée. Toute la beauté de cet édifice est dans l'originalité de son **narthex★** très bas. Quatre piliers romans soutiennent la voûte d'ogives et renforcent l'effet d'élancement de la nef. Nombreuses œuvres d'art : vitraux des 15e, 16e et 19e s., beau groupe sculpté de la Nativité dans le transept gauche. L'orgue (1773) de facture flamande est de Nollet, son buffet est de style Louis XV.

Prenez à droite la rue des Parmentiers, qui se prolonge dans la rue de la Chèvre.

Église N.-D.-de-l'Assomption (B1)

Cette église édifiée par les jésuites en 1665 prit la place d'un ancien temple protestant. En ces lieux, Louis XV, tombé gravement malade à Metz en 1744, reçut après sa guérison le surnom de « Bien-Aimé ». Il avait fait vœu pendant sa maladie de construire une église dédiée à sainte Geneviève s'il guérissait : c'est la raison d'être du Panthéon à Paris. Cent ans plus tard, en 1844, N.-D. de l'Assomption vit le baptême de Paul Verlaine. L'intérieur, décoré au 19e s., est richement lambrissé ; les confessionnaux de style rococo viennent de Trèves, ainsi que l'orgue baroque construit par Jean Nollet.

Au bout de la rue de la Chèvre, la place St-Louis est sur votre droite.

Place St-Louis★ (B1/2)

Cette très belle place au plan irrégulier est bordée sur un côté de maisons à contreforts et arcades des 14e, 15e et 16e s. Leur alignement suit l'ancien rempart qui leur sert de fondations. Au Moyen-Âge, une soixantaine de changeurs y avaient leur boutique. Ce quartier animé accueillait aussi les foires et des représentations théâtrales (mystères). Remarquez au coin de la rue de la Tête-d'Or les trois petites têtes romaines dorées.

Empruntez la rue de la Tête-d'Or et prenez sur votre droite la rue Fabert pour revenir à la place d'Armes ou à la place de la Cathédrale.

Place de la Cathédrale

Les belles maisons qui encadrent la place offrent des façades ornées de bas-reliefs symbolisant l'astronomie, la musique ou la peinture. La ville de Metz a réhabilité le marché couvert et a construit une nouvelle aile au bâtiment (*voir l'encadré pratique*).

LES ÎLES ET L'ESPLANADE (A1) ②

Ce circuit commence place de la République. Comptez 1h30.

Place de la République

Cette place a longtemps été le lieu des parades militaires ; en son centre trône la statue du général Ney. C'est aujourd'hui la porte d'entrée dans le cœur historique de Metz (vous apercevez le clocher de la cathédrale).

Traversez l'esplanade (qui a été réaménagée par la ville en 2007) et, depuis la terrasse, admirez la vue sur le mont St-Quentin, sur le fort et sur un des bras de la Moselle.

Descendez les marches et traversez le boulevard Poincaré pour gagner le jardin des Régates.

> **Le saviez-vous ?**
>
> **Paul Verlaine** (1844-1896) a rendu hommage à sa ville natale dans l'*Ode à Metz*, écrite en 1892. Son art poétique (« Pas de couleur, rien que de la nuance ») ressemble à la vie messine, tout en discrétion. Quant à **Pilâtre de Rozier** (1754-1785), également natif de Metz, il reste célèbre pour avoir effectué le premier vol en montgolfière.

Jardin des Régates

Le jardin des Régates est situé au pied des anciens remparts de la citadelle. Des spectacles sont donnés sur le lac aux Cygnes (*voir l'encadré pratique*). Les véritables cygnes se trouvent quant à eux sur la Moselle, où vous pourrez d'ailleurs faire un tour de barque (*voir l'encadré pratique*).

Longez la Moselle et passez sous le Moyen-Pont. Au bout du quai, un escalier vous permet de traverser le pont.

Moyen-Pont (A1)

La vue★ est pleine de charme sur la rivière, les îles, le Temple-Neuf et les deux petits ponts qui se reflètent dans l'eau. Le Moyen-Pont était autrefois fortifié comme en témoigne l'ouverture ménagée sous la première arche pour faire descendre les grilles.

Après avoir traversé le pont, continuez tout droit dans la rue du Pont-des-Morts, puis tournez à droite dans la rue St-Marcel.

Église St-Vincent (A1)

Son chœur gothique, flanqué de deux élégants clochers, contraste avec sa façade reconstruite au 18e s., qui imite celle de l'église St-Gervais de Paris.

De la place St-Vincent, prenez à droite la rue Goussaud, qui se prolonge dans la rue St-Georges. Tournez à droite dans le rue du Pont-Moreau (vous traversez la Moselle).

Place de la Comédie

Cette élégante place classique est construite autour de l'opéra-théâtre du 18e s., le plus ancien théâtre français en activité. Il est encadré d'autres bâtiments historiques : le pavillon de la Douane et le pavillon St-Marcel, destiné aux officiers. Il fait face à l'ancien hôtel de l'Intendant du roi, reconstruit après un incendie en 1803, et aujourd'hui affecté aux services de la **préfecture (A1)**.

Temple-Neuf

Temple protestant de style néo-roman en grès gris construit au début du 20e s. Son architecture s'inspire fortement de la cathédrale de Spire.

Traversez de nouveau la Moselle par le pont des Roches. Vous arrivez place de la Chambre, prenez à droite la rue du Faisan puis à gauche la rue Hardie. Tournez à droite dans la rue aux Ours, qui se prolonge dans le rue Haute-Pierre.

À l'angle de la rue de la Haute-Pierre et de la rue Poncelet se trouve la **maison natale de Paul Verlaine**, dont la porte est surmontée d'un tympan Louis XV.

Le théâtre (18e s.) de Metz.

Palais de justice (A1)

Bâti sous Louis XVI pour servir de palais au gouverneur militaire, c'est le bâtiment le plus imposant de l'esplanade. La Révolution en a changé la destination, mais la décoration en garde le souvenir (bas-reliefs allégoriques à la « gloire du duc de Guise en 1552 » et « à la Paix entre la France, l'Angleterre, les États-Unis et la Hollande en 1783 »).

Longez la place de la République par la rue W.-Churchill et prenez sur votre droite la rue R.-Schumann. Tournez à droite vers la rue du Gén.-Gaston Dupuis et faites le tour du square du Gén.-Giraud qui est face à vous.

Palais du gouverneur

À l'emplacement de l'ancienne citadelle française de 1552 se trouve un palais, construit au début du 20e s. dans un style néorenaissance. Il accueille encore le commandant de la région militaire nord/ouest.

La citadelle

Ce bâtiment construit en pierre de Jaumont date de 1559. Aujourd'hui hôtel de luxe, il faisait à l'époque partie de la citadelle militaire de Metz.

À votre gauche se trouve St-Pierre-aux-Nonnains, à droite la chapelle des Templiers et l'Arsenal.

Église St-Pierre-aux-Nonnains★ (A2)

Sur l'Esplanade - ☎ 03 87 39 92 00 - www.mairie-metz.fr/arsenal - ♿ - juil.-sept. : tlj sf lun. apr.-midi ; oct. -juin : w.-end apr.-midi - fermé j. fériés.

C'est sous le règne de Constantin, vers 390, que les Médiomatriques ont bâti à cet emplacement une basilique civile qui a été endommagée plus tard lors du pillage des Huns. Mais les murs, construits d'un solide appareil de petits moellons renforcé de chaînages en brique rouge, ont pu être réemployés dans la chapelle reconstruite vers 615. Des moniales s'y installèrent. C'est de cette période que date le splendide **chancel** à panneaux sculptés conservé aux musées de la Cour d'Or. Vers 990, l'abbaye qui suivait désormais la règle bénédictine a été réorganisée et la vaste chapelle partagée en trois nefs par des arcades en plein cintre. Au 15e s., les nefs ont été voûtées d'ogives et un cloître élégant ajouté. L'histoire du bâtiment est bien connue du fait des fouilles entreprises au 20e s., qui font passer St-Pierre-aux-Nonnains pour la plus ancienne église de France. Des travaux lui ont rendu ses volumes d'origine.

Chapelle des Templiers (A2)

☎ 03 87 39 92 00 - www.arsenal.mairie-metz.fr/arsenal - ♿ - juil.-sept. : tlj sf lun. apr.-midi - fermé 14 Juil. et 15 août - gratuit.

Ordre très présent sur les routes de pèlerinage, les templiers élevèrent cette chapelle près de St-Pierre-aux-Nonnains au début du 13e s., à la transition entre le roman et le gothique. Son plan octogonal est unique en Lorraine. Chaque pan de mur est percé d'une petite fenêtre en plein cintre, la huitième face étant ouverte sur un chœur carré que prolonge une abside. Peintures modernes, hormis dans une niche à droite (14ᵉ s.).

L'Arsenal (A2)

℘ 03 87 39 92 00 - www.arsenal.mairie-metz.fr - ⌖ - tlj sf lun. apr.-midi - fermé fin juil.-10 août, 31 déc.-6 janv. et j. fériés - gratuit.

Création de l'architecte **Ricardo Bofill**, ce centre ultramoderne dédié à la musique et aux arts (*voir l'encadré pratique*) est en pierre de Jaumont, comme la cathédrale. « Cette maison a une acoustique fantastique, des proportions idéales pour la musique et une atmosphère que je trouve exceptionnelle », remarqua le violoncelliste Rostropovitch lors du concert d'inauguration en 1989. Une grande salle de concerts, une petite salle de 350 places, une galerie d'exposition, une vaste boutique et deux grands salons de réception, voilà ce qui vous attend à l'intérieur. Les façades de l'arsenal du 19ᵉ s. ont été préservées, mais une aile a été abattue afin de créer une continuité avec la chapelle des Templiers et St-Pierre-aux-Nonnains, qui sont maintenant le cadre privilégié d'expositions et de concerts de musique ancienne.

Descendez les grandes marches pour rejoindre la place de la République.

LE QUARTIER IMPÉRIAL ③

Ce circuit commence à la gare, place du Gén.-de-Gaulle ; comptez 30mn.

Après 1870, l'empereur Guillaume II voulut faire de Metz une ville prestigieuse et allemande. Là où se trouvait jadis un grand amphithéâtre antique de 25 000 places, l'architecte berlinois **Kröger** conçut d'aménager tout un quartier néoroman dont les bâtiments seraient faits de grès rose ou gris, de granit ou même de basalte, pour rompre avec la traditionnelle pierre jaune de Jaumont qui prédomine dans la ville. Le résultat montre un véritable catalogue de styles : gothique, roman, renaissance ou art nouveau. L'atmosphère générale est homogène et, curieusement, la rupture n'est pas trop franche avec les vieux quartiers.

Gare de Metz★ (B2)

Place du Gén.-de-Gaulle. Construite en 1908 dans la perspective d'un nouveau conflit franco-allemand, cette gare vint remplacer l'ancienne gare de 1878 (place St-Georges) pour permettre le transfert de plus de 20 000 hommes en 24h. Très fonctionnel, l'imposant bâtiment de 300 m de long est aussi richement décoré de chapiteaux et bas-reliefs. Des vitraux l'éclairent abondamment. Son architecture est riche de symboles : tandis que le hall des départs représente une église, avec son clocher, le hall des arrivées figure un palais médiéval, unissant ainsi les pouvoirs temporels et spirituels à la manière du Saint-Empire romain germanique.

La tour qui se dresse à gauche de la gare est le **château d'eau**. Avec une contenance de 300 m³, il servait à alimenter les locomotives à vapeur.

Empruntez la rue Gambetta.

Poste

En grès rose et de style néoroman, elle est l'oeuvre de Kröger, l'architecte de la gare. Ce bâtiment construit entre 1908 et 1911 est caractéristique de la germanisation de Metz.

Prenez la rue Perrat sur votre gauche pour rejoindre la place du Roi-George.

Place du Roi-George

La première gare de Metz, de style classique, a été construite au 19ᵉ s. sur cette place, qui était à l'époque à l'extérieur de la ville. Cette gare a été utilisée jusqu'à la construction de la nouvelle quelques années plus tard, en 1908.

Rejoignez la place Mondon par la rue Maret.

Place Mondon

L'ancienne place impériale fut imaginée pour servir la glorification de l'Allemagne. Remarquez en particulier les deux bâtiments en grès rose : la chambre de Commerce de style Louis XVI, et le restaurant Flo, de style Renaissance.

Prenez la rue Harelle

Porte Serpenoise

La porte Serpenoise s'élève dans le prolongement de la rue Serpenoise et de l'avenue Robert-Schuman, ancienne via *Scarponensis*. Elle indiquait, du 3ᵉ s. jusqu'à la destruc-tion des remparts fin 19ᵉ s., la limite sud de la ville. Elle symbolise pour les Messins leur résistance héroïque aux envahisseurs de toutes les époques.

La gare de Metz, place du Gén.-de-Gaulle.

Avenue Foch

Ce beau et large boulevard a est établi sur l'emplacement des anciennes fortifications, dont il ne subsiste que la **tour Camoufle** (15ᵉ s.). L'avenue Foch fait transition entre la vieille ville et la ville moderne. Symbole du luxe et du modernisme, elle étonne par la variété architecturale de ses constructions : les villas urbaines de style Renaissance baroque ou Jügendstil font face à des immeubles de rapport.

Faites quelques pas sur l'avenue Foch et prenez sur votre droite le rue François-de-Curel pour revenir vers la gare. Si vous voulez poursuivre la balade, empruntez la rue La Fayette puis la rue Clovis.

Église Ste-Thérèse-de-l'Enfant-Jésus

Accès par la rue Leclerc-de-Hauteclocque.

Ouverte en 1954, cette grande église, flanquée d'un mât de 70 m appelé le « bâton du pèlerin», est remarquable par l'élan majestueux de sa nef. Son imposant portique est en béton armé. Beaux vitraux de Nicolas Untersteller.

QUARTIER DE L'AMPHITHÉÂTRE

Depuis 1996, un projet est mis en œuvre pour dynamiser ce quartier situé derrière la gare. Passage de l'Amphithéâtre, médiathèque ou encore centre des congrès viendront bientôt compléter l'équipement des terrains de l'ancienne gare de marchandise pour faire de ce quartier un lieu de culture et de vie.

Le centre Pompidou-Metz

Première expérience de décentralisation culturelle en France, cet espace sera dédié à l'art moderne et contemporain. En attendant l'ouverture du centre Pompidou-Metz (2009), vous pouvez visiter la **maison du projet** pour découvrir les maquettes du musée et observer l'avancement des travaux (℘ 03 87 63 73 59 - ouvert tlj).

Aux alentours

Maison de Robert Schuman★

Scy-Chazelles, 4 km à l'ouest par la D 157ᴬ, puis à droite. ℘ 03 87 60 19 90 - www.cg57. fr (rubrique musée) - visite guidée (35mn) avr.-oct. : tlj sf merc. mat. et apr.-midi - 3 € (-16 ans gratuit).

Dans la ville de Scy-Chazelles, en partie perchée sur le mont St-Quentin, on visite la maison de Robert Schuman (1896-1963) située près de l'église fortifiée du 12ᵉ s. où ce dernier repose. En pénétrant dans la maison où le « père de l'Europe » passa les dernières années de sa vie, on est saisi par l'impression que les lieux sont encore habités. Une rénovation réalisée en 2004 a permis de restituer fidèlement son sobre cadre de vie. Divers souvenirs rappellent sa longue carrière politique et un film de 25mn détaille son rôle dans la construction européenne. À côté du jardin historique et du potager reconstitués d'après photos de l'époque, le **jardin des Plantes de chez nous★** présente un ensemble de jardins originaux et quelques plantes rares propres à donner des idées aux amateurs de jardinage.

Château de Pange

10 km à l'est par les D 999, D 70 et D 6. - ℘ 03 87 64 04 41 - visite guidée uniquement - châ- teau : juin-sept. : tlj apr.-midi ; jardin : mai-oct. : tlj mat. et apr.-midi - fermé lun. - jardins 2,50 € (-12 ans gratuit) ; château 5 € (enf. 3 €), visite des jardins compris.

La sobre façade classique bâtie de 1720 à 1756 de cette demeure renferme une salle à manger Louis XV aux boiseries vertes, avec un poêle lorrain d'un modèle primitif. Situé aux confins du duché de Lorraine, en regard de la république messine, le château a succédé à une ancienne forteresse.

Le **jardin de l'Éveil**, signé Louis Benech, est un jardin contemporain qui retrace les différentes époques du domaine (partie médiévale, partie classique).

Groupe fortifié L'Aisne

14 km au sud par la D 913. - ℘ 03 87 52 76 91 - www.fort-de-verny.org - visite guidée uniquement - mai-oct. : 1er w.-end du mois apr.-midi - 6 € (-10 ans 2 €).

L'ancienne *Feste* (groupe fortifié) Wagner, bâtie par les Allemands de 1904 à 1910, faisait partie de la ceinture extérieure de défense de Metz. C'est une construction regroupant plusieurs ouvrages reliés entre eux par un réseau souterrain de voies de communication. Rebaptisée L'Aisne après 1918, le groupe comprend ainsi quatre blocs d'infanterie abritant jusqu'à trois niveaux de casernements souterrains, trois batteries d'artillerie équipées de tourelles pivotantes pour canons ou obusiers de gros calibre, et une quinzaine d'observatoires cuirassés. Contrairement à la *Feste* de Guentrange, elle ne fut pas incorporée à la ligne Maginot *(voir ce nom)*.

Église de Sillegny★ *(voir Pont-à-Mousson)*

Walygator Parc★ *(voir Amnéville)*

Metz pratique

Adresses utiles

Office du tourisme de Metz – *2 pl. d'Armes - 57007 Metz - ℘ 03 87 55 53 76 - http://tourisme.mairie-metz.fr/ - tlj tte la journée sf dim. et j. fériés.*

Metz Métropole Découverte - *Pl. du Gén.-de-Gaulle - 57007 Metz - lun.-sam. mat. et apr.-midi.*

Transports

Espace-bus – *Pl. de la République - ℘ 03 87 76 31 11 -* Le ticket Visi'Pass permet de visiter Metz et 38 communes alentour (valable une journée, en vente à l'office de tourisme et à l'agence Espace Bus).

Visites

Visites guidées – Metz, qui porte le label Ville d'art, propose des visites-découvertes animées par des guides-conférenciers *- tlj sf dim. et j. fériés 15h et 16h - 5 € (1h), 7 € (2h) - renseignements à l'office de tourisme ou sur http://tourisme. mairie-metz.fr.*

Handivisites – L'office de tourisme propose des visites conçues pour permettre aux personnes vivant un handicap de quelque nature qu'il soit de découvrir la ville, ses monuments, ses musées. Prêt de fauteuils roulants.

Illuminations – Metz a reçu le grand prix national « Lumières dans la ville », et l'illumination de ses rues, places et monuments invite à une découverte nocturne de la ville (dépliant à l'office de tourisme). Vous pouvez également suivre la visite guidée « Metz en habit de lumière » *- juil.-août : sam. à 22h.*

Petit train touristique – *℘ 03 87 55 53 76 - (45mn) de déb. avr. à déb. oct. : dép. 10h30, 11h30, 13h, 14h, 15h, 16h, 17h et éventuellement 18h en été - 5,50 € (enf. 3,50 €).*

Forfait – La ville de Metz propose des forfaits « Quattropôle », qui permettent de visiter Metz mais aussi Luxembourg, Trèves et Sarrebruck à des conditions intéressantes. *Renseignements à l'office de tourisme.*

👁 **Bon à savoir** – Après le Moyen-Pont, un chemin est aménagé le long de la Moselle jusqu'à la porte des Allemands *(comptez 45 mn).*

Train touristique

Vallée de la Canner – *℘ 03 87 77 97 50 - http://railtourisme.info/alemf - de déb. mai à déb. oct. : excursion en traction vapeur ou autorail dim. et j. fériés - gare de Vigny (15 km au NE de Metz par la D 2, puis la D 52) 14h30 et 16h50 (dép. sup. 14h et 16h30 en juil.-août) - gare de Hambourg-Budange (15 km de Thionville par la D 918) - 8,20 € AR (enf. 5,20 €).* De Vigy à Hombourg (12 km), un petit train touristique à locomotive à vapeur longe la vallée sauvage de la Canner, dans les vallons boisés du plateau lorrain.

Se loger

🛏 **Hôtel Moderne** – *1 r. La Fayette - ℘ 03 87 66 57 33 - www.hotel-moderne-metz.com - 43 ch. 40/61 € - 🍽 7 €.* On sera heureux de trouver à proximité du centre-ville cet hôtel à prix correct offrant confort et bon goût sans ostentation. Les chambres sont pourvues d'un mobilier fonctionnel mais néanmoins agréable et celles qui donnent sur la rue sont insonorisées. Accueil souriant.

Hôtel Métropole – *5 pl. du Gén.-de-Gaulle -* 📞 *03 87 66 26 22 - www. hotelmetropole-metz.com - 72 ch. 50/60 € - ⬜ 6,50 €.* L'hôtel, installé dans un bel immeuble en pierres de taille, fait face à la gare impériale et à ses étonnants luminaires design. Toutes les chambres sont rénovées.

Ibis Cathédrale – *45 r. Chambrère, quartier Pontiffroy -* 📞 *03 87 31 01 73 - www.ibishotel.com -* Ⓟ *79 ch. 58/73 € - ⬜ 7 € - rest. 13,70/17 €.* L'hôtel, au bord d'un bras de la Moselle, jouxte les musées de la Cour d'Or : la situation est idéale pour une étape culturelle. Chambres et salle à manger refaites selon les normes de la chaîne.

Cécil Hôtel – *14 r. Pasteur -* 📞 *03 87 66 66 13 - www.cecilhotel-metz.com - fermé 26 déc.-2 janv. - 39 ch. 60 € - ⬜ 7,50 €.* L'immeuble fut construit en 1920 par des anglais. Il abrite des chambres sagement colorées, pourvues d'un sobre mobilier et impeccablement tenues. Billard.

Hôtel Escurial – *18 r. Pasteur -* 📞 *03 87 66 40 90 - www.escurial-hotel.com - 36 ch. 63/75 € - ⬜ 11 €.* Cure de rajeunissement bienvenue pour cet établissement du quartier impérial. Chambres actuelles et pratiques. Espace petit-déjeuner et grand salon chaleureux.

Hôtel de la Cathédrale – *25 pl. de la Chambre -* 📞 *03 87 75 00 02 - www. hotelcathedrale-metz.fr - 20 ch. 68/105 € - ⬜ 11 €.* Un charmant hôtel loti dans une jolie maison du 17e s. Entièrement rénové en 1997, ses chambres avec leur lit en fer forgé ou canné, leur parquet ancien et leurs vieux meubles, parfois orientaux, sont très agréables. Seules quelques-unes d'entre elles donnent sur la cathédrale, juste en face.

Se restaurer

Soupes a soup's – *Marché couvert, pl. de la cathédrale -* 📞 *06 08 31 11 04 - patrick. grumberg@wanadoo.fr - mar.-jeu. 10h-18h30, vend.-sam. 8h-19h -🚫- 2/10 €.* Installé dans le splendide marché couvert construit en 1785, le bar à soupe de M. Grumberg (autodidacte passionné) rencontre un franc succès. Vous y dégusterez de délicieuses soupes de légumes ou de fruits, chaudes ou froides, des plats traditionnels régionaux, des tartines, des brochettes… Le tout cuisiné maison et devant vous. Service au comptoir ou plus tranquillement autour de quelques tables. Ambiance conviviale.

Les Vins s'enchaînent – *8 r. des Piques -* 📞 *03 87 36 19 01 - fermé sam. midi, dim. soir et merc. ; dim. uniquement brunch - 6,50/16 €.* Au pied du centre-ville, dans une petite rue piétonne du 18e s. ce bar à vin au décor contemporain à de nombreux adeptes. Le patron, sommelier averti, vous propose plus de 30 crus servis au verre. Pour les accompagner : planches de charcuteries, fromages, tourtes, plats cuisinés traditionnels et une spécialité, la fameuse terrine maison. Brunch tous les dimanches.

Restaurant du Fort St-Jean – *Allée du Fort, lieu-dit le Fort - 57070 St-Julien-lès-Metz - 3 km au nord-est de Metz dir. Bouzonville par D 3, puis rte secondaire dir. Antilly -* 📞 *03 87 75 71 16 - restaurantdufort@wanadoo.fr - fermé dim. soir et merc. - réserv. le w.-end - 12,60 € déj. - 13/28,50 €.* Au bout d'un chemin forestier, vous découvrirez avec surprise ce témoin de l'histoire mouvementée de la Moselle : un fort construit en 1870. Vous pourrez vous installer dans sa partie réhabilitée, qui abrite aujourd'hui un restaurant avec terrasse, pour découvrir toutes les saveurs d'une cuisine régionale.

Le Bistrot des Sommeliers – *10 r. Pasteur -* 📞 *03 87 63 40 20 - fermé sam. midi et dim. - 15 €.* La pimpante devanture rouge abrite un décor sympathique agrémenté d'affiches, cartes, livres et objets ayant trait à la vigne. Un cadre idéal pour stimuler votre envie de bons crus à choisir parmi des bouteilles de toutes les régions de France et à accompagner de petits plats « bistrotiers ».

L'Aloyau – *3 r. de la Fontaine -* 📞 *03 87 37 33 72 - fermé 19 juil.-9 août, dim. soir et lun. - 15/29 €.* Petit-fils et fils de boucher, Jacques Heitzmann a lui-même travaillé dans une boucherie pendant 15 ans avant d'ouvrir ce restaurant réputé pour ses viandes extra. Le bœuf, l'agneau et le cochon de lait, labellisés, s'accompagnent de succulentes sauces. Le chef cuisine également des produits de la mer.

La Gargouille – *29 pl. de la Chambre -* 📞 *03 87 36 65 77 - lagargouille. com - fermé lun. midi, mar. soir et merc. - 19,50/41 €.* La façade anonyme de ce restaurant proche de la cathédrale dissimule un intérieur élégant et confortable : banquettes en velours, petits box cosy, décor 1900 signé de l'école de Nancy, etc. Vous apprécierez également ici la chaleureuse ambiance et une cuisine « aux petits oignons » : feuilleté d'escargots, joues de porcelet… Service très professionnel.

Thierry « Saveurs et Cuisine » – 📞 *03 87 74 01 23 - www.restaurant-thierry. fr – fermé 13-28 fév., 1er-22 août, merc. soir et dim. - 20/30 €.* Cuisine inventive rehaussée d'herbes et d'épices, joli cadre mêlant la brique et le bois, terrasse d'été : trois atouts assurant le succès de ce bistrot chic.

Maire – *1 r. du Pont-des-Morts -* 📞 *03 87 32 43 12 - www.restaurant-maire. com - fermé merc. midi et mar. - 24/63 €.* Ce restaurant central offre une superbe vue sur la Moselle. Attablé dans son agréable salle à manger-véranda au décor actuel (murs prune, chaises en bois exotique) ou sur sa belle terrasse, vous en profiterez en goûtant une cuisine classique.

L'Écluse – *45 pl. de la Chambre -* 📞 *03 87 75 42 38 - fermé 5-20 août, dim. et lun. - 35/65 €.* Laissez-vous tenter par ce restaurant proche de la cathédrale. Son intérieur récemment relooké est séduisant (décor contemporain, murs égayés de tableaux modernes et tables sans nappage) tout comme sa cuisine inventive qui évolue au rythme du marché.

Faire une pause

La Migraine – *1-3 pl. St-Louis -* ℘ *03 87 75 56 67 - christophe.dubrana@wanadoo.fr - fermé 1er-15 août et dim. - 10/15 €.* Ici, vous pourrez combler les petits creux tout au long de la journée : ce salon de thé situé sur une jolie petite place à arcades sert du matin à la fin de l'après-midi… Au menu : petits-déjeuners copieux, tourtes à la viande et quiches lorraines, pâtisseries et thés. Terrasse en été.

En soirée

Café Jehanne-d'Arc – *Pl. Jeanne-d'Arc -* ℘ *03 87 37 39 94 - lun.-jeu. 11h-2h, vend. 11h-3h, sam. 15h-3h.* L'un des cafés les plus illustres de Metz en raison de son cadre, qui a conservé quelques pierres gallo-romaines, des fresques du 13e s. et des pochoirs du 17e s. Terrasse sur la jolie place Jeanne-d'Arc où sont organisés des concerts de jazz en été. Clientèle tranquille d'habitués, d'étudiants et d'intellos.

L'Irish Pub – *3 pl. de la Chambre -* ℘ *03 87 37 01 38 - 18h-2h30, 3h30 le w.-end (ouverture dim. à 20h).* Petit pub typiquement irlandais fréquenté surtout par des habitués, dont beaucoup d'anglophones… et amateurs de fléchettes. Spécialités : bières (12 pressions dont une Guinness) et 42 whiskies. Concert de blues, rock ou pop le 1er vendredi du mois, de musique irlandaise le 3e jeudi du mois.

Le Tunnel – *27 pl. du Quarteau -* ℘ *03 87 36 62 99 - 7h-2h30.* Ce petit bar populaire est fréquenté par une clientèle plutôt jeune. Soirées techno le jeudi, vendredi et samedi, rock en alternance. Écran géant et terrasse installée dans une rue calme. Spécialités : bières et, le mercredi, sélection de vins du monde.

L'Arsenal – *3 av. Ney -* ℘ *03 87 39 92 00 ou 03 87 74 16 16 - www.mairie-metz.fr/ arsenal - tlj sf lun. 13h-18h30. Billetterie : sur place tlj sf dim. et lun. 13h-18h, par tél. tlj sf dim. et lun. 9h-12h, 13h-18h., sam. 13h-18h.* Construite en 1989 par Ricardo Bofill dans les murs d'un ancien arsenal du 19e s., cette salle de concerts serait la « plus belle d'Europe ». Une « acoustique fantastique », selon Rostropovitch. Outre la grande salle de 1 354 places, l'Arsenal comprend une autre salle de 352 places, une galerie d'exposition, une muséo-boutique… Avec près de 200 manifestations par an, la programmation couvre tout l'éventail de la danse contemporaine, de la musique classique, du jazz et des musiques du monde.

Que rapporter

Marché Couvert – *Pl. Jean-Paul-II - tlj sf dim. et lun. 7h-18h - fermé j. fériés, Vend. saint et 26 déc.* Le point commun des commerçants de ce marché est sans conteste l'incroyable qualité de leurs produits, du rayon boucherie-charcuterie au rayon poisson en passant par les fromages et autres produits laitiers. Vous y trouverez également des spécialités italiennes, un boulanger-pâtissier, une épicerie fine et un bar à soupes. **Pâtisserie Claude Bourguignon** – *31 r. de la Tête-d'Or -* ℘ *03 87 75 23 52 - tlj sf lun. 9h15-19h, dim. 8h30-12h45 - fermé 2 sem. en janv. et 3 sem. en juil.* Cette pâtisserie propose chaque mois un nouveau dessert. Elle élabore aussi de grands classiques tels que le saint-honoré, le millefeuille, le Paris-Brest, deux spécialités - le sacher au chocolat noir et le chiboust à la mirabelle, 21 sortes de chocolat et des glaces raffinées. Belles fresques murales au salon de thé.

Éric Humbert – *8 r. du Grand-Cerf, quartier St-Louis. -* ℘ *03 87 75 09 38 - humbert.eric@ wanadoo.fr - lun.-jeu. 8h15-12h40, 14h45-19h, vend.-sam. 7h30-12h40, 14h30-19h - fermé 2 sem. en fév., juil. et j. fériés.* Ce boucher-charcutier-traiteur a eu les honneurs… d'un grand magazine de décoration ! Ce fait notable mérite quelques explications : Éric Humbert, qui cultive avec le même bonheur talents de cuisinier et de designer, a en effet conçu lui-même des présentoirs avant-gardistes pour sa boutique. Au plaisir des yeux s'ajoute celui des papilles : saucisson de volaille aux pistaches, foie gras en gelée au riesling, etc.

Sports & Loisirs

Golf – *R. de la Grange-aux-Ormes - sortie Metz-Centre, suivre dir. Montigny et Marly - 57155 Marly -* ℘ *03 87 63 10 62 - www.grange-aux-ormes.com - été : 8h-23h ; hiver : 8h-19h - fermé 1er janv. et 25 déc.*

Golf de Metz Technopole – *1 r. Félix-Savart -* ℘ *03 87 39 95 95 - 9h-18h - fermé 23 déc.-5 janv.*

Golf du château de Cherisey – *38 r. Principale - 57420 Chérisey -* ℘ *03 87 52 70 18 - www.golfcherisey.com - 9h-18h30 - fermé 22 déc.-3 janv.* Ce parcours de 18 trous occupe un site vallonné, en partie boisé et agrémenté de plans d'eau. Restaurant aménagé dans les salles du château, putting green, practice…

Événements

Fontaines dansantes – *Juil.-sept. : vend., w.-end, j. fériés et veille de j. fériés au Lac aux cygnes, en bas de l'Esplanade (Bd Poincaré), à la tombée de la nuit.*

Grandes Fêtes de la mirabelle –Élection de l'ambassadrice des fêtes, marché de la mirabelle, animations folkloriques et feu d'artifice *(fin août).*

Marché de Noël – Défilé de St-Nicolas accompagné du père Fouettard *(en décembre).* Marché de Noël tous les jours sur la place St-Louis, la place du Forum, l'Esplanade, la place du Gén.-de-Gaulle *(de fin nov. au 31 déc.).*

Mirecourt

6 006 MIRECURTIENS
CARTE GÉNÉRALE B2 – CARTE MICHELIN DÉPARTEMENTS 314 E3 – VOSGES (88)

Sans doute Mirecourt a-t-il été inspiré, au 16e s., par les fêtes auxquelles les ducs de Lorraine conviaient des artistes italiens. L'Italie venait d'inventer le violon, Mirecourt apprenait à le fabriquer. Loin des grandes routes, au milieu des vergers, au confluent de deux rivières, la petite ville est devenue le symbole du savoir-faire français en matière de lutherie. Ayant plusieurs cordes à son violon, elle a étendu sa réputation à la virtuosité de ses dentellières.

Artisan luthier fabriquant une guitare.

- ▶ **Se repérer** – À 34 km au nord-ouest d'Épinal par la D 166, 24 km au nord-est de Vittel par la D 429, 48 km au sud de Nancy.
- 👁 **À ne pas manquer** – Mirecourt étant la capitale de la lutherie, il serait dommage de ne pas visiter le musée consacré à cet artisanat.
- 🕐 **Organiser son temps** – Le musée de la Musique mécanique et le musée de la Lutherie sont toujours fermés le mardi.
- ✆ **Pour poursuivre la visite** – Voir aussi Contrexéville, Vittel, Épinal, le château d'Haroué.

Comprendre

Un savoir-faire reconnu – Les Mirecurtiens se sont bien exportés : plus de 1 000 luthiers et 100 archetiers originaires de Mirecourt dispersés dans le monde entier. Une École nationale de lutherie a été créée en 1970 pour perpétuer cette industrie qui, entre les deux guerres, produisait jusqu'à 40 000 violons par an.

Se promener

Église Notre-Dame

Construite à partir de 1303 mais achevée au 15e s., elle est surtout remarquable par son clocher-porche, curieusement encastré dans la ligne d'immeubles bordant la rue principale. L'intérieur, aux voûtes gothiques, abrite trois chapelles des 16e et 17e s., ainsi que plusieurs tableaux de peintres lorrains du 17e s., visibles dans le chœur.

Halles

Datant de 1617, c'est un bâtiment petit et massif, à étage sur arcades. Sur sa façade, deux tours carrées.

Chapelle de la Oultre

En traversant le Madon par le pont St-Vincent (jolie vue sur l'étagement de la vieille ville), jeter un coup d'œil sur cette chapelle, au milieu des pelouses et des fleurs, à sa nef du 11e s., mais dont le transept et le chœur sont seulement du 16e s.

Visiter

Musée de la Lutherie

Cours Stanislas - ☎ 03 29 37 81 59 - ♿ - mai-sept. et vac. scol. : tlj sf mar. mat. et apr.-midi, dim. apr.-midi ; oct. -avr. : merc. et sam. mat. et apr.-midi, dim. apr.-midi - fermé du 1er au 15 janv. et j. fériés (sf 14 Juil. et 15 août) - 3,60 € (-12 ans gratuit). Atelier Lutherie en juil.-août : tlj sf mar.

Violons, guitares, mandolines… choisissez votre instrument., à moins que vous ne préfériez le violoncelle géant de 7,50 m qui trône au milieu de la petite exposition. Grâce à une présentation visuelle et sonore régulièrement renouvelée, vous apprendrez ici l'histoire et les secrets de fabrication des instruments à cordes. Saviez-vous par exemple que la sonorité d'un violon dépend en grande partie du bois utilisé ?

Un atelier de lutherie propose quelques démonstrations.

Maison de la musique mécanique

24 r. Chanzy - ☎ 03 29 37 51 13 - ville-mirecourt. fr - ♿ - visite guidée uniquement - avr.-sept. : tlj sf mar. mat. et apr.-midi, dim. et j. fériés apr.-midi ; oct. -mars : lun., merc. et sam. mat. et apr.-midi, dim. et j. fériés apr.-midi - fermé 1er-14 janv. et 25 déc. - 4,60 € (-18 ans 2 €).

La collection comprend plus de 100 instruments (18e-début 20e s.), tous en état de fonctionnement : limonaire, piano mécanique, petit orgue de table allemand (1889), piano pneumatique reproducteur « Welte Mignon »… L'orgue de danse Decap (1939) est composé de 280 flûtes et 12 registres reproduisant plusieurs instruments d'orchestre. Au 18e s., on fabriquait même des orgues mécaniques pour apprendre à chanter aux oiseaux (entre autres la fameuse serinette) !

Maison de la dentelle

1bis r. Chantaire - ☎ 03 29 37 39 59 - mat. et apr.-midi, w.-end et f. fériés apr.-midi -de 3 € à 3,50 € suivant expositions (-10 ans gratuit).

Exposition de dentelles au fuseau (vêtements, nappes, rideaux) avec démonstrations du savoir-faire ancestral des dentellières et vidéo sur l'histoire de la dentelle.

Aux alentours

Poussay

1 km au nord.

Ce joli bourg en terrasses dominant la vallée du Madon fut édifié par un évêque de Toul autour d'une abbaye bénédictine. Le village est orné d'un magnifique **puits** abrité du 12e s., profond de 33 m.

Mirecourt pratique

Office du tourisme de Mirecourt – *22 r. de Chanzy - 88500 Mirecourt - ☎ 03 29 37 01 01 - www.ville-mirecourt. fr - tlj sf dim. et j. fériés mat. et apr.-midi.*

Vomécourt-sur-Madon

9 km au nord. Prenez la D 413 jusqu'à Poussay puis prenez à droite la D 55. Au niveau de Bettoncourt, prenez la D 55F à gauche.

Sa petite **église** romane du 12e s. est particulièrement bien conservée. Le tympan du portail est une représentation naïve des saintes femmes au Tombeau et le combat de la Vie et de la Mort. À l'intérieur, un maître-autel (18e s.) surmonté d'une prédelle et d'un dais en fer forgé.

Molsheim★

9 452 MOLSHEIMIENS
CARTE GÉNÉRALE C2 – CARTE MICHELIN DÉPARTEMENTS 315 I5 – BAS-RHIN (67)

Chassés des États protestants, bénédictins, chartreux, capucins et jésuites s'y installent et y laissent des traces somptueuses de leur passage. Entre autres, l'église des Jésuites est le plus grand bâtiment culturel d'Alsace, et la chartreuse, la seule jamais construite au cœur d'une ville. Celle-ci abrite aujourd'hui une collection quelque peu anachronique : celle de la Fondation Bugatti, dont les usines sont implantées aux portes de la ville, sur la route de Sélestat. Autre nom prestigieux, celui du bruderthal, un grand cru classé que Molsheim élève avec fierté.

- **Se repérer** – À 25 km à l'ouest de Strasbourg, Molsheim est situé sur la D 422.
- **Se garer** – Entrez dans le centre ancien par l'est de la ville. Vous traverserez la Bruche et le canal Coulaux, et trouverez des places de stationnement sur l'un des trois parkings gratuits situés à proximité de l'église des Jésuites.
- **À ne pas manquer** – La Metzig et la chartreuse.
- **Pour poursuivre la visite** – Voir aussi Rosheim, Obernai et la route des Vins. Pour les passionnés de Bugatti, la Cité de l'Automobile à Mulhouse.

Comprendre

La guerre des Rustauds – Alors que le grand humaniste Érasme de Rotterdam voyageait à travers l'Europe, Érasme Gerber, tanneur à Molsheim, devenait en 1525 le chef de milliers de paysans insurgés. Par leur lutte appelée « guerre des Rustauds », ils s'opposèrent aux seigneurs locaux tout-puissants. Leur résistance prit fin dans un bain de sang, à Saverne. Au 17e s., ce sont des catholiques convaincus qui secouèrent la ville pour soutenir les jésuites de la Contre-Réforme en 1580.

Se promener

Église des Jésuites★

Elle appartenait à la fameuse université des Jésuites, fondée en 1618 par l'archiduc Léopold d'Autriche, évêque de Strasbourg. La renommée de cette université qui comprenait une faculté de théologie et une de philosophie s'étendait fort loin. En 1702, le cardinal de Rohan décida son transfert à Strasbourg, afin de contrebalancer l'influence de l'université protestante.

Bien que du début du 17e s., l'église a été construite dans le style gothique. L'intérieur est remarquable par ses dimensions harmonieuses, ses vastes tribunes et sa voûte en résille. Les deux chapelles du transept sont décorées de stucs, de dorures et de peintures datant des 17e et 18e s. L'une est consacrée à saint Ignace (fonts baptismaux en grès blanc de 1624), l'autre à la Vierge (beau gisant polychrome de Jean de Durbheim, évêque de Strasbourg de 1306 à 1328). Belles boiseries pour la chaire (1631) et les portes (1618), ornées de sculptures. L'orgue de Silbermann date de 1781 ; c'est le seul instrument d'Alsace à posséder un clavier d'écho complet de

Bâtiment Renaissance de la Metzig.

quatre octaves. À l'entrée nord se dresse la croix des Chartreux en pierre de la fin du Moyen Âge.

Suivez à gauche la rue Notre-Dame.

Tour des Forgerons

Cette ancienne porte fortifiée du 14e s. abrite une des plus anciennes cloches d'Alsace (1412). De part et d'autre de la tour, deux logis, pour le péage et pour la garde, ont été accolés vers 1650.

Rejoignez à droite la place de l'Hôtel-de-Ville en empruntant la rue de Strasbourg.

La Metzig★

Ce bâtiment Renaissance fut construit en 1583 par la corporation des bouchers, qui y tenait ses réunions à l'étage, les boucheries occupant le rez-de-chaussée.

Ettore Bugatti

E. Bugatti (1881-1947), né à Milan, abandonna ses études artistiques aux Beaux-Arts pour la mécanique. Il conçoit sa première voiture à 20 ans, qu'il présente à l'Exposition internationale de Milan en 1900 où il est repéré par le baron de Dietrich. Bugatti se retrouve neuf ans plus tard dans sa propre usine à Molsheim (aux portes de la ville, sur la route de Sélestat). De là sortirent les modèles prestigieux à l'origine de sa renommée, dont, en 1926, la Royale.

L'édifice est typiquement alsacien, avec ses pignons à volutes, son double escalier, sa loggia surmontée d'un beffroi et l'élégant balcon de pierre qui ceinture le premier étage. Au centre de la place, fontaine à deux vasques superposées, dominée par un lion qui porte les armoiries de la ville.

Prenez la rue Jenner, à gauche de la place. Remarquez, aux nos 18 et 20, deux **anciennes maisons de chanoine** de style Renaissance (1628).

Prenez à droite la rue des Étudiants et passez devant le musée de la Chartreuse (voir description dans « Visiter »), puis tournez à droite dans la rue de Saverne.

Maison ancienne

Elle possède un bel oriel en bois de 1607 et des fenêtres délicatement ouvragées.

Poursuivez par la rue de Saverne, traversez la rue du Mar.-Foch et prenez en face la rue des Serruriers. Prendre ensuite à gauche la rue de la Boucherie, puis à droite la rue St-Joseph. On rejoint l'église des Jésuites à droite par la rue du Mar.-Kellermann.

Visiter

Musée de la Chartreuse

℘ 03 88 49 59 38 - de déb. mai à mi-oct. : tlj sf mar. apr.-midi - 3 € (enf. 1,50 €).

C'est dans le prieuré de l'ancienne chartreuse (1598-1792) que se trouve le musée consacré à l'histoire de Molsheim et de sa région, de la préhistoire à nos jours. Avec l'arrivée des jésuites, des capucins et surtout des chartreux, Molsheim devient au 17e s. la capitale religieuse de l'Alsace. Un plan de 1744 montre l'importance de la chartreuse, qui s'étendait sur 3 ha, à l'intérieur de la ville. Une partie du cloître a été restaurée et deux **cellules** de moines reconstituées.

Dans un autre bâtiment, la **Fondation Bugatti** présente des souvenirs de la famille et quelques voitures construites ici dans l'entre-deux-guerres.

Aux alentours

Avolsheim

3,5 km au nord de Molsheim. Ce village conserve un très vieux baptistère et surtout, à 500 m au sud-est, une église célèbre qui passe pour être la plus ancienne d'Alsace.

La **chapelle St-Ulrich**, ancien baptistère (vers l'an 1 000) au plan en forme de trèfle, se compose de quatre absidioles autrefois voûtées en cul-de-four. De belles **fresques★** du 13e s. aux tons verts, ocre et rouges, représentent La Trinité, les quatre évangélistes et des scènes de l'Ancien Testament.

Avec son clocher à huit pans, l'**église du Dompeter** fait face à un magnifique tilleul d'âge vénérable, au milieu d'un cimetière, en plein champ. Quoique en partie reconstruite aux 18e et 19e s., cette église dédiée à saint Pierre constitue un émouvant témoignage des débuts de l'art roman. De l'origine, il reste la base du clocher-porche, les linteaux des portes latérales ornés de symboles et les piles massives supportant les pleins cintres des arcades.

Altorf

3 km à l'est par la D 392. Contraste à l'**église St-Cyriaque** entre l'extérieur et la nef, de style roman tardif (bandes lombardes, arcs en plein cintre) et le transept et le chœur baroques (1724).

Mutzig

Cette charmante petite ville, autrefois fortifiée, abrite depuis des siècles une garnison. Elle s'orne d'une jolie fontaine et d'une porte du 13ᵉ s., surmontée d'une tour.

Le **fort de Mutzig** est la première fortification « moderne » (ouvrages bétonnés, tourelles cuirassées et électricité) édifiée par l'Empire allemand à partir de 1893. Le circuit de 2 km permet de découvrir les installations (cuisines, chambrée, boulangerie). *R. du Camp -* ☎ *06 08 84 17 42 - www.fort-mutzig.eu - visite guidée uniquement - 1ᵉʳ juil.-15 sept. : tte la journée ; avr.-juin et mi-sept.-fin oct. : w.-end apr.-midi - 7 €.*

C'est à Mutzig, en 1812, que l'industriel Wagner créa sa célèbre brasserie. Elle a fermé ses portes en 1990. Mais il y a toujours chaque année une Fête de la bière *(voir l'encadré pratique)*. C'est aussi à Mutzig qu'en 1833 naquit Chassepot, l'inventeur du fusil qui armait l'infanterie française en 1870. Près de la Bruche, l'ancien **château des Rohan** (17ᵉ s.), évêques de Strasbourg, fut converti en manufacture d'armes après la Révolution. Il abrite aujourd'hui un centre culturel et le **musée régional des Armes** (armes à feu, histoire du fusil Chassepot et armes blanches). ☎ *03 88 38 31 98 - &* - *juil.-août : tlj sf lun. et mar. apr.-midi ; mai-juin et de déb. sept. à mi-oct. : w.-end apr.-midi - fermé j. fériés sf si w.-end - 2,50 €.*

Montmédy

2 197 MONTMÉDIENS
CARTE GÉNÉRALE A1 – CARTE MICHELIN DÉPARTEMENTS 307 D1 – MEUSE (55)

Deux villes pour le prix d'une, Montmédy-Haut et Montmédy-Bas. La ville haute, sur son piton, fortifiée à la Renaissance et transformée par Vauban, a toujours ses remparts et se trouve être un bel exemple d'architecture militaire. La ville basse, au bord de la Chiers, est idéale pour une balade romantique au fil de l'eau.

Se repérer – À 67 km au sud-est de Charleville-Mézières par la D 643, la ville n'est pas loin de la Belgique. En poursuivant par l'A 6 belge vers l'est, on arrive en quelques minutes au Luxembourg. Montmédy se trouve aussi à 60 km au nord de Verdun.

À ne pas manquer – Une promenade le long des remparts.

Pour poursuivre la visite – Voir aussi la basilique d'Avioth.

Le saviez-vous ?

Louis XIV avait conduit son premier siège à Montmédy en 1657, assisté du maréchal de La Ferté. Ce n'est que deux ans plus tard que les habitants, après avoir été rattachés au duché de Bourgogne, puis aux Habsbourg et enfin à l'Espagne, sont devenus français.

Visiter

La ville haute (Montmédy-Haut) est perchée sur un piton isolé. On y pénètre par le nord en franchissant deux portes successives à pont-levis et une commandant la citadelle.

Citadelle★

Elle a conservé ses remparts imposants constitués de glacis, courtines et bastions, modernisés après 1870. Le général Séré de Rivières décida alors d'aménager une caserne souterraine. Depuis le haut des remparts s'offre une vue sur les environs de Montmédy.

Musées de la Fortification et Jules-Bastien-Lepage

À l'entrée de la citadelle - ℘ *03 29 80 15 90 - fév.-nov. : tlj tte la journée - fermé déc.-janv. - 4 € (-12 ans 2 €), circuit des remparts inclus.*

Dans la section « Fortification », plus de 200 sites ou ouvrages fortifiés de la Meuse sont présentés : un bon moyen de comprendre l'« art de la guerre » et l'évolution des systèmes défensifs (maquettes, montage audiovisuel).

Quant à Jules Bastien-Lepage (1848-1884), ami de Rodin, né à Damvillers, c'est un portraitiste et un remarquable peintre de la nature. Le musée est consacré à son œuvre, notamment à des dessins préparatoires et des esquisses.

Église St-Martin

Construite en 1756, son style architectural reste pourtant assez sobre. En plus des boiseries du chœur, on remarquera les dalles funéraires de la famille d'Allamont, gouverneurs de la ville pendant la période espagnole.

L'imposante citadelle de Montmédy.

R. Mattes/MICHELIN

Montmédy pratique

Adresses utiles

Office du tourisme de Montmédy – *Citadelle - 55600 Montmédy - ☎ 03 29 80 15 90 - www.tourisme.fr/office-de-tourisme/montmedy.htm - mai-août : tte la journée ; fév. -avr. et sept.-oct. : apr.-midi ; nov. -janv. : se renseigner pour les horaires.*

Syndicat d'initiative de Marville – *5 pl. St-Benoit - 55600 Marville - ☎ 03 29 88 15 15 - www.marville55.net - tlj sf w.-end et j. fériés mat. et apr.-midi.*

Visites

Circuit des remparts – Le parcours de visite est jalonné par des points sonores qui rappellent l'histoire du site. *☎ 03 29 80 15 90 - mêmes conditions de visite que les musées (billet combiné).*

Nocturne de la citadelle – Visite guidée aux flambeaux de la citadelle, des remparts, des fossés, du grand puits *(2h) - sur réservation auprès du bureau d'accueil de la citadelle (juil.-août : vend. et sam. soirs) - ☎ 03 29 80 15 90 - 6 € (enf. 3 €).*

Se loger

⊖ **Auberge de Marville** – *Près de l'Église - 55600 Marville - ☎ 03 29 88 10 10 - www.aubergedemarville.com - fermé 4-16 janv., 21-27 fév., 26 sept.-2 oct., 19-26 déc., dim. soir du 17 janv. au 13 mars - 11 ch. 42 € - ☐ 5,50 € - rest. 24/60 €.* Cette vieille grange entièrement réhabilitée, située au pied de l'église St-Nicolas (balustrade de la tribune d'orgue datant du 16ᵉ s.), abrite des chambres fonctionnelles. Au restaurant, décor plaisant pour déguster cuisine traditionnelle et plats lorrains.

⊖ **Chambre d'hôte Mᵐᵉ Viviane Jakircevic** – *1 Grande-Rue - 54260 Charency-Vezin - 10 km à l'est de Montmédy par D 643 et D 29 - ☎ 03 82 26 66 26 - perso.orange. fr/chambreshotes54 - ☐ - 3 ch. 46 € ☐ - repas 17 €.* Cette belle maison en pierre apparente née en 1804 est entourée d'un ravissant jardin. Ses chambres, spacieuses et bien équipées, comprennent toutes cheminée, poutres et parquet d'époque. On déguste les légumes du potager à la table d'hôte (sur réservation). Promenades, curiosités : n'hésitez pas à demander conseil à Mᵐᵉ Jakircevic, elle connaît sa région sur le bout des doigts !

Se restaurer

⊖ **Le Panoramique** – *9-11 r. du Dr-Poulain - ☎ 03 29 80 11 68 - thierrypicot.lepanoramique@orange.fr - fermé juil., jeu. soir, dim. soir et vend. - 12/59 €.* Derrière l'appellation « Table de terroir » se cache parfois une cuisine gastronomique de la meilleure qualité. C'est bel et bien le cas ici, comme le prouvent les plats concoctés par le chef, mettant à l'honneur les produits locaux. L'agréable salle à manger ménage une vue superbe sur la citadelle.

Événements

Fête des Remparts – Animations, artisanat et brocante (1ᵉʳ dim. de mai).

Fête des Pommes – Expositions, artisanat, animations et brocante (*dernier dim. de sept.*).

Aux alentours

Louppy-sur-Loison

14 km au sud-est, par la D 643.

Le **château** du 17ᵉ s. a reçu la visite de Louis XIV. Pigeonnier, chapelle (vestiges du château fort originel à proximité) et portails richement sculptés. *Possibilité de visite guidée (1h), se renseigner - ☎ 03 29 88 11 16 ou ☎ 03 29 80 15 90 (office de tourisme).*

Marville

12 km à l'est, en direction de Longwy.

C'est un bon exemple de l'influence espagnole sur la région (fin 16ᵉ s. à 1659). Remarquez les façades sculptées de cette période dans la **Grand'Rue**. Dans l'**église St-Nicolas**, la balustrade de la tribune de l'orgue est du début du 16ᵉ s.

Un chemin goudronné conduit au **cimetière de la chapelle St-Hilaire** construit sur la colline, qui renferme un ossuaire fermé par un mur à colonnettes, lequel contient, dit-on, 40 000 crânes. Dans la chapelle, admirez le *Christ aux liens*, remarquable sculpture attribuée à l'école de Ligier Richier.

Mulhouse★★

111 700 MULHOUSIENS
CARTE GÉNÉRALE C3 – CARTE MICHELIN DÉPARTEMENTS 315 I10 – HAUT-RHIN (68)

Mulhouse, la ville industrielle par excellence, a su mettre son patrimoine en valeur : le plus prestigieux musée d'automobile de la planète, une Cité du Train, un musée du Papier peint, de l'Impression sur étoffes et EDF Électropolis. L'autre visage de Mulhouse, c'est celui du centre-ville avec ses maisons anciennes et ses façades peintes que l'on découvrira plutôt à pied en suivant, par exemple, le sentier du Vieux-Mulhouse.

▶ **Se repérer** – Au carrefour de l'A 35 (Strasbourg à 100 km au nord, Bâle à 32 km au sud), et de l'A 36, qui traverse les faubourgs de la ville d'est en ouest, puis se dirige vers Belfort (45 km). Ces grands axes, ainsi que le tramway, soulagent le trafic dans la ville, laissant libre son centre semi-piétonnier. Quant au TGV, il relie Mulhouse à Paris en 3h.

👁 **À ne pas manquer** – Les musées, et tout particulièrement ceux de l'Automobile et du Chemin de fer ; l'ancien hôtel de ville.

🕐 **Organiser son temps** – Une journée ne suffit pas pour tout voir. Si vous disposez de deux jours, commencez par une promenade autour de la place de la Réunion, puis consacrez l'après-midi à la visite de l'un ou l'autre des musées du centre-ville : le Musée historique, le musée des Beaux-Arts ou le musée de l'Impression sur étoffes. Le lendemain, visitez les musées plus excentrés : la Cité du Train jouxte le musée Électropolis et la Cité de l'Automobile n'est pas loin. Côté sud, restent, au choix, le musée du Papier peint ou le parc zoologique.

> ### Le saviez-vous ?
> Le capitaine **Alfred Dreyfus** est né en 1859 dans la maison de l'actuel magasin Globe, rue du Sauvage. Ce militaire accusé d'avoir fourni des renseignements aux Allemands, objet d'une des toutes premières campagnes médiatiques, a passé quelques sordides années au bagne de Cayenne avant d'être gracié puis réintégré dans l'armée.

👪 **Avec les enfants** – Une fois n'est pas coutume, à Mulhouse, les enfants auront envie d'aller au musée : train, électricité et automobile sauront les captiver, sans oublier le Musée historique où se trouve rassemblée une collection de jouets. Ils auront bien mérité une visite au parc zoologique et botanique.

🕯 **Pour poursuivre la visite** – Voir aussi l'Écomusée d'Alsace, le Bioscope et Ottmarsheim.

Comprendre

Les bonnes fortunes – À l'époque féodale, Mulhouse choisit de n'obéir qu'à un seul maître : l'empereur du Saint-Empire romain germanique. Puis, elle se lia aux neuf villes les plus libres d'Alsace pour former la Décapole. Les corporations de métier y devinrent très fortes, jusqu'à affaiblir le pouvoir impérial au milieu du 15e s. En 1515, cernée par les possessions des Habsbourg de plus en plus menaçants, Mulhouse quitte la Décapole pour s'allier avec les cantons suisses. Elle garde toutefois l'exonération des droits de barrières douanières qui lui garantissent des débouchés commerciaux *via* le couloir rhénan.

L'esprit calviniste – Dans le même temps, les Mulhousiens sont tenus à des règles de vie très strictes imposées par la religion réformée adoptée par la ville en 1524. Les représentations théâtrales sont terminées et les auberges ferment dès 22 heures : telle est la prescription de Calvin. Rigoureux sous certains aspects, l'esprit calviniste agit aussi comme catalyseur du développement industriel : création de manufactures d'impression sur étoffes, de chimie, de tissage, de construction mécanique. Il inspire également des initiatives pionnières en matière sociale, les cités-jardins ouvrières.

Les aléas de l'histoire – En 1792, la toute nouvelle République française instaure le blocus douanier de Mulhouse, la dernière ville alsacienne indépendante. La ville bourgeoise opte alors, le 15 mars 1798, pour le rattachement à la France, appelé localement « la Réunion ». Cette nouvelle alliance, sauf de 1870 à 1918, époque pendant laquelle Mulhouse devint une ville sous contrôle allemand, n'exclut pas des relations spécifiques avec la Suisse. Aujourd'hui encore, Mulhouse et Bâle partagent, par exemple, un aéroport international.

L'ère industrielle – Fondée en 1825, la SIM, Société industrielle de Mulhouse, s'était donné pour objet « l'avancement et la propagation de l'industrie ». Animatrice dans les domaines intellectuel et artistique avec la création d'écoles techniques et l'ouverture de musées, elle a doté la ville d'un musée du Dessin industriel (ancêtre du musée de l'Impression sur étoffes), puis d'un Muséum d'histoire naturelle, d'un zoo, du musée des Beaux-Arts…

Découvrir

LES MUSÉES DE L'INDUSTRIE

Cité de l'Automobile, collection Schlumpf★★★ (plan I B1)

Parking gardé payant - visite guidée ou libre avec audioguide - 192 av. de Colmar - ℰ 03 89 33 23 21 - www.collection-schlumpf.com - tte l'année, tte la journée sf 7 janv.-8 fév. : lun-vend. apr.-midi, w.-end tte la journée - fermé 25 déc. - 10,50 € (enf. 8,10 €).

Le passé de ce fabuleux musée est peu commun : Fritz Schlumpf, patron d'une usine de textile, est un passionné de voitures européennes de prestige. Capable d'acheter jusqu'à 40 modèles à la fois, il amasse ses trésors à huis clos dans les locaux de la filature. 400 automobiles de rêve sont ainsi installées dans une salle de 17 000 m², ornée de lampadaires 1900, répliques de ceux du pont Alexandre-III à Paris. En 1977, les licenciements consécutifs à la crise lainière conduisent les ouvriers à occuper l'usine. C'est à cette occasion qu'ils découvrent la somptueuse collection, qui est confisquée puis rachetée par les autorités locales. Un film retrace cette saga au début de la visite.

La salle principale contient à perte de vue la majeure partie de la collection, soit 243 voitures. Un film replace dans leur contexte celles qui ont marqué leur époque. On aborde les « ancêtres » (1895-1918) avec les Panhard, De Dion, Benz et Peugeot, puis on passe aux « classiques » (1918-1938), lors de la fusion de deux grands constructeurs, Mercedes et Benz, de l'introduction en série de la traction avant par Citroën, et enfin de l'ouverture des usines Peugeot à Sochaux. Enfin les « modernes » (après 1945) rappellent l'apparition de voitures économiques et grand public. Beaucoup de ces voitures peuvent être admirées comme d'authentiques œuvres d'art pour le raffinement de leur carrosserie, la finition de leurs roues, moyeux et articulations ou encore pour le dessin de leur calandre…

👪 Un peu de distraction ? Au centre de la salle, il vous sera possible de démarrer une Renault 1923 à la manivelle, de faire des tonneaux dans une voiture spéciale ou de vous photographier sur un ancien bolide. Les plus petits n'ont pas été oubliés : dans une salle annexe, ils testeront le circuit de kart, tandis que leurs aînés s'essaieront aux simulateurs de conduite *(payants)*.

Un 2e espace présente un long couloir de voitures de course. On se prend à rêver devant les Maserati, Porsche et autres Bugatti… Des images d'archive font revivre de grands moments de l'histoire de la course automobile.

La visite se termine avec la section des « chefs-d'œuvre de l'automobile » : voitures de prestige comme la coach Delahaye type 135 ou les Rolls Royce Silver Ghost, où le luxe n'a d'égal que la majesté des lignes. Au centre ont été rassemblées les Bugatti que Fritz Schlumpf affectionnait tant. Deux Royale, la limousine et le coupé « Napoléon » ayant appartenu à Ettore Bugatti, sont considérées comme les plus prestigieuses voitures de tous les temps.

Cité du Train★★★ (plan I A2)

Situé à Mulhouse-ouest, près de la commune de Lutterbach. 2 r. Alfred de Glehn - ℰ 03 89 42 83 33 - www.citedutrain.com - ♿ - possibilité de visite guidée sur demande (20 j. av.) - fév.-oct. : tlj tte la journée - reste de l'année : se renseigner - fermé 25 déc. - 10 € (enf. 5 €), billet combiné avec Cité de l'Automobile 17,50 €.

👪 Cette belle collection constituée par la SNCF est répartie en deux espaces d'exposition. À l'intérieur du premier bâtiment, les décors suggèrent un plateau de cinéma, à demi plongé dans la pénombre. Le « siècle d'or du chemin de fer » (1844-1960) y est retracé avec une scénographie travaillée : de courts documentaires et des automates animés évoquent les départs en vacances, l'histoire de la Micheline (invention Michelin), les difficultés de circulation en montagne et dans la neige, les voyages présidentiels, avec la mémorable chute en pyjama du président Deschanel, la vie des cheminots ou encore, pendant la Seconde Guerre mondiale, la déportation et les faits

Cité de l'Automobile, collection Schlumpf.

de résistance, illustrés par une impressionnante locomotive renversée. Le parcours permet aussi d'admirer des wagons décorés, du salon 1ʳᵉ classe du wagon Pullman de 1926 à la voiture 4ᵉ classe de la compagnie d'Alsace-Lorraine. Dans la séquence sur les trains officiels, remarquez la magnificence de la voiture de la présidence de la République de 1925 décorée par Lalique, ainsi que celle des aides de camp de Napoléon III confiée aux bons soins de Viollet-le-Duc.

Le second bâtiment, plus ancien, est aménagé comme un immense hall de gare et présente, de façon chronologique, « l'aventure ferroviaire ». Pour tout connaître et tout comprendre, munis d'un audioguide, promenez-vous sur les passerelles pour observer l'intérieur des voitures, descendez dans les fosses pour passer sous les locomotives, scrutez le dispositif des premières machines électriques. Parmi les pièces à ne pas manquer, la Crampton nº 80, locomotive à grande vitesse de 1852, la locomotive St-Pierre au corps de bois de teck affectée à la ligne Paris-Rouen en 1844 ou la dernière des locomotives à vapeur, mais aussi l'autorail Bugatti de 1933 ou la DB 9004, locomotive électrique qui battit le record du monde de vitesse en 1955, avec une pointe à 331 km/h. Depuis le record de 2007, 574,8 km/h, c'est le TGV qui a la vedette : une reconstitution de cabine de conducteur faire revivre l'événement. En face des quais, dans une salle annexe, quelques maquettes et un mini train électrique.

Musée EDF Électropolis★★ (plan I A2)

Bus nº 20 à prendre à la gare centrale direction « Musées ». 55 r. rue du Pâturage - ☎ 03 89 32 48 50 - www.edf.electropolis.mulhouse.museum - ♿ - tlj sf lun. tte la journée - fermé 1ᵉʳ janv., lun. de Pâques, 1ᵉʳ Mai, lun. de Pentecôte, 1ᵉʳ et 11 Nov., 25 et 26 déc. - 8 € (-18 ans 4 €).

L'exposition s'ouvre sur une grande maquette commentée qui, par un jeu d'illuminations progressives, met en évidence l'importance de l'électricité dans notre monde moderne et présente ses principaux modes de production. Puis, dans une ambiance propre à chaque époque, vous revivez l'histoire de l'électricité de l'Antiquité au 20ᵉ s., de façon interactive, avec des propositions de manipulation ou des objets à découvrir derrière des glaces sans tain. Après avoir pris conscience de la fascination des Anciens pour la foudre, vous voici plongés en pleine Renaissance, au milieu d'un cabinet de curiosités. Ce sont ensuite Volta et sa pile, Ampère et le magnétisme, Ohm et la résistance, Gramme et la dynamo qui conduisent l'électricité à devenir une véritable fée bonne à tout faire, étrangeté des premières Expositions universelles. Au début du 20ᵉ s., tous les secteurs sont métamorphosés par le phénomène : transports, télécommunication, médecine, éclairage, cinéma. Dans le salon tout électrique des années 1930, l'arrivée des appareils électroménagers révolutionne la vie quotidienne. Pièce maîtresse du musée, le gigantesque groupe électrogène de 170 tonnes qui servit à alimenter la grande usine textile DMC, mis en scène par un spectacle multimédia. Pour terminer, un clin d'œil à la trépidante société de consommation, aux nouvelles technologies (en particulier à l'aérospatiale) et à la musique. Expositions temporaires et animations enrichissent encore la visite ; dans le théâtre de l'électrostatique, animé à heures fixes, les expériences sont particulièrement décoiffantes.

Musée de l'Impression sur étoffes★ (plan II B2)

14 r. Jean-Jacques-Henner - ℰ 03 89 46 83 00 - www.musse-impression.com - ♿ - possibilité de visite guidée sur demande (3 sem. av.) - tlj sf lun. mat. et apr.-midi - fermé 1ᵉʳ janv., 1ᵉʳ Mai, 25 déc. et 26 déc. mat. - 6 € (-18 ans 2 €).
La location d'un audioguide à la boutique (2 €) enrichit la visite. Compter 1h30.

Au cœur de la ville, ce musée se trouve dans un bâtiment de 1880 ayant appartenu à la SIM (Société industrielle de Mulhouse). Dans des espaces bien conçus, on découvre comment Mulhouse s'est ouvert dès 1746 à l'impression textile, après une prohibition de 73 ans imposée par le pouvoir royal, comment celle-ci s'y est développée entraînant à sa suite la croissance de la ville, qui passa en un siècle et demi de 5 000 à 100 000 habitants, et comment l'évolution des techniques a pu servir la créativité des dessinateurs. Du blanchiment des toiles jusqu'à leur amidonnage et lustrage, teinture par les couleurs naturelles telles qu'indigo ou garance, savoir-faire des dessinateurs et des graveurs, rien ne vous échappera. Remarquez les originaux du 18ᵉ s. des fameuses indiennes, grands châles orientaux et leurs imitations européennes. La boutique du musée réédite les motifs originaux d'impression et propose un large choix de nappes, châles, foulards et mouchoirs aux couleurs chatoyantes.

> **Les indiennes**
>
> Initialement importées des comptoirs d'Inde, ces étoffes étaient peintes ou imprimées dans les tons rouges dus à la racine de la garance que l'on utilisait pour la teinture.
> ⌖ Voir « Comprendre la région » p. 66)

Musée du Papier peint★ (plan I D2)

A Rixheim, 6 km à l'est de Mulhouse sur la route de Bâle. ℰ 03 89 64 24 56 - www.musee-papierpeint.org - possibilité de visite guidée - tlj mat. et apr.-midi - fermé 1ᵉʳ janv., Vend. saint, 1ᵉʳ Mai et 25 déc. - 6 € (enf. 4,50 €), billet combiné avec musée de l'Impression sur étoffes de Mulhouse 10 €.

Il occupe l'aile droite d'une ancienne commanderie de chevaliers Teutoniques achevée en 1738 où Jean Zuber installa en 1797 une fabrique de papiers peints qui fit la renommée de sa famille. L'exposition des machines permet de comprendre la fabrication de ces papiers peints. La **collection★★** de ces fameux panoramiques est remarquable. Ils furent très recherchés et exportés dans le monde entier, notamment en Amérique du Nord (la Maison Blanche en possède). Ce sont pour l'essentiel des paysages aux fraîches couleurs qui peuvent mêler des vues recomposées de la Suisse, de l'Algérie ou du Bengale. Sur les grands panoramiques *Les Français en Égypte* ou *La Bataille d'Héliopolis*, la bataille n'est plus qu'une anecdote dans le paysage idéalisé de l'Égypte.

Se promener

AUTOUR DE LA PLACE DE LA RÉUNION

Ancien hôtel de ville★★ (plan II B1)

Il a été construit en 1552 dans le style de la Renaissance rhénane par un architecte bâlois. Il est tout à fait unique en France avec ses façades peintes, dans la technique du trompe-l'œil pour certains détails. Montaigne le qualifia de « palais magnifique et tout doré ». Le double perron couvert est une merveille d'équilibre. Les écus aux armes des cantons suisses peints sur la façade rappellent le lien historique de Mulhouse avec la Confédération helvétique. Sur le côté droit de l'édifice est accroché un masque de pierre grimaçant, copie du *klapperstein* pesant plus de 10 kg, qu'on suspendait au cou des personnes condamnées pour médisance. Ces dernières devaient faire le tour de la ville, assises à rebours sur un âne.

Au pied de la volée de marches se trouve l'entrée du Musée historique de Mulhouse *(voir « Visiter »)*. La **salle du conseil**, au 1ᵉʳ étage, servait autrefois de lieu de réunion du gouvernement de la petite république protestante. De nos jours, il arrive que le conseil municipal y siège (mais les services municipaux sont désormais dans les locaux modernes de la nouvelle mairie).

Sur le côté gauche de la place, le « poêle des tailleurs », immeuble dans lequel se réunissait la corporation la plus nombreuse de la ville. Plus loin *(rue Henriette)*, le « poêle des vignerons », maison dont la façade date du 16ᵉ s.

Détail de l'horloge de l'hôtel de ville.

R. Mattes/MICHELIN

Temple St-Étienne (plan II B1)

℘ 03 89 33 78 17 - &. - mai-sept. : tlj sf mar. mat. et apr.-midi - fermé j. fériés - gratuit.

Reconstruit en 1866 à l'emplacement d'une église du 12ᵉ s., il en a gardé le nom et les magnifiques **vitraux★** du 14ᵉ s., connus comme les plus beaux conservés en Alsace.

Traversez la place en diagonale. À l'angle de la rue des Boulangers, la plus ancienne **pharmacie de Mulhouse** offre ses services depuis 1649.

Quittez la place de la Réunion par la rue des Bouchers. Tournez à droite dans la rue des Bons-Enfants et poursuivez jusqu'à la rue de Franciscains.

À l'angle, l'église Ste-Marie, datant du 13ᵉ s et reconstruite par les franciscains, a une belle façade en grès rose. À l'intérieur sur la droite, remarquez la croix du 15ᵉ s. Vous verrez au nᵒ 44 l'hôtel particulier que la famille Feer a fait construire entre 1765 et 1770. Au nᵒ 21 se trouve un bâtiment du 18ᵉ s qui abritait la manufacture de toiles peintes et de filatures. Au nᵒ 11 sont installées plusieurs manufactures d'indiennes dont la plus célèbre est la « cour des chaînes », ouverte en 1763 dans un édifice du 16ᵉ s. Fabio Rieti, un artiste contemporain, y a créé un mur peint se rapportant à l'histoire de Mulhouse.

Continuez par la rue de la Loi. À droite, à l'angle de la rue Ste-Claire, ensemble manufacturier du 18ᵉ s. : ce sont les premières maisons d'indienneurs de Mulhouse.

Revenez par le passage des Augustins.

La maison sous laquelle vous passez est à l'emplacement de l'ancien monastère des Augustins qui servit d'hôpital entre 1529 et 1624.

Prenez la rue du Raisin à droite, puis à gauche la rue Henriette.

Au nᵒ 32, la façade peinte avec des motifs de vignes rappelle que cette maison fut le siège de la corporation des vignerons.

Traversez à droite le passage Teutonique, puis prenez à gauche la rue Guillaume-Tell où se trouve le musée des Beaux-Arts. Au bout de la rue Guillaume-Tell, on retrouve la place de la Réunion.

LA VILLE INDUSTRIELLE

Le Nouveau Quartier (plan II B2)

Au sud-est du centre historique par la place de la République.

Les magnifiques arcades inspirées de la rue de Rivoli à Paris courent autour du square de la Bourse. Ce n'est pas tout à fait une place, juste trois rues qui ferment ce haut lieu du commerce mulhousien où fut édifié en 1827 le beau bâtiment de la **Société industrielle de Mulhouse**, destiné à abriter la chambre de commerce et la Bourse.

Le quartier de la Cité (plan I B1)

De part et d'autre du canal de dérivation de l'Ill. C'est autour de l'église St-Joseph, qui s'élève dans la rue de Strasbourg, que le **quartier de la Cité** est le plus typique. La rue des Oiseaux est l'artère principale qui reçoit les « passages » qui desservent les cités-jardins. Impulsées par la Société industrielle de Mulhouse, « la cité de Mulhouse », puis la « Nouvelle Cité » offraient à chaque famille un logement à entrée indépendante et un petit jardin à cultiver. Un système de location-vente permettait l'accession à la propriété. Inscrites dans un plan orthogonal, les maisons sont construites dès 1851.

Visiter

Musée historique★★ (plan II B1)

Pl. de la Réunion - ℘ 03 89 33 78 17 - www.musees.mulhouse.museum - tlj sf mar. mat. et apr.-midi - fermé j. fériés, Vend. saint et 26 déc. - gratuit.

Les collections évoquent l'histoire de la ville, de sa région et de la vie quotidienne à travers le temps depuis 6 000 ans (salles archéologiques). Leur présentation dans l'ancien hôtel de ville est très respectueuse du bâtiment. Symbole de Mulhouse, les objets du Moyen Âge notamment mettent en valeur l'étage où le gouvernement de la République se réunissait. La **coupe en vermeil** offerte par la ville au représentant du Directoire en 1798, lors de la réunion de Mulhouse à la France est ici conservée.

Dans le **Grenier d'Abondance** accessible par la passerelle réalisée au 18e s., une belle collection de jouets a été rassemblée comprenant des maisons de poupée et leurs accessoires, de même que des jeux de société.

La vie quotidienne depuis le 18e s. est évoquée dans la galerie d'art populaire avec des intérieurs traditionnels. On peut aussi imaginer la vie bourgeoise avec la reconstitution de salons mulhousiens (curieux lit camouflé sous l'apparence d'un buffet peint).

Musée des Beaux-Arts (plan II B1)

4 pl. Guillaume-Tell - ℘ 03 89 33 78 11 - www.musees.mulhouse.museum - & - tlj sf mar. mat. et apr.-midi - fermé fermé 1er janv., Vend. saint, Pâques, lun. Pâques, 1er et 8 mai, Ascension, Pentecôte, lun. de Pentecôte, 14 Juil., 15 août, 1er et 11 Nov., 25 et 26 déc. - gratuit.

Il rassemble surtout des peintures des 17e et 18e s., dont des œuvres de Bruegel le Jeune, Teniers, Ruysdael, Boucher, ainsi que celles de nombreux maîtres alsaciens à tendance folklorique : Brion, Pabst, Wencker, Jundt. Également des toiles de Jean-Jacques Henner (1829-1905), des paysages et natures mortes de Lehmann (1873-1953) ou des compositions rutilantes de Charles Walch (1896-1948).

Parc zoologique et botanique★★ (plan I C2)

Au sud de Mulhouse, en périphérie du quartier du Rebberg. 51 r. du Jardin Zoologique - ℘ 03 89 31 85 10 - www.zoo-mulhouse.com - tte la journée - tarifs : se renseigner.

Ce beau parc, créé par des industriels pour leurs ouvriers au 19e s., s'est donné aujourd'hui pour mission la sauvegarde et la connaissance d'espèces rares ou en voie de disparition, parfois par l'élevage, quand seule cette solution subsiste. On

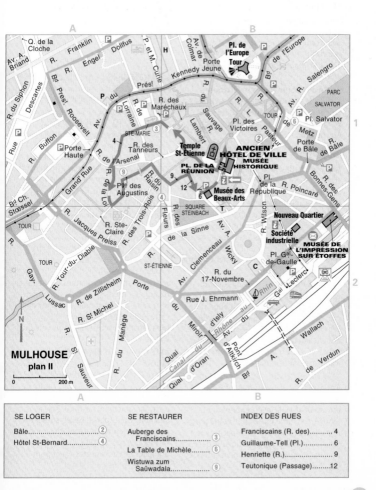

MULHOUSE
plan II
0   200 m

y observe des lémuriens de Madagascar, des tigres de Sibérie, des zèbres de Grévy ou des cerfs du prince Alfred, ces derniers ne subsistant plus que sur deux îles des Philippines. Le parc tient aussi le registre mondial d'élevage du gibbon concolore, un singe originaire du sud de la Chine et du Viêtnam connu pour son chant particulier et son agilité phénoménale. D'autres espèces plus fréquentes dans les zoos voisinent avec ces rescapés : otaries, pythons, loups, perroquets, lions d'Asie, loutres… en tout près de 1 200 animaux. L'attrait pour ce parc est double puisqu'il abrite également une remarquable collection botanique : jardin de bulbes dont la floraison est magnifique vers avril, jardin de pivoines odorant en mai, jardin d'iris superbe en juin, jardin des rhododendrons (plus de 400 variétés) et Jardin de tous les sens.

Mulhouse pratique

Adresse utile

Office du tourisme de Mulhouse – *9 av. du Mar.-Foch - 68100 Mulhouse - ℘ 03 89 35 48 48 - www.tourisme-mulhouse.com - tlj sf w.-end mat. et apr.-midi. Point d'information touristique : place de la Réunion, rdc de l'hôtel de ville - 68100 Mulhouse - ℘ 03 89 66 93 13 - tlj tte la journée sf dim. et j. fériés mat. et apr.-midi ; juil.-août et pdt le marché de Noël : tte la journée ; janv. -mars : mat. - fermé 1er janv., 1er Mai et 25 déc.*

Visites

Visite guidée de la ville – Elle est proposée par l'office de tourisme en juil.-août : centre historique sam. 10h30 ; cité-jardin mar. 10h30 et les 4 sam. de l'Avent 17h - inscription obligatoire - 4 € (-12 ans gratuit).

Visite de l'usine Peugeot-Citroën – L'office de tourisme organise des visites guidées du site industriel tous les vendredis à 14h (s'inscrire au préalable). Âge minimum : 16 ans.

Se loger

⌖ **Hôtel St-Bernard** – *3 r. des Fleurs - ℘ 03 89 45 82 32 - www.hotel-saint-bernard.com - 21 ch. 38/54 € - � 7,50 €.* Près de la jolie place de la Réunion et de l'Hôtel-de-Ville, ce petit hôtel fonctionnel est bien situé. Demandez l'une des deux chambres avec matelas à eau, pour rire, ou celle avec un plafond peint, pour rêver. À la réception, Internet gratuitement à votre disposition.

⌖ **Hôtel de Bâle** – *19 passage Central - ℘ 03 89 46 19 87 - www.hoteldebale.fr - 32 ch. 44/56 € - ⊑ 6,50 €.* Petit hôtel situé près des rues piétonnes du centre-ville. Les chambres, d'une tenue sans reproche, bénéficient d'une bonne literie. Salle des petits-déjeuners agrémentée d'un mobilier de style régional.

⌖⌖ **Hôtel Bristol** – *18 av. de Colmar - ℘ 03 89 42 12 31 - www.hotelbristol.com - 🅿 - 85 ch. 70/160 € - ⊑ 8,50 €.* Cet hôtel proche de la vieille ville, entièrement rénové, constitue une bonne étape pour une visite à Mulhouse. Hall spacieux et salon au mobilier d'inspiration Art déco. Les chambres sont amples, bien équipées et climatisées.

Enseigne en fer forgé.

A. de Valroger/MICHELIN

⌖⌖ **Hôtel Relais « Arc-en-Ciel »** – *2 r. du Périgord - 68270 Wittenheim - 5 km au nord-ouest de Mulhouse-centre par D 430, sortie 7 - ℘ 03 89 52 42 22 - relaisarcenciel@wanadoo.fr - 🅿 - 39 ch. 46/50 € - ⊑ 6,90 € - rest. 18/24 €.* Cet hôtel situé aux abords d'une zone commerciale compte 39 chambres équipées d'un mobilier fonctionnel. La vaste terrasse fleurie et la piscine couverte agrémenteront votre séjour dans la région. Restaurant uniquement le soir et fermé le week-end.

⌖⌖ **Au Cheval Blanc** – *68390 Baldersheim - ℘ 03 89 45 45 44 - www.hotel-cheval-blanc.com - fermé 23 déc.-5 janv. - 🅿 - 82 ch. 64/101 € - ⊑ 9,50 € - rest. 17/50 €.* Hôtel d'allure ancienne exploité en fils depuis plus d'un siècle. Les chambres, garnies de meubles rustiques, offrent un confort homogène et de qualité. Plusieurs menus et une belle carte régionale vous attendent dans la salle à manger, accessible par le café du village.

⌖⌖ **Chambre d'hôte Le Clos du Mûrier** – *42 Grand-Rue - 68170 Rixheim - 6 km à l'est de Mulhouse, dir. Bâle - ℘ 03 89 54 14 81 - 5 ch. 64 € - ⊑ 8 €.* Au centre de Rixheim, cette maison alsacienne du 16e s. a été agréablement rénovée. Ses chambres sont spacieuses et, sous leurs poutres anciennes, la décoration moderne ne manque pas de style. Toutes sont équipées de kitchenettes. Suite pour quatre personnes. Joli jardin.

Se restaurer

Auberge des Franciscains – 46 r. des Franciscains - $\mathcal{C}$ 03 89 45 32 77 - www. auberge-des-franciscains.com - fermé mar. et dim. soir - 9,80 € déj. - 12,80/28 €. Boiseries, poutres apparentes, belle batterie de cuisine en cuivre au-dessus du bar, étagères garnies de chopes anciennes : le décor rustique de cette taverne est très chaleureux. Nombreux plats locaux sur la carte : baeckeofe, choucroute, cassolette au munster, jarret de porc, etc.

Auberge de Frœningen – 68720 Frœningen - 9 km au sud-ouest de Mulhouse par D 8[BIII] - $\mathcal{C}$ 03 89 25 48 48 - www. aubergedefrœningen. com - fermé 11 janv.-1er fév., 17-30 août, mar. de nov. à avr., dim. soir et lun. - 13/55 €. Tentures rouges et lustres de cuivre donnent le ton : cette maison de village fleurie sert une cuisine régionale, rustique et généreuse dans un cadre cossu. L'une des deux salles, décorée à l'alsacienne, est plus chaleureuse. Agréable terrasse dressée dans le jardin et plaisantes petites chambres.

La Table de Michèle – 16 r. de Metz - $\mathcal{C}$ 03 89 45 37 82 - michele.brouet@ wanadoo.fr - fermé août, 24 déc.-2 janv., sam. midi, dim. et lun. - 17/45 €. Michèle joue du piano debout… en cuisine bien sûr ! Son répertoire ? Plutôt traditionnel, mais sensible aux quatre saisons. En salle, chaleur du bois brut et éclairage intime.

Wistuwa zum Saüwadala – 13 r. de l'Arsenal - $\mathcal{C}$ 03 89 45 18 19 - http://www. restaurant-sauwalda.com - fermé lun. midi et dim. - formule déj. et dîner 14,20 € - 18,50/26,50 €. La façade de ce restaurant situé au cœur du vieux Mulhouse est si typique que vous ne pourrez la rater. Collection de cochons en réduction (clin d'œil à l'enseigne), chopes de bière au plafond et nappes vichy composent le cadre de cette sympathique adresse. On y sert une cuisine aux accents alsaciens.

« Jules » – 5 r. de Mulhouse - 68440 Zimmersheim - 6,5 km au sud-est de Mulhouse par D 56 - $\mathcal{C}$ 03 89 64 37 80 - www.restojules.fr - fermé vac. de fév., 1er-15 août et w.-end - réserv. conseillée - 19 €. Avec son mobilier de bistrot et son atmosphère chaleureuse, ce restaurant respire la convivialité. Pas de carte, mais des menus qui changent tous les jours, inscrits sur ardoise : viandes (le propriétaire est un ancien boucher) dont du gibier en saison, poisson, pâtisseries…

Le Petit Prince – 100 r. de l'Aérodrome - 68170 Rixheim - $\mathcal{C}$ 03 89 64 24 85 - fermé 26 déc.-15 janv., dim. et lun. - 32 €. Un séduisant tour du monde des saveurs vous attend dans cette modeste « cabane » bleue dont le décor intérieur rend hommage au Petit Prince. Terrasse avec vue sur le tarmac. En soirée

Faire une pause

Au Moulin Poulaillon – 176 r. de Belfort - $\mathcal{C}$ 03 89 42 24 04 - poulaillon.dornach@ poulaillon.fr - tlj sf dim. 6h-20h (sam. : 19h) - fermé j. fériés. Outre sa trentaine de pains spéciaux souvent très originaux, cette boulangerie tenue par une jeune patronne dynamique et pleine d'idées dispose d'un espace restauration-salon de thé dont le décor mérite le coup d'œil : vieux plancher, poutres, moulin reconstitué et fournil visible de tous.

En soirée

Charlie's Bar – 26 r. de Sinne - face au théâtre municipal - $\mathcal{C}$ 03 89 66 12 22 - www.hotelduparc-mulhouse.com - 10h-1h30 (vend.-sam. 3h) - fermé 1er janv. et 1er Mai. Piano-bar installé dans le très chic hôtel du Parc. Hommes d'affaires et bougeoisie locale y apprécient sa musique digne des meilleurs clubs de jazz : concert de piano tous les soirs (à partir de 19h) et duo en fin de semaine.

Maison de la céramique – 25 r. Josue-Hofer - $\mathcal{C}$ 03 89 43 32 55 - ouv. tlj sf lun. 14h-18h. Centre d'art international, expositions temporaires.

Que rapporter

Marché du Canal Couvert – Quai de la Cloche - mar., jeu. et sam. 7h-17h. Cette imposante halle abrite l'un des plus grands marchés de l'Est de la France. Chaque mardi, jeudi et samedi, elle accueille près de 350 commerçants (commerces de bouche et étals de mercerie-textile-bazar).

Sports & Loisirs

Bon à savoir – La ville de Mulhouse propose 5 piscines municipales, dont 4 sont aménagées pour les personnes handicapées.

Piscine Pierre-et-Marie-Curie – 7 r. Pierre-et-Marie-Curie - $\mathcal{C}$ 03 89 32 69 00. Anciens bains municipaux. Elle offre en plus des bassins couverts des installations (de mi-sept. à fin mai) de sauna et de hammam, ou de baignoires de relaxation et bains romains, dans un décor de marbre et vitraux datant du siècle dernier.

Stade nautique – 53 bd Charles-Stœssel - $\mathcal{C}$ 03 89 43 47 88 - de fin mai à déb. sept. : 10h-20h. Ensemble de plein air dans une zone ombragée de 7 ha équipé notamment d'un pentagliss (toboggan de 4 pistes proposant 50 m de glissade).

Événements

Marché de Noël – De mi-nov. à fin déc.

Carnaval – Fanfares nocturnes, farandoles géantes, chars et défilés sont au rendez-vous chaque année (mars) - $\mathcal{C}$ 03 89 35 48 48.

Festival européen de l'automobile – En juil. - $\mathcal{C}$ 03 89 35 48 48.

Munster

5 108 MUNSTÉRIENS
CARTE GÉNÉRALE C3 – CARTE MICHELIN DÉPARTEMENTS 315 G8 – HAUT-RHIN (68)

Entre les vignobles et la route des Crêtes, Munster c'est, en hiver, l'accès aux champs de neige et, en été, le départ de circuits pédestres, pistes et sentiers vers les sommets arrondis des Hautes-Vosges, les versants parfois escarpés, les lacs, et surtout les prairies d'alpage : les hautes chaumes. Ces pelouses des sommets sont le repaire des marcaires, paysans détenteurs de la recette du très odorant fromage de Munster.

◐ **Se repérer** – Munster commande l'accès à la vallée de Munster, dénomination culturelle plus que géographique qui recouvre deux vallées du massif vosgien se rejoignant à Munster et filant ensuite vers la plaine. Seize communes implantées le long de la Petite et de la Grande Fecht, toutes deux verdoyantes (hêtraies), constituent cette entité traditionnelle parcourue notamment par la D 417.

◉ **À ne pas manquer** – Le Hohrodberg pour sa vue splendide, le Hohneck bien sûr mais aussi le petit lac de Fischbœdle.

◕ **Organiser son temps** – Pour profiter du paysage et des bienfaits de la nature, prenez le temps d'une randonnée pédestre.

◔ **Pour poursuivre la visite** – Voir aussi Colmar, le massif du Petit Ballon, le PNR des Ballons des Vosges, la route des Crêtes, Turckheim.

Comprendre

L'origine du nom – Des moines irlandais, venus au 7ᵉ s. pour achever l'évangélisation de l'Alsace, ont fondé dans ce lieu sauvage une abbaye qui donna son nom au bourg. Munster signifie « monastère ».

La fabrication du munster – Dans la vallée, les marcaires vivent depuis toujours en réseau solidaire. Au début du printemps, ils mènent leurs troupeaux de vaches, d'abord près des granges d'altitude (fourrage coupé l'année précédente), puis l'été venu, ils montent à la marcairie, généralement un bien communal, et fabriquent le fromage. La recette du munster est connue depuis le 9ᵉ s. mais l'appellation n'apparaît qu'au 16ᵉ s. Pour une livre de fromage, on fait chauffer 5 litres de lait dans un grand chaudron en cuivre. Lorsque la température atteint 38 °C, on ajoute la présure. Le caillé obtenu est découpé en cubes que l'on fait égoutter après les avoir disposés dans des formes en bois.

Se promener

La Grand'Rue est très animée avec ses jolies boutiques. Les dommages et les ruines laissés par la Grande Guerre ne sont plus que des souvenirs. La très belle église protestante luthérienne a été construite dans les années 1867-1873, dans le style néoroman. Réintroduites dans la région au moyen d'un enclos, les cigognes sont de retour sur les toits de la ville.

En bordure de la place du Marché, l'aile subsistante de l'ancien palais abbatial est devenue le siège du **Parc naturel régional des Ballons des Vosges**. Une exposition permanente y présente les principales richesses et caractéristiques du Parc. *1 cour de l'Abbaye - 68140 Munster - ℘ 03 89 77 90 34 - www.parc-ballons-vosges.fr - de déb. mai à mi-sept. : tlj sf lun. mat. et apr. midi ; reste de l'année : tlj sf w.-end apr. midi, vac. scol. mat. et apr. midi.*

Circuits de découverte

VALLÉE DE MUNSTER★★ 5

55 km – environ 3h. Voir schéma p. 118-119. Quittez Munster au nord-ouest par la D 417, puis tournez à droite dans la D 5 bis en montée sinueuse.

Hohrodberg

Le site de cette station estivale très ensoleillée est remarquable. **Vue★★** étendue sur Munster, sa vallée et, de gauche à droite, du Petit Ballon au Hohneck.

Au cours de la montée, arrêtez-vous à l'aire de pique-nique et faites quelques pas sur la route, pour admirer les environs. Randonneurs, reportez-vous à l'encadré pratique.

Le Collet du Linge

À droite de la route s'étend un cimetière militaire allemand.

Le Linge

Après de violents combats, les troupes françaises s'établirent définitivement en août 1915 sur les pentes ouest du Linge et du Schratzmaennele, alors que les Allemands occupaient la crête. En prenant à droite, on atteint le sommet du Linge (986 m).

Le **musée-mémorial du Linge** évoque la terrible vie des soldats dans les tranchées et les assauts meurtriers qui coûtèrent la vie à 17 000 combattants français et allemands de juin à octobre 1915. Une vidéo, ainsi que différents objets et documents d'époque (reliques, portraits, photos, uniformes, armes, journaux de tranchée), des cartes et des maquettes permettent de se représenter la dureté des combats, les difficultés du ravitaillement et des soins et de comprendre les raisons stratégiques qui firent du Linge un lieu de si triste mémoire. La découverte du **champ de bataille** est particulièrement émouvante : à quelques mètres des premières lignes françaises, les tranchées allemandes, maçonnées, sont très bien conservées. *Collet du Linge entre Orbey et Munster - ✆ 03 89 77 31 61 - www.linge1915.com - Vend. saint-11 Nov. : mat. et apr.-midi - 2,50 € (-16 ans gratuit).*

La vallée de Munster, arrosée par la Fecht.

La D 11 domine bientôt le val d'Orbey.

Col de Wettstein

Cimetière des Chasseurs, où reposent 3 000 soldats français.

Descendez dans la Petite Vallée par la D 48 qui rejoint la D 417 près de Soultzeren.

La route grimpe vers le col de la Schlucht offrant des perspectives de plus en plus belles sur la vallée de la Fecht, puis sur la Petite Vallée. Après un très beau parcours en forêt et de superbes échappées vers la plaine d'Alsace et la Forêt-Noire, on domine de très haut le cirque magnifique où naît la Petite Fecht.

On passe ensuite par le col de la Schlucht, le jardin d'altitude du Haut-Chitelet, le Hohneck et le Markstein *(voir Route des Crêtes)*. Au passage sous un téléski, vue plongeante sur le lac de la Lauch, la vallée de Guebwiller et la plaine d'Alsace.

Revenez sur vos pas et prenez à droite la D 27. Après une courte montée, on quitte la région des pâturages : belle vue à gauche sur le massif du Hohneck. La descente continue dans les bois où les hêtres prennent le pas sur les sapins.

Schnepfenried★

Cette station de sports d'hiver possède plusieurs remonte-pentes. Elle offre un beau **panorama★** sur le massif du Hohneck, au flanc duquel on distingue le barrage et le lac de Schiessrothried, et, plus à droite, sur Munster et les hauteurs qui dominent sa vallée.

🔭 Du sommet du Schnepfenried (alt. 1 258 m), accessible par un sentier *(1h à pied AR)*, **tour d'horizon★** sur la chaîne du Grand Ballon au Brézouard, la vallée de la Fecht et la Forêt-Noire.

À Metzeral, prenez la D 10 VI. 1 km plus loin, tournez à droite pour franchir la Fecht et laissez votre voiture.

Lac de Fischbœdle★

Alt. 790 m. Ce petit lac presque circulaire d'un diamètre de moins de 100 m est l'un des plus beaux des Vosges. On le doit au manufacturier de Munster, Jacques Hartmann, qui l'a créé vers 1850. Le cadre est boisé, admirable, surtout à la fonte des neiges lorsque le torrent du Wasserfelsen alimente le lac par une jolie cascade.

Lac de Schiessrothried

🔭 *1h à pied AR par le sentier en lacet qui part à droite lorsqu'on arrive au lac de Fishbœdle. On peut aussi arriver en voiture par la D 310, puis faire 2 km à pied.* Lac de 5 ha, transformé en réservoir. Il est situé à 920 m d'altitude, au pied du Hohneck.

Le lac de Schiessrothried au pied du Hohneck.

Revenez à Metzeral et prenez à gauche la D 10.

Muhlbach-sur-Munster

Le **musée de la Schlitte** est installé en face de la gare. C'est une reconstitution thématique autour des traîneaux chargés du bois coupé en forêt, qu'on descendait sur des pentes douces. Utilisant des rondins comme les barreaux d'une échelle, le schlitteur, placé à l'avant, freinait le chargement. *✆ 03 89 77 61 08 - &. - visite guidée (45mn) juil.-août : mat. et apr.-midi - 2,50 € (enf. 1 €) - sur réserv. pour les groupes : 1,50 €.*

Luttenbach-près-Munster

Voltaire y séjourna à plusieurs reprises en 1754, en pleine forêt.
Revenez à Munster par la rive gauche de la Fecht, en empruntant la D 10.

VALLÉE DE LA FECHT 6

20 km. Quittez Munster à l'est par la D 10. Voir schéma p. 118-119.

Gunsbach

Albert Schweitzer passa son enfance dans ce village où son père était pasteur. Plus tard, installé au Gabon où il poursuivait son œuvre, il fit construire à Gunsbach une maison près de celle de son frère, grâce au prix Goethe qu'il reçut en 1928. Elle est aujourd'hui transformée en **musée**, où on retrouve des souvenirs du *French doctor*. *✆ 03 89 77 31 42 - www.schweitzer.org - visite guidée (1h) juil.-août : tlj sf lun. mat. et apr.-midi ; reste de l'année : tlj sf dim. et lun. mat. et apr.-midi - fermé j. fériés, Vend. saint et 26 déc. - 3,50 €.*
À Wihr-au-Val, traversez la Fecht et la D 417.

Soultzbach-les-Bains

La **chapelle Ste-Catherine**, du 17e s., abrite deux tableaux intéressants de F.-G. Hermann (1738). À l'écart du bourg, l'**église** paroissiale, très restaurée, contient trois **autels★★** étincelants de dorures, de vrais joyaux de sculpture sur bois. Exécutés entre 1720 et 1740, ils sont dus à l'ébéniste J.-B. Werlé. À gauche dans le chœur, beau tabernacle du 15e s. que supporte un saint Christophe. *✆ 03 89 71 11 16 - de déb. juil. à mi-sept : apr.-midi - possibilité de visite guidée - en cas de fermeture s'adresser à Rolande Megnouche-Lautrette - 12 r. de Munster - ✆ 03 89 71 17 58.*
Revenez à la D 417 en direction de Colmar.
La vallée de la Fecht tapissée de prairies s'élargit peu à peu et la vigne garnit encore les pentes inférieures exposées au soleil. On aperçoit bientôt les ruines du haut donjon de Pflixbourg. Tournez à gauche dans la D 10 pour rejoindre Turckheim, puis Colmar.

MASSIF DU PETIT BALLON★ 7

De Munster au Markstein. Voir schéma p. 118-119 et description p. 286.

Munster pratique

Adresse utile

Office du tourisme de Munster – *1 r. du Couvent - 68140 Munster -* 🖉 *03 89 77 31 80 - www.la-vallee-de-munster.com - tlj sf dim. et j. fériés mat. et apr.-midi.*

Se loger

🛏 **Hôtel Deybach** – *4 chemin du Badischhof -* 🖉 *03 89 77 32 71 - www.hotel-deybach.com - fermé lun. hors sais. et dim. soir -* 🅿 *- 16 ch. 43/52 € -* ☕ *7 €.* Accueil souriant et ambiance chaleureuse sont les atouts de cet hôtel qui abrite des chambres au décor déjà ancien, mais très bien tenues.

🛏 **Hôtel Panorama** – *3 rte de Linge - 68140 Hohrodberg -* 🖉 *03 89 77 36 53 - www.hotel-panorama-alsace.com - fermé 8 janv.-7 fév. et 12-29 nov. -* 🅿 *- 30 ch. 44/71 € -* ☕ *9,50 € - rest. 17/37 €.* Bâtiment ancien et son annexe moderne, face à la vallée du Munster. Chambres confortables – avec ou sans vue sur les Vosges – décorées de fresques à thème régional. Superbe panorama au restaurant où l'on sert des spécialités telles que le presskopf de la mer.

🛏 **Chambre d'hôte M. et Mme Bœhm-Grevet** – *139 Hilsenfirst - 68610 Linthal -* 🖉 *03 89 74 05 23 -* 🖅 *- 3 ch. 42 €* ☕ *- repas 16 €.* Cette petite maison fleurie perchée sur les hauteurs du village dispose de trois chambres bien tenues. Deux d'entre elles sont aménagées dans une dépendance. Succulentes confitures maison à savourer au petit-déjeuner. Cuisine régionale et familiale à la table d'hôte, proposée les lundi, mercredi et vendredi.

🛏 **Chambre d'hôte Chez Chantal et Dany** – *4 Oberer-Geisberg - 68140 Soultzeren -* 🖉 *03 89 77 02 09 - www.chezchantaletdany.fr - réserv. conseillée - 4 ch. 49/54 €* ☕ *- repas 20 €.* Cette ferme laitière qui borde la route du col de Wettstein offre une vue magnifique sur la vallée de Munster. Les chambres, baptisées de noms de fleurs, sont sobres et meublées dans le style contemporain. Petits-déjeuners à la française et cuisine du terroir à la table d'hôte. Également un gîte d'étape sur place.

🛏🛏 **Hôtel La Verte Vallée** – *10 r. Alfred-Hartmann, parc de la Fecht -* 🖉 *03 89 77 15 15 - www.vertevallee.com - fermé 5-30 janv. -* 🅿 *- 107 ch. 80/140 € -* ☕ *13,50 € - rest. 23/49 €.* Séjour détente garanti dans cet hôtel moderne : deux piscines couvertes pour le farniente, une salle de musculation pour la forme, un sauna pour la détente, un solarium et des UVA pour la mine… en plus du calme environnant. Cuisine soignée et accueil aimable.

Se restaurer

🍴 **Nouvelle Auberge** – *Rte de Colmar -* 🖉 *03 89 71 07 70 - www.nauberge.com - fermé vac. de fév., 2-8 juil., vac. de la Toussaint, dim. soir, lun. et mar. - 10/57 €.* Ce relais de poste vous propose, au choix, son menu du jour dans la winstub du rez-de-chaussée ou sa formule gastronomique dans une jolie salle à manger située à l'étage.

🍴 **Auberge des Cascades** – *6 chemin de Saegmatt - 68140 Stosswihr - 6 km à l'ouest de Munster par D 417 puis rte secondaire -* 🖉 *03 89 77 44 74 - www.restaurant-des-cascades.com - fermé 10-30 janv., lun. et mar. - 8,50/31 €.* Sur la route du col de la Schlucht, ce restaurant niché au bord d'un ruisseau à sa petite célébrité : ses tartes flambées au feu de bois, servies pendant le week-end et les vacances, attirent les foules ! Grand jardin avec des animaux.

🍴 **À l'Alsacienne** – *1 r. du Dôme -* 🖉 *03 89 77 43 49 - fermé mar. soir et merc. - 7,80 € déj. - 14,80/24,50 €.* Cette winstub située au centre-ville, proche de l'église, est très prisée des locaux. Une ambiance conviviale, un décor typiquement alsacien et une cuisine du terroir bien tournée en font une adresse à ne pas manquer.

Faire une pause

Gilg – *11 Grand'Rue -* 🖉 *03 89 77 37 56 - info@patisserie-gilg.fr - 7h30-18h30, sam. 7h-18h, dim. 7h30-12h30 - fermé 2 sem. en juin, 1er janv., 26 déc. et lun. de Pâques.* En 1945, le général de Lattre de Tassigny, de passage à Munster, commande à la déjà célèbre pâtisserie Paul Gilg des vacherins glacés. Aujourd'hui, le petit-fils du maître, qui accumule les récompenses, vous invite à goûter ses délicieuses créations : le Lacthé, au nom évocateur, le Caprice du moine, au délicat goût de mûre sauvage, le Cyrano glacé ou les petits fours maison. Agréable salon de thé.

Que rapporter

Dischinger – *2 Grand'Rue -* 🖉 *03 89 77 36 92 - 9h-12h, 14h30-18h30, dim. 9h-12h - fermé nov.-janv.* Spécialités alsaciennes.

Sports & Loisirs

Ski – Le domaine skiable de la vallée de Munster regroupe 4 sites distincts : le Schnepfenried (ski de piste, ski de fond tracé sur les chaumes et dans la forêt, vues spectaculaires), le Gaschney (ski de piste avec télésiège ouvert durant l'été à la promenade), le Tanet (ski de piste, ski de fond autour des lacs Vert et des Truites) et les Trois-Fours (uniquement ski de fond et raquettes, magnifiques panoramas).

Randonnées – La vallée de Munster propose 350 km de sentiers pédestres balisés et 250 km pour pratiquer le VTT.

Église de **Murbach**★★

CARTE GÉNÉRALE C3 – CARTE MICHELIN DÉPARTEMENTS 315 G9 – SCHÉMA P. 417 –
HAUT-RHIN (68)

C'est parce qu'il avait trouvé ce creux de vallon propice à la promenade et à la méditation que saint Pirmin est venu y fonder en 727 son abbaye, devenue depuis une des plus puissantes abbayes bénédictines de la région. Elle déployait des droits et des biens sur plus de 300 localités alentour. Les abbés, tous fils de bonne famille, possédaient des mines, une bibliothèque remarquable et faisaient battre monnaie. Aujourd'hui, faites comme Pirmin et venez découvrir un des joyaux de l'art roman en Alsace.

- **Se repérer** – Sortir de Guebwiller par la route des Crêtes, puis à Buhl, prendre à gauche la D 40 II. Le château de Hugstein (ruines), qui protégeait jadis le vallon de Murbach, est indiqué. De l'église, suivez le chemin de croix jusqu'à l'église N.-D.-de-Lorette (1693) : vues plongeantes sur l'abbaye dans son cadre de verdure.

- **À ne pas manquer** – Le chevet de l'église de Murbach et le retable de celle de Buhl.

- **Pour poursuivre la visite** – Voir aussi le ballon d'Alsace, Guebwiller, la route des Crêtes.

D'un écrin de verdure semble surgir toute la solennité silencieuse de l'église de Murbach.

H. Champollion/MICHELIN

Comprendre

Le vivier des pérégrins – L'abbaye de Murbach fut fondée en 727 par l'évêque Pirmin et dotée avec largesse par le frère du duc d'Alsace, le comte Eberhard. Pirmin était pérégrin, c'est-à-dire qu'il ne souhaitait pas s'installer longuement quelque part, si bien que le monastère prit d'abord le nom de *Vivarius Peregrinorum*, le « vivier des Pérégrins ».

Temps fastes – En 850 est constituée la bibliothèque de l'abbaye. Ses manuscrits contribuent grandement à sa renommée. L'abbaye possède des biens dans plus de 200 localités, de Worms dans le Palatinat à Lucerne en Suisse. Aux 16e et 17e s., on en vient même à battre monnaie dans les ateliers de l'abbaye.

« Orgueilleux comme le chien de Murbach » – L'expression tire sans doute ses origines du lévrier noir bondissant, qui apparaît sur les armes de l'abbaye, symbole de la noblesse des religieux. Les abbés avaient le titre de prince du Saint-Empire et les moines devaient justifier de quatre générations d'ancêtres nobles. En 1759, les princes-abbés s'installèrent au château abbatial de Guebwiller, pillé dès la Révolution par les paysans de la vallée de St-Amarin, mécontents de leur tutelle.

Visiter

L'église St-Léger, construite au 12e s., est réduite à présent au chœur et au transept ; la nef a été démolie en 1738.

Le **chevet★★** est la partie la plus remarquable de l'édifice. Son mur plat légèrement en saillie porte des sculptures disposées apparemment avec fantaisie dans le large triangle du haut. Puis une galerie de 17 colonnettes dissemblables règne au-dessus de deux étages de fenêtres.

Le tympan du portail sud rappelle certains ouvrages orientaux, avec sa composition en faible relief : deux lions (dont l'un tire la langue) affrontés dans un encadrement de rinceaux et de palmettes.

À l'intérieur se trouve le sarcophage des sept moines tués par les Hongrois en 926. Le croisillon sud abrite, dans un enfeu, le gisant du comte Eberhard (14e s.).

Murbach pratique

Se restaurer

⊖ **Auberge de l'Abbaye** – 20 r. de Guebwiller - 68530 Murbach - ℘ 03 89 74 13 77 - fermé 3 sem. en fév., 25 déc.-1er janv., mar. et merc. - formule déj. 9 € - 16/40 €. Empruntez le petit escalier décoré de plaques de cheminées pour rejoindre la sobre salle à manger de ce pavillon. Pas de spécialités régionales mais des recettes bien traditionnelles tous les soirs, les tartes flambées sont à l'honneur. Terrasse et jardin.

Aux alentours

Buhl

3 km à l'est par la D 40II.

L'**église** néoromane de Buhl abrite le seul triptyque peint d'Alsace qui ne soit pas conservé dans un musée. Ce **retable★★** de grandes dimensions (7 m de large) a sans doute été réalisé par l'atelier de Schongauer vers 1500. La partie centrale représente une admirable Crucifixion. Au revers, le Jugement dernier est encadré d'épisodes de la vie de la Vierge.

Nancy★★★

105 400 NANCÉIENS (AGGLOMÉRATION : 331 363 HABITANTS)
CARTE GÉNÉRALE B2 – CARTE MICHELIN DÉPARTEMENTS 307 I6
MEURTHE-ET-MOSELLE (54)

Qu'évoque Nancy pour vous ? La majestueuse place Stanislas toute de dorures sur le ciel bleu ? Les fameuses bergamotes sagement rangées dans leurs belles boîtes de fer ? La capitale des ducs de Lorraine ? L'Art nouveau, présent dans les rues et derrière les vitrines des musées ? Le chardon ? Ou la fameuse croix de Lorraine du duc René II ? Nancy, c'est tout cela, mais bien plus encore : vivante et paisible, artiste et distrayante, elle saura vous charmer.

La place Stanislas comme neuve, après sa rénovation en 2005.

- **Se repérer** – Nancy est posée sur la Meurthe, près de son confluent avec la Moselle, et sur le canal de la Marne au Rhin, au contact des côtes de Moselle et du plateau lorrain, au sud de Metz. Elle est desservie par deux autoroutes, l'A 31 et l'A 33 et se trouve dorénavant à 1h30 de Paris en TGV.

- **Se garer** – Parkings en centre-ville et aux abords. Si vous vous déplacez en ville, préférez le tramway ou la marche à pied.

- **À ne pas manquer** – La place Stanislas, le musée de l'École de Nancy, celui des Beaux-Arts et le Musée historique lorrain, sans oublier une dégustation de macarons ou de bergamotes !

- **Organiser son temps** – Si vous disposez de deux ou trois jours, impossible de vous ennuyer. Commencez par l'un des circuits du centre-ville, puis optez pour un musée du centre. Le lendemain, partez à la découverte de l'Art nouveau. Mais n'oubliez pas de prendre le temps de vivre : un café dans l'ancienne brasserie Excelsior ou sur la place Stanislas, une promenade à la Pépinière sont des incontournables.

- **Avec les enfants** – Le zoo de la Pépinière, le muséum-aquarium de Nancy et le parc de loisirs de la forêt de Haye.

- **Pour poursuivre la visite** – Voir aussi Toul, Haroué, St-Nicolas-de-Port, Lunéville.

Comprendre

Fondation de Nancy – Elle ne remonte qu'au 11ᵉ s. Développée à l'abri du château fort de Gérard d'Alsace, fondateur du duché héréditaire de Lorraine, entre deux marais de la Meurthe, Nancy ne comprend guère alors que quelques couvents et le château ducal. Après un incendie qui le détruit en 1228, on rebâtit. Au 14ᵉ s., une enceinte fortifiée entoure ce qui est aujourd'hui la Ville-Vieille. Il subsiste de cette enceinte la porte de la Craffe (*voir « Se promener »*).

La mort du Téméraire – Le dernier duc de Bourgogne, Charles le Téméraire, convoite la Lorraine et enlève Nancy au duc René II en 1475 mais, l'année suivante, ce dernier la lui reprend. C'est en essayant de reconquérir Nancy que Charles est tué, le 5 janvier

1477. Son corps est retrouvé dans un étang glacé, à moitié dévoré par les loups. Le lieu où fut déposé son cadavre est signalé dans la Grande-Rue *(n° 30)*.

La croix de Lorraine – À cette époque, la croix à double traverse (la traverse supérieure figurant l'écriteau sur la croix du Christ) fait déjà partie du patrimoine de la maison de Lorraine : utilisée comme marque de reconnaissance par les troupes de René II sur le champ de bataille de Nancy, elle rappelle le souvenir d'une relique de la vraie Croix conservée en Anjou depuis le 13e s. et que vénérait le grand-père de René II, le « bon roi René ». En juillet 1940, les forces navales de l'amiral Muselier l'adopteront, les premières, comme emblème de la France au combat.

Les ducs de Lorraine et leur ville – René II et son successeur Antoine se construisent un nouveau palais. À la fin du 16e s., le duc Charles III crée, au sud de la Ville-Vieille, une Ville-Neuve. Ce qui n'empêche pas la guerre de Trente Ans de décimer la ville. Les « Malheurs de la guerre », illustrés par Jacques Callot, graveur nancéien, atteignent cruellement les habitants. Le duc Léopold (1697-1729), bénéficiant d'une ère de tranquillité, aura beaucoup à faire pour relever la cité de ses ruines.

Stanislas le Magnifique – En 1737, François III, duc de Lorraine, est contraint par Louis XV de céder son duché en échange de celui de Toscane, pour pouvoir épouser Marie-Thérèse, future impératrice d'Autriche. La perspective d'une alliance entre le duc de Lorraine et la dynastie des Habsbourg décida en effet la France, de plus en plus puissante en Lorraine, à intervenir. Louis XV installe alors sur le trône de Nancy son beau-père, Stanislas Leszczyński, roi détrôné de Pologne, à la mort duquel la Lorraine reviendra tout naturellement à la France. Il s'agit d'accoutumer la Lorraine à la domination française. Or, nul mieux que ce Polonais ne saura se faire aimer des Lorrains par ses largesses et les embellissements qu'il laissera à sa capitale d'adoption, dont la fameuse place qui porte son nom. Pendant tout règne (1737-1766), Stanislas joue le rôle d'un gouverneur de province. Roi bâtisseur, il confie des travaux de grande ampleur aux architectes, peintres et sculpteurs qui l'entourent à

> **Le saviez-vous ?**
> 👁 Saluons l'ingéniosité de deux Nancéiennes qui, pour survivre pendant la Révolution, eurent l'idée de commercialiser les macarons, jusqu'alors réservés aux couvents. Leur succès fut total. Elles se sont autoproclamées « sœurs Macarons » ; leur boutique vous attend rue Gambetta.
> 👁 Charlélie Couture, lui, a du succès dans la chanson. Il est né et a passé son enfance à Nancy.

Lunéville, où il a établi sa cour. En fondant la congrégation des Frères des écoles en 1748, il met en place un enseignement gratuit dont les Nancéiens bénéficient jusqu'à la Révolution. Il favorise également le Collège de médecine créé en 1752 par Charles Bagard, fils de son médecin personnel, qui fut une corporation, une académie et une école. Les médecins, à tour de rôle, devaient assurer des consultations gratuites et, devant le succès du système, Stanislas l'étendit à tout le duché. Esprit européen, pétri des idéaux des Lumières, il fonda aussi la Société royale des sciences et des belles lettres qui, de modeste, devint une véritable institution, dont Montesquieu, Fontenelle et Buffon demandèrent à être membres. Homme paisible, Stanislas aime la bonne chère, les jolies femmes et pratique une philosophie facile et une religion indulgente.

Terre de France – De 1871 à 1918, Nancy accueille les populations réfugiées. Les arrivants sont si nombreux que toute une ville moderne s'ajoute aux trois villes existantes, la Ville-Vieille, la Ville des ducs et celle de Stanislas. Le nouveau Nancy, riche de nombreuses industries, s'accroît chaque jour : de 40 000 habitants en 1850, la ville en compte 66 000 en 1876, 103 000 en 1901 ! Ce dernier chiffre n'a en revanche pratiquement pas changé depuis un siècle.

Se promener

AU TEMPS DU BON ROI STANISLAS 1

Cette promenade part de la place Stanislas, comptez 1h30 sans les visites.

Place Stanislas★★★ (plan II B2)

Entièrement rénovée en 2005, à l'occasion de son 250e anniversaire, la place Stanislas est plus que jamais le lieu de rendez-vous privilégié des Nancéiens. Qu'il s'agisse de fêter la St-Nicolas ou l'arrivée de l'équipe locale en ligue 1, la place, rendue entièrement piétonne, se prête à tout type de réjouissances. Assis à la terrasse d'un café ou sur les lices qui entourent la place, le visiteur aura ici un bon aperçu de l'art de vivre à la nancéienne. Et ceci se vérifie depuis le 18e s. où le roi Stanislas, soucieux d'embellir et d'unifier Nancy, fit construire cette place (1752-1755) comme trait d'union entre la Ville-Vieille et la Ville-Neuve. La statue de Louis XV, sculptée par le Nîmois Guibal et le Brugeois Cyfflé, qui trônait jadis au centre de la place, lui valut à l'époque le nom de place Royale. Détruite sous la Révolution, la statue fut remplacée en 1831 par celle de Stanislas : la place est alors rebaptisée du nom du Polonais. Mais Louis XV n'a pas été totalement évincé de la place : si vous suivez la direction pointée par l'index de Stanislas, vous apercevrez, sur l'arc de triomphe, un médaillon à l'effigie du roi.

La place est entourée de cinq **pavillons** élevés et de deux réduits à un rez-de-chaussée percé d'arcades monumentales. Cette disposition, tout en donnant une impression d'espace plus grand, laisse intact le merveilleux équilibre de la place. Les façades sont d'Emmanuel Héré. Joyau de la place, les **grilles**, de même que les balcons en fer forgé, sont de Jean Lamour. De fer forgé rehaussé d'or, elles ornent les quatre pans coupés et les débouchés des rues Stanislas et Ste-Catherine. Les grilles du nord composent chacune un triple portique. Elles encadrent les fontaines de Neptune et d'Amphitrite, œuvres de Guibal. La place Stanislas est inscrite depuis 1983 par l'Unesco au Patrimoine mondial de l'humanité.

Hôtel de ville (plan II B2 H)

Pl. Stanislas - Juil.-août : certains jours sur demande à l'office de tourisme - gratuit. Il fut érigé de 1752 à 1755. Les armoiries de Stanislas ornent son fronton : aigle de Pologne, cavalier de Lituanie, taureau des Leszczyński. L'escalier magnifique à double volée s'orne d'une rampe de Jean Lamour. Il mène au **salon carré**, dit « de l'Académie », décoré de fresques de Girardet restaurées et même restituées de 2000 à 2002, toutes à la gloire de Stanislas, puis au grand salon inauguré le 17 juillet 1866 par l'impératrice Eugénie. Un petit salon, dit « salon de l'Impératrice », lui fait suite. Des fenêtres des salons, on a sous les yeux la perspective de la place Stanislas, de la place de la Carrière et du palais du Gouverneur, au fond.

Opéra

C'est l'Opéra Garnier qui servit de modèle à cet opéra-théâtre, aménagé en 1919 par l'architecte Hornecker. Devant une scène à l'italienne, la salle à la française peut accueillir jusqu'à 1 000 spectateurs. Toute de blanc, rouge et or, il n'y manque qu'une fresque au plafond. Le bâtiment, contemporain de la place Stanislas, abrita d'abord un hôtel, tandis que les spectacles avaient lieu en face, là où se trouve aujourd'hui le **musée des Beaux-Arts** (*voir* « *Visiter* »), sur le fronton duquel on peut encore apercevoir des masques de la *comedia dell'arte*.

Arc de triomphe★ (plan II B2)

C'est pour honorer Louis XV que fut construit cet arc de triomphe, de 1754 à 1756. La façade principale, qui regarde la place Stanislas, est d'inspiration antique : elle imite l'arc de Septime Sévère à Rome. La partie droite, consacrée aux dieux de la guerre, est dédiée au « Prince victorieux » ; la partie gauche, consacrée aux déesses de la paix, glorifie le « Prince pacifique ». Passez sous l'arc pour regarder l'autre façade, plus simple, qui donne sur la place de la Carrière. Au sommet de l'arc, le groupe doré qui tient le médaillon de Louis XV représente la Gloire et la Renommée. À droite, du côté du parc, monument à Héré ; à gauche, monument à Callot, célèbre graveur nancéien.

Place de la Carrière★ (plan II B2)

Cette longue place date du 16e s. ; elle servait à l'époque aux joutes, tournois et autres fêtes. Héré la transforma en un point de jonction entre la Ville-Vieille et la Ville-Neuve. Elle est encadrée par de beaux hôtels du 18e s. Le terre-plein central est orné de sculptures et les angles sont décorés de fontaines. Aux deux extrémités s'ouvrent les grilles de Lamour, enrichies de potences à lanternes.

Palais du Gouverneur★ (plan II B1/2)

À l'opposé de l'arc de triomphe, la place de la Carrière est fermée par le palais du Gouverneur, ancienne résidence de l'intendant de Lorraine, dessiné par Héré. Le péristyle de l'édifice est relié aux maisons de la place par une **colonnade★** d'ordre ionique surmontée d'une balustrade ornée de vases. Entre chaque colonne, trophées militaires et bustes de guerriers turcs.

Tournez à droite, pour entrer dans le parc.

La Pépinière (plan II B/C1)

Cette belle promenade de 23 ha, que l'on doit à Stanislas, comprend une terrasse, un jardin anglais et une roseraie. Avant d'être un parc d'agrément, la pépinière royale

Le kiosque du parc de la Pépinière.

constitua un véritable réservoir d'arbres à planter le long des routes lorraines. On y voit la **statue** du peintre Claude Gellée, dit le Lorrain, par Rodin.

La Pépinière abrite aussi un parc zoologique.

Sortez à l'opposé, du côté du boulevard du 26ᵉ-Régiment-d'Infanterie. Prenez cette artère à droite pour rejoindre la rue Ste-Catherine.

Muséum-aquarium de Nancy (plan II C2)

34 r. Ste-Catherine - ☏ 03 83 32 99 97 - http://www.man.uhp-nancy.fr - ♿ - possibilité de visite guidée sur demande préalable - tlj mat. et apr.-midi - fermé 1ᵉʳ janv., 1ᵉʳ Mai et 25 déc. - 3,80 €, gratuit le merc. (enf. et étudiants).

Il abrite un aquarium tropical de 60 bassins où évoluent des poissons d'eaux douces ou salées. Le premier étage, récemment rénové, met en scène de façon pédagogique plus de 600 animaux empaillés.

Jardin Godron

36 r. Ste.-Catherine - tte la journée. Jouxtant le muséum-aquarium, ce petit jardin présente une belle collection de fleurs et de plantes d'ornement. Pivoines, anémones, hellébores ou campanules fleurissent dans des parterres séparés de buis. Du temps où il était un jardin botanique, le premier de Nancy, à l'instigation de Stanislas, il a conservé un magnifique gingko biloba parmi les plus vieux de France. Les collections botaniques ont été déplacées en 1993 sur un site beaucoup plus vaste, le jardin botanique du Montet (*voir « Visiter »*).

Passez le muséum-aquarium pour emprunter, à gauche, la rue Godron, puis, au bout à droite, la rue Girardet.

Place d'Alliance (plan II C2)

Dessinée par Héré et entourée d'hôtels particuliers du 18ᵉ s., elle est ornée d'une fontaine de Cyfflé surmontée d'un obélisque et d'un génie qui commémorent l'alliance conclue le 1ᵉʳ mai 1756 entre la France et l'Autriche. Sur cette place verte et intime, observez l'hôtel d'Alsace et l'ancien éteignoir de torche situé à côté de l'entrée.

Prenez la rue Bailly, puis tournez à droite rue St-Georges.

Cathédrale (plan II C2)

À l'origine primatiale, cette cathédrale aux proportions majestueuses fut édifiée dans la première moitié du 18ᵉ s. sur les plans de **Giovanno Betto**, **Jules Hardouin-Mansart** et **Germain Boffrand**. À l'intérieur, les belles grilles des chapelles sont dues à Jean Lamour, l'auteur des grilles de la place Stanislas. Dans l'abside, Vierge à l'Enfant sculptée par le Nancéien Bagard (17ᵉ s.). Les orgues des frères Dupont possèdent 3 700 tuyaux et le buffet est de Jean-Nicolas Jenneson. Dans la sacristie, le **trésor** contient l'anneau, le calice, la patène, le peigne et l'évangéliaire de saint Gauzelin, évêque de Toul dans la première moitié du 10ᵉ s., un ivoire du 10ᵉ s., l'étole de saint Charles Borromée… *☏ 03 83 35 26 03 - ♿ - possibilité de visite sur demande préalable - gratuit.*

La rue Montesquieu permet de rejoindre la rue de la Primatiale, que vous empruntez vers la droite. Longez le marché central puis continuez jusqu'à la place Henri-Mengin.

Église St-Sébastien (plan II B2)

Ce chef-d'œuvre de l'architecte Jenesson (tombeau dans le bas-côté droit), consacré en 1732, impressionne par sa spectaculaire **façade★** baroque concave ornée de quatre grands bas-reliefs. À l'intérieur, les trois nefs en halle sont portées par de majestueuses colonnes ioniques. Huit verrières géantes éclairent le vaisseau. Les autels latéraux sont de Vallin (école de Nancy). Remarquez l'orgue de Dalstein-Haerpfer (*en cours de restauration*).

Revenez sur vos pas pour prendre à gauche la rue St-Dizier, à droite la rue St-Georges puis à gauche la rue des Dominicains.

Maison des Adam (plan II B2)

57 r. des Dominicains. Une véritable façade publicitaire pour les Adam, fameux sculpteurs du 18e s. qui déployèrent tous leurs talents sur leur propre demeure.

SE LOGER	SE RESTAURER
Chambre d'hôte Ferme de Montheu..............................①	Les Nouveaux Abattoirs.......................⑯

Regagnez la place Stanislas. On peut prolonger le circuit par une visite de l'église N.-D.-de-Bon-Secours, légèrement excentrée. Pour s'y rendre, il est possible de prendre le bus 131 depuis la rue St-Dizier.

Église N.-D.-de-Bon-Secours★ (plan I E2)

Pl. du Gén.-de-Castelnau. Fermé pour travaux de restauration jusqu'à fin 2008 - se renseigner auprès de Mme Dubois, sacristine, ☏ 03 83 36 76 95.

Cette église baroque a été construite par Héré à la demande de Stanislas entre 1738 et 1741. L'intérieur, richement orné, possède des confessionnaux sculptés, de style Louis XV, des grilles de Jean Lamour et une belle chaire rocaille. Dans le chœur se trouvent, à gauche le **mausolée de Catherine Opalinska★**, épouse de Stanislas, par les Adam, et à droite le **tombeau de Stanislas★** et le monument du cœur de Marie Leszczyńska, épouse de Louis XV, sculptés par Vassé. La présence des tombeaux du couple royal polonais fait de cette église un lieu un pèlerinage renommé pour leurs compatriotes.

VILLE-VIEILLE 2

Cette promenade part de la place Vaudémont, comptez 1h.

La Ville-Vieille, cœur historique de Nancy, forme un quadrilatère autour de la place St-Epvre. Son extension hors de ses anciennes portes donna naissance à la Ville-Neuve de Charles III.

Partez de la place Vaudémont et empruntez la Grande-Rue, puis la rue Callot. À l'angle, tourelle du 17ᵉ s.

Par la rue Callot, on atteint la place La Fayette, où s'élève une statue de Jeanne d'Arc par Frémiet, réplique de celle de Paris. Au nᵒ 1 de la rue de la Monnaie, **hôtel de la Monnaie** construit par **Boffrand**. Prenez ensuite à droite la rue de la Source; où se trouvent, au nᵒ 10, l'hôtel du marquis de Ville, et au nᵒ 12, l'**hôtel de Lillebonne**. Construit pour Claude de Beauvau en 1578, avec un bel escalier sculpté Renaissance, il abrite aujourd'hui la bibliothèque jeunesse.

Prenez à droite la rue du Cheval-Blanc, puis à gauche la rue de la Charité.

Basilique St-Epvre (plan II B2)

Plusieurs églises, toutes dédiées à saint Epvre, évêque de Toul, se succédèrent à cet endroit : c'est une église du 15ᵉ s. qui fut rasée pour faire place à celle-ci, plus fastueuse et construite par Morey en un temps record (1864-1871), en particulier grâce au dynamisme de l'abbé Trouillet. Le manque de moyens conduisit malheureusement à employer des matériaux peu solides. La tempête de 1999 et la pollution ont rendu nécessaire une restauration extérieure de plusieurs années. De style gothique rayonnant, sa belle façade est précédée d'un escalier monumental (don de l'empereur François-Joseph). À l'intérieur, les voûtes reposant sur les piliers et l'importance des vitraux donnent l'impression d'une église sans murs. Remarquez les vitraux de **Gruber** dans le transept droit (St-Nicolas et Ste-Odile).

Place St-Epvre

Elle est dominée par la statue équestre du duc René II, sculptée au 19ᵉ s. par Mathias Schiff. Face à la basilique, les arcades font partie des plus anciens vestiges de la Ville-Vieille.

Quittez la place par la rue St-Epvre, puis tournez à gauche dans la rue St-Michel.

À l'angle, remarquez l'amusante sculpture qui orne la maison dite « des Deux-Sirènes ». En regardant de plus près, on y reconnaît plutôt deux tritons.

De la rue St-Michel, tournez à droite dans la rue Mgr-Trouillet.

Hôtels particuliers

Au nᵒ 9, l'**hôtel d'Haussonville** reconverti en hôtel de luxe est de style Renaissance (1528-1543). Il est composé de deux corps de logis en angle avec deux galeries extérieures faisant office de couloir : gothique au premier étage, Renaissance au second. La fontaine est décorée d'un Neptune. En traversant la place de l'Arsenal pour rejoindre la rue des Loups, voyez, au nᵒ 9, l'ancien arsenal du 16ᵉ s. avec ses trophées d'armes (aujourd'hui école St-Jean-Baptiste-de-la-Salle). Au nᵒ 4 de la rue des Loups, hôtel de Gellenoncourt, à portail Renaissance ; au nᵒ 1, hôtel des Loups ou de Curel, par **Boffrand**. Ce dernier, fin 17ᵉ s.-début 18ᵉ s., appartenait au grand louvetier du duc Léopold, amateur de chasse.

Au bout de la rue des Loups, tournez à droite dans la rue du Haut-Bourgeois.

Au nᵒ 29, **hôtel Ferraris★** par **Boffrand**, avec balcon armorié, escalier monumental, peinture en trompe-l'œil (spectaculaire, mais dégradée) et fontaine de Neptune dans la cour. Au nᵒ 6, hôtel de Fontenoy par le même architecte (début 18ᵉ s.).

Tournez à gauche, vers la porte de la Craffe.

Porte de la Craffe★ (plan II A1)

Vestige des fortifications médiévales, la porte de la Craffe arbore fièrement ses tours jumelles édifiées en 1463. Le

La porte de la Craffe, édifiée en 1336.

chardon de Nancy et la croix de Lorraine sont des éléments de décor dus à une restauration du 19e s. La façade opposée est de style Renaissance. L'intérieur a servi de prison jusqu'après la Révolution.

Passez sous la porte et continuez tout droit.

Porte de la Citadelle (plan II A1)

Elle fut commandée vers 1598 par le duc Charles III pour doubler la défense de la porte de la Craffe. Ses ponts-levis permettaient d'accéder d'un côté au bastion donnant sur la Ville-Vieille, et de l'autre à la campagne. D'architecture Renaissance, elle est ornée de bas-reliefs et de trophées d'armes.

Faites demi-tour et retrouvez la Grande-Rue.

Église et couvent des Cordeliers★ (plan II B1)

Composée d'une nef unique, suivant l'usage des ordres mendiants, l'**église★** fut édifiée, ainsi que le couvent adjacent, à la fin du 15e s., sur l'initiative du duc René II. C'est la plus ancienne des églises de Nancy. Autrefois reliée au palais ducal par une galerie, elle abrite aujourd'hui une partie des collections du Musée historique lorrain *(voir « Visiter »)*.

Palais ducal★★ (plan II B1)

64 Grande-Rue. Bâti dans la seconde moitié du 13e s., le palais est à demi ruiné à l'époque de René II, qui le fait reconstruire après sa victoire sur le Téméraire. La façade est ornée d'une **Porterie★★**, achevée au 16e s. par le duc Antoine. Le style flamboyant et celui de la Renaissance se mêlent pour composer cette admirable porte surmontée de la statue équestre *(reconstituée)* du duc Antoine de Lorraine, au-dessus de laquelle s'élève un gâble flamboyant. Au 1er étage, trois balcons à balustrade flamboyante sont soutenus par des souches de tourelles sculptées représentant des sauvages et des hommes-poissons auxquels se mêlent des amours. Le palais ducal abrite aujourd'hui le Musée historique lorrain *(voir « Visiter »).*

Revenez à la place Vaudémont par la Grande-Rue.

Sur le trottoir, devant le n° 30, une inscription (1477) rappelle la date de la bataille de Nancy et la mort de Charles le Téméraire. C'est dans cette maison que l'on ramena le corps de l'ambitieux duc de Bourgogne tué par les troupes de René II.

Germain Boffrand (1667-1754)

Architecte de formation, il est élève de Girardon et Mansart. Tout en conservant l'esprit classique de ses maîtres, il adopte le style rocaille. Nommé à partir de 1708 architecte du duc de Lorraine, il construit le château de Haroué *(voir ce nom)* et un certain nombre d'immeubles et de résidences princières à Nancy.

L'ÉCOLE DE NANCY ③

Cette promenade part de la place Stanislas. Si vous l'effectuez entièrement à pied, comptez 2h30.

Bâtiments commerciaux, villas, maisons, Nancy possède de nombreuses demeures influencées par l'Art nouveau. Le circuit proposé ici *(6 km)* permet de contempler les œuvres les plus représentatives des architectes du début du 20e s *(voir « Comprendre la région », p. 83)*. Attention cependant aux distances : on parcourt aisément à pied le quartier commerçant jusqu'à la gare mais, pour les autres quartiers, la voiture peut s'avérer utile. Vous pouvez également vous fier aux taxis nancéiens, qui connaissent bien les hauts lieux de l'Art nouveau.

Depuis la place Stanislas, prenez la rue des Dominicains.

Quartier commerçant

Les immeubles qui bordent la rue des Dominicains ont tous été construits entre la fin du 16e s. et le début du 20e s. Au n° 4, l'encadrement en bois sculpté du Crédit Agricole est signé Eugène Vallin (1901). L'intérieur de la **pharmacie du Gingko**, au n° 38, est abondamment orné de motifs rappelant l'arbre aux mille écus, connu en Extrême-Orient pour ses vertus thérapeutiques et symbole d'immortalité. Au 57, maison des Adam *(voir le circuit n° 1)*. Après avoir tourné à droite, rue St-Georges, n'hésitez pas à franchir le seuil du **Crédit Lyonnais** *(7 bis r. St-Georges)* pour admirer, au plafond, la **verrière aux clématites** de Jacques Gruber, 1901.

Poursuivez dans la rue St-Georges à droite jusqu'à la rue St-Dizier, où vous tournez de nouveau à droite.

Au n° 24, la maison Eugène Arnoux-Masson a été dessinée par l'architecte Louis Déon. En retournant sur vos pas, voyez la façade de la Société Générale *(42-44 r. St-Dizier)*, ancien **immeuble de rapport** construit en 1902 par les architectes Georges Biet et Eugène Vallin. La décoration végétale donne l'impression que l'immeuble continue à pousser, un effet très souvent recherché par les artistes de l'école de Nancy. À l'angle de la rue de la Faïencerie, maison natale d'Émile Gallé.

Tournez à droite dans l'allée Henry-Mengin puis à nouveau à droite, rue Raugraff.

Voyez au passage *(13 r. Raugraff)* les magasins Vaxelaire construits en 1901 par Charles et Émile André et Eugène Vallin, pionniers de la modernisation du centre-ville et de l'introduction de l'Art nouveau à Nancy.

Prenez la rue St-Jean, à gauche.

Au n° 12, rue de la Visitation, pharmacie Rosfelder.

Continuez dans la rue St-Jean.

Un peu plus loin, **magasin de 1900-1901** *(2 r. Bénit, à l'angle des rues Bénit et St-Jean)*, ancienne graineterie qui fut le premier immeuble à structure métallique.

Quartier de la gare

À l'angle de la rue St-Jean et de la rue Chanzy, l'actuelle **BNP** *(9 r. Chanzy)* a pris le relais de la banque Charles Renauld qui, en 1910, fit appel à Émile André et à Paul Charbonnier pour l'architecture et à **Louis Majorelle** pour la ferronnerie et le mobilier. La maison voisine *(7 r. Chanzy)* fut conçue par Joseph Hornecker, architecte de l'opéra.

Poursuivez jusqu'au bout la rue Chanzy.

En face de vous, la **chambre de commerce** *(40 r. Henri-Poincaré)* est une réalisation de 1908, ornée de ferronneries de **Majorelle** et de vitraux de **Gruber**. À l'angle de la rue Mazagran, la brasserie Flo, ancienne Brasserie Excelsior *(70 r. Henri-Poincaré)* fut élevée en 1910 et décorée par Louis Majorelle *(voir l'encadré pratique)*. Un petit détour par la rue Stanislas vous permettra d'apercevoir une **maison** *(86 r. Stanislas)* construite en 1906 par Eugène Vallin. Reprenez la rue Mazagran et vous apercevrez, à l'angle de la rue Foch, l'ancien **immeuble du journal** *L'Est républicain*, de 1912.

Prenez l'av. Foch sur votre droite et traversez la voie ferrée.

Avenue Foch (plan I D1)

Sur la droite, à l'angle de la rue St-Léon, la **maison du docteur Louis Spillmann** *(34 r. St-Léon)* est due à Lucien Weissenburger. Une autre maison de médecin, celle du **docteur Paul Jacques** *(41 av. Foch)* a réuni Paul Charbonnier pour l'architecture, **Louis Majorelle** pour les ferroneries, **Jacques Gruber** pour les vitraux et Léopold Wolff pour les sculptures. Traversez la rue Jeanne-d'Arc pour admirer l'immeuble Fernand Loppinet *(45 av. Foch)*, édifié par Charles-Désiré Bourgon. À remarquer : deux beaux bâtiments d'Émile André *(69 et 71 av. Foch)*, construits entre 1902 et 1904.

Traversez la place de la Commanderie (à droite, tour du 12ᵉ s.) pour parvenir à la rue de Laxou. Tournez à gauche rue du Vieil-Aître, puis à droite rue Majorelle.

Villa Majorelle (plan I D2)

1 r. Louis-Majorelle - ☎ 03 83 40 14 86 - www.ecole-de-nancy.com - visite guidée sur demande préalable auprès du musée de l'École de Nancy - mai-oct. : w.-end apr.-midi ; reste de l'année : sam. apr.-midi - fermé j. fériés - 3,50 € (-18 ans 2,50 €).

De son vrai nom villa « Jika » (l'épouse de Louis Majorelle s'appelait Jeanne Kretz, J. K.), cette maison, conçue en 1899 par l'architecte parisien Henri Sauvage (1873-1932), fut construite en 1901 pour l'ébéniste nancéien Louis Majorelle. Première maison résolument Art nouveau de Nancy, elle s'élevait à l'origine dans un vaste parc, en bordure de la ville. En vous promenant dans le jardin qui entoure la villa, vous remarquerez qu'aucune des façades ne se ressemble. À l'intérieur, la salle à manger (cheminée, boiseries) est particulièrement remarquable.

Reprenez la rue du Vieil-Aître à droite, puis traversez la place Paul-Painlevé. Continuez sur la rue du Serg.-Blandan. À droite, peu avant le musée de l'école de Nancy (voir « Visiter »), remarquez la maison Armand Lejeune (30 r. du Serg.-Blandan), par Émile André. Continuez jusqu'à la rue Félix-Faure, que vous prenez à droite.

Rue Félix-Faure (plan I D2)

C'est la rue toute entière qui s'est mise au diapason de l'Art nouveau : l'architecte César Pain y a conçu plus d'une quinzaine de pavillons, entre 1907 et 1912. Voyez en particulier la villa Tatiana ou Les Clématites *(26 r. Félix-Faure)*.

Faites demi-tour dans la rue Félix-Faure pour revenir à la rue du Serg.-Blandan. En face de vous, les piscines de Nancy thermal. Reprenez en sens inverse la rue du Serg.-Blandan, passez le musée de l'École de Nancy puis tournez à droite dans la rue Pasteur.

Rue Pasteur (plan I D2)

La maison Renaudin *(49-51 rue Pasteur)* a été imaginée en 1902 par l'architecte Lucien Bentz. Quelques mètres plus loin, au n° 41 rue Pasteur, la **maison Biet**, signée Georges Biet et Eugène Vallin, a été réalisée entre 1901 et 1903 pour abriter les bureaux et l'habitation de l'architecte. C'est la première construction en gradins de France.

Traversez le parc Ste-Marie pour tourner à gauche dans l'avenue du Mar.-Juin. Continuez tout droit avenue de la Garenne, puis tournez à droite boulevard Jean-Jaurès. Prenez ensuite à gauche l'avenue du Gén.-Leclerc, et enfin la première à droite.

Rue des Brice (plan I E2)

Le projet du promoteur Jules Villard était de faire du quartier du Saurupt un lotissement entièrement Art nouveau. Le manque de moyen lui fit abandonner son idée, mais les maisons construites valent le détour, en particulier la **villa des Glycines** au n° 5 et la **villa des Roches** au n° 6, qui furent les deux premières maisons construites par Émile André à Nancy. Ce dernier habita Les Roches, toute en pierre meulière.

Revenez à l'avenue du Gén.-Leclerc, que l'on prend vers la droite, traversez la voie ferrée et rejoignez la place des Vosges.

À deux pas de la porte St-Nicolas (17ᵉ s.), imprimerie Royer de Weissenburger.

Tournez à droite, avenue de Lattre-de-Tassigny, puis passez derrière l'église St-Pierre par la rue Lionnois.

Maison Bergeret (plan I E2)

24 r. Lionnois. C'est en 1903 que l'imprimeur Bergeret se fit construire cette superbe maison Art nouveau. Les plans sont de Lucien Weissenburger, les vitraux de Gruber et de Janin. Le haut gâble, à l'angle, et ses décorations évoquent le Moyen Âge.

Hors du circuit proposé, on peut voir encore beaucoup d'autres immeubles, comme la **maison Weissenburger** *(1 bd Charles-V)* construite en 1904 par l'architecte pour son propre compte, avec décor et ferronneries de Majorelle, ou les **maisons jumelles** *(92-92 bis quai Claude-le-Lorrain)* par Émile André en 1903.

Visiter

Musée des Beaux-Arts★★ (plan II B2)

3 pl. Stanislas - ✆ *03 83 85 30 72 - ♿ - tlj sf mar. tte la journée - fermé 1ᵉʳ janv., 1ᵉʳ Mai, 14 Juil., 1ᵉʳ nov. et 25 déc. - 6 € (-18 ans gratuit). Expositions temporaires plusieurs fois par an.*

Installé dans l'un des pavillons de la place Stanislas, ses riches collections proposent un panorama de l'art en Europe du 14ᵉ au 20ᵉ s. Agrandi et modernisé en 1999, le musée occupe aujourd'hui 9 000 m² au total.

On sera séduit par la mise en scène intérieure mettant en valeur l'ensemble de la collection grâce à un subtil jeu de lumière et à des rapprochements inattendus. La salle consacrée aux œuvres du tournant des 18ᵉ et 19ᵉ s. emprunte un parcours qui nous emmène jusqu'au début des années 1940, avant de retourner à la Renaissance italienne pour revenir au 18ᵉ s. La collection d'art moderne est installée dans

La villa des Glycines, rue des Brice, par Émile André.

l'extension contemporaine : Manet, Monet, Henri Edmond Cross, Modigliani, Juan Gris, Georg Grosz, Picasso… Quelques grands artistes lorrains du début du siècle sont également présentés : Jules Bastien-Lepage, Étienne Cournault, Victor Prouvé, Francis Gruber, fils du maître verrier nancéien Jacques Gruber. Les toiles du Lorrain Émile Friant sont particulièrement remarquables : les visages sont si réalistes que l'on croirait des photographies, tandis que les arrière-plans sont caractéristiques de l'impressionnisme. En illustration de l'histoire locale, voyez la *Bataille de Nancy* vue par Eugène Delacroix. Des sculptures intéressantes accompagnent ces tableaux : Rodin, Raymond Duchamp-Villon, Jacques Lipchitz, César…

L'Italie est très présente avec, aux côtés des primitifs, des œuvres du Pérugin, du Tintoret, de Pierre de Cortone, du Caravage, de Volterrano, de Cigoli. Des paysages et des natures mortes de Joos de Momper et Jan II Bruegel, Rubens, avec une exceptionnelle **Transfiguration**, et Hemessen témoignent de l'importance des écoles du Nord. L'école française du 17ᵉ s. est illustrée par le Lorrain *(Paysage pastoral)*, Simon Vouet *(L'Amour qui se venge)*, Philippe de Champaigne *(La Charité)*.

La peinture du 18ᵉ s. trouve naturellement sa place dans le pavillon d'Emmanuel Héré, avec notamment J.-B. Claudot, Desportes, François Boucher, Carle Van Loo.

Le musée possède un **fond d'art graphique★** remarquable avec tout l'œuvre gravé de Jacques Callot (787 gravures) et les dessins de Grandville (1 438 dessins).

Au sous-sol, des vestiges de fortifications du 15ᵉ au 17ᵉ s., découverts lors des travaux d'extension, abritent la **collection Daum★★**, ensemble de près de 300 pièces permettant de découvrir l'évolution de la manufacture du début du 20ᵉ s. à nos jours.

Musée historique lorrain★★ (plan II B1)

Dans l'ancien palais ducal, 64 Grande-Rue - ℰ 03 83 32 18 74 - tlj sf mar. mat. et apr.-midi - fermé 1ᵉʳ janv., 1ᵉʳ Mai, 14 Juil., 1ᵉʳ nov. et 25 déc. - 4,60 € (-12 ans gratuit).

Sur trois étages, une documentation d'une valeur exceptionnelle par sa qualité et sa richesse évoque l'histoire du pays lorrain.

Commencez par traverser le jardin pour parcourir, dans le pavillon du fond, la **galerie d'archéologie** préhistorique, celtique, gallo-romaine et franque.

À l'entrée du bâtiment principal, vestibule et galerie aux voûtes d'ogives abritent des collections qui évoquent la **Lorraine du Moyen Âge au 16ᵉ s.** (sculptures).

Au 1ᵉʳ étage, la longue galerie des Cerfs rassemble les souvenirs de la dynastie des ducs de Lorraine, du 16ᵉ s. au milieu du 18ᵉ s., des tapisseries du début du 16ᵉ s., des peintures de Jacques Bellange, de Charles Mellin et de Claude Deruet. On peut aussi admirer plusieurs peintures de **Georges de La Tour** et de son entourage (*La Femme à la puce, Découverte du corps de saint Alexis, Le Jeune Fumeur, Saint Jérôme lisant*). L'histoire de la Lorraine sous Charles V, Léopold et François III est évoquée par de nombreux tableaux et documents, collections de miniatures, de faïences de l'Est de la France, biscuits et terres cuites, sculptures de Clodion. Une partie est consacrée à la Lorraine et Nancy sous Stanislas : les fondations du roi de Pologne, la création de la place Royale, l'histoire politique, militaire et littéraire de la Révolution à l'Empire, et la Lorraine de la Restauration à la IIIᵉ République.

L'aquarium dans les jardins du musée de l'École de Nancy.

Église et couvent des Cordeliers★ (plan II B1)

Mêmes conditions de visite que le Musée historique lorrain.

Dans une chapelle à gauche, le **gisant de Philippa de Gueldre★★**, seconde femme de René II, a été sculpté dans un calcaire très fin par Ligier Richier, dont c'est une des plus belles œuvres. Contre le mur sud *(près du maître-autel)* le **tombeau★ de René II**, dont il ne reste que l'enfeu, a été exécuté par Mansuy Gauvain en 1509. Celui-ci est aussi l'auteur d'une magnifique Cène, bas-relief inspiré du célèbre tableau de Léonard de Vinci. Dans le chœur, remarquez le retable sculpté du maître-autel (1522), les stalles du 17e s. et le lutrin de fer forgé (18e s.) aux emblèmes lorrains.

À gauche du chœur de l'église, la **chapelle ducale★** s'élève au-dessus du caveau funéraire des ducs de Lorraine. De forme octogonale, la chapelle a ses murs encadrés de seize colonnes, auxquelles s'adossent sept cénotaphes en marbre noir, sur le modèle, semble-t-il, de la chapelle des Médicis à Florence.

Le cloître et une partie des salles de l'ancien monastère ont été restaurés pour abriter un riche **musée d'Arts et Traditions populaires**. Celui-ci comprend des reconstitutions d'intérieurs (cuisine et chambre) avec mobilier lorrain en chêne ou en bois fruitier, objets familiers, outils d'artisans ; des ustensiles domestiques destinés à la fabrication des aliments ; des appareils et objets concernant l'éclairage et le chauffage (belle collection de carreaux de poêle émaillés).

Musée de l'École de Nancy★★ (plan I D2)

36-38 r. du Serg.-Blandan. - ℘ 03 83 40 14 86 - ecole-de-nancy.com - possibilité de visite guidée - tlj sf lun. et mar. tte la journée - fermé 1er janv., 1er Mai, 14 Juil., 1er nov. et 25 déc. - 6 € (gratuit -18 ans et 1er dim. du mois jusqu'à 13h).

Installé dans le cadre d'une résidence cossue du début du 20e s., ce musée à l'ambiance feutrée offre un panorama remarquable de l'extraordinaire mouvement de rénovation des arts décoratifs qui se développa de façon originale à Nancy entre 1885 et 1914, et fera date dans l'histoire des arts décoratifs sous le nom d'« école de Nancy ». Le musée présente une abondante collection d'œuvres caractéristiques du mouvement nancéien : meubles marquetés et sculptés d'Émile Gallé, de Louis Majorelle, d'Eugène Vallin, de Jacques Gruber et d'Émile André ; reliures, affiches et dessins de Prouvé, Martin, Collin, Lurçat ; verreries de Gallé, des frères Daum et Muller ; céramiques également de Gallé, mais aussi de Bussière et de Mougin ; vitraux de Gruber.

Plusieurs ensembles mobiliers, dont une admirable salle à manger de Vallin (plafond peint et cuirs muraux au délicat décor floral de Prouvé), témoignent des changements apportés dans le style des intérieurs bourgeois au début du 20e s. Au 1er étage, une étonnante salle de bains en céramique de Chaplet, un exceptionnel bureau d'homme d'affaires, décoré de cuirs travaillés de motifs floraux.

Au fond du jardin du musée, l'aquarium, curieux édifice circulaire conçu par l'architecte Weissenburger, semble avoir été inspiré par les folies du 18e s.

Jardin botanique du Montet★ (plan I D3)

100 r. du Jardin-Botanique – ligne autobus no 16. ℘ 03 83 41 47 47 - &. - tlj mat. et apr.-midi ; w-end et j. fériés apr.-midi - fermé 1er janv. et 25 déc. - 2,30 €.

Situé près de la faculté des sciences, au sein d'un vallon, il couvre 25 ha dont 2 500 m² de serres tropicales. Conservatoire botanique national, ce jardin contribue à la protection des plantes en voie de disparition pour la région Alsace-Lorraine, la France et les DOM-TOM. Il comprend une quinzaine de collections thématiques : plantes alpines, ornementales, médicinales, arboretum… Dans les serres sont cultivées plus de 6 500 espèces : aracées, orchidacées, insectivores, nénuphars géants…

Aux alentours

Musée de l'Histoire du fer (plan I E2)

1 av. du Gén.-de-Gaulle, à Jarville-la-Malgrange. Lignes autobus no 1, 31 et 41. - ℘ 03 83 15 27 70 - lun. et merc.-vend. : apr.-midi ; w-end et j. fériés mat. et apr.-midi - fermé mar., 1er janv., Pâques, 1er nov. et 25 déc. - 3,80 € (-18 ans 2,30 €), gratuit merc. pour étudiants.

Le vaste bâtiment qui l'abrite témoigne lui-même de l'importance de la construction métallique dans l'architecture contemporaine. Le musée présente de manière chronologique l'évolution des techniques de production du fer, de la fonte et de l'acier, des origines à nos jours. On y découvre les techniques très avancées des fabrications d'armes, dès l'époque gauloise, et les procédés – en particulier celui du damas mérovingien – permettant de concilier les qualités de résistance, de flexibilité et de tranchant. Objets d'art en fonte ou en fer.

Chartreuse de Bosserville

5 km. Sortir par la D 400, au sud-est. Dans Laneuveville, aussitôt après le pont sur le canal de la Marne au Rhin, tournez à gauche dans la D 126. La route tourne aussitôt à droite, offrant une jolie vue d'ensemble sur la chartreuse de Bosserville avant de franchir la Meurthe. Prenez à gauche la D 2. À 1 km, une allée de platanes conduit à la chartreuse de Bosserville. Ne se visite pas.

Fondée en 1666 par le duc Charles IV, Bosserville servit, en 1793 et 1813, d'hôpital de campagne. De nombreux militaires français ou étrangers de la Grande Armée, malades ou blessés, y succombèrent. Leurs corps étaient jetés dans l'étang proche… Elle est aujourd'hui occupée par un lycée professionnel technique. Un bel escalier en pierre mène à une terrasse dominant la Meurthe. Au centre s'élève la chapelle avec sa longue et majestueuse façade des 17e et 18e s., flanquée de deux ailes en retour.

Château de Fléville

9 km au sud-est. Quittez Nancy par l'A 330, au sud, jusqu'à la sortie Fléville (à 8 km). ℰ 03 83 25 64 71 - www.fleville.com - visite guidée - juil.-août : tlj apr.-midi ; avr. -juin et de déb. sept. au 11 Nov. : w.-end et j. fériés apr.-midi - 8 € (-14 ans 4 €).

L'édifice date du 16e s. et remplace une forteresse du 14e s. dont il ne reste qu'un donjon carré. Après avoir franchi les anciens fossés dont les murs sont ornés de beaux vases du 18e s., on pénètre dans la cour d'honneur. Deux ailes en retour flanquent la belle façade Renaissance du corps de logis principal sur laquelle court un long balcon à balustrade. À l'intérieur, on visite la salle des ducs de Lorraine, la chambre de Stanislas, la chapelle du 18e s., ainsi que plusieurs chambres ornées de peintures et garnies de meubles Louis XV, Régence ou Louis XVI. Terminez par un petit tour extérieur de l'édifice et une promenade dans le parc paysager.

Parc de loisirs de la forêt de Haye

9 km à l'ouest. Quittez Nancy par l'avenue de Boufflers et la D 400. Pavillon d'information près de l'entrée, à droite.

Ce parc de loisirs a été aménagé au cœur de la forêt de Haye, vaste massif vallonné couvrant 9 000 ha, ex-réserve de chasse des ducs de Lorraine. Terrains de sport, de tennis, aires de jeux, parcours dans les arbres, installations de pique-nique.

C'est aussi un point de départ pour de grandes randonnées pédestres, équestres ou à VTT *(130 km)* dans la forêt.

Petite pause entre deux activités sportives, le **musée de l'Automobile** vous propose une centaine de véhicules de toutes marques, allant de 1898 à 1989. Nombreux bouchons de radiateurs et affiches consacrées à la voiture. ℰ 03 83 23 28 38 - www. musee-auto-lorraine.com- 🔓 - juil.-août : apr.-midi ; reste de l'année : merc., w.-end et j. fériés apr.-midi (dernière entrée 1h av. fermeture) - 5 €.

L'Est républicain – *R. Théophraste-Renaudot - 54180 Houdemont - ☎ 03 83 59 80 26 - de 21h40 à 0h30, sur réservation à l'office de tourisme en juillet et directement auprès du journal le reste de l'année. Fermé en août. Gratuit.* Visite guidée du grand quotidien lorrain.

Se loger

Week-end Pass'ion – À la 2e nuit d'hôtel offerte s'ajoutent un cadeau de bienvenue et des réductions pour les visites audioguidées de la ville. Pour obtenir la liste des hôtels et les conditions de réservation, se renseigner à l'office de tourisme.

☺ Chambre d'hôte Ferme de Montheu – *54770 Dommartin-sous-Amance - 10 km au nord-est de Nancy, dir. Sarreguemines et Agincourt - ☎ 03 83 31 17 37 - mgranddidier@wanadoo.fr - ✉ - 5 ch. 49 € ☐.* En pleine campagne, cette ferme, qui est encore exploitée, a une vue bien dégagée… Seul petit hic : la ligne haute tension qui passe. Mais elle est vite oubliée dans le calme de ses chambres simples aux meubles anciens.

☺☺ Hôtel Akena – *41 r. Raymond-Poincaré - ☎ 03 83 28 02 13 - www.hotel-akenanancy.com - 77 ch. 46 € - ☐ 6 €.* On peut faire partie d'une chaîne d'établissements et garder sa personnalité. Telle pourrait être la devise de cet hôtel situé en centre-ville. Accueil sympathique, réceptionnistes avenants et chambres au confort standard divisées en deux catégories : prestige ou économique.

☺☺ Albert 1er-Astoria – *3 r. Armée-Patton - ☎ 03 83 40 31 24 - albert.astoria@wanadoo.fr - ▣ - 83 ch. 54/68 € - ☐ 8 €.* Cet immeuble voisin de la gare dispose de chambres simples et pratiques qui, comme la salle des petits-déjeuners, donnent sur une paisible cour ombragée d'un saule pleureur.

☺☺ Hôtel Les Portes d'Or – *21 r. Stanislas - ☎ 03 83 35 42 34 - www.hotel-lesportesdor.com - 20 ch. 55/65 € - ☐ 6 €.* La proximité de la place Stanislas est l'atout majeur de cet hôtel. Les chambres aux tons pastel ne sont pas très grandes, mais possèdent un mobilier moderne et un équipement correct.

☺☺☺ Hôtel des Prélats – *56 pl. Mgr-Ruch - ☎ 03 83 30 20 20 - www.hoteldesprelats.com - 42 ch. 84/92 € - ☐ 8 €.* Cet hôtel du 17e s. adossé à la cathédrale a été superbement restauré : spacieuses chambres personnalisées garnies de meubles chinés et agréable véranda ouverte sur une cour intérieure. Etablissement non-fumeurs.

☺☺☺ Hôtel Crystal – *5 r. Chanzy - ☎ 03 83 17 54 00 - www.bestwestern.fr/hotelcrystal - fermé 24 déc. au 2 janv. - 58 ch. 90/120 € - ☐ 10 €.* Cet hôtel central et entièrement rénové est une bonne adresse nancéienne. Ses chambres modernes sont spacieuses, bien

En terrasse sur la place Stanislas.

aménagées, et leur décor soigné leur donne une petite touche agréablement chaleureuse. Salon-bar feutré.

Se restaurer

👁 Bon à savoir – Dans la rue des Maréchaux, à deux pas de la place Stanislas, bien justement surnommée la « rue gourmande », une quarantaine de restaurants de spécialités du monde entier proposent des menus tous budgets.

☺ Vins et Tartines – *R. des Ponts - ☎ 03 85 35 17 25 - www.groupe-mengin.com - fermé 1er-15 août - 5,40/9,90 €.* Un concept de restauration original puisqu'il propose, comme son nom l'indique, des petits repas constitués de vins et de tartines. Plats froids ou chauds, accompagnés de salade ou de légumes, servis dans la cave voûtée au sous-sol. Une sorte de « fast-food » à la sauce rustique et arrosé de bons petits crus.

☺ Le P'tit Cuny – *99 Grand'Rue - ☎ 03 83 32 85 94 - marchand-patrice@wanadoo.fr - fermé 1er janv. et 25 déc. - 8 € déj. - 15/24 €.* Les propriétaires de la célèbre fromagerie Marchand dirigent également ce restaurant de la vieille ville. L'intérieur ressemble à une winstub et la carte regorge de spécialités d'Alsace et de Lorraine ; celle des vins est aussi dédiée à la région. Réservation nécessaire.

☺☺ À la Table du Bon Roi Stanislas – *7 r. Gustave-Simon - ☎ 03 83 35 36 52 - www.latabledestan.com - fermé dim. soir et lun. - réserv. conseillée - 16/30 €.* Créé en hommage au roi Stanislas, duc de Lorraine au 18e s. et amateur de fine cuisine, ce restaurant propose une découverte de la gastronomie d'antan, agrémentée d'un historique de tous les plats servis. Le décor très sobre et les recettes originales font de cette table une étape incontournable.

☺☺ Les Pissenlits – *25 bis r. des Ponts - ☎ 03 83 37 43 97 - www.les-pissenlits.com - fermé 1er-16 août, dim. et lun. - 16/32 €.* On se bouscule dans ce bistrot à deux pas du marché. Et pour cause : l'ambiance est décontractée, la cuisine, pleine d'allant, est généreuse et la salle avec ses tables serrées, son mobilier Majorelle et son tableau noir est vraiment sympathique… Alors, courez-y vous aussi !

Les Nouveaux Abattoirs – *4 bd Austrasie -* 🖉 *03 83 35 46 25 - fermé de fin juil. à mi-août, w.-end et j. fériés - 17/29 €.* Le quartier est excentré et sans grand charme, les salles à manger présentent un décor un brin désuet , mais vous vous régalerez de belles viandes qui ont fait la réputation de ce restaurant authentique.

Les 3 Marches – *8 bis r. St-Léon -* 🖉 *03 83 41 33 00 - fermé août et lun. - réserv. conseillée - 18/25 €.* Ce restaurant contient seulement 30 places et sa cuisine « tendance » connaît un succès fou : pensez donc à réserver. L'intérieur, très coquet, s'agrémente de grands miroirs et d'un coin bibliothèque. Les mets sont goûteux et la carte des vins fourmille de crus de propriétaires en adéquation avec les plats proposés.

Le Gastrolâtre – *1 pl. Vaudémont -* 🖉 *03 83 35 51 94 - fermé 1er-6 mai, 15-30 août, vac. de Noël, lun. midi, jeu. soir et dim. - 22/40 €.* Juste derrière la place Stanislas, ce bistrot attire les foules… Il est tenu de main de maître par un chef médiatique. Sa belle carte est alléchante et sa cuisine de caractère marie saveurs d'ici et du sud de la France.

Le V Four – *10 r. St-Michel -* 🖉 *03 83 32 49 48 - lepicurien5@wanadoo.fr - fermé 1er-7 fév., 30 août-9 sept., sam. midi, dim. soir et lun. - 24/35 €.* Ce minirestaurant implanté au cœur de la vieille ville a gagné les faveurs des Nancéiens, qui apprécient son plaisant cadre contemporain, sa terrasse d'été et sa cuisine au goût du jour.

Excelsior Flo – *50 r. Henri-Poincaré -* 🖉 *03 83 35 24 57 - www. brasserie-excelsior.com - 29,50 €.* Un des bastions des artistes de l'école de Nancy : sollicités pour en concevoir le décor au début du siècle dernier, ils en ont fait un exemple du genre, à voir absolument… Cuisine brasserie préparée et servie avec efficacité dans la magnifique salle classée.

Grenier à Sel – *28 r. Gustave-Simon -* 🖉 *03 83 32 31 98 - patrick.frechin@ free.fr - fermé 23 juil.-15 août, dim. et lun. - 30/60 €.* Dans une rue peu commerçante, restaurant installé à l'étage de l'une des plus vieilles maisons de la ville. Volume appréciable de la salle à manger au joli cadre rustique, où l'on propose une cuisine au goût du jour.

En soirée

Demandez le programme ! – L'Opéra, le Ballet national, le Théâtre de la Manufacture, l'Association de musique ancienne de Nancy, l'Ensemble Stanislas, l'Orchestre symphonique et lyrique de Nancy, l'Association lorraine de musique ancienne de Nancy, l'Association lorraine de musique de chambre, Gradus Ad Musicam, La Psalette de Lorraine proposent de nombreux concerts et spectacles chaque année dans différents endroits de la ville. Le programme est diffusé dans le magazine mensuel *Spectacles à Nancy.*

L'Arq – *13 r. Héré -* 🖉 *03 83 32 11 99 - www. larq.fr - mar.-jeu. 18h30-4h, vend.-sam. jusqu'à 5h.* Ce bar de standing au décor raffiné offre une belle vue sur la place Stanislas. Bonne carte de cocktails, musique d'ambiance, hoose music : la formule attire une clientèle composée d'étudiants B.C.B.G. et d'hommes d'affaires. C'est « le » lieu branché par excellence après 2h du matin.

L'Échanson – *9 r. de la Primatiale -* 🖉 *03 83 35 51 58 - tlj sf dim. et lun. 12h-14h30, 17h30-21h30 - fermé vac. de fév., 2 sem. en août et j. fériés.* Les Nancéiens adorent cette adresse qui fait à la fois office de cave et de bar à vin. La boutique compte près de 700 références françaises et étrangères régulièrement renouvelées et essentiellement sélectionnées chez de petits producteurs. De nombreux crus sont proposés au verre. Le bistrot, décoré à l'ancienne, propose midi et soir une petite restauration du style assiette de cochonnailles.

Opéra Café – *5 terrasse de la Pépinière - dir. parking Stanislas -* 🖉 *03 83 30 68 79 - lun. 11h-1h, mar.-jeu. 11h-1h, vend. jusqu'à 2h, sam. 14h-2h, dim. 14h-1h - fermé 1er janv. et 25 déc.* Murs rouges vénitiens, fauteuils en cuir et musique douce pour un décor cosy et une ambiance zen... Cet établissement propose une sélection impressionnante de bières du monde entier, et plus particulièrement belges. Terrasse ombragée en été, de plus de 150 places.

Le Vertigo – *29 r. de la Visitation -* 🖉 *03 83 32 71 97 - www.levertigo.fr - lun. 10h30-15h, mar.-jeu. 10h30-15h, 17h-2h, vend. 10h30-15h, 18h-5h, sam. 18h-5h.* À la fois café-théâtre, restaurant, salle de concert (jazz et chanson française) et bar, ce haut lieu de la culture nancéienne vit à « cent à l'heure ». Bières et cocktails participent à l'ambiance conviviale.

Ensemble Poirel – *R. Victor-Poirel -* 🖉 *03 83 32 31 25 - www.nancy.fr.* Théâtre, opéra, ballet, concert, lecture… Si tous les goûts sont dans la nature, tous les arts sont à l'Ensemble Poirel ! Sa programmation foisonnante et éclectique séduit un large public au fil de l'année. De grands noms (P. Noiret ou J. Weber par exemple) sont régulièrement à l'affiche, mais l'établissement propose également des spectacles plus confidentiels destinés à un public choisi.

Gastronomie en musique – Juil.-août : groupes musicaux en soirée les jeudis, vendredis et week-ends aux abords des terrasses dans différents quartiers de la ville.

Que rapporter

Marché Central – *Pl. Henri-Mengin - tlj sf dim. et lun. 7h-19h.* Ce marché très animé réunit une soixantaine de commerçants. Les grandes maisons nancéiennes sont présentes et certains stands attirent par leur spécificité comme le marchand de pommes de terre ou l'écailler. Le samedi, des petits exploitants locaux viennent proposer des fruits et légumes biologiques, du miel, etc.

Alain Batt – *30 imp. du Tapis-Vert - 𝄞 03 83 35 70 00 - tlj sf w.-end 9h-17h30, visite sur RV - fermé j. fériés.* Ce confiseur fabrique sous vos yeux macarons et bergamotes de Nancy, mirabelles en pâte d'amande, chardons de Lorraine, truffes à la bergamote et chocolats. Dégustation et vente.

Maison des Sœurs Macarons – *21 r. Gambetta - 𝄞 03 83 32 24 25 - www. macaron-de-nancy.com - tlj sf dim. 9h30-12h30, 14h-19h, lun. 14h-19h30 - fermé 1 sem. en janv. et j. fériés.* Le secret de l'élaboration des célèbres macarons des sœurs (petits gâteaux ronds à base d'amandes, finement craquelés et très mœlleux) se transmet depuis le 18ᵉ s. Outre le macaron, d'autres spécialités lorraines (déposées s'il-vous plaît !) vous seront proposées : une bergamote labellisée, la Berg'amour (pâtes de fruits arômatisée à l'essence de bergamote), les Perles de Lorraine (pâte de fruits fourrée à l'eau-de-vie de mirabelle), les Florentines des sœurs (praliné enrobé d'un fondant), ou encore les Babas du Roi.

L'inimitable bergamote de Nancy.

R. Mattes/MICHELIN

Au Duché de Lorraine - Confiserie Lefèvre-Lemoine – *47 r. Henri-Poincaré - 𝄞 03 83 30 13 83 - 8h30-19h, dim. 9h30-12h30.* Institution depuis 1840, cette confiserie est aussi un véritable musée de l'art lorrain. Buffets et armoires côtoient de magnifiques vaisseliers garnis de pièces anciennes fabriquées à la manufacture de faïences de Lunéville. Côté friandises, la boutique propose bergamotes, macarons, visitandines, chardons, griottes, chocolats à la mirabelle, gâteaux des ducs aux amandes et à l'orange…

Jean-François Adam - Pâtisserie St-Epvre – *3 pl. St-Epvre - 𝄞 03 83 32 04 69 - tlj sf lun. 7h30-19h30, dim. 8h-18h, j. fériés et dim. (été 8h-13h).* Jean-François Adam,

l'actuel propriétaire de cette pâtisserie fondée en 1882, continue de fabriquer avec talent le Saint-Épvre, dont la recette date du 19ᵉ s. et la marque déposée depuis 1907. La boutique renferme d'autres trésors comme les macarons, les pâtes de fruits, la tarte à base de mirabelle nommée l'Ambassadeur lorrain et le Gargouille en hommage aux joyaux de la basilique…

Sarl Blitzz'Art – *76 r. St-Julien - 𝄞 03 83 32 77 20 - 11h30-2h, sam. 14h-2h, lun. 17h30-2h - fermé août, 1ᵉʳ janv. et 25 déc.* Du mariage morganatique d'une boutique de fripes branchées et d'un ancien café est né un endroit stupéfiant où les chaises sont au plafond et où le bar est un assemblage composite de vieilles chaussures… Subtil bric-à-brac où sont organisés des soirées animées par un DJ le vendredi et le samedi soir, des « rendez-vous acoustiques » une à deux fois par mois et autres soirées à thème.

Sports & Loisirs

La Bergamote – *Quai Ste-Catherine - 𝄞 03 83 29 31 39 - www.labergamote.fr - avr.-juin et sept. : w.-end 15h, 16h30.* Offrez-vous une promenade (environ 1h) ou une croisière-repas (3h et sur réservation) tout en visitant Nancy et ses environs : à l'issue de ces navigations commentées, vous connaîtrez tout de l'histoire du canal de la Marne au Rhin.

Golf Nancy Pulnoy – *10 r. du Golf - 54425 Pulnoy - 𝄞 03 83 18 10 18 - www. golfnancypulnoy.com - hte sais. : 8h-19h ; basse sais. : 9h-17h30 - fermé 1ᵉʳ janv. et 25 déc. - de 25 à 40 € selon les sais.* Parcours de 18 trous dans un environnement boisé ; compact, putting green, practices…

Randonnées

🐾 **Le parc de loisirs de la forêt de Haye** est un point de départ pour de grandes randonnées pédestres, équestres ou à VTT *(130 km)* dans la forêt.

Événements

Nancy-jazz-pulsations – Ce festival rassemble chaque année tous les amateurs de jazz pour deux semaines de concerts et d'animations musicales *(oct.)* - *www.nancyjazzpulsations.com.*

Festival international de chant choral – Depuis 1979, il rassemble tous les deux ans des centaines de choristes venus des cinq continents *(années impaires, à l'Ascension)* - *𝄞 03 83 35 22 41 - www. chantchoral.org.*

Saint-Nicolas – Le feu d'artifice, le gigantesque sapin installé place Stanislas et le défilé de la St-Nicolas transforment pour quelques heures l'ambiance de Nancy *(1ᵉʳ dim. de déc.).*

Neuf-Brisach

2 237 NÉOBRISACIENS
CARTE GÉNÉRALE C3 – CARTE MICHELIN DÉPARTEMENTS 315 J8 – HAUT-RHIN (68)

Louis XIV l'a dit : « De tous les diamants de la couronne de France, le plus beau est la forteresse du Rhin. » Le plan de la ville-forteresse construite au 17e s. est incroyable : une étoile octogonale ! Les photos aériennes sont saisissantes : des remparts bastionnés tout autour, un fossé à sec aménagé en promenade, c'est, d'après ses pairs, le chef-d'œuvre d'architecture militaire de Vauban.

- ▶ **Se repérer** – À 16 km à l'est de Colmar, 39 km au nord de Mulhouse.
- 👁 **À ne pas manquer** – Les fortifications Vauban.
- 👫 **Avec les enfants** – Le train à vapeur qui relie Volgeshiem au Rhin, la Maison des énergies à Fessenheim.
- ⏱ **Pour poursuivre la visite** – Voir aussi Colmar, le Kaiserstuhl (escapades en Forêt-Noire).

Les célèbres fortifications de Neuf-Brisach (vue aérienne).

Comprendre

Naissance de la ville – Par un traité de 1697, faisant du Rhin la frontière entre la France et l'Allemagne, Louis XIV dut céder à l'Empire allemand Vieux-Brisach, construit sur le rocher de *Brisacum* (aujourd'hui Breisach am Rhein, en Allemagne). Il ordonna à Vauban de construire, en 1699, une place forte destinée à empêcher le passage du fleuve à cet endroit. La forteresse reçut, tout naturellement, le nom de Neuf-Brisach. Au début, personne ne voulut s'y installer. Louis XIV, jamais à court d'idées, fit exempter d'impôts durant vingt ans toute personne qui acceptait de venir habiter l'endroit, le terrain et les matériaux de construction étant offerts.

Se promener

Promenade des remparts★

Il est possible de parcourir à pied les fossés, de la porte de Belfort au sud-ouest à la porte de Colmar au nord-ouest, pour découvrir les principaux éléments des fortifications classiques, bastions à échauguettes, demi-lunes, et s'étonner de l'épaisseur du mur d'enceinte, 4,5 m à la base pour 9 m de haut. Vous pouvez rejoindre le centre-ville tous les 1/4 de tour (comptez 45mn pour faire le tour complet).

La **porte de Belfort** abrite le **musée Vauban**, spécialisé dans l'art militaire du Grand Siècle et qui propose, en plus des plans et documents, un remarquable plan en relief de la place forte. 📞 03 89 72 56 66 - www.tourisme-rhin.com - ♿ - *possibilité de visite guidée - mai-oct. : tlj sf mar. mat. et apr.-midi - 2,50 € (-18 ans 1,65 €).*

À l'intérieur de son enceinte, longue de 2,4 km, la cité est partagée en îlots réguliers : 48 carrés, regroupant habitations et bâtiments officiels autour de la place d'Armes, au centre de la ville. Quatre puits marquent les quatre coins de cette place carrée où se trouve l'**église St-Louis**. Construite en même temps que la ville par Vauban, elle a brûlé en 1945 lors des combats de la Libération et a été depuis reconstruite d'après les plans d'origine. Dans la chapelle latérale gauche, le baptistère et le calvaire en bois (18ᵉ s.) ont échappé à l'incendie. Le retable de style baroque représente la **Nativité★**.

Aux alentours

Biesheim

3 km au nord par la D 468. Tout près de la frontière, deux musées sont rassemblés dans un bâtiment aux lignes contemporaines, le « Capitole ».

Pour les amateurs d'astronomie, le **musée de l'Instrumentation optique** conserve plus de 550 instruments, véritables objets d'art réalisés en laiton, ébène, ivoire, argent. *℘ 03 89 72 01 59 - ₺ - tlj sf lun. et mar. apr.-midi, jeu. mat. et apr.-midi - fermé du 24 déc. au 1ᵉʳ janv., Pâques, 1ᵉʳ et 8 Mai, Ascension, fête des Mères, 14 Juillet, 15 août et 1ᵉʳ nov. - 3 €, gratuit 1ᵉʳ dim. du mois.*

Le **Musée gallo-romain** expose le matériel trouvé sur le site militaire majeur d'Œdenbourg au nord de Neuf-Brisach. De nombreux objets évoquent les rites funéraires (mobilier, sarcophages), la religion (temple dédié au dieu Mithra) et la vie quotidienne (céramiques, intailles, clefs…). *℘ 03 89 72 01 58 - ₺ - tlj sf lun. et mar. apr.-midi - fermé Pâques, Ascension, 1ᵉʳ et 8 Mai, fête des Mères - 14 Juil., 15 août, 1ᵉʳ nov. et du 24 déc. au 1ᵉʳ janv. - 2,50 € (12-18 ans 1,30 €), gratuit 1ᵉʳ dim. du mois.*

Pont sur le Rhin à Vogelgrun

5 km à l'est. Du pont, superbe **vue★** sur le Rhin, l'usine hydroélectrique *(voir Vallée du Rhin)* et, sur l'autre rive, Vieux-Brisach (Breisach).

Fessenheim

12 km au sud par la D 468. La **maison Schœlcher-musée de la Hardt** évoque l'œuvre de Victor Schœlcher, qui obtint l'abolition de l'esclavage dans les colonies le 27 avril 1848 et dont la famille est originaire de Fessenheim. Le travail de son père Marc Schœlcher, célèbre porcelainier parisien au début du 19ᵉ s., est aussi présenté. *Juin-sept. : w.-end et j. fériés apr.-midi ; le reste de l'année : sur demande écrite (1 mois à l'avance) à « Histoire et Patrimoine et les Amis de Schoelcher » - 13 r. des Seigneurs - Sq. Gaston-Monnerville - 68740 Fessenheim - gratuit.*

À 2 km à l'est, non loin des usines EDF, il est possible de visiter la **Maison des énergies** *(voir Vallée du Rhin).*

Neuf-Brisach pratique

Adresse utile

Office du tourisme des Bords du Rhin – 6 pl. d'Armes - 68600 Neuf-Brisach - ℘ 03 89 72 56 66 - www.tourisme-rhin.com - mat. et apr.-midi, j. fériés mat. - fermé 1ᵉʳ janv., Pâques, 1ᵉʳ et 11 Nov., 25 déc.

Visite

Chemin de fer touristique du Rhin – En saison, le week-end, un **train à vapeur** 1900 circule entre la gare de Volgelsheim, le port rhénan de Neuf-Brisach et l'embarcadère de Sans-Souci. Circuit peut être combiné avec une promenade en bateau d'époque (1933) sur le Rhin. *Renseignements : 26 r. des Cordiers - 68280 Andolsheim - ℘ 03 89 71 51 42 (03 89 72 55 97 le w.-end) ou office du tourisme des Bords du Rhin, ℘ 03 89 72 56 66 - de la Pentecôte à fin sept. : dép. gare de Volgelsheim dim. apr.-midi - 7,50 € (4-12 ans 3,50 €) ; combiné train-bateau 15 € (4-12 ans 7,50 €).*

Se loger et se restaurer

⊖ **Hôtel « Aux Deux Roses »** – 11 r. de Strasbourg - ℘ 03 89 72 56 03 - www.alsace2roses.com - ▣ - 45 ch. 38,50/44,60 €

- ⌂ 6 €. Votre regard sera sûrement attiré par la façade bleue de ce grand bâtiment du centre-ville. Chambres confortables, pour la plupart fraîchement refaites, restaurant de type winstub et petits-déjeuners servis sous forme de buffet. Accueil très correct et rapport qualité-prix plus qu'avantageux.

⊖⊜⊜ **Hôtel Aux Deux Clefs** – ℘ 03 89 30 30 60 - www.deux-clefs.com - fermé 28 fév. -8 mars et 1ᵉʳ-8 août - ▣ - 28 ch. 82 € - ⌂ 10 € - rest. 20/48 €. Discrète façade de style régional qu'égaye un agréable jardin. Les chambres, agencées avec originalité, sont équipées d'un mobilier actuel. Deux cadres pour vos repas : salle à manger cossue avec plafond en marqueterie et fauteuils de style, ou brasserie.

Sports & loisirs

Cyclotourisme – Une carte de 15 propositions d'itinéraires cyclables est à disposition à l'office du tourisme.

Événement

Marché de Noël 1700 – 6 pl. d'Armes - www.tourisme-rhin.com - mi-déc. : vend. apr.-midi, w.-end mat. et apr.-midi.

Neufchâteau

7 533 NÉOCASTRIENS
CARTE GÉNÉRALE A2 – CARTE MICHELIN DÉPARTEMENTS 314 C2 – VOSGES (88)

On ne trouve pas ce que l'on attend à Neufchâteau. Neuf ou vieux, il n'y a pas de château. Il y en a eu un pourtant, il y a bien longtemps, mais il n'en reste rien. En revanche, autour de la place Jeanne-d'Arc, incontournable dans la région, il reste de très belles vieilles maisons des 17ᵉ et 18ᵉ s.

▶ **Se repérer** – Neufchâteau fait encore partie des Vosges, mais le relief s'adoucit au profit de la plaine plus sage, sillonnée par la Meuse et ses affluents. La ville est située au nord-ouest de Vittel, à l'intersection des D 164, D 674 et D 166.

✎ **Pour poursuivre la visite** – Voir aussi Contexéville, Domrémy-la-Pucelle (Vaucouleurs), Grand.

Visiter

Hôtel de ville

Rue St-Jean. Ce bâtiment de la fin du 16ᵉ s. possède un portail Renaissance au décor végétal ainsi qu'un bel **escalier★** intérieur italien, richement orné, de 1594. Visitez aussi les caves voûtées d'ogives du 15ᵉ s.

Église St-Nicolas

☎ *03 29 94 10 95 - possibilité de visite guidée : s'adresser à l'office de tourisme.*
Elle se trouve sur la butte qui portait aussi le château des ducs de Lorraine et, en raison de la dénivellation, deux églises ont été superposées. Le portail et la tour de l'église haute sont modernes, mais la nef date des 12ᵉ et 13ᵉ s. Les chapelles funéraires des riches bourgeois néocastriens des 15ᵉ et 16ᵉ s. sont ornées d'un très luxueux mobilier, dont un célèbre **groupe de pierre★** polychrome (fin 15ᵉ s.) où se retrouvent les personnages de la Mise au tombeau, réunis pour l'onction du Christ.

Église St-Christophe

Sa construction remonte à 1100 environ, mais la plus grande partie de l'édifice actuel date du 13ᵉ s. : les influences bourguignonnes s'y manifestent dans la façade aux arcatures reposant sur des colonnettes. La chapelle funéraire de P. Woeriot, orfèvre du duc, a été ajoutée au début du 16ᵉ s. et s'ouvre dans le bas-côté droit ; admirez sa voûte à douze clés pendantes, véritable dentelle de pierre, unique en France.

Place Jeanne-d'Arc

Cœur historique de la cité, elle présente un remarquable ensemble d'hôtels particuliers des 17ᵉ et 18ᵉ s. Au n° 2, l'hôtel des Goncourt (propriété de l'oncle des 2 frères au 19ᵉ s.) offre une belle façade et un portail au linteau timbré d'un mufle de lion.

Aux alentours

St-Élophe

9 km au nord-est par la D 674. À l'extrémité du village, clocher du 13ᵉ s. pour cette **église** remaniée à plusieurs reprises. Du parvis, vue sur la vallée du Vair, la basilique du Bois-Chenu, le château de Bourlémont.

Dans la nef du début du 16ᵉ s., éclairée par les hautes fenêtres ogivales de l'abside, est exposé le gisant de saint Élophe, évangélisateur de la Lorraine, martyrisé au 4ᵉ s. On raconte que le saint se lava la tête à une fontaine après avoir été décapité ! Sa statue, monumentale (7 m), date de 1886.

Saint Élophe est également évoqué dans un petit **Musée archéologique** installé à la mairie. ☎ *03 29 06 97 94 - visite guidée apr.-midi - fermé sam. et de mi-déc. à déb. janv. - 2,50 €.*

Église St-Nicolas.

R. Mattes/MICHELIN

Domrémy-la-Pucelle *(voir Vaucouleurs)*

Pompierre

12 km au sud par la D 74, et la D 1 à gauche.

L'**église St-Martin**, rebâtie au 19e s. en bordure de la route, a toutefois conservé son **portail★** roman du 12e s. Des voussures remarquablement travaillées encadrent un tympan à trois registres : testez vos connaissances du Nouveau Testament en admirant les scènes qui y sont sculptées (Massacre des Innocents et Fuite en Égypte, Annonce aux bergers et Adoration des Mages, Entrée de Jésus à Jérusalem). La décoration très fouillée des chapiteaux ornés de bêtes affrontées et des colonnettes complète cet ensemble.

Neufchâteau pratique

Adresse utile

Office du tourisme de Neufchâteau – *3 Parking des Grandes-Ecuries - 88300 Neufchâteau -* 🕿 *03 29 94 10 95 - www. neufchateau-tourisme.com - tlj sf dim. et j. fériés mat. et apr.-midi.*

Se loger

🛏🍴 **Hôtel L'Eden** – *R. 1re-Armée-Française -* 🕿 *03 29 95 61 30 - www. leden.fr -* 🅿 *- 27 ch. 60/70 € -* 🍽 *7,50 € - rest. 24/45 €.* Construction récente aux chambres confortables de différentes tailles, certaines équipées de baignoires à remous. Le bar accueille aussi la clientèle locale. Salle à manger de style néo-classique et cuisine au goût du jour.

🛏🍴 **Chambre d'hôte La Demeure du Gardien du Temps qui passe** – *88630 Coussey - 6 km au nord de Neufchâteau par D 164 -* 🕿 *03 29 06 99 83 - www.*

lademeure88.com - 5 ch. 60/65 € - 🍽 *- repas 25 €.* Cet ancien relais de poste dont la partie la plus ancienne date du 18e s. dégage un charme discret et raffiné. Le salon avec sa cheminée lorraine et la bibliothèque au plafond à la française ont beaucoup de caractère. Les chambres, spacieuses, s'agrémentent de jolis meubles chinés chez les antiquaires. La cuisine inspirée des îles procure un dépaysement total. Beau jardin avec barbecue.

Se restaurer

🍴 **Le Romain** – *Rte de Chaumont -* 🕿 *03 29 06 18 80 - fermé 20 fév.- 5 mars, 22 août-4 sept., dim. soir et lun. - 12,50/27 €.* Restaurant situé au bord de la route. Salle à manger vaste, claire et actuelle. Carte traditionnelle où se glissent quelques spécialités lyonnaises.

Neuwiller-lès-Saverne★

1 134 NEUWILLEROIS
CARTE GÉNÉRALE C2 – CARTE MICHELIN DÉPARTEMENTS 315 I4 – SCHÉMA P. 430-431
BAS-RHIN (67)

C'était autrefois un but de pèlerinage ; aujourd'hui, on brûle beaucoup moins de cierges à saint Adelphe, dont on a un peu oublié les miracles. Les touristes ont pris la place des pèlerins pour visiter la superbe église St-Pierre-et-St-Paul. Les évêques de Metz, qui savaient vivre, n'avaient pas choisi par hasard ce lieu pour construire une abbaye. Il était protégé des vents, au milieu des collines et des forêts.

▸ **Se repérer** – Sur la D 14 à 13 km au nord de Saverne.

▸ **Organiser son temps** – Si vous pouvez prévoir votre visite, demandez à l'avance de voir les tapisseries de la chapelle haute de l'église St-Pierre-et-St-Paul.

▸ **Pour poursuivre la visite** – Voir aussi Bouxwiller, le Parc naturel régional des Vosges du Nord, La Petite-Pierre, Saverne.

Visiter

Église St-Pierre-et-St-Paul★

Visite : 30mn. 🕿 *03 88 70 00 51 - de déb. mars à mi-déc. : possibilité de visite guidée de la crypte et de la basilique supérieure (avec les tapisseries de St-Adelphe) sur demande.*

Les reliques de saint Adelphe, évêque de Metz, ont été transférées dans cette église en 826. Les pèlerins affluèrent aussitôt, recherchant la guérison sur le tombeau du saint.

L'église St-Pierre-et-St-Paul, aux tours résolument romanes.

La partie la plus ancienne de cette abbatiale renommée est la crypte. Le chœur, le transept et une travée de la nef sont du 12ᵉ s. Le flanc gauche, donnant sur une grande place entourée des maisons des chanoines, est percé de deux portes : à droite, une porte du 13ᵉ s., de chaque côté de laquelle se dressent les statues de saint Pierre et de saint Paul ; à gauche, une porte du 12ᵉ s. dont le tympan représente un Christ bénissant. Au fond de la nef, tribune et orgue de 1773-1777.

Au bas du collatéral droit, tombeau de saint Adelphe (13ᵉ s.) sur huit colonnes élevées, disposition permettant autrefois aux fidèles de passer sous le tombeau du saint. En remontant le bas-côté droit jusqu'au croisillon, on verra une **Vierge**★ assise du 15ᵉ s. Dans le bras gauche du transept, saint-sépulcre polychrome de 1478. Au-dessus du groupe formé par les trois saintes femmes portant des vases de parfums, autour du corps de Jésus, une niche abrite une Vierge du 14ᵉ s.

Les **chapelles superposées**★ sont toutes les deux du 11ᵉ s. et de même plan. Si les bases sont les mêmes, les chapiteaux cubiques, complètement nus dans la chapelle inférieure, sont décorés de beaux motifs dans la chapelle supérieure. La chapelle haute contient quatre panneaux de remarquables **tapisseries**★★ de la fin du 15ᵉ s. représentant la vie et les miracles de saint Adelphe.

Église St-Adelphe

Église de transition romano-gothique (12ᵉ-13ᵉ s.). Au moment de la Réforme, en 1562, la collégiale St-Adelphe a été la première en Alsace à pratiquer le « *simultaneum* », c'est-à-dire un partage du lieu de culte entre les catholiques et les protestants, en l'occurrence ici le chœur aux catholiques et la nef aux protestants. Aujourd'hui, seul le culte protestant y est célébré.

Neuwiller-lès-Saverne pratique

Voir aussi l'encadré pratique de Bouxwiller.

Adresse utile

Office du tourisme du pays de Hanau et du val de Moder – *68 rue du Gén.-Goureau - 67340 Ingwiller -* 03 88 89 23 45 - *tte l'année du lun. au vend. mat. et apr. midi, sam. mat. (mi-mai à mi-sept. : sam. apr. midi et dim. mat.)*

Se loger et se restaurer

Hôtel Au Herrenstein – *20 r. du Gén.-Kœnig -* 03 88 70 00 53 - *www. herrenstein.fr - fermé 23 déc.-10 janv. -* 13 ch. 50/62 € - 6,50 € - rest. 25/43 €.

Cette belle demeure datant du 18ᵉ s. a été reprise depuis peu par la jeune génération familiale, mais la qualité de l'accueil reste la même. Les chambres, sobrement contemporaines, sont tout simplement superbes. Au restaurant, on dégustera, entre autres, des tartes flambées (servies dans le caveau le week-end).

Que rapporter

Ferme-fromagerie Herrenstein – *7 r. de la Gare -* 03 88 70 31 07 - *tlj sf dim. et lun. 10h-12h, 14h-18h (sam. 17h) - fermé j. fériés.* Élevage de vaches laitières et production fromagère. Vous y découvrirez, outre le munster, quelques spécialités originales comme les fromages aux orties.

Niederbronn-les-Bains

4 329 NIEDERBRONNOIS
CARTE GÉNÉRALE C1 – CARTE MICHELIN DÉPARTEMENTS 315 J3 – SCHÉMA P. 430-431
BAS-RHIN (67)

Niederbronn-les-Bains est bien une station thermale, comme son nom a pu vous le laisser supposer. Ce sont les Romains qui, vers 48 av. J.-C., ont découvert la première source et ses vertus curatives. Autrefois on venait prendre les eaux, aujourd'hui, la Celtic est mise en bouteilles et expédiée aux quatre coins de la France. Remis en forme, grâce à l'une ou l'autre des deux sources, vous pourrez tenter l'ascension du modeste point culminant des Vosges du Nord, le Grand Wintersberg (581 m), tout proche.

▸ **Se repérer** – Nierderbronn est situé dans le Parc naturel régional des Vosges du Nord ; c'est le point de départ d'un circuit des Châteaux décrit p. 432. La station thermale est à 17 km au nord-ouest de Haguenau.

○ **Organiser son temps** – Comme dans toute station thermale, vous trouverez à Niederbronn-les-Bains un casino et des animations le soir, mais vous aurez aussi tout le loisir de faire des randonnées dans le Parc naturel des Vosges.

△ **Pour poursuivre la visite** – Voir aussi Haguenau, le Parc naturel régional des Vosges du Nord.

Le saviez-vous ?

👁 La spécialité locale, le *keschtewurscht* (entraînez-vous pour le prononcer !), est un boudin aux châtaignes très apprécié. Pendant tout l'automne, vous en trouverez sur la carte de la plupart des restaurants de la région.

👁 Au 18e s., les barons de Dietrich, premiers de la fameuse dynastie d'industriels, s'employèrent à faire connaître la station thermale. L'entreprise métallurgiste de Dietrich reste aujourd'hui le principal employeur de la ville.

Visiter

Établissement thermal

Pl. des Thermes - 𝄞 03 88 80 30 70 - niederbronn@ugecam-alsace.com - mars-nov. : tte la journée - fermé dim. de déc. à mars.

Les eaux proviennent de deux sources : la source romaine, qui jaillit en plein cœur de la ville devant le casino municipal (rhumatologie, séquelles de traumatisme), et la source Celtic, une des moins minéralisées en France, commercialisée depuis 1989. L'établissement propose des stages de balnéothérapie et de remise en forme.

Maison de l'archéologie des Vosges du Nord

44 av. Foch - 𝄞 03 88 80 36 37 - www.niederbronn.com - ♿ - tlj sf mar. et sam. apr.-midi (nov.-fév. : dim. apr.-midi) - fermé 1er janv. et 25 déc. - 2,50 € (enf. 0,80 €).

Vestiges d'un temple romain au château de Wasenbourg.

Collection archéologique provenant des fouilles effectuées dans la proche région. Une salle est consacrée aux poêles de fonte, spécialité de Niederbronn depuis plus de trois siècles.

Château de Wasenbourg

À l'ouest. 15mn à pied AR.

Partez de la gare SNCF et suivez l'allée des Tilleuls. Après être passé sous la voie de contournement, à hauteur du lieu-dit « Roi de Rome », tournez à gauche dans le sentier « promenade et découvertes » qui mène aux ruines du château (13e s.).

Au nord-est, vestiges d'un temple romain.

Niederbronn-les-Bains pratique

Adresse utile

Office du tourisme de Niederbronn-les-Bains – *6 pl. de l'Hôtel-de-Ville - 67110 Niederbronn-les-Bains -* ✆ *03 88 80 89 70 - www.niederbronn.com - mai-sept. : tlj mat. et apr.-midi sf dim. apr.-midi ; reste de l'année : tlj mat. et apr.-midi sf sam. et dim. Se renseigner.*

Se loger

Hôtel Le Bristol – *Pl. de l'Hôtel-de-Ville -* ✆ *03 88 09 61 44 - www.lebristol.com - fermé 24 janv.-13 fév. -* 🅿 *- 29 ch. 45/90 € -* ☕ *8 € - rest. 9/31 €.* Hôtel familial situé au centre de la station thermale. La plupart des chambres ont été rénovées (mobilier en bois et couleurs gaies) et bien insonorisées. Carte traditionnelle servie dans une salle cossue, agrandie d'une véranda utilisée les jours d'affluence.

Hôtel Cully – *R. de la République -* ✆ *03 88 09 01 42 - www.hotel-cully.fr - fermé 7-28 fév. et 20 déc.-3 janv. -* 🅿 *- 35 ch. 50/68 € -* ☕ *8,50 € - rest. 11/35 €.* Dans une rue passante non loin du centre, cet hôtel est installé dans deux bâtiments séparés par une belle terrasse fleurie. Ses chambres, fonctionnelles et bien tenues, permettent une agréable étape. Cuisine alsacienne ou italienne servie dehors en été…

Hôtel Mercure – *Av. Foch -* ✆ *03 88 80 84 48 - www.mercure.com - 60 ch. 59/96 € -* ☕ *11 €.* Cet établissement abrite de grandes chambres et des suites rénovées dans un style épuré. Bonne insonorisation. Bar-salon design. Agréable jardin calme et arboré.

Se restaurer

Anthon – *40 r. Principale - 67510 Obersteinbach - 14 km au nord de Niederbronn par D 653 puis D 53 -* ✆ *03 88 09 55 01 - www.restaurant-anthon.fr - fermé janv., mar. et merc. - 24/61 € - 7 ch. 60/98 € -* ☕ *10 €.* Cette jolie maison rouge est une charmante étape, dans un petit village pittoresque des Vosges. Sa belle salle à manger en rotonde ouvre ses grandes fenêtres sur le jardin où s'installent quelques tables en été… Deux chambres amusantes avec leurs « lits clos » alsaciens.

En soirée

Casino Barrière de Niederbronn-les-Bains – *10 pl. des Thermes -* ✆ *03 88 80 84 88 - www.lucienbarriere.com - lun.-jeu. 10h30-2h, vend.-sam. 10h30-4h, dim. 10h30-3h.* Le plus grand casino d'Alsace compte 185 machines à sous et une salle de jeux traditionnels. Trois restaurants dont une brasserie alsacienne, un lounge bar et une salle de cinéma.

La Villa du Parc (au Casino de Niederbronn) – *10 pl. des Thermes -* ✆ *03 88 80 84 88 - www.lucienbarriere. com - tlj sf sam. midi et dim. soir 12h-14h, 19h-22h - fermé fév. et 24 déc.* Restaurant agrandi et entièrement rénové dans un style contemporain d'inspiration coloniale. Tous les 15 jours, dîner-spectacle ou dîner-dansant.

Événement

Nuit artisanale – *En juillet.*

Obernai★★

10 471 OBERNOIS
CARTE GÉNÉRALE C2 – CARTE MICHELIN DÉPARTEMENTS 315 I6 – BAS-RHIN (67)

On ne risque pas de mourir de soif à Obernai, route des Vins oblige. En plus, c'est un peu le pays de la « Kro » (les brasseries Kronenbourg y sont installées). L'Alsace est là tout entière, avec ses vieilles maisons aux toits polychromes, ses petites rues fleuries, ses enseignes, ses remparts, son puits et la statue de sainte Odile.

Se repérer – Obernai se trouve au nord du vignoble alsacien, à 27 km au sud-ouest de Strasbourg. Enserrée par les hauteurs du mont Ste-Odile qui se trouve à 13 km à l'ouest, la ville est aussi desservie par l'A 35 qui file au sud vers Colmar, à 50 km, Mulhouse et Bâle.

> **Le saviez-vous ?**
> Beaucoup d'Obernois sont des vignerons au fait des dernières techniques vinicoles, avec leurs cuves en inox, leurs pressoirs pneumatiques et leurs vendangeoirs informatisés !

À ne pas manquer – La place du Marché pour son ensemble de maisons traditionnelles et le célèbre puits aux Six Seaux.

Organiser son temps – À Obernai, le vin est à l'honneur bien sûr, c'est l'occasion de découvrir le vignoble alsacien en empruntant le sentier viticole du Schenkenberg ou de goûter les différents crus dans une des caves de dégustation, sans oublier la Fête des vendanges en octobre.

Pour poursuivre la visite – Voir aussi le mont Ste-Odile, la route des Vins.

Se promener

Place du Marché★★ (A)
Centre de la ville, elle est bordée de maisons aux teintes dorées tirant parfois vers le carmin, nuances qui donnent aux rues d'Obernai cette lumière si particulière. Une fontaine dédiée à sainte Odile orne le centre de la place.

Ancienne halle aux blés★ (B)
Elle date de 1554 et abritait autrefois les boucheries municipales.

Tour de la Chapelle★ (A)
Ce beffroi du 13ᵉ s. était le clocher d'une chapelle dont ne subsiste que le chœur. La flèche gothique culmine à presque 60 m. Flanquée de quatre échauguettes ajourées, elle date du 16ᵉ s.

Hôtel de ville★ (A H)
Quelques vestiges du 14ᵉ au 17ᵉ s. (oriel et beau balcon sculpté de 1604 en façade) sont intégrés à la reconstruction de 1848.

Puits aux Six Seaux (A)
Ce puits Renaissance est un des plus beaux et des mieux conservés d'Alsace même s'il a connu au cours du temps quelques avatars qui ont entraîné des rénovations. La date de sa création est apposée sur la girouette : 1579. Chacune de ses trois rouelles porte deux seaux.

Église St-Pierre-et-St-Paul (A)
Imposante, elle a été construite au 19ᵉ s. dans le style néogothique. Dans le bras gauche du transept, autel du St-Sépulcre (1504) et châsse contenant le cœur de Mᵍʳ Freppel, évêque d'Angers, mort en 1891. Quatre fenêtres portent des vitraux du 15ᵉ s. attribués à Pierre d'Andlau ou à son élève Thibault de Lyxheim.

Maisons anciennes★ (A)
Elles sont très nombreuses dans le quartier de la place du Marché *(notamment*

Le puits aux Six Seaux de style Renaissance

JACASS/MICHELIN

SE LOGER		SE RESTAURER	
Aux Chants des Oiseaux	①	Beau Site	①
Les Jardins d'Adalric	⑤	La Cour des Tanneurs	③

ruelle des Juifs) et jusque vers la place de l'Étoile. Rue des Pèlerins, remarquez une maison en pierre de trois étages, du 13ᵉ s.

Remparts (A/B)

C'est au 12ᵉ s., lorsqu'elle est possession du Saint-Empire romain germanique, que la ville décide de se protéger par une double enceinte fortifiée. Remaniée à plusieurs occasions, c'est une promenade agréable aujourd'hui, dont la partie la mieux conservée est le rempart Maréchal-Foch.

Revenez à la place du Marché par la rue du Gén.-Gouraud.

Obernai pratique

Adresse utile

Office du tourisme d'Obernai – *Pl. du Beffroi - 67210 Obernai - ℰ 03 88 95 64 13 - www.obernai.fr - mat. et apr.-midi - fermé 1ᵉʳ janv., 11 Nov. et 25 déc.*

Se loger

⊜⊜ **Hôtel Les Jardins d'Adalric** – *19 r. du Mar.-Kœnig - ℰ 03 88 47 64 47 - www. jardins-adalric.com - 🅿 - 46 ch. 68/95 € - � 12 €. Bâtiment moderne légèrement excentré dont l'agréable terrasse ouvre sur la piscine et le jardin bordé d'un ruisseau. Chambres soignées et coquette salle des petits-déjeuners.*

⊜⊜ **Hôtel Aux Chants des Oiseaux** – *À Ottrott-le-Haut - 67530 Ottrot - 4,5 km d'Obernai par D 426 - ℰ 03 88 95 87 39 - ami-fritz@wanadoo.fr - fermé 7 janv.-8 fév. et 2-11 juil. - 🅿 - 16 ch. 72/103 € - ⊒ 12 €. En pleine nature, construction de style régional abondamment fleurie. Chambres plaisantes et colorées., récemment rénovées. Salle des petits-déjeuners tournée vers le jardin.*

Se restaurer

⊜⊜ **La Cour des Tanneurs** – *Ruelle du Canal-de-l'Ehn - ℰ 03 88 95 15 70 - fermé 1ᵉʳ-14 juil., 21 déc.-3 janv., mar. et merc. - 20/35 €. Ce restaurant au décor propret situé dans une ruelle du centre sert une cuisine actuelle, concoctée et servie en famille. L'étape est simple, mais satisfera votre appétit, sans doute creusé par la balade dans la ravissante cité alsacienne.*

⊜⊜ **Beau Site** – *Ottrott-le-Haut - 67530 Ottrot - ℰ 03 88 48 14 30 - www.hotel-beau-site.fr - fermé fév., 28 juin-13 juil. et lun. hors sais. - 21/54 € - 18 ch. 89/162 € - ⊒ 11 €. Le restaurant inspiré des winstubs vous invite à découvrir les gourmandises du terroir tout en admirant des œuvres de Spindler. Chambres superbes. Intérieur soigné avec mobilier de style.*

Faire une pause

Aux Caves d'Obernai – *14 r. du Marché - ℰ 03 88 95 36 94 - tlj sf dim. 9h-12h, 14h-18h, lun. 14h-18h - fermé de mi-janv. à déb. fév. et j. fériés. Tous les crus du Clos*

Ste-Odile, dont les vignes s'étendent au-dessus de la ville, sont en vente dans ce magasin : riesling, tokay, gewurztraminer, pinot noir, crémant blanc de blanc, liqueurs, eaux de vie de framboise, de mirabelle… On y trouve également une sélection de produits régionaux.

En soirée

L'Athic – 6 pl. de l'Étoile - ℘ 03 88 95 50 57 - 15h-3h - fermé 21 fév.-16 mars, 21-30 nov., 24 et 31 déc. Cet élégant bar à cocktails, meublé de fauteuils en velours et d'un piano à la disposition de la clientèle, ménage différents espaces : une salle de billard à l'étage et une autre plus intime avec un comptoir en étain et de vieilles tables en marbre. Grande terrasse en été.

Que rapporter

Cave d'Obernai-Divinal – 30 r. du Gén.-Leclerc - ℘ 03 88 47 60 21 - cave-obernai@cave-obernai.com - tlj sf dim. et j. fériés 10h-12h, 14h-18h. Dégustation-vente. Visite guidée de la cave sur rendez-vous.

Domaine Seilly – 1 r. de la Paille - ℘ 03 88 95 46 82 - www.seilly.com - 9h30-12h, 14h-18h, lun. 9h30-12h - fermé 2 sem. en janv. Sise dans une maison de 1628, cette ancienne échoppe de drapiers est à présent la boutique du viticulteur Seilly. Entre autres agapes, vous pourrez y déguster le « vin du pistolet », qui doit son nom à l'amusante rencontre entre Ferdinand Ier et « l'effronté » maire d'Obernai. Anecdote qui vous est abondamment commentée sur place.

Les Eaux de Vie J. et M. Lehmann – Chemin des Peupliers - ℘ 03 88 50 41 29 - tlj sf dim. 8h-12h, 14h-18h, sam. 8h-12h, 14h-16h. Monsieur Lehmann, qui représente la cinquième génération de cette famille de distillateurs, invite chaleureusement à découvrir ses

Un attelage sur la place du Marché, ornée d'une fontaine dédiée à sainte Odile.

méthodes artisanales de production. Ses eaux-de-vie et liqueurs (comme la framboise sauvage ou la poire Williams), de nombreuses fois primées, se vendent uniquement à la distillerie.

Randonnée

Sentier viticole du Schenkenberg – Circuit de 3,6 km (1h30 à pied) permettant de découvrir le vignoble sur 250 ha. Parking au mémorial ADEIF, repérable par la grande croix de 12 m de haut. En été, visite guidée hebdomadaire (merc. mat.) suivie d'une visite de cave - s'adresser à l'office de tourisme - ℘ 03 88 95 64 13 - www.obernai.fr.

Événements

La Nocturne du Hans – Course nocturne de 12 km à travers la ville et le vignoble (sam. après le 14 juil.) - ℘ 03 88 95 00 37 - www.nocturneduhans.com.

Les Estivales d'Obernai – Concerts de musique du monde en plein air sur la place du Marché (sam. en juil.-août) - ℘ 03 88 95 64 13 - www.obernai.fr.

Fête des vendanges – Le 3e w.-end d'oct. - ℘ 03 88 95 64 13 - www.obernai.fr.

Val d'**Orbey**★★

CARTE GÉNÉRALE C3 – CARTE MICHELIN DÉPARTEMENTS 315 G8 – HAUT-RHIN (68)

Bois et pâturages, lacs d'altitude, forêts de sapins au pied de la ligne bleue des Vosges, c'est le paradis des randonneurs. Ici, vous serez surpris par la consonance française des noms des villages et des lieux. Nous sommes en pays welche, où l'on a toujours ignoré le dialecte alsacien et où le parler a une origine romane et non germanique : Les Trois-Épis, Le Bonhomme, Fréland, Lapoutroie…

- ▶ **Se repérer** – Entre Kaysersberg, Munster et le col du Bonhomme. Accès possible par Colmar, St-Dié-des-Vosges ou Gérardmer.
- 👁 **À ne pas manquer** – Pour les marcheurs, les sentiers au départ des Trois-Épis, du lac Noir et du lac Blanc.
- 🕐 **Organiser son temps** – Si le circuit peut être parcouru en quatre heures, ne consacrez pas moins d'une journée à la découverte des sentiers et des jolis villages du val d'Orbey.
- 👥 **Avec les enfants** – L'Espace des métiers du bois et du patrimoine à Labaroche, la confiserie des Hautes-Vosges à Plainfaing, la Graine au Lait à Lapoutroie *(encadré pratique)*.
- 🚶 **Pour poursuivre la visite** – Voir aussi Kaysersberg, Munster, le PNR des Ballons des Vosges, Turckheim.

Le lac Blanc se niche entre le col du Calvaire et le rocher observatoire Belmont.

Circuit de découverte

57 km – environ 4h. Schéma p. 118-119.

Les Trois-Épis★★

Admirablement située, cette station climatique est le centre d'inépuisables excursions à pied ou en voiture.

En parlant de randonnée pédestre, celle du **Galz**★★ *(🚶 1h à pied AR)* vous assurera d'une **vue** sur la plaine d'Alsace, la Forêt-Noire, le Sundgau et le Jura. Au sommet, un gigantesque monument commémore le retour de l'Alsace à la France en 1918.

Pour apprendre à reconnaître la flore qui couvre les versants, suivez plutôt le **sentier de la forêt de St-Wendelin** *(🚶 1h30 à pied ; livret-guide à l'office de tourisme. Départ du parking, place des Antonins ; balisage vert symbolisé par un écureuil)*.

Au départ des Trois-Épis, la D 11 vers Orbey puis la D 11^{VI} longent la crête qui sépare les vallées d'Orbey et de Munster et offrent de jolies vues sur l'une et sur l'autre. Tracée en forêt, la route contourne le Grand Hohneck et atteint bientôt la région du Linge.

Le Linge *(voir Munster)*

Prenez à droite au Collet du Linge, puis, après avoir laissé à gauche le chemin de Glasborn, prenez encore à droite au col du Wettstein (cimetière militaire des Chasseurs).

Lac Noir★

Alt. 954 m. Il occupe le fond d'un cirque glaciaire. Une moraine, à laquelle s'appuie un barrage, retient ses eaux vers l'est ; de hautes falaises granitiques forment, sur le reste du pourtour, un cadre grandiose. Au nord du lac, le **rocher Belmont** (1 272 m) était un observatoire durant la Première Guerre mondiale.

La pêche est autorisée mais la baignade interdite.

Lac Blanc★

La route qui longe le lac Blanc offre des vues de plus en plus belles sur le cirque rocheux qui enserre le plan d'eau.

Niché entre le col du Calaviaire et le rocher observatoire Belmont, au pied de la route des Crêtes, le lac Blanc se situe à 1 054 m d'altitude. D'une superficie de 28,7 ha et profond de 72 m, il est encastré dans un cirque glaciaire et dominé par un étrange rocher en forme de forteresse, le **château Hans**. De hautes falaises granitiques en partie boisées l'entourent, ce qui n'adoucit pas le décor encore rude.

Au col du Calvaire, on atteint la route des Crêtes que l'on prend à droite. De la route, jolis points de vue sur la vallée de la Béhine, dominée par la Tête des Faux.

Col du Bonhomme

Alt. 949 m. Entre le col de Ste-Marie *(au nord)* et le col de la Schlucht *(au sud)*, il fait communiquer l'Alsace et la Lorraine, de Colmar à Nancy.

En descendant, jolie vue sur la vallée de la Béhine dominée, en avant et au loin, par le Brézouard et, à droite et plus près, par la Tête des Faux. La route passe au pied des rochers qui portent les vestiges du château de Gutenburg.

Le Bonhomme

On entre ici en pays welche. Les ruisseaux dévalent pour former la Béhine.

Lapoutroie

Ce village possède un petit **musée des Eaux-de-Vie**, installé dans un ancien relais de poste 18e s. On peut y assister à une démonstration de fabrication des eaux-de-vie et liqueurs. Dégustation et possibilité d'achat. ℘ 03 89 47 50 26 - www.musee-eaux-de-vie.com - &. - tlj mat. et apr.-midi - fermé 25 déc. - gratuit.

Continuez sur la D 415 vers Kaysersberg, puis tout de suite à gauche sur la D 11IV.

Le pays welche

Le terme « pays welche » signifie le pays des étrangers de l'Ouest, allusion à l'exception linguistique puisqu'ici on ne parle pas le dialecte germanique. Certains anciens, nés avant-guerre, parlent encore le welche. C'est une langue romane, datant de l'occupation romaine en Gaule, issue du latin populaire. Elle a hérité du latin une grammaire rigoureuse et une conjugaison particulière.

Fréland

C'est le « pays libre » où les mineurs de Ste-Marie-aux-Mines *(voir ce nom)* bénéficiaient de privilèges locaux. À la **Maison du pays welche** *(2 r. de la Rochette)*, les habitants des environs ont rassemblé des objets qui évoquent les traditions du pays dans un ancien presbytère datant du 18e s. Le cadre et la reconstitution de la vie du pays sont particulièrement soignés. Présentation des métiers d'autrefois, four à pain, roue d'eau, four à lin… ℘ 03 89 71 90 52 - visite guidée (1h à 2h) juin-sept. : tlj sf merc. 10h, 15h et 16h30 ; avr.-mai et oct.-déc. : 15h - fermé janv.-mars - 4 € (enf. 1,50 €).

Revenez à la D 41 puis, au rond-point, prenez à gauche la D 48 vers Orbey.

Orbey

Composé de nombreux hameaux, Orbey s'allonge dans la verdoyante vallée de la Weiss entre des hauteurs sillonnées de sentiers d'une fraîcheur agréable. En haut du village, un petit **musée** présente quelques objets et outils de la vie quotidienne dans le val d'Orbey au cours des siècles précédents. Tout est dans la visite guidée, assurée par la propriétaire des lieux. ℘ 03 89 71 27 65 - lun.-sam. mat. et apr. midi.

Après Orbey, la D 11 s'élève dans le vallon de Tannach, puis continue, sinueuse et en corniche, offrant de jolies vues sur la vallée de la Weiss dominée par le piton du Grand Faudé. Plus loin, elle change de versant et offre une belle vue en avant et à gauche sur la vallée du Walbach, le Galz et son monument, la plaine d'Alsace.

Espace des métiers du bois et du patrimoine★

À Labaroche - ℘ 03 89 78 94 18 - www.musee-bois-labaroche.com - &. - de déb. avr. à mi-oct. : tlj sf lun. mat. et apr.-midi - 5 € (6-16 ans 3,30 €) ; billet combiné avec Maison du pays welche.

Annoncé par la belle sculpture d'un cheval tractant des billes de bois, l'**Espace des métiers du bois et du patrimoine** est animé par une équipe de barotchés (habitants de Labaroche) passionnés et passionnants. On découvre au rez-de-chaussée les techniques de découpe du bois, depuis l'époque des scieurs de long jusqu'à la mécanisation avec une scie à haut-fer, actionnée par une machine à vapeur de 1896 (démonstration). Au sous-sol, ce sont les ateliers du sabotier et du monteur de boîtes de fromages. À l'étage, une collection de jouets en bois rappelle de beaux souvenirs aux plus grands, tandis que les plus petits manipulent des jeux de construction. Sous les combles, des ateliers de différentes époques ont été reconstitués (menuisier, charron, tourneur sur bois, fermier, vanier). Le coin du forestier donne l'occasion d'en savoir plus sur les arbres et le travail des bûcherons. Le parc du musée est agrémenté de sculptures en bois faites par les bénévoles (minichalets, bœufs) avec lesquelles les enfants peuvent jouer.

Laissant **Labaroche** à gauche, on découvre bientôt en avant le Grand Hohneck et, plus à droite, le piton conique du Petit Hohnack, avant de rejoindre Trois-Épis.

Val d'Orbey pratique

Adresse utile

Office du tourisme de Trois-Épis – 2 imp. Prés.-Poincaré - 68410 Les-Tois-Épis - ✆ 03 89 49 80 56 - www.ot3epis.fr - juil.-août : lun.-vend. mat. et apr.-midi ; reste de l'année : lun.-vend. apr.-midi - fermé déb. juin et j. fériés.

Se loger

⌂ **Hôtel Aux Bruyères** – R. Charles-de-Gaulle - 68370 Orbey - ✆ 03 89 71 20 36 - www.auxbruyeres.com - ouv. 23 mars-23 oct. et 17-31 déc. - 🅿 - 29 ch. 40/65 € - 🖵 8 € - rest. 13,50/29 €. Au centre du village, maison aux chambres fonctionnelles, plus calmes et spacieuses côté jardin ; quelques-unes avec balcon. Au restaurant, sobre salle à manger égayée de nappes colorées, terrasse d'été et cuisine aux accents régionaux. Salon de thé.

⌂ **Hôtel Au Bon Repos** – 235 Pairis - 68370 Orbey - ✆ 03 89 71 21 92 - www.aubonrepos.com - fermé 16 oct.-17 déc. et merc. ; ouv. avr.-oct., vac. scol. et w.-ends - 🅿 - 17 ch. 43/47 € - 🖵 8 € - rest. 16/34 €. Sur la route des lacs, sympathique adresse ouverte sur un paisible jardin. Préférez les chambres de l'annexe, rénovées et calmes, toutes orientées vers une forêt de sapins. Salle à manger de style rustique où vous dégusterez une cuisine régionale.

⌂ **Hôtel Wetterer** – Les Basses Huttes - 68370 Orbey - ✆ 03 89 71 20 28 - www.hotel-wetterer.com - fermé 24 janv.-4 fév., 7-24 mars, 2-25 nov., lun.-merc. du 3 janv. au 7 fév. - 🅿 - 15 ch. 44/60 € - 🖵 7,50 € - rest. 16/30 €. Érigé au cœur d'un superbe paysage de montagnes et de forêts, cet hôtel des années 1960 propose des chambres simples et bien tenues. Les salles de bains sont modernes. Au restaurant, décor rustico-bourgeois (poutres, cheminée, chaises Louis XIII, argenterie) et cuisine traditionnelle.

⌂ **Chambre d'hôte Ferme du Busset** – 33 Lieu-dit Busset - 68370 Orbey - 1 km à l'est d'Orbey par rte secondaire - ✆ 03 89 71 22 17 - www.fermedubusset.com - fermé 28 déc.-3 janv. - 🚭 - 6 ch. 43/49 € - 🖵. Air vivifiant, grand calme, agréable environnement campagnard et vue sur Orbey : cette ferme d'élevage a de quoi séduire ! Elle abrite des chambres d'hôte simples et lambrissées, trois appartements meublés et un gîte d'étape. Vente de fromages et confitures maison.

Se restaurer

⌂ **Auberge du Musée** – 2 r. de la Rochette - 68240 Fréland - ✆ 03 89 71 90 52 - www.maisonwelche.fr - fermé de mi-fév. à mi-mars et merc. - 13/30 €. Après la visite du musée, qui vous en dira long sur le pays welche, attablez-vous dans cette ancienne maison. Elle est amusante avec ses outils agricoles anciens, son soufflet de forge et sa charrette suspendue dans la charpente… Cuisine classique.

Que rapporter

Confiserie des Hautes-Vosges (CDHV) – 44 Habeaurupt, sur la rte du Valtin en sortant de Plainfaing - 88230 Plainfaing - ✆ 03 29 50 44 56 - www.cdhv.fr - magasin : tlj sf dim. 9h-12h, 14h-18h30 ; visite guidée : tlj sf dim. 10h-12h, 14h-18h - fermé j. fériés. Du sucre, du miel des Vosges, des arômes naturels, parfois même des huiles essentielles, et tout cela qui cuit à feu nu dans des chaudrons en cuivre sous vos yeux. Il ne vous reste plus alors qu'à goûter… et acheter ces friandises aux saveurs d'autrefois : bonbons des Vosges (plus de 30 sortes), bergamotes de Nancy, myrtilles, violettes, coquelicots…

La Graine au lait – 333[A] la Croix d'Orbey - 68650 Lapoutroie - ✆ 03 89 47 50 76 - www.haxaire.com - tlj sf dim. et lun. 9h-12h, 14h-17h. Venez découvrir tous les secrets d'élaboration du Munster dans cette fromagerie de démonstration qui allie savoir-faire traditionnel et procédés de fabrication modernes. Les amateurs de ce fromage typique apprécieront la dégustation en fin de visite.

Ottmarsheim

1 926 OTTMARSHEIMOIS
CARTE GÉNÉRALE C3 – CARTE MICHELIN DÉPARTEMENTS 315 J10 – HAUT-RHIN (68)

Lorsqu'elle fut consacrée par Léon IX, vers 1049, l'église carolingienne d'Ottmarsheim n'était éclairée que par des cierges. Neuf cents ans plus tard, la très moderne centrale hydroélectrique construite sur le grand canal d'Alsace a complètement bouleversé la physionomie de la ville.

Se repérer – En bordure de la A 36-E 54 Mulhouse-Bâle-Fribourg-en-Brisgau.

Pour poursuivre la visite – Voir aussi Mulhouse, la Vallée du Rhin.

Visiter

Église★

Ce très curieux édifice octogonal (24 m de diamètre), rare exemple de l'architecture carolingienne, copie réduite de la chapelle palatine de Charlemagne à Aix-la-Chapelle, est une référence en matière d'architecture romane. C'est

> **Le saviez-vous ?**
>
> En 1770, l'empereur d'Autriche Joseph II est venu se recueillir dans l'abaye d'Ottmarsheim.

l'église d'une abbaye de bénédictines fondée au milieu du 11e s. Le clocher, dans sa partie supérieure, est du 15e s., ainsi que la chapelle rectangulaire accolée au sud-est, alors que la chapelle gothique fut construite en 1582 à gauche de l'abside. **L'intérieur** est un octogone régulier couvert d'une coupole. À gauche de l'abside carrée, une porte avec une grille en fer forgé donne accès à la chapelle gothique. Toutes les mesures du bâtiment sont divisibles par trois, chiffre de la sainte trinité. En 1991, un incendie a causé d'importants dégâts à l'église. L'orgue a été détruit. Certaines des fresques, qui datent du 15e s., ont été très endommagées. Elles ont fait l'objet d'une savante restauration : vie de saint Pierre, Christ en majesté présidant au Jugement dernier.

Centrale hydroélectrique★

Les visites des usines hydroélectriques du Rhin sont soumises aux contraintes liées au plan Vigipirate - se renseigner - ℘ 03 89 83 51 23.

L'usine d'Ottmarsheim, le bief et les écluses constituent le 2e tronçon du grand canal d'Alsace contribuant à l'aménagement du Rhin entre Bâle et Lauterbourg. La fermeture des **écluses** est assurée à l'amont par des portes busquées et à l'aval par des portes levantes qui coulissent dans leurs parois. Seul le poste de commande domine les deux sas. La montée ou la descente du plan d'eau permet un éclusage rapide : 11mn dans le petit sas et 18 dans le grand.

À l'intérieur de l'**usine**, la salle des machines est très claire et très vaste. Ses quatre groupes, d'une puissance totale maximale de 156 MW, produisent en moyenne 980 millions de kWh par an.

H. Champollion/MICHELIN

Un octogone régulier, tel apparaît l'intérieur de l'église d'Ottmarsheim.

Massif du **Petit Ballon** ★

CARTE GÉNÉRALE B/C3 – CARTE MICHELIN DÉPARTEMENTS 315 G9
SCHÉMA P. 118-119 – HAUT-RHIN (68)

Vous vous en doutiez, c'est la forme arrondie du massif qui lui a valu ce nom de « ballon ». Ces prairies naturelles au sommet des monts chauves sont le lieu des grands pâturages. C'est à eux que l'on doit le savoureux munster ! Vous pourrez tester les différents crus à l'occasion d'étapes dans les fermes-auberges qui reçoivent les randonneurs pendant l'été.

- **Se repérer** – Un peu au sud de Munster, le massif appartient logiquement au Parc naturel régional des Ballons des Vosges.
- **À ne pas manquer** – Le panorama du sommet du Petit Ballon.
- **Organiser son temps** – L'ascension du Petit Ballon ne prend pas beaucoup de temps (1h15 aller-retour), mais cela n'empêche pas de prévoir l'équipement adapté et de se renseigner sur les conditions météorologiques.
- **Pour poursuivre la visite** – Voir aussi Guebwiller, Munster, le Parc naturel régional des Ballons des Vosges, la route des Crêtes.

Retour vers la ferme-restaurant Kahlenwasen, après l'ascension du Petit Ballon.

Circuits de découverte

On peut enchaîner les deux itinéraires suivants l'un après l'autre et prendre pour le retour à partir du Markstein un tronçon du circuit rattaché à Munster *(voir ce nom)*.

- Le **Petit Ballon** se place en troisième parmi les sommets vosgiens, quant à l'altitude. Donon : 1 009 m ; Champ du Feu : 1 100 m ; ballon de Servance : 1 216 m ; ballon d'Alsace : 1 250 m ; Petit Ballon ou Kahlen Wasen : 1 267 m ; Hohneck : 1 362 m ; Grand Ballon ou ballon de Guebwiller : 1 424 m, point culminant.
- Plus de 200 000 personnes habitent sur le territoire des Ballons des Vosges. Parmi eux, les « **marcaires** », nom qui vient de l'alsacien *malker* : « celui qui trait ».

DE MUNSTER AU PETIT BALLON

17 km – environ 2h.

Quittez Munster par la D 417 vers Colmar, que l'on abandonne après 5 km pour tourner à droite dans la D 40.

Après Soultzbach-les-Bains *(voir Munster)*, prendre à droite la D 43 qui remonte la vallée verdoyante du Krebsbach, où alternent les pâturages et les forêts.

À **Wasserbourg**, on emprunte une route forestière pour atteindre les prairies où, à hauteur de l'auberge du Ried, on a une vue superbe sur la crête du Hohneck. Après un court passage sous bois, ce sont de nouveau les pâturages, au milieu desquels s'élève la ferme-restaurant du Kahlenwasen. La **vue**★ s'étend sur Turckheim, au débouché de la vallée de la Fecht, sur la vallée elle-même et les hauteurs qui la dominent et, au-delà, par temps clair, sur la plaine d'Alsace.

Petit Ballon★★

Alt. 1 267 m 🥾 *De la ferme-restaurant Kahlenwasen, 1h15 à pied AR.*

Superbe **panorama** à l'est, sur la plaine d'Alsace, les collines du Kaiserstuhl et la Forêt-Noire ; au sud, sur le massif du Grand Ballon ; à l'ouest et au nord, sur le bassin des deux Fecht.

DU PETIT BALLON AU MARKSTEIN

23 km – environ 2h30.
Descendez par le col et la route forestière du Boenlesgrab.

La route, en forte descente, offre une belle vue à droite sur la vallée de la Lauch. Attention aux deux lacets avant l'arrivée à Lautenbach.

Lautenbach★ *(voir Guebwiller)*

Prenez à droite la D 430 qui, après quelques kilomètres, devient très sinueuse en montée puis change de versant.

Le Markstein *(voir Route des Crêtes)*

Petit Ballon pratique

Se loger et se restaurer

🍴 **Ferme-auberge Kahlenwasen** – *Massif du Petit Ballon - 68380 Lutterbach - sortie sud : 14 km par D 10 et rte du Petit-Ballon -* 📞 *03 89 77 32 49 - fermé nov.-avr. et merc. -*🍴*- 8/15,50 € - 12 ch., demi-pension 68 €.* Cette ferme a bonne réputation. La maison des années 1920 est simple, mais sa salle décorée d'outils agricoles est sympathique et l'été, la terrasse offre une belle vue sur la plaine d'Alsace. Spécialité de fromages. Quelques chambres simples.

La Petite-Pierre★

612 PARVA-PÉTRICIENS
CARTE GÉNÉRALE C1/2 – CARTE MICHELIN DÉPARTEMENTS 315 H3
SCHÉMA P. 430-431 – BAS-RHIN (67)

L'origine de La Petite-Pierre remonte au Moyen Âge. Située au carrefour de routes importantes, la ville est fortifiée par Vauban - on peut encore voir les restes de remparts - puis abandonnée en 1870. La station estivale, par sa position dominante au cœur du massif forestier des Vosges, est également le point de départ de plus de 100 km de sentiers balisés.

▶ **Se repérer** – À 55 km au nord-ouest de Strasbourg, 22 km au nord de Saverne.

👁 **À ne pas manquer** – Le musée du Sceau alsacien.

🕐 **Organiser son temps** – Avant d'entamer l'exploration du Parc naturel régional des Vosges du Nord, rendez visite au château qui abrite la Maison du Parc.

👣 **Pour poursuivre la visite** – Voir aussi Bouxwiller, le Parc naturel régional des Vosges du Nord, Neuwiller, Saverne.

Se promener

Le bourg doit son nom au comte Hugues de Parva Petra, premier propriétaire, en 1180, du château fort. En version alsacienne, on l'appelle « Lützelstein ». Quant aux habitants, ils portent le nom peu commun de Parva-Pétriciens.

VILLE ANCIENNE

On y accède par un chemin en forte montée, puis on suit la rue du Château.

Église

La voûte du chœur est décorée de **peintures à la détrempe** du 15e s. représentant, entre autres, le Couronnement de la Vierge, la Tentation d'Adam et Ève, le Jugement dernier. La tour et la nef ont été rebâties au 19e s., mais le chœur gothique remonte au 15e s. Elle sert depuis 1737 aux cultes catholique et protestant (église simultanée).

Maison des Païens

Dans les jardins de la mairie, cette maison Renaissance (1534) a été construite sur les fondations d'une ancienne tour de garde romaine.

Visiter

Musée du Sceau alsacien

℘ 03 88 70 48 65 - www.musee-sceau.com - ᕁ - juil.-août : mat. et apr.-midi ; fév.-déc. : w.-end et j. fériés mat. et apr.-midi - possibilité de visite guidée (25 €) sur demande préalable - gratuit.

Construite en 1684 et jadis réservée à la garnison (monuments funéraires de gouverneurs ou commandants d'armes), la **chapelle St-Louis** abrite désormais le curieux musée du Sceau alsacien. On y découvre l'histoire de l'Alsace par de nombreuses reproductions de sceaux de villes ou de seigneuries, de grands personnages ou de vieilles familles, de métiers ou de corporations, d'ordres religieux ou de chapitres.

Château et Maison du Parc

Ce château du 12ᵉ s. subira de nombreuses transformations, notamment sous l'impulsion du comte palatin du Rhin, George Jean de Veldenz, au 16ᵉ s. Aujourd'hui, la Maison du Parc a investi les lieux. Grâce à une présentation astucieuse (reconstitutions, jeux, diaporamas…), l'exposition permanente **« L'aventure des Vosges du Nord »** permet, en six salles thématiques et multimédias, de découvrir les richesses historiques, culturelles et techniques de la région, ainsi que l'important patrimoine naturel du Parc naturel régional des Vosges du Nord (végétation, faune). *℘ 03 88 01 49 59 - www.parc-vosges-nord.fr - mat. et apr.-midi (dernière entrée 45mn av. fermeture) - fermé janv., 24-25 et 31 déc. - 2,50 € (-12 ans gratuit).*

Revenez par la rue des Remparts.

Points de vue sur la campagne et les sommets boisés.

Musée des Arts et Traditions populaires

℘ 03 88 70 41 41 - ᕁ - visite guidée (30mn) juil.-sept. et du 26 au 31 déc. : tlj sf dim. lun. mat. et apr.-midi ; oct.-juin : w.-end et j. fériés mat. et apr.-midi - fermé janv. et 25 déc. - gratuit. Dans un ancien entrepôt du 16ᵉ s. (le « magasin »), situé sur les remparts, curieuse collection de positifs de moules à gâteaux, dits *springerle* (« gâteaux à l'anis ») et *lebkuche* (« pains d'épice »).

Continuez à suivre la rue des Remparts qui rejoint la rue du Château.

Aux alentours

Sentier botanique du Loosthal

Accès sur la D 134, au niveau de la maison forestière de Loosthal, entre La Petite-Pierre et Neuwiller. Ce sentier botanique fait découvrir la diversité du milieu forestier des Vosges du Nord (arbres, écologie forestière, géologie, traces d'animaux…).

Berg

13,5 km à l'ouest par D 9 et D 95. Dans le village, suivre les flèches « Kirchberg ».

Depuis la **chapelle du Kirchberg**, point de vue intéressant sur Berg et, vers l'est, sur les premiers reliefs boisés des Vosges du Nord. Du parking, on peut emprunter un sentier botanique (🚶 1h) présentant les arbres les plus communs de la région.

Le musée du Sceau alsacien recèle des milliers de pièces médiévales.

La Petite-Pierre pratique

♿ Voir aussi l'encadré pratique du Parc naturel régional des Vosges du Nord.

Adresse utile

Office du tourisme de La Petite-Pierre – *2 r. du Château - 67290 La Petite-Pierre - ℰ 03 88 70 42 30 - tlj mat. et apr.-midi - fermé 25 déc. et 1ᵉʳ janv.* Vous pourrez vous y procurer des fiches thématiques (système défensif de la vieille ville, approvisionnement en eau) pour compléter votre découverte de la ville.

Se loger et se restaurer

😋 **Chambre d'hôte Chez Jeanne Brehm** – *32 r. Principale - ℰ 03 88 70 46 80 - ⬡ - 2 ch. et 1 appart. 38/45 €.* Au cœur du village, cette maison contemporaine alsacienne abrite sur l'arrière deux chambres dont une avec kitchenette et un appartement. Chaque pièce est meublée dans la pure tradition locale. Jardin avec terrasse. Accueil aimable et prix attractifs.

😋😴 **Hôtel des Vosges** – *30 r. Principale - ℰ 03 88 70 45 05 - www.hotel-des-vosges. com - fermé 15 fév.-10 mars et 16-27 juil.* - 🅿 *- 30 ch. 64/80 € - ⬡ 9,50 € - rest. 24/54 €.* Hôtel proposant des chambres personnalisées ; certaines optent pour un style sagement alsacien. Plats traditionnels, truites du vivier, bonnes bouteilles et jus de pomme maison à déguster dans une salle à manger rustique (non-fumeurs) tournée vers la forêt.

Randonnée

🥾 La Petite-Pierre est le point de départ de très nombreux sentiers balisés de 1,8 km à 12 km et de plusieurs circuits VTT (140 km au total). Superbes points de vue sur la région. Tableau indicateur dans le village et à l'office de tourisme.

Événement

Au grès du jazz - *Le week-end du 15 août.*

Pfaffenhoffen

2 677 PFAFFENHOVIENS
CARTE GÉNÉRALE C2 – CARTE MICHELIN DÉPARTEMENTS 315 J3 – BAS-RHIN (67)

Dans le pays de Hanau aux collines douces et aux rivières chantantes, Pfaffenhoffen est ceint d'une ancienne fortification à l'intérieur de laquelle subsistent encore de jolies maisons ornées de colombages. L'extraordinaire musée de l'Image populaire conserve une des plus vieilles traditions picturales d'Alsace.

▶ **Se repérer** – 15 km à l'ouest de Haguenau, 27 km au nord de Saverne, 37 km au nord-ouest de Strasbourg, 50 km à l'est de Sarrebourg.

👁 **À ne pas manquer** – Le musée de l'Image populaire.

♿ **Pour poursuivre la visite** – Voir aussi Bouxwiller, Haguenau, Niederbronn-les-Bains, le Parc naturel régional des Vosges du Nord.

Visiter

Musée de l'Image populaire★

24 r. Dʳ-Albert-Schweitzer - ℰ 03 88 07 80 05 - ♿ - possibilité de visite guidée sur demande (2 à 3 sem. av.) - mar. et jeu.-dim. apr.-midi, merc. mat. et apr.-midi - fermé 24-26 déc., lun., 1ᵉʳ janv., 1ᵉʳ Mai et 1ᵉʳ nov. - 3,50 € (-16 ans gratuit).

Lorsque la photographie n'existait pas, les imagiers-peintres itinérants ou sédentaires travaillaient à la demande pour enregistrer les moments importants de la vie des habitants. Ce musée, installé dans l'ancienne brasserie Moritz (1577), reconnaissable à ses murs rouge vif, présente les différents types d'images populaires peintes à la main produites par le centre imagier de Pfaffenhoffen entre le 17ᵉ s. et le début du 20ᵉ s.

Les différentes techniques sont expliquées, exemples à l'appui : calligraphies, estampes, canivets (dentelles de papier aux fines miniatures), peintures sous verre aux couleurs éclatantes malgré leur grande ancienneté et « églomisés » datant du Second Empire. Ces peintures sous verre à fond noir où se détachent des motifs d'or étaient conçus pour décorer les pièces éclairées par des bougies ou des lampes à pétrole dont la lumière vacillante faisait scintiller les dorures.

À l'étage, chacune de ces images qui ornaient les intérieurs modestes d'ouvriers ou de paysans est mise en contexte, pour mieux comprendre les modes de vie et de pensée populaires. Différentes selon les confessions religieuses, les images pieuses étaient destinées à favoriser la prière ou à protéger la maison. Les images-souvenirs illustraient, quant à elles, les événements marquants de la vie (naissance, communion, mariage, décès, souvenir de conscription). La tradition des *Goettelbrief*, ou « souhaits de baptême », typiquement alsacienne, dura près de quatre cents ans.

On comprend aussi quels sont les soins apportés à la conservation des images.

« *Souvenir du 11ᵉ régiment d'artillerie* », une des innombrables peintures sous verre du musée.

Hôtel de ville

Sur la façade est représenté en médaillon un buste du docteur Schweitzer, citoyen d'honneur de la ville. Ce dernier prêcha son premier sermon dans l'église protestante de Pfaffenhoffen. Le hall de l'hôtel de ville abrite les œuvres (sculptures, peintures figuratives dans le goût de l'impressionnisme) d'un artiste strasbourgeois, Alfred Pauli (1898-1988).

Maisons anciennes

De nombreuses **maisons à colombage** du 16ᵉ au 19ᵉ s. subsistent encore aujourd'hui, notamment rue du Dr-Schweitzer et rue du Marché.

Synagogue

Bien que la façade de l'édifice (1791) soit discrète, ce lieu témoigne de l'importance de la société juive de l'époque. L'ensemble est orné d'un remarquable encadrement d'arche sainte, une *kahlstub* (salle communautaire) et une chambre pour l'hôte de passage.

Aux alentours

Cimetière juif d'Ettendorf

6 km au sud-ouest par les D 419ᴬ et D 25, 1ʳᵉ route à droite. Traverser le village et prendre une petite route parallèle à la voie ferrée, qui conduit en 500 m au cimetière.
Les stèles levées de ce cimetière juif, le plus ancien d'Alsace, s'égrènent à flanc de colline sur un vaste espace, s'intégrant parfaitement au paysage.

Buswiller

2 km à l'ouest d'Ettendorf par la D 735. Le village conserve de plaisantes maisons à colombages. Au nᵒ 17 de la rue Principale, on peut admirer le pignon ouvragé au traditionnel badigeon bleu cobalt d'une ferme datée de 1599, épargnée par la guerre de Trente Ans.

Pfaffenhoffen pratique

♿ Voir aussi les encadrés pratiques de Haguenau et du PNR des Vosges du Nord.

Visite

M. Mahler – *1 pl. du Marché - ℘ 03 88 07 75 91.* Visite d'atelier d'orgues vend. et sam. sur RV.

Se loger et se restaurer

⊖⊖ **Hôtel-restaurant de l'Agneau** – *3 r. de Saverne - ℘ 03 88 07 72 38 - www.hotel-restaurant-delagneau.com - fermé 5-21 sept., dim. soir, mar.i soir de sept. à mai, mar. de juin à août et lun. -* 🅿 *- 12 ch. 50/68 € - ⌑ 13 € - rest. 13/65 €.* Élégant restaurant sis dans une ancienne bergerie du 18ᵉ s. Au choix : cuisine actuelle prenant parfois l'accent du Sud, plats du terroir ou menu minceur. Chambres coquettes.

Plombières-les-Bains

1 936 PLOMBINOIS
CARTE GÉNÉRALE B3 – CARTE MICHELIN DÉPARTEMENTS 314 G5 – VOSGES (88)

À Plombières, les pendules semblent s'être arrêtées à l'heure du 19ᵉ s. Lotie au fond de la vallée sauvage et boisée de l'Augronne, cette petite ville tranquille au charme désuet a conservé plus d'un témoignage du passage de Napoléon III. C'est par la qualité de ses eaux qu'elle a su conquérir les plus grands de ce monde, qui souffraient probablement de problèmes digestifs ou de rhumatismes. Si l'eau vous lasse ou si ces petits maux ne vous concernent pas, rattrapez-vous sur la glace « Plombières », à base de kirsch et de fruits confits.

▷ **Se repérer** – Plombières, que l'on atteint par la N 57, fait partie des stations thermales des Vosges avec Contrexéville et Vittel.

▣ **Se garer** – En raison de l'étroitesse des rues, garez-vous sur les parkings gratuits : promenades Mesdames, pl. Beaumarchais, parterre de l'ex-hôtel du Parc, pl. Napoléon-III.

👁 **À ne pas manquer** – Les thermes Napoléon, la vallée de la Semouse et la cascade du Géhard.

🕐 **Organiser son temps** – La visite de Plombières n'occupe pas plus d'une demi-journée, mais les vallées alentour valent le détour.

🖑 **Pour poursuivre la visite** – Voir aussi Bains-les-Bains, Luxeuil-les-Bains, Épinal et Remiremont.

Comprendre

Histoire d'eau – Ce sont les Romains qui découvrirent les premiers les vertus curatives des eaux de Plombières. Puis, après eux, les ducs de Lorraine, Montaigne, Voltaire, Mᵐᵉˢ Adélaïde et Victoire, les filles de Louis XV, l'impératrice Joséphine et la reine Hortense, puis Musset, Lamartine et même Napoléon III. C'est d'ailleurs à Plombières qu'il décida avec Cavour du rattachement de la Savoie et du comté de Nice à la France, le 21 juillet 1858.

Séjourner

LA VILLE THERMALE

Centre thermal

Av. des États-Unis - ℰ 03 29 30 00 00 - www.plombieres-les-bains.com - établissements thermaux : mat. ; centre forme et santé Calodaé : lun.-jeu., sam. apr. midi - fermé 1ᵉʳ janv. et 25 déc. ; les thermes : 25 nov.-16 mars ; Calodaé : fermé 3 sem. en janv.

Avec ses vingt-sept sources chaudes dont quelques-unes atteignent une température de 80 °C, la station thermale de Plombières convient particulièrement au traitement des affections de l'appareil digestif et des troubles de la nutrition ainsi que des affections rhumatismales et des séquelles de traumatismes ostéo-articulaires.

Bain Stanislas

Construit de 1733 à 1736, c'est l'ancienne maison des Dames du chapitre de Remiremont *(voir ce nom)*. Des hublots, dans le sol, éclairent la galerie réalisée par Jutier. Celle-ci canalise les eaux thermales et les conduit aux thermes Napoléon, à 600 m.

Étuve romaine

ℰ 03 29 66 01 30 - www.vosgesmeridionales.com - visite guidée sur demande (1 j. av.) uniquement (visite du patrimoine thermal) - de mi-fév. à déb. mars et déb. avr.- déb. nov. : jeu. apr.-midi - fermé 1ᵉʳ Mai, 15 août et 1ᵉʳ nov. - 4,50 € (-18 ans 3 €).

Elle se visite comme les gradins du **bain romain** *(escalier à l'extrémité de la place)*. Vestiges des fouilles entreprises par Jutier en 1856.

Maison des Arcades

Parmi les maisons du 18ᵉ s., celle-ci présente les armes sculptées en façade du roi Stanislas de Pologne. Il y recevait ses petites-filles, Adélaïde et Victoire. Sous les arcades du rez-de-chaussée, la source du Crucifix a servi longtemps de buvette publique.

Bain national

Il fut reconstruit en 1935 par Franck Danis, qui a réalisé la buvette lumineuse. La façade du Premier Empire a été conservée. Elle s'inspire des thermes de Lutèce.

La rue Stanislas qu'embellit la perspective de la maison des Arcades du 18ᵉ s.

Thermes Napoléon

Mêmes conditions de visite que l'étuve romaine. La statue de Napoléon III, à l'entrée, ouvre le vaste hall de 55 m de longueur, construit à partir de 1857. Il rappelle l'architecture des thermes de Caracalla à Rome. En face, parc Tivoli et villas du 19ᵉ s.

Parc impérial

À la sortie sud de la ville, très beaux arbres d'essences rares, plantés sous Napoléon III. Le parc a été dessiné par Haussmann.

Fontaine Stanislas

À 3,5 km au sud-ouest de la ville par la D 20. À 1 km, tournez à gauche deux fois de suite. À 1 500 m de la dernière bifurcation, prenez à gauche le chemin de la Fontaine-Stanislas. La petite source jaillit d'un rocher couvert d'inscriptions datant du 18ᵉ s. et du début du 19ᵉ s. De la terrasse de l'hôtel, belle vue sur la vallée.

Visiter

Musée Louis-Français

☎ *03 29 30 06 74 - www.plombiereslesbains.fr - de mi-avr. à mi-oct. : merc.-sam. et j. fériés apr.-midi- fermé 1ᵉʳ Mai - 1 € (-12 ans gratuit).* Œuvres du peintre Louis Français, né à Plombières en 1814, et de ses amis de l'école de Barbizon : Corot, Courbet, Diaz, Harpignies, Monticelli, Troyon…

Pavillon des Princes

Construit sous la Restauration pour les membres de la famille royale, il surprend par sa modestie. C'est ici qu'eut lieu en 1858 la fameuse **entrevue de Plombières**. Napoléon III, empereur des Français, rencontra secrètement le comte de Cavour, président du Conseil du Piémont. Ils décidèrent d'une stratégie militaire contre les Autrichiens qui avaient envahi l'Italie du Nord. En avril 1859, ils remportèrent les victoires de Magenta et de Solferino. Le pavillon des Princes abrite des expositions.

Circuits de découverte

VALLÉES DE L'AUGRONNE ET DE LA SEMOUSE★

33 km – environ 1h. Quittez Plombières par la D 157 bis.

Vallée de l'Augronne

La route suit la rivière, rapide et aux eaux claires, au milieu de prairies et forêts. *Par la D 19, à Aillevillers-et-Lyaumont, rejoignez la D 20 à La Chaudeau pour remonter la vallée de la Semouse.*

Vallée de la Semouse★

Elle est magnifiquement boisée, fraîche et calme. On l'appelait autrefois « vallée des Forges » à cause de ses petites usines métallurgiques. Très encaissée et sinueuse, elle est juste assez large pour contenir la rivière, la route et parfois d'étroites prairies. *Revenez à Plombières par la D 63, en descente très rapide ; soyez prudents.*

VALLÉE DES ROCHES
47 km – environ 2h. Quittez Plombières par la N 57 en direction de Remiremont.

La route quitte rapidement la vallée de l'Augronne pour escalader le plateau qui marque le partage des eaux entre le bassin de la Méditerranée et celui de la mer du Nord. On descend ensuite vers la Moselle, qu'on rejoint à Remiremont.

Remiremont *(voir ce nom)*
Quittez Remiremont par la D 23, au sud-ouest. Montée pittoresque dans un beau vallon. Après 3,5 km, prenez à gauche la D 57. Peu après la Croisette d'Hérival, prenez à droite une route forestière goudronnée, étroite et sinueuse, qui s'engage dans la forêt d'Hérival : beaux sous-bois hérissés de rochers. Laissez à gauche le chemin de Girmont et une auberge.

Cascade du Géhard★
Située en contrebas de la route, à gauche, elle bondit et bouillonne en une série de cascades tombant dans des marmites de géants. Magnifique en période de pluies.

Après avoir laissé à gauche la maison forestière du Breuil et, à droite, le chemin d'Hérival, prenez à gauche la route qui suit la vallée de la Combeauté, ou vallée des Roches.

Vallée des Roches
C'est un beau et profond défilé resserré entre deux magnifiques versants boisés.

Peu après l'entrée de Faymont, près d'une scierie, tournez à droite. 50 m plus loin, laissez la voiture et prenez à pied un chemin forestier sur 300 m.

Cascade de Faymont
Le site est remarquable avec ses rochers, et les résineux.

Le Val-d'Ajol
Chef-lieu d'une des communes les plus étendues de France, Le Val-d'Ajol est constitué de plus de 60 hameaux disséminés dans les vallées de la Combeauté et de la Combalotte où plusieurs entreprises (métallurgie, tissage, scieries) maintiennent une activité industrielle.

Tournez à droite en direction de Plombières. 1 800 m après un lacet à droite, la route offre une jolie vue à droite sur la vallée. Arrêtez-vous peu après. Un chemin en montée derrière vous conduit à la Feuillée Nouvelle, à 100 m.

La Feuillée Nouvelle
Depuis la plate-forme, on découvre une belle **vue★** en balcon sur Le Val-d'Ajol.

Laissez la piscine du Petit-Moulin sur la gauche et revenez à Plombières par la N 57.

Plombières-les-Bains pratique

Adresse utile
Office du tourisme de Plombières-les-Bains – *1 pl. Maurice-Janot - 88370 Plombières-les-Bains - ℘ 03 29 66 01 30 - www.vosgesmeridionales.com - tlj sf dim. hors sais. mat. et apr.-midi.*

Visite
Petit train touristique – *℘ 03 29 66 01 30 - circuit (1h), dép. de l'office de tourisme - pour périodes et horaires : se renseigner - 4 € (6-18 ans 2 €).*

Se loger et se restaurer
⊜⊜ **Hôtel de la Fontaine Stanislas** – *1 Fontaine-Stanislas - 4 km à l'ouest de Plombières-les-bains par D 20 - ℘ 03 29 66 01 53 - www.fontaine-stanislas.com - fermé 16 oct.-31 mars -* 🅿 *- 26 ch. 52/56 € -* 🍽 *7 € - rest. 18/40 €. Repos assuré dans cet hôtel qui surplombe la vallée de Plombières, à l'orée d'une forêt. Entourée d'un jardin, cette maison du début du 20ᵉ s., vous l'aurez compris, vaut surtout par sa situation... Les chambres, un rien désuètes, sont néanmoins bien entretenues. Salle à manger en véranda.*

⊜⊜ **Hôtel Le Prestige Impérial** – *℘ 03 29 30 07 07 - www.plombieres-les-bains. com -* 🅿 *- 80 ch. 70/100 € -* 🍽 *12,50 € - rest. 20/45 €. Ce bâtiment du Second Empire relié aux thermes de la ville a été entièrement revu dans un esprit contemporain. Décor dernier cri dans les chambres. Le restaurant, qui a conservé son grandiose cadre d'époque, propose une cuisine au goût du jour.*

Que rapporter
Jean-Luc Husson – *Faymont - 88340 Le Val-d'Ajol - ℘ 03 29 30 66 46 - tlj sf dim. 8h-12h30, 14h-19h - fermé j. fériés. En reprenant la célèbre Maison Colle, Monsieur Husson s'est juré de perpétuer le savoir-faire acquis par le maître charcutier. Pari réussi : les préparations vendues ici sont aussi goûteuses qu'avant. Le produit phare reste l'andouille du Val d'Ajol, marinée dans un mélange de vin blanc et d'épices puis fumée avec différents bois de la région.*

Pont-à-Mousson ★

14 592 MUSSIPONTAINS
CARTE GÉNÉRALE B2 – CARTE MICHELIN DÉPARTEMENTS 307 H5
MEURTHE-ET-MOSELLE (54)

Le nom évoque plutôt des climats lointains, la moiteur et les pluies chaudes du bout du monde… Pourtant, Pont-à-Mousson est en Lorraine et si ce nom vous semble familier, c'est qu'il orne, un peu partout en France, un certain nombre de plaques d'égout en fonte. Mais lorsque vous l'aurez visitée, des images bien plus parlantes habiteront vos souvenirs, car Pont-à-Mousson est surtout connue pour son abbaye des Prémontrés, sa place Duroc et son hôtel de ville. Ici se trouve aussi le siège de l'administration du Parc naturel régional de Lorraine : la nature et les randonnées ne sont donc pas loin.

- **Se repérer** – À mi-chemin sur l'axe nord-sud (A 31) entre Metz et Nancy, la ville ne se trouve qu'à 30 km de chacune d'elles. Elle occupe les deux rives de la Moselle, reliées par le pont Gélot.

- **À ne pas manquer** – L'abbaye des Prémontrés (en particulier ses escaliers) et la place Duroc.

- **Pour poursuivre la visite** – Voir aussi le Parc naturel régional de Lorraine.

Visiter

Ancienne abbaye des Prémontrés ★

9 r. St-Martin - ☏ 03 83 81 10 32 - www.abbaye-premontres.com - ♿ - possibilité de visite guidée : se renseigner - tte la journée - fermé 1er janv. et 25 déc. - 5 € (-12 ans 3 €).
Depuis 1735, l'abbaye montre sa façade à trois étages soulignés de frises d'une rare élégance. Elle sert désormais de **centre culturel de rencontre**.

Bâtiments conventuels – Les trois galeries du cloître, vitrées de grandes fenêtres classiques, ouvrent sur le jardin clos. Salle capitulaire, chauffoir, réfectoire, grande sacristie et salle St-Norbert (ancienne chapelle) sont autant de lieux de circulation et d'exposition. Trois merveilleux **escaliers** ★ conduisent aux salles de réunions, aux chambres et à la bibliothèque : un petit escalier rond, au coin du cloître, près du chauffoir **(1)** ; l'escalier de Samson **(2)**, ovale, une des plus belles pièces de l'abbaye ; enfin, le grand escalier carré **(3)**, à droite en sortant de la sacristie, dont la vaste cage monte jusqu'au 2e étage.

ABBAYE DES PRÉMONTRÉS

Ancienne abbatiale Ste-Marie-Majeure – L'intérieur de facture baroque a été conservé, comme les colonnes légèrement galbées qui soutiennent les voûtes.

Jardins de la Moselle – À l'occasion du tricentenaire de l'abbaye, dont la première pierre fut posée en 1705, a été reconstitué un jardin de plantes médicinales.

Musée « Au fil du papier »

13 r. Magot-de-Rogéville - ℘ 03 83 87 80 14 - &. - possibilité de visite guidée - mai-sept. : tlj sf mar. apr.-midi, dim. et j. fériés mat. et apr.-midi ; oct.-avr. : tlj sf mar. apr.-midi - fermé 1er janv., Pâques, 1er Mai, 14 Juil., 1er nov. et 25 déc. - 4 € (-12 ans gratuit).

Aménagé dans un hôtel Renaissance de 1591, le musée municipal présente l'histoire de la ville depuis l'époque des comtes de Bar jusqu'aux deux guerres mondiales. L'université de Lorraine, installée à Pont-à-Mousson de 1572 à 1768, a entraîné l'implantation d'imprimeurs, d'imagiers ou de libraires. On peut admirer une étonnante collection d'objets en papier mâché, dont beaucoup furent réalisés par la famille Adt, et en comprendre la fabrication. Le renouveau industriel du 19e s. est évoqué par le biais des fonderies de Pont-à-Mousson. Au second étage, nombreux exemples d'images populaires.

Le saviez-vous ?

● Pont-à-Mousson doit son nom et son origine au pont qui, dès le 9e s., franchissait la Moselle au pied de la butte féodale de Mousson. Cette position de tête de pont lui a d'ailleurs valu d'être bombardée à de nombreuses reprises pendant les deux guerres mondiales.

● Lorsque l'université a été transférée à Nancy, une école royale militaire l'a remplacée, d'où est sorti le général Duroc (1772-1813). Il participa avec Bonaparte au siège de Toulon, puis combattit à Austerlitz et à Wagram.

Se promener

Le circuit commence sur la rive gauche de la Moselle.

Place Duroc★

Cette place est tout à fait exceptionnelle avec son plan triangulaire et ses côtés bordés de maisons à arcades. Parmi ces belles constructions du 16e s., la **maison des Sept Péchés capitaux**, où séjournaient les ducs de Lorraine, avec ses jolies cariatides et sa tourelle Renaissance.

La fontaine du centre de la place date de 1931, même si ses formes rappellent celles de la Renaissance. Elle perpétue le souvenir des ambulanciers américains de la Première Guerre mondiale.

Prenez la rue Clemenceau, à l'arrière de la maison des Sept Péchés capitaux.

Maisons anciennes

Au n° 6, petite cour intérieure reconstituée, avec puits Renaissance, balcon et meubles lorrains.

Poursuivez dans la rue Fabvier, puis continuez dans la rue parallèle, la rue St-Laurent.

Au n° 9, balcon dans la cour ; au n° 11, façade de brique avec chaînages de pierre ; au n° 19, maison Renaissance de 1590 ; au n° 39, maison natale du général Duroc.

Revenez vers l'église St-Laurent.

Église St-Laurent

De style flamboyant pour le chœur et le transept, le portail central et les deux 1ers étages de la tour sont du 18e s., le reste de la façade date de 1895. À l'intérieur, triptyque en bois polychrome du 16e s., statue du Christ portant sa croix de Ligier Richier. Belles boiseries du 18e s.

Rejoignez la place Duroc.

Hôtel de ville

℘ 03 83 81 10 68 - pour visiter les salons se renseigner 2 ou 3 j. av. au cabinet du maire.

Construction de style Louis XVI décorée d'un fronton et surmontée d'une horloge monumentale que soutiennent deux aigles portant en sautoir la croix de Lorraine. À l'intérieur, belles tapisseries.

Empruntez le pont Gélot jusqu'à l'église St-Martin.

Église St-Martin

Possibilité de visite guidée sur demande à l'office de tourisme.

Flanquée de deux tours, la façade est du 15e s. Des chapelles latérales ont agrandi l'édifice aux 17e et 18e s. Deux gisants du Moyen Âge se trouvent sous l'enfeu flamboyant dans le bas-côté droit. En face, dans le bas-côté gauche, on peut déceler des influences champenoise et germanique dans la *Mise au tombeau* de la première moitié du 15ᵉ s. ; Ligier Richier se serait inspiré des 13 personnages sculptés pour le sépulcre de St-Mihiel, qu'il a réalisé un demi-siècle plus tard.

Prenez à droite en sortant la rue St-Martin.

Ancien collège des Jésuites

L'ancienne université de Pont-à-Mousson a été créée en 1572 pour contrecarrer la Réforme. Dirigée avec grand succès par des jésuites, elle recevait des subsides des abbayes de Metz, Toul et Verdun. Lorsqu'elle a été transférée à Nancy à la fin du 18ᵉ s., la ville l'a remplacée par une école royale militaire. La belle cour d'honneur a retrouvé son aspect primitif des 16ᵉ et 17ᵉ s. et accueille aujourd'hui le lycée J.-Marquette.

Revenez place Duroc en traversant la Moselle ou poursuivre vers l'ancienne abbaye des Prémontrés.

L'abbaye des Prémontrés, sur les bords de la Moselle.

Aux alentours

Signal de Xon

Sortez de la ville par la D 657, puis à 200 m, prenez à droite la D 910 et, 3 km plus loin, tournez à gauche dans la D 340. Après 1 km, laissez la voiture et poursuivre à pied.

D'en haut, bonne vue d'ensemble de Pont-à-Mousson. Le lieu fut le théâtre de combats acharnés pendant la Première Guerre mondiale.

Butte de Mousson★

5 km à l'Est. Sortez de la ville par l'avenue des États-Unis (D 120). Traversez Atton et rejoignez le village de Mousson par la rue Mousson sur votre gauche.

Une chapelle moderne occupe le sommet de la butte. À proximité, ruines du château féodal des comtes de Bar. **Panorama★** sur le pays lorrain et sur la Moselle.

Vallée de l'Esch

17 km au sud-ouest. Quittez la ville par la D 657 au sud. Dans Blénod, prenez la route de Jezainville (2ᵉ à droite après l'église).

À l'entrée de Jézainville, arrêtez-vous pour regarder en arrière. Dans l'axe de la route, on voit la butte de Mousson et sur la droite, la **centrale thermique de Blénod**, à charbon, avec ses quatre cheminées en ligne, hautes de 125 m. Ses groupes fournissent chacun 250 MW. *En raison de l'application du plan Vigipirate, les visites se font sur demande préalable : se renseigner - visite (1h à 1h30) tlj sf sam. et dim. - âge minimum : 14 ans - de bonnes chaussures de marche, ne pas avoir le vertige - gratuit. EDF-CPT de Blénod - BP 297 - 54701 Pont-à-Mousson Cedex - ☎ 03 83 80 37 24.*

On s'avance ensuite dans la charmante vallée de l'Esch, surnommée la « Petite Suisse lorraine ». La rivière coule, sinueuse, à travers les pâturages et la route étroite, tantôt s'abaisse au niveau de la rivière, tantôt monte au sommet d'une colline d'où la vue est charmante.

Église de Sillegny★

13 km au nord-est de Pont-à-Mousson par la D 910 puis la D 5.

En pénétrant à l'intérieur de cette église du 15ᵉ s. à l'allure modeste, on est aussitôt saisi par les **peintures murales★** de la première moitié du 16ᵉ s. qui tapissent entièrement les murs de l'édifice. Grâce à une restauration achevée en 2004, les couleurs, très variées, ont retrouvé leur éclat d'origine, rehaussé par un fond à dominante jaune. Parmi les représentations d'apôtres et de saints (saint Christophe est haut de 5 m), multitude de détails naïfs ou savoureux. Au-dessus de la porte d'entrée, le Christ préside le Jugement dernier ; à sa droite, comme en bande dessinée, il est écrit : « Venez, les bénis de mon Père », tandis qu'à sa gauche, un Léviathan accueille dans sa gueule ceux qui ont rejeté le Royaume. Dans le chœur, à droite, l'arbre de Jessé présente la généalogie du Christ.

Circuit de découverte

VALLÉE DU RUPT DE MAD

48 km – environ 1h.

Quittez la ville par la D 958, puis empruntez à droite la D 952. À Pagny-sur-Moselle, prenez à gauche la D 82.

Prény

D'importantes ruines d'un château féodal du 13e s. dominent le village. Ce lieu fut la principale résidence des ducs de Lorraine avant Nancy, et « Prény ! » était le cri de guerre de leurs armées. Le château fut démantelé par Richelieu et définitivement abandonné au 18e s. Belle vue.

Continuez sur la D 952, puis tournez à gauche vers Arnaville. Après Villecey-sur-Mad, prenez à gauche la D 28.

Château de Jaulny

Ce château féodal des 11e et 12e s. possède encore donjon, tour du pont-levis, tour de la poterne, remparts.

Poursuivez 4 km sur la D 28.

Thiaucourt-Regniéville

C'est un lieu de souvenir de la Première Guerre mondiale. On y a constitué un **musée du Costume militaire**. À l'ouest de ce bourg, cimetière américain de 4 153 soldats tombés lors de la réduction du « saillant de St-Mihiel » en 1918. Sur l'autre versant, cimetière allemand.

Rejoignez Pont-à-Mousson à l'est par la D 3 puis la D 958.

Pont-à-Mousson pratique

Adresse utile

Office du tourisme de Pont-à-Mousson – *52 pl. Duroc - 54700 Pont-à-Mousson - ℘ 03 83 81 06 90 - www.ville-pont-a-mousson.fr - juil.-août : mat. et apr.-midi, lun. apr.-midi, dim. 10h-14h ; reste de l'année : tlj sf dim. mat. et apr.-midi, lun. apr.-midi - fermé j. fériés.*

Se loger

☺☺ **Bagatelle Hôtel** – *47 r. Gambetta - ℘ 03 83 81 03 64 - www.bagatelle-hotel.com - fermé 24 déc.-2 janv. - ▣ - 18 ch. 60 € - ☕ 7,50 €.* Les chambres, rénovées ou conservant leur aménagement des années 1980, sont moins sonores côté cour. La silhouette de l'abbaye des Prémontés se profile au-dessus du jardin.

Se restaurer

☺☺ **Ferme-auberge Les Verts Pâturages** – *14 r. St-Christophe - 54610 Éply - 14 km à l'est de Pont-à-Mousson par D 910, D 110ᶦ et D 70 - ℘ 03 83 31 30 85 - www.fermeaubergedesvertspaturages.eu - fermé 22 déc.-15 janv. et 15 août - réserv. obligatoire - 20/30 € - 3 ch. 30/40 € ☕.* Et pourquoi ne pas faire une petite halte dans ce village tranquille ? Le temps d'un déjeuner simple autour des produits de cette ferme ou d'une nuit dans une des chambres aménagée dans une maison à part, avec son petit jardin. Celle qui est mansardée est plus grande.

☺☺ **Auberge des Thomas** – *100 av. Victor-Claude - 54700 Blénod-lès-Pont-à-Mousson - ℘ 03 83 81 07 72 - fermé 2-7 janv., 16-23 avr., 30 juil.-13 août, 12-19 nov., dim. soir et merc. - 25/32 €.* Occupant une maison tapissée de lierre, auberge de bord de route au décor ensoleillé. Terrasse dans une petite cour-jardin. Accueil convivial et atmosphère détendue.

☺☺☺ **Le Fourneau d'Alain** – *64 pl. Duroc - ℘ 03 83 82 95 09 - www.lefourneaudalain.com - fermé 3-14 janv., 1er-15 août, dim. soir, merc. soir et lun. - 26/51 €.* Succombez au péché de gourmandise en vous rendant dans le restaurant d'Alain Fornara qui occupe une maison à arcades du 16e s. voisine de la demeure ducale des Sept Péchés capitaux… Qui, en effet, ne se laisserait pas tenter par les appétissants petits plats traditionnels qu'il propose à la carte ou au menu ?

En soirée

Les Brasseurs de Lorraine – *3 r. du Bois-le-Prêtre - ℘ 03 83 80 02 64 - www.brasseurs-lorraine.com - tlj sf dim. et lun. 10h-12h, 14h-18h - fermé j. fériés.* Il serait dommage de quitter la région sans avoir goûté à l'une des bières artisanales fabriquées par les Brasseurs de Lorraine. L'affaire existe depuis quelques années, mais mérite le détour. Elle brasse aujourd'hui 6 bières de fermentation haute blanche, blonde et ambrée, disponibles en fût ou en bouteilles.

Remiremont

8 538 ROMARIMONTAINS
CARTE GÉNÉRALE B3 – CARTE MICHELIN DÉPARTEMENTS 314 H4 – VOSGES (88)

Il est bien question d'un mont dans l'histoire de Remiremont. Celui sur lequel un Amé et son confrère Romaric, disciple du célèbre saint Colomban (déjà rencontré à Luxeuil-les-Bains et à Marmoutier), ont fondé, en 620, deux monastères, un pour les hommes et un pour les femmes, au-dessus de profondes forêts. Le couvent deviendra par la suite le célèbre chapitre des Dames de Remiremont, au recrutement très mondain. Aujourd'hui, on s'attarde dans les rues de Remiremont pour profiter des arcades et des fleurs, en s'arrêtant devant les témoignages laissés par les riches abbesses.

- ▶ **Se repérer** – La ville est située au sud-est d'Épinal sur la N 57. Vue sur la ville et la vallée de la Moselle vers le nord depuis la **promenade du Calvaire**.
- 👁 **À ne pas manquer** – L'abbatiale mais aussi la maison-musée Charles-Friry pour son Georges de La Tour, *Le Veilleur à la sacoche*, et son jardin de chanoinesse.
- 🕐 **Organiser son temps** – Après la découverte de l'abbatiale, visitez l'un des deux musées de la ville (fermés le mardi), puis partez respirer le bon air des Vosges dans la forêt de Frossard, jusqu'à la Tête des Cuveaux.
- 👪 **Avec les enfants** – Le Parc Alsace-Lorraine miniature à St-Amé.
- 👝 **Pour poursuivre la visite** – Voir aussi Épinal, Gérardmer, Plombières-les-Bains.

L'abbatiale St-Pierre, coiffée d'un clocher à bulbe, donne toute sa majesté séculaire à la ville.

Se promener

Abbatiale St-Pierre

D'abord bâti sur un sommet montagneux, le monastère de femmes fondé par Romaric en 620 finit par s'installer dans la vallée. À la fin du 13e s., la règle bénédictine est définitivement abandonnée. Pour être admises au chapitre des Dames de Remiremont, les jeunes filles doivent faire preuve de 16 quartiers de noblesse. Elles ne prononcent pas de vœux, sauf l'abbesse, et n'ont comme obligations que d'assister à la messe et d'élire… l'abbesse. Ainsi les biens de l'Église sont devenus ceux d'une caste et le couvent de bénédictines se trouve transformé en séminaire de filles à marier.

L'ancienne abbatiale Saint-Pierre est en majeure partie gothique même si la façade et le clocher ont été rebâtis au 18e s. Belle décoration de marbre du 17e s. dans le chœur orné d'un retable monumental, spécialement conçu pour l'exposition des châsses de reliques.

Dans la chapelle à droite du chœur, statue de N.-D.-du-Trésor (11e s.).

Au-dessous du chœur, **crypte★** du 11e s. à voûtes d'arêtes que supportent des colonnes monolithes. ☎ 03 29 62 23 70 - *possibilité de visite guidée (s'adresser à l'office de tourisme)* - 3 cryptes du 11e s. ouvertes de janv. à nov. : mat. et apr.-midi.

Accolé à l'église, l'**ancien palais abbatial**, de style classique, présente une belle façade. Autour de l'église et du palais subsistent quelques maisons de chanoinesses, des 17ᵉ et 18ᵉ s.

Rue Charles-de-Gaulle★

Avec ses arcades aux piliers fleuris de géraniums, c'est un sympathique témoin de l'urbanisme du 18ᵉ s.

Visiter

Musée municipal Charles-de-Bruyère

70 r. Charles-de-Gaulle - ☏ 03 29 62 59 14 - www.remiremont.fr - ♿ - avr.-sept. : tlj sf mar. mat. et apr.-midi ; nov.-mars : tlj sf mar. apr.-midi - fermé oct., 1ᵉʳ janv., 1ᵉʳ Mai et 25 déc. - 2 € (-18 ans gratuit), gratuit le dim.

Histoire de Remiremont et artisanat lorrain : bois, dentelles, « fixés » (peintures sur verre). Sont exposés notamment des manuscrits précieux, des tapisseries provenant de l'ancienne abbaye, des sculptures gothiques lorraines, de belles faïences du 18ᵉ s. et des tableaux des écoles du Nord du 17ᵉ s. (élèves de Rembrandt).

Maison-musée Charles-Friry

12 r. du Gén.-Humbert. Mêmes conditions de visite que le musée municipal.

Cet ancien hôtel des chanoinesses renferme des collections de documents, statues, objets d'art, hérités des Dames de Remiremont ou se rapportant à l'histoire locale et régionale, ainsi que de nombreuses peintures des 17ᵉ et 18ᵉ s., des gravures (Goya, Callot) et des pièces de mobilier, d'époques et de provenances diverses. La fondation Charles-Friry abrite aussi *Le Veilleur à la sacoche* de Georges de La Tour, né à Vic-sur-Seille, près de Marsal *(voir ce nom)*.

Dans le jardin, qui reconstitue en partie le « Grand Jardin » de l'abbaye, on trouve deux fontaines ornementales et quelques autres vestiges anciens.

Aux alentours

Forêt de Fossard

De l'autre côté de la Moselle, la proche forêt de Fossard, occupée dès la préhistoire, conserve sur le Saint-Mont des vestiges des fondations religieuses qui s'y succédèrent après le 7ᵉ s. Elle est sillonnée de chemins forestiers balisés pour la randonnée pédestre.

☛ 3h. Départ en face de la gendarmerie de Saint-Étienne-lès-Remiremont.

Au Saint-Mont, on découvre une belle vue ainsi que les vestiges de l'abbaye *(propriété privée)* fondée par Amé et Romaric. On peut aussi emprunter un sentier menant à l'insolite et mystérieux pont des Fées. D'anciennes bornes armoriées délimitant le territoire des Chanoinesses et celui des ducs de Lorraine sont encore visibles.

Tête des Cuveaux★

☛ 15mn à pied AR. Suivez la route qui se dirige vers la crête marquée par une forêt d'épicéas et laissez la voiture au parking (aire de pique-nique).

En prenant à droite sur la crête, on atteindra un belvédère *(table d'orientation)*. De là, beau **panorama★** sur la vallée de la Moselle, le plateau lorrain et les Vosges.

Éloyes

Ce petit bourg est un centre d'industries textile et agro-alimentaire.

Rejoignez Amé par la D 157 puis la D 417. Prenez ensuite la direction de Cleurie.

Parc Alsace-Lorraine miniature

☏ 03 29 61 21 38 - www.parc-miniature.com - juil.-août : tte la journée ; de mi-avr. à fin juin et de déb. sept. à mi-oct. : mat. et apr.-midi - fermé sam. et reste de l'année - 6 € (5-12 ans 4 €).

Rien de tel qu'une promenade dans ce parc ombragé et joliment aménagé pour faire en un temps record le tour des principaux monuments d'Alsace et de Lorraine. Vingt-six édifices ont été passionnément étudiés et reproduits, clichés à l'appui, à différentes échelles allant du dixième pour la maison de Jeanne d'Arc à Domrémy au centième pour le château du Haut-Kœnisgsbourg. Ce dernier, comme la cathédrale

---

Le saviez-vous ?

👁 Remiremont s'appelait jadis *Romaric mons*, du nom du fameux Romaric, fils du maire du palais du roi Childebert, qui s'installa avec son compagnon Amé sur le mont Habend devenant plus tard le Saint-Mont.

👁 Parmi les fiertés de la ville, Jules Méline est né à Remiremont en 1838. Il fut plusieurs fois ministre et même chef du Gouvernement en 1896 ; c'est lui qui créa le Mérite agricole.

Remiremont pratique

Adresse utile

Office du tourisme de Remiremont – *2 r. Charles-de-Gaulle - 88205 Remiremont - ☎ 03 29 62 23 70 - www.ot-remiremont.fr - tlj sf dim. mat. et apr.-midi, dim. et j. fériés mat.*

Visite

Visite guidée de la ville – Découverte de l'église abbatiale St-Pierre, du quartier canonial et du palais abbatial (1h30). *En juil.-août - gratuit - s'adresser à l'office de tourisme.*

Se loger

➪ **Hôtel du Cheval de Bronze** – *59 r. Charles-de-Gaulle - ☎ 03 29 62 52 24 - hotel-du-cheval-de-bronze@wanadoo.fr - fermé nov. - 35 ch. 44/56 € - ☐ 7 €.* Quelques arcades agrémentent la façade de cet ancien relais de poste, au cœur de la ville. Atmosphère et confort surannés mais cet hôtel pourra rendre service pour une nuit.

➪➪ **Hôtel Le Chalet Blanc** – *34 r. des Pêcheurs (face au centre commercial) - 88200 St-Étienne-lès-Remiremont - 2 km à l'est de Remiremont par D 417 rte de Gérardmer - ☎ 03 29 26 11 80 - www. lechaletblanc.com - fermé vac. de fév., 1er- 20 août, sam. midi, dim. soir et lun. - 7 ch. 64/73 € - ☐ 7,50 €. - rest. 20/65 €.* Les coquettes chambres sont de bonne facture. Cette grande bâtisse moderne et blanche a des allures de chalet. Les gens de la région la comptent parmi leurs bonnes tables et y apprécient sa cuisine bien tournée servie dans une salle habillée de bois clair.

Se restaurer

➪➪ **Le Clos Heurtebise** – *13 chemin des Capucins, par r. Capit.-Flayelle - ☎ 03 29 62 08 04 - fermé 14-27 janv., 5-14 mai, dim. soir, lun. et mar. - 18/60 €.* Dans l'ancienne maison d'un industriel du textile, sur les hauteurs de la ville, ce restaurant ouvre sa terrasse sur la vallée et la forêt aux beaux jours. C'est là que vous pourrez goûter les poissons du patron et ses menus qui déclinent saveurs régionales et traditionnelles.

En soirée

👁 **Bon à savoir** – Le Théâtre du Peuple de Bussang, composé en majorité d'acteurs amateurs, propose chaque année une programmation très diversifiée : pièces folkloriques écrites par son fondateur, mais aussi œuvres de Shakespeare, Molière, Labiche, Beaumarchais, Goldoni etc. - *☎ 03 29 61 50 48.*

Que rapporter

Distillerie Lecomte-Blaise – *10 r. de la Gare, Nol (au Syndicat, prendre la D 43 dir. La Bresse sur 4 km, tourner à droite vers Nol) - 88120 Le Syndicat - ☎ 03 29 24 71 04 - www.lecomte-blaise.com - tlj sf dim. 10h-12h, 14h-18h - fermé j. fériés.* Fondée en 1820, cette distillerie artisanale élabore des cocktails (le Sauvageon et le Jean de Nol) et des eaux-de-vie de fruits (poire, mirabelle, framboise, quetsche) et de baies sauvages (églantier, myrtille, sureau, alisier) récoltés dans les vergers et les forêts des alentours. Visite libre des installations, dégustation et vente sur place.

de Strasbourg, a nécessité plus de 2 000 heures de travail. Après un coup d'œil à la maquette de la place Stanislas de Nancy et à celle de l'abbatiale de Remiremont, entrez dans la maison au centre du parc pour assister au manège des trains électriques en miniature.

La Beuille

Prenez, après avoir parcouru environ 6 km sur la D 57, le chemin goudronné qui s'amorce à gauche et conduit au parking surplombant le chalet de la Beuille.

De la terrasse-belvédère du chalet, jolie **vue★** sur la vallée de la Moselle et, dans l'axe, le ballon d'Alsace.

Vallée du **Rhin**★★

CARTE GÉNÉRALE C2/3 – CARTE MICHELIN DÉPARTEMENTS 315 I/N 2/11
HAUT-RHIN (68), BAS-RHIN (67)

Le Rhin : un large fleuve qui marque la frontière franco-allemande entre les coteaux de la route des Vins et les sapins de la Forêt-Noire. Très tôt dans leur histoire, les hommes ont tenté de maîtriser ses eaux tumultueuses et sauvages. D'abord avec des digues de fortune. Ensuite avec des techniques plus élaborées. On lui a fait un lit unique, on lui a coupé les bras, on l'a comprimé entre des digues pour diminuer les crues. Et pourtant, le « Vater Rhein » est toujours là, prêt à vous convier à un fabuleux voyage au fil de l'eau. En souvenir de sa jeunesse impétueuse, il a laissé sur ses rives d'excellentes conditions pour que se développent une faune et une flore variées, qui agrémentent joliment les promenades à pied ou à vélo.

- **Se repérer** – Strasbourg, Colmar ou Mulhouse sont de bons points de départ pour découvrir la vallée du Rhin. Accès rapide par les autoroutes A 35 Karlsruhe-Strasbourg et E 35-E 52/A 5-E 35 Karlsruhe-Bâle. Entre Lauterbourg et Strasbourg, il est facile d'accéder au Rhin par l'une des routes qui le relient à la D 468.
- **À ne pas manquer** – La Petite Camargue alsacienne ; le grand canal d'Alsace et ses biefs pour tout comprendre sur la navigation rhénane.
- **Organiser son temps** – Choisissez l'un des circuits proposés en comptant une demi-journée pour les deux premiers, une journée complète pour le troisième.
- **Avec les enfants** – Les bases de loisirs et le parc des eaux-vives à Huningue ; « Il était une fois le Rhin » à Mothern, la Maison des énergies à Fessenheim, Mémoire du Rhin et Mémoire de saumon à la Petite Camargue alsacienne.
- **Pour poursuivre la visite** – Voir aussi Strasbourg, Neuf-Brisach, Ottmarsheim, et, au-delà de la frontière, la route badoise du Vin, Europa-Park et le Kaisertuhl. Côté Suisse, la ville de Bâle mérite une visite *(voir Guide Vert Suisse)*.

Comprendre

Le nom – Pour désigner un fleuve, les Grecs disaient *rheein*, « couler », les Latins écrivaient *renes*, les Gaulois prononçaient *renos*, les Germains préféraient *rhein*. C'est devenu le Rhin. Avec ses 1 298 km, dont 190 le long de la frontière franco-allemande, c'est le 7e plus long fleuve d'Europe.

Humeurs changeantes – Encore alpestre en Alsace, le fleuve s'assagit en terre allemande après le confluent avec le Main. Gonflés de la fonte des neiges, ses hautes eaux de mai-juin et ses faux bras drainés par le cours latéral du canal contrastent avec les basses eaux de septembre, parfois gelées en hiver par le rude climat alsacien.

Histoire d'un fleuve – Les crues du Rhin étaient autrefois redoutables et aucune ville, sauf Huningue, ne s'est établie immédiatement sur ses bords. En cas de montée des eaux, les riverains prenaient la garde jour et nuit auprès des digues. Malgré cela, les catastrophes étaient fréquentes et on ne compte plus les villages alsaciens engloutis.

R. Mattes/MICHELIN

Le Rhin, une artère européenne au flux incessant de péniches.

À Strasbourg même, l'un des bras du fleuve pénétrait dans les murs de la ville. L'actuelle rue d'Or marque l'emplacement d'une ancienne crue et l'ancienne douane rappelle le temps, pas très éloigné, où la batellerie marchande passait à travers la ville.

Commerce fluvial – Aux 8e et 9e s., les bateliers strasbourgeois empruntaient le Rhin jusqu'à la mer du Nord pour vendre du vin aux Anglais, aux Danois et aux Suédois. À la fin du Moyen Âge, ces mêmes bateliers dominaient le Rhin, de Bâle à Mayence. Leur corporation était la plus importante des corps de métiers strasbourgeois. 5 000 rouliers, disposant de 20 000 chevaux, transportaient vers l'intérieur les marchandises débarquées à Strasbourg. Aujourd'hui, les chalands du Rhin mesurent 60 à 125 m de long, 8 à 13 m de large et transportent environ 190 millions de tonnes de fret par an.

L'aménagement du Rhin – Sous le Premier Empire, la navigation connut une ère de prospérité considérable. En 1826, les premières lignes régulières de vapeurs sur le Rhin font escale à Strasbourg. Mais les travaux de correction du lit du Rhin par endiguement exécutés dans la plaine d'Alsace au 19e s. provoquent un approfondissement du lit du Rhin. Des fonds rocheux se découvrent et rendent difficile, sinon impossible en période de basses eaux, la navigation. C'est la décadence du trafic. Pour ramener bateaux, chalands et péniches sur le Rhin alsacien, la France conçoit en 1920 un nouveau projet. On dérive une part importante du débit du fleuve entre Bâle et Strasbourg dans un canal latéral, à pente et à vitesse très faibles. Le creusement du canal d'Alsace, commencé en 1928 et achevé au début des années 1960, permet d'exploiter les importantes réserves d'énergie électrique du fleuve.

Fleuve de légende – Le Rhin inspira les légendes des sirènes – la plus célèbre étant la Lorelei – qui attiraient les marins par leurs chants mélodieux, puis les entraînaient par le fond. Le nain Alberich, personnage de *L'Or du Rhin* (premier épisode de la *Tétralogie* de Richard Wagner), a réussi à dérober aux ondines qui en avaient la garde, l'or du Rhin, pour s'en forger un anneau tout puissant.

Circuits de découverte

DE LAUTERBOURG À GAMBSHEIM [1]

Le Nord Alsace s'est associé au Palatinat du sud et à la région Mittlerer Oberrhein en Allemagne pour former le Parc rhénan Pamina, qui cherche à mettre en valeur la plaine du Rhin. 9 musées et 2 centres de découverte de la nature y sont affiliés.

Lauterbourg

Située au passage des armées, la ville a été détruite à plusieurs reprises au 13e s., au 17e s. et en 1940. Elle a cependant conservé le chœur de son église catholique, daté de 1467, son ancien palais épiscopal de 1592, restauré en 1716, son hôtel de ville (1731) et quelques traces de ses fortifications Vauban du 18e s. (porte de Landau).

Mothern

La **Maison de la Wacht** héberge l'office de tourisme et l'exposition permanente « Il était une fois le Rhin ». Divinité, animal, père nourricier, rival des hommes, le fleuve fascine depuis des siècles. Un espace consacré à l'ethnologie permet d'appréhender l'imaginaire des riverains du Rhin. Les enfants apprécieront les plus célèbres légendes du Rhin illustrées. *03 88 94 86 67 - www.mothern-tourisme.fr - mai-sept. : tlj sf dim. apr.-midi / fév.-déc. : 1er dim. du mois - fermé j. fériés et janv. - 1 €.*

Munchhausen

Une petite visite au **Centre d'initiation à la nature** constituera un bon préambule à la découverte de la **Réserve naturelle du delta de la Sauer**.

Outre les panneaux présentant la faune de la réserve, l'aménagement du fleuve et la constitution d'une plaine alluviale, le centre propose également un programme de sorties, stages et conférences pour mieux connaître la nature. *42 r. du Rhin - 03 88 86 51 67 - www.nature-munchhausen.com - possibilité de visite guidée - tlj sf w.-end mat. et apr.-midi - fermé 16-31 déc. et j. fériés - gratuit.*

Seltz

Au sous-sol de la **maison Krumacker**, office de tourisme et médiathèque, un petit musée agréablement aménagé présente l'histoire du pays de Seltz en deux volets. Quelques vestiges témoignent de la présence celte puis gallo-romaine dans la région. La période médiévale est évoquée grâce à sainte Adélaïde, épouse de l'empereur Othon Ier, qui fonda à la fin du 10e s. à Seltz une abbaye, aujourd'hui détruite. *2 av. du Gén.-Schneider - 03 88 05 59 79 - www.ot-seltz.fr - possibilité de visite guidée sur demande (1 sem. av.) - lun. apr.-midi, mar.-vend. mat. et apr.-midi - 1 € (enf. gratuit).*

En pénétrant dans l'église de Seltz, vous serez saisis par le contraste entre l'ensemble moderne du clocher et de la nef et le **chœur baroque** du 15e s.

Offendorf

Attestée depuis le 16e s., c'est surtout aux 19e et 20e s. que la batellerie connut un essor significatif à Offendorf, occupant jusqu'à un tiers de la population du petit village (1960), avant d'être progressivement évincée par le fret routier et ferroviaire. Le **musée de la Batellerie**, installé dans la cale d'une péniche à la retraite, présente les évolutions des techniques de navigation, du halage humain au moteur, la nature des chargements, les modalités d'affrètement, le fonctionnement des écluses mais aussi les difficultés humaines liées à une mobilité permanente. Visite de la cabine et de la timonerie. 📞 03 88 96 80 02 - mai-sept. : w.-end et j. fériés apr.-midi - 3,50 € (enf. 2 €).

Gambsheim

Traversez Gambsheim et suivez les indications « centrale électrique », puis traversez le Rhin. Tournez à gauche juste avant d'entrer en Allemagne.

Jaquemart de l'hôtel de ville à Benfeld.

Avec l'écluse d'Iffezheim, à 30 km en aval, sur le territoire allemand, l'écluse de Gambsheim est la plus grande d'Europe. Elle doit sa particularité à son aménagement en ligne, le premier sur le Rhin (1974) : l'écluse, la centrale, la digue de fermeture et le barrage sont de front. En 2006, une **passe à poissons** a été mise en place à Gambsheim pour permettre leur migration. La passe attire le poisson en aval du barrage pour l'inciter à passer par un chemin qui le contourne. Depuis 2007, la passe est ouverte au public et permet de regarder le passage des poissons migrateurs à travers une vitre. Les mois de reproduction (avril et juillet-août) sont particulièrement propices à leur observation. ℘ 03 88 96 44 08 *(office du tourisme) - tlj sf mar. tte la journée - 2 € (enf. 1 €).*

LE GRAND RIED [2]

Empruntez la D 468 jusqu'à Eschau.

Eschau

Avec son architecture ottonienne, l'**abbatiale St-Trophime**, du 10ᵉ s., est caractéristique du premier art roman en Alsace. Face à cette église sans clocher, jardin monastique de plantes médicinales. Eschau abrite la dernière école de facteurs d'orgues de France.

Bief de Strasbourg

Un bassin de compensation forme un plan d'eau de 650 ha. Un centre nautique est aménagé à Plobsheim.

Erstein

Capitale alsacienne du sucre, Erstein doit la vitalité de son économie aux betteraves depuis plus d'un siècle. L'**Étappenstall** est à la fois office du tourisme, espace d'expositions artisitiques et maison du patrimoine, destinée à faire découvrir l'histoire du pays d'Erstein de façon vivante, suivant des thématiques différentes chaque année. ℘ 03 90 29 93 55 - & - *tlj sf mar. mat. et apr.-midi - fermé 25-31 déc. et j. fériés - gratuit.* À deux pas, la réserve naturelle de la forêt d'Erstein.

Bief de Gerstheim

Il fut construit à la même époque que la Rance, dans les années 1960. Les groupes à bulbe équipent pour la première fois une centrale rhénane. Le sentier-nature du Langgrund, parsemé de panneaux explicatifs, permet une promenade sur l'île.

Château d'Osthouse

3 km au sud d'Erstein par la D 288. Ne se visite pas. C'est au 14ᵉ s. que la ville d'Osthouse fut cédée à la famille des Zorn de Bulach, qui y construisit ce château. Remarquez le toit bicolore et les sculptures qui décorent l'entrée.

Benfeld

L'**hôtel de ville** de 1531 a une porte sculptée qui donne accès à la tourelle polygonale ornée d'un écusson aux armes de la ville. Son horloge à jaquemart comprend trois personnages en chêne : le chevalier en armes qui sonne les quarts d'heure représente la Sagesse ; à gauche, la Mort retourne son sablier toutes les heures pour nous rappeler que nous sommes mortels ; au-dessus, le Stubenhansel est un traître qui, en 1331, aurait livré la ville aux Bavarois et aux Wurtembourgeois pour une bourse d'or qu'il tient dans la main. La petite pendule qui retarde de 29mn indique l'heure strasbourgeoise.

Marckolsheim *(voir Ligne Maginot)*

LA HARDT ③

Biesheim *(voir Neuf-Brisach)*

Neuf-Brisach *(voir ce nom)*

Bief de Vogelgrun★

Long de 14 km, il comporte des écluses de même longueur (185 m), mais de largeurs différentes, 23 et 12 m. En aval de Vogelgrun, l'aménagement du fleuve comporte quatre autres biefs construits selon une technique dite « en feston » qui substitue au canal latéral. Chacun d'eux est conçu avec une retenue dans le fleuve, créée par un barrage, un canal dérivant les eaux jusqu'à l'usine hydroélectrique et les écluses, et un canal restituant les eaux dans le Rhin. Une sculpture en bronze de 12 m de long appelée *Électricité*, œuvre allégorique due à Raymond Couvègnes, orne la façade de la centrale. De l'autre côté, une immense fresque de 1 500 m², *Les Nixes de Vogelgrun*, due à l'artiste mulhousien Daniel Dyminski, fait référence aux légendaires sirènes du Rhin. Elle raconte comment ces nixes cultivent les isolateurs, éléments en verre qui sont récoltés et installés sur les pylônes pour transporter le courant électrique. L'une d'elles apporte l'étincelle qui fera fonctionner les machines produisant l'électricité.

Fessenheim

Le bief de Fessenheim mesure environ 17 km de longueur et comporte des écluses identiques à celles de Vogelgrun. À moins de 1 km de l'écluse de Fessenheim, on verra la première **centrale nucléaire** française du type « réacteur à eau pressurisée » à forte puissance (2 unités de 900 MW). *Visites suspendues en raison du plan Vigipirate - se renseigner pour visiter la Maison des énergies-EDF -* ✆ *03 89 83 51 23.*

Maison des énergies - EDF

Depuis Fessenheim, suivez le fléchage « Usines EDF », D 52. ✆ *03 89 83 51 23 - de fin juin à mi-sept. apr.-midi ; reste de l'année : mer. et dim. apr.-midi - fermé 1ᵉʳ janv., 25-26 déc. - visite guidée : tlj sur RV - gratuit.* Elle présente les différentes sources d'énergie utiles à la production de l'électricité : eau, vent, soleil… En découvrant les énergies terrestres, vous constaterez que la radioactivité est présente partout, en mesurant le nombre de becquerels contenus dans une pomme de terre ou dans de l'engrais. Des maquettes permettent de comprendre le fonctionnement d'une centrale nucléaire. Les questions environnementales ne sont pas oubliées : effet de serre, déchets nucléaires mais aussi solutions énergétiques durables sont évoqués par des jeux de questions-réponses. La visite se termine avec les énergies du futur (pile à combustible).

Bief d'Ottmarsheim★ *(voir Ottmarsheim)*

Canal du Rhône au Rhin

Le canal entre Niffer et Mulhouse ainsi que l'écluse d'accès ont été élargis et constituent aujourd'hui le premier tronçon du canal Rhin-Rhône à grand gabarit, achevé en 1995. Chacun des biefs suivants échelonnés sur le canal comprend également une usine hydroélectrique et une écluse de navigation à doubles sas indépendants : les opérations d'éclusage sont généralement spectaculaires.

Uffheim – *Casemate de l'Aschenbach (voir la Ligne Maginot)*

Bief de Kembs★

En aval du barrage, il comprend le canal latéral et une double écluse de navigation.

Usine hydroélectrique★

4 km au sud par la D 468 et la première route à gauche. Réalisée de 1928 à 1932, c'est la première usine du canal. Elle possède 7 groupes d'une puissance totale maximale de 157 500 kW, dont la production annuelle moyenne est de 938 millions de kWh.

Barrage de Kembs

9 km au sud de Kembs, près de Bâle. Construit dans le lit du fleuve, c'est l'unique ouvrage de retenue sur le Rhin pour les quatre premiers biefs. Il dérive l'essentiel des eaux du Rhin dans le canal. Un groupe hydroélectrique utilise le débit conservé dans le lit du Rhin.

Une écluse au Patrimoine du 20ᵉ s.

En 1960, l'écluse de Kembs-Niffer est aménagée afin de permettre la jonction du canal de Huningue au grand canal d'Alsace. Les bâtiments annexes de l'écluse – poste de commandement et bâtiment administratif – sont réalisés par Le Corbusier. Seule réalisation en Alsace de l'architecte, elle s'est vu décerner en 2004, le label Patrimoine du 20ᵉ s.

La Petite Camargue alsacienne★

9 km au sud de Kembs par la D 468. Parking près du stade à St-Louis-la-Chaussée. 20mn de marche. Il est interdit de sortir des sentiers, de cueillir des plantes et de se promener avec un chien, même tenu en laisse. 1 rue de la Pisciculture - ☎ 03 89 89 78 59 - www. petitecamarguealsacienne.com - ♿ - juin-sept. : merc., jeu., sam. apr.-midi, dim. et j. fériés mat. et apr.-midi ; du 10 janv. à fin mai et de déb. oct. au 17 déc. : dim. et j. fériés mat. et apr.-midi - 4 € (-16 ans 2,50 €) ; billet combiné avec Mémoire du Rhin ou Mémoire de saumon 5 €.

Première réserve naturelle d'Alsace, la Petite Camargue doit la grande richesse de sa faune et de sa flore à l'association de milieux humides et secs, résultat des mouvements du Rhin avant sa régularisation. 150 espèces d'oiseaux, 40 espèces de libellules, rainettes et sangliers y cohabitent paisiblement parmi les roselières, étangs, marais et landes sèches. Six sentiers balisés, dont le **sentier des observatoires**, permettent de les observer. La **pisciculture impériale**, construite sous le Second Empire en 1852 pour repeupler les cours d'eau, fut la première pisciculture industrielle d'Europe. Elle produisait jusqu'à 6 millions d'alevins par an. Les bâtiments abritent aujourd'hui un **centre d'initiation à la nature** (animations, visites guidées, stages…), une **station de recherche**, un **élevage de saumons** et deux belles expositions. **Mémoire du Rhin** permet de découvrir le fleuve mythique (faune, flore, anciens métiers et aménagements) ; **Mémoire de saumon★**, contiguë aux bassins d'élevage, présente l'histoire de la pêche au saumon à travers les âges et la découverte de la fécondation artificielle, à l'origine de la pisciculture. Maquettes à illuminer et schémas agrémentent la visite.

Huningue

Huningue est la seule place forte que l'on osa bâtir tout au bord du Rhin. Vieux-Huningue se trouvait au sud de la ville actuelle, mais ses habitants furent déplacés à Village-Neuf au moment de la construction, au 17e s., de la forteresse Vauban, dont il ne reste que peu de traces aujourd'hui. Dans l'ancien bâtiment de l'Intendance, le **musée d'Histoire locale et militaire** présente une maquette de la forteresse, des documents sur l'histoire de la ville, en particulier sur les trois dernières guerres, quelques faïences et costumes régionaux. *R. des Boulangers - ☎ 03 89 89 33 94 - possibilité de visite guidée - 1er et 3e dim. du mois apr.-midi - fermé août - 3,50 € (-16 ans gratuit).*

Saint-Louis

Aux portes de la France, la ville fut créée par le roi Louis XIV à la date très précise du 28 novembre 1684. Aujourd'hui tournée vers la culture, la ville a ouvert en 2004 un **musée d'Art contemporain** dans les locaux des anciennes distilleries Fernet-Branca. Le bâtiment, encore surmonté de l'aigle-emblème de la marque, a été élégamment aménagé pour exposer chaque année, dans un décor tout simplement noir et blanc, les œuvres d'un artiste contemporain. Le projet trouve sa place dans un ensemble culturel transfontalier, avec le Vitra Design Museum de Weil-am-Rhein, la fondation Beyeler à Riehen ou encore le musée Tinguely à Bâle. *☎ 03 89 69 10 77 - www. museefernetbranca.org - ♿ - tlj sf mar. apr.-midi - possibilité de visite guidée sur RV - 6 € (-12 ans gratuit).*

L'ancienne pisciculture impériale, au cœur de la Petite Camargue alsacienne.

La vallée du Rhin pratique

Adresses utiles

Office du tourisme de Seltz – 2 av. du Gén.-Schneider - 67470 Seltz - ℘ 03 88 05 59 79 - www.tourisme-seltz.fr - tlj sf w.-end mat. et apr.-midi, lun. apr.-midi - fermé du 24 déc. au 1er janv., Pâques, lun. de Pâques, 1er et 8 Mai, Pentecôte, lun. de Pentecôte, 14 Juil. 15 août, 1er et 11 Nov. et 25 déc.

Syndicat d'initiative de Gambsheim – Pavillon du Tourisme - Écluse du Rhin - 67760 Gambsheim - ℘ 03 88 96 44 08 - du 3e w.-end de mars-oct. : tlj apr.-midi ; reste de l'année : tlj sf w.-end apr.-midi.

Office du tourisme d'Erstein – 16 r. du Gén.-de-Gaulle - 67150 Erstein- ℘ 03 88 98 14 33 - www.cc-pays-erstein.fr et www. grandried.fr - tlj mat. et apr.-midi, sam. mat. - fermé j. fériés.

Office du tourisme de Marckolsheim – 13 r.du Mar.-Foch - 67390 Marckolsheim - ℘ 03 88 92 56 98 - www.grandried.free.fr - juil.-août : tlj sf dim. et j. fériés mat. et apr.-midi ; reste de l'année : tlj sf w.-end et j. fériés mat. et apr.-midi. Accueil aux écluses de Marckolsheim - juil.-août : mat. et apr.-midi.

Office du tourisme du pays de St-Louis Huningue – 81 r. Vauban - 68128 Village-Neuf - ℘ 03 89 70 04 49 - www.alsace-cotesud.com - tlj sf dim. et j. fériés mat. et apr.-midi.

Sites Internet à consulter – www. grandried.free.fr ; www.aufildurhin.com.

Visite

Croisières sur le Rhin – 81 r. Vauban - ℘ 03 89 70 04 49 - www.alsace-cotesud. com. À la journée ou à la 1/2 journée : croisières sur le Rhin à partir de Huningue vers Bâle ou Rheinfelden ; location de bateaux sans permis à Kembs-Niffer.

Se restaurer

⊖ **La Truite** – 17 r. du 25-Janvier - 68970 Illhaeusern - ℘ 03 89 71 83 51 - 10,50/38 €. Adresse réputée pour la qualité de sa matelote, spécialité alsacienne typique de la région. La façade joliment fleurie du restaurant et sa terrasse dressée au bord de l'Ill offrent un cadre plaisant pour déguster cette recette incontournable.

⊖⊖ **Les Écluses** – 8 r. Rosenau - 68680 Kembs-Loéchlé - ℘ 03 89 48 37 77 - restaurant.les.ecluses@freesbee.fr - fermé vac. de fév., vac. de Toussaint, merc. soir d'oct. à avr., dim. soir et lun. - 16/30 €. Ce petit restaurant familial a bonne réputation dans le coin... Installé dans une maison entièrement rénovée, sa salle n'est pas très grande mais agréablement décorée, avec un mobilier récent. À la carte, cuisine régionale et poissons font bon ménage. Jolie terrasse en été.

⊖⊖ **Auberge du Grand Ried** – 4 r. du Wyhl - 67390 Mackenheim - ℘ 03 88 74 92 60 - fermé vac. de fév., 1er janv., 25 déc., lun.-vend. midi - 19,50 €. Viticulteurs du lundi au jeudi, les propriétaires enfilent leur tablier en fin de semaine pour mitonner des recettes alsaciennes peu connues telle leur spécialité à base d'escargots ou la matelote (uniquement sur commande). Le tout arrosé de vin « bio » de l'exploitation.

Sports & Loisirs

Randonnées – Les bords du Rhin offrent de nombreuses possibilités de promenades à pied ou en vélo. Des sentiers balisés permettent de faire le tour des îles (Rhinau, Marckolsheim, Rhin). Attention au danger lié à la possibilité de brutale montée des eaux : il est capital de respecter les panneaux de sécurité.

Base de loisirs – Vous en trouverez à Hœnheim, Offendorf, Strasbourg, Plobsheim, Rhinau, Marckolsheim, Vogelgrun, Village-Neuf et Huningue.

Aviron – À Vogelgrun, une initiation vous permettra de découvrir les charmes de la vallée du Rhin. Aviron Club Région Colmar, base nautique du Geiskopf, Île du Rhin - 68600 Vogelgrun - ℘ 03 89 41 48 16 - avironcolmar.free.fr - juin-sept. : sam. 14h30, dim. 9h30 ; oct-mai : sam. 14h.

Promenades en barque – Passionné de botanique et d'ornithologie ? Ne manquez pas les balades sur le Giessen, à la découverte de la flore et de la faune typiques de ce cours d'eau au charme secret. Pl. de la Mairie, « le Capitole » - 68600 Biesheim - ℘ 03 89 72 01 69 - juil-août : w.-end et j. fériés à partir de 14h30.

Canoës du Ried – Stade de football - 68970 Illhaeusern - ℘ 03 89 73 84 82 - www.canoes-du-ried.com - 9h-12h, 13h30-18h - fermé nov.-mars. La région du Ried est particulièrement agréable à découvrir en canoë. Empruntez une embarcation et suivez l'un des circuits (entre 2 heures et 3 jours, avec ou sans encadrement). Possibilité de bivouaquer à la base.

Équitation – Si vous préférez une exploration plus terrestre, optez pour une promenade à cheval ou à poney le long des berges. Écurie de l'Île du Rhin, Île du Rhin - 68600 Vogelgrun - ℘ 03 89 72 38 57, tte l'année : tlj sf lun. 9h-12h, 14h-21h.

Parc des Eaux-Vives – ℘ 03 89 89 70 20 - www.ville-huningue.com - point d'information tourisme de fin mars à déb. nov. : 9h-18h30 (mar., jeu. et vend. 21h) ; de déb. nov. à mi-déc. et fév.-mars : lun.-vend. sur réserv., w.-end 10h-16h, fermé j. fériés ; juil.-sept. : 9h-21h, w.-end et j. fériés 9h-19h - fermé déc.-fév. Possibilité de louer le matériel ou de venir avec le sien. Il n'est plus nécessaire de monter dans les hauteurs pour pratiquer du rafting : tentez la rivière d'eaux vives de 350 m le long du Rhin ! Aux abords, des aires de jeux pour les enfants.

Événement

Festival du sucre – Dernier w.-end d'août, ℘ 03 88 98 14 33.

Ribeauvillé★

4 948 RIBEAUVILLÉENS
CARTE GÉNÉRALE C2 – CARTE MICHELIN DÉPARTEMENTS 315 H7 – SCHÉMA P. 417
HAUT-RHIN (68)

Au cours de votre périple sur la route des Vins, faites donc un arrêt à Ribeauvillé, petite ville étalée le long de sa rivière, au pied de la chaîne des Vosges. Puisqu'on parle de vin, sachez qu'ici, trois grands crus sont à l'honneur : le riesling, le tokay pinot gris et un gewurztraminer particulièrement fin.

- ▶ **Se repérer** – Entre Sélestat, à 16 km au sud, et Colmar, à 14 km au nord.
- 🅿 **Se garer** – Deux parkings : r. du Rempart-de-la-Streng et rte de Bergheim.
- 👁 **À ne pas manquer** – La Grand'Rue et ses maisons ; le château de St-Ulrich.
- 🕐 **Organiser son temps** – Commencez par un tour en ville avant d'attaquer la randonnée vers St-Ulrich (2h).
- 👫 **Avec les enfants** – La ferme de l'Hirondelle (*voir l'encadré pratique*).
- 🕯 **Pour poursuivre la visite** – Voir aussi Riquewihr, Hunawihr, Kaysersberg, le Haut-Kœnigsbourg et la route des Vins.

Le saviez-vous ?

👁 Au 11e s., le seigneur Reinbaud construit ici son château, qu'il appelle Reinbaupierre. Une puissante famille d'Alsace s'y installe ensuite et prend le nom de Ribeaupierre. La ville qui se développe autour du château s'appellera Ribeauvillé à partir du 13e s.

👁 Les comtes de Ribeaupierre s'étaient vu attribuer au Moyen Âge la juridiction sur la confrérie des ménétriers d'Alsace. Les musiciens de la région s'y réunissaient chaque 8 septembre. Depuis, on a gardé la tradition d'une Fête des musiciens (*voir l'encadré pratique*).

Se promener

GRAND'RUE★★

Partir de l'office de tourisme installé dans l'ancien corps de garde (1829).
La Grand'Rue, à demi piétonne, traverse toute la ville avec ses maisons à colombages et ses géraniums. Aux entrées sud et est de la ville, deux tours sont surmontées de nids de cigognes.

Pfifferhüs (restaurant)

Nᵒ 14. Sur une loggia, au-dessus de la porte, deux statues illustrent l'Annonciation.

Halle au blé

Pl. de la Première-Armée. Une fois par semaine s'y tenait le marché aux grains.

Fontaine Renaissance

En grès rouge et jaune (1536), elle est surmontée d'un lion héraldique.

Tour des Bouchers★

Cet ancien beffroi séparait autrefois la ville haute de la ville moyenne. La partie inférieure date du 13e s.
Belle maison à colombages du 17e s. au nᵒ 78 de la Grand'Rue.

Place de la Sinne

Charmante petite place entourée de maisons à colombages avec, au centre, une fontaine de 1860.

Église St-Grégoire-le-Grand

Le tympan du portail ouest date des 13e et 15e s. Belles ferrures de la porte. Dans le bas-côté droit, Vierge à l'Enfant en bois peint et doré du 15e s. portant la coiffe de la région ; orgue baroque de Rinck.
Retournez dans la Grand'Rue et prenez la rue Klobb, puis la rue des Juifs.

Maisons anciennes

Dans les rues des Juifs, Klobb, Flesch et des Tanneurs (au nᵒ 12, le toit possède des ouvertures qui servaient à sécher les peaux), maisons des 16e et 17e s.

Hôtel de ville

Un petit **musée** y est installé : pièces d'orfèvrerie (17e s.) et hanaps en vermeil des seigneurs de Ribeaupierre. *Visite guidée (1h) mai-sept. : tlj sf lun. et sam. 10h, 11h et 14h - gratuit.*

Descendez complètement la Grand'Rue jusqu'au parking en bas du village.

Musée de la Vigne et de la Viticulture

2 rte de Colmar - ℘ 03 89 73 61 80 - tlj mat. et apr. midi.

La coopérative a organisé un petit musée pour découvrir les étapes de fabrication des vins issus de sept cépages de la région et leurs spécificités : le sylvaner, le pinot blanc, le pinot noir, le tokay pinot gris, le riesling, le muscat et le gewurztraminer. La visite permet de voir les cuves de conservation. Dégustation possible.

Randonnée

Laissez la voiture sur une aire de stationnement située en bordure de la D 416, à 800 m environ de la sortie de Ribeauvillé. Montez à pied par le chemin des stations (20mn), ou par le chemin « Sarassin » (40mn), carrossable mais réservé à l'ONF et aux religieux.

N.-D.-de-Dusenbach

Ce lieu de pèlerinage médiéval très populaire a vu par trois fois ses trois chapelles détruites : en 1365 par les Anglais, en 1632 par les Suédois et en 1794 par les républicains. Le vallon n'a rien perdu de sa beauté presque mystique. Sur les ruines une **chapelle de la Vierge**, un couvent, une église néogothique (1903), ainsi qu'un abri des pèlerins (1913) ont été reconstruits. La chapelle de la Vierge occupe une situation impressionnante, au flanc d'un promontoire à pic sur le ravin au fond duquel coule le petit torrent de Dusenbach. À l'intérieur, au-dessus de l'autel, petite **statue miraculeuse de Notre-Dame**, émouvante pietà du 15ᵉ s. en bois polychrome.

Prenez le chemin « Sarassin », puis le sentier qui conduit aux châteaux. À mi-parcours, faites halte au rocher Kahl, éboulis granitique d'où l'on a une belle vue sur la vallée du Strengbach. Le chemin aboutit à un important carrefour de sentiers forestiers : prenez alors le chemin balisé qui descend au château de St-Ulrich.

Château de St-Ulrich★

Le château de St-Ulrich n'était pas seulement une forteresse, comme la plupart de celles des Vosges, mais une habitation luxueuse, digne des comtes de Ribeaupierre, la plus noble famille d'Alsace après l'extinction de celle d'Eguisheim.

Au pied du donjon, à gauche, escalier d'accès au château. L'escalier qui passe sous la porte d'entrée du château donne accès à une petite cour d'où la vue plonge sur les ruines de Girsberg et la plaine d'Alsace. Au fond de cette cour (citerne) s'ouvre la porte de la grande salle romane qui prend jour par neuf belles arcades géminées.

Revenez à la cour de la citerne et prenez l'escalier qui s'y amorce ; laissez à droite l'entrée de la tour du 12ᵉ s. et gagnez la chapelle.

À l'ouest de la chapelle s'élève une énorme tour quadrangulaire où l'on monte par un escalier extérieur. Revenez sur vos pas pour visiter les parties les plus anciennes : corps d'habitation roman aux fenêtres ornées de fleurs de lys, cour et donjon. Du sommet du donjon *(escalier de 64 marches)*, **panorama★★** sur la vallée du Strengbach, les **ruines du château de Girsberg**, Ribeauvillé et la plaine d'Alsace. *(On peut aussi y accéder par l'ouest de la ville, par le GR 5. 1h.)*

Circuits de découverte

COL DE FRÉLAND

Environ 5h.

Quittez Ribeauvillé par la D 416. À 7 km, prenez à gauche la D 11ᵛ vers Aubure.

Aubure

Station située sur un plateau ensoleillé, encadrée par de belles forêts de pins et de sapins.

Prenez, à gauche, la D 11ᴵᴵᴵ. Au cours de la descente du col de Fréland, à 1,5 km après le col, prenez à gauche une route étroite.

On longe une très belle **forêt de pins★**, l'une des plus belles de France. Les fûts de 60 cm de diamètre, hauts de 30 m, s'élancent droit, au-dessus d'un sous-bois de bruyères.

Joueur de fifre.

Le puissant château de St-Ulrich fièrement campé sur les hauteurs de Ribeauvillé.

Sortez de la forêt pour faire demi-tour, 1 km plus loin, à hauteur d'une maison. Revenez à la D 11[III].

La vue se dégage à gauche sur la vallée de la Weiss et une partie du val d'Orbey.
Après Fréland, et 1,5 km après avoir laissé à droite la route d'Orbey, tournez à gauche dans la D 415.

Kaysersberg★★ *(voir ce nom)*

On atteint la route des Vins que l'on suivra jusqu'à Ribeauvillé. Vous traversez des petites cités qui s'égrènent sur les coteaux, au milieu des vins aux crus réputés : Kientzheim, Sigolsheim, Bennwihr et Mittelwihr *(voir la route des Vins)*.

Beblenheim

Le village, orné d'une fontaine gothique de la fin du 15e s., est adossé à un coteau célèbre, le Sonnenglanz (éclat de soleil). Les 35 ha de son vignoble produisent des vins de très haute qualité : pinot gris, muscat et gewurztraminer.
Continuez sur la D 3

Riquewihr★★★ *(voir ce nom)*

Hunawihr *(voir ce nom)*
Retour à Ribeauvillé par la D 1bis.

SENTINELLES DE L'ALSACE★★

Circuit de 46 km – environ 2h.
Quittez Ribeauvillé à l'ouest par la D 1bis.
Ce circuit permet de voir les châteaux construits le long de la ligne des Vosges.

Bergheim *(voir Route des Vins)*

St-Hippolyte

Nombreuses fontaines fleuries en été, jolie église gothique des 14e et 15e s.
Prenez à gauche, à l'entrée du village, la direction du Haut-Kœnigsbourg. À 4 km de St-Hippolyte, tournez à droite, puis, 1 km plus loin, à gauche pour prendre la route à sens unique qui contourne le château.

Château du Haut-Kœnigsbourg★★ *(voir ce nom)*
Rejoignez la D 1B1 que l'on prend à droite, puis prenez, encore à droite, la D 481.

De Schaentzel à Lièpvre★

De cette jolie route en descente rapide, bordée de sapins, vues superbes sur la vallée de la Liepvrette et sur ses châteaux ruinés.
Revenez à la D 1B1 et prenez à droite la D 42.

Thannenkirch

Charmant village dans un site reposant, environné de forêts. La descente vers la plaine s'effectue par la **vallée du Bergenbach**, profondément encaissée entre des hauteurs boisées. Après Bergheim, où l'on reprend la route de l'aller, on aperçoit à nouveau les trois châteaux étagés de St-Ulrich, de Girsberg et du Haut-Ribeaupierre.

Ribeaubillé pratique

Adresse utile

Office du tourisme de Ribeauvillé – *1 Grand'rue - 68150 Ribeauvillé - ℰ 08 20 36 09 22 - www.ribeauville-riquewihr.com - tlj mat. et apr.-midi - fermé 1er janv., 1er Mai, 1er et 11 Nov., 25 et 26 déc.*

Visites

Visite guidée de la ville – *Sur réservation - ℰ 03 89 49 08 42 -* Visite guidée gratuite de la vieille ville, mai-oct. : tlj sf lun. et sam. 15h, départ de la mairie.

Petit train touristique – *ℰ 03 89 73 74 24 - www.petit-train.com -* circuit « vieille ville » (40mn) mai-sept. : 10h-18h ; avr. et oct. : sur demande et selon affichage - dép. à l'entrée de la ville et devant la mairie - 6 € (enf. 4 €).

Se loger

⊖ **Hôtel du Cheval Blanc** – *122 Grand Rue - ℰ 03 89 73 61 38 - cheval-blanc-ribeauville@ wanadoo.fr - fermé 9 janv.-8 fév. et 14-23 nov. - 24 ch. 40/56 € - ⊊ 7,50 € - rest. 18/44 €.* La façade de cette bâtisse alsacienne se couvre de fleurs en saison. Intérieur d'esprit rustique. Chambres modestes, plus tranquilles sur l'arrière, salle de restaurant actuelle et salon pourvu d'une cheminée. Registre culinaire traditionnel.

⊖ **Camping Municipal Pierre-de-Coubertin** – *À l'est de Ribeauvillé par D 106 puis r. de Landau à gauche - ℰ 03 89 73 66 71 - camping.ribeauville@wanadoo.fr - ouv. 15 mars-15 nov. - 260 empl. 15,60 €.* Un camping spacieux pour profiter en toute quiétude du magnifique village de Ribeauvillé. Les allées sont larges et même si les emplacements ne sont pas encore délimités, ils sont agréables. Belle vue et tranquillité assurée.

⊖⊖ **Hôtel de la Tour** – *1 r. de la Mairie - ℰ 03 89 73 72 73 - www.hotel-la-tour.com - fermé de fin déc. à mi-mars - ⴖ - 31 ch. 69/94 € - ⊊ 8 €.* Cette ancienne ferme vigneronne convertie en hôtel se niche au cœur du bourg, à deux pas de la tour des Bouchers. Les chambres rénovées sont gaies et pratiques. Celles donnant sur la jolie cour intérieure et ses façades à colombages sont très calmes. Petite salle fitness pour les accros de la forme.

Se restaurer

⊖ **Au Relais des Ménétriers** – *10 av. Gén.-de-Gaulle - ℰ 03 89 73 64 52 - fermé 29 juin-17 juil., 23 déc.-2 janv., jeu. soir, dim. soir et lun. - 11,50/35 €.* Les ménétriers sont unis à l'histoire de la ville depuis le Moyen Âge. Ce restaurant légèrement excentré propose une vraie cuisine alsacienne servie dans une sympathique salle à manger rustique.

⊖⊖ **Wistub Zum Pfifferhüs** – *14 Grand-Rue - ℰ 03 89 73 62 28 - fermé 5 janv.-3 fév., 23 juin-15 juil., merc. et jeu. - réserv. obligatoire - 24 €.* Pour un repas dans les règles de l'art de la winstub, arrêtez-vous dans cette jolie maison de village du 14e s. Avec son décor de bois sombre, ses fleurs séchées et ses meubles alsaciens, elle a gardé son authenticité. Quant à sa table, simple et très soignée, elle séduira les gourmets…

Que rapporter

Sarl B.J. L'Hirondelle – *▪▪▪ - 100 rte de Guémar - ℰ 03 89 73 89 79 - 14h-19h.* Derrière la boutique de l'Hirondelle, près de 30 fromages, des charcuteries, des confitures et des laitages sont plaisamment exposés. La star locale est le ribeaupierre, un fromage ancestral réhabilité par cette ferme qui le fabrique désormais sous divers conditionnements : cru, pasteurisé, aux herbes ou fumé.

Domaine du Moulin de Dusenbach – *25 rte de Ste-Marie-aux-Mines - ℰ 03 89 73 72 18 - www.domaine-schwach-bernard.com - avr.-déc. : 8h-12h, 14h-18h.* Le savoir-faire artisanal se transmet de père en fils dans la famille Schwach. La génération actuelle produit de très grands vins comme les grands crus Schœnenbourg, le Schlossberg, le Rouge d'Alsace et le Kaefferkopf en gewurztraminer. C'est aussi l'une des deux dernières familles à maintenir en vie le grand cru Sporen, cité dans les annales dès le 15e s. Dégustation-vente et visite des caves sur RV.

Jean-Paul Metté – *9 r. des Tanneurs - ℰ 03 89 73 65 88 - distillerie-mette.com - janv.-mars et juil.-août : tlj sf dim. 8h-12h, 13h30-18h30, sam. 16h-18h ; avr.-mai et sept.-déc. : tlj sf dim. 8h-12h, 13h30-18h30, sam. 14h-18h30 - fermé j. fériés.* Les diplômes tapissant les murs témoignent de l'excellence de cette distillerie, qui élabore pas moins de 87 sortes d'eaux-de-vie et 22 variétés de liqueurs, toujours de façon artisanale. Son eau-de-vie de gingembre et celles à base de cannelle, de café ou d'ail ne laissent pas de surprendre les fines gueules.

Événements

Le Pfifferdaj ou Fête des ménétriers – Importantes festivités au cours desquelles un grand cortège parcourt les rues de la ville *(1er dim. de sept.).*

Foire aux vins – *Le w.-end. suivant le 14 Juil.*

Fête du kougelhopf – *Début juin.*

Riquewihr★★★

1 273 RIQUEWIHRIENS
CARTE GÉNÉRALE C3 – CARTE MICHELIN DÉPARTEMENTS 315 H8 – SCHÉMA P. 417
HAUT-RHIN (68)

Les envahisseurs de tous les temps ont échoué devant Riquewihr, sauf les touristes. Ils sont chaque année plus de 2 millions à franchir ses remparts. C'est parce que la ville est passée miraculeusement à travers toutes les guerres, toutes les destructions, que les ruelles, les murailles et les vieilles maisons ont conservé, pratiquement intacte, leur splendeur du 16ᵉ s. et une harmonie architecturale remarquable. À cette époque c'est le riesling qui lui assure sa prospérité. Fleuri tout au long de l'année et joliment décoré aux périodes de Pâques et de Noël, Riquewihr ne peut être dédaigné lors d'un passage en Alsace.

Cerné par les vignes, Riquewihr a le cachet particulier des villages alsaciens.

▶ **Se repérer** – À l'ouest de l'axe Colmar-Sélestat et juste au sud de Ribeauvillé.

🅿 **Se garer** – Utilisez les parkings à l'extérieur de la ville : place des Charpentiers, rue de la Piscine, rocade nord et près de la poste, car le centre est piéton.

👁 **À ne pas manquer** – La rue du Gén.-de-Gaulle pour ses maisons et la maison Hansi pour se familiariser avec l'œuvre du célèbre dessinateur alsacien.

🕐 **Organiser son temps** – Prenez le temps d'atteindre un ancien ermitage, dans la forêt, pour un déjeuner en pleine nature, à l'écart des foules.

👶 **Pour poursuivre la visite** – Voir aussi Colmar, Kaysersberg, le Parc naturel régional des Ballons des Vosges, Ribeauvillé.

Se promener

Passez sous l'hôtel de ville, prenez la rue du Gén.-de-Gaulle (qui traverse Riquewihr d'est en ouest) puis à gauche engagez-vous dans la cour du château.

Château des ducs de Wurtemberg (B)

Terminé en 1540, il a gardé ses fenêtres à meneaux, son pignon couronné de bois de cerf et sa tourelle d'escalier. Il abrite le musée de la Communication en Alsace *(voir description dans « Visiter »)*. Devant le côté est du château, petit musée lapidaire de plein air et autel de la Liberté de 1790.

Suivez la rue du Gén.-de-Gaulle.

Au nº 12, la **maison Irion (B)** date, avec son oriel d'angle, de 1606 ; en face, vieux puits du 16ᵉ s. Au nº 14, la **maison Jung-Selig (B),** de 1561, avec ses pans de bois ouvragés, est l'une des maisons à colombages les plus hautes d'Alsace. Au nº 16, **maison Hansi** (voir « Visiter »).

Maison Liebrich★ (Cour des Cigognes) (B)

Elle date de 1535, avec sa pittoresque cour à galeries de bois à balustres (milieu du 17ᵉ s.), un puits de 1603 et un énorme pressoir (1817). En face, **maison Behrel (B)** avec un joli oriel de 1514 surmonté d'une partie ajoutée en 1709.

Prenez la rue Kilian, 1re à droite.
Tout au fond de la rue, belle porte (1618) de la **maison Brauer (B)**.
Revenez rue du Gén.-de-Gaulle et empruntez à droite la rue des Trois-Églises.

Place des Trois-Églises (B)

Elle est encadrée par les anciennes églises St-Érard et Notre-Dame, converties en maisons d'habitation, et par un temple protestant du 19e s.
Revenez rue du Gén.-de-Gaulle et prenez la cour des Vignerons.

Maison Preiss-Zimmer★ (A)

Plusieurs cours successives forment un ensemble pittoresque. La seconde cour donne sur la maison qui appartenait à la corporation des vignerons. Passez sous la voûte pour atteindre l'ancienne **cour dîmère des sieurs de Ribeaupierre**, seigneurs de Riquewihr du 14e au 17e s. (A).
Au bout de la rue du Gén.-de-Gaulle, sur la place de la Sinn, à droite, jolie **fontaine Sinnbrunnen** (A) de 1580 utilisée pour jauger les récipients. Elle porte les armes de Riquewihr et de Hombourg.
Prenez à droite la rue des Juifs.

Rue et cour des Juifs (A)

La petite rue des Juifs débouche sur la cour des Juifs, ancien ghetto, au fond de laquelle un étroit passage et un escalier de bois conduisent aux remparts et au **musée de la Tour des Voleurs** (A) *(voir description dans « Visiter »).*
Au 15e s., les habitants de Riquewihr, dans une mauvaise passe financière, empruntèrent tout ce qu'ils purent aux financiers juifs du ghetto. Puis, décidant unilatéralement d'annuler leurs dettes, ils massacrèrent leurs créanciers.

Dolder★ (A)

Ancienne porte défensive élevée en 1291, elle fut renforcée aux 15e et 16e s.
Passez sous le Dolder pour accéder à l'Obertor.

Obertor (Porte supérieure) (A)

Remarquez sa herse et la place de l'ancien pont-levis de 1600. Sur la gauche, rempart de la cour des Bergers avec sa tour de défense.
Faites demi-tour, repassez sous le Dolder et descendez la rue du Gén.-de-Gaulle pour tourner à droite dans la rue du Cerf.

Maison Kiener★ (A)

N° 2. La maison Kiener, qui remonte à 1574, est surmontée d'un fronton présentant une inscription en cartouche et un motif en bas-relief où l'on voit la Mort saisir le fondateur de la maison. La porte en plein cintre est taillée en biais pour faciliter l'entrée des voitures. En face, l'ancienne **auberge du Cerf (A)** date de 1566.
Continuez la rue du Cerf, puis tournez à gauche dans la rue Latérale et faites quelques pas dans la rue du Cheval, à droite.
Au n° 5, bel ensemble dit **Adrihof** (A), datant de 1581 avec son puits de 1786, ancienne propriété de l'abbaye d'Autrey.

Rue Latérale (A)

Elle possède de belles maisons, parmi lesquelles, au n° 6, la **maison du marchand Tobie Berger**, qui a gardé un oriel de 1551 et une belle porte Renaissance dans la cour.
Tournez à droite dans la rue de la 1re-Armée.

Maison du Bouton d'Or (A)

N° 16. Elle remonte à 1566. À l'angle de la maison, une impasse conduit à l'ensemble dit « **cour de Strasbourg** » (A) (1597), en fait la cour dîmère du chapitre de la cathédrale de Strasbourg.
Revenez sur vos pas. Prenez ensuite la rue Dinzheim qui s'amorce devant la maison du Bouton d'Or. On arrive ainsi dans la rue de la Couronne.

Maison Jung (B)

N° 18. Elle date de 1683 ; en face, un vieux puits, le **Kuhlebrunnen**.

Maison Dissler★ (B)

N° 6. Construite en pierre, avec ses pignons à volutes et sa loggia, c'est un intéressant témoin de la Renaissance rhénane (1610).
Regagne ensuite la rue du Gén.-de-Gaulle et tournez à droite vers l'hôtel de ville.

Visiter

Musée de la Communication en Alsace – Postes, diligences, télécoms (B)

Château des Princes de Wurtemberg-Montbéliard - ℰ 03 89 47 93 80 - www.shpta.com - 21 mars-2 nov. et 6-21 déc. : tlj sf mar. tte la journée - fermé 3 nov.-5 déc., 1er janv. et 25 déc. - 4 € (-16 ans 2 €).

Une diligence à trois compartiments (modèle 1835) stationnée à l'entrée du musée retrace l'évolution des moyens de communication utilisés en Alsace de l'époque gallo-romaine au 20e s. : messagers à pied, poste aux lettres, aviation postale, télégraphe et téléphone. Dans les anciennes écuries seigneuriales (16e s.) appelées aussi Marstall sont exposés des véhicules allant du 18e s. (turgotine de 1775, première malle-poste en osier de 1793) au début du 20e s. Uniformes, plaques et bottes de postillon, livres de poste et enseignes complètent l'ensemble.

Maison Hansi (B)

ℰ 03 89 47 97 00 - avr.-déc. : mat. et apr.-midi ; reste de l'année : se renseigner - 2 € (-16 ans gratuit).

Pour accéder au musée, un passage obligé : la boutique de souvenirs. À l'étage, plus rien n'est à vendre : aquarelles, lithographies, eaux-fortes, faïences décorées, affiches publicitaires, histoire de tout connaître (ou presque) du talentueux dessinateur et caricaturiste colmarien J.-J. Waltz, dit Hansi *(voir le chapitre « Histoire »).*

Musée de la Tour des Voleurs (A)

ℰ 0820 360 922 ou 03 89 49 08 40 (OT) - mat. et apr.-midi - fermé des vac. de Toussaint aux vac. de Pâques - 2,50 € (-10 ans gratuit), billet combiné avec le musée du Dolder 4 €.

On visite dans cette ancienne prison la salle de torture, les oubliettes, la salle de garde et l'habitation du gardien. Voyez aussi la **maison du Vigneron**, attenante au musée, avec sa cuisine, sa chambre et son cellier où sont exposés des outils.

Musée du Dolder (A)

Accès par l'escalier à gauche de la porte du Dolder. ℰ 08 20 36 09 22 - juil.-août : apr.-midi ; avr.-juin et sept.-nov. : dim. et j. fériés apr.-midi - 2,50 €, billet combiné avec Tour des Voleurs 4 €.

Il renferme des souvenirs, gravures, armes, ustensiles se rapportant à l'histoire locale (outils, meubles, serrures…).

SE LOGER		SE RESTAURER	
Au Riesling	①	Auberge Saint-Alexis	③
Chambre d'hôte Schmitt Gérard	③	La Grappe d'Or	⑤
Hôtel L'Oriel	⑥	Le Sarment d'Or	⑦

Riquewihr pratique

Adresse utile

Office du tourisme de Riquewihr – *2 r. de la 1ʳᵉ-Armée - 68340 Riquewihr -* ℘ *03 89 49 08 49 - www.ribeauville-riquewihr.com - avr.-oct. et déc. : mat. et apr.-midi, dim. et j. fériés mat. ; janv.-mars et nov. : mat. et apr.-midi sf dim. et j. fériés - fermé 1ᵉʳ janv., 1ᵉʳ Mai et 25-26 déc.*

Visite

Petit train touristique – ℘ *03 89 73 74 24/77 60 - www.petit-train.com.* Visite commentée autour des remparts, dans le vignoble, avec retour par la vieille ville (30mn). *De mi-avr. à fin oct. : 10h-19h - 6 € (6-14 ans 4,50 €).*

Se loger

⌒ **Chambre d'hôte Schmitt Gérard** – *3 r. des Vignes -* ℘ *03 89 47 89 72 - fermé janv.-mars -*✍*- 2 ch. 47 € ⊑.* La maison de Monsieur Schmitt, agrémentée d'un jardin, se perche sur les hauts du village, à la lisière du vignoble. Vous logerez dans des chambres lambrissées aménagées sous les toits. L'adresse est appréciée pour sa propreté et la sagesse de ses prix.

⌒⊜ **Hôtel L'Oriel** – *3 r. des Écuries-Seigneuriales -* ℘ *03 89 49 03 13 - www. hotel-oriel.com - 19 ch. 77/97 € - ⊑ 11,50 €.* La façade de cette maison du 16ᵉ s. est agrémentée d'un bel oriel à double étage et d'une amusante enseigne en fer forgé. Un charmant dédale de couloirs et d'escaliers mène à des chambres rustiques garnies de meubles alsaciens. Quelques-unes bénéficient d'une mezzanine. L'hébergement est complété par une annexe récente.

⌒⊜ **Hôtel Au Riesling** – *5 rte des Vins - 68340 Zellenberg -* ℘ *03 89 47 85 85 - auriesling@wanadoo.fr - fermé 1ᵉʳ janv.-1ᵉʳ mars - 36 ch. 61/75 € - ⊑ 9,50 € - rest. 17/29 €.* Au cœur du vignoble, hôtel arborant fièrement le nom de celui qu'on nomme ici le « Roi des vins ». La longue bâtisse abrite des chambres sobres, pour moitié rajeunies. Le restaurant, de style rustique, offre une jolie vue sur les vignes. Carte traditionnelle.

Se restaurer

⌒ **Auberge Saint-Alexis** – *68240 St-Alexis -* ℘ *03 89 73 90 38 - fermé vend. - 12,80/17,40 €.* Une magnifique forêt de conifères entoure cette ferme-auberge au chaleureux intérieur campagnard. Sa cuisine du terroir simple et authentique est préparée avec des produits des fermes voisines : goûteux potage de légumes, savoureuse choucroute et délicieuses tartes maison aux pommes, aux fruits rouges ou aux mirabelles.

⌒⊜ **La Grappe d'Or** – *1 r. des Écuries-Seigneuriales -* ℘ *03 89 47 89 52 - rest. grappe.or@wanadoo.fr - fermé janv., 25 juin-10 juil., merc. sf le soir de mai à oct.*

et jeu. - 19/35 €. Une pittoresque ruelle pavée conduit à cette jolie demeure datant de 1554. Le nom du restaurant et les nombreux outils vignerons qui ornent l'une des salles à manger rappellent quant à eux la vocation viticole du village. En parfaite harmonie avec ce cadre, les menus servis s'ancrent solidement dans le terroir.

⌒⊜ **Le Sarment d'Or** – *4 r. du Cerf -* ℘ *03 89 86 02 86 - www.riquewihr-sarment-dor.com - fermé 5 janv.-11 fév., 28 juin-6 juil., dim. soir, mar. midi et lun. - 20/48 € - 9 ch. 60/80 € - ⊑ 8 €.* Le superbe village de Riquewihr compte parmi ses belles demeures cette maison du 17ᵉ s. aménagée en restaurant. Boiseries blondes, poutres apparentes, jolie cheminée et mobilier choisi composent le plaisant décor des salles à manger, où l'on déguste une cuisine traditionnelle mâtinée de quelques touches de modernité.

La rue principale, au cœur de la cité.

Que rapporter

Domaine Dopff « Au Moulin » – *2 av. Jacques-Preiss -* ℘ *03 89 49 09 69 - www.dopff-au-moulin.fr - janv.-mars : tlj sf w.-end 10h-12h, 14h-18h, avr.-déc. : 9h30-12h30, 13h30-18h, w.-end 9h30-12h30, 14h-18h - fermé w.-end entre janv. et mars, 1ᵉʳ janv., 25 et 26 déc.* Impossible de parler des vins d'Alsace sans évoquer la célèbre famille Dopff, liée à la vigne depuis 1550. Aujourd'hui, elle est toujours sur le devant de la scène avec ses 7 crémants incontournables, dont la cuvée Julien brut, l'excellente gamme traditionnelle et les grands crus de Schœnenbourg en riesling ou Sporen en gewurztraminer.

Féerie de Noël – *1 r. du Cerf -* ℘ *03 89 47 94 02 - feerie.de.nœl@wanadoo.fr - 15 fév.-juin : 10h-12h30, 13h45-18h, juil.-août : 10h-19h, sept.-déc. : 10h-12h30, 13h45-18h15 - fermé de déb. janv. au 10 fév., 25 et 26 déc.* Il n'est jamais trop tard ou trop tôt pour penser à sa crèche et à son sapin : vous trouverez dans cette boutique plus de 20 000 articles pour décorer la maison à l'occasion des fêtes de fin d'année.

Rosheim★

4 548 ROSHEIMIENS
CARTE GÉNÉRALE C2 – CARTE MICHELIN DÉPARTEMENTS 315 I6 – BAS-RHIN (67)

Petite ville de vignerons, incontournable pour les amateurs d'architecture. C'est ici que se cache, au milieu des vignes, entre les ruines des remparts, un modèle de l'architecture romane, une église du 12e s. dédiée aux apôtres Pierre et Paul. Encore du roman dans la rue principale, une maison en grès rouge de 1152, peut-être la plus ancienne construction civile d'Alsace. Après le plaisir des yeux, attablez-vous pour des dégustations de munster et de vins d'Alsace.

- **Se repérer** – À 8 km au sud de Molsheim, 27 km à l'ouest de Strasbourg, 30 km au nord de Sélestat.
- **À ne pas manquer** – L'église romane St-Pierre-et-St-Paul.
- **Organiser son temps** – Un certain nombre de festivités émaillent le calendrier de Rosheim, essentiellement à la belle saison ; renseignez-vous avant de partir.
- **Pour poursuivre la visite** – Voir aussi Molsheim, Obernai, la route des Vins.

Chapiteau sculpté d'une des piles de l'église St-Pierre-et-St-Paul.

Se promener

Église St-Pierre-et-St-Paul★

Construite en grès jaune au 12e s., en forme de croix latine, elle présente un clocher octogonal, au-dessus de la croisée du transept, qui date du 14e s. Des bandes lombardes reliées par des arcatures courant le long des parties hautes de la nef et des bas-côtés décorent la façade et les murs. Sur le pignon de la façade ouest, des lions dévorent des humains. Aux quatre angles de la fenêtre absidiale sont figurés les symboles des évangélistes. À l'intérieur, alternance de piles fortes et de piles faibles surmontées de chapiteaux sculptés, chefs-d'œuvre de l'école rhénane du 12e s. Orgue Silbermann de 1733 (restauré).

Porte du Lion, porte Basse et porte de l'École

Ce sont des vestiges de l'ancienne enceinte de Rosheim.

Puits à chaîne et Zittgloeckel

Sur la place de la Mairie, puits à six seaux (1605), qui servit aux Rosheimiens jusqu'en 1906, et tour de l'Horloge.

Maisons anciennes

Elles longent la rue du Gén.-de-Gaulle et les petites rues adjacentes.

Maison romane

Située également rue du Gén.-de-Gaulle entre les n⁰ˢ 21 et 23, c'est la plus ancienne construction en pierre d'Alsace (seconde moitié du 12e s.). Elle présente deux étages percés de minuscules ouvertures.

Rosheim pratique

Adresse utile

Office du tourisme de Rosheim –
*94 r. du Gén.-de-Gaulle - 67560 Rosheim -
☎ 03 88 50 75 38 - www.rosheim.com - tte
l'année : lun.-vend. mat. et apr.-midi ; juin-
sept. : sam. mat. et apr.-midi, dim. mat. ;
déc. : w.-end apr.-midi ; j. fériés : se
renseigner.*

Visite

Visite pédestre du sentier viticole –
*94 r. du Gén.-de-Gaulle - ☎ 03 88 50 75 38 -
www.rosheim.com - visite pédestre du
sentier viticole : sentier viticole praticable
toute l'année. Du 15 juil. au 15 août, sortie
dans les vignes accompagnée du
viticulteur et suivie d'une dégustation, le
jeudi à 17h (renseignements à l'office de
tourisme).*

Se loger

☎ **La Petite Auberge** – *41 r. du Gén.-de-
Gaulle - ☎ 03 88 50 40 60 - restaurant.
petite.auberge@wanadoo.fr - fermé 17 fév.-
3 mars, 1er-16 juil., 18-25 nov. - ▣ - 7 ch.
45 € - ☐ 6 €. Dans la rue principale,
maisonnette alsacienne typique abritant*
un restaurant de style rustique. À 50 m,
l'hôtel (Les Lys) propose des chambres
équipées de cuisinettes.

Se restaurer

☎ **Auberge du Cerf** – *120 r. du Gén.-de-
Gaulle - ☎ 03 88 50 40 14 - fermé 7-18 janv.,
21 juin-7 juil., dim. soir et lun. - 12/40 €.* Vous
trouverez cette auberge sur la route qui
traverse le village de Rosheim. Elle est
toute simple mais proprette et il y règne
une sympathique ambiance familiale.
Carte de spécialités régionales à prix
raisonnables.

Que rapporter

Siffert Frères – *35 rte de Rosenwiller -
☎ 03 88 50 20 13 - www.fromagerie-siffert.
com - tlj sf w.-end 8h-12h, 14h-18h - fermé
j. fériés.* Affinage de munster et autres
spécialités.

Caves à vins – 10 vignerons vous ouvrent
leurs caves (dégustation et vente).
S'adresser à l'office de tourisme.

Événements

Fête de l'escargot – *W.-end du 14 Juil.*

Fête du munster – *Déb. août.*

Balade « Corso fleuri » – *2e dim. de sept.*

Rouffach★

4 491 ROUFFACHOIS
CARTE GÉNÉRALE C3 – CARTE MICHELIN DÉPARTEMENTS 315 H9 – SCHÉMA P. 417
HAUT-RHIN (68)

À l'abri de ses coteaux couverts de vignes, Rouffach cache de nombreuses trésors
et un calme bien agréable. Villa royale sous les Mérovingiens (le roi Dagobert
serait passé par là), Rouffach sera, en 1106, le théâtre de l'une des premières
manifestations féministes, qui aura pour conséquence l'expulsion de l'empereur
Henri V. Ajoutons à cela des sorcières, Madame Sans-Gêne… et toujours de belles
maisons anciennes.

▸ **Se repérer** – À 15 km au sud de Colmar, 28 km au nord de Mulhouse.

▸ **À ne pas manquer** – Le festival de musique classique Musicalta (fin juillet-début
août).

▸ **Pour poursuivre la visite** – Voir aussi Eguisheim, Soultz, la route des Vins.

Comprendre

Courageuses Rouffachoises – En 1106, l'empereur Henri V fait enlever une jeune
fille qu'il installe dans son château de Rouffach. Les femmes du village prennent les
armes en entraînant leurs maris et attaquent le château. Henri V, terrorisé, s'enfuit
en abandonnant sa couronne, son sceptre et son manteau impérial, qui finirent en
offrandes à l'autel de la Vierge.

Le **maréchal d'Empire Lefebvre**, aussi duc de Dantzig, revenait souvent visiter sa
vieille mère à Rouffach, après avoir épousé la dite Madame Sans-Gêne (surnom donné
par Sardou et Moreau en 1893 dans leur pièce *Madame Sans-Gêne*). Un monument
lui est dédié, place Clemenceau.

Se promener

Église N.-D.-de-l'Assomption

Cette église date, pour son gros œuvre, des 12e et 13e s. La partie la plus ancienne est
le transept (11e-12e s.). La tour nord et la tour sud, inachevée en raison de la guerre de
1870, sont du 19e s. Comme il est d'usage dans le style rhénan du 12e s., les grandes

Les éminences de Rouffach : les tours et le clocher de l'église Notre-Dame et la tour des Sorcières.

arcades intérieures alternent piles fortes et piles faibles. Toutes les colonnes sont surmontées de beaux chapiteaux à crochets. Dans le croisillon droit, fonts baptismaux octogones (1492). Dans le chœur *(contre les piles du carré du transept)*, d'élégants escaliers sont ce qui reste d'un jubé du 14ᵉ s. À gauche du maître-autel, joli tabernacle du 15ᵉ s. Contre un des piliers de la nef, à gauche, une Vierge à l'Enfant surmontée d'un dais, sculptée vers 1500.

Tour des Sorcières
Datant des 13ᵉ et 15ᵉ s., couronnée de mâchicoulis, elle est surmontée d'un toit à quatre pans terminé par un nid de cigognes. On y enfermait jusqu'au 18ᵉ s. les femmes accusées de sorcellerie.

Maisons anciennes
Sur la place de la République, ancienne halle au blé (fin 15ᵉ s.-début 16ᵉ s.) ; au fond de la place, à gauche de la tour des Sorcières, maison de l'Œuvre Notre-Dame, gothique, et ancien hôtel de ville qui possède une belle façade Renaissance à double pignon. On peut voir d'autres maisons intéressantes aux nᵒˢ 11, 17 et 23 de la rue Poincaré.

Église des Récollets
Elle fut construite de 1280 à 1300. Les bas-côtés ont été remaniés au 15ᵉ s. À l'un des contreforts est accolée une chaire à balustrade ajourée.

Aux alentours

Pfaffenheim
3 km au nord par la D 83.
C'est un village viticole, ancienne cité de la fin du 9ᵉ s. qui conserve de vieilles maisons vigneronnes. L'abside de l'**église** (13ᵉ s.), décorée de frises à motifs floraux, a une galerie aveugle et de fines colonnettes. Les entailles visibles sur les pierres de l'abside *(partie basse)* laissent supposer que les vignerons aiguisaient là leurs serpettes.

Rouffach pratique

Adresse utile

Office du tourisme de Rouffach – *Pl. de la République - 68250 Rouffach -* 🕿 *03 89 78 53 15 - www.ot-rouffach.com - juil.-août : tlj mat. et apr.-midi, dim. mat. ; reste de l'année : lun. apr.-midi, mar.-vend. mat. et apr.-midi, sam. mat.*

Se loger

🛏🍽 **Hôtel À la Ville de Lyon** – *R. Raymond-Poincaré -* 🕿 *03 89 49 65 51 - www.vdl-bohrer.com - fermé 7-21 mars et 24-26 déc. -* 🅿 *- 48 ch. 49/120 €.* Jolie façade refaite dans l'esprit de la Renaissance. Chambres de style Louis XV, Louis XVI ou contemporain. Celles rénovées sont très coquettes. Piscine et jacuzzi.

🛏🍽 **Hôtel Relais du Vignoble** – *33 r. des Forgerons - 68420 Gueberschwihr - 6 km au nord de Rouffach par D 83 puis rte secondaire -* 🕿 *03 89 49 22 22 - www.relaisduvignoble.com - fermé 26 janv.-6 mars -* 🅿 *- 30 ch. 62 € -* ⌧ *9,50 €.* Cet hôtel dans les vignes est tenu par une famille de viticulteurs. Installé dans une grande maison datant de 1985, juste derrière le restaurant Bellevue, il est orienté vers la plaine. Au 2ᵉ étage, ses chambres sont plus grandes et froufrouteuses à souhait !

Se restaurer

🍽 **Brasserie Chez Julien** – *R. Raymond-Poincaré -* 🕿 *03 89 49 69 80 - www.villes-et-vignoble.com - fermé 7-21 mars, 24-26 déc., merc. midi, vend. midi et lun. - 10/30 €.* Décor original pour cette salle de restaurant aménagée dans un ancien cinéma. Cuisine au goût du jour.

🍽🍽 **Auberge au Vieux Pressoir** – *68250 Bollenberg - 6 km au sud-ouest de Rouffach par D 83 puis rte secondaire -* 🕿 *03 89 49 60 04 - www.bollenberg.com - fermé 17 janv.-6 fév., 23-26 déc., dim. soir de nov. à mars et lun. - 25/71 €.* Au milieu des vignes, cette grosse maison de vigneron est assez typique. Son pittoresque décor alsacien est souligné par des meubles campagnards, de vieux objets et une collection d'armes anciennes. Caveau de dégustation et cuisine du cru.

Que rapporter

Bruno-Hunold – *29 r. aux Quatre-Vents -* 🕿 *03 89 49 60 57 - www.bruno-hunold. com - 9h-12h, 13h-18h, dim. 9h-12h - fermé j. fériés apr.-midi.* Ce domaine dispose de 12,5 ha de vignes et cultive les sept cépages alsaciens. Caveau de dégustation-vente où vous pourriez découvrir, entre autres, des Côtes de Rouffach, un grand cru de Vorbourg, des vendanges tardives, des crémants d'Alsace ainsi qu'une gamme variée d'eaux-de-vie.

Domaine René Muré (Clos Saint-Landelin) – *Rte des Vins -* 🕿 *03 89 78 58 00 - www.mure.com - tlj sf dim. 8h-18h, sam. 9h-12h, 14h-18h.* Ce domaine vinicole, situé dans un cadre magnifique, passe pour être l'un des plus anciens d'Alsace (depuis le 8ᵉ s.). Aujourd'hui, la famille Muré continue à cultiver les 15 ha dans les 7 cépages de la région et produit, entre autres, un grand cru Zinnkœpflé et un Vorbourg en riesling de belle qualité.

Le Domaine de l'École, lycée viticole – *8 Aux-Remparts -* 🕿 *03 89 78 73 16 - expl. legta-rouffach@educagri.fr - tlj sf w.-end 9h-12h, 13h30-17h - fermé 1ᵉʳ janv. et 25 déc.* Le lycée viticole de Rouffach cultive 14 ha de vignes dont 5,5 en grand cru Vorbourg, fleuron du domaine. La limitation volontaire du rendement favorise la qualité. Côte de Rouffach, crémant brut, « vendanges tardives » et sélection de grains nobles en tokay pinot gris et gewurztraminer méritent aussi la mention très bien.

Earl Bannwarth et Fils – *19 r. du 4ᵉ-Spahis -* 🕿 *03 89 49 62 37 - www.vins-bannwarth. com - 8h-12h, 13h30-19h, sam. 8h-12h, 13h30-18h, dim. 10h-12h.* Derrière le nom de l'enseigne se cache une très longue lignée de « fils » : on trouve trace des viticulteurs Bannwarth à Rouffach dès 1645 ! Ceux-ci cultivent les 7 cépages d'Alsace et élaborent des vins de haute qualité comme le grand cru Vorbourg en riesling et gewurztraminer et le pinot gris Côte de Rouffach.

Meyer Clos Ste-Apolline – *Domaine du Bollenberg - 68250 Westhalten -* 🕿 *03 89 49 60 04 - www.bollenberg.com - 8h-20h.* Cette entreprise familiale exploite 23 ha de vignes situées sur les collines du Bollenberg et produit des sylvaner, riesling, muscat, tokay pinot gris, gewurztraminer, pinot noir, crémants d'Alsace. Le domaine propose également des eaux-de-vie distillées artisanalement sur place, du foie gras, ainsi que des confitures et confits cuits à l'ancienne dans des bassines en cuivre.

Événements

Fête de la sorcière – Le premier samedi qui suit le 14 Juillet, les rues de Rouffach s'animent grâce à l'intervention de nombreux groupes médiévaux - 🕿 *03 89 78 53 15 - www.fete-sorciere.com.*

Festival Musicalta – *En juil. -août -* 🕿 *03 89 47 59 93 - www.musicalta.com.*

Foire européenne du pain, vin et fromage écobiologiques – *Début mai -* 🕿 *03 89 49 62 99.*

Saint-Avold

16 922 SAINT-AVOLDIENS
CARTE GÉNÉRALE B1 – CARTE MICHELIN DÉPARTEMENTS 307 L4 – MOSELLE (57)

St-Avold est en plein pays minier, et pourtant vous ne verrez aucun puits de charbon. La ville a tout pour plaire : le château d'Henriette de Lorraine, les bulbes de l'abbatiale St-Nabor, des vieilles maisons, des pavés et des fontaines. Si vous souhaitez tout de même vous plonger dans le monde des « gueules noires », allez visiter la mine de la Petite-Rosselle !

- **Se repérer** – À 44 km à l'est de Metz, 29 km à l'ouest de Sarreguemines.
- **À ne pas manquer** – La mine-musée du Carreau Wendel à Petite-Rosselle pour l'évocation de ce qui fut le cœur du pays minier. Dans un autre registre, le cimetière américain de St-Avold, la plus grande nécropole américaine en Europe.
- **Pour poursuivre la visite** – Voir aussi Hombourg-Haut, le petit ouvrage du Bambesch (Ligne Maginot).

Centrale Émile-Huchet à Carling.

Se promener

Ancienne église abbatiale St-Nabor

En grès rosé, cette abbatiale de style classique à nefs en halle est éclairée par de lumineux vitraux modernes dus à un artiste naborien. Épargnée par la Révolution, l'église a gardé ses boiseries du 18ᵉ s. : stalles, panneaux du chœur et buffet d'orgues. Elle abrite également un retable en pierre de la Vierge de la seconde moitié du 15ᵉ s. Au fond du bas-côté gauche, un **groupe sculpté★** du 16ᵉ s. représente une pathétique Mise au tombeau.

Cimetière américain

Le plus grand cimetière de la Seconde Guerre mondiale en Europe est situé au nord de la ville. Ses 45 ha accueillent les sépultures de 10 489 soldats et aviateurs rigoureusement alignées. Dans la chapelle-mémorial, sur le mur sud, une carte en céramique retrace les différentes opérations militaires.

Aux alentours

Zimming

10 km à l'ouest, entre la D 603 et l'autoroute A 4. À Zimming, prenez la petite route se dirigeant vers Hallering.

Au bord de la route, l'énorme **chêne de St-Gengoulf**, près d'une source et d'une croix, porte encore les traces des scies mécaniques destinées à l'abattre. Les soldats américains qui s'y essayèrent en 1945 durent abandonner leur projet, l'arbre étant plus résistant que leurs lames !

Circuit de découverte

LE PAYS MINIER

96 km – environ 2h30.
Quittez St-Avold par la D 633 vers Carling.

Carling

Cité ouvrière comprenant plusieurs usines dépendant d'une part du groupe Charbonnages de France (centrale Émile-Huchet et cokerie), et d'autre part du groupe Elf Atochem. La **centrale Émile-Huchet★** est dotée d'une chaudière à lit fluidisé circulant de 330 MW et de quatre turboalternateurs d'une puissance thermique de 1 200 MW. Une partie du charbon qui alimente cette centrale est amenée en carboduc. En prenant à droite la route de Merlebach, vous aurez sur la droite une vue générale sur les aménagements de Carling. Traversez ensuite L'Hôpital et Ste-Fontaine : vous voici sur la « route des Puits », en plein pays du charbon, impressionnant avec ses chevalements, ses cheminées d'usines, ses cités industrielles, ses terrils, appartenant aux Houillères du Bassin de Lorraine.

Freyming-Merlebach

Ce centre houiller très important exploite de magnifiques couches verticales, les dressants. Cette méthode d'exploitation est unique en Europe.
Sur la place de l'Hôtel-de-Ville, le petit **Musée historique et militaire** évoque l'armée du Second Empire et les régiments français et allemands en garnison dans la région entre 1871 et 1939. *℘ 03 87 29 69 63 - &- possibilité de visite guidée sur demande (2 j. av.) - lun.-jeu. apr.-midi - fermé j. fériés - 1,20 € (-13 ans gratuit).*
À la sortie de Freyming-Merlebach, prenez la D 603 en direction de Forbach.
À gauche, la frontière allemande longe la route : les maisons du côté nord sont sarroises, celles du côté sud font partie de la commune française de Cocheren. Après le pont SNCF, on voit, sur la gauche, la cokerie de Marienau.
Par la D 31, gagnez Petite-Rosselle, la mine-musée est fléchée.

Mine-musée du Carreau Wendel★

Petite-Rosselle - ℘ 03 87 87 08 54 - www.la-mine.fr - tlj sf. lun. tte la journée - fermé 25-26 déc. et première semaine de janv. - 7 € (-18 ans 3 €, billet famille 15 €).
Ancien centre d'extraction et de traitement du charbon, le **Carreau Wendel** a produit entre 1856 et 1986 plus de 10 000 t par jour. Après la fermeture, les installations ont été aménagées pour créer un musée dynamique : l'arrivée devant le bâtiment se fait en petit train et un parcours dans le noir, éclairé par une maquette fluorescente, permet d'appréhender le monde de la mine. Les problème d'eau, de sécurité (le fameux coup de grisou) et de communication sont expliqués de manière ludique dans les différentes galeries où retentissent sirènes et vrombissements. Puis, un ascenseur simulant une descente au chantier d'extraction vous mène au cœur de la mine. La suite de la visite fait place aux machines d'extraction et de forage : les gisements dans la région sont horizontaux et verticaux, les machines doivent donc y être adaptées. Enfin, devenez mineur le temps d'un film en 3D qui relate une journée type à la mine.
Revenez en direction de Forbach

Forbach

En quittant la D 603 à l'entrée de Forbach, en direction de Grosbliederstroff, on atteint l'église puis, derrière celle-ci, le **Schlossberg**, colline boisée et couronnée par les ruines d'un château fort : vue étendue sur la ville et les environs.
Par la rue Ste-Croix et la D 31, on arrive à Behren, cité de mineurs. Empruntez ensuite la D 661, puis la D 910.

Les gisements de Lorraine

Les Houillères du Bassin de Lorraine ont produit en 1997, avec près de 9 000 personnes, 4,7 millions de tonnes de houille, soit les 3/4 de la production nationale. La production est assurée par trois unités d'exploitation souterraine où sont mises en œuvre les techniques d'extraction les plus modernes. Aujourd'hui, les mines de charbon sont entièrement mécanisées et automatisées.
La houille est transformée sur place en énergie électrique, pour le compte d'EDF notamment, en coke, ou livrée à la clientèle (industrie, ensembles résidentiels, réseaux de chaleur urbains…) dans le quart est de la France, Paris inclus.

Sarreguemines *(voir ce nom)*

Au sud de Sarreguemines, prenez à gauche la D 33 qui suit le cours de la Sarre.

Zetting

Village dont le site verdoyant est dominé par une petite église à tour ronde préromane (9e ou 10e s.) et abside gothique encadrant la nef (ancien sanctuaire rural transformé au 15e s.). À l'intérieur, un remarquable buffet d'orgues Renaissance, une Mise au tombeau des 14e

Le saviez-vous ?

Forbach a vu naître en 1966 une certaine **Patricia Kaas**. À 6 ans, elle gagne le premier prix du concours de chant de la kermesse de Forbach ; quelques années plus tard, elle conquiert le cœur d'un nombre grandissant de fans.

et 15e s., aux six personnages polychromes, et, surtout, des **vitraux**, du 15e s., qui éclairent le chœur.

Faites demi-tour et quittez la D 33 pour prendre à gauche la D 919, puis la D 31C en direction de Gaubiving.

Aussitôt, des pentes du **Kelschberg**, on a une vue intéressante sur les puits du bassin houiller, les installations annexes et la cokerie de Marienau.

Revenez à St-Avold par les D 30C, D 30, puis D 603.

Cette dernière passe par **Hombourg-Haut** *(voir ce nom)* en longeant la vallée de la Rosselle, verdoyante et boisée.

Saint-Avold pratique

Adresses utiles

Office du tourisme de Saint-Avold – *28 r. des Américains - 57500 St-Avold -* ☏ *03 87 91 30 19 - www.mairie-saint-avold. fr - tlj sf dim. mat. et apr.-midi - fermé j. fériés, Vend. saint et 26 déc.*

Office du tourisme de Freyming-Merlebach – *5 av. Roosevelt - 57800 Freyming-Merlebach -* ☏ *03 87 81 62 85 - www.cc-freyming-merlebach.fr - lun.-vend. mat. et apr.-midi, sam. mat. - fermé dim., j. fériés et 26 déc.*

Office du tourisme de Forbach – *174 av. St-Rémy - Château Barrabino - 57600 Forbach -* ☏ *03 87 85 02 43 - www.tourisme. forbach.com - tlj mat. et apr.-midi - fermé dim., Vend. saint, 26 déc. et j. fériés. Point Info au château du Schlossberg - r. du Parc -* ☏ *03 87 85 02 43.*

Se loger

⊝ **Camping Le Felsberg** – *Au nord du centre-ville, près D 603, accès par r. de Verrerie -* ☏ *03 87 92 75 05 - www.camping-moselle.com - réserv. conseillée - 33 empl. 17,40 € - restauration (soir seulement). Ce site comprend un camping aux emplacements bien entretenus et un centre international de séjour (dans un bâtiment de type chalet) proposant des chambres pour 2 à 6 personnes. À votre disposition : un restaurant et deux salles équipées de matériel audiovisuel.*

⊝⊜ **Hôtel Europe** – *7 r. Altmayer -* ☏ *03 87 92 00 33 - www.hotel-de-europe. com - fermé 25 juil.-15 août -* 🅿 *- 34 ch. 68 €*

- ⊊ *10,50 € - rest. 25/55 €.* Près du centre-ville, hostellerie familiale proposant des chambres bien aménagées, en majorité spacieuses. À l'étage, le chaleureux restaurant se pare de tons jaunes et orangés. Cuisine traditionnelle concoctée selon le marché et belle carte des vins.

Se restaurer

⊜⊝ **Le Schlossberg** – *13 r. du Parc - 57600 Forbach - 14 km au nord-est de Hombourg-le-Haut par D 603 -* ☏ *03 87 87 88 26 - fermé 2-12 janv., 23 juil.-10 août, dim. soir, mar. soir et merc. - 20/45 €.* Bâti en pierre du pays, ce restaurant côtoie le parc du Schlossberg. Salle au beau plafond marqueté et aux boiseries habillées de couleurs claires. Terrasse sous les tilleuls.

Que rapporter

Macarons de Boulay – *13 r. de St-Avold - 19 km au nord-ouest de St-Avold par D 603 puis D 25 - 57220 Boulay-Moselle -* ☏ *03 87 79 11 22 - www.macaronsdeboulay.com - 8h30-12h15, 14h-19h, dim. 9h-12h, lun. 14h-19h - fermé j. fériés.* Depuis 1963, la famille Alexandre se fait gardienne d'un secret jalousement préservé, celui du fameux macaron de Boulay. Dans leur boutique de style rustique, vous pourrez déguster ces petits trésors et acheter un coffret souvenir, afin de succomber d'autres fois à leur saveur, encore et encore…

Sports & Loisirs

Golf de Faulquemont-Pontpierre – *Av. Jean-Monnet - 57380 Faulquemont -* ☏ *03 87 81 30 52 - www.golf-faulquemont. com - 9h-18h - fermé 24 déc.-2 janv.*

Saint-Dié-des-Vosges★

21 900 DÉODATIENS
CARTE GÉNÉRALE B2 – CARTE MICHELIN DÉPARTEMENTS 314 J3 – VOSGES (88)

Raccourci historique rare à St-Dié-des-Vosges. On passe d'un camp celtique vieux de plus de 2 000 ans à une tour de la Liberté en forme de vaisseau spatial. Le tout au milieu des montagnes de grès rouge couvertes de sapins. Pour tous ceux qui seraient encore à la recherche de la sérénité, tout est prévu : le plus beau jardin botanique de Lorraine collectionne les azalées, les rhododendrons, les bruyères et des centaines de fleurs, à regarder et à sentir.

▶ **Se repérer** – St-Dié est distant d'une trentaine de kilomètres au nord de Gérardmer et est desservie par la N 59.

Ⓟ **Se garer** – Parkings au centre-ville : quai Jeanne-d'Arc, r. d'Alsace et r. du 11-Novembre.

👁 **À ne pas manquer** – Les chapiteaux et les vitraux de la cathédrale de St-Dié, la papeterie Clairefontaine et les trois abbayes (Étival-Clairefontaine, Moyenmoutier, Senones).

🕐 **Organiser son temps** – La visite du musée Pierre-Noël suivra celle de la cathédrale : vous percevrez ainsi les correspondances entre la verrière moderne de la cathédrale et la collection d'œuvres de Bazaine, Manessier, etc. au musée.

👣 **Pour poursuivre la visite** – Voir aussi Gérardmer, le massif du Donon, le Parc naturel régional des Ballons des Vosges.

Comprendre

Une fondation ecclésiastique – Saint Dieudonné ou Déodat, évêque de Nevers selon la légende, moine irlandais en réalité, a fondé ici au 7ᵉ s. un monastère bénédictin. Dieudonné fut abrégé en Dié.

Le deuxième inventeur « officiel » de l'école – **Jules Ferry** (1832-1893) est né ici. Cet avocat et journaliste fut élu député des Vosges, puis occupa à plusieurs reprises le poste de ministre de l'Instruction publique. C'est pour cette fonction qu'il est passé à la postérité ; c'est lui, en effet, qui a rendu l'école primaire laïque, gratuite et obligatoire. Il s'est préoccupé ensuite de promouvoir l'expansion coloniale française, ce qui lui vaudra sa chute politique.

Visiter

Cathédrale St-Dié★

Se renseigner à l'office du tourisme 𝄞 *03 29 42 22 22 - gratuit.* Deux tours carrées solennelles (18ᵉ s.) contrastent, sur le flanc sud, avec un beau portail roman. Dynamitées en novembre 1944, les voûtes et les parties orientales de la cathédrale ont été reconstruites à l'identique. La nef romane montre une alternance de piles fortes et faibles couronnées de **chapiteaux★** sculptés, du 12ᵉ s. Les doubleaux et voûtes de la nef

Cloître gothique de la cathédrale.

sont du 13ᵉ s. Sur la colonne à droite de la croisée du transept, Vierge à l'Enfant, en pierre, du 14ᵉ s. Des vitraux de la fin du 13ᵉ s., dans la deuxième chapelle à gauche, racontent des épisodes de la vie de saint Déodat. La cathédrale s'est enrichie en 1987 d'un bel ensemble de **vitraux★** non figuratifs, réalisés par une équipe d'artistes animée par Jean Bazaine.

Cloître gothique★

Se renseigner à l'office de tourisme, ℘ 03 29 42 22 22 - gratuit. Entre la cathédrale et l'église N.-D.-de-Galilée, et faisant communiquer ces deux édifices, cet ancien cloître de chanoines est demeuré inachevé depuis les 15ᵉ et 16ᵉ s. Admirez les baies flamboyantes donnant sur la cour et les voûtes en croisées d'ogives. À un contrefort de la galerie s'adosse une chaire extérieure du 15ᵉ s.

Église N.-D.-de-Galilée★

Se renseigner à l'office de tourisme, ℘ 03 29 42 22 22 - gratuit. Très bel exemple de l'architecture romane de la Lorraine Sud : la façade est précédée d'un clocher-porche aux frustes chapiteaux. Dans la nef, les voûtes d'arêtes du 17ᵉ s. remplacent les croisées d'ogives du 12ᵉ s., dont on voit encore les départs en pointe.

Musée Pierre-Noël - musée de la Vie dans les Hautes-Vosges

Pl. Georges-Trimouille - ℘ 03 29 51 60 35 - & - mai-oct. : tlj mat. et apr.-midi sf dim. apr.-midi ; reste de l'année : tlj apr.-midi sf merc. mat. et apr.-midi - fermé lun. et j. fériés - 1,50 € (0,50 € enf.). Construit à l'emplacement de l'ancien palais épiscopal dont subsiste la porte d'entrée monumentale, il comprend des sections consacrées à l'archéologie (fouilles du site de la Bure), à l'ornithologie, à la forêt vosgienne, aux métiers du bois et du textile, à l'agriculture et à l'élevage, à la faïence de l'Est et à la verrerie. Une vaste salle est consacrée à Jules Ferry et à sa famille : manuscrits, photographies, mobilier, peintures, armes d'Afrique et d'Asie. Collection militaire franco-allemande : vitrine évoquant René Fonck, as de l'aviation militaire pendant la guerre 1914-1918, né près de St-Dié. Collection Goll (art moderne).

Bibliothèque

11 r. Saint-Charles - ℘ 03 29 51 60 40 - www.ville-saintdie.fr - tlj mat. et apr. midi, fermé dim., lun., jeu. matin et j. fériés - gratuit.
Elle possède 230 000 ouvrages (!) dont 600 manuscrits et 140 incunables (premiers livres imprimés). Dans la salle du Trésor sont présentés un exemplaire de la rarissime *Cosmographiae Introductio* et un graduel enluminé (début 16ᵉ s.) comprenant des miniatures qui évoquent le travail dans les mines au Moyen Âge.

Ville marraine de l'Amérique

En 1507, dans la *Cosmographiae introductio*, ouvrage imprimé à St-Dié dans l'une des plus vieilles imprimeries du monde par le Gymnase vosgien (assemblée de savants), le continent découvert par Christophe Colomb fut, pour la première fois, dénommé America, en hommage au navigateur Amerigo Vespucci.

Tour de la Liberté

Parc Jean Mansuy - ℘ 03 29 55 45 04 - www.ville-saintdie.fr - possibilité de visite guidée - tlj sf lun. et j. fériés apr.-midi - 3 €. Érigée au jardin des Tuileries, à Paris, en 1989, cet édifice d'acier, de câbles et de verre a été rebâti ici l'année suivante. Il abrite une **collection de 52 bijoux** créés par Heger de Lœwenfeld d'après l'œuvre du peintre Georges Braque, un des inventeurs du cubisme. Un escalier en hélice conduit à un belvédère d'où la **vue** sur la ville et la ligne bleue des Vosges est magnifique.

Aux alentours

Camp celtique de la Bure

7,5 km, puis 45mn à pied AR. Quittez St-Dié au nord-ouest par la N 59. À 4 km, prenez à droite vers la Pêcherie puis, encore à droite, la route forestière de la Bure, et enfin, à gauche, la route forestière de la Crénée. Au col de la Crénée, laissez la voiture et gagnez par le sentier de crête l'entrée principale du camp.
Le site archéologique de la Bure a conservé les traces d'une occupation humaine remontant à quelque 2 000 ans av. J.-C. et n'ayant pris fin qu'au 4ᵉ s. de notre ère. Établi sur l'extrémité ouest (582 m) de la crête de la Bure, le camp celtique révèle une terrasse d'enceinte émergeant de 40 à 60 cm par endroits, épaisse de 2,25 m (3 pas gaulois), qui supportait une palissade interrompue par quatre portes. L'accès est, côté crête, fut barré dès le 1ᵉʳ s. av. J.-C. par un mur dit *murus gallicus* de 7 m d'épaisseur et, vers 300, par un second rempart d'inspiration romaine, précédé d'un

fossé. Dans le camp, on distingue trois bassins dont deux consacrés à des divinités gauloises (Taranis et déesses-mères), à côté d'un grand atelier sidérurgique. Deux enclumes de 11 kg et de 23,5 kg ont été découvertes ainsi que 450 kg de scories de fer. Le matériel archéologique mis au jour est exposé au musée de St-Dié-des-Vosges. Belles **vues★** *(table d'orientation)* à l'ouest sur la vallée de la Meurthe, au sud sur le bassin de St-Dié-des-Vosges.

Les jardins de Callunes

À Ban-de-Sapt, 10 km au nord-est de St-Dié. Sortez de la ville par la D 49, prenez la D 32 à St-Jean-d'Ormont. 📞 *03 29 58 94 94 - www.jardins-callunes.com - visite guidée sur demande (1 sem. av.) - tlj mat. et apr.-midi - fermé nov.-mi-avr. - 6 € (7-15 ans 2 €).*
Ce parc paysager et botanique étale, sur 4 ha, 230 variétés de bruyères, des collections de rhododendrons, d'azalées, de plantes vivaces, d'érables. À voir en particulier au printemps et à l'automne.

Circuit de découverte

LE PAYS DES ABBAYES

43 km – environ 2h30. Quittez St-Dié au nord-ouest par la N 59.

Étival-Clairefontaine

Cette petite ville de la vallée de la Meurthe est située sur la Valdange, affluent de la Meurthe. Son nom est célèbre, au moins chez les petits écoliers… grâce aux papeteries qui y sont installées. Sur les bords de la rivière, on peut voir les restes du moulin à papier de Pajaille, qui date de 1512. Des éléments en grès des Vosges de l'ancienne abbaye, détruite par les révolutionnaires, forment l'architecture de plusieurs maisons d'habitation. Dans l'**église★**, la nef centrale et les bas-côtés sont de l'époque de transition du roman au gothique. 📞 *03 29 57 91 03 - www.paysdesabbayes.com - tlj sf mar. tte la journée - possibilité de visite guidée gratuite le merc. mat. en juil.-août (se renseigner à l'office de tourisme du Pays des Abbayes à Senones).*

Moyenmoutier

Le « monastère du milieu » est situé entre les abbayes d'Étival, de Senones et de Saint-Dié. De très vastes dimensions, l'**église** baroque, rebâtie au 18e s., est un des plus beaux monuments religieux de cette époque dans les Vosges. Malheureusement, les façades de l'église et des immenses bâtiments conventuels sont défigurées et rendues invisibles, en partie, par une usine.

Senones

Un amphithéâtre de montagnes boisées sert de cadre à cette petite ville qui fut, à partir de 1751, la capitale de la principauté de Salm, État souverain de 100 km² rattaché à la France en 1793. Elle possède encore quelques constructions princières : châteaux et hôtels particuliers du 18e s. L'escalier de pierre (18e s.) de l'**ancienne abbaye**, orné d'une rampe de fer ouvré, menait à l'appartement que Voltaire habita lors de son séjour en 1754. Ce dernier se rendit en effet par deux fois à Senones pour visiter l'abbé Augustin Calmet (1672-1757), considéré comme le premier historien de la

Senones est le théâtre, chaque année, de reconstitutions de la garde des princes de Salm.

Lorraine, qui possédait ici 15 000 volumes. ☎ *03 29 57 91 03 - www.paysdesabbayes. com - possibilité de visite guidée (mar. mat. en juil.-août, gratuit), s'adresser à l'office du tourisme du Pays des Abbayes, à Senones.*

Quittez Senones par la D 424 au nord. Dans la Petite-Raon, à 2 km, prenez à gauche la D 49 qui s'engage dans le val de Senones, puis traversez Moussey. La route forestière qui succède à la D 49 suit la vallée encaissée et déserte du Rabodeau. Le **col de Prayé**, situé sur la crête des Vosges, marquait l'ancienne frontière allemande. On atteint le **col du Donon** *(voir ce nom).*

Saint-Dié-des-Vosges pratique

Adresses utiles

Office du tourisme de Saint-Dié-des-Vosges – *8 quai Mar.-de-Lattre-de-Tassigny - 88100 Saint-Dié-des-Vosges - ☎ 03 29 42 22 22 - www.ville-saintdie.fr - tlj sf dim. et j. fériés mat. et apr.-midi.*

Office du tourisme du Pays des Abbayes – *18 pl. Dom-Calmet - 88210 Senones - ☎ 03 29 57 91 03 - www. paysdesabbayes.com - juil.-août : tlj mat. et apr.-midi, dim. mat. ; reste de l'année : fermé dim.*

Se loger

☺ Chambre d'hôte Le Bout du Chemin – *6 rte d'Hadremont - 88580 Saulcy-sur-Meurthe, 4,5 km au sud de St-Dié par D 415 dir. Colmar - ☎ 03 29 50 90 13 - bourg.jean-claude@wanadoo.fr - fermé nov. -⊠- réserv. obligatoire - 5 ch. 48 € ⊠ - repas 18 €.* Les chambres de cette maison d'hôte, située tout près de St-Dié, possèdent une terrasse privative d'où vous pourrez observer les chevreuils et les écureuils. Le salon, avec cheminée et piano, et la véranda ouverte sur le parc sont deux atouts supplémentaires.

☺ Yelloh-Village Domaine des Bans – *88430 Corcieux - ☎ 03 29 51 64 67 - www. domaine-des-bans.com - réserv. indispensable - 634 empl. 39 € - restauration.* Plus proche de la mégalopole que du village, cette structure colossale propose toutes les prestations possibles en matière de loisirs et d'hébergement. Un camping avec 9 blocs sanitaires, des gîtes et des chalets, un bar, une supérette, un théâtre, une salle d'animation. Bref, tout… voire même plus !

☺ Camping La Vanne de Pierre – *☎ 03 29 56 23 56 - vannedepierre.com - réserv. conseillée - 118 empl. 27 €.* Ce camping aménagé au bord de la Moselle bénéficie d'un bel environnement verdoyant, en plein cœur du massif vosgien, qui ravira les amateurs de randonnée et de nature. Blocs sanitaires modernes et emplacements bien entretenus. Location de chalets et animations estivales.

Se restaurer

☺☺ Voyageurs – *22 r. Hellieule - ☎ 03 29 56 21 56 - lesvoyageurs88@wanadoo.fr - fermé vac. de printemps, 21 juil.-4 août, vac.* de Noël, dim. soir et lun. - 19/29 €. Certaines tables de ce lumineux restaurant ont vue sur l'étonnante tour de la Liberté. La décoration intérieure, de style contemporain, a opté pour des tons jaunes. Dans l'assiette, cuisine traditionnelle et menu du marché.

☺☺☺ La Table de Manaïs – *64 r. d'Alsace - ☎ 03 29 56 11 71 - fermé 16-31 août, sam. midi et vend. - 32/47 € - 10 ch. 47/50 € - ⊠ 8,50 €.* L'enseigne contracte les prénoms des deux filles du patron de ce restaurant situé sur une avenue commerçante. Chaleureux décor rénové et cuisine classique. Petites chambres.

En soirée

Le FBI – *82 r. d'Alsace - ☎ 03 29 55 09 81 - lun.-jeu. 18h-4h, vend.-sam. 18h-4h.* Ce bar s'apparente en fait à un pub plutôt chic, orné de cuivres rutilants, de boiseries d'acajou et de banquettes tendues de velours rouge. Un endroit intime à souhait qui fait l'unanimité.

Que rapporter

Papeteries de Clairefontaine – *19 r. de l'Abbaye - 88480 Étival-Clairefontaine - ☎ 03 29 42 42 42 - clarisse.cherrier@ clairefontaine.com - lun. apr.-midi, mar. et jeu., vend. mat. sur RV - fermé de mi-juil. à mi-sept.* Retrouvez l'odeur des cahiers d'écolier et découvrez les mille et une étapes de leur fabrication en suivant la visite guidée de cette papeterie réputée.

Pisciculture Ste-Odile – *27 r. Ste-Odile - 10 km nord-est de St-Dié-des-Vosges en dir. de St-Rémy par D 424. - 88480 Étival-Clairefontaine - ☎ 03 29 41 40 83 - tlj sf lun. 8h-13h, 15h-19h - fermé de mi-janv. à fin fév.* Élevage de truites arc-en-ciel et truites Fario, ombles chevalier, brochets, anguilles, écrevisses, etc., ensuite déclinés en une infinité de recettes : terrine de truite royale aux mirabelles, mousse de truite aux herbes, filets de truite et d'anguille fumée… Prêt de matériel pour pêcher soi-même son poisson.

Événements

Festival international de géographie – *1er w.-end d'oct. - ☎ 03 29 42 22 22 - www. fig-saintdie.com.*

Relève de la garde des princes de Salm – *Certains dimanches matin en juil.-août, à Senones - ☎ 03 29 57 91 03 - www. paysdesabbayes.com.*

Foire aux écrevisses – *Mi-juin, à Étival-Clairefontaine.*

Saint-Mihiel★

5 260 SAMMIELLOIS
CARTE GÉNÉRALE A2 – CARTE MICHELIN DÉPARTEMENTS 307 E5 – MEUSE (55)

Croisières fluviales sur la Meuse, expéditions-pèlerinages sur les zones de combats de la Première Guerre mondiale, excursions aérées dans le Parc naturel régional de Lorraine, découverte studieuse de l'architecture religieuse particulièrement riche, tout est possible au départ de St-Mihiel.

- **Se repérer** – Au croisement de la D 901 et de la D 964, au sud de Verdun. Parkings rue des Abasseaux, au pied des bâtiments abbatiaux, et rue de Verdun.

- **À ne pas manquer** – Le *Sépulcre* de Ligier Richier ; la bibliothèque bénédictine.

- **Organiser son temps** – Le circuit pédestre du Saillant de St-Mihiel est un parcours de 18 km, avec 4 plateformes dans lesquelles on passe environ 30mn. Il faut donc prévoir la journée et de bonnes chaussures si l'on désire le suivre entièrement.

- **Pour poursuivre la visite** – Voir aussi Commercy, le Parc naturel régional de Lorraine, Verdun.

Détail du Sépulcre de Ligier Richier à l'église St-Étienne.

Se promener

Partir de l'office de tourisme.

Bâtiments abbatiaux

Attenante à l'église St-Michel et à son curieux chevet arrondi, la très vaste abbaye, dont la reconstruction fut réalisée au 17e s., est restée à peu près intacte.
Rendez-vous place Bérain.

Église St-Michel

Cette église abbatiale, au clocher carré et au porche roman du 12e s., a été rebâtie à la fin du 17e s., dans le style bénédictin de l'époque. Dans la première chapelle du bas-côté droit, un chef-d'œuvre de Ligier Richier, la **Pâmoison de la Vierge soutenue par saint Jean★**. Ce groupe en noyer fut exécuté en 1531. Il faisait partie d'un calvaire comprenant le Christ – dont la tête est aujourd'hui au musée du Louvre –, saint Longin, Marie Madeleine et quatre anges.

Remarquez également le monument funéraire de la famille de Warin de Gondrecourt, l'*Enfant aux têtes de morts,* œuvre sculptée en 1608 par Jean Richier, petit-fils de Ligier. Le magnifique buffet d'orgues a été sculpté entre 1679 et 1681.
Prenez la rue Notre-Dame.

Maison du Roi

Cette maison gothique du 14e s. fut propriété, au siècle suivant, de René d'Anjou, duc de Bar et roi de Naples. Faites un crochet par la rue Raymond-Poincaré pour voir de très beaux hôtels particuliers du 16e s.

Falaises

Sept blocs de roches calcaires, hauts de plus de 20 m, sont adossés aux coteaux de la rive droite. Dans la première roche, dite « le Calvaire », a été creusé en 1772 un saint-sépulcre, œuvre de Mangeot, sculpteur sammiellois. Du haut de ces rochers, vue sur St-Mihiel et la vallée de la Meuse.

Revenez en ville par la promenade des Capucins et la rue Poincaré à gauche.

Église St-Étienne

Le vaisseau actuel de cette originale église-halle fut construit de 1500 à 1545. Le clou de la visite est sans conteste le **Sépulcre★★**, ou Mise au tombeau, exécuté par Ligier Richier de 1554 à 1564 *(dans la travée centrale du collatéral droit)*. Il subit depuis 2000 une longue opération de restauration et a été découpé en plusieurs blocs. Treize personnages grandeur nature représentent un des épisodes de la Mise au tombeau : pendant que Salomé prépare la couche funèbre, Joseph d'Arimathie et

> **Ligier Richier**
>
> Le chef de file de l'école samielloise de sculpture est né en 1500 à St-Mihiel. Auteur du magnifique *Sépulcre* de l'église St-Étienne, on lui attribue aussi le retable d'autel en pierre polychrome de l'église d'Hattonchâtel, la pietà de l'église d'Étain, le calvaire du chœur de l'église de Briey et beaucoup d'autres œuvres.

Nicodème soutiennent le corps du Christ, dont Marie Madeleine, à genoux, baise les pieds et dont Jeanne la Myrrophore, debout, tient la couronne d'épines. Au second plan, la Vierge défaillante est soutenue par saint Jean et Marie Cléophée ; à gauche, un ange tient les instruments du supplice ; à droite, le chef des gardes médite profondément, tandis que deux de ses hommes jouent aux dés la tunique du Christ.

Visiter

Bibliothèque bénédictine

Dans l'ancienne abbaye. R. du Palais-de-Justice - ☏ *03 29 89 06 47 - juil.-août : tlj sf mar. apr.-midi ; avr.-oct. : w.-end et j. fériés apr.-midi - 2,50 € (-10 ans gratuit) - billet combiné musée départemental d'Art sacré 4,50 €.*

Aux murs, des boiseries, au ciel, des plafonds de style Louis XIV, et dans les vitrines, quelque 9 000 ouvrages dont 74 manuscrits du 9e au 16e s. et 86 incunables. La star : le premier livre imprimé en Lorraine.

Musée départemental d'Art sacré

1er étage de l'aile sud de l'ancienne abbaye. R. du Palais-de-Justice - ☏ *03 29 89 06 47 - ♿ - juin-sept. : tlj sf mar. apr.-midi ; reste de l'année : w.-end et j. fériés apr.-midi - 2,50 € (-10 ans gratuit) - billet combiné Musée- bibliothèque bénédictine 4,50 €.*

Plus de 800 objets d'art religieux (peintures, sculptures, orfèvrerie, ornements liturgiques) du 13e au 20e s. proviennent de communes et de paroisses meusiennes. L'école sammielloise y est bien entendu à l'honneur.

Aux alentours

Saillant de St-Mihiel

7 km au sud-est par la D 907 puis la D 171. Dépliant disponible à l'office du tourisme.

Profitant de l'envoi d'une partie des troupes françaises en renfort à Verdun en septembre 1914, les troupes allemandes parvinrent à faire reculer les lignes françaises d'une vingtaine de kilomètres entre Pont-à-Mousson et Verdun, pour parvenir jusqu'à St-Mihiel. La zone prit les noms de « Saillant de St-Mihiel » ou « Tombeau du 8e CA », à cause des combats acharnés qui s'y déroulèrent (60 000 morts parmi les soldats français en 1915). De nombreux villages furent détruits dans cette zone, et certains, comme Remeaunauville n'ont jamais été reconstruits.

Un circuit pédestre *(18 km)* relie les différentes plate-formes du Souvenir. Le **bois d'Ailly** a gardé la trace des combats. Du monument commémoratif, une ligne de tranchées avec abris et boyaux d'accès conduit à la **tranchée de la Soif**, où quelques soldats résistèrent durant trois jours à la garde impériale allemande. Le circuit conduit également au **Bois brûlé (croix des Redoutes)**, aux **tranchées des Bavarrois et de Roffignac**, à l'hôpital allemand et au poste de commandement français, haut de deux étages. À **Marbotte**, le musée du Saillant présente armes et documents relatifs à la Grande Guerre. C'est dans l'église de ce petit village que furent déposés les corps de nombreux soldats en attente de sépulture. Elle est aujourd'hui un mémorial. Au sud-est, le **fort de Liouville**, construit peu après 1870, présente une tourelle à éclipses encore intacte malgré les bombardements.

Musée Raymond-Poincaré

À Sampigny, 9 km au sud par la D 964 -
℘ 03 29 90 70 50 - de mi-mai au 1ᵉʳ nov. :
tlj apr.-midi sf merc., sam. et j. fériés - 1,80 €
(-12 ans 0,90 €).

L'ancienne résidence d'été de ce Meusien
qui fut président de la République (1860-
1934) a été bâtie en 1906 par l'architecte
nancéien Bourgon. Le musée retrace le
parcours politique de Raymond Poincaré
et l'histoire de la IIIᵉ République. Du parc
et des jardins d'agrément, vue sur la vallée de la Meuse.

Génicourt-sur-Meuse

À 19 km au Nord par la D 964.

L'**église**, de style flamboyant recèle de
beaux vitraux de l'école de Metz, du 16ᵉ s.,
un maître-autel surmonté d'un retable
de la Passion. Les intéressantes statues
de bois du calvaire sont attribuées à
Ligier Richier. Des fresques du 16ᵉ s. ont
été mises au jour en juin 1981. *Visite sur*
demande à la mairie : se renseigner au
℘ 03 29 87 75 01.

Saint-Nicolas-de-Port★

7 505 PORTOIS
CARTE GÉNÉRALE B2 – CARTE MICHELIN DÉPARTEMENTS 307 J7
MEURTHE-ET-MOSELLE (54)

Ce qui attire pèlerins et touristes depuis près de dix siècles à St-Nicolas-de-Port
c'est avant tout sa formidable basilique flamboyante, monumental reliquaire
d'une phalange de saint Nicolas. Étape importante sur la route de la Bière lorraine,
St-Nicolas-de-Port fut aussi réputé pour sa brasserie. Elle n'existe plus, mais le
musée qui a investi ses murs fabrique encore une bière de façon artisanale. St-
Nicolas s'intéresse aussi au cinéma, à la photographie et aux cigognes.

◗ **Se repérer** – À 12 km au sud-est de Nancy, 19 km à l'ouest de Lunéville.

👁 **À ne pas manquer** – La basilique, cœur de la cité, et le musée de la Brasserie.

◔ **Organiser son temps** – Consacrez une demi-journée à la visite de la ville, qui
s'anime tout spécialement à l'occasion de la Saint-Nicolas.

👪 **Avec les enfants** – Les enclos à cigognes et le musée du Cinéma, de la Photographie et des Arts audiovisuels.

👣 **Pour poursuivre la visite** – Voir aussi Lunéville, Nancy.

Comprendre

Un saint populaire – Saint Nicolas fut évêque de Myre, en Lycie (actuelle Turquie)
au 3ᵉ s. Il fût très tôt vénéré par les orthodoxes et les miracles qui lui furent attribués
étendirent son aura jusqu'en France dès le 10ᵉ s. S'il est aujourd'hui le protecteur
des enfants, ce n'est sans doute pas pour avoir ressuscité trois enfants sinistrement
découpés par un boucher, comme le veut la légende, mais plus vraisemblablement
pour avoir pourvu à la dot de trois pauvres jeunes filles menacées d'esclavage. C'est au
11ᵉ s. que son corps quitta la cité musulmane pour être transféré à Bari, en Italie du Sud.
On fête depuis la « Translation » ou la Saint-Nicolas d'été le lundi de Pentecôte.

La ville de Port bouleversée – L'arrivée au 11ᵉ s. d'une de ses reliques rapportée
de Bari par un croisé bouleverse la cité de Port (appelée ainsi à cause de son activité
fluviale sur la Meurthe). Une église va se construire autour de la phalange de saint
Nicolas, attirer des pèlerins et accroître, presque miraculeusement, le développement
commercial de la ville, désormais appelée « St-Nicolas-de-Port ». Dès 1120, les ducs
de Lorraine font de Nicolas le saint patron de la Lorraine.

Distinction – C'est en 1950 que Pie XII conféra à l'église le titre de basilique : témoin,
le parasol rouge et jaune sur le côté gauche du chœur.

Découvrir

LA BASILIQUE★★

☎ 03 83 46 81 50 – juil.-sept. : 3 visites guidées (1h) dim. 1er dép. 14 h 30 - 5 €. En août, concerts d'orgue chaque dim. 17h - gratuit.

Grâce au legs d'une bienfaitrice portoise, le sanctuaire (fin 15e-début 16e s.) est depuis 1983 aux mains de compagnons tailleurs de pierre, de sculpteurs et de maçons chargés de le restaurer : vous pourrez admirer leur travail déjà terminé à l'intérieur. On a une belle vue de la basilique depuis la route qui longe la rive droite de la Meurthe et, de la rue Anatole-France, un beau coup d'œil sur le chevet.

Les deux hautes tours de la basilique affichent un superbe gothique flamboyant.

Extérieur

La façade comprend trois portails surmontés de gâbles flamboyants. Le portail central a conservé la statue qui figure le miracle de saint Nicolas *(niche de la pile centrale)* attribuée à Claude Richier, frère de Ligier, le célèbre sculpteur lorrain.

Les tours s'élèvent à 85 et 87 m. Sur le flanc gauche, à hauteur du transept et du chœur, six niches en anse de panier abritaient les boutiques lors des pèlerinages.

Intérieur

La nef est un lumineux vaisseau extrêmement élancé, couvert de belles voûtes à liernes et tiercerons culminant à 32 m, comme à Strasbourg, et dont les ogives retombent sur de hautes colonnes. Les bas-côtés relèvent d'une architecture analogue ; dans le transept, leurs voûtes soutenues par des piliers extrêmement hardis (les plus hauts de France : ils mesurent 28 m) s'élèvent à la hauteur des voûtes de la nef centrale et déterminent un transept inscrit, à la mode champenoise. Regardez la nef depuis le fond de la basilique et vous constaterez qu'elle n'est pas droite : peut-être un problème d'urbanisme ou de soubassements à l'époque de sa construction.

Les magnifiques vitraux de l'abside ont été exécutés entre 1507 et 1510 par un verrier lyonnais, Nicole Droguet, ceux du collatéral et des chapelles nord par le verrier strasbourgeois Valentin Bousch, à la même époque. Les inventions décoratives de la Renaissance transparaissent déjà.

En contrebas du chœur, la **chapelle des Fonts** *(accès derrière l'autel de la Vierge)* abrite des fonts baptismaux du 16e s. et un beau retable de la première Renaissance française surmonté de pinacles ajourés. Dans la chapelle, une série de délicats panneaux peints sur bois (16e s.) illustrent des scènes de la vie de saint Nicolas. Le **trésor** comprend un bras-reliquaire de saint Nicolas en vermeil (19e s.), le nautile, un vaisseau dit « du cardinal de Lorraine » (1579), un reliquaire de la vraie Croix en argent (15e s.), le crucifix de Voltaire en ivoire, une croix processionnelle du 19e s.

Visiter

Musée français de la Brasserie

62 r. Charles-Courtois - ☎ 03 83 46 95 52 - www.passionbrasserie.com - visite guidée (1h30) - mi-juin-mi-sept. : apr.-midi ; reste de l'année : tlj sf lun. apr.-midi - fermé 20 déc.- 5 janv. - 5 € (-16 ans 3,50 €).

Cela va de soi, il est installé dans l'ancienne brasserie de St-Nicolas-de-Port, qui cessa toute activité en 1986. Deux beaux vitraux de Jacques Gruber, créés pour la salle de dégustation de la brasserie de Vézelise, éclairent la salle Moreau, ainsi nommée en hommage à Paul Moreau, qui joua un rôle déterminant dans l'image de marque de la société. Dans la tour de brassage, de style Art déco, éclairée par de larges baies vitrées, on visite les différentes installations : le laboratoire, le grenier à malt, la chambre à houblon, la salle de brassage (belles cuves en cuivre), la salle des machines frigorifiques et la salle des glacières, avec les cuves de fermentation. Au dernier étage, reconstitution d'une salle de brassage du 18e s.

Musée du Cinéma, de la Photographie et des Arts audiovisuels

10 r. Georges-Rémy - 📞 *03 83 45 18 32 - www.museecinemaphoto.com -* ♿ *- visite guidée uniquement - jeu.-dim. apr.-midi - fermé 21 déc.-5 janv. et j. fériés - 4 €.*

👥 Histoire des techniques de l'image animée et photographique depuis leurs tâtonnements au début du 19ᵉ s., aux origines de la cinématographie, puis de leur évolution. Anamorphose, folioscope, kaléidoscope, chromolithographie : des mots barbares dont la signification vous sera désormais lumineuse. Lanterne magique et autres procédés oubliés font revivre la féerie de l'image animée.

Aux alentours

Varangéville

Au nord de St-Nicolas, entre la Meurthe et le canal de la Marne au Rhin.

Commencée à la fin du 15ᵉ s., de style gothique flamboyant, l'**église** présente à l'intérieur une superbe « forêt » de piliers à nervures palmées et d'intéressantes statues, dont une Vierge à l'Enfant de la première moitié du 14ᵉ s. et une Mise au tombeau du 16ᵉ s.

Dombasle-sur-Meurthe

5 km à l'ouest. Située entre la Meurthe et le canal de la Marne au Rhin, la ville est le siège d'une importante usine chimique du groupe belge **Solvay**, première soudière française. Le sel, matière première de cette industrie chimique, est extrait depuis 1904 du plateau d'**Haraucourt**, à raison de 1 400 000 t par an. L'extraction utilise la technique de sondage et de dissolution par injection d'eau douce dans le sol. Cette exploitation intensive sur 200 ha produit, par foudroiement des sols, d'énormes cratères visibles depuis la D 80 et la D 81.

Rosières-aux-Salines

8 km au sud-est par la D 400, puis la D 116 à droite après Dombasle-sur-Meurthe.

Les bâtiments des anciennes salines, qui fermèrent en 1760 sur ordre du roi Stanislas en raison de la concurrence des fabricants de la vallée de la Seille, furent affectés au haras. L'effectif de celui-ci se monte à plus de 30 étalons de sang : pur-sang, anglo-arabe, arabe et, en majorité, selle français.

Les secrets de la bière

L'ingrédient de base de cette boisson millénaire est le malt, orge germée puis séchée. Mélangée à l'eau, la farine de malt est chauffée, ce qui permet aux enzymes qu'elle contient de transformer les amidons en sucres. La mixture est ensuite filtrée, puis rincée. On porte le tout à ébullition tandis que l'on ajoute le fameux houblon : une petite quantité suffit pour donner à la bière sa légère amertume. Après refroidissement, on plonge dans le moût des levures qui se mettent aussitôt au travail, absorbant une partie du sucre pour le digérer en alcool et en gaz carbonique. On laisse reposer quelques semaines et il n'y a plus qu'à déguster.

Sainte-Marie-aux-Mines

5 816 SAINTE-MARIENS
CARTE GÉNÉRALE C2 – CARTE MICHELIN DÉPARTEMENTS 315 H7 – HAUT-RHIN (68)

Façades Renaissance et tissus colorés vous accueillent dans cette petite ville située au milieu des sapins : ni charbon ni corons dans le paysage ! Les mines exploitées du 9e au 18e s. étaient d'argent, de plomb et de cuivre. Les filons d'argent épuisés, les manufactures de fil se sont reconverties en filatures de coton, puis la ville s'est spécialisée dans le tissage des lainages légers, du cachemire. Il y a vingt-cinq ans, Sainte-Marie-aux-Mines vivait encore au rythme des métiers à tisser. Elle n'a rien effacé de son passé : Fête des tissus, Carrefour européen du patchwork et Foire aux minéraux sont là pour le rappeler.

- ▶ **Se repérer** – À 22 km à l'ouest de Sélestat, 32 km au nord-ouest de Colmar, 24 km à l'est de St-Dié-des-Vosges.
- 👁 **À ne pas manquer** – La Maison du pays pour découvrir les industries qui ont fait la prospérité de la ville.
- 🕐 **Organiser son temps** – Si vous souhaitez visiter une mine (compter une demi-journée), il est nécessaire de téléphoner quelques jours à l'avance pour connaître les horaires de visite et s'inscrire.
- 👫 **Avec les enfants** – La visite d'une mine, casqués, les pieds dans l'eau.
- 👣 **Pour poursuivre la visite** – Voir aussi le château du Haut-Kœnigsbourg, le Parc naturel régional des Ballons des Vosges.

Comprendre

Des mines à l'origine du développement de la ville – Ce sont des moines, dépendant du monastère de Moyenmoutier, qui auraient découvert les premiers filons d'argent au 9e s.

Berceau des Amish – En 1693, Jacob Amman, un anabaptiste expulsé de Suisse pour puritanisme excessif, se réfugie dans la vallée de Sainte-Marie-aux-Mines et y fonde le mouvement amish, connu pour son austérité et son opposition à la civilisation moderne. Expulsés de France au début du 18e s., les amish se réfugièrent alors en Pennsylvanie, où la communauté prospère toujours.

Origine du patchwork – La présence des amish à Ste-Marie ne fut pas étrangère à la naissance du patchwork. Les femmes fabriquaient des couvertures (quilts) avec des bouts de tissu qu'elles découpaient et assemblaient. Certains quilts sont de véritables œuvres d'art.

Découvrir

LES MINES

Au Moyen Âge, le val d'Argent était un véritable eldorado européen où étaient exploitées plus de 300 mines, avec 300 km de galeries, entretenant une ruée vers l'argent dont la valeur était alors huit fois supérieure à celle d'aujourd'hui.

Maison de pays

Pl. du Prensureux - 𝄞 03 89 58 56 67 - http://maisondepays.site.voila.fr - possibilité de visite guidée - juin-sept. : mat. et apr.-midi ; reste de l'année : sur réservation (2 j. av.) - fermé janv. et j. fériés - 5,50 € (-18 ans 3 €).

Dans le **Musée minéralogique**, riche collection de minéraux d'origine vosgienne et d'ailleurs. Dans le **musée du Textile**, atelier où l'on peut suivre les étapes de la fabrication du tissu avec différents métiers à bras et mécaniques. Enfin, le **musée du Patrimoine minier** est consacré à l'histoire des mines et des techniques minières : reconstitution grandeur nature d'une galerie du 16e s.

Exemple de patchwork fabriqué à Ste-Marie.

Mine St-Barthélemy

R. Saint-Louis - ✆ 03 89 58 72 28 - visite guidée (1h) juil.-août : mat. et apr.-midi (de mi-juil. à mi-août : tte la journée) - 6 € (enf. 4 €).

Après un commentaire sur l'historique des mines, on visite différentes galeries taillées au marteau et à la pointerolle par les mineurs au 16e s.

Mine St-Louis-Eisenthür

Visite guidée (3h) sur réservation auprès de l'ASEPAM, centre du patrimoine minier, 4 r. Weisgerber, 68160 Ste-Marie-aux-Mines, ✆ 03 89 58 62 11, www.asepam. org, ou à l'office de tourisme, ✆ 03 89 58 80 50 - 10 € (5-12 ans 5 €) - Prévoir des chaussures de marche et des vêtements chauds (bottes, imperméable et casque sont fournis).

Panorama complet des sites miniers et des techniques utilisées au 16e s.

Mine Gabe Gottes

Visite guidée (1h30) sur demande auprès de l'ASEPAM, centre du patrimoine minier, 4 r. Weisgerber, 68160 Ste-Marie-aux-Mines, ✆ 03 89 58 62 11, www.asepam.org, ou à l'office de tourisme, ✆ 03 89 58 80 50 - 8 € (5-12 ans 4 €) - Prévoir des chaussures de marche et des vêtements chauds (bottes, imperméable et casque sont fournis).

La visite de la mine Gabe Gottes (« don de Dieu ») met en évidence l'évolution des techniques d'exploitation du 16e s. au 20e s. On distingue bien les galeries du 16e s., tout juste taillées pour le passage d'un homme à la pointerolle, à raison de 5 cm par jour, des galeries élargies à l'explosif au 18e s., puis au marteau piqueur au 20e s. Au bout du parcours, on parvient au cœur de la mine : la salle du puits, qui suit la trajectoire verticale du filon de cuivre argentifère.

Sentier minier et botanique de Ste-Croix-aux-Mines

🚶 2h30. À la sortie de Ste-Marie, 100 m avant le panneau « Les halles », départ du circuit sur la gauche de la route.

Le bois de St-Pierremont recelait de riches filons argentifères exploités au 16e s. Tout au long du parcours, des panneaux sur les arbres indiquent les essences de la forêt.

Sainte-Marie-aux-Mines pratique

Adresse utile

Office du tourisme de Sainte-Marie-aux-Mines – 65 r. Wilson - 68160 Sainte-Marie-aux-Mines - ✆ 03 89 58 80 50 - www.valdargent.com - www.tellure.fr - tlj mat. et apr.-midi, dim. et j. fériés mat. - fermé 1er janv., lun. de Pâques, 1er Mai, Ascension, 15 août et 25 déc.

Visite

Visite guidée de la ville – ✆ 03 89 58 80 50 - toute l'année, visites-découverte (1h30 env.) organisées dans le cadre du label Pays d'art et d'histoire du val d'Argent. Programme disponible auprès de l'office du tourisme du val d'Argent (-18 ans gratuit).

Se loger et se restaurer

🍴🍴 **Aux Mines d'Argent** – R. du Dr-Weisgerber - ✆ 03 89 58 55 75 - 15/32 € - 9 ch. 30/55 € - ☑ 10 €. Près de l'hôtel de ville, cette bâtisse du 16e s. attire par sa coquette façade fleurie. Une fois attablé dans la salle aménagée façon winstub, demandez la petite brochure qui vous contera l'histoire de la maison, avant de découvrir la cuisine du cru.

Événements

Carrefour européen du patchwork – Chaque année a lieu, en septembre, une exposition historique et artistique consacrée au patchwork et à la communauté amish, indissociable de cette activité. Cours d'initiation et de perfectionnement au patchwork, conférences sur l'histoire amish et les techniques de patchwork, présentation de quilts anciens ou contemporains se déroulent dans différents sites de la vallée : églises, villa Burrus, théâtre. ✆ 03 89 58 33 10 - www.patchwork-europe.com.

Mode et Tissus – En mars et en octobre, cette fête présente des collections et met en vente des étoffes tissées en partie à Ste-Marie et des textiles plus variés, surtout destinés à la haute couture. Les artisans, créateurs et commerçants proposent des accessoires de mode. Plusieurs présentations de mode par jour dans le hall d'exposition « Val d'Argent expo ». ✆ 03 89 58 33 10.

Bourse internationale des minéraux, gemmes et fossiles – Cette bourse pas comme les autres attire les passionnés du monde entier. Dernier w.-end de juin - ✆ 03 89 50 51 51 - www.euromineral.fr.

Festival aux chandelles – À l'Ascension et en août - ✆ 03 89 58 80 50.

Mont **Sainte-Odile**★★

CARTE GÉNÉRALE D2 – CARTE MICHELIN DÉPARTEMENTS 315 I6 – BAS-RHIN (67)

Bienvenue sur le territoire de la sainte patronne de l'Alsace ! Il y a plusieurs siècles, elle a investi un lieu superbe : des falaises de grès rose, couvertes de forêts, qui avancent au-dessus de la plaine d'Alsace… Un million de touristes en font chaque année l'ascension pour le panorama, pour la sainteté des lieux ou pour percer le mystère du fameux Mur païen.

- ▶ **Se repérer** – Le mont Sainte-Odile se situe au sud-ouest d'Obernai.
- 🅿 **Se garer** – Nombreux parkings aménagés aux abords du mont. Pour les plus courageux, le GR 5 passe tout près.
- 👁 **À ne pas manquer** – Le panorama sur la plaine d'Alsace et la Forêt-Noire depuis la terrasse du couvent ; les vestiges du Mur païen.
- 🕑 **Pour poursuivre la visite** – Voir aussi le Hohwald, la route des Vins, Obernai.

Comprendre

La sainte patronne – Au 7e s., le cruel duc Étichon, propriétaire du château d'Hohenbourg (premier nom du mont Ste-Odile) qui lui sert de résidence d'été, rejette sa fille Odile, née aveugle et débile. Enlevée par sa nourrice, elle retrouve la vue le jour de son baptême et décide de consacrer sa vie à la religion. Après bien des péripéties, son père lui fait don du château dans lequel elle établira son couvent. On lui attribue des miracles et son tombeau devient rapidement un lieu de pèlerinage.

Visiter

LE COUVENT

Un unique porche, sous l'ancienne hôtellerie, permet de pénétrer dans la grande cour plantée de tilleuls et encadrée à gauche par la façade de l'hôtellerie actuelle, au fond par l'aile sud du couvent, et à droite par l'église.

Église conventuelle

L'intérieur de l'église, reconstruite en 1692, est composé de trois nefs. Belles boiseries au chœur et confessionnaux du 18e s. richement sculptés.

Chapelle de la Croix★

Accès par une porte à gauche dans l'église conventuelle.

Les quatre voûtes d'arêtes sont soutenues par une seule colonne trapue, de style roman (11e s.), au chapiteau décoré de palmettes et de figures. Un sarcophage contenait les ossements d'Étichon, père de la sainte.

À gauche, une porte basse aux sculptures carolingiennes communique avec la petite chapelle Ste-Odile.

Chapelle Ste-Odile

Ici reposent, dans un sarcophage de pierre du 8e s., les reliques de la sainte. Cette chapelle aurait été édifiée au 12e s. sur l'emplacement de celle où mourut sainte Odile. La nef est romane et le chœur gothique. Deux bas-reliefs du 17e s. représentent l'un le baptême de sainte Odile et l'autre Étichon délivré des peines du Purgatoire grâce aux prières de sa fille.

Terrasse

Deux tables d'orientation y ont été installées. L'une à l'angle nord-ouest, d'où l'on découvre le Champ du Feu et la vallée de la Bruche. L'autre à l'extrémité nord-est, qui offre un splendide **panorama**★★ sur la plaine d'Alsace et la Forêt-Noire.

Chapelle des Larmes

C'est la première des chapelles qui s'élèvent à l'angle nord-est de la terrasse. Elle est bâtie sur l'ancien cimetière mérovin-

Le couvent du mont Ste-Odile.

gien (plusieurs tombes taillées dans le rocher sont visibles à l'extérieur). La mosaïque (1935) représente le tombeau entouré de Léon IX et de sainte Eugénie ; sous la voûte le Christ et les vertus chrétiennes, et au-dessus de la porte, Odile en prière.

Fontaine Ste-Odile

La route de descente vers St-Nabor *(D 33)* passe devant la fontaine Ste-Odile : protégée par une grille, cette source que sainte Odile fit jaillir du rocher pour calmer la soif d'un homme épuisé de fatigue, et aveugle de surcroît, reste un but de pèlerinage pour ceux qui souffrent des yeux.

L'hortus deliciarum

Ce manuscrit enluminé, un des plus beaux d'Occident, détruit en 1870, était destiné à réunir toutes les connaissances de son temps. Il est connu par les copies qui en ont été faites. Le *Jardin des délices* décrit un paradis en devenir sur la Terre, celui de la communauté du mont Saint Odile… Il a été rédigé et enluminé au milieu du 12e s. sous l'abbatiat de Relinde et achevé sous celui d'Herrade.

Chapelle des Anges (chapelle St-Michel)

Bordée par un étroit passage dominant le précipice, elle présente une belle mosaïque de 1947. Selon une croyance, la jeune fille qui en faisait neuf fois le tour était assurée de trouver un mari dans l'année. Avis aux candidates !

Randonnées

Le Mur païen

30mn à pied AR. Prenez à gauche, à la sortie du couvent, un escalier de 33 marches ; au bas de celui-ci, suivez le sentier qui le prolonge directement.

La simple vue d'une partie de cet ouvrage colossal laisse une forte impression. Il faudrait quatre ou cinq heures de marche pour faire le tour entier des vestiges de cette enceinte mystérieuse, courant à travers forêts et éboulements.

Personne n'est d'accord sur la date de construction de cette étrange muraille. Certains affirment qu'elle serait du 10e s. av. J.-C., d'autres, qu'il s'agirait d'une fortification germanique du 1er s. av. J.-C. D'autres encore penchent pour l'hypothèse d'un ouvrage mérovingien du 7e s. Pour ce qui est de son objectif, débat encore. Était-ce un enclos pour les animaux, une fortification contre les envahisseurs ? Le mystère demeure…

Revenez au couvent par le même chemin.

Un autre sentier *(partant du parc de stationnement sud)* offre une belle promenade le long du Mur païen.

Château de Landsberg

4 km au sud-est par la D 109, puis 1h à pied environ AR par le chemin en descente indiqué par un panneau.

Agréable promenade en forêt. On passe devant l'ancienne auberge du Landsberg et on suit un sentier jusqu'à un terre-plein en contrebas du château qui apparaît entre les arbres. Ce château du 13e s. n'est plus qu'une ruine.

Sarrebourg

13 330 SARREBOURGEOIS
CARTE GÉNÉRALE B2 – CARTE MICHELIN DÉPARTEMENTS 307 N6 – MOSELLE (57)

Les souffleurs de verre de la région ont apprivoisé le feu et donné naissance à un cristal presque magique. C'est sans doute cette tradition de transparence, de pureté et de lumière qui a attiré ici, dans l'église des Cordeliers, Marc Chagall et son immense vitrail consacré à la paix. Sarrebourg, « porte des Vosges et des étangs lorrains », s'ouvre aussi sur de très belles excursions dans les boucles de la Sarre, à la rencontre d'un artisanat exceptionnel consacré aux arts de la table.

- **Se repérer** – À 27 km à l'ouest de Saverne, 73 km au nord-ouest de Strasbourg, 54 km au sud de Sarreguemines.
- **À ne pas manquer** – Les œuvres de Chagall (chapelle des Cordeliers, musée du Pays de Sarrebourg), la faïencerie de Niderviller.
- **Pour poursuivre la visite** – Voir aussi le parc animalier de Ste-Croix (PNR de Lorraine), Abreschviller (massif du Donon), Wangenbourg, Saverne.

Visiter

Chapelle des Cordeliers

03 87 03 14 64 - & - mai-sept. : lun.-sam. mat. et apr.-midi, dim. et j. fériés apr.-midi ; oct.-mai : tlj sf dim. et j. fériés mat. et apr.-midi - fermé 1er janv., Vend. saint, Pâques, 1er Mai, 25 et 26 déc. - 2,60 € (-18 ans gratuit), billet combiné avec le musée du Pays de Sarrebourg 5 €.

Du 13e s., reconstruite au 17e s., la chapelle est éclairée, sur sa façade ouest, par l'immense **vitrail★** de Chagall, *La Paix*, haut de 12 m et large de 7,50 m. Le grand bouquet central, aux vifs coloris bleus, rouges et verts, symbolise l'Arbre de vie de la Genèse. Adam et Ève en occupent le cœur, entourés du serpent, de la croix du Christ, du prophète Isaïe, de l'agneau, du chandelier, d'anges accompagnant Abraham, de Jésus entrant à Jérusalem… autant de thèmes que l'auteur transmet au monde comme des messages bibliques. Composé de 13 000 pièces de verre, le vitrail pèse 900 kg.

Vitrail de Chagall sur la façade ouest de la chapelle des Cordeliers.

Musée du Pays de Sarrebourg

R. de la Paix - 03 87 08 08 68 - www.musee-du-pays-de-sarrebourg.com/ - & - lun. et merc.-sam. : mat. et apr.-midi, dim. et j. fériés apr.-midi - fermé 1er janv., Vend. saint, Pâques, 1er Mai, 25 et 26 déc. - 3,50 €, billet combiné avec la chapelle des Cordeliers 5 €.

Le musée est installé dans un espace contemporain conçu par l'architecte Bernard Desmoulin. Comme un écho au vitrail de la chapelle des Cordeliers, la tapisserie *La Paix* de Chagall domine le hall d'accueil. Réalisée par Yvette Cauquil-Prince, elle est la fidèle réplique d'un vitrail offert à l'ONU en 1964. Dans le cercle, à gauche, est représentée la vision d'Isaïe (« le lion s'étendra près de l'agneau »), le prophète se tenant assis à droite du cercle. Au-dessus de lui, on reconnaît Moïse, avec les Tables de la Loi. Le sacrifice d'Abraham apparaît en bas à gauche, dans une interprétation très libre (Sarah serre Isaac dans ses bras). À droite, le Christ en croix est entouré d'une foule anachronique. Au centre, sous le bouquet, on aperçoit Ève.

La collection archéologique rassemble des objets provenant de hameaux gallo-romains du Piémont vosgien (sculptures funéraire et votive) et de villas gallo-romaines comme celle de St-Ulrich (peintures murales, bijoux, vaisselle, outils). Remarquable : la restitution du portique monumental de la ville romaine de Tarquimpol. Au 1er étage, le Moyen Âge est illustré par des statuettes et bas-reliefs en céramique du 14e s. découverts à Sarrebourg. Dans la salle consacrée à la manufacture de Niderviller, très belle collection de faïences et de porcelaines (18e s. et début 19e s.).

Centre-ville

On y découvre quelques bâtiments publics remarquables, en particulier le **cinéma** (façade Art nouveau de 1912) et la **bibliothèque** (ancien hôtel Saintignon, 18e s.). En remontant davantage dans le temps, on peut citer quelques vestiges des **remparts** du 13e s. (avenues Poincaré et Clemenceau et parc de la Liberté) ou l'**église St-Barthélemy**, élevée au 13e s. puis reconstruite au 18e s.

Cimetière national des Prisonniers

À la sortie de la ville, prenez à droite de la rue de Verdun (D 27).

Ce cimetière de 1914-1918 contient environ 13 000 tombes. Face à la grille, un monument, le *Géant enchaîné*, fut exécuté par le statuaire Stoll durant sa captivité.

Aux alentours

Réding

2 km au nord-est par la N 4. Dans Petit-Eich, tournez à gauche.

En 1977, la restauration de la **chapelle Ste-Agathe** a fait découvrir, sous le plâtre de la voûte du chœur, des fresques du 13e s. représentant les symboles des évangélistes. Leur couleur terre s'harmonise aux tons ocre et bruns de l'ensemble du chœur.

Villa gallo-romaine de St-Ulrich

4 km au nord-ouest. ℘ 03 87 08 08 68 - juil.-août : merc.-sam. mat. et apr.-midi, dim. et j. fériés apr.-midi ; reste de l'année : possibilité de visite guidée sur demande au Musée du Pays de Sarrebourg - fermé 1er janv., Vend. saint, Pâques, lun. de Pâques, 1er Mai, 25 et 26 déc. - gratuit.

La villa était la résidence d'un riche propriétaire et le cœur d'un vaste domaine d'une superficie probable de 2 000 ha. Construite dès le début du 1er s., elle connaît son extension maximum au 2e s.

Fénétrange

15 km. Quittez Sarrebourg au nord par la D 43. Ce village fortifié a gardé ses ruelles médiévales bordées de belles maisons à oriel, fenêtres à meneaux et pignons pointus (maison des Limbourg, maison des Fers). Élevé au 16e s., puis remanié au 18e s., le **château** *(en restauration, fermé à la visite)* donne accès à une cour circulaire où l'on peut découvrir un curieux escalier hélicoïdal dans l'une des tourelles. La **collégiale St-Rémi** a été reconstruite au 15e s. avec une courte mais haute nef voûtée d'ogives et une abside polygonale inondée de lumière par des verreries partiellement du 15e s.

Sarreguemines

23 202 SARREGUEMINOIS
CARTE GÉNÉRALE B1 – CARTE MICHELIN DÉPARTEMENTS 307 N4 – MOSELLE (57)

La spécialité de Sarreguemines depuis 1790, c'est la faïence. Le moulin sur la Blies sera le point de départ d'un circuit de la faïence et de la porcelaine. Prenez aussi le temps de flâner sur le port de Sarreguemines, qui accueille les plaisanciers, les berges de la Sarre et de la Blies, les forêts et les étangs alentour, qui ravissent randonneurs et pêcheurs.

- **Se repérer** – À 70 km à l'est de Metz, 91 km au nord-est de Nancy, 105 km au nord-ouest de Strasbourg.
- **À ne pas manquer** – Le musée des Faïences de Sarreguemines ; le Parc archéologique de Bliesbruck-Reiheim.
- **Organiser son temps** – Prévoir une demi-journée pour le Parc archéologique.
- **Pour poursuivre la visite** – Voir aussi Bitche, le Parc naturel régional des Vosges du Nord et la zone inondable de la trouée de la Sarre (Ligne Maginot).

Comprendre

La faïence – Fondée en 1790, la faïencerie de Sarreguemines oriente sa production vers les faïences fines à décor imprimé ou lustrées, grès fins… Parmi d'autres techniques se développe la **majolique**, forme de faïence à motifs décoratifs en relief, recouverte d'émaux de couleur. La famille de Geiger gère la faïencerie durant tout le 19e s. et une partie du 20e s., en collectionnant belles pièces et succès commerciaux. Près de 3 000 ouvriers fabriquent alors des porcelaines, majoliques, services de table et panneaux. Rachetée en 1979 par le groupe Lunéville-St-Clément, la faïencerie produit surtout des carrelages.

Découvrir

Musée des Techniques faïencières (Moulin de la Blies)

125 av. de la Blies - 📞 *03 87 98 28 87 - www.sarreguemines-museum.com - &.- juil.-sept. : tlj mat. et apr.-midi ; oct.-juin : tlj mat. et apr.-midi ; oct.-juin : tlj sf mar. et j. fériés mat. et apr.-midi - 3 € (-16 ans gratuit), 1er dim. du mois gratuit ; billet combiné avec le musée de la Faïence 4,50 €.*

Ce moulin devenu musée permet de comprendre le processus de fabrication de la faïence, notamment grâce à la reconstitution d'ateliers de production. Au rez-de-chaussée, une maquette explique le fonctionnement du moulin. Le 1er étage est consacré aux techniques de préparation des terres, au façonnage et à la cuisson.

Monstre marin en céramique, au musée des Faïences.

Musée des Faïences de Sarreguemines

17 r. Poincaré - 📞 *03 87 98 93 50 - mêmes conditions que le musée des Techniques faïencières.*

Installé dans l'ancienne maison du directeur de la faïencerie, le musée illustre le passé ancien de la région. La **collection de céramiques★** présente l'histoire et les principales productions de Sarreguemines depuis près de deux siècles. Admirez en particulier le splendide **jardin d'hiver★★**, décoré de carreaux de faïence, aménagé par Paul de Geiger en 1882. Sur le mur, une fontaine monumentale en majolique d'inspiration Renaissance mélange les jaune, vert, ocre et marron. De chaque côté, des panneaux représentent le petit pavillon *(à gauche)* et les bâtiments de l'usine *(à droite)*. Les services de table et objets décoratifs montrent l'évolution des techniques.

Circuit de la Faïence de Sarreguemines

🚐 *3 km environ.* 📞 *03 87 98 80 81 - www.sarreguemines-museum.com - visite libre avec le dépliant - visite guidée (1h30-3h) et tarif, se renseigner à l'office de tourisme.*

Cette balade permet de retracer deux siècles de savoir-faire et de talent entre les principaux sites de production de la faïence. Derrière l'hôtel de ville, ancien four de fabrique. Il y en avait une trentaine de ce type vers 1860, en brique et en forme de cône. En fin de parcours, arrêtez-vous dans le magasin des faïenceries !

Aux alentours

Parc archéologique européen de Bliesbruck-Reinheim★

9,5 km à l'est par Bliesbruck. Depuis Sarreguemines, accès par la D 82 - de mi-mars à fin oct. : tte la journée - fermé reste de l'année - 4,60 € (-16 ans gratuit).

De part et d'autre de la frontière séparant la Sarre de la Moselle s'étend sur 20 ha le territoire d'une cité antique. L'occupation, qui remonterait au néolithique, devint importante à l'époque celtique. De cette période date la tombe dite « de la princesse de Reinheim » (vers 400 av. J.-C.), dont les bijoux en or et le service à vin sont présentés (les originaux se trouvent au musée de Sarrebruck) dans un **tertre funéraire** reconstitué à proximité des vestiges d'une vaste villa (1er s. - 5e s.). À Reinheim, une villa gallo-romaine (*accès à pied ou en voiture*), résidence d'un riche propriétaire terrien, a été mise au jour. Elle était dotée de tout le confort : peintures murales, bain privé, chauffage par le sol (hypocauste). À Bliesbruck, on découvre les **thermes publics★**. Le long de la voie antique s'étirent deux quartiers artisanaux, l'un présenté au public, l'autre en cours de fouilles. Plusieurs animations agrémentent la visite : à certaines époques de l'année, des techniques d'artisanat gallo-romain sont présentées.

Sarreguemines pratique

Adresse utile

Office du tourisme de Sarreguemines – *11 r. du Maire-Massing - BP 50339 - 57203 Sarreguemines Cedex -* ✆ *03 87 98 80 81 - lun. -vend. tte la journée, w. -end tte la journée (oct.-avr. 10h-13h).*

Se loger

⊜⊜ **Hôtel Union** – *28 r. Geiger -* ✆ *03 87 95 28 42 - www. unionsarreguemines.fr -* 🅿 *- 28 ch. 53/63 € -* 🍽 *6,50 € - rest. 13,50/30 €.* Union : un nom précurseur dans cette ville frontalière. Chambres fonctionnelles ; certaines sont équipées de meubles conçus par un ébéniste alsacien. Boiseries et faïences décorent la salle de restaurant. Cuisine traditionnelle.

⊜⊜ **Amadeus Hôtel** – *7 av. de la Gare -* ✆ *03 87 98 55 46 - www.amadeus-hotel.fr - fermé 15-22 août, 23 déc.-2 janv., dim. et j. fériés - 39 ch. 58/60 € -* 🍽 *7,50 €.* Cure de jouvence réussie pour cet immeuble des années 1930 situé à côté de la gare. Chambres de tailles diverses, repensées dans un esprit contemporain coloré.

Se restaurer

⊜⊜ **Thierry Breininger-Le Vieux Moulin** – *135 r. de France -* ✆ *03 87 98 22 59 - fermé 10-18 janv. et jeu. sf déc. - 20/70 €.* Discrète auberge abritant une salle de restaurant spacieuse et cossue, habillée de boiseries et de poutres. Cuisine inventive variant avec les saisons et belle sélection de vins. Spécialités : effeuillé de foie gras et artichauts aux kumquats ; Saint-Jacques au bouillon de céleri-branche (oct. à mars) ; pastilla de pigeonneau, jus à la cannelle.

⊜⊜ **Auberge Saint-Walfrid** – *Rte Grosbliederstroff -* ✆ *03 87 98 43 75 - stwalfrid.free.fr - fermé 17 fév.-3 mars, sam. midi, lun. midi et dim. - 25/70 €.* Belle maison en pierre où, depuis cinq générations, la même famille cultive l'art de recevoir. Le décor associe plaisamment rustique et contemporain. Chambres soignées. Salle à manger ornée de tableaux colorés et d'objets en faïence. Goûteuse cuisine régionale. Spécialités : escalope de foie gras de canard poêlée ; Brochette de langoustines et grosse sole ; gibier (saison). Vins de Moselle.

⊜⊜ **Pascal Dimofski** – *2 rte de Bitche - 57200 Wœlfling-lès-Sarreguemines -* ✆ *03 87 02 38 21 - pascal.dimofski@gmail.com - fermé 15 fév.-1er mars, 23 août-4 sept., lun. et mar. - 25/68 €.* À l'orée d'un bois, auberge campagnarde où poutres, cheminée et fauteuils design en cuir composent un décor original. Cuisine personnalisée et belle sélection des vins.

⊜⊜⊜ **Casino des Sommeliers** – *4 r. du Col.-Cazal -* ✆ *03 87 02 90 41 - fermé 1er-15 août, 25 déc.-1er janv., dim. et lun. - 28/45 €.* Au bord de la Sarre, l'ancien casino qui date de 1890 est une belle maison en brique rose. Son décor de fresques et de belles boiseries d'époque s'accorde fort bien avec une cuisine alsacienne joliment présentée.

Que rapporter

Faïence – La Boutique du parc propose des réplique de vases, d'amphores, de poterie et de masques de scène.

Sports & loisirs

Location de vélo – *Renseignements à l'office du tourisme de Sarreguemines - 1/2 journée adulte 5 €, enfant 2 €, journée entière adulte 7 €, enfant 5 €.*

Saverne★

11 201 SAVERNOIS
CARTE GÉNÉRALE C2 – CARTE MICHELIN DÉPARTEMENTS 315 I4
SCHÉMA P. 430-431– BAS-RHIN (67)

Au pied des Vosges et à l'entrée du passage qui conduit en Lorraine, Saverne est au cœur des voies de communications. Ancien siège épiscopal, la ville a connu une période de prospérité grâce aux princes-évêques issus de la famille de Fürstenberg et de Rohan. L'écluse sur le canal de la Marne au Rhin, le fameux Bouton de Rose et le château des Rohan font de Saverne une cité ouverte, culturelle et riche en gastronomie où il fait bon passer un week-end.

- **Se repérer** – À 45 km au nord-ouest de Strasbourg par l'A 351 et la D 1004. Deux trains directs par jour depuis Paris et, grâce au TGV, à moins de 2h de la capitale.
- **Se garer** – Parkings en centre-ville : pl. du Gén.-de-Gaulle, pl. du Château et pl. des Dragons.
- **À ne pas manquer** – Les maisons à colombages de la ville, le château des Rohan et la roseraie en saison.
- **Organiser son temps** – Si vous avez le choix, préférez les mois de mai et juin pour visiter Saverne : c'est l'époque de la floraison des orchidées sauvages au jardin botanique du col de Saverne ; c'est aussi la période de la Fête des roses.
- **Avec les enfants** – Le centre nautique Océanide *(voir l'encadré pratique)*.
- **Pour poursuivre la visite** – Voir aussi Bouxwiller, le château du Haut-Barr, le Parc naturel régional des Vosges du Nord, La Petite-Pierre.

Pilastres cannelés et péristyle soutenu par 8 colonnes corinthiennes ornent la façade du château.

Comprendre

Ville étape dans l'Antiquité – Saverne était nommée *Tres tabernae* (« les trois tavernes »).

La révolte des Rustauds – Liée à la réforme protestante et aux conditions économiques et sociales, la révolte paysanne est matée à Saverne. Le 16 mai 1525, les paysans sont assiégés par le duc de Lorraine ; ils consentent à se rendre moyennant leur vie sauve. Mais les soldats du duc les exterminent jusqu'au dernier. On estime entre 18 000 et 20 000 le nombre de morts.

Une rose comestible – Pour perpétuer la roseraie de la ville, un jeune maître chocolatier a eu l'idée de créer une spécialité : le Bouton de Rose de Saverne. C'est un petit bonbon au chocolat en forme de losange au sublime parfum de rose. Il se compose d'une gelée de rose surmontée d'un massepain, enrobé d'un chocolat noir, au goût amer et fruité. La gelée est obtenue à partir du pétale de la rose Luberon, choisie dans la roseraie pour son parfum et sa résistance. Le sablé à la rose, délicieux petit biscuit au beurre parsemé de pétales de roses non traitées, a été créé spécialement pour le centenaire de la roseraie.

Visiter

Château★

Des hôtes prestigieux, dont Louis XIV, Louis XV et Goethe, ont séjourné dans cet ancien château fort du 12e s. qui s'est métamorphosé en palais Louis XVI, bâti en grès rouge, et entouré d'un beau parc que limite le canal de la Marne au Rhin. Incendié en 1779, il fut reconstruit par le cardinal Louis de Rohan (celui de l'affaire du collier de la reine), qui y vécut dans un faste prodigieux. De 1870 à 1944, il fut transformé en caserne. C'est sa façade sud que l'on voit de la place.

Pour voir la **façade★★** nord, la plus belle, passer à droite du château après avoir franchi la grille.

Musée – ℘ 03 88 91 06 28 - ♿ - de mi-juin à mi-sept. : tlj sf mar. mat. et apr. midi ; reste de l'année : tlj sf mar. apr. midi, w.-end et j. fériés mat. et apr. midi - fermé 1er janv., Vend. saint, 1er Mai, 1er nov., 24-26 déc. - 2,65 € (-16 ans gratuit).

Dans l'aile droite du château, le sous-sol abrite les collections archéologiques, surtout gallo-romaines. Le 2e étage est consacré à l'art et à l'histoire de Saverne : sculptures religieuses médiévales ; vestiges lapidaires et objets provenant des fouilles des châteaux forts environnants (Haut-Barr, Geroldseck, Wangenbourg) ; souvenirs des Rohan. À voir aussi, la donation Louise Weiss.

Roseraie

℘ 03 88 71 83 33 - ♿ - de déb. juin à mi-sept. : tte la journée - fermé le reste de l'année - 2,50 € (-16 ans gratuit).

8 500 rosiers de plus de 550 variétés y sont cultivés, en bordure de la Zorn. Le Concours international de roses nouvelles s'y déroule depuis 1923.

Se promener

Maisons anciennes★

Prenez la Grand'Rue piétonne, à gauche en sortant du Palais Rohan. Prenez ensuite la rue Poincaré, première à droite.

Ancien cloître des Récollets

Il s'ouvre à gauche de l'église des Récollets (franciscains réformés), édifiée par les frères d'Obersteigen en 1303. De style gothique, le cloître présente de belles arcades ogivales en grès rouge et, dans la 1re galerie à droite de l'entrée, une série de neuf peintures murales ajoutées en 1618 (restaurées). Le retable date de 1736.

Revenez dans la Grand'Rue

Les deux plus jolies maisons du 17e s. encadrent l'hôtel de ville. Remarquez la **maison Katz** à colombages, construite par Nicolas et Hans Faber pour Henri Katz, receveur général de l'évêché. Au n° 96 (à l'angle de la Grand'Rue et de la rue des Églises), la maison Mitterspach, du nom de son premier propriétaire, date de 1569.

Prenez à gauche la rue du Tribunal.

Vieux château

Ancienne résidence des évêques aux 16e et 17e s., elle abrite aujourd'hui la sous-préfecture. Une belle porte de style Renaissance orne la tour d'escalier.

Vous arrivez place de l'Église.

Église N.-D.-de-la-Nativité

On y entre par un clocher-porche roman du 12e s. À l'intérieur, dans la nef du 16e s., trône une chaire de 1495, œuvre de Hans Hammer, maître d'œuvre de la cathédrale de Strasbourg. À gauche, dans un enfeu, on remarque un Christ au tombeau du 15e s. En haut du collatéral gauche, dans la chapelle du St-Sacrement, se trouvent une pietà du 16e s. et un grand bas-relief en bois peint et doré du 16e s. également, représentant l'Assomption. Les vitraux de la chapelle, datant des 14e, 15e et 16e s., illustrent l'Adoration des Mages, ainsi que des scènes de la Passion.

Dans le jardin attenant à l'église ont été rassemblés des vestiges de monuments funéraires gallo-romains et francs.

Poursuivez rue Dagobert-Fischer. Vous arrivez de nouveau Grand'Rue. Prenez à droite le quai du Château pour rejoindre le canal de la Marne au Rhin.

Flâner sur les quais du port de plaisance jusqu'à la capitainerie (de l'autre côté du canal) permet d'admirer toute la façade du château.

Aux alentours

Jardin botanique du col de Saverne

🚶 3 km, puis 15mn à pied AR. Quitter Saverne par la D 1004. À 2,5 km, parking à droite de la route. Traverser la D 1004 et suivre le panneau indicateur. 🕿 03 88 91 21 00 - juin-août : tte la journée ; mi-avr.-fin mai et 1er quinz. de sept. : w.-end et j. fériés apr.-midi - 2,50 € (-12 ans tarif réduit).

Situé à 335 m d'altitude, dans une boucle formée par la route nationale, ce jardin de 2,5 ha réunit entre autres un arboretum, un alpinum, une petite tourbière avec des plantes insectivores et de nombreuses espèces de fougères.

Aux mois de mai et de juin, floraison de 16 espèces d'orchidées poussant à l'état sauvage.

Détail de la façade de la maison Katz.

Saut du Prince-Charles

En sortant du parc botanique, continuer tout droit en forêt.

D'après la légende, un cavalier aurait sauté avec son cheval de ce rocher d'une dizaine de mètres de haut pour échapper à ses poursuivants. Le prince Charles qui a donné son nom à ce rocher pourrait être Charles IV, duc de Lorraine, qui a participé à la guerre de Trente Ans dans la région. De cette falaise de grès rouge, on a une jolie vue sur les contreforts des Vosges et la plaine d'Alsace.

Château du Haut-Barr★ *(voir ce nom)*

5 km – 30mn de visite.

St-Jean-Saverne

5 km au nord.

L'**église St-Jean-Baptiste** est le dernier vestige d'une abbaye bénédictine de femmes fondée au début du 12e s. par le comte Pierre de Lutzelbourg et dévastée successivement par les Armagnacs et les Suédois. À l'extérieur, elle est dominée par une tour, ne datant que du 18e s., mais sous laquelle une porte romane offre des pentures remarquables. Remarquez à l'entrée du chœur les très beaux chapiteaux cubiques à feuillages stylisés.

Chapelle St-Michel★

🚶 2 km, puis 30mn à pied AR au départ de l'église St-Jean. Prendre la route du Mont-St-Michel qui s'élève en sous-bois puis, 1,5 km plus loin, un chemin à gauche à angle aigu. Mai-sept : apr.-midi (si conditions climatiques bonnes) - reste de l'année : dim. apr.-midi - fermé déc.- fév.

La **chapelle** est contemporaine de l'abbaye de St-Jean-Saverne. Elle fut remaniée au 17e s. et restaurée en 1984 par le Club vosgien.

En prenant à droite de la chapelle, on atteint, à 50 m, l'extrémité du rocher, constituant une plate-forme d'où la **vue★** (*table d'orientation*) est très étendue sur les coteaux d'Alsace et, au loin, sur la Forêt-Noire. La surface de cette plate-forme est évidée circulairement et le trou ainsi formé est appelé « **École des Sorcières** ». La légende dit que des sorcières s'y rassemblaient la nuit pour se communiquer leurs maléfices. *Revenir à la chapelle.*

Sur son flanc droit, descendre un escalier de 57 marches, puis suivre à gauche le chemin longeant le pied de la falaise. Il permet d'atteindre une grotte dont la paroi du fond communique avec l'extérieur par une étroite ouverture, le Trou des Sorcières.

Phalsbourg

11 km à l'ouest de Saverne.

Porte de France et **porte d'Allemagne**, voilà deux vivants témoins des fortifications que Vauban a apportées à la ville au 17e s. Pour rester dans l'histoire, allez visiter le **Musée historique et Erckmann-Chatrian**. Installé au 1er étage de l'hôtel de ville, ancien corps de garde de la forteresse (17e s.), il consacre à l'histoire militaire de la cité une bonne partie de ses collections : uniformes français et étrangers, armes blanches et à feu. Des œuvres d'artistes locaux, des costumes traditionnels et des objets usuels font revivre les arts et traditions populaires de la contrée. D'intéressants documents retracent le cheminement littéraire d'Émile Erckmann (1822-1899), né à Phalsbourg, et d'Alexandre Chatrian (1826-1890). Ils ont écrit à quatre mains nombre de contes, de romans et d'œuvres dramatiques (*L'Ami Fritz, Histoire d'un conscrit de 1813…*). *℘ 03 87 24 41 20 - tlj sf dim. et j. fériés mat. et apr.-midi - 2 € (enf. 1 €).*

Saverne pratique

Adresses utiles

Office du tourisme de Saverne – *37 Grand'Rue - 67700 Saverne - ℘ 03 88 91 80 47 - www.ot-saverne.fr - mai-sept. et déc. : tlj mat. et apr.-midi ; reste de l'année : lun.-sam. mat. et apr.-midi, fermé dim. et j. fériés.*

Office du tourisme de Phalsbourg – *30 pl. d'Armes - 57370 Phalsbourg - ℘ 03 87 24 42 42 - www.phalsbourg.com - tlj sf dim. mat. et apr.-midi.*

Se loger

☕🛏 Hôtel Le Clos de la Garenne – *88 rte de Haut Barr - ℘ 03 88 71 20 41 - www.closgarenne.com - fermé 1ᵉʳ-10 fév., mar. soir, sam. midi et merc. - 🅿 - 15 ch. 48/86 € - ⊐ 10 €.* Le jeune couple de patron a plaisamment rénové l'intérieur de cette belle maison postée à deux pas du château, sur les hauteurs de la ville. Les chambres, garnies de meubles fabriqués avec le bois d'une vieille ferme des environs, sont dotées de literie neuve recouverte de couette moelleuse.

☕🛏 Hôtel Chez Jean – *3 r. de la Gare - ℘ 03 88 91 10 19 - www.chez-jean.com - fermé 20 déc.-10 janv. - 25 ch. 79/83 € - ⊐ 9,50 € - rest. 14,50/47 €.* Cet hôtel est une étape agréable de la ville de Saverne. Ses chambres rénovées sont douillettes et chaleureuses. Quant à son restaurant et à sa winstub, vous y dégusterez des plats du terroir ou une carte plus élaborée.

☕🛏 Hôtel-restaurant Erckmann-Chatrian – *Pl. d'Armes - 57230 Phalsbourg - ℘ 03 87 24 31 33 - hotel.rest.e-chatrian@ wanadoo.fr - 16 ch. 69 € - ⊐ 13 € - rest. 15/56 €.* Maison ancienne dont la façade fleurie ne manque pas de cachet. Les chambres, de bonnes dimensions, sont pourvues de meubles de style et parfois d'un coin salon. Repas traditionnel à apprécier dans une salle aux boiseries sombres ou dans une ambiance brasserie.

Se restaurer

☕ Caveau de l'Escale – *10 quai du Canal - ℘ 03 88 91 12 23 - www.escale-saverne.fr - fermé 27 juin-10 juil., 10 j. fin oct., 21 déc.-6 janv., sam. midi, mar. soir et merc. - formule déj. 8,90 € - 11,40/27 €.* Cette maison discrète proche du canal et du point de départ des bateaux-péniches de location abrite un restaurant. Rejoignez sa cave voûtée et attablez-vous autour de plats régionaux, complétés le soir par un large choix de tartes flambées. Accueil cordial.

☕ Au Château du Haut Barr – *D 1004 Saverne et D 171 - ℘ 03 88 91 17 61 - www. notrealsace.com/chateau-du-haut-barr - fermé 3 sem. en fév., 1 sem. fin nov., lun. et jeu. soir. - formule déj. 7 € - 10/44 €.* Cette construction de 1901, située dans l'enceinte même du château, s'apparente à un petit manoir dans lequel les gourmets sont à la noce. Grande salle de style médiéval agrémentée de fresques et généreux plats traditionnels à prix très serrés.

☕🍴 Zum Staeffele – *1 r. Poincaré - ℘ 03 88 91 63 94 - michel.jaeckel@ wanadoo.fr - fermé 16 juil.-6 août, 24 déc.-7 janv., dim. soir, merc. et jeu. - 22/52 €.* Cette maison en pierre datant des 18ᵉ et 19ᵉ s. et située face au château des Rohan abrite une élégante salle à manger moderne où l'on savoure une cuisine inventive.

☕🍴 Kasbür – *8 rte de Dettwiller - 67700 Monswiller - ℘ 03 88 02 14 20 - www. restaurant-kasbur.com - fermé 1ᵉʳ-15 fév., 1ᵉʳ-15 août, dim. soir et lun. - 19/55 €.* Table de longue tradition familiale (1932) nommée d'après le métier d'un aïeul : fromager-paysan. Vue agreste par les baies de la nouvelle salle et en terrasse. Carte actuelle.

Sports & Loisirs

L'Océanide – *10 r. du Centre-Nautique - ℘ 03 88 02 52 80 - http://oceanide.cc-saverne.fr - vac. scol. : 10h-20h, vend. 10h-21h - fermé j. fériés - 5 €.* Bien plus qu'une simple piscine, ce centre nautique compte plusieurs bassins, couverts ou non, avec toboggan en extérieur. Jacuzzi et espace « soins du corps » avec sauna et hammam.

Randonnées – La région de Saverne offre de nombreuses possibilités de randonnées. 200 km de sentiers balisés par le Club vosgien ainsi que deux circuits thématiques (« circuit des 3 chapelles » et « circuit archéologique ») permettent de découvrir les richesses de la région.

VTT – Plusieurs circuits cyclo de longueurs variées (de 12 à 30 km) permettent de sillonner la région à vélo.

Événements

Fête des roses – Depuis 1923, chaque année a lieu le Concours international des roses nouvelles et la très populaire Fête des roses (3ᵉ dim. de juin). *℘ 03 88 71 21 33 - www.roseraie-saverne.fr*

Festival de théâtre – *Fin juil. ℘ 03 87 24 42 42 - www.phalsbourg.com.*

Schirmeck

2 177 SCHIRMECKOIS
CARTE GÉNÉRALE C2 – CARTE MICHELIN DÉPARTEMENTS 315 H6 – BAS-RHIN (67)

Si toutes les routes mènent à Rome, toutes les excursions dans la vallée de la Bruche partent de Schirmeck. Vous y croiserez peut-être des blaireaux, des hiboux, des chats sauvages et il y sera question d'une chatte pendue, d'un pasteur philanthrope et de petites abeilles. Harmonie, symbiose même, entre les hommes, les petites industries et les forêts environnantes, tel est le visage qu'offre Schirmeck, entre les Vosges du Nord et les Ballons des Vosges.

- ▸ **Se repérer** – À 53 km au sud-ouest de Strasbourg, 39 km au nord-est de St-Dié, 47 km au sud de Saverne, 45 km au nord-ouest de Sélestat, Schirmeck est desservie par la D 1420.
- 👁 **À ne pas manquer** – Le mémorial d'Alsace-Moselle.
- 🕐 **Organiser son temps** – Comptez deux heures pour visiter le mémorial, une pour le musée Oberlin, le reste pour profiter de la nature.
- 👫 **Avec les enfants** – Le musée Oberlin à Waldersbach.
- 👣 **Pour poursuivre la visite** – Voir aussi le massif du Donon, Le Hohwald, Molsheim.

La rue principale de Schirmeck, dans la vallée de la Bruche.

Visiter

Mémorial d'Alsace-Moselle★

03 88 47 45 50 - www.memorial-alsace-moselle.org - tlj sf lun. tte la journée - fermé 1er Mai, 24-25-26 déc. et janv. - 10 € (-8 ans gratuit).
Érigé en 2005 sur une colline en face de l'ancien camp de concentration du Struthof, le mémorial rassemble les souvenirs des souffrances endurées par les Alsaciens et les Mosellans de 1870 à la fin de la Seconde Guerre mondiale. Un sentier en lacet conduit à la vaste esplanade en surplomb qui domine la vallée de la Bruche. Muni d'un audioguide, vous effectuerez un véritable plongeon dans l'Histoire, grâce à une scénographie extrêmement vivante. Après l'évocation de la **période de 1870 à 1939**, un long parcours judicieusement mis en scène fait revivre au visiteur les malheurs de la **Seconde Guerre mondiale**. C'est d'abord l'évacuation vers le Sud-Ouest de 430 000 personnes habitant entre la frontière et la ligne Maginot, puis la drôle de guerre, suggérée par les couloirs d'un fort souterrain. Dès 1940, l'Allemagne nazie annexe de fait l'Alsace et la Moselle et entame un processus de germanisation accélérée ; la mise au pas s'opère sur tous les fronts (culturel, scolaire, religieux). C'est alors le début de la déportation, de la délation antisémite et de l'incorporation de force. La légère inclinaison du sol accroît, pendant toute cette partie du parcours, la sensation de malaise. Viennent alors la reconstitution de l'univers concentrationnaire, avec ses barbelés et ses baraquements, puis le souvenir de la Résistance et le réseau des passeurs. Puis, c'est la Libération, le

retour à la France et les procès des lendemains de combats. La visite se termine par une présentation de la **construction européenne** et par une vidéo sur la réconciliation franco-allemande.

Château-musée de Schirmeck

Depuis le mémorial, empruntez la rue principale de Schirmeck puis tournez à gauche dans la rue du Repos. Longez le cimetière, puis garez la voiture au niveau de la rue de la Côte-du-Château. Comptez ensuite 20mn de marche AR. ☎ 03 88 47 18 51 - www. hautebruche.com - de déb. juil. à fin août : mar., jeu., dim. et j. fériés apr.-midi - fermé reste de l'année - gratuit.

Ce château, dont il ne restait pratiquement plus rien, a été patiemment restauré en 1970 par Marcel Heiligenstein, maire de Schirmeck. Construit au 13e s. par l'évêque de Strasbourg, il fut probablement brûlé par les Suédois en 1633, pendant la guerre de Trente Ans. La tour restaurée abrite aujourd'hui un petit **musée des Traditions locales** où sont exposés divers objets et outils de la vie courante (1900), ainsi que quelques documents et souvenirs sur les deux guerres à Schirmeck.

Depuis la plate-forme dominée par une Vierge de 1858, belle **vue**★ sur Schirmeck. De l'église néoclassique de Schirmeck (1754), il reste une façade encore belle et un clocher octogonal encadré par 4 statues baroques.

Aux alentours

Le Struthof★★

10 km à l'est. ☎ 03 88 47 44 67 - www.struthof.fr - ♿ - possibilité de visite guidée - 1er mars-24 déc. : tte la journée - 5 € (-18 ans 2,50 €). Les horaires sont susceptibles de changer lors des cérémonies commémoratives. Le camp du Struthof est un lieu de mémoire ; vous pouvez y venir avec vos enfants, mais nous vous conseillons de les avertir au préalable du contexte historique.

Au cours de la dernière guerre, les nazis créèrent à Natzwiller en 1941 un important camp de concentration qui reçut des convois de prisonniers allemands et autrichiens, ainsi que, à partir de 1943, des prisonniers de toute l'Europe classés N.N. (du décret *Nacht und Nebel* visant l'extermination des résistants), voués à une mort rapide. Sur les dizaines de milliers de personnes déportées ici, 10 000 à 12 000 y sont mortes.

Le **Centre européen du résistant déporté** a été inauguré à l'occasion du 60e anniversaire de la libération des camps nazis. Construit aux abords du Struthof, il est une bonne introduction à la visite du site et du musée. Le bâtiment, appelé *Kartoffelkeller* (cave à pommes de terre) par les nazis, a été construit par les déportés du camp du Struthof. Une exposition y décrit le contexte historique de la Seconde Guerre mondiale et, au rez-de-chaussée, 14 camps de déportation et de concentration sont présentés sur des bornes interactives et autour d'un objet quotidien des déportés.

Rejoignez ensuite le **camp** *(visite guidée gratuite possible, départ toutes les heures, demandez les horaires à l'accueil)* où subsiste la double enceinte de fils de fer barbelés, la grande porte d'entrée, le four crématoire, les cellules des déportés punis et deux baraques (un dortoir et la cuisine) transformées en musée.

La nécropole, aménagée au-dessus du camp, abrite les restes de 1 120 déportés. Devant elle se dresse le **mémorial**, sorte d'immense colonne évidée, portant gravée à l'intérieur une silhouette géante de déporté. Le socle renferme le corps d'un déporté inconnu français. À 1,5 km du camp en direction de Rothau, la **chambre à gaz** qui a servi à gazer 86 juifs en vue d'expériences scientifiques est ouverte au public.

Circuit de découverte

VALLÉE DE LA BRUCHE★

70 km. La D 420, qui traverse Schirmeck, longe la rive gauche de la Bruche, de Saales à Molsheim.

Saales

Situé à l'origine de la vallée de la Bruche, Saales commande le col du même nom qui procure un passage facile d'un versant des Vosges à l'autre. C'est d'ailleurs ici que La Bruche prend sa source pour aller plus tard se jeter dans l'Ill, près de Strasbourg.

Saint-Blaise-la-Roche

Ce petit bourg est un important carrefour routier. À ses environs, la Bruche, étroite et calme, bordée de trembles et de bouleaux, coule entre les prés.

Tournez à droite dans la D 424. Suivez la direction des Charasses.

Espace apicole de Colroy-la-Roche

Le rucher-école permet de découvrir la vie des abeilles, la récolte du miel et de la cire. Quant au musée, il présente une belle collection d'outils apicoles et de ruches. *Les Charasses - ℘ 03 88 97 60 08 - www.hautebruche.com - exposition permanente : visite guidée - juil.-août : tlj sf mar. et dim. apr.-midi - 3 € (enf. 2 €). Visite du rucher uniquement en juil.-août sur RV : ℘ 03 88 47 25 14.*

Revenez sur la D 424, puis prenez la direction de Ranrupt, à droite.

Remarquez au passage les fermes vosgiennes du hameau de **Fonrupt**.

On emprunte ensuite la D 214, à gauche, en direction du Champ du Feu (1 100 m). Au col de la Charbonnière, prenez la D 57 à gauche.

Vallon du Ban de la Roche

L'aspect encore sauvage de ce vallon est adouci par la présence de quelques jolies habitations isolées.

Musée Oberlin★

℘ 03 88 97 30 27 - www.musee-oberlin. com - & - avr.-sept. : tte la journée ; reste de l'année : apr.-midi, mat. sur RV - fermé 1er janv., Vend. saint, dim. de Pâques, Pentecôte, 1er Mai, 24-25-26 et 31 déc. - 4 € (-18 ans 3 €).

Ce musée est installé dans l'ancien presbytère protestant de **Waldersbach**, hameau charmant et bien exposé, aux maisons couvertes de grandes toitures de tuiles. On y fait la connaissance du pasteur Oberlin, ardent partisan de

Le bon pasteur

Pasteur à Waldersbach, **Jean Frédéric Oberlin** (1740-1826) ouvre des écoles maternelles, les « poêles à tricoter », et prolonge la scolarité des enfants jusqu'à 16 ans. Il dote le vallon de routes, fonde des caisses de prêt, développe l'agriculture et l'artisanat. Il crée enfin une petite activité industrielle en faisant venir des métiers à tisser. Oberlin, précurseur de toutes les œuvres sociales, demeure, en Alsace, l'objet d'une vénération justifiée.

l'éducation par le jeu et passionné de découvertes en tous genres. Sa personnalité singulière et attachante, ses goûts pour la Bible, la botanique, l'astronomie mais aussi pour la physiognomonie (étude du caractère à partir du profil) sont exposés au visiteur de façon ludique et pédagogique. Les manipulations proposées correspondent bien à l'esprit du pasteur : on découvre sous des panneaux coulissants ou des tiroirs en bois ses effets personnels ou ses collections ; on reproduit des schémas de plantes grâce à des empreintes en relief ; on miniaturise son profil à l'aide d'un pantographe. Dehors, le jardin botanique est lui aussi une occasion d'apprentissage.

Fouday

Le pasteur Oberlin y repose dans le petit cimetière attenant au temple luthérien. Celui-ci, à l'intérieur, présente une simple nef carrée que des galeries de bois ceignent sur trois côtés, mais conserve l'abside à voûte d'arêtes qui constituait le chœur de l'ancienne église romane. Le temple est décoré de fresques médiévales.

Empruntez la D 1420 vers la droite. À Rothau, prenez en direction des Quelles, puis à 1 km prenez une route de terre (direction de La Falle) ; sur la droite, un panonceau indique le départ du sentier balisé ; parking possible dans le virage suivant.

Rocher de la Chatte pendue

2h à pied AR. Le sentier grimpe dans un sous-bois déjà montagneux. À 900 m d'altitude, au sommet en plateau de la Chatte pendue, beau **belvédère★**.

Revenez à Rothau pour emprunter la D 130. Après 1 km, tournez à droite vers Neuviller.

Neuviller-la-Roche

Dans ce charmant petit village de montagne a pris place un **musée des Arts et Traditions populaires** où meubles, outils et ustensiles retracent la vie quotidienne des ouvriers paysans du temps jadis. *R. principale - ℘ 03 88 97 07 18 - www.hautebruche. com - possibilité de visite guidée - mai : dim. et j. fériés apr.-midi ; juin-juil. : w.-end apr.-midi ; reste de l'année sur RV - fermé sept.-déc. - 4 € (enf. 2 €).*

Revenez à la D 1420 et traversez Schirmeck.

On traverse ensuite le petit village de **Wisches**, qui marque la limite entre les pays de langue française et de dialectes alsaciens. À la sortie d'**Urmatt** à droite, gigantesque scierie. Un petit détour s'impose ensuite pour admirer l'**église de Niederhaslach★** (voir Wangenbourg). La vallée se resserre entre des versants boisés, en vue du village d'**Heiligenberg**, que l'on aperçoit sur un promontoire de la rive gauche. Avant de parvenir à **Molsheim★** (voir ce nom), on visitera Mutzig (voir Molsheim).

Schirmeck pratique

Adresse utile

Office du tourisme de la haute-vallée de la Bruche – 114 Grand-Rue - 67130 Schirmeck - ℘ 03 88 47 18 51 - www.hautebruche.com - tlj sf w.-end et j. fériés mat. et apr.-midi.

Se loger

⌂⌂ **Hôtel Neuhauser** – Les Quelles - ℘ 03 88 97 06 81 - www.hotel-neuhauser.com - 🅿 - 15 ch. 62/77 € - 🍽 10,50 € - rest. 20/45 €. Calme garanti dans cette auberge campagnarde nichée au cœur de la forêt. Vous aurez le choix entre les chambres, un brin désuètes, et de spacieux chalets. Restaurant avec vue sur la vallée de la Bruche. Plats régionaux et… incontournable eau-de-vie de la distillerie familiale en digestif!

Se restaurer

⌂ **Ferme-auberge du Pâtre** – 27 r. de la Victoire - 67190 Grendelbruch - 12 km au nord-est de Schirmeck par D 204 - ℘ 03 88 97 55 71 - ouv. vend. midi en juil.-août et sam. midi, dim. et j. fériés - réserv. conseillée - formule déj. 6,80 € - 16/22 €.

Sur les hauteurs du village, cette maisonnette de 1924 reçoit ses convives dans une salle ornée d'une fresque d'époque. Sur ses tables en bois, vous goûterez fromages et viandes de la ferme, bien sûr… Et pourrez repartir avec produits laitiers et charcuteries!

Que rapporter

Marché des produits de montagne de la Haute-Bruche – 67420 Saâles - 2ᵉ dim. de juin jusqu'au 3ᵉ vend. de sept.; marché de Noël : 2ᵉ vend. de déc. Sous les halles de l'hôtel de ville de Saales se tient le vendredi après-midi, de mi-juin à fin septembre, le marché des produits de montagne de la haute Bruche. Agriculteurs et artisans de tout le massif vosgien vous proposent leurs produits traditionnels mais aussi des produits moins connus mais tout aussi savoureux.

Randonnées

🥾 Pendant l'été, Sentiers Plaisir organise des randonnées à thème, gratuites et sans inscription préalable. Renseignement à l'office de tourisme. 114 Grand'rue - ℘ 03 88 47 18 51 - www.hautebruche.com.

Sélestat★

17 179 SÉLESTADIENS
CARTE GÉNÉRALE B2 – CARTE MICHELIN DÉPARTEMENTS 315 I7 – SCHÉMA P. 417
BAS-RHIN (67)

À mi-chemin entre Colmar et Strasbourg, l'étape est plus secrète. À cause de ses remparts, Sélestat ne s'est pas beaucoup développé. Il fallait choisir entre les inondations et l'extension. C'est finalement l'intimité qui a gagné. La Renaissance a laissé à Sélestat plus que des traces… Elle lui a légué un trésor, la Bibliothèque humaniste, une des plus riches du monde.

▶ **Se repérer** – À mi-chemin entre les deux départements du Rhin et entre Colmar et Strasbourg. À 28 km au nord de Colmar et à 50 km au sud de Strasbourg par la A 35.

🅿 **Se garer** – Parkings au centre-ville : quai de l'Ill, rue des Prés.-Poincaré, rue du Babil et boulevard du Gén.-Leclerc.

👁 **À ne pas manquer** – La Bibliothèque humaniste, mais aussi le cœur historique de la ville pour ses richesses architecturales. Et à quelques kilomètres, la très belle église baroque d'Ebermunster.

🕑 **Organiser son temps** – Lors de votre promenade dans la vieille ville (2h), octroyez-vous une petite pause gourmande à la Maison du pain (1h de visite).

👪 **Avec les enfants** – La Volerie des aigles et la Montagne des singes.

🔆 **Pour poursuivre la visite** – Voir aussi le château du Haut-Kœnigsbourg, Colmar, le Parc naturel régional des Ballons des Vosges, la route des Vins.

Se promener

LA VIEILLE VILLE★

Visite : 2h. Partez du boulevard du Gén.-Leclerc et prenez à droite la rue du Vieux-Marché-aux-Vins. Au bout de la place Gambetta, prenez à droite la rue des Serruriers.
Sur la place du Marché-aux-Pots, l'ancienne **église des Récollets** (B1) est reconvertie en temple protestant. De l'ancien couvent ne subsiste que le chœur de l'église. Tournez à gauche dans la rue de Verdun.

Maison de Stephan Ziegler (B1/2)

Cette maison Renaissance fut construite au 16e s. par un maître maçon de la ville.
La rue de Verdun mène à la place de la Victoire.

Ancien arsenal Ste-Barbe (B2)

Très jolie façade du 14e s. ornée d'un escalier à double pente conduisant à un petit dais qui précède la porte d'entrée. Le toit porte deux nids de cigognes.
Suivez en avant la rue du 17-Novembre et tournez à droite dans la rue du 4e-Zouave pour prendre le boulevard du Maréchal-Joffre à gauche.

Promenade des Remparts (B2)

Depuis ces anciennes fortifications de Vauban, on a une belle vue sur les collines sous-vosgiennes et le Haut-Kœnigsbourg.
Suivez le boulevard Vauban, puis la rue Poincaré.

Tour de l'Horloge (B2)

Elle date du 14e s., sauf les parties hautes qui ont été restaurées en 1614.
Passez sous la tour de l'Horlogel, puis suivez la rue des Chevaliers pour atteindre la place du Marché-Vert.

Église Ste-Foy★ (B1)

Cette belle église romane du 12e s., en grès rouge et granit des Vosges, est un ancien prieuré bénédictin. Les chapiteaux de la nef possèdent un beau décor floral emprunté aux églises lorraines. Le porche est joliment décoré d'arcatures, de corniches et de chapiteaux historiés.
Sortez de l'église par la petite porte derrière la chaire et prenez à droite la ruelle qui mène à la place du Marché-aux-Choux.

Maison Billex (B1)

Bel oriel Renaissance à deux étages. C'est dans cette demeure que la ville de Strasbourg signa en 1681 sa reddition à Louis XIV.
Gagnez l'église St-Georges.

Au passage, on aperçoit à droite la **tour des Sorcières (B1)**, vestiges des anciennes fortifications démolies par Louis XIV, puis la **porte de Strasbourg (B1)** (1679), construite par Tarade selon les plans de Vauban.

Église St-Georges★ (B1)

Cette importante église gothique construite du 13e au 15e s. a subi des restaurations considérables, notamment au 19e s. Elle comporte un narthex (sorte de vestibule) original, très allongé, qui occupe toute la largeur de la façade et s'ouvre au sud sur la place St-Georges par une porte élégante. Trois des portes ont conservé leurs vantaux primitifs avec leurs pentures. La chaire, en pierre sculptée et dorée, date de la Renaissance. Des anges musiciens peuplent les vitraux de la façade. La rose de la porte sud du narthex illustre les commandements du décalogue. Trois vitraux du chœur représentent des épisodes de la vie des saintes Catherine, Agnès et Hélène. Les nouveaux vitraux du chevet et du chœur ont été exécutés par Max Ingrand.
Prenez la rue de l'Église.

Résidence d'Ebersmunster (B1)

No 8. C'est la résidence urbaine des moines bénédictins, construite en 1541. Le portail Renaissance, surmonté de coquilles, est décoré de motifs italiens.
Quelques mètres plus loin, prenez à gauche la petite rue de la Bibliothèque.

Visiter

Bibliothèque humaniste★ (B1)

℘ 03 88 58 07 20 - *juil.-août : tlj sf mar. mat. et apr.-midi, dim. apr.-midi ; reste de l'année : tlj sf mar. et dim.mat. et apr.-midi, sam. mat. - fermé j. fériés (sf en juil.-août) - 3,70 € sous réserve (-12 ans gratuit).*

La tour de l'Horloge.

Installée dans l'ancienne halle aux blés (1843), la Bibliothèque humaniste recèle près de 450 manuscrits, 530 incunables (livres imprimés avant 1500) et 2 000 imprimés du 16ᵉ s. provenant de deux fonds : la bibliothèque latine fondée en 1452 et le legs de la *libraria rhenana* (avec quelque 500 volumes de l'humaniste Beatus Rhenanus). S'y trouvent aussi le *Lectionnaire mérovingien* (ouvrage le plus ancien conservé en Alsace – 7ᵉ s.) et la fameuse *Cosmographiae Introductio*, imprimée en 1507 à St-Dié, contenant l'« acte de baptême de l'Amérique » (*voir Saint-Dié-des-Vosges*). Vous pourrez également y découvrir l'évolution des techniques du livre du 7ᵉ au 16ᵉ s.

La Maison du pain

R. du Sel - ℘ 03 88 58 45 90 - www.maisondupain-d-alsace.com - & - possibilité de visite guidée - tlj sf lun. mat. et apr.-midi - fermé janv. et 1ᵉʳ Mai - 4,60 € (-16 ans 1,60 €).

L'odeur du pain chaud vous incitera sans doute à entrer dans cette boulangerie pas comme les autres. Après avoir gravi l'escalier en colimaçon, la première salle vous offre un panorama complet de l'histoire de la boulangerie et de la meunerie. Une vidéo livre les secrets de la fabrication du pain, de la moisson à la cuisson. Vous pénétrez ensuite dans une boulangerie ancienne garnie de tous les ustensiles qui étaient nécessaires avant l'ère industrielle. Le contraste est saisissant avec la boulangerie moderne, dont on vous explique tous les rudiments. Suivent quelques conseils diététiques et des explications sur la qualité et la consommation du pain. Avant de regagner la boutique, rendez-vous dans l'ancienne salle de la Zunft (1522), maison de la corporation des boulangers qu'occupe aujourd'hui cette Maison du pain, dont vous admirerez le poteau central (pièce sculptée Renaissance) et les vestiges d'une fresque.

🚸 Les enfants apprécieront les bandes dessinées et les maquettes à illuminer ou à animer qui agrémentent l'exposition. Quelques démonstrations et animations illustrent le propos de façon plus vivante encore.

Aux alentours

Châteaux de Ramstein et d'Ortenbourg

🚗 7 km, puis 1h15 à pied. *Quittez Sélestat à l'ouest par la D 1059. À 4,5 km, tournez à droite dans la D 35 vers Scherwiller. À 2 km, prenez à gauche le chemin de terre. Laissez la voiture à Huhnelmuhl près de l'auberge. Suivez le sentier qui mène aux deux châteaux.* Ruines intéressantes pour le panorama sur le val de Villé et la plaine de Sélestat.

L'abbatiale d'Ebersmunster.

Château de Frankenbourg

📍 11 km, puis 1h15 à pied. Quittez Sélestat à l'ouest par la D 1059. À Hurst prenez la D 167 vers la Vancelle. À 2 km, laissez la voiture et prenez le sentier à droite.

Des ruines, belles vues sur les vallées de la Liepvrette et de Villé.

La Volerie des aigles

8,5 km, à Kintzheim. Quittez Sélestat par la D 159. 📍 30mn à pied AR - 🕿 03 88 92 84 33 - www.voleriedesaigles.com - spectacles commentés (40mn) de déb. avr. à mi-nov. : apr.-midi ; de mi-juil. à mi août : tlj sf dim. mat. et apr.-midi - fermé du 11 Nov. à fin mars - 9 € (-12 ans 6 €).

👪 Elle est installée dans l'enceinte du château médiéval de Kintzheim *(voir la route des Vins)* qui abrite près de 80 rapaces diurnes et nocturnes. Aigles, condors, vautours et faucons participent aux spectaculaires **démonstrations de vols**★ en complète liberté, organisées durant la visite *(sauf par mauvais temps).*

Reprenez la voiture et continuez la route forestière, puis prenez la D 159. 2 km à droite un chemin aboutit aux clôtures électrifiées ceinturant la « Montagne des singes ».

La Montagne des singes

10 km, à Kintzheim. Quittez Sélestat par la D 159. 🕿 03 88 92 11 09 - www.montagnedes-singes.com - juil.-août : tte la journée ; avr.-oct. : tlj mat. et apr.-midi sf dim. et j. fériés tte la journée ; fermé reste de l'année - 8 € (-15 ans 5 €).

👪 C'est un parc de 20 ha, planté de pins, où vivent en liberté 280 magots (ou maca-ques de Barbarie), bien adaptés au climat alsacien. Le parc contribue activement à l'étude et à la sauvegarde de cette espèce menacée : plusieurs centaines de singes ont déjà été réintroduits dans leur habitat nord-africain d'origine.

Mémorial et musée de la Ligne Maginot du Rhin *(voir Ligne Maginot)*

15 km au sud-est. Quittez Sélestat par la D 159, puis D 424. 1,5 km après Marckolsheim, la casemate du mémorial apparaît sur le côté droit de la N 424.

Benfeld *(voir Vallée du Rhin)*

20 km au nord-est. Quittez Sélestat par la D 1083.

Ebersmunster

8 km au nord-est par D 1083. Jadis siège d'une abbaye bénédictine célèbre qui aurait été fondée par le duc Étichon et sa femme, les parents de sainte Odile. Édifiée vers 1725, l'**église abbatiale**★ se signale de loin par ses trois clochers à bulbe.

L'**intérieur**★★ passe pour la plus belle réalisation du baroque en Alsace, au début du 18ᵉ s. Sa luminosité, la gaieté du décor peint et stuqué composent un cadre raffiné au mobilier élégamment sculpté. Par un sens aigu de la mise en scène chère au baroque, c'est vers le maître-autel (1728) que le regard est attiré. Coiffée d'une couronne en baldaquin, cette composition tout en sculptures et en dorures s'élève jusqu'à la voûte du chœur.

Château du Haut-Kœnigsbourg★★ *(voir ce nom)*

Sélestat pratique

Adresses utiles

Office du tourisme de Sélestat – *Bd Gén.-Leclerc - Commanderie Saint-Jean - 67604 Sélestat -* ✆ *03 88 58 87 20 - www. selestat-tourisme.com - tlj mat. et apr.-midi sf dim. et j. fériés (juil.-août : 10h.-15h., reste de l'année : mat.) - fermé 1er janv., lun. de Pâques, 1er et 8 Mai, 1er et 11 Nov., 25 déc.*

Office du tourisme de Kintzheim – *Rte de Sélestat - 67600 Kintzheim -* ✆ *03 88 82 09 90.*

Se loger

☺ **Hôtel Dontenville** – *94 r. du Mar.-Foch - 67730 Châtenois - 5 km à l'ouest de Sélestat dir. St-Dié -* ✆ *03 88 92 02 54 - rolland.dontenville@wanadoo.fr - fermé vac. de fév., vend. midi et mar. - 13 ch. 35/48 € -* ⬜ *6,50 € - rest. 12/20 €.* Charme et simplicité d'une demeure alsacienne du 16e s. à colombage. Sous leurs charpentes apparentes, les chambres du dernier étage ont notre préférence. Dans la petite salle boisée, on sert une cuisine du terroir.

☺ **Chambre d'hôte La Ferme Trau** – *53 rte Nationale - 67600 Ebersheim -* ✆ *03 88 85 73 31 - bernard.trau@ wanadoo.fr - 6 ch. 45 € -* ⬜. Cette ferme céréalière voisine de Sélestat a développé un concept original et plutôt réussi. Outre ses 6 chambres contemporaines disponibles toute l'année, elle propose une restauration chaque week-end. Spécialité réputée de tartes flambées au feu de bois.

☺☺ **Hôtel Au Parc des Cigognes** – *Rte de Sélestat - 67600 Kintzheim -* ✆ *03 88 92 05 94 - www.cigoland.fr - fermé 24-25 déc. -* 🅿 *- 44 ch. 48/52 € -* ⬜ *7,50 € - rest. 13/25 €.* Cette ferme avicole familiale, logée dans plusieurs bâtiments de style régional, s'est transformée au fil des années en hôtel-restaurant. Les chambres sont bien équipées et le restaurant propose une cuisine régionale très correcte.

Se restaurer

☺ **Auberge de la Paix** – *R. du Président-Poincaré -* ✆ *03 88 92 14 50 - fermé 10 j. en août, 10 j. en oct. et lun. soir - 10,90/40 €.* La façade alsacienne et le nom pacifique de cette auberge mettent d'emblée de bonne humeur. Le chef y concocte des petits plats régionaux – assiette du marché, *schiffala* à la crème de raifort et kouglof glacé nappé d'un coulis de fruits rouges, etc. – qui séduiront les plus fins palais.

☺☺☺ **Des Deux Clefs** – *72 r. du Gén.-Leclerc - 67600 Ebersmunster - 8 km nord-est de Sélestat par D 1083 puis D 210 -* ✆ *03 88 85 71 55 - www.auxdeuxclefs.ifrance.com - fermé 18-28 juil., 24 déc.-20 janv., lun. sf le midi de mars à déc., dim. soir et jeu. - 30/60 €.* Cette demeure typique située juste en face de la très jolie abbatiale d'Ebersmunster abritait autrefois les abattoirs du couvent. Vous y goûterez à la matelote ou à la friture, deux plats « classiques » du pays. Le Mont aux amandes, dessert maison, conclura agréablement le repas.

Que rapporter

Kamm – *15 r. des Clefs -* ✆ *03 88 92 11 04 - tlj sf lun. 8h.-19h, dim. 8h-13h, j. fériés 9h-12h - fermé 19 janv.-1er fév.* En été, la vaste terrasse de cette pâtisserie attire beaucoup de monde. Le reste de l'année, les nombreux fidèles ne se lassent pas de fréquenter l'adresse proposant de délicieuses mousses, une trentaine de chocolats aux parfums parfois originaux (poivre, thé, kiwi), des glaces et des sorbets maison. Petite restauration à midi.

Marché du terroir – *Sam. 8h-12h.*

Pâtisserie-chocolaterie Benoît Wach – *7 r. des Chevaliers -* ✆ *03 88 92 12 80 - tlj sf lun. 7h-19h, w.-end 8h-13h, j. fériés 7h-13h - fermé 2 sem. fin janv., 1 sem. en juin, juil.-août, 2 sem. déb. sept., 1er Mai et 26 déc.* La façade en trompe-l'œil, ornée d'un superbe chevalier polychrome réalisé par un ébéniste régional, vaut le détour. L'intérieur, signé du célèbre décorateur Edgar Mahler, aussi. Le Gâteau du chevalier (aux parfums de cannelle, girofle, gingembre et poire), Le Triple Choc, aux trois chocolats et le dernier-né de la maison à base de rhubarbe, joliment présenté dans un verre, sont à déguster sur place ou à emporter.

Sports & Loisirs

Cigoland – 👥 *- Rte de Sélestat - 67600 Kintzheim -* ✆ *03 88 92 36 36 - www. cigoland.fr - juil.-août : 9h30-19h30 ; mars-avr. et w.-end : 10h-18h ; sept.-oct. : 13h30-18h, w.-end 10h-18h ; mai-juin : 10h-19h - 12 € (enf. 10 €).* Sympathique petit parc d'attractions dédié à la cigogne. On peut visiter l'ensemble du site à bord d'un monorail aérien circulant à 5 m au-dessus du sol, et découvrir la vie de ces grands oiseaux dans les laboratoires de réintroduction en milieu naturel.

Événements

Fêtes de Noël – Sélestat propose à l'occasion des fêtes de Noël de nombreuses animations : exposition de grands sapins au marché de Noël, visites guidées, concerts…

Corso fleuri – *2e w.-end du mois d'août -* ✆ *03 88 58 85 75 - www.corso-selestat.fr.*

Sélest'Art – Cette biennale d'art contemporain a lieu chaque année impaire, de mi-septembre à mi-octobre, autour d'un thème. ✆ *03 88 58 85 75.*

Carnaval des fous – Venus des 4 coins de l'Europe, 2000 carnavaliers paradent dans les rues de la ville *(février-mars)*.

Sierck-les-Bains

1 872 HABITANTS
CARTE GÉNÉRALE B1 – CARTE MICHELIN DÉPARTEMENTS 307 J2 – MOSELLE (57)

Du haut de l'immense château fort qui domine la ville, vous pourrez voir la Moselle quitter la France et s'enfoncer entre de hautes collines couvertes de vignes et de vergers. Eau, forêt, montagne… Des croisières sur la Moselle amènent au grand-duché, des chemins traversent la forêt de l'Altenberg et des sentiers conduisent au sommet du Stromberg.

Le légendaire château fort de Malbrouck domine superbement la vallée de la Moselle.

- **Se repérer** – À 17 km au nord-est de Thionville, 32 km au sud-est de Luxembourg, 45 km au nord de Metz.
- **À ne pas manquer** – Les expositions du château de Malbrouck.
- **Avec les enfants** – Parties de cache-cache dans le château de Sierck, animations au château du célèbre Malbrouck.
- **Pour poursuivre la visite** – Voir aussi la ligne Maginot, Thionville.

Visiter

Château★

☎ 03 82 83 67 97 - www.chateau-sierck.com - mars-nov. : tte la journée ; fermé reste de l'année - 4,90 € (-14 ans 3,30 €).

Demeure appréciée des ducs de Lorraine jusqu'au 17e s., le légendaire château fort des Malbrouck est construit sur un promontoire rocheux. Il a conservé une bonne partie de ses fortifications du 11e s. : murs d'enceinte, casemates, tours de l'Artillerie, du Guet, de la Redoute et des Pères récollets. Impressionnante collection d'armes des 15e et 16e s. dans l'arsenal du château. Du château, **vue★** sur la vallée de la Moselle, dominée par le Stromberg, aux pentes couvertes de vignes.

Non loin de là, la **chapelle de Marienfloss**, vestige d'un couvent puis d'une chartreuse autrefois florissante et important lieu de pèlerinage, a été restaurée et agrandie. C'est ici qu'en 1415 est née la prière du Rosaire, grâce à Adolphe d'Essen.

Aux alentours

Rustroff

1 km au nord-est. L'**église** de ce village se dresse à l'extrémité de l'abrupte rue principale. Refaite au 19e s., elle abrite un beau retable en bois peint du 15e s. et une petite pietà du début du 16e s.

Rettel

2 km à l'ouest. Dans ce petit bourg loti dans un méandre de la Moselle, vous pourrez voir la **maison de la Dîme** (15e s.), dont les portes et fenêtres sont décorés de tympans gothiques.

Réserve naturelle de Montenach

3 km au sud-est. Parking fléché depuis Montenach, au départ du sentier de découverte. 1 pl. de la Mairie - ✆ 03 82 83 62 84 - www.montenach.reserves-naturelles.org - possibilité de visite guidée (se renseigner) - 2,50 € (-12 ans gratuit) - tte l'année accès au sentier de découverte gratuit.

C'est en avril-mai que le site a le plus d'intérêt : sur les pelouses calcaires poussent plus de 20 espèces d'orchidées. Au retour, parcourez le site des **affleurements de quartzite** pour compléter votre découverte de l'étonnante flore du pays de Sierck.

« Malbrouck s'en va-t-en guerre »

Winston Churchill est un descendant du Malbrouck de la chanson, John Churchill, duc de Malborough de son vrai nom, qui fixa son quartier général au château du même nom lors de la guerre de Succession d'Espagne. Il attend du renfort, mais ses hommes sont anéantis dans les Ardennes. « Marlborough » (déformé en « Malbrouck ») lève donc le camp sans combattre. Les Français, persuadés que le duc a été tué, composent sur lui la chanson que l'on connaît.

Château de Malbrouck★★

8 km au nord-est par la D 654 et la D 64 à droite. À l'entrée du village de Manderen, prenez le chemin en montée à gauche. ✆ 03 87 35 03 92 - www.chateau-malbrouck.com - possibilité de visite guidée sur demande (1 sem. av.) - 21 mars-21 déc. : tte la journée, lun. apr.-midi - 6,50 € (-16 ans gratuit), billet combiné avec le château de Sierck.

👥 Arnold VI, seigneur de Sierck, fit construire cette imposante forteresse (1419-1434) pour en faire le siège de la puissance seigneuriale. Tombé dans l'oubli faute de descendance, le château retrouve toute son importance en 1705 (*voir encadré*) pour finir en ruine au 19e s. La restauration du château, engagée de 1991 à 1998, a rendu à l'édifice sa fierté d'origine sans chercher l'imitation : quelques aménagements modernes sont la signature de notre époque. Chaque année, le conseil général de Moselle organise une **grande exposition** qui occupe tout le château et oriente la visite. Vous verrez notamment les carreaux de poêle et les canalisations retrouvés lors de la restauration de l'édifice, témoins du confort des châteaux au 15e s. Du haut des remparts et des tours, **vue★** sur les forêts du Luxembourg et l'Allemagne.

Circuit de découverte

COTEAUX DE LA MOSELLE

45 km – environ 1h30. Sortez de Sierck par la D 64. L'itinéraire parcourt les coteaux de la rive gauche de la Moselle, puis se termine par une incursion au Luxembourg. Avant d'atteindre Haute-Kontz, la route file entre les pentes du Stromberg couvertes de vignobles (vin blanc réputé) et la Moselle. On traverse **Contz-les-Bains**, qui abrite un **musée du Vin**. On peut aussi y visiter une cave *(voir l'encadré pratique)*.

Haute-Kontz

De la terrasse de l'église (tour du 11e s.), belle **vue** sur un méandre de la rivière et le bourg de Rettel en face. *Prenez la D 1 à Fixem.*

Centre nucléaire de production d'électricité

À Cattenom. Exposition permanente au Centre d'information du public de la centrale, ouvert sur RV : tlj sf w.-end - rens. et réserv. : CNPE de Cattenom - Mission communication - BP 41 - 57570 Cattenom - ✆ 03 82 51 70 41.

Il comprend 4 tranches relevant de la filière à eau pressurisée. Chaque unité, équipée d'une tour de refroidissement d'une hauteur de 165 m, fournit une puissance électrique de 1 300 MW. Des panneaux et des bornes interactives vous révéleront tout ce que vous avez toujours voulu savoir sur le fonctionnement d'une centrale. *Prendre à droite la D 56.*

Usselkirch

Dans le cimetière jouxtant la route, une tour romane, vestige d'une église du 12e s. *Gagnez Boust par la D 57.*

Boust

Bâtie en pierre de taille, sur une éminence, l'église St-Maximin (1962), œuvre de l'architecte Pingusson, est remarquable par sa nef circulaire que prolonge un long pédoncule flanqué d'un campanile. *Revenez sur la D 56.*

Sierck-les-Bains pratique

Adresse utile

Office du tourisme de Sierck-les-Bains – *R. du Château - 57480 Sierck-les-Bains - ℘ 03 82 83 74 14 - www.otsierck. com - mai-sept. : mat. et apr.-midi ; reste de l'année : mat. et apr.-midi, dim. et j. fériés mat.*

Se loger

⊜⊜ **Relais du Château Mensberg** – **Relais du Château Mensberg** – *15 r. du Château - 57480 Manderen - ℘ 03 82 83 73 16 - www.relais-mensberg.com - fermé 26 déc.-19 janv. - 🅿 - 13 ch. 45/60 € - ⟱ 9,50 € - rest. 18/46 €.* Au pied du château fort de Malbrouck, imposante forteresse du 15ᵉ s., cette ancienne ferme vous accueille dans de confortables chambres fraîches. Trois salles à manger rustiques, dont deux en mezzanine. Plats traditionnels.

Se restaurer

⊜⊜ **Auberge de la Klauss** – *1 rte de Kirschnaumen - 57480 Montenach -*

3,5 km au sud-est de Sierck-les-Bains par D 956 - ℘ 03 82 83 72 38 - www. auberge-de-la-klauss.com - fermé 24 déc.-7 janv. et lun. - 15/50 €. Ambiance *Le Bonheur* est dans le pré d'Étienne Chatiliez dans cette auberge de campagne où l'on élève des oies, des canards et des cochons… Plats du terroirs, bons vins, gibier en saison et surtout foie gras maison, voilà de quoi régaler les gourmands ! Terrasse en été.

Que rapporter

👁 **Bon à savoir** – Avant d'atteindre Haute-Kontz, la route file entre les pentes du Stromberg couvertes de vignobles (vin blanc réputé) et la Moselle, en traversant **Contz-les-Bains,** qui abrite le musée du Vin.

Événements

Fête du château – Tout le monde revêt son costume médiéval ! *(Dernier w.-end d'août.)*

Fête médiévale – À Rodemack *(dernier w.-end de juin ou 1ᵉʳ w.-end de juil.).*

Roussy-le-Village

L'église St-Denis (1954), en pierre et béton, est surtout intéressante pour les sculptures de Kaeppelin et les vitraux de Barillet qu'on peut voir à l'intérieur.
Revenez à Usselkirch et suivez la D 57.

Rodemack

À 5 km de la frontière luxembourgeoise, cette ancienne cité surnommée « la Petite Carcassonne lorraine » conserve du temps de sa splendeur une imposante forteresse, restaurée au 17ᵉ s., et une porte fortifiée, au sud, au bord de la rivière, marquée par deux tours rondes. L'**église** (1783) frappe par la simplicité de son architecture, sa statuaire et son mobilier. Les maisons de Rodemack, au crépi gris et aux fenêtres cintrées, les entrées de caves et celles des granges sont typiques de la Lorraine.
Rejoignez la D 1. Vous traversez la frontière luxembourgeoise.

Mondorf-les-Bains

Belle ville d'eau dont les deux sources à 24 °C conviennent surtout aux affections hépatiques, intestinales et rhumatismales. Près de l'établissement thermal, **parc**★ de 36 ha, aux belles frondaisons et aux parterres fleuris ; jolies vues sur le paysage luxembourgeois. Élevée en 1764 sur une colline dominant le vieux bourg, l'**église St-Michel**, de crépi rose et entourée d'un cimetière, possède un riche **mobilier**★ Louis XV. Son orgue sur balcon sculpté d'emblèmes musicaux côtoie des stucs et fresques peints en trompe l'œil par Weiser (1766).

Colline de **Sion-Vaudémont**★★

CARTE GÉNÉRALE B2 – CARTE MICHELIN DÉPARTEMENTS 307 H8
MEURTHE-ET-MOSELLE (54)

Sa forme en fer à cheval suggère l'idée de porte-bonheur. C'est un des plus célèbres belvédères sur le pays lorrain en même temps qu'un de ces hauts lieux historiques « où souffle l'esprit », selon la formule de Maurice Barrès, qui lui donna le nom de « colline inspirée ». Véritable sanctuaire de la Lorraine, la colline, depuis des siècles, rassemble ici des foules de pèlerins.

▷ **Se repérer** – Au sud de Nancy, à 15 km au nord de Mirecourt, près de Vaudémont, sur la D 50.

▣ **Se garer** – Parkings aménagés à Vaudémont, près du monument à Barrès, et aux abords du sanctuaire. Alt. 497 m.

◉ **À ne pas manquer** – Le panorama depuis le signal de Vaudémont, la basilique de Sion et, insolite, le château du maréchal Lyautey et son authentique salon marocain à Thorey-Lyautey, berceau de la famille.

◔ **Pour poursuivre la visite** – Voir aussi Mirecourt, Domrémy-la-Pucelle, Nancy, château de Haroué.

La colline de Sion-Vaudémont semble avoir été un haut lieu de culte depuis toujours.

Comprendre

Lieu de pèlerinage – Les Celtes, les premiers, il y a 2 000 ans, viennent adorer sur la colline les dieux de la guerre et de la paix. Les Romains, eux, préféreront Mercure. Les divinités païennes, jugées impies par la nouvelle foi, sont remplacées au 4e s. par le culte de la Vierge. Au 10e s., saint Gérard, évêque de Toul, fixe cette dévotion d'une façon définitive. Les comtes de Vaudémont et les ducs de Lorraine l'imposeront à toute la région.

Plus tard, sous la bannière de N.-D.-de-Sion, le duc René II défait devant Nancy Charles le Téméraire qui convoitait la Lorraine.

Enfin, à une époque plus récente, lorsque par trois fois la guerre s'éloigne, les foules se pressent pour venir remercier Notre-Dame. La première fois, en 1873, alors que la Lorraine est rattachée à l'Allemagne, les pèlerins viennent déposer, à l'initiative des évêques, une croix de Lorraine brisée avec l'inscription en patois *Ce n'a me po tojo* (ce n'est pas pour toujours). En 1920, la Lorraine est à nouveau française : cette fois, les pèlerins cachent la brisure de la croix sous une palmette d'or et inscrivent ces mots : *Ce n'ato me po tojo* (ce n'était pas pour toujours). En 1946, devant 80 000 pèlerins, une nouvelle croix est posée sur l'autel, portant cette conclusion *Estour inc po tojo* (maintenant un pour toujours). Enfin, le 9 septembre 1973, une « fête de la Paix » rassemble 10 000 pèlerins, dont les invalides et ex-prisonniers de guerre allemands. Une banderole de marbre portant le mot « Réconciliation » est apposée sur l'autel, à côté des autres inscriptions. La colline continue d'attirer chaque année des milliers de pèlerins, surtout de Pâques à octobre.

La colline inspirée – Maurice Barrès (1862-1923), écrivain et homme politique né à Charmes, aimait gravir les pentes de Sion. Son attachement pour sa patrie est particulièrement présent dans *La Colline inspirée* (1913). Basé sur l'histoire vraie des frères Baillard, ce roman raconte la destinée de trois prêtres voulant faire de la colline de Sion un haut lieu de ferveur religieuse jusqu'à devenir une secte illuministe.

Découvrir

SION★

Visite : 30mn.

Laissez la voiture au parc de stationnement et montez jusqu'à l'hôtel Notre-Dame. Prenez à gauche en longeant le cimetière, pour gagner l'esplanade plantée de tilleuls séculaires.

Basilique

La basilique date, pour l'essentiel, du milieu du 18e s. Le clocher a brûlé en 2003 et a été restauré. La colossale statue de la Vierge en fonte (7 m), descendue lors des travaux, est à nouveau en haut du clocher. L'abside, restaurée dans sa pureté originelle (début du 14e s.), abrite la statue de N.-D. de Sion : Vierge couronnée, en pierre dorée, du 15e s. Au-dessus de l'autel du bas-côté gauche sont fixées les plaques apposées lors des quatre pèlerinages de 1873, 1920, 1946 et 1973 *(voir « Comprendre »)*.

Panorama★

À la sortie de l'église, prenez à droite, longez le préau et tournez à droite, à l'angle du mur du couvent. À hauteur d'un calvaire, le panorama atteint toute son ampleur *(table d'orientation)*. C'est là qu'on découvre ce « vaste paysage de terre et de ciel » cher à Barrès.

Un autre point de vue est aménagé à l'ouest du plateau. On y accède par une allée d'arbres à gauche, à l'entrée du parking.

SIGNAL DE VAUDÉMONT★★

Visite : 30mn. 2,5 km au sud de Sion. En quittant Sion, laissez à droite le chemin en descente sur Saxon-Sion et, à hauteur d'un calvaire, prenez tout droit la D 53, route de crête qui traverse toute la colline.

Après avoir dépassé, à droite, une croix de mission érigée vers 1622 par Marguerite de Gonzague, épouse de Henri II de Lorraine, la route traverse le bois de Plaimont. Au sommet du signal de Vaudémont (541 m) s'élève le **monument à Barrès**, haut de 22 m, en forme de lanterne des morts, érigé en 1928. **Panorama★★** superbe sur le plateau lorrain, qui inspira à Maurice Barrès cette allégorie : « L'horizon qui cerne cette plaine, c'est celui qui cerne toute vie. Il donne une place d'honneur à notre soif d'infini, en même temps qu'il rappelle nos limites. »

On peut poursuivre jusqu'au village de Vaudémont, pointe opposée de la colline.

Vaudémont

Près de l'église, derrière le cimetière, s'élève la « tour Brunehaut », vestige du château des comtes de Vaudémont, branche cadette de la maison de Lorraine. Le village a gardé son aspect lorrain traditionnel contrairement à beaucoup d'autres, qui ont subi les outrages d'une modernisation hâtive. La Grand'Rue est bordée de maisons ou de fermes mitoyennes dont la grande porte charretière, donnant accès à la grange, est cintrée.

Colline de Sion-Vaudémont pratique

Adresse utile

Office du tourisme de Saxon-Sion – *3 r. Notre-Dame - 54330 Saxon-Sion - ℘ 03 83 25 14 85 - tlj mat. et apr.-midi - fermé 23 déc.-5 janv., 1ᵉʳ et 11 Nov.*

Se restaurer

⊜⊜ **Domaine de Sion** – *R. de la Cense-Rouge - 54330 Saxon-Sion - ℘ 03 83 26 24 36 - domaine-de-sion@wanadoo.fr - réserv. conseillée le soir - 14,48/19,82 €*. Ce domaine est une exploitation fruitière et une distillerie à visiter. Dans la partie restaurant, au cadre emprunt de simplicité, vous pourrez goûter aux produits d'ici (primeurs, fruits, légumes) sous diverses formes. Avant de partir, profitez-en pour faire votre marché !

Que rapporter

La Maison de la Mirabelle – *16 r. du Capit.-Durand - 54290 Rozelieures - ℘ 03 83 72 32 26 - www.maisondelamirabelle.com - pour les horaires d'ouverture : se renseigner*. Une fois visité ce site unique en Lorraine, vous serez incollable sur la petite prune d'or : vidéo sur la culture, découverte de l'atelier de distillation, traversée d'un fruit géant capable de calculer votre poids en nombre de mirabelles et dégustation. Boutique vendant confitures, pâte d'amandes, eaux-de-vie, liqueurs…

Aux alentours

Monument de Lorraine

23 km au sud-est de Sion par les D 50ᴱ, D 64, D 413, D 33, D 28 puis à gauche la D 28ᶜ, étroite et en montée jusqu'au terre-plein situé devant le monument de Lorraine.

C'est ici que les troupes du général de Castelnau repoussèrent en août 1914 les Allemands qui, vainqueurs à Morhange, voulaient prendre à revers les défenses du camp retranché de Nancy. Derrière le monument commémorant cette victoire de la « trouée de Charmes », une table d'orientation en céramique reproduit le champ de bataille et l'emplacement des armées en présence. Des abords du monument, la vue est étendue sur le théâtre des combats et la vallée de la Moselle.

Charmes

3,5 km au nord-est du monument de Lorraine. Cette petite ville au bord de la Moselle fut plusieurs fois détruite au cours des siècles. En août-septembre 1914, elle fut sauvée grâce à la bataille de la « trouée de Charmes » *(voir ci-dessus)*. Elle a malgré tout conservé son église des 15ᵉ et 16ᵉ s. avec l'intéressante chapelle des Savigny, datée de 1537.

Le nom de Charmes reste lié à celui de **Maurice Barrès** qui y est né *(plaque au n° 7 de la rue des Capucins)* et y demeura attaché sa vie durant.

Chamagne

4,5 km au nord de Charmes. Claude Gellée dit **le Lorrain** (1600-1682) y est né. Dans sa **maison natale** est évoquée son œuvre. ℘ 03 29 38 86 07 - ᕽ - *avr.-oct. : merc., jeu., w.-end et j. fériés apr.-midi - gratuit.*

Thorey-Lyautey

6 km à l'ouest de Sion par la D 58. Le maréchal Lyautey (1854-1934), grand nomade qui parcourut le monde du Tonkin au Maroc, choisit d'établir à Thorey ses derniers quartiers. Le **château** avait été construit par ses soins, au début du 20ᵉ s., pour jouxter la maison de famille du 18ᵉ s. qu'il possédait ici. La visite permet de pénétrer dans le cadre familial où le maréchal Lyautey passa les dernières années de sa vie : son bureau attenant à la bibliothèque, riche de 16 000 volumes, sa chambre, le salon d'Indochine et de Madagascar et le **salon marocain★** (réalisé par des artisans venus spécialement du Maroc) ; au passage, admirez l'escalier d'honneur orné d'une rampe en fer forgé de Jean Lamour. Installé dans une aile du château, le **musée national du Scoutisme** rappelle que Lyautey fut président d'honneur de toutes les fédérations du scoutisme français. ℘ 03 83 25 12 12 - www.chateaulyautey.com - *mai-sept. : tlj sf mar. apr.-midi - se renseigner pour les tarifs.*

Soultz-Haut-Rhin

6 640 SOULTZIENS
CARTE GÉNÉRALE B3 – CARTE MICHELIN DÉPARTEMENTS 315 H9 – HAUT-RHIN (68)

La petite bourgade recèle de nombreuses demeures de la Renaissance. Le nez en l'air, les visiteurs se promènent dans les petites rues, guettant les dates inscrites aux porches des vieilles maisons des 16ᵉ, 17ᵉ et 18ᵉ s., mais aussi les cigognes, dont la réintroduction a bien fonctionné à Soultz. Comme au début du 20ᵉ s., ces dernières fréquentent à nouveau les cheminées de la ville.

- **Se repérer** – À 30 km au sud de Colmar et à 24 km au nord-ouest de Mulhouse. Une vaste zone commerciale lie la ville à la sous-préfecture voisine de Guebwiller. Mais le centre de la vieille cité est préservé par une double enceinte de remparts partiellement conservée.
- **À ne pas manquer** – Le musée du Bucheneck et le centre historique.
- **Organiser son temps** – Commencez par une promenade dans la ville avant de visiter les deux musées.
- **Avec les enfants** – La Nef des jouets.
- **Pour poursuivre la visite** – Voir aussi Guebwiller et la route des Crêtes.

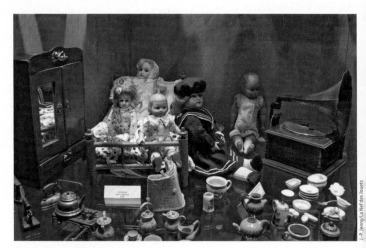

Vitrine de jouets anciens à La Nef des jouets.

Se promener

Maisons anciennes

Dans le centre historique, belles maisons anciennes : la maison Litty (1622), *15 r. des Sœurs;* la maison Vigneronne (1656), *5 r. du Temple;* la maison Horn (1588), *42 r. de Lattre-de-Tassigny;* la maison Hubschwerlin (16ᵉ s.), *6 r. des Ouvriers,* et le château de Heeckeren-d'Anthès (1605), *r. Jean-Jaurès.* L'office de tourisme montre en façade un oriel sur deux étages qui date de 1575.

Église St-Maurice

Construite entre 1270 et 1489. Le tympan du portail sud représente un saint Maurice équestre du 14ᵉ s., dominant une Adoration des Mages. À l'intérieur, relief en bois polychrome du 15ᵉ s., immense peinture murale représentant saint Christophe et grand orgue de 1750 signé Silbermann.

Promenade de la citadelle

À l'ouest de la ville, suivez les remparts et remarquez la tour des Sorcières.

Visiter

La Nef des jouets

℘ 03 89 74 30 92 - www.soultz68.fr/lanefdesjouets - ♿- possibilité de visite guidée sur demande (1 mois av.) - mi-mars-30 déc. : tlj sf mar. apr.-midi - fermé reste de l'année, 1ᵉʳ janv., 1ᵉʳ Mai, 24-25 et 31 déc. - 4,60 € (-16 ans 1,50 €).

👥 C'est une belle collection de jouets de tous les temps, modestes ou sophistiqués, de toutes matières et de tous les pays. Elle a été rassemblée dans l'ancienne commanderie de l'ordre des Hospitaliers de St-Jean-de-Jérusalem, dits chevaliers de Malte, par deux passionnés qui soutiennent que « le jouet est le premier dialogue et l'apprentissage de la vie, le reflet intime d'une civilisation ».

Musée du Bucheneck

📞 03 89 76 02 22 - mai-oct. : tlj sf mar. apr.-midi - fermé 1ᵉʳ Mai - 3 € (-6 ans gratuit).
Il est installé dans un bâtiment médiéval, siège du bailli de 1289 jusqu'à la Révolution. Les collections concernent l'histoire de la ville (maquette de 1838, galerie des portraits de grandes familles locales, ordre de Malte, œuvre de Robert Beltz, mémoire juive, vie quotidienne, artisanat, armes, costumes…).

Soultz-Haut-Rhin pratique

Adresse utile

Office du tourisme de Soultz-Haut-Rhin – *73 pl. de la République - 68500 Guebwiller - 📞 03 89 76 10 63 - www.florival.net - tte la journée, dim. et j. fériés mat. et apr.-midi.*

Se loger

😊😊😊😊 **Hôtel Le Château d'Anthès** – *25 r. de la Marne - 📞 03 89 62 23 68 - www.chateaudanthes.com - 🅿 - 38 ch. 140 € - ☕ 11 € - rest. 27/54 €.* Bâti au 17ᵉ s., le château d'Anthès est un lieu chargé d'histoire. Cette demeure Renaissance vous propose des chambres au confort moderne dont certaines donnent sur un magnifique parc classé. Dans le caveau ou sur la terrasse ombragée, vous pourrez apprécier une cuisine gastronomique régionale et traditionnelle. Spectacles son et lumière fin juillet.

Se restaurer

😊 **Metzgerstuwa** – *69 r. du Mar.-de-Lattre-de-Tassigny - 📞 03 89 74 89 77 - fermé 3 sem. juin-juil., 2 sem. Noël-déb. janv. et w.-end - réserv. conseillée - formule déj. 7,80 € - 16,80/23 €.* Voilà une maison où l'on mange bien ! Sa façade, rouge côté boucherie, est verte côté restaurant et le chef qui dirige les deux boutiques fait tout lui-même : plats du terroir, pain, charcuterie, terrine, pieds farcis, foie gras, saumon fumé… L'adresse est très courue et fait souvent salle comble.

Stenay

2 952 STENAISIENS
CARTE GÉNÉRALE A1 – CARTE MICHELIN DÉPARTEMENTS 307 C2 – MEUSE (55)

Au nord de la Meuse, sur une boucle du fleuve, doublé par le canal de l'Est, nous sommes ici en pays de bouche. Plus précisément au royaume de la mirabelle et de la bière. Tout ce que vous avez toujours voulu savoir sur cette boisson mousseuse, vous l'apprendrez ici. Mis à part la bière, des vins de pays subtils et des eaux-de-vie puissantes se plaisent sur les terres de la vallée de la Meuse. Cette vallée est aussi parcourue de milliers de sentiers qui pénètrent, à travers des haies de peupliers, aux abords des écluses, le long d'églises fortifiées, dans les forêts rafraîchissantes de Belval et de Wœvre.

▶ **Se repérer** – À 30 km au sud-est de Sedan, 46 km au nord-ouest de Verdun.

🕐 **Organiser son temps** – Prenez votre temps pour parcourir tous les recoins du musée européen de la Bière.

👶 **Pour poursuivre la visite** – Voir aussi la basilique d'Avioth et Verdun.

Visiter

Musée européen de la Bière

10 r. de la Citadelle - 📞 03 29 80 68 78 - www.musee-de-la-biere.com - ♿ - juil.-août : tlj tte la journée ; avr.-juin et sept.-oct. : tlj sf mar. tte la journée - 2,50 €.
Passionnant et très vaste, le musée européen de la Bière est installé dans l'ancien magasin aux vivres de la citadelle du 16ᵉ s., transformé en malterie au 19ᵉ s. On y découvre comment, à partir de matières premières simples, eau de source, orge transformée en malt et houblon indispensable à l'amertume si particulière à la bière, le brasseur obtient ce breuvage. Mais c'est aussi, sous forme de panneaux, cartes, maquettes, objets, outils, sa fabuleuse histoire qui nous est contée, de

la « bière égyptienne » jusqu'aux épopées des grandes brasseries sans oublier le rôle des abbayes, qui en ont fait une sainte boisson très recommandable ! Dégustation à la taverne du musée. À l'arrière du bâtiment, le « jardin de la bière » permet de découvrir le développement du houblon et des plantes aromatiques (thym, coriandre, absinthe).

Crypte Saint-Dagobert

Cercle Saint-Dagobert II, 3 pl. Poincaré - du lun. au vend. mat. et apr. midi - ✆ 03 29 80 48 04.

Salle d'exposition permanente sur le thème de la dynastie mérovingienne. À voir : le portail de l'ancienne église Saint-Dagobert (9e-12e s.).

Aux alentours

Dun-sur-Meuse

À l'endroit où la Meuse se dégage du plateau lorrain, la partie la plus ancienne de cette petite ville s'élève sur une butte. De l'esplanade devant l'église (16e s.), vue étendue sur la vallée de la Meuse.

Mont-devant-Sassey

Le village est bâti au pied d'un coteau de la rive gauche de la Meuse. Commencée au 11e s., l'**église** subit de nombreuses modifications. Au cours des guerres du 17e s., des bandes armées la transformèrent même en forteresse. Dans un **site pittoresque★**, cet édifice est inspiré du plan rhénan, avec des tours carrées sur le transept. Le chevet, posé sur une vieille crypte, est très élevé. Un porche gothique, s'ouvrant par une porte classique et décoré de naïves statues, précède le portail, ensemble monumental du 13e s. Consacré à la Vierge qui symbolise ici l'Église universelle, il reproduit l'ordonnance des portails des grandes cathédrales gothiques : un trumeau mutilé supporte un tympan à 3 registres, encadré de quatre voussures garnies de personnages sculptés. ✆ 03 29 80 82 27 - juil.-août : apr.-midi sauf mar. ; mai-juin : dim. et j. fériés apr.-midi.

Stenay pratique

Adresse utile

Office du tourisme de Stenay – *5 pl. R. Poincaré - 55700 Stenay - ✆ 03 29 80 64 22 - www.stenay.com - tlj sf lun. et dim. (juil-août : dim.mat) mat. et apr.-midi.*

Se loger et se restaurer

⊖⊖ **Hôtel du Commerce** – *16 r. Aristide-Briand - ✆ 03 29 80 30 62 - fermé 1er-15 janv., vend. soir et sam. midi du 15 sept. au 1er mai, lun. midi du 1er mai au 15 sept. et dim. soir - 16 ch. 50/65 € - ☐ 10 € - rest. 14/35 €.* Colorée et fleurie, vous ne pourrez manquer la façade de cette maison, non loin du musée européen de la Bière. Au fil des ans, ses aménagements s'améliorant, l'hôtel est devenu l'étape de la ville. Table traditionnelle et quelques plats à la bière, bien sûr…

⊖⊖ **Auberge du Faisan Doré** – *3 r. de l'Écluse - 55700 Inor - ✆ 03 29 80 35 45 - www.aubergedufaisandore.com - 13 ch. 48/55 € - ☐ 7,50 € - rest. 20/30 €.* Serait-ce le confort des chambres récemment rafraîchies et leur équipement moderne qui garantirait à cet hôtel sa renommée dans la région ? Peut-être, mais quand on sait que la terrine de gibier maison, spécialité du chef, est jalousée par d'autres adresses, on peut se dire que la table mérite aussi le déplacement.

Sports & Loisirs

Baptêmes de l'air en ULM – *Renseignements à l'office de tourisme.*

Événement

Pèlerinage sur les lieux de l'assassinat de saint Dagobert II (*dernier sam. d'août*).

Strasbourg★★★

272 700 STRASBOURGEOIS (AGGLOMÉRATION : 427 245 HABITANTS)
CARTE GÉNÉRALE C2 – CARTE MICHELIN DÉPARTEMENTS 315 K5 – BAS-RHIN (67)

Siège du Parlement européen et du Conseil de l'Europe, Strasbourg est une des deux « capitales » de l'Europe. Mais si elle en a l'ampleur et l'atmosphère, elle n'en a pas la démesure. Ville d'avant-garde depuis le Moyen Âge, avec sa fameuse cathédrale, aujourd'hui elle a réussi le pari de l'esthétique et de la protection de l'environnement avec son tramway et ses pistes cyclables. Au cœur de l'Alsace, Strasbourg se doit de montrer l'exemple en matière de gastronomie : foie gras, vin d'Alsace, chocolat et eau-de-vie attirent les « fines gueules » du monde entier.

- **Se repérer** – Par la route, on atteint Strasbourg par la D 1083, la A 35, la A 352 ou la D 1004. Un aéroport international dessert de nombreuses destinations et le nouveau TGV relie Strasbourg à Paris en moins de 2h30.

- **Se garer** – Parkings en centre-ville et aux abords. Pour vos déplacements en ville, préférez le tramway ou le vélo !

- **À ne pas manquer** – La cathédrale et sa place, la Petite France, le palais Rohan et ses musées. Quant au marché de Noël, sa réputation n'est plus à faire.

- **Organiser son temps** – Il ne vous faudra pas moins de trois jours pour visiter les principales richesses de Strasbourg. Pour ne pas être « saturé », organisez votre journée en faisant alterner promenades dans la ville et visites proprement dites. À titre indicatif, vous pouvez découvrir les ensembles suivants : la cathédrale et le quartier alentour avec une visite au palais Rohan ; la Petite France et le musée d'Art moderne et contemporain ; le quartier de l'Europe et l'Orangerie ; une promenade en bateau sur l'Ill puis une visite au Musée alsacien.

- **Avec les enfants** – Le Vaisseau, le musée du Chocolat à Geispolsheim, l'ascension de la flèche de la cathédrale pour la vue ou le spectacle de l'horloge astronomique de la cathédrale à 12h30 et Natura Parc à Ostwald.

- **Pour poursuivre la visite** – Voir aussi la route des Vins, la vallée du Rhin.

Comprendre

Position stratégique – En 12 av. J.-C., le village de chasseurs et de pêcheurs qui côtoie le camp militaire romain d'*Argentoratum* devient rapidement une cité prospère en même temps qu'un carrefour entre les peuples : *Strateburgum*, la « ville des routes ». Cette position vaudra à Strasbourg de servir de cible ou de passage à toutes les invasions d'outre-Rhin et d'être maintes fois détruite, brûlée, pillée et reconstruite. Fort heureusement, la ville fut aussi, au cours de son histoire, théâtre de conciliation. En 842, par le serment de Strasbourg, deux des fils de Louis le Débonnaire et leurs soldats se jurent fidélité. Ce serment est resté célèbre parce qu'il représente le premier texte officiel connu en langues romane et germanique.

Croisière sur l'Ill, à la découverte de la Petite France.

R. Mattes/MICHELIN

Célébrités à Strasbourg – Ville libre d'Empire, Strasbourg est le foyer d'un humanisme influent, notamment avec Gutenberg, et d'une profonde réforme religieuse avec Calvin aux 15e et 16e s. En 1725, Louis XV épouse Marie leszczyńska. dans la cathédrale Notre-Dame. En 1770, Marie-Antoinette, arrivant de Vienne pour épouser le futur Louis XVI, est reçue à la cathédrale par Louis de Rohan. La ville est le témoin de grandes réalisations artistiques : concerts de Mozart, séjour de Goethe, alors étudiant à la célèbre université, floraison d'hôtels particuliers sur le modèle parisien, édification du prestigieux palais Rohan.

Française ? – En 1870, Strasbourg est prise par les Allemands, après un long siège émaillé de durs bombardements.

Foie gras à l'alsacienne

Le maréchal de Contades, gouverneur militaire de l'Alsace installé à Strasbourg depuis 1762, souhaita un jour régaler ses hôtes de marque avec un mets hors du commun. Il en fit la commande à son jeune cuisinier, Jean-Pierre Clause, qui eut l'idée d'entourer des foies entiers d'oies alsaciennes d'une farce de veau et de lard finement hachés, puis d'enfermer le tout dans une croûte de pâte qu'il laissa cuire et dorer à feu doux. Adopté par Louis XVI à Versailles, le foie gras devient ainsi une nourriture royale et un produit de luxe.

Elle devient alors la nouvelle capitale du Reichsland d'Alsace-Lorraine et continue de grandir sous l'influence cette fois du style architectural prussien, souvent massif mais à l'allure néobaroque. Les deux guerres suivantes ballotteront la ville-frontière entre les deux nationalités : à nouveau française en 1918, Strasbourg, comme toutes les autres villes d'Alsace et de Moselle, connaît une nouvelle parenthèse allemande entre 1940 et 1944. La ville sera libérée par le général Leclerc le 23 novembre 1944.

Européenne avant tout – Avant même la fin du dernier conflit mondial, l'idée prit corps qu'une réconciliation définitive des anciens belligérants devait s'enraciner au cœur d'une ville symbole, Strasbourg, au bord d'un grand fleuve jadis hérissé d'ouvrages militaires et à présent lien privilégié de communication, le Rhin. Le 5 mai 1949 fut créé le **Conseil de l'Europe**, qui regroupe aujourd'hui 47 pays membres. Le travail de cet organisme consultatif se traduit par des recommandations aux gouvernements, mais aussi par l'établissement de conventions qui engagent les États signataires, harmonisant leur législation dans divers domaines d'intérêt commun. La plus connue est la Convention européenne de sauvegarde des droits de l'homme (1950). Le Conseil de l'Europe est indépendant du **Parlement européen**, importante institution de l'Union européenne. Ce dernier est composé de députés, élus au suffrage universel direct depuis 1979 par les citoyens de chaque État membre. Il exerce un pouvoir consultatif, budgétaire et de contrôle. Les autres organes de l'Union européenne se situent à Luxembourg, où siègent la Cour de justice et le secrétariat général du Parlement européen, et à Bruxelles, où se tiennent le Conseil, qui détient les pouvoirs exécutif et législatif, et la Commission, aux pouvoirs de contrôle et de gestion.

Découvrir

CATHÉDRALE NOTRE-DAME★★★ (plan II E2)

De même que le centre historique de Strasbourg, la cathédrale Notre-Dame a été classée par l'Unesco au Patrimoine mondial de l'humanité en 1988.

Sur l'emplacement d'un temple d'Hercule, le chantier de la cathédrale débute en 1015 selon le style roman. L'art gothique, nouveau venu en Alsace, influencera ensuite les architectes. En 1365, les tours à peine terminées, on les réunit entre elles, jusqu'au niveau de la plate-forme. Puis la tour nord seule est surélevée. Enfin, en 1439, Jean Hültz, de Cologne, prolonge cette tour par la célèbre flèche.

Pendant de longues années, catholicisme et protestantisme luttent pied à pied dans la cathédrale, à la porte de laquelle les propositions de Luther ont été affichées. Le culte protestant finit par l'emporter. La cathédrale ne redevient catholique que sous Louis XIV, en 1681, lorsque le roi prend possession de la ville. Les obus prussiens de la guerre de 1870 et les bombardements anglo-américains de 1944 endommageront plusieurs parties de l'édifice, qui seront restaurées.

Extérieur

La cathédrale doit une grande part de son charme à ce grès rose des Vosges dont elle est faite.

Façade★★★

Pour mieux voir la façade, rendez-vous rue Mercière. Erwin de Steinbach en dirigea la construction jusqu'au-dessus de la galerie des Apôtres, qui surmonte la grande rose. Le **portail central**, surmonté d'une magnifique rose de 15 m de diamètre, est le plus richement décoré de la façade. Son tympan comprend quatre registres : les trois premiers, du 13e s., sont remarquables par leur réalisme. Le quatrième est moderne. On peut y lire des scènes de l'Ancien (création du monde ; histoire d'Abraham, Noé, Moïse, Jacob, Josué, Jonas et Samson…) et du Nouveau Testament (baiser de Judas ; Jésus crucifié, au-dessus du cercueil d'Adam, entre la Synagogue et l'Église, qui recueille son sang ; miracles…).

Au **portail de droite**, la parabole des vierges sages et des vierges folles est illustrée par de célèbres statues, dont certaines ont dû laisser place à des copies (originaux au musée de l'Œuvre Notre-Dame).

Au **portail de gauche**, les statues (14e s.) représentent les Vertus : sveltes et majestueuses dans leurs longues tuniques flottantes, elles terrassent les Vices. Durant la Révolution, on donne l'ordre d'abattre toutes les statues : 230 sont détruites. L'administrateur des Biens publics parvient à cacher 67 statues de la façade.

Flèche★★★

328 marches. 📞 *03 88 43 60 32 - tte la journée - fermé 1er janv., 1er Mai et 25 déc. - 3 € (-18 ans 1,50 €).*

Octogonale à la base, la flèche de Jean Hültz élève ses six étages de tourelles ajourées, qui contiennent les escaliers, et se termine par une double croix. C'est un chef-d'œuvre de grâce et de légèreté. Durant la Révolution, un habitant a l'idée de coiffer l'aiguille de pierre d'un immense bonnet phrygien, en tôle peinte d'un rouge ardent, sauvant ainsi le chef-d'œuvre d'Hültz.

La plate-forme qui surmonte la façade est à 66 m de hauteur. La tour s'élève encore de 40 m, puis se termine par une flèche dont le sommet est à 142 m au-dessus du sol (9 m de moins que la flèche en fonte de la cathédrale de Rouen). De cette plate-forme, **point de vue spectaculaire★** sur Strasbourg, en particulier sur la vieille ville, dont les toits percés de plusieurs étages de lucarnes présentent un aspect très pittoresque, sur les faubourgs et la plaine rhénane limitée par la Forêt-Noire et les Vosges.

Flanc droit

Le flanc droit offre les beautés du **portail de l'Horloge**, le plus ancien de la cathédrale (13e s.). Il est composé de deux portes romanes accolées. Entre les deux portes, statue de Salomon, appuyée sur un socle qui rappelle son fameux jugement. De part et d'autre de cette statue : à gauche, l'Église, puissante et fière sous sa couronne, tient d'une main la croix et de l'autre le calice. À droite, la Synagogue s'incline, triste et lasse, essayant de retenir les débris de sa lance et les Tables de la Loi qui s'échappent de ses mains. Le bandeau qui couvre ses yeux symbolise l'erreur.

Dans le tympan de la porte de gauche se trouve l'admirable **Mort de la Vierge★★** dont le peintre Delacroix, mourant, se plaisait à contempler le moulage. La figurine que Jésus tient dans sa main gauche représente l'âme de Marie.

On voit, au-dessus des deux portes, le cadran extérieur de l'horloge astronomique.

Flanc gauche

Le **portail St-Laurent★**, de la fin du 15e s., a pour sujet principal le groupe du martyre de saint Laurent (refait au 19e s.). À gauche de la porte se voient les statues de la Vierge, des trois Rois mages et d'un berger ; à droite, cinq statues, dont celle de saint Laurent (originaux au musée de l'Œuvre Notre-Dame).

Intérieur

Tlj sf dim. mat. et apr.-midi.

Les **vitraux★★★**, des 12e, 13e et 14e s., sont superbes, mais ont souffert au cours des âges.

La place Kléber, la plus célèbre de Strasbourg.

R. Mattes/MICHELIN

NOTRE-DAME

Chapelle
St-Jean-Baptiste

★ Portail
St-Laurent

CHŒUR

Portail de
l'Horloge

TRANSEPT

Chapelle
St-Laurent

Crypte

Chapelle
Ste-Catherine

NEF

Accès à la
plate-forme

N

FAÇADE ★★★

Place de la Cathédrale

Nef et bas-côté droit

La nef, commencée au 13ᵉ s., comprend 7 travées. Les vitraux des fenêtres hautes datent des 13ᵉ et 14ᵉ s., ainsi que ceux des bas-côtés. Dans la nef, on pourra détailler la cinquantaine de statuettes mises en scène sur le corps hexagonal de la **chaire★★ (1)**, type parfait de gothique flamboyant, qui fut dessinée par Hans Hammer pour le prédicateur Geiler de Kaysersberg. L'**orgue★★ (2)** accroché en nid d'hirondelle au triforium, dans la nef, déploie sur la largeur d'une travée son buffet gothique (14ᵉ-15ᵉ s.) en bois sculpté polychrome. De part et d'autre de sa tribune en pendentif ornée d'un Samson sculpté, deux statues représentent un héraut de la ville et un marchand de bretzels en costume d'époque. Ces personnages articulés s'animaient parfois pendant les sermons pour distraire les fidèles.

La chapelle Ste-Catherine occupe les deux travées du bas-côté droit touchant au transept. On y voit une épitaphe décorée de la Mort de la Vierge **(3)**, datée de 1480.

Croisillon droit

Au centre se trouve le **pilier des Anges**, ou du **Jugement dernier★★ (4)**, du 13ᵉ s. L'**horloge astronomique★ (5)** constitue la grande curiosité populaire de la cathédrale. Conçue par des mathématiciens et réalisée par des horlogers suisses entre 1550 et 1574, elle s'est arrêtée en 1780. Le Strasbourgeois Schwilgué l'a ausculté pendant trente ans et en a reconstitué le mécanisme de 1838 à 1842. Les sept jours de la semaine sont représentés par des chars que conduisent des divinités, apparaissant dans une ouverture au-dessous du cadran : Diane le lundi, puis Mars, Mercure, Jupiter, Vénus, Saturne et Apollon. Une série d'automates frappent deux coups tous les quarts d'heure. Les heures sont sonnées par la Mort. Au dernier coup, le second ange de la galerie aux Lions retourne son sablier. À 12h30, un grand défilé se produit dans la niche, au sommet de l'horloge. Les apôtres passent devant le Christ en le saluant, Jésus les bénit, tandis que le coq, perché sur la tour de gauche, bat des ailes et lance trois fois son cocorico en souvenir du reniement de saint Pierre. ♿ *(en prévenant le bedeau) - défilé des Apôtres à 12h30 - se présenter entre 11h45 et 12h10 au portail nord - fermé en cas de cultes exceptionnellement longs ou de répétitions de concerts. 2 €.*

À gauche de l'horloge, un vitrail du 13ᵉ s. représente un gigantesque saint Christophe. C'est le plus grand personnage de vitrail connu. Il mesure 8 m de haut.

Croisillon gauche

On y voit de magnifiques fonts baptismaux **(6)** de style gothique flamboyant. En face, un groupe en pierre de 1498 représente Jésus au mont des Oliviers **(7)**. Les vitraux des 13e et 14e s. représentent des empereurs du Saint-Empire romain germanique.

Chapelle St-Jean-Baptiste

Ne se visite pas. La chapelle (13e s.) contient le tombeau de l'évêque Conrad de Lichtenberg **(8)** qui fit commencer la façade. L'œuvre est attribuée à Erwin.

Chœur

Rénové en 2004, le chœur a été doté d'un nouveau mobilier et d'une grande croix dorée qui orne le fond de l'abside. Au-dessus, le vitrail de la Vierge dû à Max Ingrand fut offert à la cathédrale par le Conseil de l'Europe en 1956, en remplacement du vitrail détruit par les bombardements de 1944. Les peintures de Steinle (1877) qui décorent les murs et les voûtes de l'abside sont d'inspiration byzantine. Devant le **chœur**, des escaliers descendent à la crypte *(visite guidée uniquement)*.

Tapisseries★★

La cathédrale possède 14 magnifiques tapisseries du 17e s. que l'on suspend le long de la nef entre les piliers pendant l'avent et le temps de Noël. Elles représentent des scènes de la vie de la Vierge, exécutées d'après les cartons de Philippe de Champaigne, Ch. Poerson et J. Stella.

LE PALAIS ROHAN ET SES MUSÉES

Palais Rohan★ (plan II E2)

C'est le cardinal Armand de Rohan-Soubise, prince-évêque de Strasbourg en 1704, qui fit construire ce palais au 18e s. sur les plans de Robert de Cotte, premier architecte du roi. Le long de la terrasse bordant l'Ill, il déploie une majestueuse **façade**, de pur style classique, ornée, sur le corps central, de colonnes corinthiennes.
Le palais contient de très riches musées *(accès au fond de la cour à gauche)*.

Musée des Arts décoratifs★★

Au rez-de-chaussée et dans la partie droite (aile des écuries et pavillons Hans-Hang). ℘ 03 88 52 50 00 - 🚫 - *tlj sf mar. apr. midi - fermé 1er janv., Vend. saint, 1er Mai, 1er et 11 Nov., 25 déc. - 4 € (enf. 2 €), gratuit 1er dim. du mois.*
Les **grands appartements** des cardinaux de Rohan comptent parmi les plus beaux intérieurs français du 18e s. La salle du Synode, la chambre du Roi, le salon d'assemblée, la bibliothèque des Cardinaux, le salon du Matin et la chambre de l'Empereur sont particulièrement remarquables par leur décor, leur mobilier d'apparat, leurs tapisseries (tenture de Constantin d'après Rubens, vers 1625) et leurs tableaux du 18e s.
Consacré aux **arts et à l'artisanat de Strasbourg et de l'Est de la France** depuis la fin du 17e s. jusqu'au milieu du 19e s., ce secteur comporte notamment la célèbre **collection de céramiques★★**, l'une des plus importantes de France. Celle-ci groupe essentiellement les faïences et porcelaines de la manufacture de Strasbourg et Haguenau, fondée et dirigée par la famille **Hannong** de 1721 à 1781, ainsi que de celle de Niderviller, fondée en 1748 par le baron de Beyerlé, directeur de la Monnaie royale de Strasbourg. On admirera les pièces de céramique de la période « bleue », celles au décor polychrome « de transition », les terrines en forme d'animaux ou de végétaux et surtout les magnifiques décorations florales aux pourpres dominants.
Le musée expose également des jouets mécaniques donnés par Tomi Ungerer ainsi qu'une belle collection d'horlogerie (milieu 14e - 18e s.), de ferronnerie et d'orfèvrerie.

Musée des Beaux-Arts★

Aux 1er et 2e étages du corps de logis principal. ℘ 03 88 52 50 00 - www.musees-strasbourg. org - *mêmes conditions de visite que le musée des Arts décoratifs.*
La collection présente essentiellement des tableaux européens de la fin du Moyen Âge au 18e s. Les **primitifs italiens** et peintres de la **Renaissance** sont représentés par Filippino Lippi, Botticelli, de Cima da Conegliano (magnifique *Saint Sébastien*) et l'un des premiers tableaux du Corrège, *Judith et la Servante*. Pour les 17e et 18e s., on remarquera particulièrement les œuvres de Crespi, Tiepolo (retable) ou Canaletto.
Quelques tableaux illustrent l'**école espagnole**, parmi lesquels des œuvres de Zurbarán, Murillo, Goya, et surtout une célèbre *Vierge de douleur* par Le Greco.
L'**école des anciens Pays-Bas** du 15e au 17e s. occupe aussi une place de choix : très beau *Christ de pitié* par Simon Marmion, les *Fiancés* par Lucas de Leyde, plusieurs tableaux de Rubens, un *Saint Jean* (portrait de l'artiste) de Van Dyck, le *Départ pour la promenade* par Pieter de Hooch.

Parmi les toiles représentant des noms des écoles française et alsacienne du 17e au 19e s., on retiendra celle de *La Belle Strasbourgeoise* par Nicolas de Largillière (1703). Des œuvres de Delacroix, Courbet et Corot sont également exposées.

Autre richesse du musée : une importante collection de **natures mortes** du 16e au 18e s., dont le très célèbre *Bouquet de fleurs* de Bruegel de Velours.

Musée archéologique★★

Au sous-sol. 🖉 03 88 52 50 00 - www.musees-strasbourg.org - tlj sf mar. apr.-midi - fermé 1er janv., Vend. saint, 1er Mai, 1er et 11 Nov. et 25 déc. - 4 € (-18 ans gratuit), gratuit 1er dim. du mois. Audioguide gratuit sur demande.

Les collections d'archéologie régionale couvrent l'histoire de l'Alsace de 600 000 ans av. J.-C. à 800 apr. J.-C. La section de préhistoire comporte des collections néolithiques illustrant la vie des premiers agriculteurs implantés en Alsace dès 5500 av. J.-C. Des civilisations de l'âge du bronze, puis du fer, sont présentées à travers le mobilier découvert lors de fouilles dans la région : céramiques, armes et outils, objets de parure, vaisselles d'apparat importées de Grèce ou d'Italie, char funéraire d'Ohnenheim.

Remarquable section romaine avec ses collections lapidaires et épigraphiques ainsi que son bel ensemble de verreries, associés à de très nombreux objets de la vie quotidienne des Gallo-Romains.

L'époque mérovingienne est illustrée par des armes et des bijoux, ainsi que quelques pièces insignes, tels le casque de Baldenheim ou les phalères décorées d'Ittenheim. Certains vestiges antiques du sanctuaire du Donon sont également exposés.

Se promener

LA CITÉ ANCIENNE★★★ 1 (plan II D/E2)

Cette promenade part de la place de la cathédrale. Comptez 1h30 sans les visites des musées.

La cité ancienne s'étend autour de la cathédrale, sur l'île formée par les deux bras de l'Ill. Comptez une journée et munissez vous de chaussures confortables !

Place de la Cathédrale★ (E2)

Elle se trouve devant la cathédrale et sur le côté nord. À l'angle de la rue Mercière, l'**ancienne pharmacie du Cerf (E2)** de 1268, était la plus ancienne pharmacie de France en activité. Fermée en 2000, elle a été transformée pour abriter la boutique de la culture. À gauche de la cathédrale se dresse la maison **Kammerzell★ (E2)** (1589), décorée de poutres et de pans de bois sculptés. Seule sa porte date de 1467.

Place du Château (E2)

Sur cette place, où s'est installé le musée de l'Œuvre Notre-Dame *(voir description dans « Visiter »)*, s'élève le **palais Rohan★ (E2)**.

Prendre la rue de Rohan puis, à droite, la petite rue des Cordiers conduisant à la charmante **place du Marché-aux-Cochons-de-Lait★** bordée de maisons anciennes, la plus intéressante étant une maison du 16ᵉ s., à galeries de bois.

Tournez à gauche dans la rue du Vieux-Marché-aux-Poissons.

Au n° 2 de la rue du Vieux-Marché-aux-Poissons, on aperçoit la maison natale du sculpteur Jean Arp. Au n° 4, l'**ancienne douane**, édifice reconstruit en 1965, était primitivement l'entrepôt de commerce fluvial de la ville. Elle abrite des expositions temporaires.

Depuis la place du Vieux-Marché-aux-Poissons, vous avez une belle vue sur le pont du Corbeau.

Revenez sur vos pas et prenez la place de la Grande-Boucherie.

À votre gauche, l'ancienne Grande Boucherie (1586), qui abrite aujourd'hui le **Musée historique (E2)** *(voir « Visiter »)*.

Pont du Corbeau (E2)

C'est de cet ancien pont des Supplices que l'on plongeait dans la rivière, jusqu'à ce que mort s'ensuive, les infanticides et les parricides dans des sacs cousus.

Traversez le pont.

Quai St-Nicolas (E2)

Agrémenté de belles maisons anciennes dont trois ont été transformées en musée *(voir la rubrique « Visiter »)*. Pasteur habita au n° 18.

Traversez le pont St-Nicolas et suivez le quai St-Thomas. Prenez à droite la rue Martin-Luther.

Église St-Thomas (D2)

☏ 03 88 32 14 46 - www.saint-thomas-strasbourg.org - fév.-déc. : tte la journée, dim. et j. fériés apr.-midi.

Cette église à cinq nefs, reconstruite à la fin du 12ᵉ s., est devenue cathédrale luthérienne en 1529. Elle est surtout célèbre pour son **mausolée du maréchal de Saxe★★**, l'une des œuvres maîtresses de Pigalle (18ᵉ s). Sur le mausolée, la France en larmes, tenant le maréchal par la main, s'efforce d'écarter la Mort. La Force, symbolisée par Hercule, s'abandonne à sa douleur, tandis que l'Amour pleure, éteignant son flambeau. À gauche, un lion (la Hollande), un léopard (l'Angleterre) et un aigle (l'Autriche) sont rejetés vaincus sur des drapeaux froissés.

À gauche, par la rue de la Monnaie, gagnez le pont St-Martin.

Pont St-Martin (D2)

La **vue★** du pont donne sur le quartier des tanneurs. La rivière se divise à cet endroit en quatre bras (on voit encore des moulins à eau, des barrages et des écluses).

Prenez la rue des Moulins puis suivez le contour de l'île vers les ponts couverts.

La Petite France★★ (C2)

Ce quartier était autrefois le coin des pêcheurs, des tanneurs et des meuniers. Il doit son nom à l'hôpital qui y fut installé au 16ᵉ s. pour les soldats de François Iᵉʳ, dont beaucoup étaient atteints de la petite vérole, ou « mal français », comme aimaient à ironiser les allemands de l'époque. C'est un des lieux les plus curieux et les mieux conservés du vieux Strasbourg. Le quai longe le canal de navigation et offre un **coup d'œil★** romantique sur les façades des vieilles maisons médiévales qui se reflètent dans l'eau. Au jour finissant, l'ensemble est d'un charme prenant. Une des façons les plus agréables de découvrir la Petite France est de faire une croisière sur l'Ill et d'admirer les jeux de lumière sur les belles maisons qui bordent la rivière.

Ponts couverts★ (C2)

C'est une enfilade de trois ponts enjambant les bras de l'Ill, gardés chacun par une tour carrée et massive, reste des anciens remparts du 14ᵉ s., et autrefois reliés par des ponts de bois couverts.

Entre le premier pont à gauche et la première tour, tour du Bourreau, prenez à droite le quai de l'Ill, seul accès pour monter à la terrasse du barrage Vauban.

Barrage Vauban (C2)

60 marches. ☎ 03 88 60 90 90 - terrasse panoramique : tte la journée - gratuit.

De la terrasse panoramique *(table d'orientation ; longue-vue)* aménagée sur toute la longueur du pont-casemate, dit « barrage Vauban » (reste de l'enceinte de Vauban), impressionnant **panorama★★** sur les ponts couverts et leurs quatre tours au premier plan, le quartier de la Petite France et ses canaux en arrière, la cathédrale à droite.

Par le passage, au rez-de-chaussée du barrage Vauban, on peut gagner le musée d'Art moderne et contemporain *(voir description dans « Visiter »).*

R. Mattes/MICHELIN

Deux des trois ponts couverts qui enjambent les bras de l'Ill.

Traversez à nouveau les ponts couverts et prenez la rue Adolphe-Seyboth pour rejoindre la rue du Bains-aux-Plantes.

Rue du Bain-aux-Plantes★★ (C2)

Elle est bordée de vieilles maisons de la Renaissance alsacienne (16e-17e s.), à encorbellement, pans de bois, galeries et pignons.

Soyez attentifs aux numéros 25, 27 et 31 (1651), et à l'étroitesse du numéro 33 (à l'angle de la rue du Fossé-des-Tanneurs et de la rue des Cheveux). Continuez jusqu'à la maison des Tanneurs (Gerwerstub), de 1572, au n° 42, au bord du canal.

Rejoignez la Grand'Rue par la rue des Fossés-des-Tanneurs et tournez à gauche pour rejoindre St-Pierre-le-Vieux.

Église St-Pierre-le-Vieux (C1)

Deux églises sont ici juxtaposées, l'une catholique, l'autre protestante. Dans le transept gauche de l'église catholique (reconstruite en 1866), panneaux en bois sculpté (16e s.), œuvres de Veit Wagner, montrant des scènes de la vie de saint Pierre et de saint Valère. Au fond du chœur, **scènes★** de la Passion (fin 15e-début 16e s.) attribuées au peintre strasbourgeois Henri Lutzelmann. Dans le bras droit du transept, **panneaux peints★** de l'école de Schongauer (15e s.) sur le thème de la Résurrection et des apparitions du Christ.

Reprenez la Grand'Rue bordée de maisons du 16e au 18e s. ; elle se prolonge par la rue Gutenberg, qui conduit à la place du même nom. La rue Mercière ramène à la place de la Cathédrale.

LA CITÉ ANCIENNE PAR LA PLACE BROGLIE ②

Cette promenade part de la place de la Cathédrale. Comptez 1h30.
Du parvis de la cathédrale, remontez la rue Mercière et tournez à droite.

Place Gutenberg (E2)

Gutenberg a séjourné à Strasbourg de 1434 à 1444. La statue du centre de la place par David d'Angers le représente tenant un feuillet qu'il vient d'imprimer avec ces mots de la Genèse : « Et la lumière fut.» Dos à la statue de Gutenberg, la Chambre de commerce et d'industrie ; ce bâtiment Renaissance logeait les conseils de la ville libre jusqu'à la Révolution.

Rejoignez la rue des Grandes-Arcades très commerçante pour atteindre la place Kléber.

Place Kléber (plan II D1)

Elle est bordée au nord par « l'Aubette », bâtiment du 18e s. ainsi nommé parce que, à l'aube, les corps de la garnison venaient y chercher les ordres. Au centre de la place, trône la statue de Kléber, glorieux enfant de la cité. Le socle de la statue, illustré de deux bas-reliefs qui représentent ses victoires d'Altenkirchen et d'Héliopolis, énumère ses titres de gloire.

Continuez dans la rue des Grandes-Arcades et tournez à gauche dans la rue de la haute-montée. Au n° 4 la *kleine Metzig* (la petite boucherie), curieux bâtiment néogothique.

Revenez dans la rue des Grandes-Arcades et prenez la petite rue de l'Église.

Église St-Pierre-le-Jeune (D1)

♪ 03 88 32 41 61 - mi-mars-1ᵉʳ nov. : mar.-sam. et j. fériés tte la journée, lun. et dim apr.-midi ; 1ᵉʳ-23 déc. : vend.-dim. apr.-midi.

Trois églises furent construites au même endroit. De celle du 7ᵉ s., il reste un caveau avec cinq niches funéraires attribué à la fin de l'époque romaine (4ᵉ s.), et de l'église de 1031 un très joli petit **cloître★**, auquel la restauration achevée en 2005 a rendu tout son éclat. Servant au culte protestant, l'église actuelle date de la fin du 13ᵉ s. À l'intérieur, un beau **jubé** gothique, orné de peintures de 1620 représentant les quatre évangélistes, côtoie un orgue Silbermann de 1780. Au fond de la nef, la fresque représente la tempête apaisée sur le lac de Tibériade.

Prenez la rue de la Nuée-Bleue.

Remarquez au n° 25 l'hôtel d'Andlau, de 1732.

Prenez le quai Schœpfin pour descendre l'Ill. Longez le quai jusqu'à la rue des Récollets. Ou, si vous le préférez, traversez l'Ill et longez le fleuve sur les quais aménagés.

Vous avez vue successivement sur le palais de justice et St-Pierre-le-Jeune en grès rose, puis sur la place de la République.

Tournez à droite dans la rue des Récollets puis rue Brûlée.

Ce quartier avoisinant la place Broglie était habité par la haute noblesse et la grande bourgeoisie. On peut y admirer plusieurs hôtels du 18ᵉ s.

Au n° 19, remarquez le portail de l'hôtel de Klinglin et au n° 16 l'archevêché, puis au n° 13, l'ancien **hôtel des Deux-Ponts** (E1) (1754).

Prenez à droite la rue de la Comédie.

Place Broglie (E1)

Cette place rectangulaire plantée d'arbres a été ouverte au 18ᵉ s. par le maréchal de Broglie, gouverneur d'Alsace. Au fond, le théâtre municipal est orné de colonnes et de muses sculptées par Ohmacht (1820). À gauche se dresse l'**hôtel de ville★** (E1) du 18ᵉ s., élevé par Massol, ancien hôtel des comtes de Hanau-Lichtenberg, puis des landgraves de Hesse-Darmstadt. Le quai est bordé par la majestueuse **façade** de la résidence du préfet (1736), ancien **hôtel de Klinglin** (« prêteur royal »), dont vous venez de voir le portail dans la rue Brûlée.

Rejoignez la cathédrale par la rue du Dôme.

QUARTIER ALLEMAND

Nous sommes en 1871 ; l'Alsace et la Moselle annexées, les Allemands décident de faire de Strasbourg la capitale du Reichsland. Ils élèvent alors un grand nombre d'édifices publics aux proportions monumentales, d'une architecture souvent gothico-Renaissance. Tout un ensemble, au nord-est de la ville ancienne, englobant l'université et l'Orangerie, a été construit dans l'intention d'y déplacer le centre de la ville. Ces quartiers aux larges artères, comme les avenues des Vosges, d'Alsace et de la Forêt-Noire, restent de nos jours un exemple rare d'architecture prussienne.

Place de la République (E1)

Lien entre la vieille ville et la *Neustadt*, l'ancienne place impériale est un vaste carré dont la partie centrale a été aménagée en jardin circulaire, planté d'arbres, au centre duquel s'élève le monument aux morts sculpté par Drivier (1936). À gauche, le **palais du Rhin** (E1), ancien palais impérial (1883 à 1888) ; à droite, le Théâtre national, occupant l'ancien palais du Landtag d'Alsace-Lorraine, et la Bibliothèque nationale.

Maison Égyptienne

10 r. du Général-Rapp. La fantaisie a trouvé place dans le quartier impérial, comme le prouve cette maison de 1905 dont la façade mêle Art nouveau et orientalisme.

Parc des Contades (plan I A2)

Ce parc, situé au nord de la place de la République, porte le nom du maréchal gouverneur de l'Alsace qui le fit réaliser. En bordure du parc s'élève la synagogue de la Paix, construite en 1955 pour remplacer l'ancienne détruite en 1940.

Maison de la Télévision France 3-Alsace (A2)

Place de Bordeaux. Construite en 1961, elle porte sur sa façade concave une monumentale composition sur céramique de Lurçat, symbolisant la création du monde.

Église réformée St-Paul (F1)

Place du Gén.-Eisenhower. Figure de proue au confluent de l'Ill et de l'Aar, cette église de garnison érigée entre 1892 et 1897 arbore fièrement ses deux tours jumelles de style néogothique (76 m). En entrant, on est aussitôt frappé par la belle galerie de grès en arc de cercle qui décore le fond du chœur.

Université (B2)

Prestigieuse vitrine de la culture allemande à l'époque du Reichsland, le **palais universitaire** fut inauguré en 1884. Le rayonnement de l'université de Strasbourg attire alors d'éminents professeurs dans les facultés de philosophie, de sciences ou de médecine. L'université Louis-Pasteur regroupe aujourd'hui plusieurs musées, dont un riche Musée zoologique *(voir la rubrique « Visiter »)*, un musée de Minéralogie et un musée de Sismologie et de Magnétisme terrestre.

Pour découvrir l'astronomie, le **planétarium** de Strasbourg, attenant à l'université, propose différentes projections pour enfants ou pour adultes, ainsi qu'une visite guidée de la coupole de l'observatoire. L'exposition interactive de la « Crypte aux étoiles » termine la visite. *http://planetarium.u-strasbg.fr - réserv. recommandée :* 03 90 24 24 50 - tlj mat. et apr.-midi sf merc. et dim. apr.-midi - fermé sam. - billet combiné visite et spectacle 7,50 € (-16 ans 4,20 €).

Jardin botanique (B2)

03 90 24 18 65/18 86 - jardin botanique : mars-oct. : tte la journée ; reste de l'année : mat. et apr.-midi, w.-end apr.-midi ; serre froide et serre tropicale : tlj sf w.-end mat. et apr.-midi - fermé 1er janv., 1er et 11 Nov., 25 et 26 déc.

Ce jardin, qui permet aujourd'hui de contempler et de nommer plus de 6 000 plantes, est une des richesses dont fut dotée l'université impériale. La serre de Bary, du nom du professeur qui constitua la collection, est d'époque. Elle abrite de remarquables nénuphars géants. À côté, une parcelle présente différentes plantes utiles à l'homme. Parmi les arbres de l'arboretum, cherchez le sequoia géant ou le faux-noyer du Caucase, le plus gros du jardin (5,40 m de circonférence).

Parc de la Citadelle (B2)

À la lisière du quartier allemand, ce parc entoure les vestiges des fortifications Vauban que Louis XIV ordonna de construire en 1681, aussitôt après la capitulation de Strasbourg et son rattachement à la France.

LA CAPITALE DE l'EUROPE

Palais de l'Europe★ (plan I B1)

Quittez le centre-ville par le quai des Pêcheurs. Entrée allée Spach. Av. Conseil-de-l'Europe - 03 88 41 20 29 - www.coe.int - - visite guidée sur demande (Conseil de l'Europe - Service des visites - 67075 Strasbourg Cedex) - gratuit.

Siège du Conseil de l'Europe, le palais de l'Europe abrite le Comité des ministres, l'Assemblée parlementaire et le Secrétariat international. Les bâtiments sont l'œuvre de l'architecte français Henri Bernard. À l'intérieur, le palais, qui comprend notamment 1 350 bureaux, possède l'hémicycle le plus vaste d'Europe.

Parc de l'Orangerie★ (B2)

En face du palais de l'Europe, le parc de l'**Orangerie** est le plus vaste de la ville. Dessiné par Le Nôtre en 1692, il a été aménagé en 1804 en vue du séjour de l'impératrice Joséphine. Le pavillon Joséphine (1805), incendié en 1968 et reconstruit,

Palais des Droits de l'homme.

sert aux expositions temporaires, aux représentations théâtrales et aux concerts.

👥 Dans le parc, un mini-zoo fait cohabiter les fameuses cigognes locales avec quelques animaux plus exotiques (singes, aras, perruches, grand tétras, flamants du Chili). Les enfants apprécieront également le lac, la petite cascade et les aires de jeux.

Palais des Droits de l'homme
(B1)

Au bord de l'Ill, conçu dans un style futuriste par l'architecte Richard Rogers, le nouveau palais des Droits de l'homme abrite la Cour européenne des droits de l'homme, relevant du Conseil de l'Europe. Imposants, les bâtiments, avec au centre la tour de l'hémicycle, épousent la courbe de l'Ill. La Cour européenne des droits de l'homme, désormais unique, y siège de façon permanente. On aperçoit, en face, le **Parlement européen**.

> **La Marseillaise est strasbourgeoise**
> Le 24 avril 1792, Frédéric de Dietrich, premier maire constitutionnel de Strasbourg, offre un dîner d'adieux aux volontaires de l'armée du Rhin. La France a déclaré la guerre à l'Autriche et les troupes doivent être entraînées par un chant digne de leur enthousiasme. « Voyons, Rouget, vous qui êtes poète et musicien, faites-nous donc quelque chose qui mérite d'être chanté », dit Dietrich. Le *Chant de guerre pour l'armée du Rhin*, repris par les soldats républicains marseillais entrant à Paris lors de l'insurrection des Tuileries, devint alors *La Marseillaise*.

LE PORT AUTONOME ET LE RHIN (plan I B2)

Circuit de 25 km – environ 1h30.

Situé à l'un des principaux points de jonction des voies de communication qui unissent les diverses parties de l'Europe, le port de Strasbourg se classe parmi les premiers ports rhénans. Il constitue pour la région de l'Est l'équivalent d'un grand port maritime grâce aux qualités de navigabilité exceptionnelles du Rhin (aujourd'hui canalisé entre Bâle et Iffezheim), comparable à un bras de mer international de 800 km de longueur.

Suivez la route du Rhin (D 1004) au sud, au départ du pont d'Austerlitz. Peu avant le pont Vauban, empruntez à droite la rue du Havre, parallèle au bassin René-Graff.

Cette promenade offre les points de vue les plus intéressants sur les installations portuaires et le Rhin. Dans son prolongement, la rue de La Rochelle conduit à la zone sud, partie la plus moderne du port, avec les trois bassins Auguste-Detœuf (centre céréalier), Gaston-Haelling, Adrien-Weirich (conteneurs et colis lourds) et la darse IV. Entre ces deux derniers bassins est implanté le centre Eurofret-Strasbourg *(accès par les rues de Rheinfeld et de Bayonne).*

Rebroussez chemin par la rue de La Rochelle et la rue du Havre. À l'extrémité de cette dernière, bifurquez à droite et traversez le pont Vauban, qui franchit le bassin Vauban. L'avenue du Pont-de-l'Europe conduit au bord du Rhin.

Le fleuve, large à cet endroit de 250 m, est enjambé par le **pont de l'Europe** (B2) (1960), constitué par deux arcs métalliques, qui relie Strasbourg à Kehl en Allemagne. Il remplace le fameux pont métallique dit « de Kehl » (1861) détruit pendant la Seconde Guerre mondiale et qui avait lui-même succédé à l'antique pont de bateaux.

Jardin des Deux Rives (B2)

À droite du pont de l'Europe, ce jardin transfrontalier doit son unité à l'élégante passerelle à haubans, conçue par l'architecte Marc Mimram, qui permet aux piétons et aux cyclistes de traverser le Rhin. Côté français, les vastes pelouses, parsemées de massifs de fleurs, sont entourées d'un imposant mur d'eau.

Revenez à l'avenue du Pont-de-l'Europe et obliquez sur la droite pour prendre la rue Coulaux, puis la rue du Port-du-Rhin (vue sur le bassin du Commerce).

Du **pont d'Anvers (B2)**, on voit : sur la gauche, l'entrée du grand Vauban et le bassin Dusuzeau (gare fluviale) ; sur la droite, le bassin des Remparts.

Franchissez le pont et tournez à droite dans la rue du Gén.-Picquart, qui longe le bassin des Remparts, où est amarré le Naviscope.

Naviscope (B2)

18 r. du Gén.-Picquart - Bassin des Remparts - 📞 03 88 60 22 23 - juil.-août : apr.-midi ; de mi-mars à fin déc. : mar., merc. et dim. apr.-midi - fermé de déb. janv. à mi-mars, 1er Mai, 1er nov., 24-25 déc. - 2,50 € (- 4 ans gratuit).

👥 L'ancien pousseur de Strasbourg a été transformé en **musée du Rhin et de la Navigation**. Salle des machines, exposition de maquettes, timonerie, etc.

Prenez ensuite la rue Boussingault pour passer le pont sur le canal de la Marne au Rhin. Suivez à droite le quai Jacoutot longeant le canal.

Du **pont Jean-Millot** (B2), à l'entrée du bassin Albert-Auberger, la vue embrasse le Rhin à gauche et l'entrée nord du port. Dans l'avant-port nord débouchent le canal de la Marne au Rhin, les bassins Louis-Armand, du Commerce et de l'Industrie.

Visiter

Musée alsacien★★ (plan II E2)

23-25 quai St-Nicolas - ℰ 03 88 52 50 00 - www.musees-strasbourg.org - tlj sf mar. apr.-midi - fermé 1ᵉʳ janv., Vend. saint, 1ᵉʳ Mai, 1ᵉʳ et 11 Nov. et 25 déc. - 4 € (-18 ans gratuit), gratuit 1ᵉʳ dim. du mois.

Ce musée d'art populaire, installé dans trois maisons des 16ᵉ et 17ᵉ s., révèle le passé, les coutumes et les traditions de l'Alsace. Empruntant le dédale des escaliers et galeries de bois des cours intérieures, le parcours permet de découvrir une multitude de petites salles au cachet alsacien. On y admire des collections de costumes, d'imagerie, de jouets anciens, de masques « cracheurs » de farine provenant des moulins, mais surtout des restitutions d'intérieurs anciens, tels que le laboratoire de l'apothicaire alchimiste et des chambres à boiseries, avec leurs lits clos, leurs meubles en bois peint, leurs coffrets de courtoisie et des poêles monumentaux. Musée typique où l'atmosphère est chaleureuse, à l'image de la « stub », pièce commune fort bien reconstituée en fin de parcours. L'ensemble donne envie de faire un saut dans le passé et d'essayer la fameuse coiffe alsacienne !

Musée de l'Œuvre Notre-Dame★★ (E2)

3 pl. du Château - ℰ 03 88 52 50 00 - www.musees-strasbourg.org - tlj sf lun. apr.-midi - fermé 1ᵉʳ janv., Ven. saint, 1ᵉʳ Mai, 1ᵉʳ et 11 Nov., 25 déc. - 4 € (enf. 2 €), gratuit 1ᵉʳ dim. du mois.

Indissociable de la visite de la cathédrale, le musée consacré à l'art alsacien du Moyen Âge et de la Renaissance présente ses collections dans les deux ailes de la maison de l'Œuvre, datant de 1347 et de 1578-1585, ainsi que dans l'ancienne hôtellerie du Cerf (14ᵉ s.) et dans une maison du 17ᵉ s., le tout groupé autour de quatre petites cours, dont la cour du Cerf, aménagée en jardinet médiéval. Ce jardinet restitue l'environnement du *Paradisgärtlein*, jardin d'Éden représenté dans la peinture et la gravure alsaciennes du Moyen Âge.

L'Œuvre Notre-Dame fut fondée pour recueillir les dons des fidèles en vue de la construction de la cathédrale. Elle contribue aujourd'hui à son entretien et à sa restauration.

Du vestibule (sculptures préromanes), on accède aux salles de sculpture romane et à la salle des vitraux (12ᵉ et 13ᵉ s.), provenant en partie de la cathédrale romane ; on y voit le cloître des bénédictines d'Eschau (12ᵉ s.) et la célèbre **Tête de Christ★★** de Wissembourg, le plus ancien vitrail figuratif connu (vers 1070).

De là, on traverse la cour de l'Œuvre, à l'ornementation mi-flamboyante mi-Renaissance, pour pénétrer dans l'ancienne salle de séance de la Loge des maçons et tailleurs de pierre, dont les boiseries et le plafond datent de 1582. À la suite, la grande salle de l'hôtellerie du Cerf montre l'œuvre des ateliers qui se sont succédé au 13ᵉ s. sur le chantier de la cathédrale.

Au 1ᵉʳ étage, importante collection d'orfèvrerie strasbourgeoise du 15ᵉ au 17ᵉ s.

Le 2ᵉ étage est consacré à l'évolution de l'art alsacien au 15ᵉ s. ; dans des salles à boiseries et plafonds de l'époque, sculptures et **peintures★★** de l'école alsacienne : Conrad Witz et primitifs alsaciens, Nicolas de Leyde.

On redescend au 1ᵉʳ étage par le bel escalier à vis de 1580.

Dans l'aile **Renaissance**, salle consacrée à Hans Baldung Grien (1484-1545) : élève de Dürer, ce peintre et dessinateur est le principal représentant de la Renaissance à Strasbourg.

L'aile est présente du mobilier alsacien et rhénan et la sculpture des 16ᵉ et 17ᵉ s. ; collection de natures mortes du 17ᵉ s., de Sébastien Stoskopff (1597-1657) en particulier ; miniatures, intérieurs et costumes strasbourgeois du 17ᵉ s., verreries.

Musée historique★★

3 pl. de la Grande-Boucherie - ℰ 03 88 52 50 00 - tlj sf lun. apr. midi - 4 € (-18 ans gratuit) - audioguide.

Après plus de vingt ans de travaux, d'enrichissement du fonds et de restauration des collections, le musée historique a rouvert ses portes dans le bâtiment de l'ancienne Grande Boucherie, datant du 16ᵉ s. Le décor intérieur est partiellement masqué par l'ensemble du parcours qui présente l'histoire de la ville en trois temps. Faites tout d'abord connaissance avec la **cité libre du Saint-Empire romain germanique** (1262-1681) grâce à différents supports historiques, dont des objets trouvés lors des fouilles archéologiques (monnaie, étoffes, partie d'enceinte). Les armes et armures permettront de comprendre le rôle des corporations et de l'armée ; quant à Gutenberg et sa fameuse invention, ils n'auront plus de secret pour vous ! Autre élément important de l'histoire de Strasbourg : son rôle dans la Réforme. Des bornes multimédia vous éclaireront sur cette période de tensions religieuses. Pièce maîtresse du musée, le **plan relief★** de Strasbourg réalisé par Devèze en 1727 permet de voir la ville et ses fortifications. La visite se poursuit avec la **ville libre royale puis révolutionnaire**, notamment le rattachement de Strasbourg à la France, le 30 septembre 1681. Les garnisons royales font alors vivre l'ancienne ville libre selon la mode parisienne : profitez-en pour essayer un chapeau ou un corset ! Enfin, la dernière partie (*en cours d'aménagement*) concerne la **naissance de la métropole**.

👫 Les enfants comprendront, en essayant un casque ou en dessinant un blason imaginaire, que l'histoire est au cœur du présent, de façon originale et ludique.

Musée d'Art moderne et contemporain★★ (C2)

1 pl. Hans-Jean-Arp - ☏ 03 88 23 31 31 - www.musees-strasbourg.org ♿ - possibilité de visite guidée - tlj sf lun. tte la journée, jeu. apr.-midi - fermé 1ᵉʳ janv., Vend. saint, Pâques, 1ᵉʳ Mai, 1ᵉʳ et 11 Nov., 25 déc. - 5 € (-25 ans 2,50 €), 1ᵉʳ dim. du mois gratuit.

Élevé au bord de l'Ill, ce bâtiment a été réalisé par Adrien Fainsilber. Une nef centrale vitrée dessert les salles d'exposition, panorama de l'art moderne et contemporain.

Au rez-de-chaussée, les œuvres exposées illustrent la diversité des langages picturaux qui, des peintures du maître de l'académisme William Bouguereau (*La Vierge consolatrice*) aux œuvres abstraites de Kandinsky, Poliakoff ou Magnelli, ont marqué l'histoire de l'**art moderne des années 1850 aux années 1950**. Des impressionnistes (Renoir, Sisley, Monet), des toiles de Signac, quelques Nabis (Gauguin, Vuillard, Maurice Denis). L'art au tournant du 20ᵉ s. est représenté par un groupe d'œuvres symbolistes.

Le bureau dessiné par Arp, le tapis de Sophie Taeuber côtoient des pièces liées au Bauhaus, au mouvement De Stijl et à l'esprit moderne. Plusieurs salles sont consacrées à Arp et à sa femme Sophie Taeuber-Arp (auteurs avec Théo Van Doesburg d'un ensemble de vitraux), qui font revivre les décors intérieurs « constructivistes » (1926-1928) de l'Aubette, bâtiment du 18ᵉ s. situé place Kléber. Une salle est entièrement réservée à l'œuvre sculpté de Arp.

Liés au fauvisme ou à l'expressionnisme, des artistes comme Marinot, Dufy, Vlaminck ou Campendonk font exploser la couleur pure et violente. À l'opposé, la *Nature morte* (1911) de Georges Braque est une œuvre type du cubisme. En réaction à la Première Guerre mondiale, le mouvement dada élabore des œuvres dérisoires, voire absurdes (Janco, Schwitters). À leur suite, les surréalistes, avec Victor Brauner, Max Ernst et Arp, cherchent à introduire l'onirisme dans leurs œuvres.

Le mobilier et les grandes compositions en marqueterie de Charles Spindler, les sculptures de Carabin, Ringel d'Illzach et Bugatti et des vitraux réalisés au début du 20ᵉ s. à Strasbourg témoignent du renouvellement de l'art et des arts décoratifs en Alsace autour de 1900.

La salle Doré a été spécialement conçue pour présenter l'immense toile peinte par l'illustrateur Gustave Doré en 1869, *Le Christ quittant le prétoire*. Un balcon situé à l'entrée du restaurant permet d'avoir une vue plongeante sur cette salle.

Le 1ᵉʳ étage est consacré à l'**art moderne des années 1950 à nos jours**. Dans la première salle, les œuvres de Picasso, Richier, Pinot-Gallizio, Kudo et Baselitz reflètent les incertitudes du temps. La salle suivante évoque le mouvement Fluxus avec Filliou, Brecht, et l'arte povera avec des œuvres de Kounellis, Penone, Merz, qui cherchent à dévoiler l'énergie des objets les plus simples. Puis ce sont les années 1960-1970 avec les expérimentations de Buren, Parmentier, Toroni, Rutault, Morellet, Lavier. Toni Grand, Miroslav Balka, Christian Boltanski, Philippe Ramette, Maurice Blaussyld, Javier Pérez représentent les années 1980-1990. On découvre également les installations de Collin-Thiébaut (*Un musée clandestin à Strasbourg*) et de Sarkis (*Ma chambre de la Krutenau en satellite*), artistes ayant vécu ou travaillé à Strasbourg.

STRASBOURG plan I

SE LOGER		SE RESTAURER	
Chambre d'hôte La Maison du Charron	①	Buerehiesel	②
Hôtel des Princes	③		
Hôtel La Roseraie	⑤		

Musée Tomi Ungerer - Centre international de l'illustration

Villa Greiner - 2 av. de la Marseillaise - ☎ 03 88 52 50 00 - www.musees-strasbourg. org - tlj sf mar. apr. midi - 4 € (enf. 2 €).

Le dessinateur Tomi Ungerer a fait don d'une partie de son œuvre à sa ville natale. Le musée présente les différentes facettes du personnage : dessinateur à l'humour noir, créateur d'affiches publicitaires ou illustrateur de livres pour enfants, rien ne semble l'arrêter ! Dessins, estampes et affiches publicitaires sont exposés, tandis qu'un large fonds documentaire (jouets, archives, photographies, articles de presse) se trouve à disposition du public.

Le Vaisseau★ (plan I B2)

1bis r. Philippe-Dollinger - ☎ 03 88 44 44 00 - www.levaisseau.com - ᴋ - tlj sf lun. tte la journée - fermé 3 premières sem. de sept., 1ᵉʳ janv., 1ᵉʳ Mai et 25 déc. - 8 € (-18 ans 7 €) ; billet combiné avec Batorama (découverte en bateau de Strasbourg) 9 €. 1/2 journée de visite. Parcours dans le noir et studio de télévision ne sont accessibles que les merc., sam. et dim. et pendant les vac. scol. ; il est nécessaire de s'y inscrire à l'avance. Entièrement accessible aux personnes handicapées. Journal de bord téléchargeable sur Internet.

Soucieux d'éveiller le goût des sciences et techniques chez les jeunes Bas-Rhinois, le conseil général a doté la ville de Strasbourg d'un espace de découverte par le jeu et l'expérience. Les nombreux « Pourquoi ? » et « Comment ça marche ? » de vos chères têtes blondes de 3 à 15 ans trouveront peut-être une réponse grâce à la centaine d'éléments qui leur offrent la possibilité de toucher, de manipuler et d'apprendre en s'amusant. L'exposition est articulée autour de quatre thèmes : « Le monde et moi », « Découvrir les animaux », « Je fabrique » et « Les secrets de l'image ». Selon leur âge, les enfants ont ainsi la possibilité de jouer au bébé kangourou, de parcourir une pièce dans le noir le plus complet, d'observer une fourmilière, de travailler dans un mini chantier ou même de participer à la réalisation d'un journal télévisé. Dans le jardin, différents parcours (scientifique, sensoriel, nature) enseignent les rudiments de la météo, de l'optique ou du jardinage. La maison de la nature et la reconstitution de milieux naturels permettent de découvrir la faune et la flore régionales. Une salle est spécialement destinée aux pique-niques tirés du sac ; une cafétéria propose également des sandwichs, les plus diététiques possible, avec des ingrédients originaux. Enfin, si vous souhaitez continuer l'apprentissage ludique à la maison, la boutique vous permettra d'enrichir votre panoplie scientifique.

Musée zoologique de l'université et de la ville (B2)

29 bd Victoire - ☎ 03 90 24 04 85 - ♿ - lun. et merc.-vend. : apr.-midi ; w.-end et j. fériés : tte la journée - fermé 1er janv., Vend. saint, 1er Mai, 1er et 11 Nov. et 25 déc. - 3 € (-18 ans gratuit), 1er dim. du mois gratuit, 2 expositions temporaires par an 4,50 € (6-18 ans 1,50 €).

Installé sur deux étages, ce musée un brin académique présente une très riche collection d'animaux naturalisés des quatre coins du globe : lion de la savane, pingouins des régions arctiques, petits rongeurs de nos campagnes. Quelques vitrines attirent l'attention sur les espèces protégées et sur celles qui ont déjà disparu d'Alsace (ours, lynx, cigogne noire) ou du monde (grand pingouin). Les animaux sous-marins sont également représentés, monstrueux ou fascinants. Au 2e étage, impressionnante collection d'oiseaux, reconstitution du cabinet de sciences naturelles de Jean Hermann, fondateur du musée. Parallèlement à la collection d'insectes sont données quelques explications sur le mode de vie larvaire, la vie des abeilles.

Église protestante St-Guillaume (plan II F2)

Sa construction s'échelonna de 1300 à 1307. De beaux vitraux (1465) dus à Pierre d'Andlau éclairent la nef. Mais c'est le tombeau double (14e s.) à étage des frères de Werd qui fait la curiosité de l'église : sur la dalle inférieure, Philippe en habit de chanoine ; au-dessus, sur deux lions, comme suspendu, Ulrich en habit de chevalier.

Hospices de Strasbourg

1 pl. de l'Hôpital - ☎ 03 88 11 64 27 - Visite guidée sur demande à Philippe Junger, responsable de la Cave historique.

L'Hôpital civil de Strasbourg en impose… long de 145 m, il a été construit en 1721 au milieu d'autres bâtiments plus anciens, comme la pharmacie, épargnés par un incendie. Son toit orné de quatre rangées de lucarnes est agrémenté d'un clocheton. À l'intérieur, de beaux escaliers baroques donnent du caractère à ces hospices. Témoin de la place du vin dans l'histoire hospitalière, les caves qui n'avaient pas été détruites ont été fondées en 1395, elles revivent aujourd'hui sous l'impulsion de viticulteurs alsaciens de renom.

Aux alentours

Musée « Les Secrets du Chocolat » (plan I A3)

ZI de Geispolsheim, parc de la Porte Sud, rue du Pont-du-Péage. Depuis Strasbourg, A 35 direction Colmar, sortie n° 7 (Illkirch-Graffenstaden), puis D 222 en direction d'Illkirch. Au carrefour à gauche, vers Illkirch, puis de nouveau à gauche au rond-point.

R. du Pont-de-Péage - ☎ 03 88 55 04 90 - www.musee-du-chocolat.com - ♿ - fév.-déc. : tlj sf lun. tte la journée, dim. et j. fériés apr.-midi ; janv. : tlj sf lun. et mar. apr.-midi - fermé 1er janv., 25 et 26 déc. - 8 € (-16 ans 6 €).

Dans ce musée du chocolatier Marquise de Sévigné vous sont présentées l'histoire et la fabrication de la fameuse confiserie. Après un petit film sur l'ensemble du processus, le parcours vous transporte dans une ambiance précolombienne, pour évoquer le temps où le cacao constituait la boisson des dieux et où les fèves servaient de monnaie, avant de se répandre en Europe par l'intermédiaire des conquistadors. Dans un décor travaillé, panneaux interactifs, bornes expérimentales, bandes sonores et automates présentent ensuite les différentes étapes de la fabrication du chocolat, ainsi que d'anciens instruments de chocolatiers, puis l'histoire de la marque. En fin de visite, un chocolatier vous invite dans son atelier pour une démonstration. Vous l'aurez deviné, le tout se termine par un passage en boutique.

Strasbourg pratique

Adresse utile

Office du tourisme de Strasbourg – *17 pl. de la Cathédrale - 67082 Strasbourg - ℰ 03 88 52 28 28 - www.ot-strasbourg.fr - tte la journée. Bureau d'information, pl. de la Gare.*

Transports

Parkings relais-tram – Sept parkings permettent de laisser sa voiture (tarifs au 1er avril 2007 : 2,70 €, sauf Rotonde 3,00 €, forfait tram + parking) en périphérie, pour pouvoir prendre le tram et se rendre dans le centre-ville en toute tranquillité. Ces parkings sont indiqués par les lettres « P+R » à l'intérieur d'un carré sur fond bleu. *(Voir plan page 366-367).*

En tram et en autobus – *CTS - ℰ 03 88 77 70 70 - www.cts-strasbourg.fr* - 4 lignes de tram desservent les principaux sites et lieux touristiques, culturels ou étudiants de Strasbourg et de ses environs. Lignes A, B et C : 4h30-0h30 ; ligne D : tlj sf dim. (sf vac. scol. d'été) 7h-19h.

Unipass – Ticket à l'unité, il est valable pendant 1h pour un trajet bus ou tram avec ou sans correspondance (1,30 €). Le Tourpass (3,50 €) est valable 24h pour un nombre illimité de voyages. Le Familipass (4,80 €) est valable 24h pour un nombre illimité de voyages en famille de 2 à 3 personnes - Tarifs au 1er sept. 2007.

Visites

Visites guidées – Strasbourg propose des visites-découverte (1h30) animées par des guides-conférenciers agréés par le ministère de la Culture et de la Communication - *6,80 € (-12 ans gratuit) - renseignements à l'office de tourisme - ℰ 03 88 52 28 28 - www.ot-strasbourg.fr.*

Visites audioguidées – Les visites audio-guidées (1h30) de Strasbourg permettent de partir à la découverte de la ville à son rythme et en toute liberté tlj de l'année et à toute heure - *5 € (caution de 100 €/baladeur) - s'adresser à l'office de tourisme.*

« Il était une fois la Ville » – Visite ludique avec jeux de piste - *ℰ 03 88 31 05 25.*

Mini-train – De déb. avr. à fin oct. : dép. pl. du château, à côté de la cathédrale, toutes les 30mn ou toutes les h. selon la sais. Visite commentée en 8 langues (40mn) du Vieux Strasbourg, du barrage Vauban - *5,10 € (4-18 ans 2,60 €) - ℰ 03 88 77 70 03 - www.cts-strasbourg.fr.*

Strasbourg Pass – Proposé par l'office de tourisme, le chéquier « Strasbourg Pass » permet de bénéficier pendant 3 jours consécutifs d'entrées gratuites et à moitié prix pour les visites de sites et monuments. En vente dans les bureaux d'accueil de l'office de tourisme (pl. de la Cathédrale et pl. de la Gare) - *11,40 €.*

Vélocation – *4 r. Maire-Kuss - ℰ 03 88 23 56 75 et 10 r. des Bouchers - ℰ 03 88 24 05 61 - www.velocation.net.* Location de vélos pour circuler dans Strasbourg, première ville de France pour son réseau cyclable (300 km).

Taxi 13 – *ℰ 03 88 36 13 13.* Cette association propose des circuits présentant la région et les principaux sites touristiques.

Promenades commentées en vedette sur l'Ill★ – Départ de l'embarcadère du palais Rohan : promenade dans la Petite France avec passage devant le barrage Vauban, puis sur le fossé du Faux-Rempart jusqu'au palais de l'Europe. *ℰ 03 88 84 13 13 - ♿ (sur RV) - visite guidée (1h10) avr.-oct. : dép. ttes les 30mn, tte la journée ; nov.-mars : dép. 10h30, 13h, 14h30 et 16h - 7,60 € (enf. 3,80 €).*

Promenades en bateau sur le Rhin, visite du port et Naviscope – Départ de l'embarcadère de la promenade Dauphine. *ℰ 03 88 84 13 13 - www.strasbourg.port.fr - juil.-août : promenade commentée (2h30) dép. parc de l'Étoile 14h30 - 9 € (enf. 4,50 €).*

Promenades en avion – Abords de Strasbourg, survol des châteaux et plaine du Rhin. *Aéro-Club d'Alsace - aérodrome du Polygone - Strasbourg-Neudorf - ℰ 03 88 34 00 98 - tarifs variables (de 68 € à 88 €) selon le nombre de personne et le type d'avion utilisé - durée : 30mn.*

Visite de la brasserie Kronenbourg – *68 rte d'Oberhausbergen - 67200 Strasbourg - ℰ 03 88 27 41 59 - www.kronenbourg-fr.com - visite guidée sur demande préalable uniquement - tte la journée (fév.-mai : fermé lun.) - fermé dim., janv., j. fériés, Vend. saint et 26 déc. - 5 € (-18 ans 3 €).*

Se loger

👁 Bon à savoir – Les sessions plénières du Parlement européen on lieu chaque mois pendant une semaine. Les hôtels, même les moins chers, sont alors tous pris d'assaut par les parlementaires.

Centrale de réservation hôtelière – Pour réserver à distance (+ 1,52 € de frais de réservation) : *ℰ 0 810 522 832 (n° Azur) - otsr@strasbourg.com.*

😊 Chambre d'hôte La Maison du Charron *(plan I p. 375)* – 15 r. Principale - 67370 Pfettisheim - 13 km au nord-ouest de Strasbourg par D 31 - ℰ 03 88 69 60 35 - www.maisonducharron.com - ▱ - 5 ch. 34/53 € ⬜. Avec ses mains et beaucoup de passion le propriétaire a personnalisé chaque chambre, dans ces deux maisons de 1858, grâce à diverses essences de bois. Le violon d'Ingres de madame, c'est le patchwork. Petit jardin, boxes à chevaux et deux gîtes disponibles.

😊😊 Hôtel de l'Ill *(plan II p. 366-367)* – 8 r. des Bateliers - ℰ 03 88 36 20 01 - www.hotel-ill.com - fermé 29 déc.-6 janv. - 27 ch. 53/68 € - ⬜ 6,50 €. Hôtel rénové où règne une ambiance familiale. Les chambres sont d'une propreté exemplaire. Salle des petits-déjeuners de style alsacien avec pendule à coucou ! À deux pas de là, découvrez l'Ill à bord d'une vedette.

⌂⌂ **Hôtel Aux Trois Roses** (plan II p. 366-367) – 7 r. Zürich - ✆ 03 88 36 56 95 - www.hotel3roses-strasbourg.com - 32 ch. 63/78 € - � 7 €. Couettes moelleuses et meubles en sapin équipent chaleureusement les chambres insonorisées de cet hôtel du début du 20e s. sis au bord de l'Ill. Sauna.

⌂⌂ **Hôtel des Rohan** (plan II p. 366-367) – 17 r. Maroquin - ✆ 03 88 32 85 11 - www.hotel-rohan.com - 36 ch. 65/135 € - � 10,50 €. Cet hôtel bénéficie d'un bel emplacement dans le secteur touristique et piétonnier, à deux pas de la cathédrale. Ses chambres, agréablement feutrées et diversement meublées (Louis XV, Louis XVI ou rustique), sont climatisées côté sud.

⌂⌂ **Hôtel Couvent du Franciscain** (plan II p. 366-367) – 18 r. Fg-de-Pierre - ✆ 03 88 32 93 93 - www.hotel-franciscain. com - fermé 24 déc.-9 janv. - 🅿 - 43 ch. 66/70 € - ⊙ 9 €. Au fond d'une impasse, deux bâtiments reliés par un hall plaisant. Préférez les chambres logées dans l'aile récente. Salle des petits-déjeuners aménagée dans un caveau. Une adresse commode pour se rendre à pied dans la cité ancienne.

⌂⌂ **Hôtel Pax** (plan II p. 366-367) – 24 r. du Fg-National - ✆ 03 88 32 14 54 - www. paxhotel.com - fermé 24 déc.-2 janv. - 106 ch. 71 € - rest. 18/24 €. Cet hôtel familial borde un axe piétonnier où ne circule que le tramway. Ses chambres sont assez simples, mais bien tenues. L'été, on dresse la terrasse du restaurant dans une courette ombragée par la vigne.

⌂⌂ **Hôtel Gutenberg** (plan II p. 366-367) – 31 r. Serruriers - ✆ 03 88 32 17 15 - www.hotel-gutenberg.com - 42 ch. 78/88 € - ⊙ 9 €. Dans les murs d'une construction de 1745, chambres confortables et plutôt spacieuses, à l'exception de celles du dernier étage. Salle des petits-déjeuners sous verrière.

⌂⌂ **Hôtel La Roseraie** – 32 r. de la Gare - 67610 Wantzenau - ✆ 03 88 96 63 44 - www.hotelroseraie.fr - 🅿 - 15 ch. 48/80 € - ⊙ 7 €. Affaire familiale composée de deux bâtiments. Les chambres sont fraîches, sobrement meublées et bien insonorisées. Formule buffet au petit-déjeuner. Accueillant restaurant au cadre actuel (expositions de tableaux) et cuisine d'aujourd'hui.

⌂⌂⌂ **Hôtel Le Dragon** (plan II p. 366-367) – 2 r. Écarlate - ✆ 03 88 35 79 80 - www.dragon.fr - fermé 23-27 déc. - 32 ch. 84/119 € - ⊙ 11 €. Demeure du 17e s. tournée sur une courette tranquille. Intérieur résolument contemporain : camaïeu de gris, meubles design, chambres au style épuré et expositions d'art.

⌂⌂⌂ **Hôtel Beaucour** (plan II p. 366-367) – 5 r. des Bouchers - ✆ 03 88 76 72 00 - www.hotel-beaucour.com - 49 ch. 98/186 € - ⊙ 12 €. Quel délice ! Cet hôtel installé dans plusieurs maisons anciennes plaira aux amateurs d'adresses de charme. Sa cour fleurie, ses chambres cosy, son cadre chaleureux décoré de meubles régionaux… tout ici devrait les séduire.

⌂⌂⌂⌂ **Hôtel des Princes** (plan I p. 375) – 33 r. Geiler - ✆ 03 88 61 55 19 - www.hotel-princes.com - fermé 1er-21 août - 43 ch. 110/125 € - ⊙ 12,50 €. Accueillant hôtel dans un quartier résidentiel calme. Chambres au mobilier actuel ; salles de bains refaites. Petit-déjeuner servi dans un décor de fresques bucoliques.

Se restaurer

⌂ **Pommes de Terre et Cie** (plan II p. 366-367) – 4 r. de l'Écurie - ✆ 03 88 22 36 82 - www. pommes-de-terre-cie.com - réserv. conseillée - formule déj. 8,90 € - 6,90/17,90 €. Pour changer de la choucroute, un restaurant convivial proposant des assiettes garnies de pommes de terre en robe des champs accompagnées de viandes, poissons ou fromages. Produits du terroir.

⌂ **Aux Fines Gourmandises** (plan II p. 366-367) – 5 pl. Corbeau - ✆ 03 88 36 09 92 - brm1@noss.fr - fermé 1er janv. et 25 déc. - réserv. conseillée en été - 7,30/16 €. Les férus du Web seront ravis de trouver ce vaste restaurant-salon de thé qui met à la disposition de ses clients un espace Internet. La carte propose un choix très varié de plats tels que tartes flambées, choucroute, viandes… ainsi que de divines pâtisseries.

⌂ **Flam's** (plan II p. 366-367) – 29 r. des Frères (quartier historique) - ✆ 03 88 36 36 90 - www.flams.fr - réserv. conseillée le w.-end - 7,30 € déj. - 7,50/16 €. Tout près de la cathédrale, maison à colombages abritant un restaurant spécialisé dans les flammekueches. Les trois salles et les deux caveaux, relookés, affichent de belles couleurs vives. Jetez un coup d'œil au superbe plafond peint, vestige du 15e s.

⌂ **Le Hanneton « chez Denis»** (plan II p. 366-367) – 5 r. Ste-Madeleine - ✆ 03 88 36 93 76 - fermé mar. midi et lun. - réserv. conseillée - 8,40/19 €. Cette toute petite winstub est fidèle à la tradition alsacienne : cadre rustique chaleureux et intime, ambiance amicale et spécialités régionales comme la choucroute de poissons ou le cordon bleu au munster. Agréable terrasse pour les beaux jours.

⌂ **Au Renard Prêchant** (plan II p. 366-367) – 34 r. de Zürich - ✆ 03 88 35 62 87 - fermé sam. midi, dim. et j. fériés - formule déj. 10,50 € - 9,80/32 €. Dans une zone piétonne, cette chapelle du 16e s. doit son nom aux peintures murales qui la décorent et racontent l'histoire du Renard Prêchant… Une légende à découvrir en s'attablant dans sa salle rustique. Terrasse en été et formule-déjeuner intéressante.

😊 **Pfifferbriader** *(plan II p. 366-367) – 6 pl. du Marché-aux-Cochons-de-lait - ✆ 03 88 32 15 43 - winstub.pfifferbriader@wanadoo. fr - fermé dim. - 10/19 €.* On se sent tout de suite bien dans ce restaurant alsacien avec son plafond bas, ses poutres patinées, ses boiseries et ses vitraux ornés de scènes viticoles. Au menu, spécialités régionales – choucroutes, baeckehoffe – et plats plus classiques. Bon choix de vins locaux.

😊 **La Choucrouterie** *(plan II p. 366-367) – 20 r. St-Louis - ✆ 03 88 36 52 87 - www. choucrouterie.com - fermé 5-18 août, sam. midi et dim. - formule déj. 9 € - 11/30 €.* Ce relais de poste du 18ᵉ s. fut la dernière fabrique de chou en saumure de Strasbourg : dans un décor de bric et de broc, on ripaille et on rit à la fois. Repas animés, dîners-spectacles ou repas et théâtre, à vous de choisir… autour des menus alsaciens ou d'un verre de blanc.

Une des nombreuses winstubs de la ville.

R. Mattes/MICHELIN

😊 **La Coccinelle** *(plan II p. 366-367) – 22 r. Ste-Madeleine - ✆ 03 88 36 19 27 - fermé juil. - réserv. conseillée - formule déj. 8,50 € - 11/25 €.* Boiseries, poutres, cuivres, vitraux et photos du début du 20ᵉ s. participent au cadre typiquement alsacien de cette winstub gérée par la même famille depuis 1976. Cuisine régionale et quelques spécialités maison : choucroute bien sûr, mais aussi quenelles de foie, jambonneau rôti et bœuf gros sel. Bon choix de vins servis en pichet.

😊 **Petit Ours** *(plan II p. 366-367) – 3 r. de l'Écurie (quartier des Tonneliers) - ✆ 03 88 32 13 21 - www.resto-petitours.fr - réserv. conseillée - 11,90/24,90 €.* Adresse fort sympathique que ce restaurant décoré aux couleurs de la Toscane. La salle éclairée de grandes baies vitrées et le caveau réservé aux non-fumeurs sont tous deux très plaisants. Chaque plat (essentiellement du poisson) a pour thème une herbe ou une épice.

😊 **Le Pigeon** *(plan II p. 366-367) – 23 r. des Tonneliers - ✆ 03 88 32 31 30 - fermé dim. soir, mar. soir et lun. - formule déj. 10 € - 14,50/24 €.* Cette winstub typique qui doit son nom aux deux pigeons sculptés sur sa façade occupe l'une des plus anciennes

demeure de Strasbourg (l'escalier en bois, classé, vaut le coup d'œil). Décor et cuisine fidèles à la tradition alsacienne.

😊 **Caveau Gurtlerhoft** *(plan II p. 366-367) – 13 pl. de la Cathédrale - ✆ 03 88 75 00 75 - www.gurtlerhoft.com - formule déj. 6,80 € - 16,80/24,50 €.* Descendez dans les belles caves du 14ᵉ s. de cet ancien hôtel canonial, aux voûtes admirables et piliers massifs, vous y dégusterez plats régionaux ou traditionnels… Menus alléchants et formule-déjeuner, servis sans précipitation à deux pas de la cathédrale.

😊😊 **Art Café (au musée d'Art moderne et contemporain)** *(plan II p. 366-367) – 1 pl. Hans-Jean-Arp - ✆ 03 88 22 18 88 - artcafe@mamcs.com - fermé lun., j. fériés et selon fermeture du musée - 15/20 €.* Difficile de trouver plus belle vue sur Strasbourg que depuis la terrasse de ce restaurant installé au premier étage du musée d'Art moderne et contemporain. Intérieur très design, à l'image des lieux, et cuisine au goût du jour. Brunchs dimanche et jours fériés.

😊😊 **Au Bon Vivant** *(plan II p. 366-367) – 7 r. du Maroquin - ✆ 03 88 32 77 81 - fermé jeu. et vend. de nov. à Pâques - 16/30 €.* L'enseigne et les alléchants fumets provenant des cuisines ne laissent aucun doute sur les intentions de la maîtresse de maison : on vient ici pour faire bonne chère ! Le restaurant, posté à mi-chemin de la cathédrale et de l'Ill, propose une carte régionale où la choucroute, le baeckeoffe aux trois viandes, le jambonneau et le munster se partagent la vedette. Convivial et feutré, l'endroit a tout pour séduire les gourmands en quête d'une winstub de qualité.

😊😊 **La Taverne du Sommelier** *(plan II p. 366-367) – Ruelle de la Bruche (quartier Krutenau) - ✆ 03 88 24 14 10 - fermé 1 sem. déb. janv., dernière sem. de juil.-première sem. d'août et 25 déc. - réserv. obligatoire - 16/50 €.* Une petite adresse confidentielle comme on aime en trouver. La décoration – murs jaunes et lithographies – est en harmonie avec l'atmosphère intimiste. La cuisine suit le rythme des saisons. La carte des vins préfère le Languedoc et la vallée du Rhône.

😊😊 **Brasserie Kirn** *(plan II p. 366-367) – 6-8 r. de l'Outre - ✆ 03 88 52 03 03 - www. brasserie-kirn.fr - fermé dim. soir - 17/30 €.* Cette grande salle à manger occupe une ancienne boucherie. Son cadre, inspiré par le style 1900, comporte une belle coupole centrale et de jolis vitraux d'art. Pour plus d'intimité, préférez les tables installées dans les box. Plats de brasserie.

😊😊 **L'Ami Schutz** *(plan II p. 366-367) – 1 r. des Ponts-Couverts - ✆ 03 88 32 76 98 - www.ami-schutz.com - fermé vac. de Noël - 23/47 €.* Entre les bras de l'Ill, winstub typique prolongée d'une terrasse ombragée de tilleuls. Ambiance chaleureuse et belles boiseries anciennes font le charme des salles à manger.

⊖⊜ Au Pont du Corbeau *(plan II p. 366-367)* – *21 quai St-Nicolas -* ℘ *03 88 35 60 68 - corbeau@reperes.com - fermé vac. de fév., 28 juil.-26 août, dim. midi et sam. sf en déc. - 24/38 €.* La carte est en français, mais les spécialités régionales conservent leur nom local : presskopf (terrine en gelée), grumbereikiechle (galettes de pommes de terre) ou bibeleskäs (fromage blanc, jambon fumé, oignon, ail). Ajoutez-y l'incontournable choucroute, et vous aurez le quarté gourmand de cette adresse conviviale.

⊖⊜ Le Clou *(plan II p. 366-367)* – *3 r. du Chaudron -* ℘ *03 88 32 11 67 - fermé merc. midi, dim. et j. fériés - 25/30 €.* Cette winstub située à quelques pavés de la cathédrale est très courue des Strasbourgeois et des célébrités de passage qui y laissent leur photo. Les raisons du succès ? Une ambiance conviviale, un décor typiquement alsacien et une cuisine du terroir bien tournée.

⊖⊜⊜ Buerehiesel *(plan I p. 375)* – *Dans le parc de l'Orangerie -* ℘ *03 88 45 56 65 - www.buerehiesel.com - fermé 2-24 août, 31 déc.-19 janv., dim. soir, mar. soir et le midi en sem. - 32/60 €.* L'authentique ferme à colombages reconstituée en 1904 et sa verrière moderne se nichent sous les frondaisons du parc de l'Orangerie. Un paradis de la gastronomie alsacienne !

Faire une pause

Christian – *12 r. de l'Outre -* ℘ *03 88 32 04 41 - www.christian.fr - tlj sf dim. 7h-18h30, sam. 7h-18h - fermé j. fériés.* Cette belle boutique propose de délicieux chocolats : truffes au bois de santal, Châtaignes, carrés rehaussés de poivre de Jamaïque, sans oublier les grands crus pur Java, Équateur ou Venezuela. Les pâtisseries sont élaborées avec du lait cru fermier et – selon la saison – avec les fruits du verger familial.

Riss – *35 r. du 22-Novembre -* ℘ *03 88 32 29 33 - patisserie.riss@wanadoo.fr - tlj sf dim. 8h-18h45, lun. (sf en été) 13h30-18h30 - fermé j. fériés.* Fondée dans les années 1930, cette maison est devenue une institution pour les Strasbourgeois friands de chocolat. Grand passionné, Jean-François Hollaender marie les saveurs, oppose les consistances, joue avec les couleurs, pour un résultat des plus délicats. Ne manquez pas de goûter à sa spécialité, la truffe au scotch-whisky !

En soirée

Demandez le programme ! – Pour connaître le programme des théâtres, concerts, conférences, expositions, manifestations sportives, se procurer le mensuel *Strasbourg actualités* ou *l'Hebdoscope*, hebdomadaire sur les arts et les spectacles.

Au Brasseur – *22 r. des Veaux -* ℘ *03 88 36 12 13 - almibra@aol.com - 11h30-1h - fermé 1er janv. et 25 déc.* Cette microbrasserie propose une grande variété de blanches,

blondes, ambrées et brunes brassées sur place. Ses mousses réputées attirent les Strasbourgeois qui viennent également ici pour dîner. Concerts de rock, jazz et blues en fin de semaine.

Bar Champagne – *5 r. des Moulins -* ℘ *03 88 76 43 43 - www.regent-hotels.com - 17h-1h.* Bar de l'hôtel Régent Petite France, qui fut un moulin pendant huit siècles puis une glacière jusqu'à la fin des années 1980. Ici, tout a été savamment étudié pour vous faire passer une soirée relax : beau cadre contemporain, terrasse au bord de l'Ill, ambiance musicale, nombreux cocktails et meilleurs champagnes.

Café de l'Opéra (dans l'Opéra national) – *Pl. Broglie -* ℘ *03 88 22 98 51 - lun.-merc. 11h-0h30, jeu.-sam. 11h-1h30 - fermé de mi-juil. à mi-août, 24-26 déc. et 31 janv.* Logé à l'intérieur de l'Opéra national du Rhin, ce café cosy, récemment relooké, accueille régulièrement des expositions d'artistes (peintres et photographes). Restauration servie à toute heure (carte assortie de suggestions du jour), bar à champagne et très agréable terrasse d'été.

Le Festival – *4 r. Ste-Catherine -* ℘ *03 88 36 31 28 - www.barlefestival.com - 21h-4h.* Bar américain chic et où la tenue BCBG est de rigueur. Pour les consommations, il est de bon ton de s'en remettre aux conseils du barman, réputé être un maître en matière de cocktails.

Opéra national du Rhin – *19 pl. Broglie -* ℘ *03 88 75 48 23 - www.operanationaldurhin.fr - billetterie : tlj sf dim. 11h-18h, sam. 11h-16h et 1h av. représentation - fermé de mi-juil. à mi-août - 11 à 75 €.* Créé en 1972, l'Opéra du Rhin est un organisme culturel intercommunal gérant les scènes lyriques de Strasbourg, Mulhouse et Colmar. Outre le grand répertoire lyrique classique, la programmation fait la part belle à la musique de chambre, à la danse, aux récitals et au jeune public. Salle de 1 142 places.

Que rapporter

Marchés – Les marchés sont ouverts en général de 7h à 13h. Marché traditionnel le merc. et le vend. pl. Broglie, le mar. et le sam. bd de la Marne, le merc. pl. de Zurich. Marché de producteurs le sam. pl. du Marché-aux-Poissons. Marché aux puces et brocante (9h-18h) le merc. et le sam. r. du Vieil-Hôpital et pl. de la Grande-Boucherie. Marché aux livres (9h-18h) mar., merc. et sam. pl. et r. Gutenberg ainsi que r. des Hallebardes. Marché de Noël en déc.

Au Paradis du Pain d'Épices – *14 r. des Dentelles, Petite France -* ℘ *03 88 32 33 34 - www.paindesoleil.com - tlj 9h-19h (lun. 10h).* Des parfums d'orange, de miel, de cannelle et de cardamome embaument cette petite boutique aménagée dans une maison à colombages datant de 1643.

C'est que le pain d'épice est ici roi : tendre ou croquant, sucré, salé et même glacé, il se décline à l'infini et nous replonge dans notre enfance. Le Pain d'amour, le Verdi ou le Pain de soleil comptent parmi les incontournables du magasin.

La Boutique d'Antoine Westermann – *1 r. des Orfèvres - ☎ 03 88 22 56 45 - www.buerehiesel.com - lun. 14h30-19h, mar.-jeu. 9h30-12h30, 14h-19h, vend. 9h30-19h, sam. 9h-19h - fermé j. fériés.* L'épicerie recèle, au sous-sol, une belle sélection d'huiles, de vinaigres, des épices, des spécialités au piment d'Espelette, du thé en vrac, etc. Au rez-de-chaussée, vous trouverez le produit phare de la maison, le foie gras, des plats préparés dans les cuisines du restaurant et les coups de cœur du sommelier.

La Boutique du Gourmet – *26 r. des Orfèvres - ☎ 03 88 32 00 04 - www.bruck-foiegras.com - tlj sf dim. et lun. 9h-12h, 14h30-18h30 (avr.-déc. : lun. 14h30-18h30) - fermé j. fériés.* Le foie gras d'oie est à l'honneur dans cette luxueuse petite boutique : vous le trouverez entier, à la coupe, en croûte, en gelée, cuit au torchon, en verrine ou en terrine. Ceux qui préfèrent le foie gras de canard trouveront aussi leur bonheur. Également, choix de vins et eaux-de-vie d'Alsace.

Un Noël en Alsace – *10 r. des Dentelles - ☎ 03 88 32 32 32 - www.nœlenalsace.fr - tlj sf dim. mat. 10h-12h30, 13h30-19h (à partir de juil. : dim. 14h-18h) - fermé janv.-fév.* Dans cette maison du 16e s. au cœur de la Petite France, c'est Noël tous les jours ! Guirlandes, petits personnages en bois, étoiles scintillantes, boules multicolores, tout est là pour parfaire votre décor de Noël.

Sports & Loisirs

Natura Parc – *R. de la Nachtweid - 9 km au sud de Strasbourg par A 35 sortie 7 - 67540 Ostwald - ☎ 03 88 65 40 07 ou 03 88 50 32 24 - www.naturaparc.com.* Dans un vaste parc arboré, 10 parcours acrobatiques attendent grands et petits à partir de 3 ans. Plusieurs niveaux de difficulté : « parcours découverte » pour toute la famille, « circuit noir » réservé aux plus sportifs, tyroliennes, etc.

Événements

Foire européenne – Elle regroupe tous les secteurs d'activités avec plus de 1 000 exposants - *mi-sept. au parc des expositions Strasbourg Wacken - ☎ 03 88 37 21 21 - www.strasbourg-events.com*

Strasbourg, capitale de Noël – Très nombreuses animations et spectacles en ville : marché de Noël (Christkindelsmärik), illuminations, grand sapin, expositions, crèche et concerts.

Le Sundgau ★

CARTE GÉNÉRALE C3 – CARTE MICHELIN DÉPARTEMENTS 315 H/I11
HAUT-RHIN (68)

C'est le sud de l'Alsace et c'est presque le bout du monde. On appelle cette région le « Jura alsacien », et elle le lui rend bien : avec ses collines, ses falaises, ses gorges encaissées, ses forêts de hêtres et de sapins et surtout ses étangs, réservoirs de vie sauvage, on s'y croirait. Les carpes attirent les grenouilles qui attirent les oiseaux, les fauvettes et les martins-pêcheurs… Les maisons y sont particulières, avec leur toit descendant presque jusqu'au sol et leur colombage caractéristique. De quoi agrémenter de très belles promenades.

▶ **Se repérer** – Le Sundgau forme une sorte de losange délimité à l'est par l'autoroute Mulhouse-Bâle, au sud et à l'ouest par la frontière suisse et le Territoire de Belfort, et au nord par « la Comtoise », l'autoroute Mulhouse-Belfort.

👁 **À ne pas manquer** – Ferrette.

🕐 **Organiser son temps** – Peu de visites, mais beaucoup de nature sauvage et préservée. On ne traverse pas le Sundgau au pas de course : il ne se livre qu'à ceux qui prennent leur temps. On pourra greffer sur cet itinéraire d'agréables promenades pédestres, cyclistes ou équestres, surtout dans le sud du pays, le « Jura alsacien ».

👫 **Avec les enfants** – La Maison de la nature du Sundgau à Altenach.

🚶 **Pour poursuivre la visite** – Voir aussi Altkirch, Mulhouse.

> **Le saviez-vous ?**
>
> La carpe ! Ce sont les moines cisterciens de l'abbaye de Lucelle, à la frontière suisse, qui, au 12ᵉ s., craignant de mourir de faim en période de carême, ont peuplé les étangs alentour de nombreuses variétés de poissons, truites, brochets et carpes. La spécialité gastronomique régionale est, bien entendu, la carpe frite.

Circuit de découverte

137 km au départ d'Altkirch (voir ce nom).
Sortez d'Altkirch à l'est par la D 419 qui longe d'abord la rive droite de l'Ill.

St-Morand

But de pèlerinage. L'**église** renferme le beau sarcophage (12ᵉ s.) du saint patron du lieu, Morand, évangélisateur du Sundgau. La dalle inférieure du sarcophage est percée de deux ouvertures destinées à faciliter l'accès des malades au cercueil. La spécialité du saint était la guérison des maux de tête.

Empruntez la D 419 en direction de Bâle. Au niveau de Tagsdorf, prenez la D 16, à droite, vers Hundsbach, Folgensbourg, en remontant le vallon du Thalbach. À Folgensbourg, prenez la D 473 vers le sud puis à gauche la D 21 bis pour gagner St-Blaise.
L'itinéraire offre une belle vue sur la plaine de Bâle, la ville et la percée du Rhin.
À St-Blaise, empruntez la D 9 bis jusqu'à Leymen.

Château du Landskron

🚶 *30mn à pied AR.* Il ne reste que des ruines de ce château présumé du début du 11ᵉ s., renforcé par Vauban, puis assiégé et détruit en 1814. Sa situation sur une butte-frontière permet une vue dominante, au nord, sur les confins boisés du Sundgau et du pays de Bâle, ainsi que sur la petite cité de Leymen en contrebas.
Revenez vers St-Blaise et empruntez la D 9 bis. Traversez Liebenswiller pour atteindre Oltingue. À Oltingue, on atteint la haute vallée de l'Ill, dominée au sud par la crête frontière du Jura alsacien.

Oltingue

Ce charmant village possède, en son centre, un **Musée paysan**. Témoin des différents styles de construction de la région, il réunit dans des pièces aménagées quantité de meubles, vaisselles, ustensiles de cuisine évoquant le souvenir d'une population rurale. Remarquez la collection de moules à *kougelhopf* de formes appropriées à la fête du jour à souhaiter, et une série originale de carreaux de poêle de faïence. Un grand four à pain, un vieil escalier dont chaque marche est faite dans un tronc d'arbre, des murs en torchis expriment le décor rural. 📞 03 89 40 79 24 - http://musee.paysan.free.fr - de mi-juin à fin sept. : mar., jeu., sam. apr.-midi, dim. et j. fériés mat. et apr.-midi ; de déb. mars à mi-juin et oct.-déc. : dim. apr.-midi - fermé janv.-fév. - 2,50 € (enf. 1 €).

L'Ill en aval d'Hirsingue.

À Raedersdorf, poursuivez par la D 21ᴮ, route de Kiffis.

Hippoltskirch

Dans la **chapelle** au plafond peint par Johann Stauder et cloisonné, la balustrade de la tribune en bois peint côtoie, aux murs, des ex-voto, certains traités en peinture naïve. À gauche de la nef, statue miraculeuse de Notre-Dame, naguère objet de pèlerinages, à laquelle s'adressent les ex-voto. *☎ 03 89 40 44 46 - mars-oct. : dim apr.-midi - possibilité de visite guidée sur demande (2 j. av.).*

Laissant Kiffis à gauche, on emprunte la « route internationale » *(D 21Bᴵᴵᴵ)*, qui longe la frontière suisse (et la franchit même, après Moulin-Neuf, sur quelques dizaines de mètres) au fond d'une combe boisée où coule la Lucelle.

Lucelle

Adossée à son étang, cette localité, jadis siège d'une opulente abbaye cistercienne, se situe à l'extrême pointe sud de l'Alsace.

Remontez vers le nord par la D 432.

On traverse le joli village de **Winkel**, où la rivière de l'Ill prend sa source. La zone de captage des eaux, à l'est du village, est décorée de sculptures contemporaines.

Ferrette★

Ancienne capitale du Sundgau, Ferrette eut, dès le 10ᵉ s., des comtes indépendants dont l'autorité s'étendait sur une vaste région de la Haute-Alsace. Passée à la maison d'Autriche par mariage au 14ᵉ s., elle fut donnée à la France en 1648, lors de la signature des traités de Westphalie. C'est aujourd'hui le prince de Monaco qui porte le titre de comte de Ferrette !

Cette petite ville ancienne, bâtie dans un joli **site★** du Jura alsacien, est surplombée par les ruines de deux châteaux assis sur un impressionnant piton rocheux à 612 m d'altitude. On y accède à pied, par des sentiers bien signalés. De la plate-forme, belle **vue★** sur les Vosges, la vallée du Rhin et de l'Ill, la Forêt-Noire et les premières hauteurs du Jura. Les collines boisées des environs offrent de nombreuses promenades.

Par la D 473, gagnez Bouxwiller.

Bouxwiller

C'est un charmant village aux nombreuses fontaines bâti sur un versant de la vallée. Dans l'**église** St-Jacques, une belle chaire en bois doré du 18ᵉ s. provient de l'ancien monastère de Luppach. Riche retable baroque à colonnes, peint et doré.

La D 9 bis, qui suit la haute vallée de l'Ill, mène à Grentzingen.

Grentzingen★

Les typiques maisons à colombages de ce village fleuri présentent la particularité d'être alignées perpendiculairement à la route. Un petit nombre d'entre elles ont conservé la couleur ocre d'origine et aussi leur auvent. Leurs toitures possèdent des pignons à pan coupé.

Dans Grentzingen, tournez à gauche pour rejoindre la D 463.

La route passe à **Riespach**, aux maisons caractéristiques.

Feldbach

Son **église** romane (12e s.) se divise en deux parties bien distinctes correspondant à l'église des moniales et à l'église des fidèles. La nef est soutenue par des piliers sous arcades, ronds puis carrés. Belle abside en cul-de-four.

Continuez sur la D 463 vers Seppois-le-Haut, que l'on traverse, puis bifurquez vers la D 7 bis en direction de Dannemarie. On parvient ainsi à Altenach.

Maison de la nature du Sundgau

R. Ste-Barbe - ✆ 03 89 08 07 50 - maison-nature-sundgau.info - possibilité de visite guidée sur demande (1 mois av.) - 20 mai-31 août : tlj sf sam. et j. fériés mat. et apr.-midi, dim. apr.-midi ; reste de l'année : tlj sf w.-end et j. fériés mat. et apr.-midi - Exposition : 3 € (-18 ans 2 €).

Destiné à faire connaître et aimer la nature du Sundgau, ce centre propose des animations ponctuelles, des sorties guidées et des expositions. Un petit espace consacré à la géologie, à la portée des plus jeunes, présente les grandes phases de l'évolution, ère après ère. En dehors des horaires d'ouverture, il vous sera toujours possible de suivre le sentier de découverte, ponctué d'activités ludiques, grâce à « l'animateur de poche », amusant livret mis à votre disposition dans un nichoir.

On rejoint ensuite Dannemarie, puis Altkirch par la D 419.

Le Sundgau pratique

👁 Voir aussi l'encadré pratique d'Altkirch.

Adresses utiles

Office du tourisme de Dannemarie – *1 pl. de l'Hôtel-de-Ville - 68210 Chavannes-sur-l'Etang - ✆ 03 89 07 24 24 - www.cc-porte-alsace.fr - de mi-juin à mi-août : tlj mat. et apr.-midi.*

Office du tourisme de Ferrette – *Espace Mazarin - rte de Lucelle - 68480 Ferrette - ✆ 03 89 08 23 88 - www.jura-alsacien.net - de déb. mai à mi-oct. : tlj mat. et apr.-midi ; de mi-oct. à fin avr. : tlj sf w.-end et j. fériés apr.-midi.*

Se loger

⊖ **Chambre d'hôte Moulin de Huttingue** – *68480 Oltingue - 1,5 km au sud d'Oltingue par D 21 bis dir. Lutter, puis au croisement de la D 23 - ✆ 03 89 40 72 91 - fermé janv.-fév. - 🍴 - 4 ch. 55/65 € 🍽. Au bord de l'Ill, qui ici n'est pas plus large qu'un ruisseau, ce moulin à blé a conservé des éléments de décor anciens, comme ses piliers de bois, dans un cadre moderne. À réserver pour trois nuits minimum, le superbe loft aménagé sous la charpente… Joli jardin et terrasse en été.*

Se restaurer

⊖ **À l'Arbre Vert** – *17 r. Principale - 68560 Heimersdorf - 9 km au sud d'Altkirch, dir. Ferrette - ✆ 03 89 07 11 40 - fermé lun. et mar. - 🍴 - 8/18 €.* Saviez-vous que la carpe frite est un plat si répandu dans le Sundgau qu'il a sa route, comme les vins, un peu plus loin ? Pour découvrir cette spécialité, arrêtez-vous dans ce restaurant familial : vous y dégusterez des poissons bien frais dans une ambiance conviviale.

⊖ **Restaurant de la Gare « Munzenberger »** – *16 r. Principale - 68118 Hirtzbach - ✆ 03 89 08 83 16 - www.rest-gare.com - fermé lun. soir, mar. soir et merc. soir - réserv. conseillée le w.-end - 9,50/35 €.* Derrière ce petit restaurant tout simple se cache un vrai spécialiste de la carpe frite, réputé dans toute la région. Et qui dit « réputation » dit « souvent complet », en particulier le week-end. Alors, pour être sûr d'avoir une table, pensez à réserver.

⊖⊖🛏 **Le Moulin Bas** – *1 r. Raedersdorf - 68480 Ligsdorf - 4 km au sud de Ferrette par D 41 et D 432 - ✆ 03 89 40 31 25 - www.le-matin-bas.fr - 31/65 € - 8 ch. 80/90 € - 🍽 15 €.* Quelle jolie étape que ce moulin-là ! Près de la frontière suisse, il est entouré d'un jardin tranquille, où coule l'Ill. On y savoure des plats régionaux dans un décor campagnard au rez-de-chaussée et une cuisine traditionnelle plus élaborée à l'étage. Profitez aussi des chambres, elles sont vraiment agréables !

Événement

Salon des violons d'Ingre – *À Dannemarie, en mars.*

Thann ★

8 033 THANNOIS
CARTE GÉNÉRALE B/C3 – CARTE MICHELIN DÉPARTEMENTS 315 G10 – HAUT-RHIN (68)

Thann est l'ultime étape de la route des Vins, avec, en apothéose, le grand cru de Rangen. Mais il n'y a pas de conformisme en la matière, on peut tout aussi bien décider de remonter du sud au nord le vignoble alsacien, dans ce cas Thann se retrouve être au départ de la route des Vins, et le voyageur plus frais. Même chose pour la route des Crêtes qui commence ou se termine ici. À ce carrefour donc, vous attend une des plus belles églises gothiques d'Alsace, la collégiale St-Thiébaut.

L'Œil de la sorcière.

R. Mattes/MICHELIN

- **Se repérer** – Than est située à 22 km à l'ouest de Mulhouse sur la N 66.
- **À ne pas manquer** – La collégiale St-Thiébaut et ses superbes stalles.
- **Organiser son temps** – Si vous avez encore un peu de temps après la visite de la ville et la découverte de la route Joffre, n'hésitez pas à parcourir l'un des multiples sentiers de découverte, parmi lesquels le GR 5, qui traverse la ville.
- **Avec les enfants** – L'Œil de la sorcière, une ruine à la forme évocatrice.
- **Pour poursuivre la visite** – Voir aussi Mulhouse, le Parc naturel régional des Ballons des Vosges, la route des Crêtes, la route des Vins.

Comprendre

La légende des Trois Sapins – Comme beaucoup de villages d'Alsace, Thann doit son nom à un événement légendaire et poétique, la légende des Trois Sapins, Thann signifiant précisément « sapin ». À sa mort, en 1160, Thiébaut, évêque de Gubbio, en Ombrie, lègue son anneau épiscopal à son plus fidèle serviteur. Celui-ci, avec l'anneau, arrache en même temps le pouce du défunt, dissimule la relique dans son bâton de voyage, se met en route et parvient en Alsace l'année suivante. Un matin, après une nuit dans un bois de sapins, le pèlerin essaye d'arracher le bâton du sol pour reprendre sa route, en vain. Trois grandes lumières apparaissent alors, au-dessus de trois sapins. Le châtelain d'Engelbourg, qui les a vues de son château, accourt et décide d'élever une chapelle au lieu même du miracle. Aussitôt, le bâton se détache sans difficulté. Longtemps après, la chapelle édifiée s'entourera d'une cité : Thann.

Se promener

Collégiale St-Thiébaut★★

Visite guidée uniquement, s'adresser à l'office de tourisme, ℘ *03 89 37 96 20.*
Son architecture gothique (14ᵉ-début 16ᵉ s.), qui témoigne d'une évolution vers le style flamboyant, est remarquable. La façade ouest est percée d'un magnifique **portail★★**. Haut de 15 m, son tympan très élancé surmonte deux portes munies chacune d'un petit tympan. Le portail nord, flamboyant, est rehaussé de belles statues du 15ᵉ s.

À l'intérieur, dans la chapelle pentagonale, est fixée sur le contrefort du milieu une statue en bois polychrome de la Vierge des vignerons, sculptée vers 1510. À l'extrémité de ce bas-côté, dans la chapelle St-Thiébaut, est placée sur l'autel une statue du saint en bois polychrome datant de 1520.

Très profond, le **chœur** est orné des statues (15ᵉ s.) des douze apôtres, en pierre polychrome. À l'entrée est suspendu un grand Christ en croix (1894), en bois polychrome, du Colmarien Klem. La lumière pénètre par huit belles **verrières★** du 15ᵉ s.

Mais la principale richesse de la collégiale reste les 51 **stalles★★** en chêne du 15ᵉ s. Toute la fantaisie du Moyen Âge s'y donne libre cours. Ce ne sont que feuillages, gnomes et personnages comiques d'une verve remarquable et d'une grande finesse.

Poursuivez jusqu'à l'hôtel de ville pour avoir une vue d'ensemble sur le chœur aux lignes élancées, à la haute toiture de tuiles vernissées, et sur le clocher haut de 78 m et couronné par une flèche, véritable dentelle de pierre.

Tour des sorcières

Cette tour du 15ᵉ s. coiffée d'un toit en bulbe est le dernier vestige des anciennes fortifications. On peut l'admirer depuis le pont sur la Thur.

« L'Œil de la Sorcière »

🚶 *1h à pied AR.* L'Engelbourg, construit par les comtes de Ferrette, devint propriété des Habsbourg puis, en 1648, du roi de France, qui, dix ans plus tard, le donna à Mazarin, dont les héritiers le conserveront jusqu'à la Révolution. En 1673, Louis XIV ordonna le démantèlement de la forteresse. Lors de la destruction du château, le donjon, en s'écroulant, conserva son tronçon inférieur intact, le centre regardant vers la plaine. L'imagination populaire a qualifié cette ruine originale d'« Œil de la sorcière ». De la ruine, point de vue sur Thann, la plaine d'Alsace et au loin la Forêt-Noire.

De l'autre côté de la vallée, au sommet de la montagne du « Staufen », a été érigé le monument de la Résistance alsacienne.

Visiter

Musée des Amis de Thann

📞 *03 89 37 02 31 - http://genealogiethann.org - juil.-août : tlj sf lun. apr.-midi ; juin et sept. : vend. et w.-end apr.-midi - 2,50 €.*

Installé dans l'ancienne halle aux blés datant de 1519, il évoque sur quatre niveaux le passé de la ville. Les grands thèmes traités sont le vignoble, le château et les fortifications, la collégiale et le culte de saint Thiébaut, le mobilier et les arts populaires, les souvenirs des deux guerres et les débuts de l'industrie textile.

Circuit de découverte

ROUTE JOFFRE

18 km de Thann à Masevaux – environ 1h.
Suivez la N 66 jusqu'à Bitschwiller et prenez à gauche la D 14 Bᴵⱽ.

La montée s'effectue en forêt. À l'entrée du bois, **vue★★** magnifique sur la vallée de la Thur dominée au nord par le Grand Ballon (1 424 m), où se distingue le monument aux Diables bleus.

Col du Hundsrück

Alt. 748 m. Vues à droite sur le Sundgau *(voir ce nom)*, région la plus méridionale de l'Alsace, la plaine d'Alsace et le Jura.

La route s'élève légèrement, puis descend

Route militaire

Cette route fut créée dans l'autre sens (Masevaux-Thann) par l'armée pendant la guerre de 1914-1918 afin d'assurer les communications entre les vallées de la Doller et de la Thur. Pendant l'hiver 1944-1945, elle reprit son rôle militaire, ranimée par le trafic des troupes françaises, qui ne pouvaient utiliser que cette voie d'accès pour attaquer Thann par le nord.

vers le col du Schirm, dans le bassin très vert de Bourbach-le-Haut. La route s'élève de nouveau pour atteindre le hameau d'**Houppach**, lieu de pèlerinage. La chapelle Notre-Dame d'Houppach est également connue sous le nom de « Klein Einsiedeln ».

Masevaux

Cette ville industrielle et commerçante fut créée autour d'une abbaye fondée par Mason, neveu de sainte Odile, en mémoire de son fils qui s'était noyé dans la Doller. Jolies places ornées de fontaines (18ᵉ s.) et entourées de demeures du 16ᵉ et 17ᵉ s.

Thann pratique

Adresses utiles

Office du tourisme de Thann – *7 r. de la 1re-Armée - 68800 Thann -* 𝄞 *03 89 37 96 20 - www.ot-thann.fr. - juil.-août : lun.-sam. mat. et apr.-midi, dim. et j. fériés mat. ; reste de l'année : lun.-sam. mat. et apr.-midi.*

Office du tourisme de Masevaux –*1 pl. Gayardon - BP 5 - 68290 Masevaux -* 𝄞 *03 89 82 41 99 - www.ot-masevaux-doller.fr - juil.-août : lun.-sam. mat. et apr.-midi, dim. mat. ; reste de l'année : lun.-sam. mat. et apr.-midi (fermé sam. apr.-midi de janv. à avr. et en nov.-déc.).*

Visites

Visites en Pays de Thann - Découverte du patrimoine historique, industriel, naturel, des produits du terroir et de l'artisanat du pays de Thann (*juil.-août*). Possibilité de participer aux semaines de découverte des communes du pays de Thann. Renseignements à l'office de tourisme.

Se loger

⊝⊜ **Hôtel Aux Sapins** – *3 r. Jeanne-d'Arc -* 𝄞 *03 89 37 10 96 - www.auxsapinshotel.fr - fermé 1er-14 août et 23 déc.-2 janv. -* 🅿 *- 17 ch. 47/50 € -* ☕ *7 € - rest. 10/35 €.* Quelques sapins dissimulent cet hôtel contemporain légèrement excentré. Chambres personnalisées dans des coloris assez gais. Jolie salle de restaurant actuelle et coquet bistrot au cadre alsacien ; cuisine traditionnelle.

Se restaurer

⊝ **Moschenross** – *42 r. du Gén.-de-Gaulle -* 𝄞 *03 89 37 00 86 - www.le-moschenross.com - fermé 1er-16 juil. - 11/46 €.* Dominé par le fameux vignoble de Rangen, cet hôtel-restaurant propose une cuisine plutôt traditionnelle dans une agréable salle à manger, claire et spacieuse. Les chambres sont quant à elles pourvues d'une bonne insonorisation et décorées dans un style actuel.

⊝ **Hostellerie Alsacienne** – *R. du Mar.-Foch - 68290 Masevaux - 15 km au sud-ouest de Thann par rte Joffre -* 𝄞 *03 89 82 45 25 - orange.fr/hostellerie.alsacienne - fermé 25 oct.- 8 nov. et 24 déc.-3 janv. et lun. - 12/43 € - 8 ch. 53 € -* ☕ *8 €.* Cette auberge rustique située dans une rue piétonne du centre-ville propose une appétissante cuisine régionale servie dans une plaisante salle à manger alsacienne agrémentée de boiseries sculptées et d'un parquet ancien. Chambres confortables.

Que rapporter

Espace muséologique de la cave Charles-Hippler – *Dans la tour des Sorcières -* 𝄞 *03 89 37 96 20 - www.ot-thann.fr - visite libre - fermé oct.-mai et mar. - gratuit.* S'adresser à l'office de tourisme. Cette cave, qui doit son nom à son ancien propriétaire, abrite un espace muséologique évoquant les terroirs et la géologie d'Alsace. Le chai, en partie reconstitué, présente quant à lui le travail du vigneron.

Randonnées

Le vignoble – 🐾 Par le chemin Montaigne et la rue du Vignoble : accès piétons uniquement, réglementé pendant les vendanges *(de fin sept. à fin oct.).* Par la rue du Vignoble : piste cyclable, puis sentier dans les vignes pour rejoindre le chemin Montaigne. Par la rue du Kattenbachy : au fond du vallon à droite, début du chemin Montaigne.

Le cru – Le Rangen est le seul vignoble alsacien a être classé grand cru dans sa totalité. La montagne du Rangen, dont les flancs à pente raide (45°) s'orientent plein sud, bénéficie d'un ensoleillement maximal, de précipitations fréquentes et de la présence de la Thur à ses pieds. Le vignoble de 18,5 ha doit sa réputation à son terroir d'origine volcanique, et aussi au savoir-faire de ses viticulteurs qui, déjà au 18e s., fournissaient la cour de Vienne.

Événements

Crémation des trois sapins – Depuis le 15e s., chaque année le 30 juin, la Crémation des trois sapins perpétue la légende de la fondation de la ville sous les auspices de saint Thiébaut, évêque de Gubbio (Italie). Trois sapins sont brûlés sur la place près de la collégiale - 𝄞 *03 89 38 53 08 - www.ville-thann.fr.*

Journées musicales – *Mar. et vend. d'août -* 𝄞 *03 89 37 96 20.*

Festival de la marionnette de Masevaux – *En juillet -* 𝄞 *03 89 82 41 99 - www.festival-marionnettes-masevaux.com.*

Thionville

42 100 THIONVILLOIS
CARTE GÉNÉRALE B1 – CARTE MICHELIN DÉPARTEMENTS 307 I2 – MOSELLE (57)

Ici, au pays des Trois Frontières, la Moselle est large de plus de 100 m. C'est le passé de Thionville et son appartenance successive au duché de Luxembourg, au duché de Bourgogne, à l'Espagne, à la France et même à l'Allemagne qui lui donne une dimension vraiment européenne. Bien qu'ancienne « métropole du fer », c'est aussi un lieu de flânerie le long des remparts, dans la vieille ville, avec ses belles façades anciennes et ses parcs fleuris.

- **Se repérer** – À 30 km au nord de Metz par la A 31.
- **Se garer** – Le centre-ville, bien pourvu en parkings, se situe en bordure de la Moselle, entre la place de la Liberté et le quai Crauser.
- **À ne pas manquer** – Le château de la Grange et son riche mobilier.
- **Avec les enfants** – Les écomusées des Mines de fer de Neufchef et d'Aumetz.
- **Pour poursuivre la visite** – Voir aussi Amnéville, Briey, la ligne Maginot (fort de Guentrange, Hackenberg, Zeiterholz et Immerhof).

Comprendre

La sidérurgie lorraine – Le gisement de fer lorrain, logé dans les assises de la côte de Moselle, s'étire sur 120 km de la forêt de Haye au Luxembourg. En un peu plus d'un siècle, il a livré 3 milliards de tonnes de « minette », minerai à teneur en fer relativement faible (33 %). Saluons ici le courage et la ténacité du travail des « gueules jaunes », qui ont extrait le fer des gisements lorrains pendant plus d'un siècle. Le record de production de fer a été atteint en 1962 avec 62 millions de tonnes de minerai. Ensuite, le glissement des usines métallurgiques vers le « bord de l'eau », la concurrence des minerais riches importés et le tassement des débouchés traditionnels de l'acier ont provoqué le déclin de l'exploitation. Une à une, les mines ont fermé ; l'abandon de celle de Roncourt en août 1993 a mis fin à l'activité du bassin ferrifère, si on excepte le site de Bure-Tressange.

Reconversion – C'est grâce à la diversification des produits et à ses investissements que la sidérurgie lorraine est redevenue compétitive. Ainsi, le groupe Usinor-Sacilor se place en 3e position mondiale. Les efforts de reconversion ont été importants, avec des implantations liées à l'automobile sur les zones industrielles d'Ennery, Ste-Agathe à Florange et à Basse-Ham, ainsi qu'à l'énergie nucléaire. Quoi qu'il en soit, si pour les mines de fer de Lorraine la page paraît définitivement tournée, la rude épopée des gueules jaunes continue d'imprégner l'identité de toute la région. Les musées d'Aumetz et Neufchef veillent à l'entretien de leur mémoire.

Visiter

Musée du Pays thionvillois (ou musée de la Tour aux Puces)

Cour du château. 📞 *03 82 82 25 52 - www.tourauxpuces.com - de mi-juin à mi-sept. : tlj sf lun. mat. et apr.-midi ; reste de l'année : tlj sf lun. apr.-midi - fermé 1er janv., Pâques, lun. de Pâques, 1er nov., 25 et 26 déc. - 2,80 € (-18 ans gratuit), 1er dim. du mois gratuit.*

Même si l'on raconte que Charlemagne y enfermait des chiens couverts de puces, entrez sans crainte dans la **tour aux Puces**, appelée aussi tour aux Puits : ce puissant donjon médiéval des 11e et 12e s., assis sur une base carolingienne, est le plus important vestige de l'ancien château féodal des comtes de Luxembourg. Étonnante architecture que la sienne avec ses quatorze côtés !

Vous y découvrirez l'histoire de Thionville et de ses environs en cinq étapes, depuis le paléolithique jusqu'au Bas Moyen Âge. Riche section gallo-romaine et importante collection de lapidaires de la fin du Moyen Âge.

Église St-Maximin

Plan grandiose, très beau maître-autel à baldaquin baroque et orgue (18e s.)

Le beffroi

Tout près de la place du Marché non loin de la cour baroque du Mersch, cette tour a été construite au 16e s. Son clocher en ardoise abrite quatre cloches, dont la « Grosse Suzanne », et se compose d'une lanterne chapeautée et d'un bulbe.

Les ponts-écluses

Ils sont dus à Louis de Cormontaigne, qui, au 18e s., renforça les fortifications de la ville. On lui doit également la porte de Sarrelouis, encore debout.

Château de la Grange★

Au nord par l'avenue Albert-Ier, puis à gauche, à l'angle de la route de Luxembourg et de la chaussée d'Amérique (commune de Manom). 📞 *03 82 53 85 03 - www.chateaudelagrange.com - visite guidée uniquement - juil.-août : tlj sf mar. apr.-midi ; mai-juin et sept.-oct. : w.-end et j. fériés apr.-midi - jardin des Prairiales (visite libre) 2 € (-12 ans 1 €) ; billet combiné avec le château 7 € (-12 ans 6 €).*

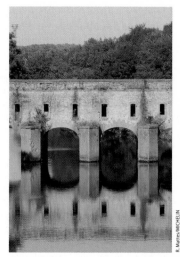

Ponts-écluses sur la Moselle.

Construit en 1731 par Robert de Cotte, le château est élevé sur les soubassements d'une forteresse qui servit jusqu'au 17e s. d'avant-poste aux défenses de la citadelle de Thionville.

La grande cuisine au mobilier lorrain présente une cheminée surmontée d'un très bel arc en anse de panier. Dans la salle à manger, deux vitrines exposent des collections de porcelaines de Boch et de Chantilly. À noter également, un poêle en faïence blanc et or, haut de près de 5 m.

Dans l'entrée des remarquables tapisseries des Flandres du début du 17e s. ont pour sujet la guerre de Troie. En haut de la cage du grand escalier, à la belle rampe de fer forgé du 18e s., deux énormes vases chinois, en émail cloisonné, et deux bas-reliefs de l'école de Jean Goujon. Dans la salle de bains Empire, la baignoire, taillée dans un seul bloc de marbre blanc, a appartenu à Pauline Bonaparte.

Le mobilier Louis XV et la décoration du grand salon bleu sont d'origine. Remarquez son plancher à marqueterie en étoile. La bibliothèque est installée dans l'ancienne chapelle du château.

Un parc à l'anglaise a remplacé au 19e s. le jardin à la française d'autrefois.

Circuit de découverte

LE PAYS DU FER★

Environ 90 km – une demi-journée.
Quittez Thionville par le sud et D 953.

Aussitôt après Thionville commence un long défilé d'usines. À la sortie de Terville et aussitôt après le passage à niveau de Daspich, vue sur le site de Sollac-Florange, un des établissements de Sollac (Société lorraine de laminage continu), la branche des produits plats d'Usinor-Sacilor, leader européen dans son domaine d'activité.
Prenez à droite la D 18 jusqu'à Serémange-Erzange, puis à gauche la D 17.

Au cours de la montée vers St-Nicolas-en-Forêt, belle vue dans les clairières et, près du bâtiment de la Compagnie générale des eaux, vue étendue sur la **vallée industrielle de la Fensch** (Unimetal-Sollac Florange, hauts-fourneaux de Lorfonte, cimenterie d'Ébange). Du rond-point du Bout-des-Terres à l'extrémité du boulevard des Vosges, on a aussi un beau panorama sur la vallée de la Moselle. Dépassez Hayange, où se trouve l'usine Sogérail qui fabrique les rails pour le TGV, pour atteindre Neufchef.

Écomusée des Mines de fer de Neufchef★

📞 *03 82 85 76 55 - www.musee-minesdefer-lorraine.com - ♿ - visite guidée uniquement - tlj sf lun. apr.-midi - fermé 1er janv. et 25 déc. - 6 € (-18 ans 3 €) ; billet combiné avec écomusée des Mines d'Aumetz 9,80 €.*

Il occupe le site de Ste-Neige, « mine de coteau » dont les galeries s'ouvraient à flanc de colline. En surface, un vaste bâtiment, devant lequel est reconstitué un carreau de mine, documente les visiteurs sur la genèse du fer et ses conditions de gisement, ainsi que sur le métier de mineur et son environnement social. Le long d'un parcours de 1,5 km, des chantiers de diverses époques ont été réinstallés, invitant à un passionnant voyage dans le temps, riche d'enseignements sur l'évolution des techniques minières : forage au vilebrequin, apparition du wagonnet, avènement du compresseur et du marteau-piqueur, mise en œuvre de machines d'extraction…

Après Neufchef, la route traverse la forêt de Moyeuvre, coupée par la vallée du Conroy.

À Avril, possibilité de prendre à droite la D 906 jusqu'à Aumetz, au nord.

Écomusée des Mines de fer d'Aumetz

℘ 03 82 85 76 55 - www.musee-minesdefer-lorraine.com - visite guidée (1h15) mai-sept. : tlj sf lun. apr.-midi - 6 € (-18 ans 3 €) billet combiné avec écomusée de Neufchef 9,80 €.

L'ancienne mine de Bassompierre, ouverte sur le revers de la côte de Moselle, rend bien compte du travail des mineurs. En surface de la mine, on accède au chevalement (34 m), tour d'acier assurant la liaison avec le fond, d'où l'on a un bon aperçu de la région minière, ainsi qu'aux bâtiments d'exploitation abritant la salle des compresseurs, la forge et la grande machine d'extraction.

Revenez par la même route jusqu'à Briey, au sud.

Briey *(voir ce nom)*

À partir d'Homécourt, la route, qui emprunte la **vallée de l'Orne**, n'est qu'une longue suite de cités résidentielles et d'usines.

De Rombas, rejoignez la D 953 à Hagondange.

Hagondange

C'est l'ancien fief de Thyssen, magnat allemand de l'acier avant 1914. Dans la cité située à droite de la D 47, église moderne dont le plafond est fait de lattes de sapin formant pointes de diamant. À droite de la D 953, entre Hagondange et Uckange, s'est construite, en 1960, la centrale sidérurgique de Richemont. Avec les installations métallurgiques d'Uckange commencent les faubourgs de Thionville.

Haut-fourneau d'Uckange

Horaires et conditions de visite : se renseigner auprès de l'office du tourisme du val de Fensch - ℘ *03 82 85 76 55 - visite guidée de jour et de nuit.*

Le haut-fourneau U4 ouvre ses portes après des années de travaux pour présenter l'équipement typique de la sidérurgie de l'entre-deux-guerre. Le U4 est l'un des six hauts-fourneaux de l'usine construite entre 1878 et 1904 par les frères Stumm et qui représentait à l'époque l'invasion de la « grosse industrie allemande ».

Thionville pratique

Adresse utile

Office du tourisme de Thionville – 16 r. du Vieux-Collège - 57100 Thionville - ℘ 03 82 53 33 18 - www.thionville.net - tlj sf dim. mat. et apr.-midi ; juil-août : tlj mat. et apr.-midi, dim. 11h-15h.

Visite

Visite guidée de Thionville – ℘ 03 82 53 33 18 - www.thionville.net - juil.-août - 4 €.

Se loger

⊖⊜ **Hôtel des Oliviers** – 1 r. du Four-Banal - ℘ 03 82 53 70 27 - www.hoteldesoliviers.com - 26 ch. 55 € - �竑 6,50 €. Cet hôtel bénéficie d'une situation privilégiée en centre-ville, dans une rue piétonne. Chambres colorées, bien rénovées et insonorisées ; trois sont équipées d'ordinateurs.

⊖⊜ **Hôtel du Parc** – 10 pl. République - ℘ 03 82 82 80 80 - www.hoteldu-parc.com - 41 ch. 60/70 € - �竑 8,50 €. Aux abords du centre-ville, immeuble du début du 20ᵉ s. tourné vers un petit parc public. Les chambres, fonctionnelles et toutes semblables, se distribuent sur six étages.

Se restaurer

⊝ **Relais du Musée** – Vallée Ste-Neige - 57700 Neufchef - 14 km au sud-ouest de Thionville par D 13 et D 57 dir. Hayange - ℘ 03 82 84 74 37 - tlj sf lun. 11h30-15h - 10/28 €. Un petit creux après la visite de l'écomusée ? Rendez-vous dans cet accueillant restaurant aux allures de bistrot où l'on vous servira une cuisine de brasserie, des salades, des grillades ainsi que le plat du jour, le tout à prix doux ! Les baies vitrées de la salle à manger ouvrent sur la mine de fer.

⊝⊜ **Les Alérions** – 102 r. Nationale - 57970 Yutz - ℘ 03 82 56 26 63 - www.lesalerions.com - fermé 20 fév.-6 mars, 21 juil.-10 août, dim. soir et lun. sf j. fériés - 16/48 €. L'enseigne de ce restaurant évoque les trois petits aigles sans bec ni pattes qui figurent sur le blason lorrain. Haut plafond, boiseries, tentures aux couleurs chaudes, grande cheminée, poêle en faïence et mobilier rustique président au décor de la salle à manger, où l'on déguste une sage cuisine traditionnelle.

Que rapporter

Marché aux puces – R. Walker et bd du XXᵉ-Corps, autour du Théâtre municipal. – 2ᵉ et 4ᵉ dim. de chaque mois.

Événement

Festival du film italien de Villerupt – Voir l'encadré pratique de Longwy.

Vallée de la **Thur**★

CARTE GÉNÉRALE B3 – CARTE MICHELIN DÉPARTEMENTS 315 F/H 8/10 – HAUT-RHIN (68)

Les villages, dominés par quelques-uns des plus hauts sommets des Vosges, sont charmants, la vallée supérieure et le vallon d'Urbès, aux versants boisés et couverts de pâturages, sont le refuge d'une faune et d'une flore très riches et variées. Quantité d'oiseaux nicheurs et migrateurs l'ont choisie ; les randonneurs y trouveront eux aussi le plaisir et l'oxygène qu'ils recherchent. L'idée que la vallée de la Thur est une vallée industrielle ne doit en aucun cas effrayer les amoureux de la nature.

- **Se repérer** – Sous le Grand Ballon, les premières vallées sont parallèles à la route des Crêtes. Accès par Thann, à 22 km à l'ouest de Mulhouse, par la N 86-E 512.
- **À ne pas manquer** – Le parc de Wesserling et son Musée textile, le circuit de la haute vallée de la Thur pour sa nature et ses panoramas.
- **Avec les enfants** – La ferme du parc de Wesserling, le parc d'Arbre en arbre à Kruth.
- **Pour poursuivre la visite** – Voir aussi le Parc naturel régional des Ballons des Vosges, Gérardmer, la route des Crêtes, Thann.

La vallée de la Thur, dans laquelle se resserrent de modestes agglomérations laborieuses.

Comprendre

D'origine très ancienne – Les petites villes des rives de la Thur le sont presque toutes. Dès le 18e s., l'industrie textile a conquis la vallée. Elle représente encore aujourd'hui une part importante de son activité.

Un axe de passage – La vallée est fréquentée dès l'époque romaine. Puis, à partir du début du 13e s., après l'ouverture des cols du St-Gothard et du Simplon, elle devient un axe de circulation entre l'Italie et les Pays-Bas.

De grands industriels – Ici, l'histoire n'a pas retenu des noms de guerriers, de souverains ou de religieux, mais ceux de Jérémie Risler, des Kœchlin, des Kestner, des Stehelin, tous « capitaines » d'industrie, fondateurs d'usines métallurgiques, textiles ou de produits chimiques.

Circuits de découverte

LA VALLÉE INDUSTRIELLE

12 km au départ de Thann – environ 30mn – schéma p. 118-119.
Sortez de Thann à l'ouest, par la N 66.

La vallée de la Thur se resserre, puis s'élargit. Malgré leurs usines, les villages riverains sont charmants, de même que la campagne environnante avec ses prés, ses vergers, ses vallons, ses ruisseaux et ses cascades.

Willer-sur-Thur

Willer revendique l'honneur d'être le lieu de naissance de Catherine Hubscher, la future maréchale Lefebvre, passée à la postérité sous le surnom de « Madame Sans-Gêne » *(voir Rouffach)*.

Moosch

Ils sont morts pour que vive la France. Dans un grand cimetière militaire adossé au versant est de la vallée reposent près de 1 000 soldats français fauchés en 1914-1918.

St-Amarin

Cette localité a donné son nom à la vallée entre Moosch et Wildenstein. Le **musée Serret et de la Vallée de St-Amarin** rassemble des souvenirs locaux : gravures et vues anciennes de la région, coiffes alsaciennes, armes, ferronneries, emblèmes de confréries. *℘ 03 89 38 24 66 - mai-sept. : tlj sf mar. apr.-midi - 3,20 € (-16 ans 0,80 €).*

Ranspach

Dans le haut du village, au-delà d'une usine, départ d'un sentier botanique *(⚐ 2,5 km)* signalé par une feuille de houx. Les caractéristiques des arbres et arbustes rencontrés, tous différents, sont données sur des panneaux. C'est une promenade facile et agréable.

Husseren-Wesserling

C'est le siège d'une importante manufacture de tissus imprimés. Un **Musée textile** est installé dans un ancien bâtiment industriel, situé au milieu d'un grand parc aux essences rares. Trois thèmes sont évoqués : le passage de la matière première (le coton) au métrage de tissu, l'histoire des grandes familles industrielles depuis le 18e s. jusqu'à nos jours, les costumes avec l'évolution de la silhouette féminine et l'évocation des petits métiers liés à la mode (fleuriste, brodeur, gantier). Des scènes illustrent les modes vestimentaires au 19e s. à différents moments de la journée.

La **ferme** accueille des animaux qui étaient au service de l'industrie textile (chevaux, ânes, vaches, moutons et chèvres), une boutique de produits du terroir, des expositions sur l'agriculture et des ateliers du goût.

Réaménagé comme au 19e s., le **parc** est chaque été le théâtre du **Festival des jardins métissés**, où les visiteurs découvrent plusieurs jardins éphémères. *℘ 03 89 38 28 08 - www.parc-wesserling.fr - ⚬ - mi-juin-sept. : tte la journée ; reste de l'année : mat. et apr.-midi - fermé lun. (sf juil.-sept.) et j. fériés (oct.-mars) - 5 €, 7 € musée et parc (-10 ans gratuit) - entrée gratuite pour les jardins (5 € pdt les festivals).*

LA HAUTE VALLÉE★

46 km au départ d'Husseren-Wesserling – environ 2h – schéma p. 118-119.

La haute vallée de la Thur est curieusement bosselée de buttes granitiques. Ce sont des îlots que l'action destructrice des anciens glaciers a respectés. Trois de ces buttes dominent **Oderen**. En amont, on peut apercevoir une autre butte, boisée, le Schlossberg, qui porte les ruines du **château de Wildenstein.**

À l'entrée d'Oderen, en venant de Fellering, belle vue sur les escarpements pittoresques des bois de Fellering.

À Kruth, prenez à gauche la D 13^{B1}.

Cascade St-Nicolas★

On peut accéder à la cascade à pied depuis Kruth, par un sentier.

La cascade, composée de multiples et charmantes cascatelles, tombe au fond d'un joli vallon très encaissé dont les versants sont couverts de sapins.

Revenez à Kruth.

Entre Kruth et Wildenstein, la route passe à droite du Schlossberg dans un défilé que, sans doute, la Thur emprunta autrefois.

Une autre route longe, par l'autre versant, le Schlossberg et le **barrage de Kruth-Wildenstein**, digue en terre et d'argile étanche, un des maîtres ouvrages de l'aménagement hydraulique de la vallée de la Thur.

À Wildenstein commence une superbe montée vers le col de Bramont caractérisée d'abord par une très belle vue en enfilade sur la vallée de la Thur, puis par un magnifique parcours en forêt. *Cette route n'est utilisable que dans le sens Wildenstein-Kruth et elle est fermée en hiver. Si tel est le cas, rejoignez Kurth par la D 13 bis, puis prenez la D 43^{C} pour atteindre Grand Ventron.*

Col de Bramont

Alt. 956 m. Il est situé sur la crête principale des Vosges.

Grand Ventron★★

La route d'accès s'embranche au col de Bramont. Prenez à gauche la route forestière (8 km) passant par le col de la Vierge et aboutissant à la chaume du Grand Ventron.

Du sommet (1 204 m), le **panorama★★** est très étendu sur les Vosges et la vallée de la Thur.

LE VALLON D'URBÈS

11 km au départ d'Husseren-Wesserling (p. 391) – environ 30mn – schéma p. 118-119.

La route traverse la vallée de la Thur, puis s'engage dans le vallon d'Urbès barré par une moraine.

See d'Urbès

Parking sur le bord du lac, signalé par un grand panneau.

La dépression dans laquelle est installé le lac (ou *see*) d'Urbès doit son existence au glacier qui sculpta la vallée de la Thur à l'ère quaternaire. L'eau est retenue par une moraine frontale, dépôt rocheux accumulé par le glacier. Depuis la disparition de celui-ci, une végétation de tourbière (sphaignes, laîches, etc.) a colonisé ce lieu, le comblant progressivement.

Un sentier balisé *(1h30)*, complété par des panneaux présentant la flore, la faune et les activités traditionnelles propres à ce milieu particulier, facilite la découverte du lac d'Urbès.

Une montée douce, avec de jolies vues sur la vallée de la Thur et les crêtes qui la dominent, amène au col de Bussang.

Col de Bussang *(voir PNR des Ballons des Vosges)*

À partir du col, on peut descendre la haute vallée de la Moselle, tout aussi typique.

Vallée de la Thur pratique

Adresse utile

Office du tourisme de St-Amarin – *81 r. Charles-de-Gaulle - 68550 Saint-Amarin - ℰ 03 89 82 13 90 - www.ot-saint-amarin.com - juil.-août : tlj mat. et apr.-midi, dim. mat. ; reste l'année : tlj mat. et apr.-midi, sam. mat. (fermé dim.)*

Se loger et se restaurer

⊖⊖ **Auberge de France** – *20 Grand'Rue - 68820 Kruth - ℰ 03 89 82 28 02 - aubergedefrance@wanadoo.fr - fermé 3 janv.-9 fév., 9-21 juin, merc. hors. sais. et jeu. - 16 ch. 49/56 € - ⌷ 8 € - rest. 16,50/39 €.* Dans la traversée de ce village de la haute vallée de la Thur, auberge bien tenue abritant des chambres équipées de wifi. Billard, boulodrome. Vous passerez par le bar de l'hôtel pour atteindre la salle à manger rustique où l'on sert des plats traditionnels.

⊖⊖ **Auberge du Mehrbächel** – *68550 St-Amarin - ℰ 03 89 82 60 68 - kornacker@wanadoo.fr - fermé 20 oct.-7 nov., lun. soir, jeu. soir et vend. -* 🅿 *- 23 ch. 65 € - rest. 17/45 €.* Cette ancienne ferme tenue par la même famille depuis 1886 bénéficie d'une situation privilégiée sur le passage d'un GR. Intérieur rustique ; confort actuel. Le restaurant propose quelques spécialités alsaciennes à partager avec les randonneurs.

Se restaurer

⊖⊖ **Domaine des Fines Fleurs du Terroir** – *R. Rhin-et-Danube - 68820 Wildenstein - ℰ 03 89 82 20 20 - domaine-fines-fleurs.com - ouv. à midi - réserv. obligatoire le soir - 14,50/48 €.* Cet hôtel qui partage les lieux avec une ferme avicole ménage une superbe vue sur la vallée de la Thur. Les chambres, magnifiquement décorées, disposent de tout le confort actuel et le restaurant fonctionne selon le principe d'une ferme-auberge : la majorité des produits proviennent de l'exploitation voisine.

Sports & Loisirs

D'Arbre en Arbre – *68820 Kruth - ℰ 03 89 82 25 17 - www.arbreenarbrekruth.com - avr.-juin et sept.-nov. : merc. et w.-end 13h30-18h ; juil.-août 9h30-20h ; j. fériés 13h30-20h - fermé déb. nov.* Retrouvez votre instinct d'aventurier en empruntant l'un de ces parcours de difficulté croissante tracés au milieu des arbres, qui vont de la simple découverte au grand frisson du circuit « No Limit ». Filets, balançoires, tyroliennes… Si le courage vous manque, vous pourrez toujours vous rabattre sur les pédalos ou les kayaks.

Événement

Feux de la St-Jean – La vallée de St-Amarin s'illumine chaque année à l'occasion de la veillée de la St-Jean (samedi suivant le 20 juin) de nombreux feux de joie et feux d'artifice ; animation musicale - *ℰ 03 89 82 13 90 - www.ot-saint-amarin.com.*

Toul ★

16 945 TOULOIS
CARTE GÉNÉRALE A2 – CARTE MICHELIN DÉPARTEMENTS 307 G6
MEURTHE-ET-MOSELLE (54)

Au cœur du vignoble toulois où prend naissance le gris de Toul, seul vin AOC de Lorraine, la ville est ceinte d'une forteresse tracée par Vauban qui protège les trésors architecturaux de l'époque épiscopale. Car, comme ses voisines Metz et Verdun, la cité gallo-romaine de Toul devint le siège d'un important évêché dès le 4ᵉ s. et se développa activement à la Renaissance. Le bourg, aujourd'hui très tranquille, plaira aux passionnés d'art et d'histoire.

- **Se repérer** – À une vingtaine de kilomètres à l'ouest de Nancy par la A 31.
- **À ne pas manquer** – La cathédrale St-Étienne ; le cloître St-Gengoult.
- **Organiser son temps** – Comptez une demi-journée pour parcourir la ville et visiter le musée d'Art et d'Histoire.
- **Pour poursuivre la visite** – Voir aussi Commercy, Nancy, le Parc naturel régional de Lorraine.

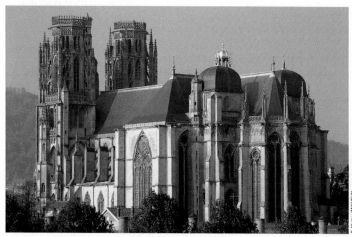

La cathédrale Saint-Étienne de Toul dominant la ville.

Comprendre

Un peu d'histoire –*Tullum Leucorum*, c'est le nom que portait la cité au temps des Leuques. Cette nation celtique était soumise aux Romains dès 51 av. J.-C., puis fut intégrée dans la province romaine de Belgique. Beaucoup plus tard, en 1905, l'importance stratégique de la ville est soulignée par la présence de 12 000 militaires. À la veille de la Grande Guerre, Toul passait pour être une des places fortes les mieux défendues d'Europe, ce qui l'aida à traverser cette période sans dommage.

Se promener

Cathédrale St-Étienne★★ (B2)

✆ *03 83 64 11 69 (OT) - de déb. juil à mi-sept. : lun.-sam. tte la journée, dim. et j. fériés mat. et apr.-midi ; reste de l'année : lun.-sam. mat. et apr.-midi.. Possibilité de monter à la tour.*

Commencée au début du 13ᵉ s., elle ne fut achevée qu'au 16ᵉ s. La magnifique **façade★★** qui s'élève sur la place du Parvis a été édifiée de 1460 à 1496 dans le style flamboyant. Sa statuaire a été saccagée par les révolutionnaires. La tempête qui a balayé la France en décembre 1999 n'a pas épargné les toitures, alors que la cathédrale commençait à se remettre de l'incendie de 1940. La restauration est en cours.

L'intérieur montre des traces du gothique champenois : galeries de circulation hautes et basses au-dessus des grandes arcades et des bas-côtés, arcades très aiguës, absence de triforium. La nef, haute de 36 m, est la plus belle partie de l'édifice. Dans le transept gauche, les vitraux de 1503 représentent le couronnement de la Vierge. Dans le chœur, vitraux des scènes de l'Ancien et du Nouveau Testament (en restauration).

Dans le bas-côté droit, une belle chapelle Renaissance est surmontée d'une coupole à caissons. L'orgue monumental (1963) est porté par une tribune de style Louis XV. Au sol, de nombreuses pierres tombales, du 14e au 18e s., forment le dallage de l'édifice, notamment dans le transept.

Cloître★ (B2) – Pour y accéder, entrer par le petit portail, place des Clercs. Datant des 13e et 14e s., il possède trois galeries percées de vastes baies en tiers-point au réseau rayonnant (beaux chapiteaux à feuillages). Quelques gargouilles ornent les contreforts qui séparent les baies. Les murs sont agrémentés d'arcatures trilobées (disposition champenoise).

Empruntez la rue de Rigny.

Ancien palais épiscopal (B2 H)

Cet édifice, construit de 1735 à 1743 en remplacement de l'ancien palais médiéval, est aujourd'hui l'hôtel de ville. Le mur de clôture qui délimitait le territoire de l'évêque subsiste encore et on peut apercevoir la porte lui permettant d'entrer directement dans sa cathédrale. **Façade★** majestueuse, derrière un beau portail.

Prenez à droite la rue des Cordeliers qui se transforme en rue du Gén.-Foy (portes Renaissance aux n°s 8 et 12). La place Cugnot-Poirot vous conduit au musée (voir « Visiter »).

Dans la rue Gouvion-Saint-Cyr, les portes d'entrée des n°s 15, 24 et 18 sont de style gothique et Renaissance.

Poursuivez par la rue du Pont-de-Bois puis tournez à gauche rue du Murot pour rejoindre la rue Michâtel vers la droite.

Rue Michâtel (B2)

À l'angle, vous remarquerez le Pavillon Bleu, échoppe de la fin du 19e s. Au n° 16, la maison Renaissance à gargouilles (1550) fut habitée de 1638 à 1658 par le père de Bossuet, conseiller au parlement de Metz.

Tournez à droite rue Lafayette puis au bout à gauche.

SE LOGER		SE RESTAURER	
La Villa Lorraine	②	Auberge du Pressoir	①
L'Europe	④		

Église St-Gengoult (B2)

℘ 03 83 64 11 69 (OT) - www.ot-toul.fr - de déb. juil à mi-sept. : mat. et apr.-midi ; reste de l'année : dim. mat.

Ancienne collégiale de chanoines, édifiée du 13e au 15e s., elle est une manifestation de l'école gothique champenoise ; c'est le modèle de construction d'une des chapelles de Reims qui est repris pour la cathédrale et St-Gengoult. La façade ouest, percée d'une gracieuse porte, date du 15e s.

L'intérieur surprend par sa courte nef et son très large transept. Remarquez la différence de style entre les deux dernières travées et les deux premières. Devant supporter le poids des tours, celles-ci ont une section plus forte. Les absidioles qui encadrent le chœur donnent à la fois sur celui-ci et sur les bras du transept. Elles ont de beaux **vitraux** du 13e s.

Cloître St-Gengoult.

Cloître St-Gengoult★★

Il date du 16e s. Le long des galeries, dont la décoration extérieure est Renaissance (chapiteaux, médaillons), des gâbles accentuent l'élévation des arcades. Les voûtes en étoile ont des clés en forme de médaillons, décorées avec fantaisie.

Sortez par la collégiale. Tournez à droite et empruntez la rue des Quatre-fils-Aymon puis, à gauche, la rue du Gén.-Gengoult.

Rue du Général-Gengoult (A2)

Vous y apercevrez de belles maisons Renaissance. Remarquez le n° 4 (17e s.) et les n°s 6 et 6 bis (ancien hôtel de Pimodan, 17e s.). Le n° 8 est plus ancien (début 15e s. pour la façade) : il s'agit de l'hôpital du Saint-Esprit, fondé au 13e s. La porte d'origine, à gauche d'une fenêtre trilobée, se trouve à 80 cm de l'actuel niveau de la rue. Les n°s 17, 26 et 28 sont les bâtiments de l'ancien séminaire. Au n° 30, les portes de l'ancien hôtel des Chevaliers de Malte sont encadrées par des colonnes corinthiennes.

Au niveau de la fontaine Curel (symbole de la France), tournez à gauche rue Gambetta.

Ancien Café de la Comédie (A2)

Le fronton de ce bâtiment Art nouveau jouxtant le théâtre est décoré d'une étoile à six branches qui ressemble fort à celle de David : c'est en réalité la croix des brasseurs, qu'un limonadier fit apposer ici lorsqu'il racheta le café, détruit par un incendie en 1902. Avant d'être un café, l'immeuble fut un couvent puis un théâtre.

Gagnez la place des Trois-évêchés puis empruntez la rue du Docteur-Chapuis, prolongée par la rue Michâtel, pour regagner la place Charles-de-Gaulle, devant la cathédrale.

Visiter

Musée d'Art et d'Histoire ★ (B1)

25 r. Gouvion-St-Cyr - ℘ 03 83 64 13 38 - tlj sf mar. mat. et apr.-midi - fermé 1er janv., dim. et lun. Pâques, 1er Mai, 1er nov. et 25 déc. - 3 € (-18 ans gratuit).

Installé sur trois étages dans l'ancienne Maison-Dieu (18e s.), ses collections touchent à des domaines très variés : peinture, sculpture, tapisseries des Flandres, céramique (faïencerie de Toul-Bellevue), art religieux, archéologie antique et médiévale (sépultures et bijoux mérovingiens), arts et traditions populaires. Une toile de François Boucher, *L'Agréable Leçon*, orne la reconstitution d'un petit salon Louis XVI. Les guerres de 1914-1918 et 1939-1945 sont évoquées par des armements, uniformes, reliques et souvenirs de la vie quotidienne des principaux belligérants. La **salle des malades★**, remontant au premier tiers du 13e s., est un beau vestige médiéval de la Maison-Dieu.

Aux alentours

Église N.-D. d'Écrouves
4 km à l'ouest. Construite sur le flanc méridional d'une colline autrefois couverte de vignes et dominant aujourd'hui la plaine industrielle de Toul, l'ancienne église d'Écrouves, dédiée à Notre-Dame de la Nativité, a conservé du 12e s. son massif clocher carré ajouré de baies à trois colonnettes.

Vannes-le-Châtel
18 km au sud par la D 960 jusqu'à Blénod-lès-Toul, puis la D 113.
Dans ce village de la forêt de Meine, héritier d'une tradition verrière (compagnie française de cristal Daum), s'est installée la **Plate-forme verrière**. Ce centre européen de recherche et de formation aux arts verriers propose aux artistes et artisans une formation pour créer leur propre collection. On peut y voir une exposition des créations contemporaines, une démonstration des différentes techniques, dont celle du soufflage. ℘ *03 83 25 47 44 - www.idverre.net/espaceverre - ♿ - possibilité de visite guidée - tlj mat. et apr.-midi, lun., w.-end et j. fériés apr.-midi - fermé 1er janv., Lun. de Pâques, 1er Mai et 25 déc. - gratuit.*

Liverdun
À 15 km au nord-est en suivant la jolie rive droite de la Moselle par la D 90.
Liverdun occupe un **site★** agréable dans un méandre de la Moselle, qu'il domine. En venant de Frouard par la pittoresque D 90, on pénètre dans la petite cité par une porte de ville du 16e s. La place de la Fontaine, derrière l'église, est bordée d'arcades du 16e s. **Rue Porte-Haute**, la porte sculptée de la maison dite « du Gouverneur » date de la fin du 16e s.
Commencée à la fin du 12e s., l'**église** fut consacrée en 1261. À l'intérieur, tombeau de saint Euchaire (statue du 13e s. dans un encadrement du 16e s.).

Ensemble fortifié de Villey-le-Sec★
7 km à l'est par la D 909. Laissez la voiture à la sortie du village, route de Toul. ℘ *03 83 63 90 09 - www.villey-le-sec.com - visite guidée (2h30) de mi-juil. à mi-août : tlj sf lun. 15h ; de mi-août à fin sept. et de déb. mai à mi-juil. : dim. et j. fériés 15h - 5 € (enf. gratuit) - visite libre du chemin de découverte des fortifications.*
La localité de Villey, disposée sur une crête flanquant la rive droite de la Moselle, constitue le seul exemple en France d'un village intégré dans un **ensemble fortifié** de la fin du 19e s. Cet ouvrage, élément du système fortifié de Toul, illustre le système défensif Séré de Rivières. Construit en cinq ans, il n'eut cependant pas de rôle actif durant la guerre 1914-1918. L'extérieur de la batterie Nord, avec son front cuirassé, son fossé, ses canonnières, ses cloches observatoires, sa tourelle cuirassée à éclipse à canons, dont on visite la chambre de tir (3 étages), préfigurent ce qui fut réalisé plus tard pour les gros ouvrages de la ligne Maginot.
Le transfert au fort se fait par chemin de fer à voie de 60 sur un circuit de 1,5 km.
Le fort, ou réduit de la défense, abrite, outre les magasins et casernements, le **musée Séré-de-Rivières** (matériels de fortifications français et allemands) et une crypte du souvenir. On y voit aussi un chemin de fer militaire, une tourelle cuirassée à canons de 155, un coffre de contrescarpe avec son canon revolver Hotchkiss modèle 1879 (tir à blanc) et un canon de 12 culasses.

Blénod-lès-Toul
10 km au sud par la D 960. Né à Blénod-lès-Toul, Hugues des Hazards, 74e évêque de Toul, fit reconstruire le château pour y établir un palais épiscopal et érigea une église mêlant influences gothiques et Renaissance, qui abrite son tombeau. L'enceinte du château renferme des maisonnettes ou « loges » : pour remercier les villageois d'avoir participé aux travaux de l'église, l'évêque leur permit de construire une trentaine de « loges » servant de caves et d'abris contre les attaques extérieures.

Toul pratique

Adresse utile

Office du tourisme de Toul – *Parvis de la Cathédrale - 54203 Toul -* ℘ *03 83 64 11 69 - www.ot-toul.fr - juil.-août : tte la journée, dim. mat. et apr.-midi ; reste de l'année : tlj sf dim. mat. et apr.-midi.*

Se loger

⌐ **Hôtel La Villa Lorraine** – *15 r. Gambetta -* ℘ *03 83 43 08 95 - www.hotel-la-villa-lorraine.com - fermé vac. de Toussaint -* **P** *- 21 ch. 45/53 € -* ⊐ *6,50 €.* Ce petit hôtel familial situé au cœur de la cité fortifiée dispose de chambres meublées dans le style rustique et bien insonorisées. Salle des petits-déjeuners agréablement aménagée.

⌐⌐ **Hôtel L'Europe** – *373 av. Victor-Hugo -* ℘ *03 83 43 00 10 - www.hotel-europe54.com - fermé vac. de Noël - 21 ch. 47/55 € -* ⊐ *12 €.* Voici une adresse commode pour ceux qui voyagent par le train. Le rez-de-chaussée a conservé un petit air rétro. Chambres toutes rénovées. Tenue sérieuse et accueil familial.

Se restaurer

⌐ **Auberge du Pressoir** – *7 r. Pachenottes - 54200 Lucey - 5 km nord-ouest de Toul par D 908 -* ℘ *03 83 63 81 91 - www.aubergedupressoir.com - fermé 16 août-4 sept., sam. midi, dim. soir et lun. soir - 13/29 €.* L'ancienne gare du village abrite une salle de restaurant au sobre cadre rénové. Terrasse bien ensoleillée. Cuisine au goût du jour.

En soirée

👁 **Bon à savoir** – La plupart des bistrots ouverts le soir se trouvent sur la place centrale des Trois-Évêchés. Vous pourrez y déguster la spécialité de la région, le vin gris de Toul, nommé ainsi pour sa couleur rosée caractéristique obtenue par l'assemblage d'un cépage gamay et de deux cépages secondaires, un pinot noir et un cépage auxerrois.

Que rapporter

👁 **Bon à savoir** – Le vignobles toulois : s'adresser à l'office du tourisme de Toul pour obtenir la liste des viticulteurs.

Vincent Laroppe – *253 r. de la République - 54200 Bruley -* ℘ *03 83 43 11 04 - www.laroppe.com - tlj sf dim. 9h-12h, 14h-18h - fermé j. fériés.* Superbe caveau du début du 19e s., voûté, meublé de tables-tonneaux et doté d'un véritable musée du vigneron. Les actuels propriétaires sont de fervents défenseurs du pinot noir et proposent un excellent rouge issu à 100 % de ce cépage, un très bon gris de Toul maison et de remarquables côtes-de-toul. Dégustation et vente de vins mais aussi d'une sélection de produits régionaux ; visite gratuite.

M. Michel Vosgien – *24 r. St-Vincent - 54113 Bulligny -* ℘ *03 83 62 50 55 - 9h-19h ; j. fériés sur RV.* Monsieur Vosgien élabore de délicieux côtes-de-toul AOC en gris, blanc ou rouge. On lui doit, entre autres, le Mill-Bull (vin mousseux de qualité élevé selon une méthode traditionnelle) et une eau-de-vie de mirabelle ; ces deux produits sont régulièrement primés. Dégustation, vente et visite possible.

Domaine Claude Vosgien – *37-39 rte de Toul - 54113 Blénod-lès-Toul -* ℘ *03 83 62 50 50 - www.vosgien.com - 10h-12h, 14h-18h, dim. et j. fériés sur réserv. (parking à disposition) - fermé janv.-fév.* On dit que ce serait la dixième génération de vignerons… Depuis 2002, Alexandre et Stéphane, en dignes héritiers des passionnés qui fondèrent la lignée, dirigent cette exploitation renommée dans la région. Une réputation entretenue par les visites du chai qui y sont organisées, et surtout par la qualité des vins. Leurs côtes-de-toul AOC en rouge, blanc ou gris, au caractère prononcé, cuvées Particulière ou Chevalier, ont raflé de nombreuses récompenses. L'Ignis de Bull, un mousseux, et la Lirette, un apéritif à base de jus de raisin et de marc de Lorraine, sont deux créations maison.

Coopérative des vignerons du Toulois – *43 pl. de la Mairie - 54113 Mont-le-Vignoble -* ℘ *03 83 62 59 93 - tlj sf lun. et j. fériés 14h-18h.* Visite de cave, dégustation-vente de vins.

Madeleines de Liverdun – *14 pl. de la Gare - 54460 Liverdun -* ℘ *03 83 24 54 23 - www.lesmadeleines.com - 9h-12h, 14h-18h - fermé 1er janv., Pâques et 25 déc.* Artisanales, sans colorant ni conservateur, elles sont fabriquées à la main à partir d'une recette familiale centenaire.

André & Roland Lelièvre – *1 r. de la Gare - 5 km au nord-ouest de Toul par D 908 - 54200 Lucey -* ℘ *03 83 63 81 36 - www.vins-lelievre.com - 9h-19h, sam. 9h-18h, dim. 14h-18h.* Visite de la cave (sur rendez-vous), des vignes et des vergers. Dégustation, goûter à la ferme.

Au Caveau « En Passant par la Lorraine » – *6 r. Victor-Hugo - 5 km nord-ouest de Toul par D 908 - 54200 Bruley -* ℘ *03 83 64 16 20 - www.enpassantparlalorraine.fr - 10h-18h - fermé 1er-3 janv. et 25 déc.* Cette ex-école de garçons abrite une boutique et un espace restauration entièrement dédiés aux spécialités de la région. Il y a mille bonnes choses à ramener chez soi (vins des côtes de Toul, bières, eaux-de-vie, liqueurs mais aussi charcuteries, bergamotes, chocolats, confitures). Au restaurant, plats du terroir et bel échantillon de produits vendus dans ce Caveau gourmand.

Sports & Loisirs

Amicycles – *ZAC du Jonchery -* ℘ *03 83 64 21 74 - mar.-vend. 9h-12h, 14h-19h, sam. 9h-12h, 14h-18h.* Location de vélos.

Turckheim ★

3 594 TURCKHEIMIENS
CARTE GÉNÉRALE B3 – CARTE MICHELIN DÉPARTEMENTS 315 H8 – SCHÉMA P. 417
HAUT-RHIN (68)

C'est par Niedermorschwihr qu'il faut arriver à Turckheim. Depuis la jolie petite route au milieu des vignes, vous verrez apparaître à l'intérieur de ses remparts la petite ville aux toitures anciennes et son clocher aux tuiles polychromes. Avec ses nids de cigognes et son grand cru du Brand, il est assez difficile d'imaginer Turckheim en champ de bataille… C'est pourtant bien ici, aux portes de la ville, que Turenne, en 1675, a écrasé impitoyablement les envahisseurs impériaux.

- **Se repérer** – À la sortir ouest de Colmar, dans la vallée de la Fecht.
- **Se garer** – Parking en face de la porte de France.
- **Pour poursuivre la visite** – Voir aussi Colmar, Eguisheim, Kaysersberg, Munster, le Parc naturel régional des Ballons des Vosges, la route des Vins.

Le saviez-vous ?
La comédienne Charlotte de Turckheim a bien un lien avec ce lieu, sa famille possède d'ailleurs toujours des vignes alentour.

Comprendre

Un grand capitaine pour une grande victoire – En 1674, Strasbourg livre imprudemment le passage du pont de Kehl aux impériaux : 60 000 Allemands envahissent l'Alsace. Turenne n'a que 20 000 hommes. Il ne se démonte pas et commence par défaire un corps ennemi à Entzheim, près de Strasbourg. Puis il se retire par le col de Saverne. Se jouant des espions et rompant avec la tradition établie jusqu'alors de ne pas engager les hostilités pendant les mois d'hiver, il réunit, fin décembre, par un froid intense, toutes ses forces près de Belfort. Puis il fonce sur les impériaux dispersés dans leurs quartiers d'hiver. En dix jours, le capitaine les culbute à Mulhouse et à Colmar, les bat sous Turckheim (5 janvier 1675) et les rejette au-delà du Rhin. Vite fait, bien fait !

La bataille de Colmar – L'ancienne ville impériale a beaucoup souffert pendant la bataille de Colmar, en hiver 1944-1945. Elle a perdu près d'une centaine de maisons. Mais elle a regagné sa liberté.

Se promener

Porte de France
Face au quai de la Fecht, elle s'ouvre dans une tour massive et quadrangulaire du 14e s. qui porte un nid de cigognes.

Façade de l'hôtel des Deux Clefs.

Place Turenne

Elle est entourée de maisons anciennes. À droite se trouve le corps de garde, précédé d'une fontaine. Au fond de la place, l'hôtel de ville avec pignon Renaissance ; derrière, l'ancienne église dont on aperçoit la tour aux assises romanes.

Grand'Rue

De nombreuses maisons remontent à la fin du 16ᵉ et au début du 17ᵉ s. Belle maison à colombages dont l'oriel repose sur un pilier en bois.

Porte de Munster

Une autre des trois portes typiques de la ville.
Revenez par la Grand'Rue.

Hôtel des Deux Clefs

Ancienne hostellerie municipale, il a été rénové par la ville en 1620. Très jolie loggia aux poutrelles sculptées.

Turckheim pratique

Adresse utile

Office du tourisme de Turkheim – *Corps de garde - 68230 Turckeim - ☏ 03 89 27 38 44 - www.turckheim.fr - juil.-août : tlj mat. et apr.-midi, dim. mat. ; reste de l'année : tlj sf dim. mat. et apr.-midi.*

Visites

Circuit historique – ☏ *03 89 27 38 44 - www.turckheim.fr.* Promenade (50mn) à la découverte du patrimoine architectural de cette ancienne ville impériale. Livret-guide disponible à l'office de tourisme.

Circuit viticole – 🚶 *www.turckheim.fr.* Environ 1h à pied, départ 30 m après la porte du Brand sur votre droite, à hauteur d'un petit oratoire. Circuit de 2 km à travers les vignes, balisé de panneaux explicatifs, pour vous apprendre à connaître le travail de la vigne ainsi que les différents cépages ; beau panorama sur la ville.

Se loger

🛏 **Hôtel Berceau du Vigneron** – *Pl. de Turenne - ☏ 03 89 27 23 55 - www.berceau-du-vigneron.com - fermé janv. - 16 ch. 43/72 € - ☒ 8,50 €.* Sur la ravissante place de Turenne, cette maison traditionnelle propose des chambres spacieuses, dépouillées mais bien tenues et meublées à l'ancienne. La salle des petits-déjeuners est alsacienne à souhait avec ses chaises de bois et ses nappes à carreaux rouges…

🛏 **Hôtel Les Portes de la Vallée** – *29 r. Romaine - ☏ 03 89 27 95 50 - www.hotelturckheim.com - fermé 4-20 mars -* 🅿 *14 ch. 45/63 € - ☒ 7,50 € - rest. 17 €.* Dans un quartier calme, deux bâtiments réunis par une treille. Préférez les chambres claires de l'aile moderne. Plats alsaciens servis dans une salle d'inspiration winstub.

Se restaurer

🍽 **Auberge du Veilleur** – *12 pl. Turenne - ☏ 03 89 27 32 22 - auberge-veilleur@wanadoo.fr - fermé 23 déc. -10 janv., 24-3 juil., mar. et merc. - 9,50/30 €.* À l'entrée de la vieille ville, près de la tour du 14ᵉ s., coquet restaurant de style winstub chargé de bibelots et d'ours en peluche. Menus régionaux.

🍽🍽 **Caveau Morakopf** – *7 r. des Trois-Épis - 68230 Niedermorschwihr - 7 km au sud-est de Kaysersberg par D 415 puis D 10⁷ - ☏ 03 89 27 05 10 - www.morakopf.com - fermé 7-20 janv., 23 juin-7 juil., lun. midi et dim. - 20/35 €.* Atmosphère chaleureuse dans ce restaurant qui occupe la cave d'un bâtiment du 18ᵉ s., et sur son agréable terrasse-jardin. Les spécialités alsaciennes comme le Schwina Zingala (langue de porc au court-bouillon) ou les *fleischschnacka*, préparées avec soin par Madame Guidat et son équipe, figurent bien sûr au menu.

Événement

Ronde du veilleur de nuit – Elle a lieu tous les soirs à 22h de mai à octobre, à travers les ruelles de la vieille ville. Dép. place Turenne, devant le corps de garde. Également les 3 premiers sam. de déc. et le 31 déc. à minuit, pour les Vœux aux autorités et bourgeois de la ville - ☏ *03 89 27 38 44 - www.turckheim.fr.*

Col d'**Urbeis** ★

CARTE GÉNÉRALE B/C2 – CARTE MICHELIN DÉPARTEMENTS 315 H7
VOSGES (88) ET BAS-RHIN (67)

Paradis absolu des randonneurs, entre Sélestat et St-Dié-des-Vosges, là où les Vosges moyennes s'ouvrent sur le Parc naturel régional des Ballons des Vosges, le col d'Urbeis tient lieu de carrefour entre les vallées de la Fave et du Giessen. Le Club vosgien ne cesse de baliser et d'entretenir des centaines de kilomètres d'itinéraires pédestres le long des crêtes et au plus profond des vallées encaissées, enfilant les cols et les points de vue. C'est l'occasion de se régaler de toutes sortes de baies sauvages, myrtilles et framboises, sans oublier de goûter les cerises et de rendre visite aux bouilleurs de kirsch du val de Villé.

▶ **Se repérer** – Par le col passe la limite départementale. Le col se situe entre St-Dié-des-Vosges et Sélestat.

👁 **À ne pas manquer** – La Maison du val de Villé à Albé.

🔶 **Pour poursuivre la visite** – Voir aussi Le Hohwald, St-Dié-des Vosges, Ste-Marie-aux-Mines.

Circuits de découverte

VALLÉES DE LA FAVE ET DU GIESSEN★

22 km – environ 45mn.

Provenchères-sur-Fave

Cité au pied de l'Ormont, de part et d'autre de la rivière.

De Provenchères, la route suit la vallée de la Fave, serpente et bientôt pénètre sous bois pour atteindre le **col d'Urbeis** (602 m) qui s'ouvre dans la section affaissée de la chaîne vosgienne. Peu après, à droite, en contrebas, on peut voir une ancienne mine de cuivre gris argentifère.

À l'entrée d'Urbeis, étalée sur 2 km, en avant et à gauche, se dressent les ruines du château de Bilstein.

On descend la vallée du Giessen, la rivière d'Urbeis. Dans l'agglomération de Fouchy, laissez à droite la route du col de Fouchy.

Villé

Durement éprouvé en 1944, Villé n'a pu conserver que quelques jolies maisons des 16e et 18e s.

Maison du val de Villé

À Albé. 📞 *03 88 57 08 42 - tlj sf lun. mat. et apr.-midi, w.-end et j. fériés apr.-midi - fermé dim de Pâques, 1er nov. et 25 déc. - 3,35 € (-12 ans gratuit).*

Le clocher de Villé.

O. Frimat/MICHELIN

Chaque pièce de cette ancienne ferme vosgienne (1709) a été meublée et décorée de façon à présenter jusque dans ses moindres détails la vie des habitants du val de Villé du 18e s. au début du 20e s. Avec un audioguide, vous découvrez l'ancienne cave à pommes de terre, la cuisine, les chambres, la *stub* et son métier à tisser. À l'étage, une salle de classe a été reconstituée. Collection de minéraux et de fossiles, présentation des métiers artisanaux (métiers du bois, apiculture, agriculture, cordonnerie, saboterie), de la faune et de la flore de la région. La visite se poursuit dans le musée (1878), de l'autre côté de la place ; il abrite des expositions temporaires.

ROUTE DU COL DE STEIGE

19 km – environ 2h. Relie le col d'Urbeis à la région du Hohwald.

Col d'Urbeis *(voir ci-dessus)*

Le Climont★

🚶 *1h30 à pied AR.* Le sommet du Climont (966 m) offre un beau point de vue. La tour d'observation a été construite en 1897 par le Club vosgien de Strasbourg. En médaillon, au-dessus de l'entrée, le président de l'époque, Jules Euting.

À la sortie nord de Climont, 300 m après l'église, une pancarte signale le sentier d'accès, qui s'amorce sur un carrefour, à gauche de la D 214.

Ce sentier, abrupt et étroit, souvent encombré par la végétation *(suivre le balisage : croix jaunes)* aboutit à un chemin forestier transversal que l'on prend à gauche.

Au carrefour proche du sommet, prenez le chemin en montée à droite.

On atteint le pied de la tour Euting qui se trouve sur le sommet boisé du Climont. Du haut de la tour *(78 marches),* **point de vue★** sur les Vosges : à gauche, la vallée de la Bruche ; au nord, le Donon ; à droite, le Champ du Feu avec sa tour.

Col de Steige

Belle vue au sud-ouest sur le Climont.

Col de la Charbonnière *(voir Le Hohwald)*

Champ du Feu★★ *(voir Le Hohwald)*

ROUTE DU COL DE FOUCHY★

13 km – environ 30mn. À Fouchy, prenez à droite la D 155.

La route du col de Fouchy fait communiquer les vallées de la rivière d'Urbeis et de la Liepvrette. Elle remonte le vallon de Noirceux et celui de Froide-Fontaine.

Col de Fouchy

Du col, belle vue sur le Champ du Feu, reconnaissable à sa tour, et sur les montagnes du Hohwald. La route suit le ravin de Pierreuse-Goutte et descend vers la vallée de la Liepvrette qu'elle atteint à Lièpvre, sur la route du col de Ste-Marie.

Vaucouleurs

2 141 VALCOLOROIS
CARTE GÉNÉRALE A2 – CARTE MICHELIN DÉPARTEMENTS 307 E7 – MEUSE (55)

La figure de Jeanne d'Arc est aujourd'hui encore omniprésente à Vaucouleurs. C'est en effet de ce village fortifié que partit la Pucelle pour combattre les Anglais. On peut venir à Vaucouleurs sur les traces de la sainte, mais aussi profiter des balades fluviales sur le canal de la Marne au Rhin ou sur la Meuse.

▶ **Se repérer** – À 21 km au sud-ouest de Toul par la D 960.

🅿 **Se garer** – Parkings au nord de la ville, av. Maginot et pl. Poirel.

👁 **À ne pas manquer** – La maison natale de Jeanne d'Arc et la basilique du Bois-Chenu.

👪 **Avec les enfants** – Le centre « Visages de Jeanne » à Domrémy.

🕐 **Pour poursuivre la visite** – Voir aussi Commercy, Grand, Toul.

Comprendre

Jeanne la Pucelle – Le 13 mai 1428, Robert, sire de Baudricourt et gouverneur du roi à Vaucouleurs de la garnison française aux confins des terres contrôlées par les Anglais, reçoit la visite d'une bergère de 16 ans venue de Domrémy (16 km au sud). Elle se dit l'envoyée de Dieu et réclame le commandement des troupes du royaume pour rejoindre Charles VII à Chinon. Pour toute réponse, Baudricourt la fait souffleter et la renvoie à ses moutons. Elle insiste et quitte finalement Vaucouleurs avec l'aide de Baudricourt le 23 février 1429. Elle arrive à convaincre le roi et obtient la direction d'une armée. Elle délivre Orléans, Auxerre, Troyes, Châlons et s'ouvre ainsi la route de Reims où elle fait sacrer le roi. En tentant de prendre Paris, elle se blesse et échoue à La Charité-sur-Loire, où elle est faite prisonnière par les Bourguignons puis vendue aux Anglais. Jeanne est jugée à Rouen comme hérétique et sorcière par un tribunal ecclésiastique, puis condamnée à être brûlée vive le 29 mai 1431. Elle a été réhabilitée le 7 juillet 1456, béatifiée en 1909 et canonisée en 1920.

Dès la fin du 15e s., Jeanne d'Arc devint un personnage de légende. C'est un des personnages historiques les plus portés à l'écran (30 films). Un porte-hélicoptères de la Marine nationale porte aussi son nom, *La Jeanne*.

Madame du Barry – C'est ici qu'est née la favorite de Louis XV en 1743. Elle aussi termina fort mal, guillotinée…

Se promener

Porte de France

C'est celle par laquelle Jeanne et sa troupe quittèrent Vaucouleurs. Ce n'est plus qu'un reste de la porte primitive.

Site du château

Des fouilles furent entreprises pour mettre au jour les ruines, masquées par la végétation, du château où Jeanne d'Arc fut reçue par Baudricourt. Il reste la partie supérieure de la porte de France, refaite au 17e s., les soubassements d'origine ayant été enterrés, ainsi qu'une arcade du portail d'entrée.

Un énorme tilleul, dont une branche maîtresse, vue de la pelouse, apparaît comme le tronc principal, serait contemporain de Jeanne d'Arc.

Église

Les voûtes de cette église du 18e s. sont ornées de fresques. Banc d'œuvre et chaire finement sculptés.

Place de l'Hôtel-de-Ville

Statue de Jeanne, rapportée d'Alger.

Visiter

Chapelle castrale

Les deux chapelles latérales abritent des débris lapidaires provenant de l'ancienne collégiale Ste-Marie.

Musée Jeanne-d'Arc

📞 03 29 89 51 63 - www.otsi-vaucouleurs.com - de déb. mai à mi-sept. : tlj mat. et apr.-midi, dim. et j. fériés apr.-midi ; reste de l'année : sur demande à l'office de tourisme, 📞 03 29 89 51 82 - fermé 1er janv., 1er et 8 mai, 1er et 11 nov., 25 déc. - 3 € (enf. 2 €).

Installé dans l'aile droite de l'hôtel de ville, ce musée est consacré à l'histoire et à l'archéologie locales. On remarque surtout, dans la salle Jeanne d'Arc, le Christ de Septfonds en chêne, provenant de la chapelle St-Nicolas, dépendance de la ferme de Septfonds. En 1428, Jeanne d'Arc, voulant partir remplir sa mission sans l'autorisation de Baudricourt, alla à Septfonds prier devant ce Christ, puis revint à Vaucouleurs.

Aux alentours

Château de Gombervaux

À 4 km au nord sur la D 964.

Le château de Gombervaux et son site constituent une des plus belles curiosités du pays de Jeanne. C'est là que Charles V, Bertrand Du Guesclin et Olivier de Clisson ont rencontré le duc de Lorraine, Jean Ier, en 1366 pour sceller leur alliance.

Une boucle de 9 km au départ de Vaucouleurs permet de s'y rendre à pied.

Domrémy-la-Pucelle★

19 km au sud par D 964.

Qui ne connaît pas le nom de cet humble village des bords de la Meuse, à la limite nord du département des Vosges, où naquit, le 6 janvier 1412, la fille de Jacques d'Arc et d'Isabelle Romée ? Jeanne y vécut toute sa vie de petite paysanne lorraine. C'est là qu'elle eut ses visions et entendit les voix qui lui ordonnaient de partir délivrer la France et le roi.

Contemporaine de Jeanne d'Arc, l'**église** a été transformée au 15e s. et agrandie en 1825. Elle garde encore quelques objets que virent les yeux de l'enfant : un bénitier *(à droite en entrant)* et une statue de sainte Marguerite du 14e s. *(mise à l'abri pendant les travaux)*. Dans le croisillon gauche, la cuve baptismale, du 12e s., est celle sur laquelle fut tenue Jeanne. Les vitraux modernes sont de Gaudin.

La **maison natale de Jeanne d'Arc★** est une maison de paysans aisés, aux murs épais, émouvante par sa simplicité. Au-dessus de la porte, un écusson, aux armes de la France, est accolé de deux autres plus petits, portant, à droite, les armes de la famille de Jeanne d'Arc, à gauche, trois socs de charrue. Dans une niche, l'effigie de Jeanne agenouillée est le moulage d'une statue du 16e s.

Dans un bâtiment moderne derrière la maison, le centre « **Visages de Jeanne** »★ éloigne toute tentation d'enfermer la sainte dans des clichés trop simplistes. Le hall d'accueil rassemble différentes représentations de Jeanne d'Arc à travers les âges ainsi qu'un livre d'or qui rappelle les grands traits de la vie de l'héroïne lorraine. L'audiovisuel revient sur l'enfance, le pays, le départ et le procès de Jeanne et évoque ce que la mémoire populaire a retenu d'elle. Bien conçue et agréablement décorée, la grande galerie permet une immersion dans le monde médiéval, afin de replacer Jeanne dans son époque. Dans les cabinets enluminés, plusieurs thèmes sont illustrés : le mythe chevaleresque, la foi et les croyances, la représentation de la mort, le royaume et le roi, ainsi que les fléaux

La maison natale de Jeanne d'Arc.

et la réalité de la chevalerie. Au fond de la galerie, dans la « chambre des rois », des mannequins éclairés tour à tour par des jeux de lumière expliquent les luttes de pouvoir franco-anglaises et les origines de la guerre de Cent Ans. Le parcours se termine par la lecture des deux procès de Jeanne, celui de la condamnation et celui de la réhabilitation.

03 29 06 95 86 - www.vosges.fr - &. - possibilité de visite guidée - avr.-sept. : tlj mat. et apr.-midi ; oct.-mars : tlj sf mar. mat. et apr.-midi - fermé 25 déc.-20 janv. - 3 € (-6 ans gratuit), gratuit 3e w.-end de mai, billet combiné avec site gallo-romain de Grand 5 €.

Basilique du Bois-Chenu

1,5 km de Domrémy par la D 53, route de Coussey. La basilique date de la fin du 19e s. et marque l'un des endroits où Jeanne entendit les voix de sainte Catherine, de sainte Marguerite et de l'archange saint Michel lui recommandant d'être bonne et pieuse, puis lui dictant sa mission.

Commencer la visite par la crypte dont l'entrée se trouve à gauche. Statue de Notre-Dame de Bermont devant laquelle Jeanne allait prier tous les samedis. En quittant la crypte, monter le bel escalier à double rampe. Des écussons rappellent les villes dans lesquelles Jeanne d'Arc est passée. À l'intérieur de la basilique, des fresques de Lionel Royer retracent la vie de la sainte. Les mosaïques du chœur et de la coupole évoquent l'envoi de Jeanne en mission et son entrée dans la gloire céleste.

Sortez par la porte latérale. Un chemin de croix conduit dans le Bois-Chenu.

Musée lorrain du Cheval

La Tour ronde, Gondrecourt-le-Château, 20 km au sud de Vaucouleurs par la D 960 et la D 966. 03 29 89 63 38 - juin : w.end apr.-midi ; juil.-août : tlj sf mar. apr.-midi - 2,50 € (-12 ans gratuit).

Dans une tour du 15e s., vestige de l'ancienne ville forte (aujourd'hui la ville haute), ce musée est consacré à la « civilisation du cheval ». Il montre comment la plus noble conquête de l'homme a été progressivement mise au service des transports et de l'industrie au fil des siècles. Importante collection de harnais, de colliers, de selles et d'outils liés à la collaboration du cheval et de l'homme.

Vaucouleurs pratique

Adresse utile

Office du tourisme de Vaucouleurs – *15 r. Jeanne-d'Arc - 55140 Vaucouleurs - 03 29 89 51 82 - www.otsi-vaucouleurs.com - de déb. mai à mi-sept. : mat. et apr.-midi, dim. et j. fériés apr.-midi ; oct.-avr. : tlj sf w.-end mat. et apr.-midi - fermé 1er janv., lun. de Pâques, 1er et 8 Mai, 1er et 11 Nov.*

Événement

Fête de l'arbre de mai – *03 29 06 69 85 - www.vosges.fr -* semaine qui suit la fête de Jeanne d'Arc : fête de l'Arbre de Mai, fête populaire du printemps et de l'enfance. Ateliers de musique, de chant et pratiques vocales, de décors et de costumes qui s'achèvent en apothéose le samedi suivant par un cortège chantant et dansant.

Verdun★★

19 624 VERDUNOIS
CARTE GÉNÉRALE A1 – CARTE MICHELIN DÉPARTEMENTS 307 D4 – MEUSE (55)

Témoin de la violence des combats de 1914-1918, Verdun évoque, en filigrane, la colère et la tristesse devant la souffrance et la mort… Mais en réalité, la ville est aujourd'hui animée d'une nouvelle joie de vivre autour des vins du Toulois, de la mirabelle et de la dragée, du massif boisé de l'Argonne et de la plaine de la Woëvre couverte d'étangs.

- ▶ **Se repérer** – Verdun est à l'ouest de Metz. Elle est desservie par la D 603.
- 🅿 **Se garer** – Parkings dans le centre : r. du 8-Mai-45, r. des Tanneries, pl. de la Digue, pl. St-Nicolas, r. des Frères-Boulhaut, pl. Maginot et av. du 5e-RAP.
- 👁 **À ne pas manquer** – La cathédrale Notre-Dame et son cloître, le palais épiscopal, la citadelle souterraine, et bien sûr les champs de bataille.
- 🕒 **Organiser son temps** – Prenez votre temps pour découvrir la ville de Verdun : une demi-journée ne sera pas de trop. De même pour les champs de bataille.
- 🕯 **Pour poursuivre la visite** – Voir aussi l'Argonne, St-Mihiel.

Comprendre

Une cité convoitée – *Verodunum* est, à l'origine, un oppidum gaulois sur la rive gauche de la Meuse, puis le chef-lieu de la *Civitas Verodunensium*. Après son évangélisation au 4e s., la ville devient le siège d'un évêché. Le traité signé à Verdun en 843 entre les trois fils de Charlemagne consacre la partition de l'Empire carolingien en trois régions : Francie, Lotharingie et Germanie. D'abord rattachée à la Lotharingie, Verdun est intégrée au Saint-Empire romain germanique pendant cinq siècles. Prise par Henri II avec Metz et Toul en 1552, elle revient à la France, qui confirme définitivement cette appropriation par le traité de Westphalie en 1648. La cité est alors fortifiée par Vauban, à la demande du roi.

Les dragées de Verdun

En 1220, un droguiste (et non un confiseur) eut l'idée de recouvrir d'une fine couche de sucre et de miel les amandes qu'il utilisait pour ses pâtisseries, inventant ainsi la dragée. Baptême, communion ou mariage furent bientôt associés à cette délicieuse confiserie. Les dragées de Verdun, sous des formes de plus en plus multiples et fantaisistes, ont acquis une réputation universelle.

Verdun assiégée – En pleine Révolution française, le 31 août 1792, le duc de Brunswick, à la tête des troupes prussiennes, met le siège devant la place défendue par le lieutenant-colonel de Beaurepaire. Sur le point de capituler, Beaurepaire préfère se suicider plutôt que d'assister à la reddition de la ville. Mais la victoire de Valmy, quelques semaines plus tard, oblige les Prussiens à battre en retraite. À peine un siècle plus tard, en 1870, Verdun est à nouveau assiégée par les Prussiens et, malgré deux sorties victorieuses, doit capituler avec les honneurs de la guerre. C'est la dernière place forte quittée par l'ennemi, le 13 septembre 1873.

Des raisons stratégiques – Avec le traité de Francfort (10 mars 1871), l'annexion de l'Alsace-Moselle fait de Verdun l'une des dernières places fortes avant la frontière allemande. Le général Séré de Rivières propose la construction d'une double ceinture de forts autour de la ville. Dès le début de la guerre, en août 1914, les Allemands tentent de contourner Verdun, charnière de toute la ligne de défense française, puis de s'en emparer. Mais la ville demeure un obstacle redoutable avec sa puissante citadelle, ses forts et le terrain difficile de ses plateaux ravinés et boisés coupés par la Meuse. C'est là que le général von Falkenhayn choisit d'attaquer, en février 1916, dans l'espoir de réussir une percée décisive pour compenser l'échec sur le front oriental. L'opération contre Verdun est confiée au fils de l'empereur Guillaume II, le Kronprinz. Méthodiquement élaborée, avec l'avantage logistique considérable, elle surprendra totalement le haut commandement français.

L'offensive contre Verdun – L'assaut allemand se déclenche sur la rive droite de la Meuse, à 13 km au nord de Verdun, le 21 février 1916. Trois corps d'armée allemands sont engagés, appuyés par une concentration d'artillerie sans précédent. Surpris, les défenseurs opposent une résistance imprévue. Appelé le 24 février 1916, le général Pétain, commandant en chef de la 2e armée, organise la défense de Verdun, faisant monter nuit et jour renforts et matériel par la seule grande route disponible depuis Bar-le-Duc, la **Voie sacrée**. En mars et avril, faute d'un résultat décisif, les forces allemandes élargissent leur front d'attaque, de part et d'autre de la Meuse. Le 30 avril, le général

Pétain, promu au commandement du groupe armé du Centre transmet ses pouvoirs au général Nivelle. Le 11 juillet marque l'échec de l'ultime offensive allemande. L'ennemi n'a pu avancer que jusqu'au fort de Souville, à 5 km de Verdun.

La reconquête – Octobre 1916, la guerre de mouvement reprend. Trois coûteuses contre-offensives menées par les généraux Mangin et Guillaumat permettent de reprendre la presque totalité du terrain perdu : ce sont les batailles de Vaux, de Louvemont-Bezonvaux, de la Cote 304 et du Mort-Homme. Les Allemands sont partout rejetés sur leurs positions du 22 février 1916. L'étau allemand autour de Verdun est desserré, mais il faudra attendre l'offensive franco-américaine du 26 septembre 1918 pour recouvrer, puis dépasser la ligne de résistance française du 21 février 1916. Le 19 décembre 1918, Pétain, le « vainqueur de Verdun » reçoit des mains du président de la République son bâton de maréchal, mais l'histoire n'allait pas s'arrêter là…

Se promener

LA VILLE HAUTE★

Promenade : 1h30. Partez de l'office de tourisme et traversez le pont.

Porte Chaussée (B1)

La porte Chaussée ou, tour Chaussée, est une construction du 16e s. qui défendait l'accès de la ville face à la « chaussée de l'Est » et servit de prison. Elle est flanquée de deux tours rondes à créneaux et mâchicoulis. On lui a ajouté un avant-corps au 17e s. Elle était prolongée des deux côtés par une épaisse muraille encerclant la ville et bordant la rive gauche de la Meuse. En 1914, les convois pour le front passaient sous sa voûte.

Suivez à droite la rue des Frères-Boulhaut.

Remarquez un bronze original de Rodin, *La Défense*, offert à la ville par la Hollande. *Contournez la place Vauban sur la gauche et rejoignez la rue St-Paul.*

Porte St-Paul (B1)

Deux ponts-levis toujours visibles. C'était le seul passage pour les voitures avant la disparition des remparts en 1929.

Suivez la rue St-Paul, puis la rue St-Pierre à droite. Place Maginot, prenez à gauche. On passe devant le musée de la Princerie (voir description dans « Visiter »).

Cathédrale Notre-Dame★ (A2)

Bâtie sur le point le plus haut de la ville, elle a été reconstruite par l'évêque Heimon de 990 à 1024 à la suite de nombreux incendies et pillages. Le chœur occidental est de style roman rhénan, le chœur oriental (1130-1140), ou grand chœur, est d'inspiration nettement bourguignonne. Au 14e s., la nef fut voûtée d'ogives.

Après l'important incendie de 1755, on a décidé de réparer l'édifice dans le goût baroque : ogive gothique de la grande nef remplacée par le plein cintre, piliers moulurés, adjonction d'un majestueux baldaquin à colonnes torses au-dessus du maître-autel. La partie romane de l'édifice, dégagée à la suite des bombardements de 1916, a été heureusement restaurée : voyez la **crypte** du 12e s. avec ses beaux chapiteaux à feuilles d'acanthe, sur les bas-côtés auxquels ont été ajoutés de nouveaux chapiteaux décorés de scènes évoquant la vie des tranchées, les souffrances, la mort. Remarquez aussi le **portail du Lion** et son beau tympan représentant le Christ en gloire dans une mandorle. Tous les vitraux détruits en 1916 ont été refaits par la maison Gruber.

R. Mattes/MICHELIN

Cloître★ (A2)

Accolé au flanc sud de la cathédrale, le cloître comprend trois galeries : l'une, à l'est, du début du 14e s., a trois baies intérieures qui donnaient sur la salle capitulaire ; les deux autres galeries, de style flamboyant, datent de 1509 à 1517. Elles sont couvertes de voûtes à réseau.

La porte Chaussée, témoin séculaire des murailles qui défendaient la ville.

SE LOGER		
Camping Les Breuils	①	
Chambre d'hôte Au Coin des Jardin	②	
Chambre d'hôte Château de Labessière	③	
Chambre d'hôte Les Charmilles	④	

Montaulbain	⑥	
Village Gaulois	⑧	

SE RESTAURER

Le Forum	③	

Contournez le flanc nord de la cathédrale et rejoignez la place Châtel.

Porte Châtel (A2)

Très bien conservée avec ses mâchicoulis du 15e s., cette porte est un vestige de l'ancienne fermeté du Moyen Âge. Elle donne accès à la place de la Roche, d'où l'on a une belle vue sur la ville.

Palais épiscopal★ (A2)

Cet évêché, conçu en 1723 par Robert de Cotte, premier architecte du roi, sur une assise de rochers dominant la Meuse, est un palais qui servait de résidence aux évêques, autrefois princes du Saint-Empire. La cour d'honneur, en hémicycle allongé, précède le bâtiment principal. L'aile ouest est occupée par la bibliothèque municipale. L'autre partie de l'évêché abrite le Centre mondial de la paix.

Revenez en sens inverse en suivant la rue de Rû jusqu'à la place du Mar.-Foch.

Hôtel de ville (B2 H)

Cet ancien hôtel particulier de 1623 est une belle construction Louis XIII.

Visiter

Musée de la Princerie (A1)

16 r. de la Belle-Vierge - ℘ 03 29 86 10 62 - avr.-oct. : tlj sf mar. mat. et apr.-midi - 2 € (-18 ans gratuit). Cet hôtel particulier avec cour à arcades fut bâti au 16e s. par deux riches chanoines de la cathédrale sur l'emplacement de l'ancienne résidence du princier (ou primicier), qui était le premier dignitaire du diocèse après l'évêque. Les salles sont consacrées à la préhistoire, à l'époque gallo-romaine et mérovingienne, au Moyen Âge et à la Renaissance. Voyez en particulier la statuaire religieuse exposée dans la première salle (peigne en ivoire sculpté du 12ᵉ s.) et dans la chapelle gothique (Vierge à l'Enfant du Mont-devant-Sassey). Le musée présente également l'histoire de la ville de Verdun, d'anciennes faïences d'Argonne, une petite collection d'armes (16ᵉ s. - 20ᵉ s.) et des tableaux de peintres meusiens comme Jules Bastien-Lepage et Louis Hector Leroux.

Découvrir

GUERRE ET PAIX DANS VERDUN

Citadelle souterraine★ (A2)

Av. de la 5ᵉ-R.A.P. - ☏ 03 29 86 62 02 - www.cg55.fr - ♿ - avr.-sept. : tlj tte la journée ; reste de l'année : mat. et apr.-midi - fermé janv., 25-26 et 31 déc. - 6 € (enf. 2,50 €).

Elle a été bâtie sur l'emplacement de la célèbre abbaye de St-Vanne, fondée en 952. L'une de ses deux tours, la tour St-Vanne (12ᵉ s.), est le seul vestige de l'ancien monastère que Vauban respecta en reconstruisant la citadelle. Sa construction, débutée en 1887, dura 10 ans.

La citadelle abritait divers services et les soldats au repos (jusqu'à 2 000). Ses 7 km de galeries étaient équipés pour subvenir aux besoins d'une véritable armée : 6 magasins à poudre, 7 magasins à munitions, central téléphonique, hôpital avec salle d'opération, cuisines, boucherie, coopérative, moulin de siège, boulangerie. Dans l'écoute n° 4, neuf fours pouvaient cuire 28 000 rations de pain en 24h. En 1914, la citadelle devint le centre logistique de la place de Verdun.

À bord d'un véhicule autoguidé, un **circuit★★** fait revivre la vie quotidienne des soldats lors de la bataille de 1916, à l'aide d'effets sonores, de scènes animées (mannequins), d'images virtuelles (salle d'état-major, boulangerie), de reconstitutions, notamment celle de la vie dans une tranchée pendant les combats et celle de la désignation du soldat inconnu.

Carrefour des Maréchaux (A2)

À 800 m de l'entrée de la citadelle, dans les fossés des fortifications, 16 grandes statues de maréchaux et généraux de l'Empire, des guerres de 1870 et de 1914-1918.

Centre mondial de la paix (A2)

Dans le palais épiscopal. Pl. Monseigneur-Ginisty - ☏ 03 29 86 55 00 - http://www.centremondialpaix.asso.fr/ - ♿ - juil.-août : tte la journée ; fév.-juin et de déb. sept. à mi-déc. : mat. et apr.-midi - 3 € (-18 ans 1,50 €).

L'exposition permanente conduit le visiteur, muni d'un casque infrarouge, à pénétrer dans six monolithes, illustrant chacun un thème : la guerre, la terre et les frontières ; de la guerre à la paix ; l'Europe ; les Nations unies pour la paix ; les Droits de l'homme ; perceptions de la paix.

Doté d'un espace de documentation spécialisé, le centre accueille également des groupes scolaires au sein de classes de paix.

Monument de la Victoire (A1)

☏ 03 29 87 24 29 (« Ceux de Verdun ») - juil.-août : mat. et apr.-midi ; avr.-juin et de déb. sept. au 11 Nov. : mat. - gratuit.

Un escalier monumental de 73 marches conduit à une terrasse où s'élève une haute pyramide surmontée de la statue d'un guerrier casqué, appuyé sur son épée, qui symbolise la défense de Verdun. Le monument est flanqué de deux canons russes pris sur le front allemand.

LES CHAMPS DE BATAILLE★★★

Terre ensanglantée, « reliquaire de la patrie », cette partie du front témoigne de l'absurdité de la guerre, de la grandeur et de l'héroïsme des poilus de 1914-1918, humbles soldats français et alliés qui sont venus se sacrifier ici. Chaque année, des centaines de milliers de visiteurs se recueillent sur le théâtre des opérations de ce qui fut, dix-huit mois durant, du 21 février 1916 au 20 août 1917, la bataille de Verdun. En moins de deux années, cette bataille a mis aux prises plusieurs millions d'hommes et causé la mort de près de 400 000 soldats français, presque autant de soldats allemands, et de milliers de soldats américains. Plusieurs décennies se sont écoulées depuis la Grande Guerre et les traces des combats n'ont pas encore totalement disparu. L'effroyable bataille de 1916-1917 se déroula sur les deux rives de la Meuse, de part et d'autre de Verdun, sur un front de plus de 200 km².

LA BATAILLE DE VERDUN

le théâtre des combats

- - - - - Lignes de front

◇ Douaumont   Village anéanti, non reconstruit

Batterie allemande

la Commémoration

■   ☨   ▲

(mémoriaux, cimetières militaires, monuments indiqués en rouge)

Rive droite de la Meuse

21 km – environ 3h. Carte Michelin Départements 307 D3. Quittez Verdun par la D 603, route d'Étain en suivant l'avenue de la 42ᵉ-Division, puis l'avenue du Mar.-Joffre.

Cimetière militaire du Faubourg-Pavé – En traversant le Faubourg-Pavé, on voit sur la gauche le cimetière (5 000 tombes) où ont été inhumés les corps des sept soldats inconnus apportés à Verdun en même temps que celui qui repose sous l'arc de triomphe de l'Étoile à Paris.

Prenez, après le cimetière à gauche, la D 112. Sur la droite, à 6 km, on passe devant le monument Maginot et le fort de Souville. La D 112 rejoint la D 913, que l'on prend à droite (vers Verdun). Prenez ensuite à gauche la D 913ᴬ en direction du fort de Vaux.

LE FRONT DE VERDUN
LE 21 FÉVRIER 1916

Le terrain est toujours bouleversé et, dans certains secteurs, la végétation n'a pas tout à fait repris ses droits. Les terres devenues impropres à la culture ont été reboisées. Un peu à l'écart de la route, on peut voir sur la droite le **monument des Fusillés de Tavannes** (relatif à un épisode de 1944).

Fort de Vaux – 🖉 *03 29 88 32 88 - www.cg55.fr -* ♿ *- tlj tte la journée - fermé janv., 25-26 et 31 déc. - 3 € (enfant 1,50 €).* Les Allemands s'en emparèrent le 7 juin 1916 après une héroïque défense de la garnison. Cinq mois plus tard, au cours de leur première offensive, les troupes du général Mangin réoccupaient l'ouvrage. Du sommet, vue sur l'ossuaire, le fort de Douaumont, les côtes de la Meuse et la plaine de Woëvre.
Revenez à la D 913 en direction de Fleury et de Douaumont, à droite.

Au carrefour de la chapelle Ste-Fine, le monument du Lion marque le point extrême de l'avance allemande.

Mémorial de Verdun – ℘ *03 29 84 35 34 - www.memorial-de-verdun.fr - avr.- août : tte la journée ; reste de l'année : mat. et apr.-midi - fermé de mi-déc. à fin janv. - 7 € (-11 ans gratuit).* Dans cet historial de la guerre 1914-1918, qui évoque d'émouvants souvenirs, des postes vidéo, cartes et maquettes montrent les différentes phases de la bataille, tandis qu'une collection d'uniformes, d'armes, de pièces d'équipement, de documents en illustrent l'acharnement. La vie quotidienne dans les tranchées est dépeinte par des croquis et des lettres. Photos et maquettes retracent les débuts de l'aviation.

Un peu plus loin, une stèle a été élevée sur les ruines du village disparu de **Fleury-devant-Douaumont**, qui fut pris et repris 16 fois. Une petite chapelle, dont la façade est ornée d'une statue de

Le mémorial de Verdun.

Notre-Dame de l'Europe, à 100 m à gauche de la route, occupe l'emplacement présumé de l'ancienne église de Fleury.

Prenez à droite la D 913ᴮ qui aboutit à Douaumont.

Fort de Douaumont – ℘ *03 29 84 41 91 - www.cg55.fr - tlj tte la journée - fermé janv., 25-26 et 31 déc. - 3 € (enf. 1,50 €).* Construit en pierre en 1885, en un point haut (Cote 388) qui en faisait un observatoire stratégique, il vit ses défenses plusieurs fois renforcées jusqu'en 1913. À l'entrée en guerre, le fort de Douaumont se trouvait recouvert par une carapace de béton d'un mètre d'épaisseur, elle-même séparée des voûtes de maçonnerie par un mètre de sable. Selon les propres termes du communiqué allemand, cet ouvrage constituait le « pilier angulaire du nord-est des fortifications permanentes de Verdun ». Enlevé par surprise le 25 février 1916, dès le début de la bataille de Verdun, il fut repris le 24 octobre par les troupes du général Mangin. On parcourt les galeries, casemates, magasins, montrant l'importance et la puissance de cet ouvrage. Une chapelle marque l'emplacement de la galerie murée où furent inhumés 679 soldats de la garnison allemande, tués par l'explosion accidentelle d'un dépôt de munitions, le 8 mai 1916.

Un peu plus loin sur la droite, une chapelle a été élevée à l'emplacement de l'ancienne église du village de **Douaumont**, complètement anéanti lors de la poussée allemande du 25 février au 4 mars 1916. *Revenez à la D 913, que vous empruntez à droite.*

Ossuaire de Douaumont – ℘ *03 29 84 54 81 -* ♿ *- mai-sept. : tte la journée ; mars, sept-nov. : mat. et apr.-midi ; reste de l'année : se renseigner - 4 € (-8 ans gratuit).*

Édifié pour recueillir les restes non identifiés d'environ 130 000 combattants français et allemands tombés au cours de la bataille, l'ossuaire de Douaumont est le plus important des monuments français en souvenir de la guerre 1914-1918. Cette vaste nécropole comprend une galerie transversale longue de 137 m dont les 18 travées contiennent chacune deux sarcophages en granit. Sous la voûte centrale se trouve la chapelle catholique.

Au centre du monument s'élève la **tour des Morts**, haute de 46 m, silencieuse et émouvante vigie en forme d'obus dans lequel s'inscrivent quatre croix, symboliques points cardinaux de pierre voulant marquer l'universalité du drame. Le 1ᵉʳ étage de la tour a été aménagé en un petit musée de la guerre. Du haut de cette tour *(204 marches)*, à travers les fenêtres, des tables d'orientation permettent d'identifier les différents secteurs du champ de bataille.

Devant l'ossuaire, les 15 000 croix du **Cimetière national**. À gauche du parking, un sentier conduit à l'**ouvrage de Thiaumont** maintes fois pris et repris au cours de la bataille.

Tranchée des Baïonnettes – Une porte massive donne accès au monument recouvrant la tranchée où, le 10 juin 1916, les hommes de deux compagnies du 137ᵉ RI furent ensevelis à la suite d'un bombardement d'une violence inouïe. Seul témoignage de la présence de ces hommes : l'extrémité de fusils émergeant du sol.

Rive gauche de la Meuse

40 km – environ 2h. Carte Michelin Départements 307 B/C3. Quittez Verdun au nord-ouest par la D 38 et, à Chattancourt, prenez à droite la route du Mort-Homme.

En septembre 1918, les troupes américaines du général Pershing jouèrent dans ce secteur un rôle très important.

Le Mort-Homme – Ce sommet boisé fut l'enjeu de furieux combats. Tous les assauts allemands de mars 1916 furent brisés sur cette crête. Près d'un monument élevé aux morts de la 40e division, un autre monument porte, gravée sur le socle, cette inscription : « Ils n'ont pas passé. »

Revenez à Chattancourt et reprenez à droite la D 38 et peu après Esnes-en-Argonne la D 18 vers Montfaucon. 2 km plus loin, un chemin à droite conduit à la Cote 304.

La Cote 304 – Pendant près de quatorze mois, les Allemands se heurtèrent là à une farouche résistance des troupes françaises. La Cote 304 et le Mort-Homme, véritables pivots de la défense de Verdun sur la rive gauche, revêtaient une importance stratégique considérable.

Butte de Montfaucon – *℘ 03 29 85 14 18 - tlj sf w.-end mat. et apr.-midi - fermé j. fériés - gratuit.* Le village de Montfaucon, élevé sur une butte, point culminant de la région, fut fortifié et utilisé comme observatoire par les Allemands pendant la guerre. Un **monument américain** s'y dresse. Un escalier mène à une colonne de 57 m de haut surmontée d'une statue de la Liberté *(accès par un escalier de 235 marches)*. Du haut de la colonne, **panorama★** sur le champ de bataille au nord-ouest de Verdun : butte de Vauquois, Cote 304, rive droite de la Meuse et, au loin, fort de Douaumont.

Cimetière américain de Romagne-sous-Montfaucon – Il s'étend sur 52 ha et contient plus de 14 000 tombes, surmontées de croix en marbre blanc, rigoureusement alignées. Dans les galeries latérales de la chapelle sont inscrits les noms des soldats disparus (954) ; dans la galerie de droite, une carte gravée dans la pierre calcaire d'Euville indique les secteurs du combat.

Aux alentours

Étain

20 km. Sortez par la D 603. Étain doit son nom aux nombreux étangs qui couvraient autrefois la région. Ce bourg a été entièrement reconstruit après sa destruction au cours de la guerre de 1914-1918. À l'intérieur de l'**église** (14e-15e s.), un arc sculpté s'ouvre sur le chœur, de style flamboyant, éclairé par de grands vitraux modernes de Gruber consacrés à la vie de saint Martin. Les clés de voûte sculptées sont remarquables. Dans le bas-côté droit, la chapelle du Sacré-Cœur renferme le groupe de N.-D.-de-Pitié, Marie contemplant Jésus mort, attribué à Ligier Richier. Le chemin de croix, dont l'exécution a été interrompue par la guerre de 1939-1945, est inachevé.

Senon

9,5 km au nord d'Étain par la D 618, puis la D 14 à gauche qui passe par Amel-sur-l'Étang. Ce village de Woëvre possède une **église** de l'époque de transition du gothique à la Renaissance (1526-1536). Son toit extrêmement élevé et aigu est étayé par une charpente en béton. Elle conserve de beaux chapiteaux Renaissance.

Dugny-sur-Meuse

7 km au sud de Verdun, par la route de Dugny. Belle **église** romane du 12e s. désaffectée : c'est un édifice de dimensions modestes, surmonté d'une grosse tour carrée ornée, au 1er étage, d'une suite d'arcatures en plein cintre sur colonnettes ; elle est coiffée d'un hourd de bois.

Verdun pratique

Adresse utile

Office du tourisme de Verdun – *Pl. de la Nation - 55106 Verdun - ℘ 03 29 86 14 18 - www.verdun-tourisme.com - mai-sept. : tte la journée ; reste de l'année : tlj mat. et apr.-midi sf dim. et j. fériés mat.*

Visites

Pass musées et monuments – Il vous fait bénéficier d'une réduction de plus de 20 % sur l'ensemble des entrées suivantes : citadelle souterraine, forts (Vaux, Douaumont), ossuaire de Douaumont et mémorial de Verdun - *18 € (se renseigner à la Maison du tourisme).*

Circuit découverte des champs de bataille – Visite guidée en bus du mémorial de Verdun, de l'ossuaire de Douaumont, du fort de Douaumont et de la tranchée des Baïonnettes - *mai-sept. - sur réservation - 29 €.*

Se loger

🐾 **Hôtel Montaulbain** – *4 r. Vieille-Prison* - ℘ *03 29 86 00 47 - 10 ch. 35/40 € -* 🖵 *5,50 €*. Cet hôtel situé dans une ruelle piétonne abrite des chambres un peu exiguës, mais rénovées et fort bien tenues. Le hall fait office de salle des petits-déjeuners. Les caves servirent de prison au 14ᵉ s !

🐾 **Chambre d'hôte Au Coin des Jardins** – 🚶👥 *- 13 bis Grande-Rue - 55160 Pareid - 25 km à l'est par D 903 et D 153 -* ℘ *03 29 83 97 76 - www.aucoindesjardins. com -* 🖵 *- 5 ch. 40/48 €* 🖵 *- repas 22 €.* Au cœur d'un paisible petit village meusien, la famille Sorain sera heureuse de vous accueillir dans leur charmante ferme rénovée. La grange mitoyenne avec leur habitation abrite cinq chambres décorées avec du mobilier ancien. Dans la grande salle commune, vous pourrez prendre petit-déjeuner, repas (sur réservation) et vous détendre au salon devant la cheminée. Jardin, verger et jeux pour enfants.

🐾 **Chambre d'hôte Les Charmilles** – *12 r. de la Gare - 55100 Charny-sur-Meuse - 8 km au nord de Verdun par D 964 et D 115 -* ℘ *03 29 86 93 49 - valerie@les-charmilles. com - fermé 10-26 fév. - 3 ch. 55 €* 🖵 *- repas 20 €.* D'abord café puis hôtel, cette maison du début du 20ᵉ s. abrite désormais de jolies chambres où voisinent l'ancien et le moderne, décorées avec goût. Celles du 2ᵉ étage sont spacieuses, lumineuses et bien équipées. Cuisine du terroir inspirée des saisons, servie dans la superbe véranda ouvrant sur un jardin verdoyant (sur réservation) qui accueille aussi les petits-déjeuners. Un salon avec bibliothèque et jeux de société à disposition.

🐾 **Camping Les Breuils** – ℘ *03 29 86 15 31 - www.camping-lesbreuils.com - ouv. avr.-30 oct. - réserv. conseillée - 162 empl. 18 € - restauration.* Ce camping situé en ville, mais entouré d'arbres et de verdure, pourrait bien vous inciter à prolonger votre étape dans la région. Salle de jeux, piscine avec toboggan et bassin pour enfants, étang, terrains de sport et blocs sanitaires refaits à neuf. Locations de mobile homes.

🐾🐾 **Village Gaulois Hôtel** – *11 r. du Parge - 55100 Marre -* ℘ *03 29 85 03 45 - www.villagegaulois.com - fermé janv. -* 🅿 *- 10 ch. 56 € -* 🖵 *9 € - rest. 14/23 €.* Au départ, il n'y avait qu'un minigolf dédié à Astérix. Puis la hutte-restaurant vit le jour et la cuisine traditionnelle régala clients et amis. Enfin, la ferme se transforma peu à peu en hôtel dont le nombre de chambres aux décors originaux ne cesse de croître au fil des ans… Une halte insolite qui gagne à être connue.

🐾🐾 **Chambre d'hôte Château de Labessière** – *9 r. du Four - 55320 Ancemont - 15 km au sud de Verdun par D 34 (rte de St-Mihiel) -* ℘ *03 29 85 70 21 - www.labessiere.com - fermé 1ᵉʳ janv. et 25 déc. -* 🖵 *- 3 ch. 90 €* 🖵 *- repas 30 €.* Ce château du 18ᵉ s. a miraculeusement survécu aux dernières guerres. Ses chambres à taille humaine ne manquent pas de charme, avec leurs meubles de grand-mère, et sa salle à manger a du style. Un joli jardin et une piscine ajoutent au plaisir d'une halte.

Se restaurer

🐾 **Le Forum** – *35 r. des Gros-Degrés -* ℘ *03 29 86 46 88 - fermé 22 juil.-5 août, merc. soir et dim. - formule déj. 8,50 € - 10,50/28,50 €.* Ce n'est pas un hasard si Jacques Chirac en personne est venu manger dans ce restaurant, car on y mitonne de délicieux plats traditionnels. Deux plaisantes salles voûtées, décorées des œuvres du patron ; l'une d'elle recèle même une colonne qui daterait de l'époque gallo-romaine. Service charmant.

En soirée

L'Estaminet – *45 r. des Rouyers -* ℘ *03 29 86 07 86 - www.brasserie-de-verdun.com - tlj sf dim. 14h-3h.* Chaleureux estaminet décoré de fresques, de vieilles affiches et de figurines de sorcières. Au choix, plus de 250 bières majoritairement artisanales, dont 5 produites sur place dans la minibrasserie (également vendues dans l'espace boutique). Billard à l'étage et cave à cigares.

Que rapporter

Aux Délices – *19 r. Mazel -* ℘ *03 29 86 02 10 - tlj sf lun. 7h15-19h15 (dim. 18h30).* Hormis le Lorrain et l'Ambassadeur à base de mirabelle, cette boutique propose peu de spécialités pérennes car le patron aime surprendre : le millefeuille à la framboise en est un bel exemple. Également, grand choix de glaces et de sorbets, ganaches aromatisées à la liqueur et goûteuses associations de chocolat et de fruits.

Dragées Braquier – *50 r. du Fort-de-Vaux -* ℘ *03 29 84 30 00 - www.braquier.com - 9h-12h, 13h30-19h.* Dans cette petite boutique à l'ancienne, vous trouverez les fameuses dragées de Verdun, celles mêmes que Gœthe avait achetées après la prise de la ville par les Prussiens en 1792, et d'autres spécialités de la région comme les madeleines de Commercy et les fameuses confitures de groseilles de Bar-le-Duc, épépinées à la plume d'oie.

Loisirs

Au **village des vieux métiers**, découvrez une page d'histoire vivante, 80 métiers du 19ᵉ s. reprennent vie devant vous dans le respect de la tradition lorraine. *À 20 km au nord de Verdun par la D 905 puis la D 65. Chaque dim. de mai 10h-18h - 10 €.* ℘ *03 29 85 60 62.*

Événement

Des flammes à la lumière – Spectacle son et lumière *(juin-juil.) -* ℘ *03 29 84 50 00 - www.connaissancedelameuse.com.*

Vieil-Armand ★★

Hartmannswillerkopf

CARTE GÉNÉRALE B/C3 – CARTE MICHELIN DÉPARTEMENTS 315 G9 – SCHÉMA P. 148
HAUT-RHIN (68)

Silence, recueillement, tristesse et rage contre l'absurdité et la barbarie… Des croix alignées à l'infini. Ils le voulaient tous, en 1915, ce contrefort des Vosges qui contrôlait la plaine d'Alsace. Ils ont donné leurs vies pour lui, par milliers, par dizaines de milliers, Allemands et Français déchirés et, finalement, mêlés dans la mort. Plus jamais ça…

▷ **Se repérer** – Accès, sur la route des Crêtes (D 431), par le col de Silberloch ; depuis le sud par Cernay ou le nord en venant du col Amit.

○ **Pour poursuivre la visite** – Voir aussi l'écomusée d'Alsace, la route des Crêtes, Soultz-Haut-Rhin, Guebwiller, Mulhouse, Thann.

Découvrir

SOUVENIRS DE LA GUERRE

Le nom de Vieil-Armand a été donné par les poilus de 1914-1918 au Hartmannswillerkopf (HWK dans le jargon militaire), contrefort des Vosges qui s'élance à 956 m d'altitude, pour tomber en pentes escarpées sur la plaine d'Alsace. Le site est encore parsemé çà et là de casemates, de tronçons de tranchées et d'abris principalement allemands, vestiges oubliés dans la montagne silencieuse.

Monument national du Vieil-Armand

🕿 03 89 75 50 35 - 23 mars-11 Nov. : mat. et apr.-midi - 2 €.

Monument commémoratif des Diables rouges (152e RI).

R. Mattes/MICHELIN

Sur les pentes dévastées pas les obus, les gaz, les lance-flammes, attaques et contre-attaques se succéderont pendant toute la durée de la guerre. Au terme de cette violence inouïe, on ne saura même pas compter les morts d'une telle boucherie, Français et Allemands : 30 000 ? 40 000 ? 60 000 ? Pendant la seule année 1915, le sommet, enjeu stratégique, va changer 4 fois de camp. Et les combats continueront inexorablement jusqu'en 1918.

Le Monument national est formé, au-dessus d'une crypte renfermant les ossements de 12 000 soldats inconnus, par une vaste terrasse surmontée d'un autel en bronze, l'autel de la Patrie, dont les faces représentent les armoiries des grandes villes de France. Trois chapelles autour de l'ossuaire, une catholique, une protestante, une juive.

Montée au sommet

🚶 1h à pied AR.

Traverser le cimetière du Silberloch qui se trouve derrière le Monument national et renferme 1 260 tombes et plusieurs ossuaires. Suivre son allée centrale, puis le sentier qui la prolonge. Se diriger vers le sommet du Vieil-Armand (956 m) surmonté d'une croix de 22 m de haut, borne-limite du front français. Tourner à droite en direction de la croix en fer des engagés volontaires alsaciens-lorrains érigée sur un promontoire rocheux. De là, **panorama★★** sur la plaine d'Alsace, la chaîne des Vosges, la Forêt-Noire et les Alpes par temps clair.

Route des **Vins**★★★

CARTE GÉNÉRALE C3 – CARTE MICHELIN DÉPARTEMENTS 315 I/G 5/10
BAS-RHIN (67) ET HAUT-RHIN (68)

C'est peut-être la route gastronomique la plus fameuse de France. Vous allez pouvoir zigzaguer pendant 180 km, de Marlenheim jusqu'à Thann, et varier les plaisirs, entre l'histoire et le présent, les vignes, les jolis villages, les vieux châteaux, les caves de dégustation, les bonnes tables, les petites chapelles, les fêtes vigneronnes et les abbayes. Depuis que les Romains ont planté quelques ceps de vigne sur sa terre, on peut dire que l'Alsace a su les faire fructifier. Au Moyen Âge, ce sont les communautés religieuses qui ont tout particulièrement œuvré à l'essor de cette noble et rentable activité. Tous les terrains sont occupés, les plaines et les coteaux, même les plus escarpés.

- ▶ **Se repérer** – La route des Vins va de Marlenheim à Thann, mais peut se faire en sens inverse !

- 👁 **À ne pas manquer** – Tous les lieux cités ici ont leur charme et leur intérêt mais la route est longue… Alors pour les plus pressés, citons : Obernai, Riquewihr, Kaysersberg et Colmar. Et enfin, pour être un visiteur averti, le musée du Vignoble et des Vins à Kientzheim.

- 🕐 **Organiser son temps** – Sur le parcours de la route des Vins, 39 sentiers viticoles sont balisés et jalonnés de panneaux explicatifs. Mais attention, certains d'entre eux peuvent voir leur accès réglementé lors des vendanges (se renseigner). Enfin, de nombreuses fêtes célébrant les vendanges émaillent le calendrier.

- ঙ **Pour poursuivre la visite** – Voir aussi Colmar, l'écomusée d'Alsace, le château du Haut-Kœnigsbourg, le Parc naturel régional des Ballons des Vosges, Sélestat.

Circuits de découverte

DE MARLENHEIM à CHÂTENOIS ⬚1

68 km – environ 4h.

Traitement des vignes.

Jusqu'à Rosheim, la route n'aborde pas franchement les contreforts des Vosges et les villages ont encore les caractères des villages de plaine.

Marlenheim

Ce centre viticole réputé ouvre sur la route des Vins (point d'accueil et de découverte des cépages d'Alsace et des blasons des villages viticoles).

Wangen

Avec ses rues sinueuses, ses vieilles maisons, les arcs de ses portes de cour, Wangen est le type même du village viticole. Jusqu'en 1830, ses habitants devaient chaque année verser à l'abbaye St-Étienne de Strasbourg, propriétaire du village, un impôt de 300 hl de vin. La Fête de la fontaine vient chaque année rappeler cette coutume *(voir l'encadré pratique)*. Ne pas oublier ses fortifications médiévales avec les deux tours, dont la « Niedertorturm ».

Westhoffen

Ce village de vignerons, ancienne dépendance d'un domaine royal franc hérité des Romains, a gardé des maisons anciennes des 16e et 17e s. et une fontaine Renaissance. Dans l'église St-Martin, un chœur et des vitraux du 14e s.

Avolsheim *(voir Molsheim)*

Molsheim★ *(voir ce nom)*

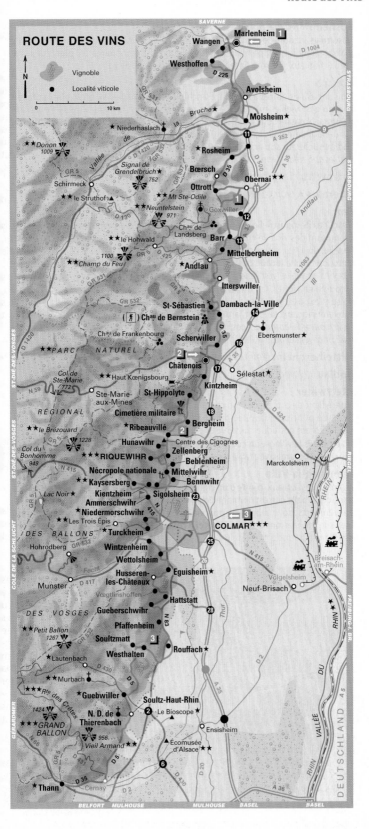

Rosheim★ *(voir ce nom)*

Désormais, la route devient accidentée : dès qu'on s'élève, la vue s'étend sur la plaine d'Alsace, tandis qu'apparaissent, perchés sur des promontoires, les ruines de nombreux châteaux : Ottrott, Ortenbourg, Ramstein, Landsberg.

Bœrsch

Trois anciennes portes à Bœrsch. Franchissant la porte du Bas, on atteint la **place★** encadrée de vieilles maisons : la plus remarquable est la mairie (16e s.). Pour sortir de Bœrsch, passer sous la porte du Haut. L'**atelier de marqueterie d'art Spindler** a aménagé une galerie d'exposition de tableaux marquetés et une présentation audiovisuelle sur son activité. ℘ 03 88 95 80 17 - spindler.tm.fr - tlj sf dim. et j. fériés mat. et apr.-midi - fermé 26 déc. - gratuit.

Ottrott *(voir Le Hohwald)*

Obernai★★ *(voir ce nom)*

Barr

C'est une cité industrielle (tanneries réputées) doublée d'un important centre viticole, produisant des vins de choix : sylvaner, riesling et surtout gewurztraminer. L'hôtel de ville, du 17e s., est décoré d'une loggia et d'un balcon sculpté : pénétrer dans la cour pour voir la façade postérieure. C'est autour de l'hôtel de ville qu'a lieu la foire aux vins annuelle *(voir l'encadré pratique)*.

Entourée de vignes, la **Folie Marco**, maison patricienne du 18e s., abrite un musée où sont exposés meubles anciens du 17e au 19e s., faïences, porcelaines, étains et souvenirs locaux. Le petit jardin est harmonieusement dessiné. ℘ 03 88 08 94 72 - www.pays-de-barr.com - possibilité de visite guidée - juil.-sept. : tlj sf mar. mat. et apr.-midi ; mai-juin et oct. : w.-end mat. et apr.-midi - 4 € (enf. 2 €).

Mittelbergheim *(voir Le Hohwald)*

Andlau★ *(voir ce nom)*

Itterswiller

Situé à flanc de coteau, c'est un charmant village viticole aux maisons fleuries le long de la rue principale, traversé par une ancienne voie romaine. Son église à clocher partiellement gothique conserve une peinture murale du 13e ou 14e s.

Depuis le village, un circuit d'une heure, « Vins et gastronomie », vous conduit à un joli panorama avec table d'orientation.

Dambach-la-Ville

Au creux des coteaux, centre d'un vignoble renommé (grands crus classés du Frankstein), cette belle cité est dominée de plus de 500 m par un massif boisé. À l'intérieur des remparts, dont subsistent trois vieilles portes, un centre ancien et fleuri, avec, bien sûr, des maisons à pans de bois et à colombages. C'est ici que siège la confrérie des Bienheureux du Frankstein.

Place centrale de Dambach-la-Ville.

400 m après la porte Haute, tournez à gauche.

À la fin de la montée, prendre à droite un chemin qui s'élève jusqu'à la **chapelle St-Sébastien**. Vue étendue sur la plaine d'Alsace et le vignoble. À l'intérieur de la chapelle, le maître-autel très orné (baroque fin 17e s.) est en bois sculpté.

En continuant le chemin *(2h à pied AR)* on arrive aux ruines du **château fort de Bernstein**, construit aux 12e et 13e s. sur une arête granitique, dont il reste un corps de logis et un donjon pentagonal. Très belle vue sur la plaine d'Alsace.

Scherwiller

Au pied des châteaux forts de l'Ortenbourg et du Ramstein, Scherwiller conserve un ancien corps de garde avec oriel et de belles maisons à colombages du 18e s. D'anciens lavoirs longent des berges de l'Aubach.

Châtenois

On y remarque un curieux clocher roman que terminent une flèche et quatre échauguettes en charpente. Une porte du 15e s. appelée « tour des Sorcières » porte un nid de cigognes. Il reste une double enceinte du château disparu. La mairie remonte au 15e s.

DE CHÂTENOIS À COLMAR 2

54 km – environ 5h.

Jusqu'à Ribeauvillé, la route est dominée par de nombreux châteaux : masse imposante du Haut-Kœnigsbourg, ruines des châteaux de Kintzheim, St-Ulrich, Girsberg et Haut-Ribeaupierre.

Kintzheim

Le château du 13e s., construit sur une avancée du Staufenberg, surplombe le village. Après bien des vicissitudes (destructions en 1298 sous Conrad de Lichtenberg et en 1632 par les Suédois), il abrite aujourd'hui la Volerie des aigles *(voir Sélestat)*.

 De nombreuses randonnées sont possibles au départ du village.

St-Hippolyte *(voir Ribeauvillé)*

Bergheim

À deux pas de la porte Haute, ancienne entrée fortifiée de l'enceinte du 14e s., un tilleul daté de 1300 donne l'idée de l'ancienneté de ce bourg viticole. Le mur d'enceinte médiéval subsiste encore au nord, flanqué de trois fines tours rondes. Il abrite de nombreuses maisons anciennes. Jolie fontaine sur la place du Marché.

L'**église** de grès rouge conserve des éléments du 14e s. (abside, chœur et base du clocher, peinture murale) dans une construction contemporaine de l'hôtel de ville, bâti au 18e s.

Cimetière militaire allemand

1 200 m après Bergheim. À la sortie nord de la localité, prenez à droite une route en montée se détachant de la D 1B.

Cette nécropole aligne sur les pentes de la colline les sépultures de soldats allemands tombés durant la dernière guerre. Depuis la croix érigée au sommet du cimetière, **panorama★** sur les crêtes vosgiennes avoisinantes à l'ouest, le château du Haut-Kœnigsbourg au nord, Sélestat et la plaine d'Alsace au nord-est et à l'est.

Ribeauvillé★ *(voir ce nom)*

Au-delà de Ribeauvillé, la route s'élève à mi-pente des coteaux et la vue se dégage sur la plaine d'Alsace. C'est entre Ribeauvillé et Colmar que se trouve le cœur du vignoble alsacien. Villages et bourgs viticoles aux crus réputés se succèdent alors sur les riches coteaux qui bordent les Vosges.

Hunawihr *(voir ce nom)*

Zellenberg

Petit village sur une colline : belle vue sur Riquewihr et le vignoble. Un circuit *(durée : 40mn - livret-guide à la mairie, à l'office du tourisme de Ribeauvillé ou de Riquewihr)* permet de découvrir la vie publique, administrative et juridique à travers ses édifices.

Riquewihr★★★ *(voir ce nom)*

Beblenheim *(voir Ribeauvillé)*

Mittelwihr

Les coteaux de Mittelwihr – appelé le « Midi de l'Alsace » – bénéficient d'une exposition si favorable que les amandiers y fleurissent et même y mûrissent. Le gewurztraminer et le riesling qui en proviennent jouissent d'une renommée sans cesse grandissante.

À la sortie sud du village, le « mur des Fleurs martyres » fut fleuri, durant toute l'Occupation, d'impomées bleues, de pétunias blancs et de géraniums rouges. Cette floraison symbolisa le gage de la fidélité alsacienne.

Bennwihr

Le village, détruit en 1944, a été reconstruit dans le style local. Tant mieux ! Une fontaine monumentale trône dans le village. Le vitrail de l'église moderne, étiré sur toute la longueur de la façade sud, laisse pénétrer à l'intérieur de l'édifice une lumière colorée très intense.

Sigolsheim

Encore un village durement touché durant les combats de la poche de Colmar (1944-1945). L'église St-Pierre-et-St-Paul date du 12e s. Son portail roman s'orne d'un tympan dont les sculptures rappellent celles de Kaysersberg et d'Andlau.
Empruntez la rue de la 1re-Armée pour gagner, à 2 km au nord-est, après le couvent des Capucins, la Nécropole nationale.

Nécropole nationale de Sigolsheim

Du parc de stationnement, 5mn à pied AR. 124 marches pour y accéder. Une enceinte de grès rouge, entourée de vignes, au sommet d'une colline. Y sont inhumés 1 684 soldats de la 1re armée française tombés en 1944. Du terre-plein central, **panorama★** sur les sommets et châteaux avoisinants, ainsi que sur Colmar et la plaine d'Alsace à l'est.

Kientzheim *(voir ce nom)*

Kaysersberg★★ *(voir ce nom)*

Ammerschwihr

Reconstruit dans le style propre à l'Alsace, mais adapté aux exigences de la vie moderne, le village est au pied de coteaux couverts de vignobles. Ammerschwihr a été incendié par les bombardements de décembre 1944 et janvier 1945. Seules, l'**église St-Martin**, dont le chœur est éclairé par des vitraux modernes, la façade Renaissancce de l'ancien hôtel de ville, la **porte Haute** et deux tours des fortifications (la tour des Voleurs et la tour des Bourgeois) témoignent encore de l'intérêt touristique qu'offrait cette petite ville.

À la sortie ouest d'Ammerschwihr, vers Labaroche, la tour quadrangulaire de la porte Haute est surmontée d'un nid de cigognes. Y sont peints un curieux cadran solaire et les armes de la ville.

Niedermorschwihr★

Joli village au milieu des vignes, dont l'église moderne a gardé son clocher vrillé du 13e s., unique en Alsace. Le long de sa rue principale, maisons anciennes à oriels et balcons de bois.

Turckheim★ *(voir ce nom)*

Wintzenheim

Au centre d'un vignoble réputé (grand cru hengst), des restes de fortifications (1275), quelques maisons anciennes *(rue des Laboureurs)*, une belle fontaine de la Vierge (18e s.) et l'ancien manoir des chevaliers de St-Jean ou Thurnburg devenu hôtel de ville. Sur le coteau, ruines d'une villa gallo-romaine (1er-4e s.).

Colmar★★★ *(voir ce nom)*

DE COLMAR À THANN ③

59 km – environ 3h. Sortir de Colmar par la D 417.

Wettolsheim

Ce petit bourg revendique l'honneur d'avoir été la patrie du vignoble alsacien : introduite dès le temps de la domination romaine, la culture de la vigne se serait, de là, étendue à tout le pays. Une Fête du vin s'y déroule tous les ans *(voir l'encadré pratique)*. Curieusement, on y découvre une réplique de la grotte de Lourdes (1912). Le château du Hagueneck (13e s.) se dresse à 2 km à l'ouest.

Eguisheim★ *(voir ce nom)*

Husseren-les-Châteaux

Le village de Husseren, d'où l'on a un beau panorama sur la plaine d'Alsace, est dominé par les ruines des trois châteaux d'Eguisheim. C'est d'ailleurs de Husseren que part la « route des Cinq Châteaux » *(voir Eguisheim)*. Les fonts baptismaux, provenant de l'abbaye de Marbach, remontent au 12e s.

Hattstatt

Très ancien bourg, autrefois fortifié. L'église, de la première moitié du 11e s., possède un chœur du 15e s. avec un autel en pierre de la même époque. À gauche, dans la nef, beau calvaire Renaissance. Un bel hôtel de ville du 16e s. côtoie les maisons anciennes.

Gueberschwihr

Sur un coteau couvert de vignes, ce village est fier de son magnifique clocher roman à 3 étages, dernier vestige de son église du début du 12e s. À côté de l'église, sarcophages mérovingiens. À 2 km à l'ouest sur la D 1, le couvent St-Marc est un bel exemple de l'architecture du 18e s.

Pfaffenheim *(voir Rouffach)*

Rouffach★ *(voir ce nom)*

Peu après Rouffach se profile, au loin, le Grand Ballon.

Le village d'Ammerschwihr et son vignoble.

Westhalten

À l'entrée de la « Vallée noble », le village entouré de vignes et de vergers possède deux fontaines et plusieurs maisons anciennes. Son vignoble s'étend sur les flancs du Zinnkoepflé, du Strangenberg et du Bollenberg.

Soultzmatt

Au bord de l'Ohmbach, au pied du grand cru zinnkoepflé, le plus élevé d'Alsace (420 m). Ses vins, sylvaner, riesling, gewurztraminer, sont particulièrement appréciés et ses eaux minérales connues, notamment la source Nessel. Chaque année a lieu à Soultzmatt la Nuit des grands crus du zinnkoepflé *(voir l'encadré pratique)*. À l'entrée du pays se dresse le **château de Wagenbourg**.

Guebwiller★ *(voir ce nom)*

Soultz-Haut-Rhin *(voir ce nom)*

Prenez à droite la D 51.

Basilique N.-D. de Thierenbach

Reconnaissable à son clocher à bulbe, la basilique a été construite en 1723, dans le style baroque autrichien, par l'architecte Peter Thumb. Elle est le but d'un important pèlerinage remontant au 8e s. et dédiée à Notre-Dame de l'Espérance.
À l'intérieur de la basilique, deux pietà : la Vierge miraculeuse de 1350, et la Vierge douloureuse de 1510, située dans la chapelle de la Réconciliation, ainsi que de nombreux ex-voto témoignant de la ferveur populaire.
Revenez à Soultz-Haut-Rhin et prenez la D 5 vers Cernay.

Cave vinicole du Vieil-Armand

À la sortie de Soultz. Elle regroupe 130 vignerons qui cultivent 150 ha de vignes. Deux grands crus sont élevés : le rangen, le plus méridional d'Alsace avec son terroir à roche volcanique, et l'ollwiller, au pied du Vieil-Armand. La cave propose une dégustation de vins régionaux. Au sous-sol, le musée du Vigneron réunit du matériel utilisé autrefois par le vigneron ou le caviste (botiches à vendange en bois).
Poursuivez sur la D5, puis tournez à droite dans la D 35.

Thann★ *(voir ce nom)*

La route des Vins pratique

Adresses utiles

Maison des vins d'Alsace – 12 av. Foire-aux-Vins - ℘ 03 89 20 16 20 - www.vinsalsace.com/fr - tlj sf w.-end et j. fériés mat. et apr.-midi - fermé 25 déc.-1ᵉʳ janv.

Office du tourisme de Barr – 1 pl. de l'Hôtel-de-Ville - 67140 Barr - ℘ 03 88 08 66 65 - www.barr.fr - juil.-août : mat. et apr.-midi ; reste de l'année : mat. et apr.-midi, dim. et j. fériés (sf janv.-mars et nov.-déc.) apr.-midi.

Office du tourisme de Dambach-la-Ville – Pl. du Marché - 67140 Barr - ℘ 03 88 92 61 00 - www.dambach-la-ville.fr - juil.-août : tlj mat. et apr.-midi sf dim. et j. fériés mat. ; reste de l'année : tlj mat. et apr.-midi sf sam. mat. dim. et j. fériés.

Office du tourisme de Kintzheim – Route de Sélestat - 67600 Kintzheim - ℘ 03 88 82 09 90 - pour les horaires : se renseigner.

Visites

Conseil – Les vendanges ont généralement lieu entre la fin sept. et la mi-oct., selon le degré de maturité auquel sont arrivés les raisins. À cette époque, l'accès aux sentiers viticoles peut être réglementé. Se renseigner sur place.

Sentiers viticoles – L'Alsace compte actuellement 39 sentiers viticoles à parcourir en toute tranquillité (2h environ). Ils sont jalonnés de panneaux explicatifs permettant de faire la distinction entre les différents cépages.

Se loger

☺ **Chambre d'hôte Maison Thomas** – 41 Grand-Rue - 68770 Ammerschwihr - ℘ 03 89 78 23 90 - www.maisonthomas.fr - 5 ch. et 4 gîtes 45/48 €. Cette ancienne maison de vigneron se trouve dans la partie la plus pittoresque du village, près d'une porte fortifiée. Grandes chambres fonctionnelles avec coin cuisine et mezzanine pour certaines. Plusieurs appartements sont également disponibles dans une bâtisse du 16ᵉ s. située au pied des vignes. Jardin bien aménagé.

☺☺ **Hôtel À l'Arbre Vert** – 7 r. des Cigognes - 68770 Ammerschwihr - 8 km au nord-ouest de Colmar sur D 415 - ℘ 03 89 47 12 23 - www.arbre-vert.net - fermé fév., 15-22 nov., lun. soir et mar. - 19 ch. 49/63 € - ☐ 8,50 € - rest. 15/48 €. Spécialement agréable le soir en raison des belles vues sur la ville.

☺☺ **Hôtel du Château d'Andlau** – Rte du Mont-Ste-Odile - 67140 Barr - ℘ 03 88 08 96 78 - www.hotelduchateau-andlau.fr - 🅿 - 22 ch. 50/65 € - ☐ 9 € - rest. 25/36 €. La forêt en toile de fond, la rivière au premier plan : ambiance bucolique pour des nuits sereines dans des chambres de style rustique. Recettes traditionnelles et carte des vins particulièrement étoffée.

☺☺ **Hôtel Vignoble** – 1 r. de l'Église - 67650 Dambach-la-Ville - ℘ 03 88 92 43 75 - hotel-vignoble-alsace@orange.fr - fermé 27 juin-12 juil., 24 déc.-12 mars et dim. hors sais. - 🅿 - 7 ch. 55/60 € - ☐ 7 €. Poutres apparentes, chambres coquettes et confortables, accueil chaleureux : cette ancienne grange alsacienne datant de 1765 transformée en hôtel a parfaitement réussi sa reconversion. Même les cloches de l'église voisine n'entament pas son charme !

☺☺ **Chambre d'hôte Domaine Bouxhof** – R. du Bouxhof - 68630 Mittelwihr - 2 km au sud de Riquewihr par D 3 - ℘ 03 89 47 93 67 - www.bouxhof.com - fermé janv. - 🍴 - 4 ch. 56 € ☐. Séduisante maison du 17ᵉ s. nichée au cœur d'un domaine viticole. Ses propriétaires font visiter leur magnifique cave classée et découvrir les crus produits sur place. Gîtes spacieux et bien équipés et chambres d'hôte au cadre actuel à réserver pour 2 nuits minimum. Petit-déjeuner servi dans une chapelle du 15ᵉ s.

Se restaurer

☺ **À la Truite** – 17 r. du 25-Janvier - 68970 Illhaeusern - ℘ 03 89 71 83 51 - fermé mar. soir et merc. - formule déj. 9,50 € - 13/39 €. Cette maisonnette des années 1950, au bord de l'eau, déploie sa terrasse le long de la rivière en été. Vous y serez bien accueilli et vous vous installerez dehors ou dans une salle colorée pour savourer une cuisine simple et sans chichis. Formule intéressante à déjeuner.

☺ **La Palette** – 9 r. Herzog - 68000 Wettolsheim - 4,5 km à l'ouest de Colmar par D 417 et D 1ᵇⁱˢ ᴵᴵ - ℘ 03 89 80 79 14 - www.lapalette.fr - fermé dim. soir et lun. - 14/59 € - 16 ch. 74/110 € - ☐ 11 €. Sur la route des Vins, à la sortie du village de Wettolsheim, cette maison à la façade discrète ouvre ses portes sur des salles à manger bien colorées ; l'une d'elles s'orne d'un étonnant plafond à caissons. À l'intérieur, ou dans le jardin en été, on sert une cuisine au goût du jour. Jolies chambres rénovées.

☺ **Aux Saisons Gourmandes** – 23 r. Kirneck - 67140 Barr - ℘ 03 88 08 12 77 - fermé dim. hors sais. et mar.-merc. - formule déj. 12 € - 18,50/45 €. Cette jolie maison à colombages dont le décor panache ancien et contemporain propose selon le marché une cuisine dans l'air du temps et des plats régionaux actualisés.

☺☺ **Zum Lœjelgucker** – 17 r. Principal - 67310 Traenheim - ℘ 03 88 50 38 19 - www.lœjelgucker-auberge-traenheim.com - fermé 18 fév.-4 mars, lun. soir et mar. - 17/41 €. Ferme alsacienne du 18ᵉ s. dans un village situé au pied des Vosges. Boiseries sombres et fresques habillent la salle à manger. Terrasse dressée dans une cour pavée fleurie.

⊜⊜ **La Crémaillère** – *67520 Marlenheim - www.hostellerie-reeb.fr - fermé dim. soir et lun. - 20/35 €.* Bâtisse à colombages au cœur du village où débute la route des Vins. Décor « tout bois » et ambiance de winstub.

⊜⊜ **Le Chatelain** – *41 r. Mgr-Barth - 67530 Bœrsch - 4 km à l'ouest par D 322 - ℘ 03 88 95 83 33 - www.lechatelain.com - fermé 4 janv.-13 fév., mar. midi, jeu. midi et lun. - 20/45 €.* Propriété de viticulteurs convertie en restaurant au décor rustique ; cuisine classique. Dégustation de vins et petit musée du tonnelier dans les caves du 18e s. Recettes du terroir, tartes flambées et cadre soigné à la winstub.

Que rapporter

Visite de caves – Les caves viticoles sont si nombreuses qu'on ne peut les citer toutes. On peut normalement y déguster la production locale et faire ses emplettes. L'accueil est toujours chaleureux, souvent agrémenté d'explications intéressantes sur l'histoire, le travail de la vigne et la fabrication du vin - *se renseigner : ℘ 03 89 20 16 20 - www.vinsalsace.com -* Le Conseil interprofessionnel des vins d'Alsace édite un « Guide annuaire du vignoble d'Alsace » *(dans les offices de tourisme).*

Beck - Domaine du Rempart – *5 r. des Remparts - 67650 Dambach-la-Ville - ℘ 03 88 92 42 43 - www.vins-beck.com - tlj sf dim. 8h-12h, 14h-19h - fermé j. fériés.* Gilbert Beck, issu de la troisième génération de viticulteurs travaillant sur le domaine, fut l'un des pionniers du crémant d'Alsace. Aujourd'hui, l'exploitation de 10 ha accueille les 7 cépages d'Alsace en culture intégrée, proche du « bio ». Son riesling grand cru Franskstein et son pinot noir élevés en fût de chêne sont incontournables !

Albert Boxler – *78 r. des Trois-Épis - 68230 Niedermorschwihr - ℘ 03 89 27 11 32 - tlj sf dim. 9h-12h, 14h-18h.* Monsieur Boxler, à la tête d'un domaine de 12 ha, vinifie avec son fils Jean sa récolte de riesling et tokay pinot gris. Cette lignée de vignerons est à l'origine de belles réussites comme les deux grands crus Sommerberg et Brand, ou les cuvées « vendanges tardives » aux arômes également fort appréciés.

Domaine Schaetzel – *41 r. Mgr-Barth - 67530 Bœrsch - ℘ 03 88 95 83 33 - www.lechatelain.com - 7h-12h, 14h-17h (w.-end 22h).* Le superbe caveau, de style romano-gothique, du domaine vinicole Schaetzel date de 1722 et passe pour être l'un des plus vieux d'Alsace. Désiré Schaetzel, l'actuel propriétaire de l'exploitation, produit des vins de très grande qualité : Rouge d'Ottrott élevé en foudre de chêne et Rouge d'Ottrott Châtelain. Liqueurs et alcools complètent la gamme.

Domaine Sibler – *8 r. du Château - 68770 Ammerschwihr - ℘ 03 89 47 13 15 - jm. sibler@wanadoo.fr - tlj (téléphoner av. visite).* La famille Sibler s'adonne à la viticulture depuis trois générations. Son domaine accueille tous les cépages alsaciens autorisés, sauf le sylvaner. L'un des grands succès de la maison est la cuvée Kaefferkopf. Un caveau agrémenté de banquettes et d'un tonneau transformé en table sert d'espace de dégustation.

Cave Krossfelder – *39 r. de la Gare - 67650 Dambach-la-Ville - ℘ 03 88 92 40 03 - 8h-12h, 14h-18h (dim. et j. fériés 10h) - fermé 1er janv., Vend. saint, 1er Nov., 25 et 26 déc.* Dégustation-vente et visite de la cave.

Caveau Lorentz Klipfel – *1 r. Rotland - 67140 Barr - ℘ 03 88 58 59 00 - www.klipfel.com - 10h-12h, 14h-18h - fermé en janv.* Propriétaire d'un des domaines les plus importants d'Alsace, la famille Klipfel cultive 40 ha dont 15 réservés aux grands crus et aux vendanges tardives. Cette entreprise produit en exclusivité le Clos Zisser, ainsi que les grands crus Kirchberg, Kastelberg et Wiebelsberg. Caveau de dégustation ; visite sur rendez-vous.

Distillerie Artisanale Legoll – *Rte de Villé, Val-de-Ville - 67730 Châtenois - ℘ 03 88 85 66 90 - www.legoll.com - tlj sf w.-end 8h30-12h, 14h-17h30, j. fériés sur RV.* René et Nicole Legoll travaillent les fruits provenant des meilleures régions de production. Selon une méthode ancienne, la distillation s'effectue dans des alambics à repasses pour garantir une qualité optimale. Mirabelle, kirsch et poire Williams constituent les recettes phare de la maison. Nicole réalise également des confitures aux parfums variés et originaux.

Sports & Loisirs

Le Petit Train du Vigneron – *34 r. du Mar.-Foch - 67650 Dambach-la-Ville - ℘ 03 88 92 41 86 - www.ruhlmann-schutz.fr - juil.-août : lun., jeu. et sam. à 17h (départ pl. du Marché) - 5 € (enf. 3 €).* Venez faire le tour de la ville et du vignoble à bord d'un petit train : parcours de 30mn, puis visite du domaine de la famille Ruhlmann avec un petit détour par les caves, où vous pourrez déguster les trois vins les plus représentatifs de l'exploitation.

Événements

Fête de la fontaine de Wangen – Lors de cette fête, le dim. apr. le 2 juil., le vin coule gratuitement à la fontaine du village *(11h-12h30)*.

Foire aux vins de Barr – *Place de l'Hôtel-de-Ville, autour du 14 juil. - ℘ 06 60 83 47 33.*

Fête des vendanges de Barr – *1er w.-end d'oct. - ℘ 03 88 08 66 55.*

Fête du vin – *À Wettolsheim, le dernier w.-end de juil.*

Nuit du grand cru hatschbourg – *À Hattstatt, en juil., tous les 2 ans.*

Art, artisanat et riesling – *À Scherwiller, le w.-end après le 15 août.*

Vittel ★

5 783 VITTELLOIS
CARTE GÉNÉRALE A/B3 – CARTE MICHELIN DÉPARTEMENTS 314 D3 – VOSGES (88)

« Buvez, é-li-mi-nez ! Avec Vittel, retrouvez la vitalité qui est en vous ! » Ces slogans font maintenant partie de la mémoire collective. La spécialité de Vittel, aujourd'hui, c'est la forme. Les cures, le plaisir des bains, la verdure, le golf, la randonnée, l'air pur, les promenades en forêt… Les promoteurs de la station ont fait appel aux meilleurs architectes et artistes, dont Charles Garnier, alors qu'il venait juste d'achever l'Opéra de Paris, puis Bluysen et César. L'établissement thermal, le casino, les parcs fleuris, les grands hôtels et les villas aux façades toutes blanches rappellent les meilleures heures de la Belle Époque.

▶ **Se repérer** – Vittel se trouve à 40 km à l'ouest d'Épinal. La ville thermale a été créée en dehors de l'agglomération urbaine.

🅿 **Se garer** – Parkings centre-ville : pl. de la Marne, face à la gare et r. St-Nicolas (Bonne-Source).

👁 **À ne pas manquer** – Le parc paysager et les thermes Garnier.

🕐 **Organiser son temps** – Entre un verre d'eau et un soin, de nombreuses possibilités de randonnées de durées variables vous sont offertes dans les environs. Et pour le soir, les propositions ne manquent pas (cinéma, animations, soirées Club Med)

Pureté des eaux

Pour éviter toute pollution des nappes phréatiques et préserver la qualité des eaux, tout épandage d'herbicides et de pesticides est interdit sur une zone de 11 000 hectares autour de Vittel et de Contrexéville. Ici, ce sont des coccinelles qui s'occupent des pucerons et des rapaces qui régulent le nombre de rongeurs.

👣 **Pour poursuivre la visite** – Voir aussi Bains-les-Bains, Contrexéville, Mirecourt, Neufchâteau.

Comprendre

Un curiste reconnaissant – Les Romains, déjà, avaient découvert les vertus des eaux de Vittel ; mais la ville, détruite par les Barbares, traversa discrètement le Moyen Âge. Il a fallu attendre le 19e s. pour que Vittel retourne à sa vocation première et s'assure une réputation internationale. Louis Bouloumié, avocat à Rodez, décida d'acheter, en 1854, la source qui lui avait permis de soulager ses coliques néphrétiques. Les Bouloumié se rendirent bientôt maîtres de la station, au grand bénéfice des Vittellois, qui en firent leurs maires sur plusieurs générations, pendant près de soixante-quinze ans. Pendant la guerre de 1939-1945, les palaces de Vittel avaient été réquisitionnés pour servir d'hôpitaux, puis de camps d'internement.

Bouchon – On est accueilli à l'entrée de Vittel par un panneau indiquant « embouteillage » : pas de panique, il ne s'agit que de la direction à suivre pour atteindre l'usine d'embouteillage ! Cette usine est la plus importante d'Europe. Elle peut assurer le conditionnement journalier de 5,4 millions de bouteilles de contenances différentes.

Séjourner

CENTRE THERMAL

L'ensemble du complexe thermal se situe au cœur d'un vaste parc de 650 hectares.

Parc paysager★

Très fleuri, avec un kiosque à musique où ont lieu de nombreux concerts en saison, des jardins promenoirs et des clairières aménagées. Plusieurs bâtiments sont à découvrir, au milieu de la verdure. Remarquable, le Grand Hôtel, reconstruit dans les années 1910 sur l'emplacement d'un premier hôtel de 1862, appartient aujourd'hui au Club Med. Un bel escalier à volutes y conduit. Le casino de 1882, signé Garnier, a été revu par Nachon puis par Bluysen en 1929, dans le « Style nouveau ». Le nouveau palais des congrès a été inauguré en 1970. De vastes terrains de sport (champ de courses, polo, golf, tennis, etc.) prolongent le parc, ainsi que les **jardins de la Terre**, jardin de fruits, légumes et fleurs à visiter.

Les frondaisons du parc paysager : 25 ha propices à la détente.

Anciens thermes Garnier

Construits par Charles Garnier en 1884, ils sont composés d'une galerie aux motifs mauresques, doublée en 1901 d'une grande galerie à l'architecture métallique. Au cours du 20ᵉ s., la galerie sera complétée par le pavillon de la grande source.

La galerie mauresque abrite aujourd'hui l'**exposition « L'Eau et la Vie »**. Cette exposition, réalisée par l'Institut de l'eau Nestlé, évoque l'eau sous différents aspects : scientifique, physiologique, technique et industriel. *℘ 03 29 08 77 29 - ♿ - avr.-oct. : 10h-12h, 14h-18h - 3,50 € (enf. 1 €).*

Établissement thermal

Parc thermal - ℘ 03 29 08 76 54 - thermes-vittel.com - tlj sf dim. apr.-midi mat. et apr. midi (modification des horaires selon la période de l'année, se renseigner) - fermé de déb. janv. à déb. fév. Remise en forme.

Le bassin hydrominéral d'où émerge la source doit sa naissance à une faille tectonique au sud de la ville. L'eau sulfatée calcique ou magnésienne est employée dans les affections des reins et du foie, les séquelles de traumatismes, les maladies de la nutrition et les rhumatismes.

Randonnée

3h à pied AR. Quittez Vittel au nord par l'avenue A.-Bouloumié. Après avoir laissé le centre équestre à droite, prenez à gauche un chemin goudronné qui traverse une prairie, puis s'élève dans le bois de la Vauviard. L'itinéraire franchit la D 18 pour atteindre, après un raidillon, la croix de mission de Norroy.

Croix de mission de Norroy

Vue étendue sur les bassins du Vair et du Mouzon vers le nord-ouest, sur la crête des Faucilles au sud, et au sud-est sur les sommets des Vosges.

Tournez à gauche et traversez un petit bois. À un calvaire, croisement d'un chemin allant de Vittel à Norroy.

Chapelle Ste-Anne

Elle se trouve à l'orée de la forêt de Châtillon, au pied d'un très beau chêne. La chapelle Ste-Anne cache un retable aux douze apôtres, du 16ᵉ s., dont les têtes ont été brisées. De là, jolie vue, vers le nord-ouest, sur la vallée du Vair.

Continuez tout droit.

Traversez le bois de Châtillon à la sortie duquel on découvre un nouveau point de vue sur Vittel, que l'on rejoint bientôt.

Aux alentours

Domjulien

8 km par la D 68, au nord-est.

L'église des 15ᵉ et 16ᵉ s., très remaniée, abrite un remarquable ensemble de sculptures, groupées surtout dans le bas-côté gauche : retable (1541) représentant la Crucifixion et les douze apôtres ; Mise au tombeau du début du 16ᵉ s. avec les anges portant les instruments de la Passion ; statues de saint Georges (16ᵉ s.) et de saint Julien. Sur l'autel latéral droit, belle statue de Vierge à l'Enfant jouant avec un ange, de la fin du 15ᵉ s.

Circuits de découverte

FORÊT DOMANIALE DE DARNEY 1 *(voir Bains-les-Bains)*

PAYSAGES DE LA VÔGE 2

62 km – environ 1h30.

Quittez Vittel par la D 429 qui traverse le bois du Grand Ban.

Contrexéville *(voir ce nom)*

La D 164, au sud de Contrexéville, remonte le vallon de Vair à travers le plateau dénudé des Faucilles.

Dombrot-le-Sec

L'intérieur de l'**église**, aux piliers trapus – ceux des deux premières travées sont ornés de chapiteaux –, renferme une belle tribune, des ferronneries du 18ᵉ s. (poutre de gloire et balustrade du chœur), une Vierge à l'Enfant du 14ᵉ s. et une sainte Anne du 16ᵉ s.

Passer au col du Haut de Salin (Cote 403). À **Viviers-le-Gras**, on s'arrêtera pour les belles fontaines du 18ᵉ s.

Prenez à droite la D 2. La route suit la vallée du Gras, à travers la forêt.

Bleurville

Les Romains y avaient installé un établissement de bains.

Dans Bleurville, prenez la rue St-Pierre qui monte vers l'église ; laissez l'église sur la droite et suivez la rue Bezout, à gauche, sortant du village en direction de Monthureux-sur-Saône.

Monthureux-sur-Saône

L'**église** paroissiale, reconstruite au 16ᵉ s., abrite une **Mise au tombeau**★ (école rhénane) dont les personnages grandeur nature, en bois polychrome, entourent un émouvant Christ allongé. *Tlj sf jeu. et dim. apr. midi. S'adresser à M. Roy - 172 r. de l'Église - ℘ 03 29 09 06 26.*

Rejoignez Darney par la D 460, d'où l'on a une vue étendue sur la forêt de Darney.

Darney *(voir Bains-les-Bains)*

Relanges

Son église est intéressante. Les colonnes du porche et le pignon de la façade remontent au 11e s. ; le transept, les absides et la tour, au 12e s. ; la nef et les bas-côtés ont été reconstruits au 16e s. Le chevet et le clocher carré, qui s'élèvent à la croisée du transept, sont très beaux.

La route remonte, à travers le massif forestier de Bois-le-Comte, un vallon étroit appelé **gorges de la Gabionne**.

À Provenchères-lès-Darney, prenez la D 25.

Thuillières

Le **château** fut construit par l'architecte Germain Boffrand (1667-1754) pour lui servir de résidence en Lorraine, où il séjournait souvent pour ses nombreux chantiers.

Visite guidée uniquement - &. *- juil.-août : tlj apr.-midi - 3 €(-12 ans 1,50 €).*

C'est aussi à Thuillières que, après s'être retirée de la scène, Ève Lavallière (1866-1929), célèbre artiste de la Belle Époque, termina sa vie dans une austère retraite.

Peu après, sur la gauche, dans le joli vallon de **Chèvre-Roche**, on aperçoit la chapelle de l'ancien ermitage de N.-D.-de-Consolation. La route domine le ruisseau de Thuillières. *La D 18 ramène à Vittel.*

Vittel pratique

Adresse utile

Office du tourisme de Vittel – *Place de la Marne - 88800 Vittel -* ℘ *03 29 08 08 88. www.ville-vittel.fr.*

Se loger et se restaurer

⌨⌨ **Hôtel L'Orée du Bois** – *1 lieu-dit l'Orée du Bois -* ℘ *03 29 08 88 88 - www. loreeduboisvittel.fr -* ℗ *- 39 ch. 60/85 € -* ⌨ *8,50 € - rest. 18/34 €.* Face au golf, établissement moderne disposant d'équipements sportifs et de loisirs complets. Chambres régulièrement rajeunies (testez donc les « bio », au confort actuel). Salle à manger contemporaine, jardin-terrasse et cuisine traditionnelle sans prétention.

⌨⌨ **Hôtel Providence** – *125 av. de Châtillon -* ℘ *03 29 08 08 27 - www. hotelvittel.com - 1er avril-31 déc. -* ℗ *- 38 ch. 65/80 €.* Cet établissement vittellois a fait peau neuve. Résultat : la plupart des chambres, certes petites mais confortables, arborent un aspect des plus engageants.

En soirée

Casino de Vittel – *Parc thermal -* ℘ *03 29 08 12 35 - tlj à partir de 10h ; jeux traditionnels à partir de 21h.* 80 machines à sous, roulette, black-jack et stud poker attirent touristes, curistes et habitants de la région dans ce casino voisin des thermes et d'un très joli parc. Organisation de soirées animées et d'un thé dansant le dimanche et les jours fériés.

Que rapporter

Au Péché Mignon – *36 pl. du Gén.-de-Gaulle -* ℘ *03 29 08 01 07 - tlj sf lun. 7h45-12h30, 14h-19h30, dim. 4h30-12h30, 15h-19h - fermé 2 sem. déb. juil.* Outre les grands classiques tels le pâté lorrain et le vittellois, ce maître pâtissier vous invite à

découvrir ses spécialités de chocolats : la Creuchotte (petite grenouille en chocolat fourré praliné), la « route thermale du chocolat » (quatre chocolats différents comme les quatre stations thermales des Vosges) ou encore le Vosgien, entremets à base de myrtilles et de mirabelles.

Délices Lorraines – *184 r. de Verdun -* ℘ *03 29 08 03 30 - tlj sf dim. mat. et lun. mat. 9h-12h30, 14h15-19h15 - fermé hors sais. thermale.* Ce magasin vous propose une large sélection de spécialités régionales : miel, confitures, macarons, confiseries (capsules de Vittel, grès rose des Vosges…), babas et gâteaux à la mirabelle, vins de Lorraine (côtes de Toul), apéritifs et liqueurs des Vosges, eaux-de-vie rares de fruits sauvages, etc.

Brasserie-écomusée – *48 r. de Mirecourt - axe Mirecourt-Épinal, puis à 5 km de Dompaire - 88270 Ville-sur-Illon -* ℘ *03 29 36 58 05 - du 1er mai à fin. oct. : tlj sf lun. 14h30-18h ; reste de l'année sur demande préalable - fermé janv.* Réputé pour la pureté de ses eaux, Ville-sur-Illon produisait de la bière depuis 1627. En 1887, Jacques Lobstein, brasseur alsacien, vint y installer une brasserie industrielle de type bavarois qui ne cessa son activité qu'en 1975. Cette installation unique en France a été transformée en écomusée, où quelques passionnés y élaborent encore des bières artisanales à déguster sur place ou à emporter.

Sports & Loisirs

👁 **Bon à savoir** – Le centre thermal de Vittel est une véritable base de loisirs où l'on peut pratiquer ball-trap, équitation, minigolf, natation, roller, tennis, tir à l'arc.

Vittel Aventure – ℘ *03 29 08 98 54 - www.vittel-aventures.com. Parc d'arbre en arbre.*

Club Med Golf de Vittel Ermitage – ℘ *03 29 08 81 53 - www.golf-vittel-ermitage.com.*

Parc naturel régional des
Vosges du Nord★★

CARTE GÉNÉRALE C1 – CARTES MICHELIN DÉPARTEMENTS 307 P/Q 4/5 ET 315 I/J 2/3
MOSELLE (57) ET BAS-RHIN (67)

Respirez, sentez, goûtez, observez, écoutez : tous les sens sont en éveil. Les sentiers de randonnée traversent les vallées boisées, les prairies, les étangs et les forêts de hêtres, de sapins, d'épicéas et d'érables, qui recouvrent plus de la moitié du Parc. Cerfs, chevreuils, sangliers et gélinottes des bois se cachent dans les fourrés. Au détour d'une promenade, vous ne manquerez pas d'apercevoir l'un de ces châteaux de grès auréolés de mystère, perchés en haut de leur promontoire rocheux. Les villages du Parc, eux aussi, vous réservent leurs trésors : belles maisons, musées, verreries et cristalleries. Un tel cadre est propice à des découvertes guidées de la nature ou du patrimoine, comme en propose régulièrement la Maison du Parc.

- **Se repérer** – C'est un triangle Wissembourg-Saverne-Volmunster délimité au nord par la frontière franco-allemande, au-delà de laquelle se situe le Parc naturel allemand du Palatinat, et au sud par l'A 4 Paris-Metz-Strasbourg. Sorties d'autoroute à Sarreguemines, Sarre-Union, Phalsbourg, Saverne et Hochfelden. Le GR 53 traverse le Parc.

- **À ne pas manquer** – Les maisons troglodytiques de Graufthal et les charmants villages de Hunspach et de Seebach ; les ruines majestueuses des châteaux de Lichtenberg et Fleckenstein.

- **Organiser son temps** – Une visite à la Maison du Parc de La Petite-Pierre (*voir ce nom*) s'impose pour commencer. Prenez le temps d'abandonner la voiture et d'emprunter les circuits de randonnée pour mieux profiter de la nature.

- **Avec les enfants** – Le château des énigmes et le P'tit Fleck, au Fleckenstein ; les amuse-musées (un week-end sur deux en saison, découverte ludique proposée dans chaque musée du parc ; *renseignements à la Maison du Parc*).

- **Pour poursuivre la visite** – Voir aussi Bitche, la ligne Maginot, La Petite-Pierre, Neuwiller-lès-Saverne, Saverne, Bouxwiller, Niederbronn-les-Bains, Wissembourg, Pfaffenhoffen, Haguenau.

Le logo du Parc.

Comprendre

Réserve mondiale de la biosphère – Le Parc national des Vosges a été créé le 30 décembre 1975, à l'initiative des régions Alsace et Lorraine. En 1989, l'Unesco lui a décerné le titre prestigieux et rare (320 dans le monde) de « Réserve mondiale de la biosphère ». Le Parc s'est donné quatre grands objectifs : aménager son territoire et maîtriser l'évolution du paysage ; protéger et mettre en valeur les patrimoines naturel et culturel ; assurer un développement respectueux de l'environnement ; informer et éduquer le public.

La haute mer végétale – Pour les Gaulois, les Vosges étaient « la montagne des taureaux sauvages » : *Vasagus*. René Char, dans un de ses poèmes, évoque ainsi la chaîne des Vosges : « Le navire fait route vers la haute mer végétale. Tous feux éteints, il nous prend à son bord. » Malheureusement, les dégâts de la grave tempête de décembre 1999 sont toujours visibles, même si une campagne de reforestation est en cours.

Circuits de découverte

TRAVERSÉE DU PAYS DE HANAU ①

125 km au départ de Saverne (voir ce nom) – environ 4h30.

Peu après la sortie de Saverne par Ottersthal, la D 115, dans un virage à droite, traverse le vallon très frais de Muhlbach, puis passe sous l'autoroute.

St-Jean-Saverne (*voir Saverne*)

Peu après St-Jean-Saverne, on distingue à droite, sur une hauteur boisée dominant Saverne, les **ruines du Haut-Barr★** (*voir ce nom*) ; plus à droite, au sommet du versant opposé de la vallée de la Zorn, les ruines du château du Griffon.

Prenez à gauche en direction de Dossenheim-sur-Zinsel.

Dossenheim-sur-Zinsel

Nº 80 cour de l'Église.

Le **site d'interprétation du refuge fortifié** permet de comprendre pourquoi et comment, au Moyen âge, les paysans construisirent autour de l'église un épais mur d'enceinte auquel ils adossèrent des habitations. Les pièces trapézoïdales du sous-sol leur servaient de réserve ou de refuge lors des guerres féodales. 🕿 *03 88 70 00 04/04 45 - possibilité de visite guidée sur réservation - avr.-oct. : dim. et j. fériés apr.-midi ; juil.-août : tlj sf mar. apr.-midi - 1,50 € (-16 ans gratuit), 2,30 € visite guidée.*

Neuwiller-lès-Saverne★ *(voir ce nom)*

Bouxwiller *(voir ce nom)*

On peut couper par Niedersoultzbach pour atteindre Ingwiller.

Ingwiller

🍃 Dans cette ville, sentier botanique et poétique du Seelberg (2h). *Se renseigner à l'office de tourisme du Pays de Hanau et du Val de Moder - 🕿 03 88 89 23 45 - www. tourisme.pays-de-hanau.com.*

En prenant la D 28 à la sortie d'Ingwiller, on traverse Rothbach, Offwiller et Zinswiller.

Offwiller

Arrêtez-vous au **musée d'Arts et Traditions populaires** pour découvrir le charme rural et culturel de la région. 🕿 *03 88 89 31 31 - visite guidée (1h) uniquement, sur demande préalable à la mairie - juin-sept. : dim. apr. midi - 2 € (enf. 1 €).*

Prenez la D 141 qui longe la Zinsel du Nord entre la forêt d'Offwiller et celle de Niederbronn. À droite en forêt, près du GR 53, ruines du château d'Arnsbourg.

Baerenthal

Charmant village, sur la rive gauche de la **Zinsel**. Sur la rive nord, un mirador permet d'observer l'avifaune (au printemps ou en automne pour les oiseaux migrateurs).

🍃 On peut faire le tour de l'étang de Baerenthal, réserve naturelle dont la flore est très riche.

La route de Baerenthal à Mouterhouse était jalonnée de nombreuses usines métal-lurgiques, aujourd'hui presque entièrement disparues, installées au début du 19ᵉ s. par la famille de Dietrich. La Zinsel s'élargit souvent en nappes d'eau, fleuries de nénuphars. Belle vue sur des monts séparés par de jolies trouées.

Continuez sur la D 36 jusqu'à Lemberg.

La route ombragée est étroite et sinueuse. À droite, vue sur les hauteurs de la forêt de Mouterhouse. On côtoie le ruisseau Breitenbach, qui s'élargit fréquemment en étangs bordés de scieries.

St-Louis-les-Bitche

Rien ne laisse imaginer, en arrivant à St-Louis-les-Bitche, que ce petit village isolé dans une vallée boisée est la patrie des célèbres **cristalleries** de St-Louis fondées en 1767. Ces anciennes verreries royales ont acquis une renommée internationale dans la production d'articles de table et d'ornementation.

Musée du Cristal St-Louis★ - *R. Coëtlosquet - 57620 St-Louis-les-Bitche - 🕿 03 87 06 40 04 - ♿ - tlj tte la journée - fermé mar. - 6 € (enf. 3 €).*

Très discret à l'extérieur, le musée créé par les architectes Lipsky et Rollet séduit d'emblée le visiteur grâce au jeu subtil des transparences et de la lumière. Organisé autour d'un vaste espace central ouvert sur les vestiges d'un four, éclairé par de superbes lustres de cristal, un parcours thématique et chronologique s'élève en pente douce sur quatre niveaux. Il fait revivre grâce à une magnifique collection d'objets et à de petites vidéos didactiques les grandes heures et les exploits techni-ques de la cristallerie : maîtrise de la technique du cristal en 1781, puis de la couleur dans la masse, les opalines de cristal, les boules à millefiori (presse-papiers à décor floral), la gravure, la taille, etc. Après l'âge d'or du 19ᵉ s., l'activité et la créativité sont toujours au rendez-vous, comme vous pourrez le constater de la passerelle qui surplombe l'atelier ou au dernier niveau consacré aux œuvres contemporaines. Boutique.

Revenez sur la D 37.

Goetzenbruck

On trouve à Goetzenbruck, spécialiste de l'industrie du verre, une importante fabrique de verres de lunettes.

Meisenthal

Haut lieu de la verrerie, Meisenthal a connu des heures de gloire avec Émile Gallé à la fin du 19e s. L'activité aurait pu disparaître avec la fermeture du site en 1969, mais des verriers passionnés ont repris le flambeau en créant en 1993 le **Centre international verrier**. Ce lieu de recherche tente de concilier traditions et modernité pour projeter cette belle histoire dans l'avenir ; il a repris la fabrication des fameuses boules de Noël de Goetzenbruck et propose au public des démonstrations de travail du verre. L'ancienne verrerie accueille aussi un spectaculaire hall d'expositions temporaires, et un musée, la **Maison du verre**

et du cristal, qui explique la fabrication (fours, film) et présente des produits de la verrerie depuis le 18ᵉ s. ℘ 03 87 96 91 51 - de Pâques à fin oct. et période de Noël : tlj sf mar. apr.-midi - 6 € (enf. 3 €).

Soucht

À 2 km au-delà de Meisenthal a été installé dans un ancien atelier qui fonctionnait encore en 1978 le **musée du Sabot**. On assiste à la fabrication des pièces. ℘ 03 87 96 87 07- ⚬ - visite guidée (45mn) juil.-août : tlj apr.-midi ; de Pâques à fin juin et sept.-oct. : w.-end et j. fériés apr.-midi - tarif : se renseigner.

Colonne de Wingen

De cette ancienne borne routière, vue dégagée à gauche sur la vallée de Meisenthal et, au loin, Rohrbach.

Pierre des Douze Apôtres

Appelée également Breitenstein, cette « pierre levée » ne fut sculptée qu'à la fin du 18e s., en exécution d'un vœu : sous la croix, on reconnaît les 12 apôtres, répartis, trois par trois, sur les faces du menhir.

À **Wingen-sur-Moder**, un musée de l'Imaginaire Lalique devrait ouvrir en 2009.

Le village de **Wimmenau**, comme d'autres villages de la vallée de la Moder, fut peuplé d'immigrants suisses après la guerre de Trente Ans, comme en témoigne la **Maison de l'histoire et des traditions de Haute-Moder**.

Tournez à gauche pour prendre la D 157.

Reiperstwiller

Clocher carré du 12e s. pour l'**église St-Jacques**. Le chœur de style gothique de 1480 est dû au dernier des Lichtenberg, Jacques le Barbu.

Château de Lichtenberg★

Suivez le prolongement de la rue principale de Lichtenberg (D 257) jusqu'au sentier d'accès au château, où laisser la voiture. Juin-août : tte la journée, lun. apr.-midi (dernière entrée 30mn av. fermeture) ; avr.-oct. : mat. et apr.-midi sf lun. apr.-midi ; du 17 mars au 11 Nov. : apr.-midi - tarif : se renseigner.

Ce château, attesté dès le début du 13e s., a beaucoup changé au cours de l'histoire. Bâti sur un promontoire rocheux (414 m), il est d'abord la résidence des sires de Lichtenberg, puis, à la fin du 16e s., Philippe IV de Hanau-Lichtenberg passe commande auprès de l'architecte Daniel Specklin pour faire du château une forteresse de défense adaptée aux progrès de l'artillerie, sans pour autant lésiner sur la décoration Renaissance. Des vestiges témoignent de ce passé militaire, à commencer par le corps de garde et la demi-lune de l'entrée. Pris par les troupes du maréchal Créqui, sous les ordres de Louis XIV, lors de la guerre de Hollande en 1678, le château est alors intégré au dispositif de défense des nouvelles frontières du royaume de France. Légèrement remanié par Vauban et habité par une garnison, il tient le choc jusqu'au 9 août 1870, où il est violemment bombardé. Les travaux de restauration entrepris en 1993 ont dépassé la simple restitution historique : on reconnaît bien la griffe du 20e s. dans l'auditorium en porte-à-faux qui complète l'arsenal du 17e s.

Rendez-vous à Ingwiller par la D 919, puis empruntez la D 6 en direction de Bouxwiller. Après Obersoultzbach, tournez à droite sur la D 7 vers La Petite-Pierre.

Weiterswiller

Le petit village possède deux églises. La plus ancienne, du 14e s., devint protestante dès le 16e s. Les belles **fresques**★ du 15e s., couvertes d'un badigeon, ne furent retrouvées qu'en 1906. Sur la gauche, on distingue à peine la Création, avec une main tendue vers le fruit défendu. À droite, les scènes de la Passion sont reconnaissables. Saint Michel, saint Georges, saint Mattern et la Vierge se partagent les autres murs. ☏ 03 88 89 52 34 - visite guidée : mai : j. fériés ; du 1er juin au 20 sept.: dim. et j. fériés - reste de l'année sur demande préalable.

La Petite-Pierre★ *(voir ce nom)*

Étang d'Imsthal

Le chemin qui y mène s'embranche sur la D 178 à 2,5 km de La Petite-Pierre.

But de promenade reposant, au fond d'un bassin de prairies entourées de forêts.

Graufthal

Dans ce hameau de la vallée de la Zinsel, on visite des **maisons troglodytiques** creusées dans de belles falaises de grès rouge (70 m), habitées jusqu'en 1958. ☏ 03 88 70 19 59/17 70 - juil.-août : apr.-midi ; de Pâques à fin juin et sept. : dim. et j. fériés apr.-midi - 2 € (-15 ans gratuit), 2,50 € visite guidée.

LES CHÂTEAUX ②

54 km au départ de Niederbronn-les-Bains (voir ce nom) – environ 2h.

Aux confins des zones d'influence du Palatinat, de l'Alsace et de la Lorraine, les vallées boisées du « pays des Trois Frontières », presque chaque piton rocheux porte la ruine d'un vieux château médiéval. Construits au 12e s. et dans la première moitié du 13e s. par les très puissants Hohenstaufen, ducs d'Alsace, ou par les familles nobles qui contestaient leur pouvoir (ducs de Lorraine, comtes des Deux-Ponts, évêques de Spire ou de Strasbourg…), ces châteaux ont été détruits et abandonnés avant le 18e s.

La visite des demeures troglodytiques de Graufthal révèle les coutumes anciennes de la vallée.

Quittez la ville en direction de Philippsbourg. En face des ruines du château de Wasen-bourg, sur la D 1062, prenez à droite, puis à gauche par la route forestière.

Le Wintersberg

C'est le point culminant des Vosges du Nord (580 m). Du haut de la tour-signal *(112 marches)*, très beau **panorama**★★ sur les Basses-Vosges et la plaine.
La boucle forestière de 6,5 km revient sur la D 1062. Atteignez l'étang de Hanau par l'embranchement à droite à 3 km.

Étang de Hanau★

Au cœur d'une région de tourbières, ce lac de 18 ha est aménagé pour les loisirs nautiques (baignade surveillée, barques, pédalos). De l'autre côté de l'étang, **château de Waldeck**.
 Deux parcours pédestres fléchés partent à la hauteur de l'étang de Hanau : le **sentier botanique de la tourbière** *(accès à 300 m à gauche du parking du restaurant sur la D 162, départ depuis l'aire de pique-nique située au-delà des terrains de tennis, durée 45mn)* et la **promenade de l'arche naturelle de Erbsenfelsen** *(accès à partir du parking du restaurant, suivre le balisage n° 3 bleu, en passant derrière les courts de tennis, durée 1h30)*.
Suivez la route forestière entre l'étang et le château jusqu'à la D 35 qui mène à Obersteinbach. Au passage, ruines du Lutzelhardt sur la gauche.

Obersteinbach

Joli village aux maisons à colombages sur base de grès rouge. À la **Maison des châteaux forts**, explications sur l'histoire des châteaux, leurs accès, leurs maîtres.
Peu avant l'entrée du village, la D 53, sur la droite, reprend le chemin de ce qui fut l'une des principales routes de la région durant le Haut Moyen Âge. Plusieurs des ruines qui la surplombent ont appartenu vraisemblablement à la couronne de forteresses mise en place pour protéger le palais impérial de Haguenau, fin 12e s. *Juil.-août et vac. scol. de printemps : tlj apr.-midi sf lun. et mar., w.-end et j. fériés apr. midi ; sept.-nov. et mars-juin : w.-end et j. fériés apr.-midi - fermé déc.-fév. - 2 € (enf. 1 €).*

Château de Schœneck

Érigé sur une barre rocheuse, le château fut donné en fief à un Lichtenberg en 1301, par son récent acquéreur, l'évêque de Strasbourg ; la même famille tenait également Wineck, qui lui fait face au fond de la vallée.
À Wineckerthal, prenez à gauche.

Châteaux de Windstein

Parc de stationnement au terminus de la branche gauche de la route, devant l'hôtel-restaurant Aux Châteaux.
Les deux châteaux de Windstein, distants de 500 m l'un de l'autre, auraient été bâtis le premier à la fin du 12e s., le second en 1340. Tous deux ont été détruits en 1676 par les troupes françaises du baron de Montclar.
Les ruines du **Vieux Windstein**★ *(45mn à pied AR)*, incorporées à deux hautes piles gréseuses, se réduisent à quelques vestiges. Les parties du château creusées à même la roche sont les mieux conservées : escaliers, chambres, cachots, puits (profond de 41 m). **Panorama**★ sur les sommets environnants.

Sur sa propre butte, le **Nouveau Windstein** (🐾 *30mn à pied AR*), de style gothique, a gardé une partie de ses fortifications et de belles fenêtres ogivales.
Retour à Niederbronn par la D 653.

UNE FRONTIÈRE BIEN GARDÉE ③

42 km au départ de Wissembourg (voir ce nom) – comptez une demi-journée.

Col du Pigeonnier★

🐾 *30mn à pied AR. Accès à droite de la route. Empruntez le sentier de la Schérol (balisage « rond rouge ») à travers la forêt, au-dessus du refuge du Club vosgien.* Un belvédère permet de découvrir une **vue★** superbe sur la plaine d'Alsace et la Forêt-Noire.
Retour par le même chemin ou possibilité de faire le tour de la Schérol par la forêt pour revenir au col (compter 15mn de plus).
Au cours de la descente, au sortir de la forêt, à gauche, jolie vue sur Weiler et la vallée verdoyante de la Lauter. Après avoir passé un carrefour, vue en avant sur Wissembourg et, derrière, sur le vignoble ; dans le lointain, on distingue le Palatinat.
Reprenez la D 3 jusqu'à Climbach, tournez à droite dans le village. On franchit le col de Litschhof.

Château de Fleckenstein★

🗝 *03 88 94 28 52 - www.fleckenstein.fr - possibilité de visite guidée sur demande (2 j. av.) - de mi-mars à déb. nov. : tte la journée - 2,50 € (-18 ans 2 €).*
À sa fondation au 12ᵉ s., ce château s'inscrivait dans le dispositif défensif des frontières nord du duché d'Alsace, contrôlant la vallée de la Sauer. Des murs d'enceinte cernent la basse cour, où l'on pénètre par une porte fortifiée. En approchant du rocher principal, on aperçoit l'impressionnante tour carrée qui lui fut accolée à la fin de l'époque gothique. Des escaliers intérieurs *(attention aux marches)* conduisent à plusieurs chambres taillées dans le roc, dont l'étonnante salle des Chevaliers et son pilier central monolithe, puis à la plate-forme, large de 8 m, où se trouvait le logis seigneurial ; jolie **vue** sur la haute vallée de la Sauer et son confluent avec le Steinbach.
👪 En face de l'accueil, chez le **P'tit Fleck** (espace ludique grès et forêt), les enfants de 4 à 12 ans sont invités à découvrir la nature et le patrimoine vosgiens. Suspension à l'envers comme les chauves-souris, construction d'un puits à l'aide d'un treuil ou reconnaissance les oiseaux. Dans le château, le parcours « Le château des énigmes » est ponctué d'une vingtaine de jeux à travers la forêt et dans les « pièces secrètes » du château. Qui parviendra à consoler Edwige ? 🗝 *03 88 94 28 52 - www.chateau-enigmes.com - de mi-mars à déb. nov. : tte la journée (dernier dép.: 2h30 av. fermeture) - 9,50 € (-18 ans 7,50 €).*

Tour des quatre châteaux forts

🐾 *Départ du parking au pied du Fleckenstein. 4 km. Comptez environ 2h. Engagez-vous sur le chemin balisé d'un rectangle rouge, puis après quelques mètres à droite dans le sentier des Rochers (triangle rouge) qui conduit à la fontaine de la Jeune Fille.* Selon la légende, cette fontaine fut le théâtre d'un amour malheureux entre un chevalier du Wegelnburg et une demoiselle du Hohenburg. *Tournez à gauche (rectangle bleu).*
Après avoir franchi la frontière avec l'Allemagne, on atteint le **Wegelnburg**, forteresse impériale qui, devenue repaire de brigands, fut en grande partie détruite vers la fin du 13ᵉ s. Vue remarquable sur le Palatinat. Revenez vers la fontaine de la Jeune Fille, continuez tout droit *(rectangle rouge)* vers le **Hohenburg**, fief des Fleckenstein détruit en 1680, dont la partie basse Renaissance a conservé un puissant bastion d'artillerie et le logis seigneurial. Par le même chemin poursuivi vers le sud, on accède au **Loewenstein**, détruit en 1386 après avoir lui aussi servi de repaire à des chevaliers-brigands. Le même sentier balisé d'un rectangle rouge passe devant un curieux chicot de grès rouge (le Krappenfels) et mène à la ferme de Gimbel *(ferme-auberge, restauration en saison)*. Superbe **point de vue** sur le château du Fleckenstein.
👪 À l'emplacement de l'ancien château du **Gimbelhof**, aire de jeux médiévale.
Retour au parking par le chemin à droite (rectangle rouge-blanc-rouge).

Tannenbrück

Là, on franchit la Sauer. Le pont fut illustré par les combats livrés en 1793 par l'armée de la Moselle, que commandait Hoche.

Lembach

Petite ville ornée de bâtisses anciennes : maisons bourgeoises, lavoirs, auberges. Un circuit panoramique *(dép. de la mairie ; durée 1h)* permet de découvrir les alentours et de s'initier au paysage, à la géologie et aux milieux vivants comme les vergers et les haies. À 1 km de Lembach, sur la route de Wœrth, à gauche, se trouve l'accès à l'ouvrage du **Four à Chaux** *(voir ligne Maginot)*.

Seebach, l'un des plus beaux villages d'Alsace.

À Lembach, prenez à droite la petite route longeant la Sauer, direction Reichshoffen.
On traverse des villages que la guerre de 1870 a rendus célèbres : Reichshoffen, Frœschwiller et Wœrth. Au bord de la route, de nombreux monuments commémorent le sacrifice des combattants français et allemands.

Reichshoffen

À cause de la dépêche envoyée par Mac-Mahon pour annoncer la défaite, Reichshoffen a eu le triste et glorieux privilège de donner son nom à l'héroïque charge de cuirassiers venue se briser dans le village de Morsbronn le 6 août 1870.
Le **musée du Fer** retrace l'histoire des mines et forges du Jaegerthal depuis le 14e s. Le château De Dietrich, fin 18e s., est un des souvenirs de son essor industriel précoce. *03 88 80 34 49 - juin-sept. : tlj sf mar. apr.-midi - 2,50 € (-14 ans gratuit).*

Frœschwiller

Charmant village alsacien où eut lieu l'assaut définitif de la bataille. Si le nom de « bataille de Reichshoffen » est passé dans l'histoire de France, elle est pour l'armée française celle de Frœschwiller et celle de Wœrth pour les Allemands.

Wœrth

Au château est installé le **musée de la Bataille du 6 août 1870** : uniformes, armes, équipements, documents et tableaux relatifs aux deux armées en présence lors de la bataille de Wœrth-Frœschwiller. Un grand diaporama évoque la bataille à l'aide de 4 000 figurines d'étain. *03 88 09 40 96 - http://woerth-en-alsace.com - & - fév.-déc. : tlj sf mar. mat. et apr.-midi - fermé janv. et 25 déc. - 3,50 € (-10 ans 2,70 €).*

Sentier des Turcos

Départ quelques mètres après l'usine Star-Auto, sur la gauche, à la sortie de Wœrth vers Lembach.
Ce circuit pédestre de 2 km *(assez difficile)*, jalonné de panneaux explicatifs, évoque les faits marquants de la bataille du 6 août 1870. En prenant la direction d'Elsasshausen on peut aussi suivre, en voiture, le circuit du champ de bataille principal.

Merkwiller-Pechelbronn

C'est le centre du bassin pétrolifère du nord de l'Alsace dont l'exploitation s'est arrêtée en 1970. L'activité de Merkwiller-Pechelbronn s'est alors orientée vers le thermalisme. Le **musée français du Pétrole** raconte l'histoire de l'or noir en Alsace depuis 1498 et propose une visite guidée de sites en extérieur *(circuit pédestre ; 2h de marche). *03 88 80 91 08 - www.musee-du-petrole.com - avr.-oct. : jeu., dim. et j. fériés apr.-midi (dernière entrée 1h av. fermeture) - 4 € (-10 ans gratuit) - promenade commentée sur l'histoire du pétrole, avr.-oct. : 1er, 3e dim. et 2e, 4e merc. du mois, dép. du musée 14h30 - 5 €.*

Kutzenhausen

La **Maison rurale de l'Outre-Forêt**, habitée de mannequins de cire, rend compte de la vie quotidienne des paysans d'Alsace du Nord au début du 20e s. Un parcours fléché permet de visiter l'intérieur de la maison et son mobilier traditionnel. La ferme est caractéristique du 18e s. Le parcours traverse l'espace apicole, l'espace boulangerie, la forge, différents ateliers (charron, tonnelier, cordonnier, sabotier), le hangar aux machines, la basse-cour et le petit potager. La visite se termine par la reconstitution d'une salle de classe d'antan. Expositions temporaires, conférences et animations font régulièrement revivre cette maison-musée. *1 pl. de l'Eglise - ℰ 03 88 80 53 00 - www.tourisme-pechelbronn. info - ৬ - avr.-sept. : tlj sf lun. et sam. mat. et apr.-midi, dim. et j. fériés apr.-midi ; reste de l'année : merc., dim. et j. fériés apr.-midi - fermé 1er janv.-15 fév., 1er nov., 25 et 26 déc. - 4,50 € (-16 ans 2,50 €).*

Hoffen★

Maisons fleuries, certaines à triple auvent, autour de l'église et de la curieuse petite mairie soutenue par trois piliers de bois. Près du vieux puits communal, un tilleul planté sous la Révolution.

Hunspach★★

Hunspach est classé parmi « les plus beaux villages de France ». Des maisons blanches au poutrage apparent et aux auvents débordant sur la façade dont quelques-unes ont conservé leurs vitres bombées – mode remontant à l'époque baroque – se disposent harmonieusement le long des rues de ce village purement alsacien et de caractère exclusivement rural, comme l'attestent ses cours fermières, ses vergers et ses fontaines à balanciers.

Ingolsheim

Gros hameau agricole, sa rue principale est perpendiculaire à la grande route. Il est environné de vergers et entrecoupé de jardins et de cours de fermes.

Seebach★

Ce bourg fleuri est resté le village alsacien type avec ses maisons à poutres apparentes et à auvents qu'encadrent souvent des jardins, même si quelques constructions sans style rompent l'harmonie de l'ensemble.

Le Parc pratique

Adresse utile

La Maison du Parc naturel régional des Vosges du Nord – *Tlj mat. et apr.-midi - fermé 25 déc. et 1er janv.*

Se loger

⊖ **Auberge des Mésanges** – *2 r. du Tiseur - 57960 Meisenthal - ℰ 03 87 96 92 28 - www.aubergedesmesanges.com - fermé 11-28 fév. et 24-28 déc. - 🅿 - 20 ch. 39/45 € - ⊡ 6 € - rest. 9,50/18 €.* Après une visite à la Maison du verre et du cristal, adoptez cette maison pour une nuit ou un repas. Chambres bien tenues, cuisine sans prétention et, le week-end, *flamkueches* et pizzas jouent les vedettes.

⊖ **Hôtel Au Vieux Moulin** – *7 r. du Vieux-Moulin - 67320 Graufthal - ℰ 03 88 70 17 28 - kavi.moulin@wanadoo.fr - fermé 15 fév.-2 mars et 27 juin-12 juil. - 🅿 - 14 ch. 40/70 € - ⊡ 7 €.* Dans ce hameau dont Erckmann et Chatrian ont vanté la sérénité, petit hôtel réservant un accueil chaleureux. Chambres modestes. Plan d'eau privé (pêche). Une cuisine familiale à l'accent alsacien vous attend dans la salle à manger entièrement redécorée.

⊖⊖ **Auberge d'Imsthal** – *À l'étang d'Imsthal - 67290 La Petite-Pierre - 3,5 km au sud-est de La Petite-Pierre par D 178 - ℰ 03 88 01 49 00 - auberge.imsthal@ wanadoo.fr - fermé 2 dernières sem. de nov. - 23 ch. 49/108 € - ⊡ 9 € - rest. 10,50/45 €.* La forêt et la campagne tout autour, un étang à ses pieds : l'environnement de cette maison à colombages comblera les amoureux de nature et de tranquillité. Préférez les chambres récentes, plus spacieuses et agréables. Sympathique salle à manger rustique ; sauna, hammam et salle de jeux.

Se restaurer

⊖⊜⊜ **Le Cheval Blanc** – *19 r. Principale - 67320 Graufthal - ℰ 03 88 70 17 11 - www.auchevalblanc.net - fermé 3-25 janv., 6-23 sept., lun.soir, merc. soir et mar. - 27 €.* Cette engageante auberge décorée dans un esprit rustique concocte des recettes fidèles à la région. Joli poêle en faïence dans l'une des salles de restaurant.

Sports & Loisirs

Spectacles, expositions – Le parc s'anime toute l'année d'expositions et de spectacles variés : musique, pièces de théâtre ou festival littéraire. En décembre, des marchés de Noël entretiennent la tradition de cette fête religieuse. Un carnet gratuit sur le Parc informe, de mai à octobre, des événements ponctuant la vie des Vosges du Nord.

Baignade – Sur le plan d'eau du Fleckenstein.

Wangenbourg

1 182 WANGENBOURGEOIS ET ENGENTHALOIS
CARTE GÉNÉRALEB/C2 – CARTE MICHELIN DÉPARTEMENTS 315 H5 – BAS-RHIN (67)

Station estivale, centre de villégiature, de loisirs, de détente… Tous ces termes pour décrire celle que l'on surnomme la « Suisse d'Alsace ». Elle le doit à ses paysages de montagne, aux immenses forêts qui l'entourent, aux prairies, à ses chalets presque suisses et, peut-être aussi, à sa Fête de la montagne.

- **Se repérer** – À 20 km au sud de Saverne par la D 218, 41 km à l'ouest de Strasbourg par la D 1004, puis la D 224.
- **À ne pas manquer** – Le château et la cascade du Nideck, le plan incliné de St-Louis-Arzwiller, les rochers de Dabo et du Nutzkopf pour leur panorama.
- **Organiser son temps** – Comptez une demi-journée pour découvrir Wangenbourg et son château ; mais si vous souhaitez parcourir la région, prévoyez une journée complète pour les deux circuits.
- **Pour poursuivre la visite** – Voir aussi château du Haut-Barr, Marmoutier.

Se promener

Château

Pour y accéder (15mn à pied AR), laissez la voiture sur le parking de l'office de tourisme, 200 m après l'église, passer près d'un énorme tilleul et suivre un chemin dans le prolongement de la rue principale. Du château, des 13e et 14e s., qui appartenait à l'abbaye d'Andlau, il reste un donjon pentagonal et d'importants vestiges de murs. Par le donjon (24 m de haut), on accède à une plate-forme. Très belle vue sur la région. Un sentier, en partie tracé dans les fossés du château, permet de faire le tour de l'énorme rocher de grès qui porte les ruines. Par un pont, on accède à l'ancienne cour.

Circuits de découverte

La **région de Dabo-Wangenbourg★★** appartient aux Petites Vosges. Ses massifs gréseux, d'apparence farouche et tourmentée, sont séparés par des vallées fraîches et calmes dont les eaux coulent sur des lits de sable fin. L'ancienne et puissante maison de Dabo, ou Dagsbourg, descend du duc d'Alsace Étichon, père de sainte Odile. C'est dans le château de Dagsbourg que certains historiens situent, en 1002, la naissance de Bruno de Dabo, qui deviendra le pape Léon IX, puis saint Léon. D'autres affirment que cette illustre naissance a eu lieu à Eguisheim. Le débat reste donc ouvert…

FORÊT DE SAVERNE

Au nord de Wangenbourg – 78 km – environ 3h30.

Plan incliné de St-Louis-Arzviller.

Obersteigen

La petite église de grès rose a été construite au 13e s. par les chanoines de St-Augustin qui, trouvant le climat de la montagne un peu rude, déménagèrent vers Saverne au 16e s. Son architecture, d'un style homogène, marque la transition du roman au gothique : arcs en plein cintre, chapiteaux à crochets. Des colonnettes annelées ornent le portail.
Prenez la D 45 vers Dabo.

La route sinueuse pénètre dans une superbe forêt. Belles échappées sur le rocher et le pays de Dabo, le plateau fertile du Kochersberg et la plaine d'Alsace.

Le géant du Nideck

Une légende rapporte que dans des temps immémoriaux, une famille de géants habitait le château du Nideck. La fille du géant, se promenant un jour dans la campagne environnante, fut fascinée par un jouet hors du commun qu'elle ramena chez elle : un paysan avec ses deux bœufs attelés. À la vue du paysan, le géant réprimanda aussitôt la jeune imprudente, lui ordonnant de remettre à sa place celui sans qui elle n'aurait pas de quoi manger.

Rocher de Dabo★

Signalisation « Rocher St-Léon ». Rte du Rocher - 📞 *03 87 07 47 51 - www.ot-dabo.fr - possibilité de visite guidée sur demande (1 sem. av.) - mai-oct. : tte la journée ; nov.-avr. : apr.-midi - fermé 1er janv., 1er et 11 Nov., 25 déc. - 2 € (enf. 0,50 €).*

Le rocher de grès de Dabo porte deux tables d'orientation. Dans la tour de la chapelle est encastrée la statue du pape Léon IX. À gauche du portail percé sous la tour et permettant d'entrer dans la chapelle, une petite porte s'ouvre sur l'escalier *(92 marches)*. Beau **panorama★** du haut de la tour, d'où il est possible de repérer les principaux sommets des Vosges gréseuses (Schneeberg, Grossmann, Donon, etc.). De là, le village de Dabo a la forme d'un X.

Dabo

Le **site★** de Dabo est très agréable et les belles forêts environnantes en font une station estivale fréquentée.

Un peu plus loin, la route descend dans la pittoresque **vallée du Kleinthal**.
Après Schaeferhof, suivez la D 45 à gauche. À 5 km, prenez à gauche la D 96.

Aux approches de Schaeferhof, on aperçoit, en avant, le village de Haselbourg perché au sommet d'une colline.

Cristallerie de Vallerysthal

📞 *03 87 25 62 04 -* ♿ *- mat. et apr.-midi - fermé 1er janv. et 25 déc. - gratuit.* C'est le baron de Klinglin (nom prédestiné !) qui transporta en 1838 la très ancienne verrerie de Plaine-de-Walsch au val de Valléry. Entreprise prospère dont les produits étaient très demandés durant la deuxième moitié du 19e s., notamment en Allemagne, la verrerie comptait 1 300 salariés en 1914. Du temps de sa splendeur, l'antique maison a conservé sa « salle des trésors » qui recèle près de 40 000 modèles du 18e s. à nos jours. *Revenez sur la D 98C.*

Rocher du Nutzkopf★

🚶 *45mn à pied AR. Accès par la D 98D à partir de Sparsbrod, puis une route forestière à gauche, enfin un sentier signalé à gauche.* Au sommet (515 m) de ce curieux rocher tabulaire, **vue★** sur le rocher du Dabo, le village de La Hoube, la verdoyante vallée du Grossthal. *Revenez sur la D 98C, puis prenez la D 98 à droite, le long de la Zorn.*

Plan incliné de St-Louis-Arzviller★

On peut l'observer depuis la D 98C. 📞 *03 87 25 30 69 - www.plan-incline.com - visite guidée - de déb. avr. à mi-oct. : tlj sf lun. mat. et apr.-midi - 4 € (-15 ans 3 €), billet combiné avec circuit en vedette 8 €.* Long de 108,65 m dans sa partie inclinée, pour une dénivellation de 44,55 m, cet ouvrage spectaculaire a remplacé en 1969 l'ancien escalier de 17 écluses, étagées sur moins de 4 km, le long de la voie ferrée, dont le franchissement nécessitait une journée entière. Un **chariot-bac**, d'une longueur de 43 m, se déplaçant transversalement sur les rails d'une rampe de béton par un système de contrepoids reliés au chariot-bac par des câbles, permet de faire passer d'un bief à l'autre, en 20mn, une péniche automotrice de 350 t. Petit musée dans une péniche.

Vallée de la Zorn★

Cette vallée, aux versants couverts de hêtres et de sapins, a toujours été le passage le plus fréquenté des Vosges du Nord. Le canal de la Marne au Rhin et le chemin de fer de Paris à Strasbourg ont aussi choisi de l'emprunter. La Zorn y coule, abondante et claire, sur un lit de sable et de cailloux.

À **Lutzelbourg**, sur la D 38-D 132, sur un promontoire, ruines féodales du château du même nom.

Château du Haut-Barr★ *(voir ce nom)*

Saverne *(voir ce nom)*

Marmoutier★★ *(voir ce nom)*

FORÊT DE HASLACH
44 km au sud de Wangenbourg – environ 2h30.

Forêt de Haslach
Après Wolfsthal, la D 218 monte dans la belle forêt de Haslach. Un parcours agréable conduit à la maison forestière. À 500 m commence une descente parfois sinueuse qui se poursuivra jusqu'à Oberhaslach. On aperçoit en avant et à gauche, toute proche, la tour ruinée du château du Nideck.

Château et cascade du Nideck★★
1h15 à pied AR. Laissez la voiture sur le parking situé en contrebas de la maison forestière du Nideck et prenez le sentier signalé par des panneaux. Une tour du 13ᵉ s. et un donjon du 14ᵉ s., dans un **site★★** romantique, sont les restes de deux châteaux incendiés en 1636. D'en haut, belle vue sur la forêt, la vallée de la Bruche, le château de Guirbaden et les hauteurs du Champ du Feu.
Passant ensuite à droite du donjon, suivez à gauche le sentier de la cascade. Après un abri en bois, puis un petit pont, prenez à droite jusqu'au belvédère (très dangereux, bien que muni d'un garde-fou).
Du belvédère, la **vue★★** est superbe sur la vallée glaciaire et le gouffre boisé, dans lequel la cascade du Nideck se jette du haut d'une muraille de porphyre. Pour voir la cascade, continuer, au-delà du belvédère, par un sentier aménagé *(30mn AR).*
Revenez à la D 218 et faire 1,2 km.

Belvédère
À 20 m de la route, à hauteur d'une borne commémorant sa construction. Belle **vue★** sur le château du Nideck et la vallée. Ensuite, la vue se dégage à gauche sur les ravins boisés de la Hasel et de ses affluents et, au loin, sur la vallée de la Bruche et les hauteurs qui la dominent au sud.

Oberhaslach
C'est un lieu de pèlerinage assez fréquenté, en l'honneur de saint Florent. Au 7ᵉ s., on le disait capable d'adoucir les animaux les plus sauvages ; il est resté le protecteur des animaux domestiques. La chapelle, construite en 1750, de style baroque, rappelle l'endroit où le saint vécut en ermite avant de devenir le 7ᵉ évêque de Strasbourg.

Église de Niederhaslach★
Visite environ 30mn. Elle se dresse à l'emplacement d'une ancienne abbaye fondée par saint Florent. Style gothique avec un portail encadré de statuettes et orné d'un tympan qui illustre l'histoire de saint Florent, guérissant la fille du roi Dagobert. Dans les bas-côtés et l'abside se trouvent de **beaux vitraux★** des 14ᵉ et 15ᵉ s. Une chapelle, à droite du chœur, abrite sous ses voûtes aux clés sculptées le tombeau de Gerlac et un saint-sépulcre du 14ᵉ s.
Suivez la D 75.

Wasselonne
C'est une ancienne place forte dominée par un château fort réduit à une vieille tour. Ses maisons s'étagent sur les pentes d'une colline, les contreforts du Kochersberg. Elle garde de ses fortifications une porte de ville, ancien donjon. L'**église protestante** date du 18ᵉ s. (orgue de Silbermann).

Vallée de la Mossig
Les blocs de grès en saillie donnent aux hauteurs qui encadrent la Mossig une physionomie très particulière. C'est le grès des environs de Wasselonne qui servit à la construction de la cathédrale de Strasbourg.

Cascade du Nideck.

R. Mattes/MICHELIN

Wangenbourg pratique

Adresse utile

Office du tourisme de Wangenbourg – *32 a r. du Gén.-de-Gaulle - 67710 Wangenbourg-Engenthal - ℘ 03 88 87 33 50 - suisse-alsace.com - tlj sf sam. mat. et apr.-midi, dim. et j. fériés apr.-midi - fermé 1er janv. et 25 déc.*

Office de tourisme du Pays de-Nideck – *22 r. du Nideck - 67280 Oberhaslach - ℘ 03 88 50 90 15 - tlj sf dim. mat.*

Se loger

⊖⊖ **Parc Hôtel** – *39 r. du Gén.-de-Gaulle - ℘ 03 88 87 31 72 - www.parchotel-alsace.com - 🅿 - 32 ch. 51/99 € - ⊡ 10 € - rest. 18/43 €.* Hôtel traditionnel tenu par la même famille depuis 1848, niché dans un parc ombragé avec circuit botanique, jeux pour les enfants et courts de tennis. Chambres spacieuses. Salle à manger classique avec cheminée et confortable salon habillé de jolies boiseries.

⊖⊖ **Hostellerie Belle Vue** – *16 rte du Dabo - 67710 Obersteigen - ℘ 03 88 87 32 39 - www.hostellerie-belle-vue.com - fermé 3 janv.-5 avr., dim. soir et lun. hors sais. sf j. fériés - 🅿 - 20 ch. 68/78 € - ⊡ 8 € - rest. 25/45 €.* Cette hostellerie proche de la forêt de Saverne profite d'un magnifique panorama sur la vallée. Confortables chambres. Billard, jardin et piscine. Grande salle de restaurant de style régional avec boiseries et poutres apparentes. Terrasse d'été bien fleurie.

Se restaurer

⊖ **Auberge des Randonneurs** – *3 pl. de l'Église - 57850 Dabo - 15 km au nord-ouest de Wangenbourg par D 218, D 143 puis D 45 - ℘ 03 87 07 47 48 - fermé 24-25 déc. - 8,50/21 €.* Le patron de cette auberge, artiste à ses heures, a réalisé la décoration de la salle à manger agrémentée de tableaux et personnages en bois sculpté. Vous mangerez ici des petits plats régionaux : goûteux presskopf et pâté faits maison, savoureuses flammeküche, originales crêpes lorraines. Terrasse ombragée.

Événement

La **foire de Wasselonne**, avec son marché gourmand et artisanal (*sam. soir et dim.*), son corso fleuri (*dim.*) et son marché annuel (*lun. suivant la foire*), est un événement régional - *dernier w.-end d'août tous les 2 ans, années impaires - ℘ 03 88 59 12 00 - www.wasselonne.fr ou www.suisse-alsace.com.*

Wissembourg★★

8 170 WISSEMBOURGEOIS
CARTE GÉNÉRALE C1 – CARTE MICHELIN DÉPARTEMENTS 315 L2 – BAS-RHIN (67)

Wissembourg est sortie miraculeusement intacte et magnifique de son histoire extrê-mement chargée en sièges, en désastres et en guerres (une bataille de 1870 porte son nom). Balades sur les remparts, dans la « Petite Venise », la visite des quartiers anciens est incontournable. Plus de 70 maisons datent d'avant 1700 ; la maison du Sel date même de 1448. L'église St-Pierre-et-St-Paul, du 13ᵉ s., arrive en deuxième position, pour sa taille, des églises gothiques d'Alsace (après la cathédrale de Strasbourg).

▸ **Se repérer** – Ville frontalière que dominent à l'ouest le Hochwald et au nord le Mundatwald, qui réser-vent d'excellents points de vue. Elle est distante de 33 km au nord de Haguenau par la D 263.

🅿 **Se garer** – Parkings : r. Bannacker, pl. de la Foire et r. de la République.

👁 **À ne pas manquer** – L'église St-Pierre-et-St-Paul, et sa fresque de saint Christophe ; le quartier de la Petite Venise de Wissembourg.

🕐 **Organiser son temps** – Consacrez une demi-journée au tour de la ville, puis partez explorer la campagne environnante, à pied de préférence. Il serait dommage de ne pas goûter à Cleebourg les crus locaux. Enfin, la Pentecôte est l'occasion de grandes réjouissances à Wissembourg.

Le saviez-vous ?

👁 C'est dans son refuge de Wissem-bourg, en 1725, que Stanislas Leszc-zynski, roi détrôné de Pologne, reçut de Paris cette nouvelle incroyable : le roi de France, Louis XV, lui demandait la main de sa fille Marie.

👁 Le légendaire Hans Trapp, le Père Fouettard alsacien, est né ici. À la fin du Moyen Âge, Hans von Drodt ter-rorisait les Wissembourgeois depuis son nid d'aigle du Berwarstein voisin. Les parents se mirent donc, à leur tour, à menacer les enfants pas très sages des foudres du terrible Hans.

▸ **Pour poursuivre la visite** – Voir aussi Haguenau, la ligne Maginot, le Parc naturel régional des Vosges du Nord, le four à chaux de Lembach, l'ouvrage d'artillerie de Schoenebourg (Ligne Maginot).

Se promener

LA VIEILLE VILLE★

Promenade : 1h30. Départ place de la République.

Hôtel de ville (B H)

Il a été construit de 1741 à 1752, en grès rose, avec fronton, petite tour et horloge, selon les plans de Massol. Il remplace l'ancien Rathaus disparu dans l'incendie de la ville du 25 janvier 1677.

Toiture de la maison du Sel.

R. Mattes/MICHELIN

Prendre la rue du Marché-aux-Poissons qui mène à la Lauter et offre, à son extrémité, une **vue** agréable sur de beaux massifs fleuris, au premier plan, et sur le chevet de l'église St-Pierre-et-St-Paul, à l'arrière.

La maison du Sel (A)

Reconnaissable à sa toiture divisée en auvents sous lesquels les lucarnes ouvrent en balcons, c'était d'abord un hôpital (1448) avant de devenir un dépôt de sel et un abattoir. *Suivez le quai Anselman.*

À l'Ancienne Couronne (A)

Cette très ancienne maison de patriciens (1491) servit d'auberge jusqu'en 1603, puis appartint aux Bartholdi à la fin du 18e s. C'est aujourd'hui un bar : « Les Vignes de la Couronne ».

Maison Vogelsberger (A)

Avec son riche portail Renaissance et son blason peint, elle date de 1540. L'un de ses propriétaires, Sébastien Vogelsberger, fut décapité en 1548 sur l'ordre de Charles Quint pour avoir assisté au sacre d'Henri II. Le bienheureux Charles de Foucauld passa dans cette maison les deux premières années de sa vie.
Tournez à droite dans la rue du Presbytère.

Église St-Jean (A)

Cette église protestante restaurée remonte au 15e s., sauf le clocher, roman (13e s.).
Martin Bucer (ou Butzer) (1491-1582), réformateur alsacien né à Sélestat, y a prêché la Réforme, en 1522, avant de partir en Angleterre. Dans la cour, sur le côté gauche de l'église, anciennes pierres tombales en grès rouge des Vosges.
Du haut des remparts, vue d'ensemble de l'église St-Jean et St-Pierre-et-St-Paul.
Revenez sur vos pas, traversez la Lauter et prenez à droite le quai du 24-Novembre.

Quartier du Bruch (A)

Du pont sur la Lauter, on a une belle vue sur ce vieux quartier. La première maison à droite, dont le pan coupé est orné d'une petite loggia ou oriel (1550), servit de décor au tournage du film *L'Ami Fritz*, en 1933. En face, sur l'autre rive : maison patricienne des 16e et 17e s.
Revenez sur l'autre rive et prenez à droite la rue du Chapitre.

Église St-Pierre-et-St-Paul★ (A)

Bâtie en grès, c'est l'ancienne église gothique, élevée au 13e s., d'un monastère bénédictin fondé au 7e s. Un clocher carré, vestige de l'église romane antérieure, reste accolé au flanc droit de l'édifice. La Révolution décapita ses statues et anéantit ses tableaux, puis le transforma en magasin à fourrage. L'intérieur présente un gothique homogène. Entre la chapelle de droite et le chœur, le grand **saint Christophe** tenant l'Enfant Jésus dans ses bras, **fresque★** du 15e s., est le plus grand personnage peint connu en France (11 m de haut). Le chœur est éclairé par des vitraux du 13e s., restaurés au siècle dernier. Le vitrail le plus ancien est la petite rose placée au pignon du croisillon gauche ; il représente une Vierge à l'Enfant (2e moitié du 12e s.).

Contre le flanc nord de l'église subsistent une galerie entière et deux travées d'un somptueux **cloître gothique** resté inachevé, longtemps considéré comme « le plus beau de toute la vallée du Rhin ». Une porte le desservant mène à une chapelle romane du 11e s.

Dans l'avenue de la Sous-Préfecture, le **jardin Stanislas** offre un agréable petit havre de verdure avec une belle vue sur l'église, au milieu de buis centenaires. Ouvert au public, il appartient à un magasin d'antiquités. *R. de Stanislas - ☏ 03 88 54 29 54 - gratuit.*

Sous-préfecture (A)

À l'extrémité de l'avenue de la Sous-Préfecture, l'élégant pavillon de la fin du 18e s. occupe l'ancien hôtel du doyenné de la collégiale.

Prenez à gauche l'avenue de la Sous-Préfecture. Place du Saumon, prenez à droite la rue Stanislas.

Grange dîmière (A)

La grange dîmière de l'ancienne abbaye jouxte la maison des Chevaliers Teutoniques, de 1606. L'ordre Teutonique, fondé en Terre sainte au 12e s., a disparu à la Révolution. Sur le mur qui fait face à l'abbatiale se trouve sculpté le moine Otfried, qui, au 9e s., soucieux de transmettre le message évangélique aux peuples de langue allemande, en fit pour la première fois une adaptation à partir du texte latin.

Ancien hôpital (Palais Stanislas) (A)

C'était la résidence du roi Stanislas Leszczyński de 1719 à 1725, dont la fille Marie épousa Louis XV en 1725.

Faites demi-tour, tournez à droite dans la rue de l'Ordre-Teutonique puis à gauche dans le passage dit « rue pittoresque ».

Empruntez la petite passerelle au-dessus de la Lauter, dans le quartier appelé le **Schlupf**, *« Petite Venise » de Wissembourg.*

Rejoignez par la gauche la rue de la République, puis tournez à droite dans la rue Nationale.

Holzapfel (B)

La maison gothique avec tourelles d'angle fut d'abord, dès 1506, une maison des corporations, puis un relais de poste de 1793 à 1854 ; Napoléon s'y arrêta en 1806.

Faites demi-tour pour revenir place de la République.

Fidèles à leur ancienne mission, d'épais remparts continuent de veiller sur les bords de la Lauter.

R. Mattes/MICHELIN

LES REMPARTS (AB)

La balade le long du talus des anciens remparts, planté d'ormes et de frênes, permet de découvrir les toits patinés du quartier ancien, les tours majestueuses de l'église St-Pierre-et-St-Paul et, dans le lointain, le moutonnement des Vosges. Un premier mur longe en pleine ville un bras de la Lauter. Non loin de la maison Stanislas s'élève le **Schartenturm**, vestige de l'enceinte du monastère construite sous l'abbé Samuel au 11e s. Une deuxième enceinte part de l'extrémité du faubourg de Bitche, où l'on découvre une belle maison patricienne des 16e et 17e s. et la tour des Husgenossen (de 1420), jusqu'au sud de la ville. Au nord, la promenade des Remparts permet d'admirer les fortifications du 13e s.

Visiter

Musée Westercamp (B)

Fermé pour rénovation.

Ceux qui aiment l'Alsace de toujours seront ici servis, cette maison viticole du 16e s. est restée « dans son jus » depuis qu'un musée s'y est installé au début du 20e s. La visite commence par la cuisine, atmosphère intimiste assurée. Même ambiance dans les autres pièces, qui renferment des meubles anciens (superbes armoires), des costumes paysans et des souvenirs du champ de bataille de 1870. Antiquités préhistoriques et romaines, salle d'armes.

Le musée conserve même une maquette en bois de cerisier du lustre-couronne de l'abbatiale représentant la Jérusalem céleste, détruit par les révolutionnaires. L'original de 1070 en métal argenté, célèbre dans tout l'Occident, faisait 6 m de diamètre ! On parlait alors de Wissembourg-la-Couronne.

Aux alentours

Vignoble de Cleebourg

Sur les contreforts des Vosges du Nord, cette section septentrionale de la route des Vins parcourt des vignobles d'ancienne tradition qui se sont fait notamment une spécialité du tokay pinot gris et du pinot blanc auxerrois. On peut traverser les terroirs de Steinseltz et Oberhoffen pour gagner Cleebourg.

Trois sentiers d'interprétation au départ de Cleebourg, à côté de la cave viticole (de 3h à une journée complète) pour découvrir vignoble, vergers et forêts. Renseignements : 03 88 94 10 11 - www.ot-wissembourg.fr.

Altenstadt

2 km à l'est. Intéressante église romane des 11e et 12e s. Nef et bas-côtés sont plafonnés. En pénétrant dans l'église, on passe sous un curieux porche de près de 7 m de profondeur. Le clocher du 11e s., décoré de bandes lombardes, a été surélevé d'un 3e étage au 12e s.

Ouvrage d'artillerie de Schœnenbourg

12 km au sud, par la D 264, puis la D 65, fléchage. Voir Ligne Maginot.

Wissembourg pratique

Adresses utiles

Office du tourisme de Wissembourg – *9 pl. de la République - 67163 Wissembourg -* 03 88 94 10 11 - *www.ot-wissembourg.fr - mai-sept. : tlj mat. et apr.-midi, dim. et j. fériés apr.-midi ; reste de l'année : tlj sf dim. mat. et apr.-midi.*

Office de tourisme d'Hunspach – *3 rte de Hoffen - 67250 Hunspach -* 03 88 80 59 39 - *www.hunspach.com - lun.-vend. mat. et apr.-midi, sam. mat. - fermé dim. et j. fériés.*

Visites

Visites guidées – L'office du tourisme de Wissembourg organise tout au long de l'année de multiples promenades en ville et dans les environs : des randonnées pédestres d'une journée dans la région, avec guide, aux visites à thème de la ville, en passant par la découverte du pays de Wissembourg (route des Villages pittoresques, route des Châteaux forts, du Parc naturel du Palatinat et du « Pays de Bade » avec la route de la Forêt-Noire) et les promenades équestres ou à pied dans le Parc naturel régional des Vosges du Nord.

Mini-train touristique – Circuit commenté (45mn) en français, anglais ou allemand - *dép. pl. de la République - Avr.- oct. - se renseigner à l'office de tourisme pour les horaires - 5 € (enf. 2,50 €).*

Se loger

Chambre d'hôte Klein – *59 r. Principale - 67160 Cleebourg - 7 km au sud-ouest de Wissembourg par D 7 - ℘ 03 88 94 50 95 ou 06 21 35 07 91 - www.chez.com/ cleebourg -* 🍴 *- 4 ch. 42 € - repas 14 €.* Cette maison alsacienne des 18e et 19e s. nichée au cœur du village de Cleebourg, dont le vin est justement renommé, réjouira les amateurs de calme et d'authenticité. Les chambres, toutes situées au rez-de-chaussée, sont garnies de beaux meubles anciens. Cuisine régionale.

Hostellerie du Cygne – *3 r. Sel - ℘ 03 88 94 00 16 - www.hostellerie-cygne. com - fermé 19 fév.-4 mars, 2-16 juil., 7-23 nov. et merc. - 16 ch. 50/70 € -* 🛏 *8,50 € - rest. 22/60 €.* Deux maisons contiguës, l'une datant de la fin du 14e s., l'autre déjà auberge en 1535. Chambres rénovées. Salle à manger agrémentée d'un beau plafond en marqueterie.

Hôtel Moulin de la Walk – *2 r. Walk - ℘ 03 88 94 06 44 - www.moulin-walk.com - fermé 2-23 janv. -* 🅿 *- 25 ch. 62/67 € -* 🛏 *7 € - rest. 32/40 €.* Sur les bords de la Lauter, trois bâtiments greffés sur les vestiges d'un ancien moulin dont la roue tourne encore. La plupart des chambres disposent d'aménagements fonctionnels récents. Chaleureuse salle à manger habillée de boiseries et terrasse fleurie où l'on sert une cuisine classique.

Se restaurer

Le Carrousel Bleu – *17 r. Nationale - ℘ 03 88 54 33 10 - le.carroussel-bleu@ orange.fr - fermé 1er-15 août, merc. soir, dim. soir et lun. - 15/46 €.* Sur l'axe principal de la ville, ce sympathique restaurant propose des recettes originales et dépaysantes qui vous emmèneront à mille lieues de la « Petite Venise ». Non-fumeurs.

Auberge du Pfaffenschlick – *Col de Pfaffenschlick - 67510 Climbach - 12 km au sud-ouest de Wissembourg par D 3, dir. Lembach, et rte du col par D 51 - ℘ 03 88 54 28 84 - restaurant-du-pfaffenschlick.com - fermé 15 janv.-15 fév., lun. et mar. - 20/34 €.* En pleine forêt, juste en face d'une cabane qui servit de cantine pendant la construction de la ligne Maginot, ce restaurant longtemps fréquenté par les seuls randonneurs continue de servir une cuisine ménagère du cru, solide et abondante. Agréable terrasse.

Faire une pause

Pâtisserie Rebert – *7 pl. du Marché-aux-Choux - ℘ 03 88 94 01 66 - www.rebert.fr - tlj sf lun. 7h30-18h30, sam. 7h-18h (dim. 8h); tte l'année : salon de thé - fermé 26 déc.* La

spécialité de ce chocolatier est le pavé de Wissembourg, petit chocolat fourré. Derrière la boutique, une ravissante cour fleurie fait office de salon de thé durant tout l'été.

Que rapporter

Au P'tit Kougelhopf – *20 r. Nationale - ℘ 03 88 94 00 56 - tlj sf lun. et mar. 7h-18h - fermé 2e quinz. de fév. et 2e quinz. d'oct.* Cette accueillante boulangerie-pâtisserie, fort respectueuse des traditions, fabrique chaque jour 10 variétés de pains spéciaux, tous plus croustillants les uns que les autres. Mais on vient ici avant tout pour ses fabuleux kouglofs (ou kougelhopfs) : sucré ou salé, mini ou géant, vendu à l'unité ou au poids, ils sont divinement bons !

Cave vinicole de Cleebourg – *Rte du Vin - 67160 Cleebourg - ℘ 03 88 94 50 33 - www. cave-cleebourg.com - caveau ouv. 8h-12h, 14h-18h, dim. et j. fériés à partir de 10h - fermé 1er janv., Pâques et 25 déc.* Ce domaine viticole, reconstitué en 1946 sous une forme coopérative dans le cadre du premier programme de remembrement, cultive les 7 cépages alsaciens traditionnels. Ses deux valeurs sûres sont le pinot gris et le pinot blanc. Chaque année une « cuvée de la confrérie » est sélectionnée parmi les vins de Cleebourg. La cave de Cleebourg propose également une large gamme de vins issus de lieux-dits et 4 crémants d'Alsace.

Sports & Loisirs

Espace Cycles – *8 r. de l'Ordre-Teutonic - ℘ 03 88 54 33 77 - mar.-merc. et vend. 9h-12h, 14h30-18h30, jeu. 13h30-19h30, sam. 9h-12h, 13h30-16h30.* Location de vélos.

Événements

Avent – Animations à l'occasion de l'avent (4 w.-end de l'Avent : cortège du Hans Trapp, concerts, veillées de Noël, célébrations religieuses, crèches vivantes, spectacles, contes et légendes, venue de saint Nicolas, café de Noël, marché de Noël, marche et cross). *Renseignements à l'office de tourisme - ℘ 03 88 94 10 11 - www.ot-wissembourg.fr.*

Pentecôte – Depuis 1864, Wissembourg célèbre la Pentecôte avec gaieté et bonne humeur : somptueux cortège de costumes traditionnels, folklore, gastronomie, courses hippiques, feu d'artifice.

Festival international de musique – *déb. sept. - ℘ 03 88 94 10 11 - www. wissembourg-festival.com -*

Carte de circuit à vélo – Plusieurs cartes de circuit à vélo sont à disposition à l'office de tourisme.

Streisselhochzeit à Seebach – Le premier week-end qui suit le 14 juillet fait revivre des scènes de la vie quotidienne d'antan.

Paysage de Forêt-Noire.

Baden-Baden★★

53 000 HABITANTS
CARTE GÉNÉRALE C2 – CARTE MICHELIN N° 545 T 8
BADE-WURTEMBERG – VOIR AUSSI LE GUIDE VERT ALLEMAGNE

Peu de villes gardent une empreinte aussi forte de la Belle Époque, quand l'Europe du 19e s. avait deux capitales : Paris l'hiver, Baden-Baden l'été. Les palaces et les villas au bord de la rivière Oos composent toujours la vitrine de la cité thermale. Le casino attire à lui la vie nocturne, tandis que la parc de la Lichtentaler Allee est le salon vert des après-midi de promenade. Retraités fortunés et nouveaux riches venus de Russie composent la clientèle touristique la plus visible. Mais peu importe que vous ne soyez ni l'un ni l'autre. Le charme de Baden-Baden et le repos trouvé dans ses thermes agissent sur chacun de ses visiteurs.

- ▶ **Se repérer** – Entre le vignoble badois et la Forêt-Noire, dans un site abrité de la vallée de l'Oos, Baden-Baden n'est qu'à 65 km de Strasbourg par l'A 5-E 52. La circulation automobile dans le centre est en partie interdite de 11h à 19h (un tunnel permet de passer sous la ville).

- 👁 **À ne pas manquer** – La Lichtentaler Allee (LA promenade de Baden-Baden), l'église collégiale pour son crucifix en grès du chœur, l'allumage des réverbères chaque soir devant le Kurhaus et, incontournable, le château de la Favorite.

- 🕐 **Organiser son temps** – Cédez à l'atmosphère du lieu, allez au casino (on n'est pas obligé de jouer), installez-vous dans une des pâtisseries de la ville…

- 👶 **Pour poursuivre la visite** – Voir aussi l'un des circuits de la Forêt-Noire.

De Gaulle à Baden-Baden

Le 29 mai 1968, après un mois de crise politique et sociale dans toute la France, le général de Gaulle « disparaît » de l'Élysée et se rend à Baden-Baden en hélicoptère avec son épouse. Il y rencontre le général Massu, qui commande les forces françaises d'Allemagne. La version officielle veut qu'il vienne pour s'assurer du soutien de l'armée si les émeutes dégénèrent. La réunion devait initialement se tenir à Strasbourg, mais le besoin de secret et des ennuis météorologiques ont amené de Gaulle à atterrir 60 km plus loin, en République fédérale. Il revient en France le lendemain, dissout l'Assemblée et affirme : « Je me suis mis d'accord avec mes arrière-pensées. » Massu écrira pourtant dans ses mémoires que ce jour-là, de Gaulle était « dégonflé » et prêt à abdiquer.

Comprendre

Ville de cure – Les vertus curatives des eaux de Baden-Baden étaient déjà connues à l'époque romaine. Au 12e s., la ville devient la résidence des margraves de Bade de la lignée des Zähringen. Aujourd'hui, deux complexes thermaux proposent soins et relaxation grâce à toutes sortes de bains : de froid à très chaud, à remous, de vapeur, etc. Le **Friedrichsbad** est un palais de style néo-Renaissance construit en 1877, qui a su conserver l'esprit de la Belle Époque. Les **thermes Caracalla**, du nom de l'empereur romain qui ordonna la rénovation des thermes, proposent une installation moderne, orientée vers la détente et la récréation.

Ville de jeu – L'essor de la ville date du 19e s., avec le lancement du casino conçu par Jacques Bénazet, surnommé « le roi de Bade ». Depuis lors, les joueurs se sont succédé à la roulette ou à l'hippodrome, comme Léon Tolstoï ou Marlene Dietrich.

Se promener

SUR LES BORDS DE L'OOS

*6 km AR jusqu'au cloître de Lichtental, 2h sans compter les visites des musées. L'itinéraire débute à la **buvette d'eau thermale (Trinkhalle)**, dont la galerie est ornée de peintures murales évoquant les légendes locales et où se trouve l'office de tourisme.*

Maison des thermes - Casino★ (Kurhaus)

Visite guidée du casino ttes les 30mn, le matin jusqu'à 11h45 - 4 €.
Construite dans le style néoclassique entre 1821 et 1824 par Friedrich Weinbrenner, elle était la « maison de conversation », le lieu de rendez-vous de la haute société

La buvette (Trinkhalle) de Baden-Baden abrite également l'office de tourisme.

qui organisait là bals et concerts. Le **casino**, le plus ancien et le plus prestigieux d'Allemagne, en occupe l'aile droite. Les quatre **salles de jeu★** furent aménagées par Bénazet en 1855 dans l'esprit des salles d'apparat des châteaux royaux français.
En face, le kiosque à musique, puis l'allée dite des « Colonnades », bordée d'arbres et de boutiques de luxe, conduit au bord de l'Oosbach. Prenez à droite devant le théâtre.

Lichtentaler Allee★★

Tracée le long de l'Oos, elle constitue la plus belle promenade de Baden-Baden. Sous ses ombrages, on vit passer Napoléon III et Eugénie, la reine Victoria, ainsi que Bismarck ; c'est aussi là qu'eut lieu en 1861 l'attentat contre le roi de Prusse, le futur empereur Guillaume Ier. On y croise les bustes de célébrités de l'époque : Coubertin, Tourgueniev ou Clara Schumann. Plantée d'abord de chênes il y a plus de trois cents ans, elle s'est enrichie d'arbres et d'arbustes ornementaux du monde entier.
Passez d'abord devant le musée Frieder Burda et la Galerie nationale d'art.

Musée Frieder-Burda★★ (Museum Frieder Burda)

Lichtentaler Allee 8b - ☎ 07221 973 72 22 - www.museum-frieder-burda.de - tlj sf lun. tte la journée - fermé 24, 31 déc. - 9 €.
Les collections d'œuvres d'art de Frieder Burda, l'un des héritiers du groupe de presse allemand, sont visibles par tous et font l'objet de trois expositions par an depuis 2004, année d'inauguration du musée. Des toiles de Picasso, d'artistes américains (Pollock, Rothko, Kooning) ou allemands de l'après-guerre (Georg Baselitz) s'installent dans le lumineux bâtiment conçu par le new-yorkais Richard Meier. L'architecte a créé ses propres tableaux en ménageant des ouvertures et des perspectives sur la nature. La façade d'aluminium couleur blanc cassé s'intègre avec réussite dans le parc, à côté de la **Galerie nationale d'art** de style néoclassique, elle aussi siège d'expositions de renommée internationale.
Poursuivez sur la Lichtentaler Allee jusqu'au Musée municipal.

Musée municipal★ (Stadtmuseum)

Lichtentaler Allee 10 - ☎ 07221 932272 - www.stadtmuseum-baden-baden.de - tlj sf lun. tte la journée - 4 €.
Deux mille ans d'histoire de la ville des origines romaines à aujourd'hui, en particulier la société mondaine et les cures au 19e s. Antiquités romaines et sculptures gothiques de l'église collégiale dans le pavillon de verre.
Continuez sur la Lichtentaler Allee. Sur la gauche, après la piscine, prenez un pont qui vous amène à un joli jardin de roses, la **Gönneranlage.**

Abbaye de Lichtenthal ★ (Abtei Lichtenthal)

Hauptstraße 44 - ☎ 07221 50 49 10 - www.abtei-lichtenthal.de - visite guidée tlj sf lun. et premier dim. du mois à 15h, sur réservation - 4 €.
Fondée en 1245, cette abbaye abrite depuis plus de 750 ans une communauté de sœurs cisterciennes. On accède librement à la cour du monastère et à l'abbatiale. La chapelle des Princes (Fürstenkapelle) abrite les sépultures des margraves de Baden.

Retournez vers le centre par le même chemin.

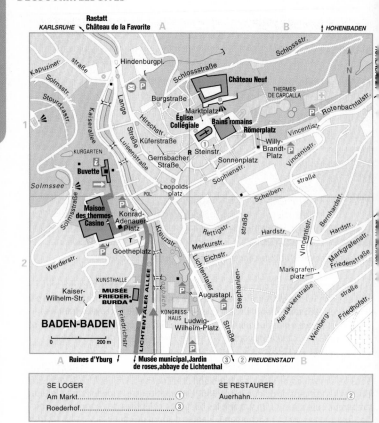

Visiter

LA VIEILLE VILLE

Château Neuf (Neues Schloss)

Ancienne résidence des margraves de Bade construite à la Renaissance, le château est privé mais la terrasse offre une très jolie **vue** sur la ville et la collégiale.

Église collégiale (Stiftskirche)

Le chœur de la collégiale contient plusieurs monuments funéraires parmi lesquels ceux des margraves Léopold-Guillaume (à gauche, fin du 17e s.) et **Louis le Turc** (à droite, 1753). Dans le chœur, le **crucifix en grès★**, réalisé par Nicolas Gerhaert de Leyde en 1467, constitue un remarquable témoignage de la sculpture de la fin du Moyen Âge et attire aujourd'hui encore les regards vers le chœur. Ne pas manquer le tabernacle tout en filigrane, du gothique tardif, à l'entrée du chœur.

Bains romains★ (Römische Badruinen)

Römerplatz 1 - ☎ 0722127 59 34 - www.badruinen.de - 16 mars-15 nov. : mat. et apr. midi ; fermé reste de l'année - audioguide en français - 2,50 € (1 € enf.).

Des fouilles ont dégagé les vestiges de ces bains pour les soldats romains sous l'actuel établissement thermal **Friedrichsbad.** On remarque particulièrement l'hypocauste, système de chauffage par le sol, et les murs très bien conservés. Des animations par ordinateur restituent l'architecture complète d'origine.

Aux alentours

Ruines d'Yburg★

6 km au sud-ouest. Sortez par la Friedrichstraße.

Du château construit vers 1200, il ne reste que la tour. Du sommet (110 marches), **vaste panorama★★** sur la plaine du Rhin et le vignoble badois au premier plan.

Mont Merkur

2 km à l'est. Sortez par la Markgrafenstraße ou prenez le bus 204 ou 205 de Leopoldsplatz. Funiculaire (Merkurbergbahn) tte la journée. 4 € AR.

Du haut de la tour panoramique, la **vue**★ est étendue sur le site de Baden-Baden, à l'ouest sur la vallée du Rhin et les Vosges (par temps clair), à l'est sur la vallée de la Murg.

Rastatt★

À 19 km au nord de Baden-Baden

Le margrave Louis Guillaume de Bade (1655-1707), dit Louis le Turc, fit de Rastatt une petite place-forte et y éleva un château destiné à remplacer sa résidence de Baden-Baden. La ville conserve aujourd'hui des traces de son passé prestigieux. Et tous les deux ans, fin mai, Rastatt s'anime lors d'un des plus importants festivals de théâtre de rue d'Allemagne, Tête-à-Tête.

Le Château★ (Schloss) – *Visite guidée (3/4h) - avr.-oct. : tlj sf lun. tte la journée ; nov.-mars : tlj sf lun. tte la journée - fermé 24, 25 et 31 déc. - 4 €. ℘ 072 22 97 83 85.* Cette construction à trois ailes fut érigée entre 1698 et 1707 par l'architecte italien Domenico Egidio Rossi. Après la mort de Louis le Turc en 1707, sa veuve, Sibylla Augusta, chassa l'architecte et lui choisit comme successeur **Michael Ludwig Rohrer** (1719-1723), qui poursuivit la construction du château.

Appartements princiers – Le centre est constitué par la haute et somptueuse **salle des ancêtres** *(Ahnensaal)*. Voir aussi le **cabinet de porcelaines** *(Porzellankabinett)*.

Musée militaire (Wehrgeschichtliches Museum) – *Accès par l'aile latérale sud. ℘ 072 22 342 44 -* ♿ *tlj sf lun. tte la journée - fermé 24 et 31 déc. - 3 €.* L'exposition illustre l'histoire militaire allemande de 1500 à la fin de la Première Guerre mondiale. Les pièces présentées sont remarquables (masque funéraire de Napoléon Ier), de même que le cadre du musée (plafonds peints, décorations en stuc).

Mémorial★ de la liberté dans l'histoire allemande (Erinnerungsstätte für die Freiheitsbewegungen in der deutschen Geschichte) – *Accès par l'aile latérale nord ℘ 072 22 77 13 90 -www.erinnerungsstaette-rastatt.de -* ♿ *tlj sf lun. tte la journée - fermé 1er janv., 24, 25 et 31 déc. - gratuit.* L'exposition très complète de ce musée est consacrée aux mouvements de libération de l'histoire allemande, du début des Temps modernes à la résistance de l'ex-RDA en 1990.

Château de la Favorite★★ (Schloss Favorite)

À 5 km au sud-est de Rastatt. ℘ 072 22 412 07 - visite guidée (1h) - de mi-mars à fin sept. : tlj sf lun. tte la journée ; d'oct. à mi-nov. : tlj sf lun. tte la journée - 4,50 €.

Ravissante réalisation baroque, le **château de la Favorite** fut construit entre 1710 et 1712 par **Rohrer** pour la margrave Sibylla Augusta. La façade est recouverte d'un crépi original fait de gravillons et de petits morceaux de granit, caractéristique de l'époque. Le vaste parc paysager à l'anglaise invite à la flânerie.

L'**intérieur★★** est particulièrement précieux : **sols en scagliola** brillant (stuc imitant le marbre avec incrustations), effets de glaces, chinoiseries. Remarquer particulièrement la **chambre florentine**, décorée de portraits miniatures et de travaux en pierre dure, les appartements de la margrave, le **cabinet des glaces**, la luxueuse cuisine avec collection de faïences (Francfort, Delft, Strasbourg) et enfin les porcelaines (Meißen, Nymphenburg, Chelsea).

Baden-Baden pratique

Adresses utiles

Office de tourisme de Baden-Baden – *Kaiserallee 3 - ℘ 07221 275 200 - www. baden-baden.de - lun.-sam. mat. et apr. midi, dim. et j. fériés apr. midi.*

Office de tourisme de Rastatt – *Herrenstraße 18 (Schloss) - ℘ 072 22 972 462 - lun.-jeu. mat. et apr. midi.*

Transports

Train - La gare, située dans le quartier de Oos, à 7 km au nord-ouest du centre-ville, est desservie par bus et taxi. Liaisons avec le réseau des transports en commun de Karlsruhe (*compagnie Baden-Baden-Linie - Beuernerstraße 25 - ℘ 07221 27 76 38 ou hôtel de ville - ℘ 07221 27 73 52*).

Aéroport – *℘ 072 29 66 2000 - www. badenairpark.de -* L'aéroport de Karlsruhe/Baden-Baden (10 km au sud-est de la ville, accès par l'A5, sortie Baden-Baden « Baden-Airpark ») propose des vols vers plusieurs villes d'Europe dont Marseille.

Visites

Visite guidée - En allemand, chaque dim. à 14h, dép. de l'office de tourisme de Trinkhalle (durée : 2h) - 4 €.

Train touristique – Grand tour de ville (50mn) avec le City-Bahn (dessert la gare du funiculaire du mont Merkur) - *de mi-mars à fin oct. - 9h30-16h30 - commentaires en français - 5 €.*

Se loger

⊜⊜ **Am Markt** – *Marktplatz 18 - ℘ (07221) 2 70 40 - info@hotel-am-markt-baden.de - fermé 16-25 déc. -* 🅿 *- 23 ch. 62/80 € �* Cette vieille maison de ville datant de 1716 abrite aujourd'hui un petit hôtel soigné et propre, agréablement tenu par deux sœurs. Certaines chambres individuelles sont dépourvues de salle de bains.

⊜⊜ **Roederhof** – *Im Nußgärtel 2, Neuweier - ℘ (07223) 8 08 37 90 - info@ hotel-roederhof.de -* 🅿 *- 15 ch. 60/75 € ⊐.* Au calme, la pension de la famille Schmalz s'est fait un nom surtout parmi les habitués. Explication : les chambres spacieuses et l'atmosphère amicale et intime.

Se restaurer

⊜⊜⊜ **Auerhahn** – *Geroldsauer Str. 160, Geroldsau - ℘ (07221) 74 35 - gasthaus-auerhahn@t-online.de - 26/37 € - 18 ch. 80/92 € ⊐.* Auberge rustique servant des plats régionaux.

Faire une pause

Café König – *Lichtentaler Strasse 12 - ℘ (07221) 2 35 73 - 8h30-18h30.* Incontournable de la ville, fréquenté tant par les locaux que par les touristes, ce café qui sert aussi des en-cas chauds à midi doit surtout son succès à ses succulentes pâtisseries maison, dont le fameux Apfelstrudel et sa crème vanille… Parviendrez-vous à rester raisonnable en ne commandant qu'un thé ?

Capri – *Sophienstrasse 1b - ℘ (07221) 2 37 51 - 8h30-18h30.* Petite pause bienvenue avant de repartir à l'assaut des magasins alentour : ce café situé en plein quartier piétonnier dispose d'une superbe terrasse où vous pourrez déguster une boisson chaude accompagnée d'une des nombreuses pâtisseries maison.

En soirée

👁 **Bon à savoir** – Depuis quelques années, les concerts classiques, opéras et ballets sont programmés en majorité à la Festspielhaus, qui remplace peu à peu le prestigieux Kurhaus et le théâtre de la ville. Sachez aussi que chaque année entre juin et juillet, la roseraie locale accueille le Festival de la rose ; admirez les nouvelles créations.

Casino Baden-Baden – *Kaiserallee 1 - ℘ (07221) 3 02 40 - www.casino-baden-baden.de - à partir de 14h - fermé Vend. saint, 1er Nov., 24-25 déc.* Laissez-vous tenter par le démon du jeu sous toutes ses formes : roulette, poker, black-jack, machines à sous, etc.

Sports & Loisirs

Friedrichsbad – *Römerplatz 1 - ℘ (07221) 27 59 20 - www.roemisch-irisches-bad.de - 9h-22h (dernière entrée 2h av. fermeture) - 24 €. Les bains se prennent sans maillots, les serviettes sont fournies.* Rebaptisés « temple du bien-être » par les connaisseurs, ces thermes comptent parmi les plus modernes d'Europe. Au programme, bains traditionnels ou vapeur, massages, dans un cadre somptueux (le sous-sol abrite des vestiges d'époque romaine). Petit détail pouvant avoir son importance : on s'y baigne nu.

Thermes Caracalla – *Römerplatz 1 - ℘ (07221) 27 59 40 - www.caracalla.de - 8h-22h - fermé Vend. saint, 24-25 déc. - à partir de 13 €.* Ces thermes, qui portent comme ceux de Rome le nom de l'empereur Caracalla, ont conservé leur charme antique. On fait le plein de bien-être dans ses superbes bassins à eau froide ou chaude (entre 18° et 38°) incluant bains à remous, saunas romains, finlandais et bains de vapeur classiques.

Événement

Courses hippiques – En mai, fin août et fin octobre sur l'hippodrome d'Iffezheim.

Route Badoise du Vin★★

Badische Weinstrasse

CARTE GÉNÉRALE C2 – CARTE MICHELIN N° 545 - BADE-WURTEMBERG

Longue de 180 km, la route badoise du Vin court de Baden-Baden à Weil am Rhein, aux portes de Bâle. Si elle permet à l'amateur de découvrir de bons vins, elle fait aussi traverser des paysages pittoresques et très variés.

- **Se repérer** – La route badoise du Vin suit du nord au sud un tracé à peu près parallèle, mais distant, à l'A 5.

- **À ne pas manquer** – Sasbachwalden, Oberkirch, l'église Mariä Himmelfahrt pour son maître-autel, Durbach, Gegenbach, Ettenheim, l'église St.-Landelin, notamment pour son trésor et l'orgue de Silbermann, Emmendigen, Staufen et le musée du Design Vitra à Weil.

- **Organiser son temps** – Descendez la route du Vin en plusieurs étapes afin de goûter à la fois aux plaisirs des paysages et des curiosités et à ceux de la chère et du palais.

- **Avec les enfants** – Le musée du Carnaval à Kenzingen.

- **Pour poursuivre la visite** – Voir aussi Baden-Baden, Europa-Park, Fribourg.

Sur la route des vignobles badois.

Comprendre

Le vignoble badois – D'une superficie d'environ 13 000 ha, il se développe sur les sols très variés des collines qui s'abaissent doucement des sommets de la Forêt-Noire jusqu'à la plaine du Rhin ; Ortenau de Baden-Baden à Lahr, Breisgau de Lahr à Fribourg, Markgräfler Land de Fribourg à Weil am Rhein.

Le vignoble badois produit des vins blancs et rouges : riesling, traminer et spätburgunder autour de Baden-Baden, Bühl et Offenburg, gutedel (chasselas) entre Bâle et Fribourg. Le pinot gris donne pour sa part les vins riches et parfumés du Kaiserstuhl.

Le pinot donne l'essentiel des cépages rouges.

Circuits de découverte

L'ORTENAU ☐1

Quittez Baden-Baden par la route 3 en direction d'Offenburg.

Les derniers coteaux gréseux de la Forêt-Noire du Nord, au sud de Baden-Baden, permettent aux vignobles et aux vergers de s'épanouir.

Steinbach

Charmant village au pied des collines que dominent les ruines d'Yburg. Un monument célèbre la mémoire d'Erwin von Steinbach, l'un des architectes de la cathédrale de Strasbourg.

Neuweier

Au pied du château, le vignoble produit un cru réputé, le **mauerwein** (riesling). Les châtelains étant membres de la noblesse française, une autorisation historique spéciale du prince-archevêque de Würzburg permet la mise en bouteille du vin sur place, ainsi qu'à Steinbach, Umweg et Varnhalt. On emploie pour cela des « Bocksbeutel » (bouteilles à col court et à panse ventrue).

Au village d'Altschweier, quittez la route du Vin pour visiter le petit centre de Bühl.

Bühl

Cette petite ville commerçante est célèbre pour ses quetsches et le vin d'Affental. La Fête de la quetsche *(Zwetschgenfest)* a lieu chaque mois de septembre et permet de sympathiques dégustations de tartes. La collégiale néogothique St-Pierre-et-Paul présente dans son chœur de beaux vitraux modernes (1955-1958) d'Albert Burkart.

De retour à Altschweier, poursuivez jusqu'à Bühlertal.

Bühlertal

Le vignoble et les forêts forment le cadre romantique de cette petite station climatique appréciée pour la douceur de son climat.

La route s'élève jusqu'à Hof (quartier résidentiel de la commune de Bühlertal). Prenez à droite en direction de Neusatz et son château de Waldsteg du 13e s.

Château d'Alt-Windeck★

Ce vieux château, de plan circulaire, construit en 1 200 et tombé en ruine au 16e s., a été transformé en hôtel-restaurant. Subsistent deux beffrois, deux habitations et une enceinte. De ses abords, la **vue★** est bien dégagée sur la plaine du Rhin.

Sasbach

🚶 *15mn à pied AR. Laissez la voiture pour pénétrer dans le parc.* Un obélisque et une stèle aux inscriptions française, allemande et latine marquent l'endroit où, en 1675, un boulet frappa mortellement le capitaine de Turenne, que Louis XIV avait chargé de protéger l'Alsace contre les impériaux pendant la conquête de la Franche-Comté.

L'église paroissiale, dédiée à sainte Brigitte, est de style baroque, mais conserve quelques parties d'un ancien bâtiment gothique.

Sasbachwalden★

Centre de cure Kneipp, ce village viticole et fleuri s'est taillé une réputation comme vainqueur national du concours « Notre village doit s'embellir ». Son centre ancien aux belles maisons à colombages fait l'objet de soins attentionnés.

🚶 Des sentiers permettent de gagner le **Mummelsee** et le **Hornisgrinde**.

Kappelrodeck

Ce petit village viticole, dans la vallée de l'Acher, aux belles maisons à colombages, est sur le tracé du **chemin de fer touristique** qui relie Achern à Ottenhöfen.

Le **château de Rodeck**, datant du 11e s. et remanié à la Renaissance, constitue l'emblème du village. En contrebas du château croît la « sorcière de Dasenstein », sorte de bourgogne tardif. Le vin rouge de Waldulm connaît également une certaine notoriété.

Oberkirch★

Cette ravissante ville, possession des évêques de Strasbourg de 1303 à 1803, est entourée de vergers, de vignes et de forêts. Elle conserve, le long du Mühlbach, de pittoresques maisons à colombages, dont les plus anciennes datent du 17e s. La ville détient deux records : celui du plus grand marché de fraises d'Allemagne et celui du nombre de bouilleurs de cru. Rien d'étonnant à ce que l'eau-de-vie soit devenue une spécialité d'Oberkirch. La ville est dominée par les ruines du **Schauenburg**, fondé au 11e s. par les ducs de Zähringen ; du château, vue étendue sur la plaine du Rhin jusqu'à Strasbourg.

Enseigne d'une cave viticole.

L'auberge « Zum Silbernen Stern », située à Oberkirch-Gaisbach, vit l'élaboration du fameux *Simplicissimus* par le grand écrivain baroque **Grimmelshausen**, qui la fit construire au 17e s. et en fut le gestionnaire pendant un court laps de temps. Ce dernier vécut au village de Renchen dont il fut aussi le maire.

Lautenbach

3 km à l'est d'Oberkirch. Lautenbach, qui occupe un site de prairies, de vignobles et de forêts dans la vallée de la Rench, est connue pour ses différentes sortes de fruits à noyau et ses fraises. De nombreux points de vue offrent une vue magnifique sur les vallées de la Rench et du Rhin. L'**église de pèlerinage Maria Himmelfahrt**, de style gothique tardif, recèle l'un des rares jubés conservés en Allemagne et un superbe **maître-autel★**, formant l'un des plus beaux triptyques gothiques de la région. Créé à la fin du 15e s., il est attribué à l'école de Strasbourg et représente une symbiose magistrale de la sculpture et de la peinture. Dans la partie centrale, les statues polychromes de saint Jean-Baptiste et saint Jean l'Évangéliste encadrent une ravissante madone au croissant de lune. Les deux autels latéraux datent du début du 16e s. Jolies verrières du 15e s. provenant de l'atelier de Peter Hummel d'Andlau.

Durbach★

Cette commune pratique la culture de la vigne, et notamment de la variété « traminer » depuis le Moyen Âge. Depuis 1836, on y cultive également du sauvignon à la suite d'un échange avec le propriétaire du Château-Yquem. Grâce à son joli **site★** au milieu des vignes s'étalant à perte de vue sur les vallons et à son centre pittoresque, Durbach, dominé par le **château de Staufenberg** (11e s.), est devenu un village très apprécié des touristes.

Offenburg

Fondée en 1148 par les ducs de Zähringen, la ville était déjà habitée par les Romains au tout début de notre ère. Offenburg fut érigée au rang de ville d'Empire en 1240 par l'empereur Frédéric II, mais son développement fut brutalement interrompu en 1689 lorsque les troupes de Louis XIV l'incendièrent pendant la guerre de la Ligue d'Augsbourg. C'est à présent le centre administratif et industriel de la région de l'Ortenau, fière de son industrie « propre » fondée notamment sur l'édition.

La **rue principale** (**Hauptstrasse**) et les ruelles adjacentes *(zone piétonne)* sont jalonnées de maisons intéressantes et de places pittoresques : la pharmacie à la Licorne (Einhornapotheke), édifice baroque de 1720 avec sa façade à volutes sur laquelle trône une licorne ; la fontaine de Neptune datant de 1783 ; le marché aux poissons (Fischmarkt) et la pharmacie au Cerf (Hirschapotheke) de 1698 avec, devant, une fontaine au Lion (Löwenbrunnen) de 1599 ; la maison Beck (Beck'sches Haus), de style baroque flamboyant, et la maison Jenewein, maison à colombages du 19e s. ; la maison Battiany, grande maison bourgeoise décorée de motifs au sgraffite.

L'**église du St-Esprit★** (Heilig-Kreuz-Kirche), dans la Pfarrstrasse, est un édifice baroque aussi sobre qu'élégant, construit à partir de 1700 sur les bases d'une église du 13e s. détruite lors de l'incendie de 1689. L'intérieur dégage une impression de grande harmonie. Le maître-autel et les autels latéraux sont une œuvre de Franz Lichtenauer de 1740 ; le tableau de l'autel de Joseph Esperlin (1737). Dans la chapelle St-Joseph se trouve un crucifix Renaissance de 1521. À noter une remarquable chaire néoclassique de Johann Nepomuk Speckert (1795) en marbre et stuc ainsi que la grille rococo de la tribune d'orgue, sculptée avec virtuosité. Une sculpture en pierre représentant Jésus au mont des Oliviers, datant de 1524, se trouve dans un petit parc face à l'église du Saint-Esprit, réplique du groupe qui se trouve à la cathédrale de Strasbourg.

L'église baroque Notre-Dame du monastère des Franciscains (Franziskanerkloster), érigée en 1702 selon le schéma de l'école du Vorarlberg, détient un autel richement décoré et des orgues Silbermann. Dans la chapelle du cloître, de style roman tardif, on remarquera une ravissante statue de la Vierge du début du 16e s.

Dans la Spitalstrasse, près du marché aux poissons, l'hôpital St-André (Sankt-Andreas-Hospital) est un complexe du 18e s. On peut apercevoir, à l'extérieur de l'église attenante aux bâtiments, une madone gothique du 14e s. L'ancien grenier, dont la volumineuse charpente ne manquera pas d'impressionner, prête son cadre à des expositions et à des manifestations culturelles.

L'hôtel de ville (Rathaus), enfin, séduit par ses belles proportions (1741). Les armes de la ville et le double aigle au-dessus du balcon témoignent du passé de la ville, possession de l'Autriche du milieu du 16e s. jusqu'en 1706 et de 1771 à 1805. Le carillon, constitué de 25 cloches de bronze, enchante la population – et les visiteurs – avec son remarquable répertoire de 100 mélodies.

ROUTE BADOISE
DU VIN

0   20 km

Ortenberg

Le « village du vin, des fleurs et des fontaines » est dominé par le **château d'Or-tenberg**. Érigé au 12e s. par les ducs de Zähringen pour condamner l'accès à la vallée de la Kinzig, il fut détruit en 1678 par les Français et « ressuscité » en 1838 par Friedrich Eisenlohr, qui réalisa un édifice de style néogothique au goût de l'époque.

À présent, le château d'Ortenberg compte parmi les auberges de jeunesse les plus modernes d'Allemagne.

La chapelle **Mariä Ruh** (Bühlwegkapelle Mariä Ruh), située à Ortenberg-Käfersberg, date de 1497 ; elle est renommée pour ses fresques murales (début du 15e s.), remarquables témoignages de la peinture gothique flamboyante.

Gengenbach★

Sise au bord de la Kinzig, au cœur de l'Ortenau, Gengenbach offre le charme d'une cité ancienne à l'architecture harmonieusement préservée. Le médiéval y côtoie avec bonheur le baroque, dont la petite cité se para après les destructions de la guerre de Trente Ans. Érigée au rang de ville libre en 1360, elle passa à la Réforme dès 1525. Mais 1547, elle embrassa à nouveau la foi catholique à la suite de son entrée sous juridiction autrichienne.

Les pittoresques rues de **la vieille ville★** sont bordées de maisons à colombages ou à pignons baroques. La porte de la Kinzig et la porte Haute sont deux vestiges des anciennes fortifications. L'hôtel de ville de la fin du 18e s. se dresse sur la place du marché. À côté de la vieille ville, le vaste couvent du 18e s. cache en fait une très ancienne fondation bénédictine, remontant au 8e s. Il dépendit au 11e s. de l'évêché de Bamberg et embrassa la réforme de Hirsau en 1117. L'**église Ste-Marie** reste le témoin architectural de cette époque. Cette vaste église romane avec un chœur rebâti à l'époque gothique (14e et 15e s.) est surmontée d'une élégante tour baroque que l'on doit à Jakob Rischer. L'intérieur fut remanié dans le style néoroman entre 1892 et 1906 et décoré de nombreux tableaux. Quelques belles œuvres baroques, telles que les stalles, les fonts baptismaux et l'autel de St-Joseph. Près de cette église conventuelle, on peut entrer dans l'ancien moulin de l'abbaye. Remarquez le bief aérien qui traverse la rue pour l'alimenter.

À voir également, le **musée des Bâteliers**, installé dans une ancienne maison de garde-barrière à l'entrée de la ville, et le **musée du Carnaval**, dans la tour de Niggel. La ville est appréciée pour son climat doux et ses ressources sportives (pêche, équitation, randonnée, cyclotourisme…).

À la sortie sud de Gengenbach, rejoignez la route 33 et reprenez la direction de Offenburg. La route du Vin quitte la route 33 à la hauteur de Zunsweier.

Friesenheim

Petit centre aux belles maisons à colombages. Entre Friesenheim et Schuttern se trouvent à découvert les vestiges d'une cité romaine. À **Schuttern** *(à 2 km à l'ouest)*, on visitera l'église conventuelle Mariä Himmelfahrt. Schuttern abritait au Moyen Âge le très riche monastère d'**Offoniscella** créé en 603. Complètement détruit au 19e s. (seul le presbytère subsiste), le site a fait l'objet de fouilles qui ont permis de mettre au jour la plus ancienne **mosaïque** allemande. Datée du 11e s., elle présente la forme d'un médaillon de plus de 3 m de diamètre (qui recouvrait la tombe du fondateur de l'abbaye, le moine irlando-écossais Offo).

Lahr

Ne vous fiez pas seulement aux abords industriels ; cette ville de 42 000 habitants possède un centre historique, où l'on remarquera l'**ancien hôtel de ville (Altes Rathaus)** élevé en 1608 et la **Storchenturm**, vestige de l'ancien château fort du 13e s.

L'église de **Burgheim** remonte à l'époque carolingienne. Le clocher est roman. Dans la nef, les fresques représentant saint Christophe et la Sainte-Trinité datent de 1463, tandis que les fresques murales dans le chœur ont été réalisées en 1482.

Kippenheim

L'église St-Maurice des 16e et 18e s. est coiffée d'une voûte en réseau et l'agencement intérieur est de style gothique tardif. L'hôtel de ville est orné d'un pignon à redans et d'un oriel de style Renaissance. Les deux bâtiments jouxtent de jolies maisons à colombages (du 16e au 19e s.).

Mahlberg

Quittez la route du Vin. Détour de 6 km AR.

Cette petite ville abrite un château élevé au 13e s., une chapelle baroque dédiée à sainte Catherine, mais aussi un très intéressant **musée du Tabac (Oberrheinisches Tabakmuseum)**. *℘ 078 258 438 12 - mai-sept. : dim. et j. fériés tte la journée - 2,50 € (enf. 1,50 €).*

Regagnez la route 3.

Ettenheim

La ville badoise d'Ettenheim, qui doit son nom au duc d'Alsace Étichon II, fit partie jusqu'en 1803 des domaines de l'évêché de Strasbourg. Ettenheim garde le souvenir du cardinal de Rohan et de l'infortuné duc d'Enghien. La **vieille ville**, séparée du reste de l'agglomération par deux portes du 18e s., se groupe au pied de la grande église paroissiale. En face de l'hôtel de ville s'élève le pignon de l'ancien palais du **cardinal de Rohan**, longue bâtisse où le trop fameux héros de l'affaire du Collier acheva fort dignement, dans l'exil (de 1790 à 1803), son existence mouvementée. Plus haut, à l'endroit où la rampe de Rohanstrasse se coude vers l'église, on voit la maison *(armes au-dessus de la porte)* où logeait le duc d'Enghien. C'est là que le prince, fiancé à Charlotte de Rohan, nièce du prince-évêque, fut appréhendé dans la nuit du 14 au 15 mars 1804, au cours d'un raid organisé sur l'ordre de Napoléon, en violation de la souveraineté de l'État de Bade. Six nuits plus tard, le duc était exécuté à Vincennes. L'église conserve, sous le chœur, le caveau du cardinal de Rohan.

🚶 *2h30.* Le **sentier des Moulins** court le long de l'Ettenbach, d'Ettenheim à Ettenheimmünster.

Ettenheimmünster★

7 km à l'est. Cette commune, située dans la pittoresque vallée de Münster, était autrefois le siège d'un monastère de bénédictins sécularisé en 1803, dont il ne reste que l'église de pèlerinage. Bâtie entre 1687 et 1689, l'église **St-Landelin** fut agrandie au 18e s. La tour néogothique a été édifiée au milieu du 19e s. L'intérieur se distingue par des ornements abondants : maître-autel richement décoré, sculptures virtuoses, stucs, fresques de plafond. Au nombre de ses pièces les plus précieuses, le trésor compte le **buste de Landelin★**, travail d'orfèvrerie strasbourgeoise datant de l'année 1506. Il contient une relique crânienne du missionnaire et martyr irlando-écossais, qui fut assassiné ici vers 640, près de la source Landelin.

L'**orgue★** somptueux, créé en 1769 par **Johann Andreas Silbermann**, passe pour le mieux conservé sur la rive droite du Rhin *(concerts durant les mois d'été)*.

LE BREISGAU [2]

L'itinéraire longe la Forêt-Noire centrale par l'ouest.

Herbolzheim

Présente un intéressant centre historique avec de nombreuses maisons à colombages et de style baroque. Remarquer l'église baroque St-Alexius, toute blanche, avec son clocher à bulbe et, à l'intérieur, ses stucs rococo.

Kenzingen

La fondation de la ville par les seigneurs d'Uesenberg remonte à l'an 1259. À l'instar des villes créées au 12e s. par la dynastie des Zähringen, comme Fribourg ou Villingen, la ville fut construite selon un plan en quadrillage avec tout un réseau de rues parallèles et transversales. En 1564, elle revint à l'Autriche, puis en 1806 au grand-duché de Bade. Les limites de la ville médiévale sont encore perceptibles, même si les fortifications ont disparu depuis 1700. Un seul témoin : la **Schwabentor,** avec ses colombages. L'axe nord-sud, l'actuelle rue du Marché, est bordé de vieilles maisons dont les plus anciennes remontent à la fin de la période gothique, d'autres présentant des éléments de décor Renaissance ou rococo. L'**hôtel de ville★**, la plus importante construction civile de la vieille ville, date du milieu du 16e s. ; il présente, à l'étage supérieur de sa façade, un décor architectural très proche de celui de l'hôtel de ville d'Ensisheim, en Alsace ; le rez-de-chaussée fut transformé en remise à grains à l'époque baroque. L'**église St-Laurent (Laurentiuskirche)** était, lors de sa construction en 1275, une basilique à trois nefs. Sa transformation en église-halle au 16e s. n'affecta pas sa façade occidentale, qui reçut en 1734 une statue de la Vierge attribuée à l'artiste fribourgeois **Christian Wenzinger**.

👥 Le **musée du Carnaval (Oberrheinische Narrenschau)** présente près de 300 personnages grandeur nature, parés de leurs habits de fête, rassemblés par la « Fédération des confréries de fous du sud rhénan ». L'exposition permet d'appréhender toute l'année les coutumes du carnaval alémanique. 📞 07644 900113 - janv.-nov. : w.-end et j. fériés apr.-midi - possibilité de visite guidée sur demande préalable (2 sem. av.) - fermé déc. - 3 € (-18 ans 1,50 €), 10 € pour le guide.

Depuis la route, on aperçoit sur la gauche **Hecklingen**, dominé par les ruines du Lichteneck, puis on traverse **Köndringen**, avec sa jolie petite église en brique rouge.

Emmendingen

Emmendingen, vieille cité des margraves, porte du Kaiserstuhl et de la Forêt-Noire, fut officiellement mentionnée dans les annales dès 1091. C'est en 1418 qu'elle se vit conférer le statut de place de marché, et en 1590 qu'elle devint ville affranchie. Aujourd'hui, chef-lieu de circonscription aux ambitions affichées, Emmendingen s'enorgueillit d'un héritage architectural restauré avec goût, car elle a su réhabiliter et mettre en valeur son patrimoine historique tout en s'ouvrant aux nouvelles tendances urbanistiques. La **place du Marché (Marktplatz)**, entourée de belles maisons bourgeoises, est, avec sa fontaine jaillissante, le cœur de la ville. Remarquez les maisons aux n°s 4, 5, 8 et 10. Côté est de la place, l'**ancien hôtel de ville (Altes Rathaus)**, édifice baroque surmonté d'une tour à horloge, fut élevé en 1729. Le superbe balcon en fer forgé porte les armoiries des margraves de Bade et de Hachberg. L'ancien hôtel de ville abrite aujourd'hui les archives allemandes des journaux intimes. En empruntant l'idyllique Lammstrasse et la rue Westend à l'atmosphère médiévale, on parvient au **nouvel hôtel de ville (Neues Rathaus)**, situé dans la rue des Baillis (Landvogtei). Le bâtiment fonctionnel, inauguré en 1992, tout de verre et de lumière, contraste avec le centre-ville et le parc Goethe. Le hall d'entrée a été aménagé sous la voûte de la maison Stuck (19e s.). À droite, la **Schlosserhaus**, actuelle bibliothèque municipale, fut la résidence de Cornelia Goethe, sœur du poète, de 1774 à sa mort en 1777. Elle avait épousé un haut dignitaire, Johann Georg Schlos-

Vignes et clocher d'Auggen, au sud de Müllheim.

ser. Cette bâtisse baroque accueillit les grands esprits de l'époque : Goethe, Herder, Lavater, Heinse, Lenz et le duc Charles-Auguste de Weimar. Le **château des Margraves (Markgrafenschloss)** a fait partie du monastère cistercien de Tennenbach, avant d'appartenir au margrave Jacques III en 1588. Il fut transformé en somptueux château Renaissance, doté d'une tour octogonale. À l'intérieur, le musée expose la collection des photos Hirsmüller et des œuvres du peintre Fritz Boehle, natif d'Emmendingen. *Réouverture courant 2008 - se renseigner :* ✆ *076 411 943 3 (OT)* Derrière le château se trouve une maisonnette, baptisée **Lenzhäuschen**.

L'**église St-Boniface (Pfarrkirche St. Bonifatius)**, de style gothique flamboyant, renferme un joyau exceptionnel de la peinture primitive allemande. Le **triptyque★** datant de 1473 est attribué au maître Friedrich Herlin de Nördlingen et relate la Nativité : sont représentés sur le volet gauche la Naissance du Christ, sur le panneau central l'Adoration des Mages et sur le volet droit Jésus au Temple.

Porte monumentale, érigée au début du 17e s., la **Stadttor** est surmontée d'une « tête de démon » destinée à railler l'ennemi lors de l'attaque.

Ruines du château d'Hochburg★

3 km à l'est. Ces ruines, qui comptent parmi les plus imposantes du pays de Bade, occupent un promontoire rocheux dominant la plaine rhénane. Le château, construit au Moyen Âge, fut transformé en place forte aux 16e et 17e s., avant d'être détruit par les troupes françaises en 1689.

La route traverse ensuite **Denzlingen**, point de départ de la pittoresque vallée de la Glotter (Glottertal) le long de laquelle on pourra admirer de belles fermes typiques de la Forêt-Noire.

Fribourg-en-Brisgau★★ *(voir ce nom)*

LE MARKGRÄFLER LAND ③

La route du Vin quitte Fribourg au sud et se poursuit en direction de Bâle. Le Markgräfler Land est surnommé la Toscane d'Allemagne pour son climat doux et ensoleillé. C'est la Forêt-Noire du Sud qui s'incline progressivement vers le cours du Rhin.

🔸 Il est possible de parcourir le Markgräflerland à pied grâce au **Wiiwegli**, le chemin des vignes, qui conduit à Weil-am-Rhein à travers vignobles et collines.

Peu avant Bad Krozingen, faites le détour par **Kirchhofen** afin d'admirer la belle église baroque (remarquables stucs et peintures du plafond, beau maître-autel).

Bad Krozingen

La localité, fondée à l'époque de la colonisation romaine, est devenue station thermale au début du 20e s. grâce à la découverte de sources chargées en acide carbonique, utilisées pour améliorer la circulation du sang. Le parc thermal couvre une superficie de 4 ha. Le château, construit en 1679 et « baroquisé » au milieu du 18e s., abrite une intéressante collection d'instruments de musique. Surtout, à 2 km au nord-est, près du Glöcklehof à Oberkrozingen, visitez la **chapelle St-Ulrich**, qui renferme les **fresques★** romanes les plus anciennes de la région (9ᵉ s.), représentant le Christ dans une mandorle.

Staufen★

La ville est située à la lisière de la Forêt-Noire méridionale, au milieu des vignobles du Markgräflerland, et dominée par les ruines du château de Staufenburg, perchées sur une colline. Le quartier médiéval, aux ruelles tortueuses, est particulièrement pittoresque. La Marktplatz, avec sa fontaine du 17ᵉ s., et l'hôtel de ville (1546) en constituent le cœur. Staufen est surnommée la ville de Faust (Fauststadt), car d'après la légende, c'est ici qu'en 1529 le diable enleva le docteur Faust, que les châtelains avaient appelé pour fabriquer de l'or. La scène se serait déroulée dans la chambre n° 5 de l'**hôtel du Lion (Gasthaus zum Löwen)**. Le musée installé dans la Stubenhaus (15ᵉ s.) est consacré à l'histoire de la ville. On visite aussi le musée de la céramique.

🚶 *45mn de marche AR.* On rejoint les ruines du Staufenburg par la Schlossgasse. Elles sont superbement situées au sommet d'une colline couverte de vignes et offrent une magnifique perspective.

En continuant vers l'est, vous pénétrez au cœur de la Forêt-Noire. Le superbe **monastère St-Trudpert**, à Münstertal, a été fondé au 7ᵉ s., mais la plupart des bâtiments actuels ont été construits au 18ᵉ s. Seul rescapé de la guerre de Trente Ans, le chœur de 1465.

Sulzburg

Entre le 10ᵉ s. et la guerre de Trente Ans, on exploita le sous-sol riche en argent, plomb, cobalt et antimoine. Jusqu'en 1830, on y a extrait également le sel. C'est de cette activité que la localité tire son nom. Le **musée de la Mine du Bade-Wurtemberg (Bergbaumuseum Baden-Württemberg)**, installé dans l'ancienne église évangélique (1834), comme l'office de tourisme, présente l'histoire de l'extraction du sel et des différents minerais de la région au cours des temps. Très riche collection de minéraux.
📞 *07634 5600 40 - mar.-dim. apr.-midi - possibilité de visite guidée - fermé vend. de Pâques, 24 janv. et 31 déc. - 1,50 € (enf. 0,75 €), gratuit le 1ᵉʳ w.-end d'oct.*

Sulzburg regroupait autrefois une très grande partie de la bourgeoisie juive, qui représentait encore un quart de la population au 19ᵉ s. En témoignent aujourd'hui encore le cimetière juif qui date du 16ᵉ s. *(direction Bad Sulzburg)*, ainsi que la **synagogue** *(19ᵉ s.; Gustav-Weil-Str. 20)* de style classique/fin du baroque et qui sert aujourd'hui de salle d'exposition.

L'**église St-Cyriaque (Kirche St. Cyriak)**, fondée en l'an 993, est un témoignage intéressant de l'architecture religieuse de la période ottonienne. Elle servit d'église pour un couvent de bénédictines à partir de 1008 et jusque vers 1550. C'est aujourd'hui une église évangélique.

🚶 Non loin de l'église St-Cyriaque commence un **sentier de randonnée illustrant l'histoire des mines** *(5 km, guide d'accompagnement spécialisé disponible au musée)* qui mène sur les traces de l'ancienne exploitation minière.

Heitersheim

Les chevaliers de Malte résidèrent long-temps dans cette ville de la plaine du Rhin. On peut y découvrir les vestiges d'un château très coloré et un musée de l'Ordre.

Müllheim

Le centre historique de la petite ville est piéton. Le **musée local (Markgräfler Heimatmuseum)** est installé dans l'ancienne *Auberge de la Couronne* (« Zur Krone »), belle demeure du début du classicisme, érigée en 1780. Le visiteur pourra s'instruire sur la préhistoire, la protohistoire et l'histoire de la ville, ainsi que sur les habitations des grands bourgeois aux 18ᵉ et 19ᵉ s. La plus grande partie de l'exposition est consacrée à la culture et au mode de vie dans les campagnes viticoles de la région. *Wilhelmstrasse 7 - 📞 076 311 544 6 - www.muellheim.de - tlj sf lun. apr.-midi - 1,50 €.*

Hôtel de ville d'Heitersheim.

Avant d'atteindre Schliengen, on peut faire halte à **Auggen**, dont l'imposant hôtel de ville est daté de 1870. D'amusantes enseignes en fer forgé surplombent certaines petites rues. Empruntez le sentier qui monte à travers les vignes, depuis l'église, pour une belle vue sur le petit village.

Schliengen

Au milieu d'un vaste parc à l'anglaise, le **château d'Entenstein (Wasserschloss Entenstein)** est ceint de douves. Sa construction remonte à l'an 1000 mais il fut remanié de nombreuses fois par ses propriétaires successifs, dont le prince-évêque de Bâle et les seigneurs d'Andlau. Ce château abrite aujourd'hui la mairie de Schliengen.

Construite en 1753, l'**église paroissiale de St. Leodegar** est riche de deux autels latéraux remarquables. Celui de droite présente un tableau de saint Sébastien, réalisé par Johann Pfunner en 1760, et deux très belles statues de sainte Catherine et sainte Barbe, dues à Johann Michael Winterhalder. La série de tableaux représentant la Vie de la Vierge a été réalisée en 1697 par Johann Georg Glückher de Rottweil.

À 7 km à l'est, le village de **Niedereggenen** possède une église paroissiale protestante dont la tour est de style roman, le chœur et la nef de style gothique. Dans la nef, remarquer les peintures murales du milieu du 15e s. montrant la Rédemption du monde. Dans le chœur, on remarque le Couronnement de Marie et l'épisode des vierges sages et des vierges folles. La prédelle de l'autel (1500) représente le Christ au milieu des apôtres (école de Schongauer).

De là, il est facile d'atteindre le beau château de **Bürgeln**, imposante bâtisse baroque dont les grilles de fer forgé et doré sont remarquables.

Bad Bellingen

La station thermale de Bellingen – devenue Bad Bellingen en 1970 – est une ville d'eaux récente puisque ce n'est qu'en 1955, à l'occasion d'un forage de recherche pétrolifère, que l'on trouva des eaux minérales et thermales à une profondeur de 629 m. Ces eaux thermales, d'une température de 36 °C, constituent un remède naturel pour ceux qui souffrent de douleurs aux articulations, à la colonne vertébrale, aux tendons et aux muscles. À Bamlach, une demeure à pignon crénelé érigée vers 1600 sert de cadre au **Musée thermal du Rhin supérieur (Oberrheinisches Bädermuseum)**, l'unique musée du sud de l'Allemagne consacré à l'histoire du thermalisme sur les rives du cours supérieur du Rhin – pays voisins compris –, de Rome jusqu'à nos jours. Y sont évoqués le monde des thermes au Moyen Âge, tout comme les voyages des curistes au 16e s., ainsi que la vie mondaine dans les stations thermales aux 19e et 20e s. Le sous-sol et les combles abritent le **musée d'Histoire locale (Heimatmuseum)**. L'attrait du musée est sans nul doute la présence de la **forge Berger** de Hertingen. Datant de 1880 et reconstruite fidèlement à l'identique, elle est encore en parfait état de marche. *☏ 0 7635 822160 - www.bad-bellingen.de - ♿ - merc. et dim. apr.-midi - fermé lun. de Pâques et lun. de Pentecôte, 24 et 31 déc. - 1,50 € (enf. gratuit), 2,50 € visite guidée.*

Les amateurs de jardins apprécieront le jardin anglais d'**Ettenbühl**, au sud de la commune d'Hertingen.

Efringen-Kirchen

Le territoire de cette commune regroupe neuf villages disséminés sur les collines de piémont du sud-ouest de la Forêt-Noire, dans une région évoquée et louée par le poète alémanique et chantre local **Johann Peter Hebel** comme le « jardin du paradis ». Il constitue une zone rurale et agricole, principalement marquée par la viticulture, en raison de la douceur de son climat et de la qualité de ses terres. Les vins issus de la **cave viticole du Markgräflerland (Bezirkskellerei Markgräflerland)** à Efringen-Kirchen proviennent des vignobles les plus au sud de toute l'Allemagne. La cave est le plus grand producteur du Markgräflerland, avec une capacité de 9,6 millions de litres. De la cour de l'exploitation part un **sentier de découverte du vignoble** *(3,5 km environ)* qui conduit vers de beaux points de vue. On peut visiter à Efringen-Kirchen un musée de la Vieille École pour retrouver le parfum des cahiers d'antan.

Istein, dont le centre est daté des 16e et 17e s., est un ancien village de pêcheurs. Un sentier fléché gagne, à travers les vignes, le sommet du rocher d'Istein (Isteiner Klotz), occupé par l'homme depuis la préhistoire. Ce rocher constitue une avancée des contreforts de la Forêt-Noire dans la plaine du Rhin. Son climat méridional explique la flore et la faune méditerranéennes qui s'y développent. Belles **vues** sur la Forêt-Noire, le Jura suisse et les Vosges.

À proximité de **Kleinkems** se trouvent des grottes de jaspe, exploitées au néolithique par les hommes préhistoriques pour la fabrication d'armes et d'outils.

Les murs de la petite église paroissiale à nef unique plafonnée de **Blansingen** sont couverts de fresques du 15e s.

Weil am Rhein

La ville, d'origine romaine et chef-lieu de canton, est plutôt connue comme cité viticole. Les vignobles produisent du bourgogne tardif et du chasselas. Elle conserve quelques bâtiments intéressants comme le Stapflehus, ancien siège du bailli (aujourd'hui galerie municipale).

La physionomie actuelle de la ville a été récemment façonnée par la présence de l'entreprise Vitra, spécialisée dans la réalisation de meubles.

Le **musée du Design Vitra**, **édifice★** de style « déconstructiviste », éclatant de blancheur, est la première œuvre européenne de l'architecte Frank O. Gehry, né à Toronto, qui réalisa le musée Guggenheim à Bilbao. Les diverses expositions de ce musée sont consacrées à l'histoire et aux tendances actuelles du mobilier industriel de style « design ». ☎ 07621 7023580 - www.design-museum.de - ♿ - tte la journée - possibilité de visite guidée - fermé 24, 25 et 31 déc. - 8 € (enf. 6,50 €).

Près du musée, un véritable **parc architectural (Architekturpark)** a vu le jour, présentant une exposition d'œuvres réalisées par de célèbres architectes contemporains : l'Irakienne **Zaha Hadid**, établie à Londres, se chargea du poste d'incendie (utilisé entretemps comme salle d'exposition), le Japonais Tadao Ando réalisa le pavillon des conférences. D'autres bâtiments de bureaux furent conçus par des architectes aussi renommés que Nicholas Grimshaw, Alvaro Sisa et **Frank O. Gehry**.

Le jardin des Trois Pays est un souvenir de l'exposition de jardins du Bade-Wurtemberg, qui se tint à Weil am Rhein en 1999. C'est Zaha Hadid qui se chargea de la réalisation du pavillon d'accueil.

D'autres musées, plus classiques, se visitent également : le musée du Patrimoine local (Dorfstube Ötlingen) présente l'habitat rural au 19e s. ; le Musée agricole (Landwirschaftmuseum) permet de découvrir l'outillage et les techniques anciennes ; le musée du Textile, dans le centre culturel du Kesselhaus, rapporte un siècle d'histoire du textile à Weil am Rhein ; enfin, le musée am Lindenplatz permet de revenir aux sources romaines de la ville.

🐾 Sentier balisé, le **Weiler Weinweg** permet une promenade dans le vignoble environnant, au départ de la Röhriggasse et en direction du joli village d'Öttlingen.

La route badoise du Vin pratique

Adresses utiles

Office du tourisme de Baden-Baden – Voir chapitre Baden-Baden.

Office du tourisme de Bad Krozingen – Herbert-Hellmann allée 12 - 79189 Bad-Krozingen - ☎ 076 334 008 63/008 65 - www.bad-krozingen.info - avr.-oct. : tte la journée, w.-end et j. fériés mat. ; reste de l'année : tlj sf w.-end et j. fériés tte la journée.

Office du tourisme d'Emmendingen – Bahnhofstrasse 5 - 79301 Emmendingen - ☎ 076 411 943 3 - www.emmendingen.de - tlj mat. et apr.-midi sf dim. (avr.-oct.) et w.-end (nov.-mars).

Office du tourisme de Lahr – Kaiserstrasse 1 - 77933 Lahr - ☎ 078 219 502 10 - www.lahr.de - tlj sf dim. et lun. mat. et apr.-midi, sam. mat.

Office du tourisme de Mülheim – Wilhelmstrasse 14 - 79379 Müllheim - ☎ 076 314 070 194 33 - www.muellheim.de - tlj mat. et apr.-midi, sam. mat. - fermé dim et j. fériés (nov.-avr. : fermé w.-end. et j. fériés).

Office du tourisme de Oberkirch – 2a Am Marktplatz - 77704 Oberkirch - ☎ 078 027 066 85 - www.oberkirch.de - se renseigner pour les horaires.

Office du tourisme d'Offenburg – Fischmarkt 2 - 77652 Offenburg - ☎ 49 078 182 200 0 - www.offenburg.de - tlj sf dim. tte la journée, sam. mat.

Office du tourisme de Weil-am-Rhein – Rathausplatz 3 - 79756 Weil-am-Rhein - ☎ 076 214 220 440 - www.w-wt.de - tlj sf dim. mat. et apr.-midi, sam. mat.

Se restaurer

😊😊 **Pfauen** – Hauptstr. 78 - 79346 Endingen - ☎ (07642) 9 02 30 - hotelpfauen@t-online.de - fermé 7-20 janv. - 🚭 🅿 - 35 ch. 65/85 € 🍽. Etabli dans la vieille ville de la troisième localité viticole du Bade-Wurtemberg, cet hôtel bien établi propose des chambres fonctionnelles.

😊😊 **Zur Blume** – Hubstr. 85 - 77815 Bühl - ☎ (07223) 2 21 04 - zurblume@t-online.de - 🅿 - 19 ch. 67/90 € 🍽 - rest. 14/34 €. Situé au centre de la localité, ce petit hôtel tenu par une mère et sa fille propose des chambres de style contemporain, aménagées en chêne sombre ou en bois naturel clair.

🍴🛏 **Landhotel Salmen** – *Weinstr. 10 - 77704 Oberkirch - 𝒫 (07802) 44 29 - landhotel-salmen@t-online.de - fermé 22 janv.-1ᵉʳ fév. et 22-26 déc. -* 🅿 *- 33 ch. 68/84 € ☕ - rest. 25 €.* Ses pimpantes rayures jaune clair et ses croisées marron distinguent cette auberge composée d'une maison-mère et d'une construction récente. Les chambres de cette dernière sont légèrement plus grandes et confortables.

🍴🛏 **Zum Sternen** – *Hauptstr. 32 - 77815 Bühl - 𝒫 (07223) 9 86 50 -* 🅿 *- 16 ch. 72 € ☕ - rest. 11/29 €.* Cette petite auberge simple dirigée en famille se situe dans le centre-ville. Derrière la façade jaune se cachent des chambres soignées et cossues.

🍴🛏 **Park-Hotel Krone** – *Brandelweg 1 - 79312 Emmendingen - 𝒫 (07641) 9 30 96 90 - info@krone-maleck.de - fermé 2 sem. pdt le carnaval -* 🅿 *- 26 ch. 75/82 € ☕ - rest. 24/60 €.* Les flamants roses dans le jardin sont l'emblème de cette auberge aux abords de la Forêt-Noire. Les chambres varient légèrement de l'une à l'autre ; certaines sont très jolies, spacieuses et somptueuses.

🍴🛏 **Markgraf** – *Markgrafenstr. 53 - 79312 Emmendingen - 𝒫 (07641) 93 06 80 - auskunft@hotel-galerie-markgraf.de - fermé 23 déc.-7 janv. - 16 ch. 80/90 € ☕.* Les chambres modernes et de bon goût caractérisent ce nouvel hôtel. Dans la salle du petit-déjeuner, profitez de la vue sur le parc et des expositions d'art temporaires.

Se restaurer

🍴🛏 **Grüner Baum** – *Burgheimer Str. 105 - 77933 Lahr - 𝒫 (07821) 2 22 82 - feger@gruenerbaum-lahr.de - fermé merc. - 17/38 € - 8 ch. 69 € ☕.* Brasserie campagnarde au service professionnel. Cuisine régionale et internationale élaborée essentiellement à partir de produits frais. Terrasse dans la cour. Chambres modernes tenues de façon irréprochable dans l'hôtel.

🍴🛏 **Schieble** – *Offenburger Str. 6 - 79341 Kenzingen - 𝒫 (07644) 84 13 - info@hotel-schieble.de - fermé 2 sem. pdt le carnaval et 2 sem. entre juin et juil. -* 🅿 *- 20/27 € - 27 ch. 75/85 € ☕.* Dans le triangle formé par la Suisse, l'Alsace et la Forêt-Noire, un hôtel confortable et traditionnel. Les chambres sont situées en partie dans le bâtiment principal et en partie dans l'annexe récente.

Faire une pause

Café Decker – *79219 Staufen im Breisgau - 𝒫 (49) 07633 53 16 - www.cafe-decker.de - 6h30-18h, dim. 14h-18h.* La réputation de ce salon de thé-pâtisserie au mobilier cossu, loin de se limiter à Fribourg, s'étend à toute la région. On y sert, entre autres douceurs, le Staufener Forest Taler, spécialité maison ressemblant étrangement à la Forêt-Noire… Succulent.

Que rapporter

Durbacher Winzergenossenschaft – *Nachtweide 2 - 77770 Durbach - 𝒫 (0781) 9 36 60 - www.durbacher.de - 8h-12h, 13h30-18h, w.-end 9h-12h30.* La salle de vente attire le regard avec ses boiseries et ses armoiries régionales, mais les vedettes principales restent bel et bien les bouteilles que l'on y trouve. Quelques superbes cuvées, dont le Kochberg Spät Burgunder en rouge et le Steinberg Klingelberger en blanc. Dégustation sur place.

Gut Nägelsförst – *Nageslförst 1 - 76534 Baden-Baden - 𝒫 (07221) 3 55 50 - www.naegelsfoerst.de - tlj sf dim. 9h-18h, sam. 10h-16h.* Les vins du domaine Nägelsförst figurant parmi les meilleurs d'Allemagne, on sera heureux de pouvoir les acheter dans cet établissement proche du centre-ville. En vente aussi, de très bons crémants, des alcools forts, du Kirsch, différentes sortes de vinaigre de vin et de l'huile de raisin.

Schladerer – *Alte Schwarwälder Hausbrennerei Gmb H - 79219 Staufen im Breisgau - 𝒫 (49) 7 633 8 32 0.* Depuis plus de 150 ans, cette entreprise familiale distille toutes sortes d'eaux-de-vie de fruits. Une des maisons les plus renommées d'Allemagne, où l'on peut trouver, entre autres liqueurs nobles, la fameuse Kirschwasser de la Forêt-Noire ou la Williamsbirne, non moins célèbre poire Williams.

Winzergenossenschaft – *Auf dem Rempart - 79219 Staufen im Breisgau - 𝒫 (49) 07633 55 10 - wg-staufen@t-online. de - 9h-18h, sam. 9h-14h, dim. 10h-15h.* Depuis 75 ans, cette petite coopérative de Markgräferland produit des crus de grande qualité, grâce à l'exposition optimale des vignes et à la richesse du sol. Pour vous faire une idée plus juste du caractère de ces vins, la meilleure solution est d'aller les déguster dans ses caves voûtées.

Sports et loisirs

🧍‍♂️ **La Laguna de Weil-am-Rhein** – *Laguna Badeland - Sportplatz 1 - 79576 Weil am Rhein - 𝒫 (7621) 9 56 74 - www.laguna-badeland.de.* Piscine avec tobogans et sauna.

Événement

Concours international de création de roses – *Mi-juin.*

Europa-Park★★★

CARTE GÉNÉRALE C2 – CARTE MICHELIN N° 545 V7 – BADE-WURTEMBERG

La culture américaine n'a pas le monopole des parcs de loisirs. Pour preuve, Europa-Park a construit sa réussite autour du thème de l'Europe. Plus de 100 attractions et spectacles emmènent les visiteurs en voyage à travers douze pays du Vieux Continent. Sans prendre l'avion, vous pouvez rejoindre une piazza italienne depuis des fjords scandinaves, en faisant escale au pays de Shakespeare. Architecture, végétation, gastronomie : tout y est, dans le moindre détail. Spécialiste des grands huit, ce parc familial offre une dose de sensations adaptée à chaque membre de la famille. Et pas besoin d'être polyglotte ; le personnel parle aussi bien français qu'allemand.

Se repérer – Europa-Park se trouve à la lisière de Rust, à 40 km au nord de Fribourg et à 50 km environ au sud de Strasbourg. Depuis Strasbourg, suivez la direction Kuhl, sortie 57b Rust, ou prenez la D 468 et la D 5 (bac à Rhinau). Stationnement payant. Des navettes desservent le parc depuis Strasbourg *(voir Europa-Park pratique)*.

À ne pas manquer – Parmi les grands huit, le plus impressionnant est sans conteste le Silver Star. Pour vous rafraîchir, faites un tour à l'Atlantica ou au Poséidon. Les amateurs de spectacles apprécieront les cascades équestres du numéro de gladiateurs et le show de patinage artistique.

Organiser son temps – Il y a largement de quoi occuper une journée complète, voire plus, en passant la nuit sur place. Le pique-nique est autorisé. Pensez à tenir compte des horaires des spectacles et animations du jour (dépliant à l'entrée). Attention aux dates d'ouverture : le parc est saisonnier. L'affluence est à son comble au mois d'août, mais toujours un peu moins le vendredi. Pour éviter la foule, visitez le parc en sens inverse, en commençant par l'Espagne. En hiver sont organisées des animations thématiques (Halloween et Noël).

Avec les enfants – Les tout-petits n'ont pas été oubliés : spécialement pour eux, les univers des enfants et de l'aventure.

Visiter

⌀ (0180) 577 66 88) - www.europapark.de - ♿ - fermé janv.-mars - 30 € (-11 ans 26,50 €) ; il existe des billets pour une visite de 2 ou 3 jours ainsi que des cartes annuelles. Boutiques, restaurants et snacks, relais-bébé. Accès aux chiens autorisé si tenus en laisse.

Le plan distribué à l'entrée vous sera bien utile pour vous repérer dans le parc, car l'implantation des douze quartiers, illustrations de douze pays européens, ne respecte pas la géographie européenne : c'est sans sourciller que l'Autriche côtoie l'Espagne. Pour vous faire d'emblée une idée d'ensemble ou pour gagner l'autre bout du parc, vous pourrez emprunter le **train panoramique** (**EP-Express**), dont les principales gares se situent en Allemagne, en Angleterre, en Grèce, en Russie et en Espagne. Le cadre boisé et les différents plans d'eau contribuent beaucoup à l'agrément général du parc. Les files d'attente devant les principales attractions peuvent être longues, mais, grâce à leur décoration originale, elles vous plongeront dans l'esprit de l'attraction.

Allemagne

Le pays hôte du parc ouvre le bal des quartiers thématiques ; peut-être serez-vous accueillis par l'emblématique souris Euromaus. Dans l'Allée allemande, on reconnaît aussitôt l'architecture propre aux différentes régions d'Allemagne, du pays de Saxe à la Bavière. Les alentours du château médiéval Balthasar fournissent l'occasion de profiter de la verdure, dans une agréable roseraie.

Émotion garantie dans les différents grands 8 d'Europa-Park.

France

Pour profiter d'une vue panoramique sur le parc et sur la plaine du Rhin jusqu'à l'orée des Vosges et de la Forêt-Noire, montez à l'**Euro-Tower** (75 m). Avec le **Silver Star**★★, le plus haut (73 m) et le plus rapide des grands huit d'Europe, les émotions sont garanties. Dans une ambiance de course automobile, vous apprécierez la fluidité avec laquelle le bolide vous propulse à 130 km/h sur des pentes à 70°. La grande boule blanche que l'on voit de partout abrite **Eurosat**★, un grand huit dans le noir qui vous invite à la conquête de l'espace. Vous vous demandez quelle peut bien être la quatrième dimension du **Magic cinéma 4D**★★ ? Il s'agit de surprenants effets dynamiques, tactiles, sonores ou même olfactifs mis en scène dans un film de 10mn. Pour reposer les pieds sur terre, rien de tel qu'un petit tour parmi les bistros et les boutiques anciennes du quartier français.

Chronique d'un succès

C'est en 1975 que la famille Mack, spécialiste des transports forrains depuis 1780 puis constructeur de manèges pour les plus grands parcs d'attractions du monde dès 1921, se dote d'une prestigieuse vitrine en inaugurant son propre parc d'attractions. Le choix du lieu, le petit village frontalier de Rust, surprit les plus sceptiques. Mais le parc du château Balthasar (1442), avec ses arbres centenaires, offrait au constructeur plus de 60 ha de verdure. Dès 1982, les Mack adoptèrent la thématique européenne, qui fit l'originalité du parc. À raison d'au moins une nouveauté par an, Europa-Park ne cessa de s'étendre et d'accumuler les distinctions en tout genre. Entreprise modèle ? Peut-être… Aujourd'hui, le parc se démarque par son souci de l'environnement (véhicules électriques, panneaux solaires).

Suisse

Le pays des Helvètes vous permettra d'assister à un spectacle de **patinage artistique sur glace**★ vivant et très coloré. Les petits chalets qui donnent au quartier son cachet sont d'authentiques cabanons valaisans démontés et sauvés de la destruction pour prendre place dans le parc. Pour une acculturation plus complète, faites un tour de **bobsleigh** : la glace a laissé la place à un canal en acier sur lequel le train glisse librement. L'**éclair du Cervin**★ met en œuvre une spécialité maison, dans un décor montagnard : la « Wilde Mouse », un enchaînement de virages plats en épingle à cheveux qui donnent sans cesse l'impression que le wagon va quitter les rails. La montée en ascenseur, au début de l'attraction, est particulièrement originale.

👪 Les petits seront ravis de prendre place dans le **manège de montgolfières**.

Grèce

Dans l'ambiance dépaysante d'une île des Cyclades (c'est Mykonos qui a servi de modèle), venez constater à quel point nos sens peuvent être trompés grâce aux illusions de la **malédiction de Cassandre**, logée dans la réplique d'une église byzantine. Au milieu d'un décor antique (temple grec, palais de Knossos, cheval de Troie), le **Poséidon**★ conjugue le mouvement d'un grand huit au plaisir rafraîchissant de la descente d'un torrent. Vous pourrez également vous plonger dans l'univers légendaire de l'**Atlantide** en découvrant les dangers des océans.

Russie

Deux options s'offrent à vous pour pénétrer en Russie. Côté tradition, le village d'artisans russes vous invite à percer les secrets de la confection des poupées russes et le tour de main des souffleurs de verre. Depuis l'espace, vous pourrez suivre les aventures aérospatiales de la station **Mir**. Et pour prolonger le voyage, les amateurs de sensations fortes essaieront l'**Euro-Mir**, un grand huit dont les nacelles ne cessent de pivoter sur elles-mêmes, tandis que le train zigzague entre les cinq grandes tours à miroirs. Il faut avoir le cœur bien accroché pour supporter de dos la grande descente finale.

Espagne

À voir absolument dans le quartier : le **tournoi des chevaliers**★, mis en scène par le dresseur français Mario Luraschi. Au milieu d'une arène, des seigneurs à cheval partis à la quête du Graal affrontent à l'aide d'épées et de lances le chevalier noir. Quant au spectacle de **flamenco,** il vous mettra sans retard à l'heure espagnole !

Portugal

Sur le thème des grands explorateurs, l'**Atlantica SuperSplash**★★ est la première attraction du dernier-né des quartiers européens. Depuis la gare, une citadelle de défense portugaise du 16e s., votre barque commence son ascension, puis se retourne pour entamer une première descente en marche arrière. Après un parcours mouvementé, l'atterrissage vous promet tous les embruns souhaités.

Sachez que les autres pays méritent eux aussi une petite visite : dans une ambiance méditerranéenne, l'**Italie** vous propose son fameux carnaval de Venise ou son château hanté. En **Angleterre**, vous pourrez assister à une représentation du théâtre de Shakespeare. Aux **Pays-Bas**, rien de tel qu'une petite visite de la grotte des pirates. Pour une pause fraîcheur, les **pays scandinaves** et l'**Autriche** rivalisent d'éclaboussures avec le fjord-rafting et la descente des rapides du Tyrol.

L'univers des enfants

Les petits ont ici de quoi s'amuser quelques heures, entre un bateau viking à escalader, des manèges, une plage, un labyrinthe de toboggans géants et de nombreuses animations.

Un peu plus loin, l'**univers de l'aventure** propose d'autres attractions spécialement conçues pour le bonheur des enfants et de ceux qui les accompagnent : calme croisière en radeau dans la jungle ou balade merveilleuse dans l'allée des contes.

Science House

L'entrée est à gauche d'Europa Park. Comptez 1h30. 7 € (enf. 6 €) ; billet combiné avec Europa Park : adultes 35 € (enf. 30,50 €).

Ouvert en 2007, cet espace interactif et pédagogique explique des phénomènes naturels tels le fonctionnement du cerveau, les catastrophes naturelles (éruptions, tsunamis) ou la respiration des végétaux. Le site explique également, par des expériences ludiques, certaines inventions humaines : électricité, chimie ou robotique. On peut cependant déplorer que les traductions en français ne soient que partielles.

Europa-Park pratique

Adresse utile

Pour toute information complémentaire – *Strasse 2 - 77977 Rust-bei-Freiburg -* ☎ *018 057 766 88 - www. europapark.de - se renseigner pour les horaires.*

Transport

Navette à 7h50 et 8h20 depuis Strasbourg, gare routière des Halles, retour à 18h depuis Europa-Park (*rens. au* ☎ *03 88 23 43 23*).

Se loger

👁 **Bon à savoir** – Large choix d'hébergements à l'Europa-Park, dans des thématiques et gammes de prix très variées : 3 hôtels accessibles depuis l'extérieur, des chambres d'hôtes au cœur du parc, un camping-caravaning, et même un village de tipis. On trouvera d'autres possibilités d'hébergement plus classiques à Rust.

Le Colosseo – C'est l'un des plus grands hôtels d'Allemagne. Il s'inspire de l'Antiquité romaine pour composer un décor opulent, voire luxueux.

L'El Andaluze et le Castillo Alcazar – Ces hôtels revisitent l'atmosphère andalouse, façon « finca » pour le premier (un cottage typique du sud de l'Espagne), ou dans un style plus massif pour l'Alcazar, qui évoque les places fortes typiques de la Reconquista.

Circus Rolando – Hébergement convivial et plus abordable dans cet établissement situé au cœur du quartier allemand, à l'intérieur du parc. Il propose 23 chambres d'hôte (7 doubles, 16 familiales) à l'entrée du parc, avec piscine et sauna.

Camping – Ambiance western pour ce camping, qui offre 200 emplacements équipés pour caravane et camping-car et une vaste prairie pour les tentes. Espace jeux pour enfants et boutique thématique.

Le Tipidorf – Ce village de tipis constitue une alternative originale, avec 25 tipis chauffés à louer à la nuitée. Succès garanti auprès des enfants, mais prévoir un sac de couchage.

🛏🍽 **Pension Kern** – *Franz-Sales-Strasse 30 - 77977 Rust -* ☎ *(07822) 61 278 - pension_kern@web.de -* 🚫 *- 7 ch. 50 €* 🛏. Bien que voisinant le parc d'attractions, cette agréable maison fleurie vous séduira par son calme ambiant et le grand confort de ses 7 chambres. Petits-déjeuners servis sous forme de buffet. En fin d'après-midi, on propose chopes de bière et en-cas chauds au biergarten.

Se restaurer

👁 **Bon à savoir** – Le parc propose une vaste gamme de restaurants thématiques, qui reflètent la diversité des cultures culinaires européennes. Inspiration française chez **Marianne**, poisson à la mode scandinave au **Fiskhuset**, tapas à la **Bodega** ou spécialités grecques à la taverne **Mykonos**.

Fribourg-en-Brisgau★★

Freiburg im Breisgau

213 000 HABITANTS. CARTE GÉNÉRALE C2/3 – CARTE MICHELIN N° 545 V 7
BADE-WURTEMBERG – VOIR AUSSI LE GUIDE VERT ALLEMAGNE

Il est des cités où l'on souhaiterait rester plus longtemps, voire habiter. Fribourg en fait partie. Paisible village aux ruelles pavées dans le centre ancien, ville universitaire animée, elle dégage une douceur de vivre unique, au pied des collines de la Forêt-Noire. Les guerres successives ont laissé intacte l'admirable cathédrale, miraculée des bombardements de la Seconde Guerre mondiale, et la reconstruction réussie des bâtiments historiques lui a rendu son charme d'autrefois. Capitale de l'écologie, pionnière en matière d'énergie solaire et d'architecture économe en énergie, Fribourg semble en même temps pleine d'avenir.

- **Se repérer** – Au débouché du Höllental (Val d'Enfer) sur la plaine rhénane, entre Bâle et Strasbourg, Fribourg borde l'A 5 qui dessert Karlsruhe *(130 km au nord)*. La ville est construite au pied du Schlossberg, à l'est, et du Schauinsland, au sud.
- **À ne pas manquer** – La cathédrale et le riche musée des Augustins, notamment pour sa section consacrée au Moyen Âge.
- **Organiser son temps** – Comptez une demi-journée pour parcourir le centre historique de Fribourg, qui reste assez ramassé.
- **Avec les enfants** – Le Schauinsland et ses promenades en calèche ; le Steinwasenpark, ses attractions et ses animaux.

Comprendre

Éternelle enclave – Fondée au début du 12e s. par les ducs de Zähringen, qui la gratifient d'un statut privilégié, comme l'indique son nom *(frei* : libre), Fribourg passe en 1388 sous la souveraineté des Habsbourg et devient un bastion du catholicisme après la Réforme. Elle reste propriété de l'Autriche jusqu'en 1805 malgré diverses incursions françaises, comme celle de Louis XIV de 1677 à 1697. Les parties historiques, très détruites par les bombardements de 1944, ont été bien restaurées.

La douceur de vivre – Les habitants et les visiteurs apprécient particulièrement le climat doux et ensoleillé de Fribourg. 20 000 étudiants viennent en profiter chaque année. Les **Bächle** (caniveaux à ciel ouvert), qui bordent les rues de la vieille ville et la pourvoient en eau fraîche, donnent au centre-ville une note calme et enjouée.

Capitale verte – Fribourg se veut résolument à la pointe en matière d'écologie. Plusieurs centres de recherche sur l'environnement s'y sont installés ; on y encourage l'emploi de l'énergie solaire et de nombreuses mesures visent à éviter l'usage des voitures individuelles pour favoriser les transports en commun, le vélo et la marche à pied. Le centre-ville est réservé aux piétons et desservi par des tramways.

Découvrir

La cathédrale★★ (Münster) (B1)

Brochure en français disponible à l'entrée.
De la cathédrale romane primitive, commencée vers 1200, subsiste la croisée du transept, flanquée de tours octogonales, les « tours des Coqs », dont le couronnement est gothique. La construction se poursuivit lentement vers l'ouest, en tenant compte de l'évolution de l'art de bâtir à l'époque gothique. Cette étape s'acheva par l'édification de la splendide tour de façade dont les multiples pans se recoupent en arêtes vives. C'est l'une des rares tours d'Allemagne à avoir été entièrement achevée au Moyen Âge. En 1354 fut ouvert le chantier ambitieux d'un nouveau chœur ; il fallut attendre 1513 pour que soit consacré ce vaste vaisseau à déambulatoire, d'allure purement germanique, avec ses voûtes en réseau propres au style gothique tardif.

S. Ollivier/MICHELIN

Tour de la cathédrale coiffée d'une superbe flèche en dentelle de pierre.

Extérieur

Au tympan du **portail nord** du chœur, exécuté vers 1350, est illustré l'épisode du péché originel. L'archivolte (ensembles des arcs sculptés encadrant le portail) montre la création du monde selon la Genèse ; à droite, on remarque la représentation assez rare du Créateur au repos, le septième jour. Le **flanc sud**, particulièrement riche, montre, aux contreforts, de nombreuses statues de rois de l'Ancien Testament et d'apôtres. Le portail sud est abrité par un porche Renaissance. Au-dessus du **portail de façade** (portail ouest), le porche est décoré de statues de la fin du 13ᵉ s. Sur la paroi de gauche, on aperçoit une représentation de Satan, sous l'apparence séduisante du « Prince de ce monde » et de sa victime, sommairement vêtue d'une peau de bouc. Des personnages bibliques et les vierges sages leur font suite. Sur la paroi de droite se succèdent les vierges folles au visage amer, les statues des Arts libéraux, celles de sainte Marguerite et de sainte Catherine, patronnes de la sagesse chrétienne. Le portail lui-même, flanqué des statues de l'Église à gauche et de la Synagogue aux yeux bandés à droite, est entièrement consacré au mystère de la Rédemption : détail assez rare, le tympan juxtapose des scènes de la vie terrestre du Christ et un intéressant Jugement dernier. La **tour★★★** est composée d'une souche carrée, très sobre, qui forme le soubassement du clocher octogonal ajouré, autour duquel court une galerie en étoile aux belles gargouilles. Il est possible d'y monter *(accès par l'extérieur, côté sud)*, puis d'atteindre la plate-forme supérieure, coiffée par l'admirable flèche en dentelle de pierre. **Vues★** sur Fribourg, le Schlossberg, et, au loin, sur le Kaiserstuhl et les Vosges. *📞 (0761) 20 27 90 - avr.-oct. : tlj. tte la journée, dim. apr.-midi ; nov.-mars : tlj sf lun. tte la journée, dim. apr.-midi - 1,50 €.*

Le **porche de la tour★★** apparaît dans toute sa splendeur : 418 statues de pierre de la fin du 13ᵉ s. Le tympan à trois registres, au-dessus de la porte, raconte la naissance du Christ, la Passion et le Jugement dernier.

FRIBOURG-EN-BRISGAU
CATHÉDRALE

Intérieur

La **nef**, modérément élancée, est ornée d'une gracieuse galerie à arcades trilobées courant le long du mur des bas-côtés. Les vitraux des 13ᵉ et 14ᵉ s. sont absolument remarquables. On reconnaît sur certains les blasons des corporations donatrices : botte des cordonniers, ciseaux des tailleurs, bretzel et miche de pain des boulangers. Le mobilier et la statuaire comprennent en particulier : une Vierge au pilier (fin du 13ᵉ s.) vénérée par deux anges **(1)** ; une chaire à motifs rustiques **(2)** du gothique tardif (1560) où le sculpteur s'est représenté dans une lucarne sous l'escalier. La statue du gisant **(3)**, refait au 17ᵉ s., est celle de Berthold V, le dernier duc de Zähringen. Derrière une claire-voie gothique, remarquez le saint-sépulcre de 1340 **(4)**. Aux trois fenêtres du croisillon sud **(5)**, les vitraux à médaillons sont les plus anciens de l'édifice (13ᵉ s.) ; ils proviennent de l'ancien chœur roman. En **(6)**, groupe sculpté de l'Adoration des Mages (1505).

Le **chœur** dévoile la disposition savante des voûtes du déambulatoire, et celles des chapelles latérales largement ouvertes. Dans la chapelle Stürzel **(a)**, les fonts baptismaux rococo ont été dessinés par Wenzinger. La chapelle voisine, celle de l'Université **(b)**, présente un retable d'Oberried (1521). Les deux panneaux (la Nativité et l'Adoration des Mages) sont de Hans Holbein le Jeune. Au revers du grand retable **(d)**, peinture de la Crucifixion. Dans la deuxième chapelle impériale **(c)**, le retable sculpté de Schnewlin, par Hans Wydyz, représente le Repos de la Sainte Famille. Les peintures sont de l'atelier de Baldung Grien. Dans la chapelle Böcklin **(e)** se trouve un crucifix Locherer, œuvre romane en argent repoussé. Enfin, la chapelle Locherer **(f)** abrite un retable (1521-1524) de Sixt von Staufen avec une Vierge en manteau protégeant l'humanité. Au maître-autel, admirez le **retable★★** réalisé de 1512 à 1516 par **Hans Baldung Grien**. Le panneau central représente le couronnement de la Vierge.

Visiter

Place de la Cathédrale (Münsterplatz) (B1)
Face au flanc sud de l'église se dressent différents bâtiments ayant servi, par leur pompe, le prestige municipal ou ecclésiastique.

Palais archiépiscopal (Erzbischöfliches Palais) (B1) – Construit en 1756 pour accueillir l'ordre de la Chevalerie, ce palais possède un beau balcon de fer forgé.

Maison des Marchands★ (Historiches Kaufhaus) – Centre de la vie commerciale de Fribourg au Moyen Âge, ce bâtiment gothique crépi de rouge, défendu par des échauguettes (guérites placées aux angles) au toit aigu, est couvert de tuiles vernissées et repose sur une galerie à arcades. Les grandes statues des empereurs (1530), au 1er étage, rappellent l'allégeance de la ville aux Habsbourg.

Wentzingerhaus – *Münsterplatz 30 - ℘ 0761 201 2515 - www.museen.freiburg. de - mar.-dim. tte la journée - fermé 24 et 31 déc. - 2 € (-7 ans 1 €).* L'hôtel que se fit construire en 1761 le grand peintre et sculpteur fribourgeois Christian Wentzinger complète dignement l'ordonnance de la place. Il abrite le **Musée historique de la ville (Museum für Stadtgeschichte)**. À l'intérieur, admirez l'escalier et le plafond baroques, ainsi que la cour ornée des statues des quatre saisons.

Maison des Marchands (Historiches Kaufhaus).

Place de l'Hôtel-de-Ville★ (Rathausplatz) (A1)

Cette place avec ses balcons fleuris et son bouquet de marronniers encadre la statue de Berthold Schwarz, moine franciscain qui aurait inventé la poudre à canon vers 1350. À gauche de l'ancien hôtel de ville, peint au badigeon rouge vif, le **nouvel hôtel de ville★ (Neues Rathaus)** est composé de deux maisons bourgeoises du 16ᵉ s., noyau de l'ancienne université de Fribourg, qui furent raccordées en 1901 par un corps central à arcades. La fenêtre avancée, ou oriel, qui marque l'angle de la place et de l'Eisenbahnstraße a gardé son décor sculpté, représentant la Dame à la Licorne.

Maison de la Baleine (Haus zum Walfisch) (A/B1)

Au 3 de la Franziskanerstraße, cette maison (1516) offre un portail richement orné dans le goût de la fin du gothique et surmonté d'un oriel. Elle servit de refuge au philosophe humaniste Érasme lorsqu'il fuyait les foudres de la Réforme.

Musée des Augustins★★ (Augustinermuseum) (B2)

Gerberau 15 - ☎ 0761 201 2521 - www.museen.freiburg.de - lun., merc.-dim. tte la journée - fermé 24, 25 et 31 déc. et 1ᵉʳ janv. - gratuit. Une partie du musée n'est pas accessible en raison de travaux. Installé dans l'église de l'ancien couvent des augustins, le musée présente une **section d'art du Moyen Âge★★**. Parmi ses trésors, on compte un volet du retable de Grünewald (miracle de sainte Marie-des-Neiges) (1519), des œuvres de Lucas Cranach et Hans Baldung Grien, ainsi qu'un impressionnant **crucifix★** du 14ᵉ s. La statuaire est représentée par des œuvres admirables des 14ᵉ et 15ᵉ s.

Manoir Colombi (Colombischlössle) (A1)

Ce manoir de style néogothique anglais situé au cœur du parc du même nom abrite un musée d'archéologie intéressant (pièces de la préhistoire au Moyen Âge).

Porte de la Souabe (Schwabentor) (B2)

De la **porte de la Souabe**, vestige des fortifications du Moyen Âge, on peut descendre sur les quais bordant le Gewerbekanal : c'est le pittoresque mais pauvre quartier de l'Insel, où se groupaient jadis les pêcheurs et les tanneurs.

Schloßberg★ (B2)

Des bois remplacent aujourd'hui le château des Zähringen, dont Vauban avait édifié les fortifications, détruit au 18ᵉ s. par les Français. La montée, que l'on peut effectuer soit en **télécabine** *(départ du Stadtgarten)*, soit à pied à partir de la porte de la Souabe, fait découvrir la cathédrale. Vue sur Fribourg et sa région du haut de la tour panoramique *(20mn à pied depuis la station supérieure du télécabine).* ☎ *076 02 448 - visite guidée : juil.-août : tlj sf lun. apr.-midi ; mai-juin, sept.-oct. : w.-end apr.-midi - 12 € (enf. 8,50 €).*

Aux alentours

Schauinsland

La route, régulière mais tout en virages, conduit à la station supérieure du téléphérique. On peut accéder à la station inférieure par les transports en commun (tramway par Günterstal, puis bus vers Horben) ; de là, 15mn en téléphérique jusqu'à la station supérieure. Aujourd'hui îlot d'air frais pendant les chaleurs estivales, de lumière aux heures embrumées de l'automne, le Schauinsland « de Fribourg » (1 294 m) fut, pendant des siècles, précieux pour l'économie de la cité. Les gisements de ses flancs alimentèrent son activité manufacturière, notamment en minerai d'argent. Des visites guidées de la **mine (Museumsbergwerk)**, située près de la station supérieure du téléphérique du Schauinsland, sont proposées *(mai-oct. : merc., sam. et dim.)*.

Tour-belvédère – *Accès depuis le parking de la station supérieure du téléphérique.*
La **vue★** se développe au-delà des forêts et des pâturages sur la région de Fribourg, les rives du Rhin supérieur, les Vosges, les parties centrales et le sud de la Forêt-Noire et, par temps très dégagé, sur les Alpes.

Ferme-musée Schniederlihof – *Dans Hofsgrund, suivez les indications. Parking. 20mn à pied AR.* Construite en 1593 et exploitée jusqu'en 1966, cette ferme typique du Schauinsland permet de mieux connaître la vie menée par les paysans de la Forêt-Noire. Les demeures de style Schauinsland présentent trois caractéristiques architecturales majeures : leur faîte est toujours parallèle au versant, les pièces d'habitation, les étables et remises sont regroupées sous un même toit immense, les accès sont toujours orientés vers l'est – d'où vient le beau temps. *Gegendrummweg 3 - ☎ 07 661 930 566 : juil.-août : tte la journée ; mai-juin : w.-end et vend. tte la journée ; sept. : w.-end tte la journée ; oct. : w.-end et vend. tte la journée - 11,20 € (enf. 8 €).*

👪 Situé sur la route qui relie Kirchzarten à Todtnau, à quelques kilomètres au sud-est de la station supérieure du téléphérique *(1h30 à pied)*, le **Steinwasenpark** regroupe animaux et attractions pour le plus grand bonheur des enfants.

Fribourg pratique

Adresse utile

Office du tourisme de Fribourg – *Rotteckring 14 - ☎ 0761 388 18 81 - www.fwtm.freiburg.de - juin-sept. : lun.-sam. tte la journée, dim. apr. midi ; oct.-mai : lun.-vend. tte la journée, w.-end mat.*

Visites

Freiburg-Kultour – Mandaté par l'office du tourisme, cet organisme prévoit des visites guidées de la ville et de la cathédrale, des parcours de découverte.

Historix-Tours – Cette société propose des visites guidées thématiques. *Se renseigner à l'office de tourisme.*

Se loger

⌇ **Zur Tanne** – *Altgasse 2 - 79112 Freiburg Opfingen - ☎ (07664) 18 10 - tanne-opfingen@t-online.de - fermé 8 janv.-8 fév. et 2 sem. en juin-juil. - 10 ch. 45/87 € - rest. 18/44 €.* Dans cette auberge badoise datant de 1786 et qui est depuis longtemps propriété familiale, les chambres arrangées avec goût promettent un séjour agréable.

⌇ **Zum Kreuz** – *Großtalstr. 28 - 79117 Freiburg Kappel - ☎ (0761) 62 05 50 - gasthaus.kreuzkappel@t-online.de - fermé 2 sem. déb. janv. - 🅿 - 15 ch. 79/89 € - rest. 22/32 €.* Depuis plusieurs générations, l'auberge, datant de 1755, est propriété familiale. Les chambres sont confortablement aménagées, certaines dotées de balcon.

⌇ **Schwarzwälder Hof** – *Herrenstr. 43 - ☎ (0761) 3 80 30 - 43 ch. 90/95 € - rest. 18/29 €.* Cet hôtel occupe un emplacement central sur les hauteurs de la vieille ville. Les chambres très sobrement aménagées, sont pour la plupart dotées de sols parquetés et en partie meublées de bois clair.

Se restaurer

⌇ **Freiburger Markthalle** – *Kaiser-Joseph-Strasse 237 - lun.-vend. 7h-19h, sam. 7h-18h - www.freiburger-markthalle.de - à partir de 8 €.* Les anciennes halles n'accueillent plus d'étals traditionnels mais des restaurants. Au total 22 établissements pour autant de nationalités différentes : le *Martin's Brau* et sa gastronomie allemande, *Osteria,* son homologue italien, un petit bar à vin français et bien d'autres parmi lesquels des stands grec, turc ou géorgien.

⌇ **Hirschen** – *Breisgauer Str. 47 - 79110 Freiburg Lehen - ☎ (0761) 8 97 76 90 - réserv. obligatoire le soir - 22/36 € - 70 ch. 139/215 €.* Une jolie auberge rustique datant de 1698 et propriété familiale depuis six générations. Les créations du chef satisferont les amateurs de cuisine franco-badoise.

⌇ **Gasthaus Linde** – *Basler Landstr. 79 - 79111 Freiburg St-Georgen - ☎ (0761) 4 70 28 31 - fermé 13-27 août, sam. midi et lun. - 25/49 €.* Un restaurant sur deux étages tenu en famille - une partie avec parquet clair, cheminée et lambris de bois, l'autre plus moderne.

Événements

Fête du vin – *De fin juin à début juillet.*

Carnaval – Mélange de carnaval alémanique (1930) et traditionnel du Rhin, fêté depuis la fin du 19e s.

Le Kaiserstuhl

CARTE GÉNÉRALE C2 – CARTE MICHELIN N° 545 V6/7 - BADE WURTEMBURG

Le Kaiserstuhl, ou « trône de l'Empereur », ainsi nommé pour honorer l'empereur Othon III, est un ancien volcan (557 m). Véritable Riviera d'Allemagne, c'est la région la plus ensoleillée du pays ; on y trouve des plantes inattendues comme des orchidées. Pour découvrir le vignoble, les vergers et les landes du Kaiserstuhl (c'est-à-dire les trois étages de végétation du massif), parcourez-le à pied.

- **Se repérer** – Breisach se trouve à 20 km à l'ouest de Fribourg.
- **À ne pas manquer** – À Breisach, la cathédrale St-Étienne, notamment pour son décor intérieur et son maître-autel, la place du Château, pour les vues qu'elle offre sur les environs, et les villages typiques de Burkheim et Endigen.
- **Organiser son temps** – Cette opulente région, la plus ensoleillée d'Allemagne, est sillonnée de chemins de randonnée pédestre, mais on peut aussi la découvrir à vélo (pistes cyclables dont un circuit touristique de 64 km), ou en saison, par un parcours en petit train à vapeur au départ de Breisach.
- **Pour poursuivre la visite** – Voir aussi Fribourg-en-Brisgau.

Comprendre

Le vignoble du Kaiserstuhl – Un climat chaud et sec, réputé pour ses fortes chaleurs estivales, fait des derniers coteaux du massif un terrain d'élection pour les arbres fruitiers et la vigne. Les sylvaner, riesling et traminer, auxquels s'ajoutent les ruländers (pinot gris) plus corsés, sont ici des vins blancs spécialement étoffés. Le pinot rouge (cépage rouge) est souvent vinifié en rosé, le Weissherbst, vin plaisant d'une couleur soutenue admirable lorsque l'automne a été particulièrement ensoleillé. Les crus d'Ihringen, Bickensohl, Oberrotweil comptent parmi les plus appréciés. D'avril à octobre, des fêtes du vin animent les bourgs viticoles.

Découvrir

Vogtsburg-Achkarren – Le **musée de la Viticulture dans le Kaiserstuhl (Kaiserstühler Weinbaumuseum)** présente l'évolution géologique et viticole de cette région des temps ancestraux jusqu'à aujourd'hui. Outils et appareils spéciaux illustrent le travail dans les vignobles et la transformation du raisin. *(07662) 94 011 - www. vogtsburg-im-kaiserstuhl.de - &. - du dim. des Rameaux au 1er nov. : mar.-vend. apr.-midi, w.-end tte la journée - 2 €.*

Deux sentiers fléchés : l'un viticole (geologischer Weinlehrpfad ; *accessible du bourg*) ; l'autre forestier (Waldlehrpfad ; *dép. à 2 km du bourg sur la route de Nie-derrotweil*).

Vignobles dans la région de Oberrotweil.

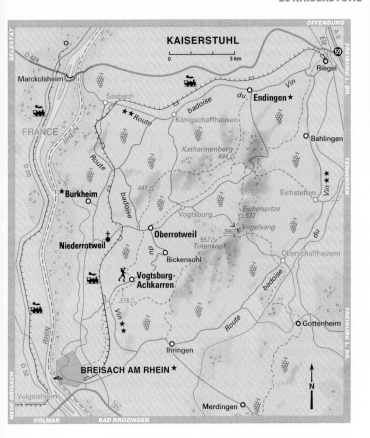

Breisach★

Breisach, que les Français appellent habituellement Vieux-Brisach, par opposition à la ville forte de Neuf-Brisach, construite en 1699 par Vauban sur la rive gauche du Rhin, dresse au-dessus du fleuve son rocher surmonté de la cathédrale. Ce rocher permit aux Romains, vers l'an 260, d'édifier un oppidum afin de défendre leur frontière sur le Rhin contre les incursions des Alamans. Aux 11e et 12e s., la colline fortifiée, puis le village qui s'y érigea, étaient le fief de l'évêché de Bâle ; Breisach passa sous la souveraineté des évêques de Bâle, remplacés en 1 200 par les Zähringen. En 1273, elle devint ville libre d'Empire et à partir de 1331, un poste avancé de l'Autriche antérieure.

Au 17e s., Breisach devint le noyau d'un système de fortifications qui compta parmi les plus redoutables d'Europe. La situation très exposée de la ville, qui, à partir des traités de Westphalie, fut tantôt une tête de pont française, tantôt un avant-poste de l'Empire, valut à la cité d'être souvent un enjeu militaire. En 1793, Breisach fut inopinément ruinée à la suite d'un sévère bombardement, cinq jours durant, par les troupes révolutionnaires françaises. La cité fut de nouveau très endommagée en 1945.

« Capitale touristique du Kaiserstuhl », Breisach organise en été un festival de théâtre en plein air (Festspiele) dont le répertoire comporte toujours une pièce pour enfants.

Cathédrale St-Étienne★ (Münster St. Stephan) – L'église occupe un **site★** altier. Le monument a gardé d'un sanctuaire roman de plan basilical la nef, le transept et la tour nord ; cette dernière et la tour sud, gothique, flanquent l'abside comme à Fribourg. Peu avant 1300, on érigea un nouveau chœur, de style gothique. Pour racheter la dénivellation du terrain, on construisit, en guise de fondations à ce nouveau chœur, une sorte de crypte aux voûtes puissantes, accessible seulement de l'extérieur.

D'une riche **ornementation intérieure★** subsistent plusieurs belles pièces de sculpture gothique tardive : le jubé (fin 15e s.), le groupe sculpté du saint-sépulcre (1520-1530), le reliquaire en argent des saints Gervais et Protais, dû à un orfèvre strasbourgeois (1496). Le **retable du maître-autel★★** (1526) en bois sculpté, au décor extraordinairement fouillé de feuillages en copeaux, de chevelures et de draperies d'une intense vitalité, est occupé par un panneau central représentant le couronnement de la Vierge par le Père éternel et le Christ. Les volets sont dédiés à saint Étienne et à saint Laurent *(à gauche)*, à saint Gervais et à saint Protais, patrons de la ville *(à droite)*. L'autel, utilisé dans la célébration des offices, a été consacré en 1996 : reposant sur huit supports en chêne massif, c'est une œuvre de Franz Gutmann.

La première travée ouest a conservé un ensemble de peintures murales de la fin du 15e s., œuvre du Colmarien **Martin Schongauer**, qui vécut à Breisach les dernières années de sa vie.

Place du Château – Elle offre des **vues★** magnifiques. Une table d'orientation permet de reconnaître les sommets de la Forêt-Noire méridionale, les hauteurs du Sundgau et du Lomont, les Vosges (du Grand Ballon au château du Haut-Kœnigsbourg), le Kaiserstuhl tout proche.

Rheintor – Sur la porte monumentale qui gardait l'accès de la ville au nord-ouest figurent encore, témoins de sa construction par Vauban, les armes du royaume de France. Le **musée d'Histoire de la ville (Museum für Stadtgeschichte)** y est installé. Vestiges et objets de l'âge de pierre jusqu'à nos jours retracent l'histoire mouvementée de Breisach. *Pl. Rheintorplatz - ℘ 0766 79 40 155 - www.breisach.de - tlj sf lun. apr.-midi, w.-end et j. fériés tte la journée - fermé 25 déc. - gratuit.*

Oberrotweil

Chemin d'initiation à la viticulture et aux plantes médicinales qui s'achève par un surprenant dénivelé de 158 m avec un point de vue sur le Mondhalde (370 m). *Point de départ du sentier : Bruckmühlenstrasse, longueur : env. 2 km.*

Niederrotweil

L'église **St. Michael**, au centre du cimetière, est considérée comme la plus ancienne du Kaiserstuhl. Cette église romane (11e s.) a été transformée dans le style gothique après 1350, lorsqu'elle dépendit du monastère de St-Blasien. Elle abrite un **retable sculpté★** représentant le couronnement de Marie. Ce chef-d'œuvre du gothique tardif daté de 1520 serait l'œuvre de l'artiste qui a créé l'autel de Breisach (Maître H. L.). Les fresques dans les voûtains du chœur datent du milieu du 14e s. et représentent le Christ et les symboles des évangélistes. Les ajouts baroques du 18e s. sont les autels latéraux et la très belle chaire (1730). *Mat. et apr.-midi sf. lun. mat.*

Burkheim★

Ce village de vignerons étagé au flanc d'une légère combe est desservi par trois rues parallèles, à différents niveaux.

La rue inférieure (Marktstrasse) a conservé beaucoup de charme avec son hôtel de ville au portail orné de blasons (1604), sa maison rouge à oriels et ses habitations à colombages.

Endingen★

L'historique Marktplatz, tout en longueur, est entourée de beaux bâtiments : l'ancien hôtel de ville avec son pignon à volutes (16e s.) et l'ancienne halle au blé (Kornhalle, aujourd'hui hôtel de ville), bâtiment allongé avec pignons à redans datant de la même époque, sont tout à fait remarquables. La maison **Krebs**, maison bourgeoise du 18e s. située au nord de la place, possède une élégante façade dont la partie médiane est rehaussée par un portail richement orné et un balcon. L'**Üsenberger Hof** est une ancienne demeure de l'aristocratie reliée à Hauptstrasse par le Schwibbogen. Cette construction à colombages abrite le musée de l'Autriche antérieure (Vorderösterreich-Museum).

Autres villages de viticulteurs bien fleuris à visiter dans la région : **Mardingen, Ihringen, Riegel, Bahlingen, Gottenheim, Tiengen**.

Le Kaiserstuhl pratique

Adresse utile

Office du tourisme de Breisach – *Marktplatz 16 - 79206 Breisach - ℘ 076 679 401 55 - www.breisach.de - avr.-déc. : tlj sf dim. mat. et apr.-midi, sam. mat. ; reste de l'année : tlj sf w.-end mat. et apr.-midi, fermé j. fériés.*

Promenade en train et bateau

On peut effectuer le parcours entre le port de Neuf-Brisach (Vogelsheim) et Marckolsheim am Rhein à bord d'un train à vapeur de 1900 et se promener sur le Rhin à bord d'un bateau datant de 1933. À la gare de Volgelsheim, un petit musée ramène le visiteur au 19e s. *26 r. des Cordiers - ℘ 03 89 72 56 66 - cftr.evolutive.org.*

Croisières fluviales – À Breisach am Rhein, côté allemand, la BSF propose d'agréables croisières fluviales d'avril à octobre, avec ou sans repas, agrémentées de spectaculaires passages d'écluses.

Se loger

⊖⊜ **Kreuz-Post** – *Landstr. 1 - 79235 Vogtsburg im Kaiserstuhl - ℘ (07662) 9 09 10 - info@kreuz-post.de - 🅿 - 35 ch. 58/102 € ⌂ - rest. 19/37 €.* Tenu avec beaucoup d'engagement et d'investissement personnel, cet établissement est rénové régulièrement. Des chambres arrangées avec goût font la joie du visiteur.

⊖⊜ **Landgasthof Adler** – *Hochstetter Str. 11 - 79206 Breisach-am-Rhein - ℘ (07667) 9 39 30 - adler-hochstetten@t-online.de - fermé 3 sem. en fév. - 🅿 - 23 ch. 69/75 € ⌂ - rest. 16/34 €.* Aux pieds du Kaiserstuhl et du Tuniberg, vous savourerez une hospitalité campagnarde. Les installations rustiques exhalent le charme et le bien-être champêtres.

⊖⊜ **Kapuzinergarten** – *Kapuzinergasse 26 - 79206 Breisach-am-Rhein - ℘ (07667) 9 30 00 - mail@kapuzinergarten. de - 🅿 - 43 ch. 69/94 € ⌂ - rest. 23/47 €.* Vous aurez le choix entre une « chambre monacale » simple ou une confortable maisonnette. Toutes les chambres offrent une vue superbe sur le Kaiserstuhl ou la Forêt-Noire. En été, les repas sont pris sur la terrasse verdoyante du toit et en hiver dans la salle autour d'une cheminée.

Se restaurer

⊝ **Winzerhaus Rebstock** – *Badbergstr. 22 - 79235 Vogtsburg im Kaiserstuhl - ℘ (07662) 93 30 11 - rebstock@franz-keller. de - fermé 29 janv.-15 fév., lun. et jeu. - 14/29 €.* Une sympathique et simple auberge de village à l'atmosphère champêtre. Sur les tables en bois nues, on sert une cuisine régionale de terroir.

Que rapporter

Badischer Winzerkeller – *Zum Kaiserstuhl 16 - 79206 Breisach-am-Rhein - ℘ (076) 67 900 0 - www.badischer-winzerkeller.de.* Cette cave coopérative qui compte parmi les plus vastes d'Europe rassemble des vignerons originaires de toute la vallée du Rhin, de Bâle jusqu'à Mannheim. Vous pourrez visiter les installations ainsi que la vinothèque où sont conservées des bouteilles vieilles de 50 ans. Dégustation commentée.

Winzergenossenschaft Achkarren – *Schlossbergstrasse 2 - 79235 Vogtsburg-Acharren - ℘ (0049) 7 66 29 30 40 - info@ winzergenossenschaft-achkarren.de - tlj sf dim. 8h-12h30, 13h30-17h30, sam. 9h-13h (avr.-déc.) ; visite : merc. à 10h.* Cultivées depuis 1283, les vignes de la région bénéficient d'un climat idéal qui confère aux vins un goût fruité et de riches arômes. Parmi les différents crus disponibles dans cette cave, on notera la présence du nouveau Castello, un vin mousseux aux parfums de pêche, mangue et citron.

Winzergenossenschaft Wasenweiler – *79241 Wasenweiler - ℘ (0049) 76 68 50 76 - info@wg-wasenweiler.de - avr.-déc. : tlj sf dim. 7h30-12h, 13h-17h30, sam. 9h-12h30 ; janv.-mars : tlj sf w.-end 7h30-12h, 13h-16h30.* La coopérative a été fondée en 1935, mais les vignobles existent depuis 1297, époque où le château de Wasenweiler était la propriété de l'ordre teutonique. La production – pinot noir en grande partie – est régulièrement récompensée par des prix et des médailles qui confèrent une bonne réputation à l'établissement.

Événements

Théâtre de plein air – Capitale touristique du Kaiserstuhl, Breisach organise en été un festival de théâtre en plein air (Festspiele), dont le répertoire comporte toujours une pièce pour les enfants.

MES ADRESSES

Nom ....

Adresse ....

Lieu .... ☎ ....

😊 ....
....
....

☹ ....
....
....

Nom ....

Adresse ....

Lieu .... ☎ ....

😊 ....
....
....

☹ ....
....
....

Nom ....

Adresse ....

Lieu .... ☎ ....

😊 ....
....
....

☹ ....
....
....

Nom ....

Adresse ....

Lieu .... ☎ ....

😊 ....
....
....

☹ ....
....
....

Nom ....

Adresse ....

Lieu .... ☎ ....

😊 ....
....
....
....

😞 ....
....
....
....

Nom ....

Adresse ....

Lieu .... ☎ ....

😊 ....
....
....
....

😞 ....
....
....
....

Nom ....

Adresse ....

Lieu .... ☎ ....

😊 ....
....
....
....

😞 ....
....
....
....

Nom ....

Adresse ....

Lieu .... ☎ ....

😊 ....
....
....
....

😞 ....
....
....
....

MES ADRESSES

Nom ....

Adresse ....

Lieu .... ☎ ....

😊 ....
....
....
....

☹ ....
....
....
....

Nom ....

Adresse ....

Lieu .... ☎ ....

😊 ....
....
....
....

☹ ....
....
....
....

Nom ....

Adresse ....

Lieu .... ☎ ....

😊 ....
....
....
....

☹ ....
....
....
....

Nom ....

Adresse ....

Lieu .... ☎ ....

😊 ....
....
....
....

☹ ....
....
....
....

Nom ....

Adresse ....

Lieu .... ☏ ....

☺ ....
....
....
....

☹ ....
....
....
....

Nom ....

Adresse ....

Lieu .... ☏ ....

☺ ....
....
....
....

☹ ....
....
....
....

Nom ....

Adresse ....

Lieu .... ☏ ....

☺ ....
....
....
....

☹ ....
....
....
....

Nom ....

Adresse ....

Lieu .... ☏ ....

☺ ....
....
....
....

☹ ....
....
....
....

MES ADRESSES

Nom ....

Adresse ....

Lieu .... ☎ ....

😊 ....
....
....
....

☹ ....
....
....
....

Nom ....

Adresse ....

Lieu .... ☎ ....

😊 ....
....
....
....

☹ ....
....
....
....

Nom ....

Adresse ....

Lieu .... ☎ ....

😊 ....
....
....
....

☹ ....
....
....
....

Nom ....

Adresse ....

Lieu .... ☎ ....

😊 ....
....
....
....

☹ ....
....
....
....

Nom ....

Adresse ....

Lieu .... ☎ ....

☺ ....
....
....
....

☹ ....
....
....
....

Nom ....

Adresse ....

Lieu .... ☎ ....

☺ ....
....
....
....

☹ ....
....
....
....

Nom ....

Adresse ....

Lieu .... ☎ ....

☺ ....
....
....
....

☹ ....
....
....
....

Nom ....

Adresse ....

Lieu .... ☎ ....

☺ ....
....
....
....

☹ ....
....
....
....

MES ADRESSES

Nom ....

Adresse ....

Lieu .... ☎ ....

☺ ....
....
....
....

☹ ....
....
....
....

Nom ....

Adresse ....

Lieu .... ☎ ....

☺ ....
....
....
....

☹ ....
....
....
....

Nom ....

Adresse ....

Lieu .... ☎ ....

☺ ....
....
....
....

☹ ....
....
....
....

Nom ....

Adresse ....

Lieu .... ☎ ....

☺ ....
....
....
....

☹ ....
....
....
....

Nom ....

Adresse ....

Lieu .... ☎ ....

🙂 ....
....
....

☹ ....
....
....

Nom ....

Adresse ....

Lieu .... ☎ ....

🙂 ....
....
....

☹ ....
....
....

Nom ....

Adresse ....

Lieu .... ☎ ....

🙂 ....
....
....

☹ ....
....
....

Nom ....

Adresse ....

Lieu .... ☎ ....

🙂 ....
....
....

☹ ....
....
....

MES ADRESSES

Nom ....

Adresse ....

Lieu .... ✆ ....

🙂 ....
....
....
....

🙁 ....
....
....
....

Nom ....

Adresse ....

Lieu .... ✆ ....

🙂 ....
....
....
....

🙁 ....
....
....
....

Nom ....

Adresse ....

Lieu .... ✆ ....

🙂 ....
....
....
....

🙁 ....
....
....
....

Nom ....

Adresse ....

Lieu .... ✆ ....

🙂 ....
....
....
....

🙁 ....
....
....
....

Nom ....

Adresse ....

Lieu .... ☎ ....

☺ ....
....
....

☹ ....
....
....
....

Nom ....

Adresse ....

Lieu .... ☎ ....

☺ ....
....
....

☹ ....
....
....
....

Nom ....

Adresse ....

Lieu .... ☎ ....

☺ ....
....
....

☹ ....
....
....
....

Nom ....

Adresse ....

Lieu .... ☎ ....

☺ ....
....
....

☹ ....
....
....
....

MES DÉPENSES

date	objet	montant

date	objet	montant

MES DÉPENSES

date	objet	montant

date	objet	montant

Strasbourg (67) : villes, curiosités et régions touristiques.
Schuman, Robert : noms historiques et termes faisant l'objet d'une explication.
Les sites isolés (châteaux, abbayes, grottes…) sont répertoriés à leur propre nom.

Nous précisons pour chaque ville ou site le département (ou la région pour l'Allemagne) où il se situe. À savoir :
54 = Meurthe-et-Moselle
55 = Meuse
57 = Moselle
67 = Bas-Rhin
68 = Haut-Rhin
88 = Vosges
BW = Bade-Wurtemberg

INDEX

CARTES ET PLANS

Changement de numérotation routière !

Sur de nombreux tronçons, les routes nationales passent sous la direction des départements. Leur numérotation est en cours de modification.

La mise en place sur le terrain a commencé en 2006 mais devrait se poursuivre sur plusieurs années. De plus, certaines routes n'ont pas encore définitivement trouvé leur statut au moment où nous bouclons la rédaction de ce guide. Nous n'avons donc pas pu reporter systématiquement les changements de numéros sur l'ensemble de nos cartes et de nos textes.

👁 **Bon à savoir** – Dans la majorité des cas, on retrouve le n° de la nationale dans les derniers chiffres du n° de la départementale qui la remplace. Exemples : la N 16 devient D 1016, la N 51 devient D 951.

Manufacture française des pneumatiques Michelin
Société en commandite par actions au capital de 304 000 000 EUR
Place des Carmes-Déchaux - 63000 Clermont-Ferrand (France)
R.C.S. Clermont-Fd B 855 200 507

© Michelin, Propriétaires-éditeurs.
Compogravure : Nord Compo à Villeneuve-d'Ascq
Impression et brochage : Aubin à Ligugé
Dépôt légal mars 2006
Imprimé en France 12-2007.

QUESTIONNAIRE
LE GUIDE VERT

VOTRE AVIS NOUS INTÉRESSE...
TOUTES VOS REMARQUES NOUS AIDERONT À ENRICHIR NOS GUIDES.

Merci de renvoyer ce questionnaire à l'adresse suivante :
MICHELIN
Questionnaire Le Guide Vert
46, avenue de Breteuil
75324 PARIS CEDEX 07

En remerciement,
les 100 premières réponses recevront en cadeau
la carte Michelin Départements de leur choix !

VOTRE GUIDE VERT

Titre acheté : ....

Date d'achat : ....

Lieu d'achat *(point de vente et ville)* : ....

VOS HABITUDES D'ACHAT DE GUIDES

1) Aviez-vous déjà acheté un Guide Vert Michelin ?

      O oui   O non

2) Achetez-vous régulièrement des Guides Verts Michelin ?

      O tous les ans   O tous les 2 ans

      O tous les 3 ans   O plus

3) Si oui, quel type de Guides Verts ?

– des Guides Verts sur les régions françaises : lesquelles ? ....

....

– des Guides Verts sur les pays étrangers : lesquels ? ....

....

– Guides Verts Thématiques : lesquels ? ....

....

4) Quelles autres collections de guides touristiques achetez-vous ?

....

5) Quelles autres sources d'information touristique utilisez-vous ?

O Internet : quels sites ? ....

....

O Presse : quels titres ? ....

....

O Brochures des offices de tourisme

VOTRE APPRÉCIATION DU GUIDE

1) Notez votre guide sur 20 : _____

2) Quelles parties avez-vous utilisées ? _____
_____

3) Qu'avez-vous aimé dans ce guide ? _____
_____

4) Qu'est-ce que vous n'avez pas aimé ? _____
_____

5) Avez-vous apprécié ?

	Pas du tout	Peu	Beaucoup	Énormément	Sans réponse
a. La présentation du guide (maquette intérieure, couleurs, photos...)	O	O	O	O	O
b. Les conseils du guide (sites et itinéraires)	O	O	O	O	O
c. L'intérêt des explications sur les sites	O	O	O	O	O
d. Les adresses d'hôtels, de restaurants	O	O	O	O	O
e. Les plans, les cartes	O	O	O	O	O
f. Le détail des informations pratiques (transport, horaires, prix…)	O	O	O	O	O
g. La couverture	O	O	O	O	O

Vos commentaires _____
_____

6) Rachèterez-vous un Guide Vert lors de votre prochain voyage ?

O oui   O non

VOUS ÊTES

O Homme   O Femme   Âge : _____

Profession :

O Agriculteur, Exploitant   O Artisan, commerçant, chef d'entreprise

O Cadre ou profession libérale   O Employé   O Enseignant

O Étudiant   O Ouvrier   O Retraité

O Sans activité professionnelle

Nom _____

Prénom _____

Adresse _____
_____
_____
_____

Acceptez-vous d'être contacté dans le cadre d'études sur nos ouvrages ?

O oui   O non

Quelle carte Michelin Départements souhaitez-vous recevoir ?
Indiquez le département : _____

Offre proposée aux 100 premières personnes ayant renvoyé un questionnaire complet.
Une seule carte offerte par foyer, dans la limite des stocks disponibles.